D1200800

The Thirty-Nine Steps

CONTENTS

THE THIRTY-NINE STEPS

CHAPTER I

THE MAN WHO DIED

I RETURNED from the city about three o'clock on that May afternoon pretty well disgusted with life. I had been three months in the old country and was fed up with it. If any one had told me a year ago that I would have been feeling like that, I should have laughed at him, but there was the fact. The weather made me liverish, the talk of the ordinary Englishman made me sick, I couldn't get enough exercise, and the amusements of London seemed as flat as soda-water that has been standing in the sun. "Richard Hannay," I kept telling myself, "you have got into the wrong ditch, my friend, and you had better climb out."

It made me bite my lips to think of the plans I had been building up those last years in Buluwayo. I had got my pile—not one of the big ones but good enough for me; and I had figured out all kinds of ways of enjoying myself. My father had brought me out from Scotland at the age of six, and I had never been home since; so England was a sort of Arabian Nights to me, and I counted on stopping there for the rest of my days. But from the first I was disappointed with it. In about a week I was tired of seeing sights, and in less than a month I had had enough of restaurants and theatres and race meetings. I had no real pal to go about with, which probably explains things. Plenty of people invited me to their houses, but they didn't seem much interested in me. They would ask me a question or two about South Africa and then get on to their own affairs. A lot of Imperialist ladies asked me to tea to meet schoolmasters from New Zealand and editors from Vancouver, and that was the dismalest business of all.

Here was I, thirty-seven years old, sound in wind and limb, with enough money to have a good time, yawning my head off all day. I had just about settled to clear out and get back to the veld, for I was the best-bored man in the United Kingdom.

That afternoon I had been worrying my brokers about investments to give my mind something to work on, and on my way home I turned into my club—rather a pot-house, which took in Colonial members. I had a long drink, and read the evening papers. They were full of the row in the Near East, and there was an article about Karolides, the Greek premier. I rather fancied the chap. From all accounts he seemed the one big man in the show, and he played a straight game, too, which was more than could be said for most of them. I gathered that they hated him pretty blackly in Berlin and Vienna, but that we were going to stick by him, and one paper said that he was the only barrier between Europe and Armageddon. I remember wondering if I could get a job in those parts. It struck me that Albania was the sort of place that might keep a man from yawning.

About six o'clock I went home, dressed, dined at the Café Royal, and turned into a music-hall. It was a silly show, all capering women and monkey-faced men, and I did not stay long. The night was fine and clear as I walked back to the flat I had hired near Portland Place. The crowd surged past me on the pavements, busy and chattering, and I envied the people for having something to do. These shop-girls and clerks and dandies and policemen had some interest in life that kept them going. I gave half a crown to a beggar because I saw him yawn; he was a fellow sufferer. At Oxford Circus I looked up into the spring sky and I made a vow. I would give the old country another day to fit me into something; if nothing happened, I would take the next boat for the Cape.

My flat was the first floor in a new block behind Langham Place. There was a common staircase with a porter and a lift-man at the entrance, but there was no restaurant or anything of that sort, and each flat was quite shut off from the others. I hate servants on the premises, so I had a fellow to look after me who came in by the day. He arrived before eight o'clock every morning, and used to depart at seven, for I never dined at home.

I was just fitting my key into the door, when I noticed a man at my elbow. I had not seen him approach, and the sudden appearance made me start. He was a slim man with a short brown beard and small gimlety blue eyes. I recognised him as the occupant of a flat on the top floor, with whom I had passed the time of day on the stairs.

"Can I speak to you?" he said. "May I come in for a minute?" He was steadying his voice with an effort, and his hand was pawing my arm.

I got my door open and motioned him in. No sooner was he over the threshold than he made a dash for my back room where I used to smoke and write my letters. Then he bolted back.

"Is the door locked?" he asked feverishly, and he fastened the chain with his own hand.

"I'm very sorry," he said humbly. "It's a mighty liberty, but you looked the kind of man who would understand. I've had you in my mind all this week when things got troublesome. Say, will you do me a good turn?"

"I'll listen to you," I said. "That's all I'll promise." I was getting worried by the antics of this nervous little chap.

There was a tray of drinks on a table beside him, from which he filled himself a stiff whisky and soda. He drank it off in three gulps, and cracked the glass as he set it down.

"Pardon," he said. "I'm a bit rattled to-night. You see, I happen at this moment to be dead."

I sat down in an armchair and lit my pipe.

"What does it feel like?" I asked. I was pretty certain that I had to deal with a madman.

A smile flickered over his drawn face. "I'm not mad—yet. Say, sir, I've been watching you and I reckon you're a cool customer. I reckon, too, you're an honest man, and not afraid of playing a bold hand. I'm going to confide in you. I need help worse than any man ever needed it, and I want to know if I can count you in."

"Get on with your yarn," I said, "and then I'll tell you."

He seemed to brace himself for a great effort and then started on the queerest rigmarole. I didn't get hold of it at first, and I had to stop and ask him questions. But here is the gist of it:—

He was an American, from Kentucky, and after college, being pretty well off, he had started out to see the world. He wrote a bit, and acted as war correspondent for a Chicago paper, and spent a year or two in southeastern Europe. I gathered that he was a fine linguist and had got to know pretty well the society in those parts. He spoke familiarly of many names that I remembered to have seen in the newspapers.

He had played about with politics, he told

me, at first for the interest of them, and then because he couldn't help himself. I read him as a sharp, restless fellow, who always wanted to get down to the roots of things. He got a little further down than he wanted.

I am giving you what he told me as well as I could make it out. Away behind all the governments and the armies there was a big subterranean movement going on, engineered by very dangerous people. He had come on it by accident; it fascinated him; he went further; and then got caught. I gathered that most of the people in it were the sort of educated anarchists that make revolutions, but that beside them there were financiers who were playing for money. A clever man can make big profits on a falling market, and it suited the book of both classes to set Europe by the ears. He told me some queer things that explained a lot that had puzzled me—things that happened in the Balkan War, how one state suddenly came out on top, why alliances were made and broken, why certain men disappeared, and where the sinews of war came from. The aim of the whole conspiracy was to get Russia and Germany at loggerheads.

When I asked why, he said that the anarchist lot thought it would give them their chance. Everything would be in the melting-pot, and they looked to see a new world emerge. The capitalists would rake in the shekels, and make fortunes by buying up wreckage.

Capital, he said, had no conscience and no fatherland; besides, the Jew was behind it, and the Jew hated Russia worse than hell.

"Do you wonder?" he cried. "For three hundred years they have been persecuted, and this is the return match for the *pogroms*. The Jew is everywhere, but you have to go far down the back stairs to find him.

"Take any big Teutonic business concern. If you have dealings with it the first man you meet is Prince *von Und zu* Something, an elegant young man who talks Eton-and-Harrow English. But he cuts no ice. If your business is big, you get behind him and find a prognathous Westphalian with a retreating brow and the manners of a hog.

"He is the German business man that gives your English papers the shakes. But if you're on the biggest kind of job and are bound to get to the real boss, ten to one you are brought up against a little, white-faced Jew in a bath-chair, with an eye like a rattlesnake. Yes, sir, he is the man who is ruling the world just now, and he has his knife in the empire of the Tzar because his aunt was outraged and his father flogged in some one-horse location on the Volga."

I could not help saying that his Jew-anarchists seemed to have got left behind a little.

"Yes and no," he said. "They won up to a point, but they struck a bigger thing than money, a thing that couldn't be bought, the old elemental fighting instincts of man. If you're going to be killed you invent some kind of flag and country to fight for, and if you survive, you get to love the thing. These foolish devils of soldiers have found something they care for, and that has upset the pretty plan laid in Berlin and Vienna. But my friends haven't played their last card by a long sight. They've got the ace up their sleeves, and unless I can keep alive for a month, they are going to play it, and win."

"But I thought you were dead," I put in.

"Mors janua vitæ," he smiled. (I recognised the quotation: it was about all the Latin I knew.) "I'm coming to that, but I've got to put you wise about a lot of things first. If you read your newspaper, I guess you know the name of Constantine Karolides?"

I sat up at that, for I had been reading about him that very afternoon.

"He is the man that has wrecked all their games. He is the one big brain in the whole show, and he happens also to be an honest man. Therefore he has been marked down these twelve months past. I found that out—not that it was difficult, for any fool could guess as much. But I found out the way they were going to get him, and that knowledge was deadly. That's why I have had to decease."

He had another drink and I mixed it for him myself, for I was getting interested in the beggar.

"They can't get him in his own land, for he has a bodyguard of Epirotes that would skin their grandmothers. But on the fifteenth day of June he is coming to this city. The British Foreign Office has taken to having international tea-parties, and the biggest of them is due on that date. Now Karolides is reckoned the principal guest, and if my friends have their way, he will never return to his admiring countrymen."

"That's simple enough, anyhow," I said. "You can warn him and keep him at home."

"And play their game?" he asked sharply. "If he does not come they win, for he's the only man that can straighten out the tangle. And if his government is warned he won't come, for he does not know how big the stakes will be on June 15th."

"What about the British Government?" I asked. "They're not going to let their guests be murdered. Tip them the wink, and they'll take extra precautions."

"No good. They might stuff your city with plain-clothes detectives and double the police, and Constantine would still be a doomed man. My friends are not playing this game for candy. They want a big occasion for the taking off, with the eyes of all Europe on it. He'll be murdered by an Austrian, and there'll be plenty of evidence to show the connivance of the big folk in Vienna and Berlin. It will all be an infernal lie, of course, but the case will look black enough to the world. I'm not talking hot air, my friend. I happen to know every detail of the hellish contrivance, and I can tell you it will be the most finished piece of blackguardism since the Borgias. But it's not going to come off if there's a certain man who knows the wheels of the business alive right here in London on the 15th day of June. And that man is going to be your servant, Franklin P. Scudder."

I was getting to like the little chap. His jaw had shut like a rat-trap and there was the fire of battle in his gimlety eyes. If he was spinning me a yarn, he could act up to it.

"Where did you find out this story?" I asked.

"I got the first hint in an inn on the Achensee in Tyrol. That set me inquiring, and I collected my other clues in a fur-shop in the Galician quarter of Buda, in a Strangers' Club in Vienna, and in a little book-shop off the Racknitzstrasse in Leipsic. I completed my evidence ten days ago in Paris. I can't tell you the details now, for it's something of a history. When I was quite sure in my own mind, I judged it my business to disappear, and I reached this city by a mighty queer circuit. I left Paris a dandified young French-American, and I sailed from Hamburg a Jew diamond merchant. In Norway I was an English student of Ibsen, collecting materials for lectures, but when I left Bergen I was a cinema-man with special ski films. And I came here from Leith with a lot of pulp-wood propositions in my pocket to put before the London newspapers. Till yesterday I thought I had muddied my trail some, and was feeling pretty happy. Then . . ."

The recollection seemed to upset him, and he gulped down some more whisky.

"Then I saw a man standing in the street outside this block. I used to stay close in my room all day, and only slip out after dark for an hour or two. I watched him for a bit from my window, and I thought I recognised him. . . . He came in and spoke to the porter. . . . When I came back from my walk last night I found a card in my letter-box. It bore the name of the man I want least to meet on God's earth."

I think that the look in my companion's eyes, the sheer naked fright on his face, completed my conviction of his honesty. My own voice sharpened a bit as I asked him what he did next.

"I realised that I was bottled as sure as a pickled herring and that there was only one way out. I had to die. If my pursuers knew I was dead they would go to sleep again."

"How did you manage it?"

"I told the man that valets me that I was feeling pretty bad, and I got myself up to look like death. That wasn't difficult, for I'm no slouch at disguises. Then I got a corpse—you can always get a body in London if you know where to go for it. I fetched it back in a trunk on the top of a four-wheeler, and I had to be assisted upstairs to my room. You see, I had to pile up some evidence for the inquest. I went to bed and got my man to mix me a sleeping-draught, and then told him to clear out. He wanted to fetch a doctor, but I swore some and said I couldn't abide leeches. When I was left alone I started in to fake up that corpse. He was my size and I judged had perished from too much alcohol, so I put some spirits handy about the place. The jaw was the weak point in the likeness, so I blew it away with a revolver. I dare say there will be somebody to-morrow to swear to having heard a shot, but there are no neighbours on my floor and I guessed I could risk it. So I left the body in bed dressed up in my pyjamas with a revolver lying on the bedclothes and a considerable mess around. Then I got into a suit of clothes I had kept waiting for emergencies. I didn't dare to shave for fear of leaving tracks, and besides it wasn't any kind of use my trying to get into the streets. I had had you in my mind all day, and there seemed nothing to do but to make an appeal to you. I watched from my window till I saw you come home and then slipped down the stair to meet you. . . . There, sir, I guess you know about as much as me of this business."

He sat blinking like an owl, fluttering with nerves and yet desperately determined.

By this time I was pretty well convinced that he was going straight with me. It was the wildest sort of narrative, but I had heard in my time many steep tales which had turned out to be true, and I had made a practice of judging the man rather than the story. If he had wanted to get a location in my flat and then cut my throat he would have pitched a milder yarn.

"Hand me your key," I said, "and I'll take

a look at the corpse. Excuse my caution, but I'm bound to verify a bit if I can."

He shook his head mournfully. "I reckoned you'd ask for that, but I haven't got it. It's on my chain on the dressing-table. I had to leave it behind, for I couldn't leave any clues to raise suspicions. The gentry who are after me are pretty bright-eyed citizens. You'll have to take me on trust for the night, and to-morrow you'll get proof of the corpse business right enough."

I thought for an instant or two.

"Right. I'll trust you for the night. I'll lock you into this room and keep the key. Just one word, Mr. Scudder. I believe you're straight, but if so be you are not I should warn you that I'm a handy man with a gun."

"Sure," he said, jumping up with some briskness. "I haven't the privilege of your name, sir, but let me tell you that you're a white man. I'll thank you to lend me a razor."

I took him into my bedroom and turned him loose. In half an hour's time a figure came out that I scarcely recognised. Only his gimlety, hungry eyes were the same. He was shaved clean, his hair was parted in the middle, and he had cut his eyebrows.

Further, he carried himself as if he had been drilled, and was the very model, even to the brown complexion, of some British officer who had had a long spell in India. He had a monocle, too, which he stuck in his eye, and every trace of the American had gone out of his speech.

"My hat! Mr. Scudder—" I stammered.

"Not Mr. Scudder," he corrected, "Captain Theophilus Digby, of the Seventh Gurkhas, presently home on leave. I'll thank you to remember that, sir."

I made him a bed in my smoking-room and sought my own couch, more cheerful than I had been for the past month. Things did happen occasionally, even in this God-forgotten metropolis!

I woke next morning to hear my man, Paddock, making the deuce of a row at the smoking-room door.

Paddock was a fellow I had done a good turn to out on the Selakwi, and I had inspanned him as my servant as soon as I got to England. He had about as much gift of the gab as a hippopotamus, and was not a great hand at valeting, but I knew I could count on his loyalty.

"Stop that row, Paddock," I said. "There's a friend of mine, Captain—Captain—" (I couldn't remember the name) "dossing down in there. Get breakfast for two and then come and speak to me."

I told Paddock a fine story about how my friend was a great swell, with his nerves pretty bad from over-work, who wanted absolute rest and stillness. Nobody had got to know he was here, or he would be besieged by communications from the India office and the Prime Minister and his cure would be ruined.

I am bound to say Scudder played up splendidly when he came to breakfast.

He fixed Paddock with his eyeglass, just like a British officer, asked him about the Boer

War, and slung out at me a lot of stuff about imaginary pals. Paddock couldn't learn to call me "sir," but he "sirred" Scudder as if his life depended on it.

I left him with the newspaper and a box of cigars, and went down to the city till luncheon. When I got back the porter had a weighty face.

"Nawsty business 'ere this morning, sir. Gent in No. 15 been and shot 'isself. They've just took 'im to the mortuary. The police are up there now."

I ascended to No. 15 and found a couple of bobbies and an inspector busy making an examination. I asked a few idiotic questions and they soon kicked me out. Then I found the man that had valeted Scudder, and pumped him, but I could see he suspected nothing.

He was a whining fellow with a churchyard face, and half a crown went far to console him.

I attended the inquest next day. A partner of some publishing firm gave evidence that the deceased had brought him wood-pulp propositions and had been, he believed, an agent of an American business. The jury found it a case of suicide while of unsound mind, and the few effects were handed over to the American consul to deal with. I gave Scudder a full account of the affair and it interested him greatly. He said he wished he could have attended the inquest for he reckoned it would be about as spicy as to read one's own obituary notice.

The first two days he stayed with me in that back room he was very peaceful. He read and smoked a bit, and made a heap of jottings in a note-book, and every night we had a game of chess, at which he beat me hollow. I think he was nursing his nerves back to health, for he had had a pretty trying time. But on the third day I could see he was beginning to get restless. He fixed up a list of the days till June 15th and ticked each off with a red pencil, making remarks in shorthand against them. I would find him sunk in a brown study, with his sharp eyes abstracted, and after these spells of meditation he was apt to be very despondent.

Then I could see that he began to get edgy again. He listened for little noises, and was always asking me if Paddock could be trusted. Once or twice he got very peevish and apologised for it. I didn't blame him. I made every allowance, for he had taken on a fairly stiff job.

It was not the safety of his own skin that troubled him, but the success of the scheme he had planned. That little man was clean pluck all through, without a soft spot in him. One night he was very solemn.

"Say, Hannay," he said, "I judge I should let you a bit deeper into this business. I should hate to go out without leaving somebody else to put up a fight." And he began to tell me in detail what I had only heard from him vaguely.

I did not give him very close attention. The fact is I was more interested in his own adventures than in his high politics. I reckoned that Karolides and his affairs were not my business, leaving all that to him. So a lot that he said slipped clean out of my memory. I remember that he was very clear that the danger to Karolides would not begin till he had got to London, and would come from the very highest quarters, where there would be no thought of suspicion. He mentioned the name of a woman—Julia Czechenyi—as having something to do with the danger. She would be the decoy, I gathered, to get Karolides out of the care of his guards. He talked, too, about a Black Stone and a man that lisped in his speech, and he described very particularly somebody that he never referred to without a shudder—an old man with a young voice who could hood his eyes like a hawk.

He spoke a good deal about death, too. He was mortally anxious about winning through with his job, but he didn't care a rush for his life.

"I reckon it's like going to sleep when you are pretty well tired out, and waking to find a summer day with the scent of hay coming in at the window. I used to thank God for such mornings 'way back in the blue-grass country and I guess I'll thank Him when I wake up on the other side of Jordan."

Next day he was much more cheerful and read the life of Stonewall Jackson most of the time. I went out to dinner with a mining engineer I had got to see on business, and came back about half past ten in time for our game of chess before turning in.

I had a cigar in my mouth, I remember, as I pushed open the smoking-room door. The lights were not lit, which struck me as odd. I wondered if Scudder had turned in already.

I snapped the switch, but there was nobody there. Then I saw something in the far corner which made me drop my cigar and fall into a cold sweat.

My guest was lying sprawled on his back. There was a long knife through his heart, which skewered him to the floor.

CHAPTER II

THE MILKMAN SETS OUT ON HIS TRAVELS

I SAT down in an armchair and felt very sick. That lasted for maybe five minutes, and was succeeded by a fit of the horrors. The poor, staring, white face on the floor was more than I could bear, and I managed to get a table-cloth and cover it. Then I staggered to a cupboard, found the brandy and swallowed several mouthfuls. I had seen men die violently before; indeed, I had killed a few myself in the Matabele War, but this cold-blooded indoor business was different. Still I managed to pull myself together.

I looked at my watch, and saw that it was half past ten. An idea seized me and I went over the flat with a small-tooth comb. There was nobody there, nor any trace of anybody, but I shuttered and bolted all the windows and put the chain on the door.

By this time my wits were coming back to me and I could think again. It took me about an hour to figure the thing out, and I did not hurry, for, unless the murderer came back, I had till about six o'clock in the morning for my cogitations.

I was in the soup—that was pretty clear. Any shadow of a doubt I might have had about the truth of Scudder's tale was now gone. The proof of it was lying under the tablecloth. The men who knew that he knew what he knew had found him, and had taken the best way to make certain of his silence. Yes: but he had been in my rooms four days, and his enemies must have reckoned that he had confided in me. So I would be the next to go. It might be that very night, or next day, or the day after, but my number was up all right.

Then suddenly I thought of another probability. Supposing I went out now and called in the police, or went to bed and let Paddock find the body and call them in the morning. What kind of a story was I to tell about Scudder? I had lied to Paddock about him, and the whole thing looked desperately fishy. If I made a clean breast of it and told the police everything he had told me, they would simply laugh at me. The odds were a thousand to one that I would be charged with the murder, and the circumstantial evidence was strong enough to hang me. Few people knew me in England; I had no real pal who could come forward and swear to my character. Perhaps that was what those secret enemies were playing for. They were clever enough for anything, and an English prison was as good a way of getting rid of me till after June 15th as a knife in my chest.

Besides, if I told the whole story and by any miracle was believed I would be playing their game. Karolides would stay at home, which was what they wanted. Somehow or other the sight of Scudder's dead face had made me a passionate believer in his scheme. He was gone, but he had taken me into his confidence, and I was pretty well bound to carry on his work. You may think this ridiculous for a man in danger of his life, but that was the way I looked at it. I am an ordinary sort of fellow, not braver than other people, but I hate to see a good man downed, and that long knife would not be the end of Scudder if I could play the game in his place.

It took me an hour or two to think this out, and by that time I had come to a decision. I must vanish somehow, and keep vanished till the end of the second week of June. Then I must somehow find a way to get in touch with the government people and tell them what Scudder had told me. I wished to Heaven he had told me more, and that I had listened more carefully to the little he had told me. I knew nothing but the barest facts. There was a big risk that, even if I weathered the other dangers, I would not be believed in the end. I must take my chance of that, and hope that something might happen which would confirm my tale in the eyes of the government.

My first job was to keep going for the next three weeks. It was now the 24th of May, and that meant twenty days of hiding before I could venture to approach the powers that be. I reckoned that two sets of people would be looking for me—Scudder's enemies to put me out of existence, and the police, who would want me for Scudder's murder. It was going to be a giddy hunt, and it was queer how the prospect comforted me. I had been slack so long that almost any chance of activity was welcome. When I had to sit alone with that corpse and wait on Fortune I was no better than a crushed worm, but if my neck's safety was to hang on my own wits I was prepared to be cheerful about it.

My next thought was whether Scudder had any papers about him to give me a better clue to the business. I drew back the tablecloth and searched his pockets, for I had no longer any shrinking from the body. The face was wonderfully calm for a man who had been struck down in a moment. There was nothing in the breast pocket, and only a few loose coins and a cigar-holder in the waistcoat. The trousers held a little penknife and some silver, and the side-pocket of his jacket contained an old crocodile-skin cigar-case. There was no sign of the little black book in which I had seen him making notes. That had, no doubt, been taken by his murderer.

But as I looked up from my task I saw that some drawers had been pulled out in the writing-table. Scudder would never have left them in that state, for he was the tidiest of mortals. Some one must have been searching for something—perhaps for the pocket-book.

I went round the flat and found that everything had been ransacked—the inside of books, drawers, cupboards, boxes, even the pockets of the clothes in my wardrobe, and the sideboard in the dining-room. There was no trace of the book. Most likely the enemy had found it, but they had not found it on Scudder's body.

Then I got out an atlas and looked at a big map of the British Isles. My notion was to get off to some wild district, where my veld-craft would be of some use to me, for I would be like a trapped rat in a city. I considered that Scotland would be best, for my people were Scotch and I could pass anywhere as an ordinary Scotsman. I had half an idea at first to be a German tourist, for my father had had German partners and I had been brought up to speak the tongue pretty fluently, not to mention having put in three years prospecting for copper in German Damaraland.

But I calculated that it would be less conspicuous to be a Scot, and less in a line with what the police might know of my past. I fixed on Galloway as the best place to go to. It was the nearest wild part of Scotland, so far as I could figure it out, and from the look of the map was not overthick with population.

A search in Bradshaw informed me that a train left St. Pancras at seven-ten, which would land me at a Galloway station in the late afternoon. That was well enough, but a more important matter was how I was to make my way to St. Pancras, for I was pretty certain that Scudder's friends would be watching outside. This puzzled me for a bit; then I had an inspiration, on which I went to bed and slept for two troubled hours.

I got up at four and opened my bedroom shutters. The faint light of a fine summer morning was flooding the skies, and the sparrows had begun to chatter. I had a great revulsion of feeling, and felt a God-forgotten fool.

My inclination was to let things slide, and trust to the British police taking a reasonable view of my case. But as I viewed the situation I could find no arguments to bring against my decision of the previous night, so with a wry mouth I resolved to go on with my plan. I was not feeling in any particular funk; only disinclined to go looking for trouble, if you understand me.

I hunted out a well-used tweed suit, a pair of strong-nailed boots, and a flannel shirt with a collar. Into my pockets I stuffed a spare shirt, a cloth cap, some handkerchiefs, and a tooth-brush. I had drawn a good sum in gold from the bank two days before, in case Scudder should want money, and I took fifty pounds of it in sovereigns in a belt which I had brought back from Rhodesia. That was about all I wanted. Then I had a bath, and cut my moustache, which was long and drooping, into a short stubbly fringe.

Now came the next step. Paddock used to arrive punctually at seven-thirty and let himself in with a latch-key. But about twenty minutes to seven, as I knew from bitter experience, the milkman turned up with a great clatter of cans, and deposited my share outside my door. I had seen that milkman sometimes when I had gone out for an early ride. He was a young man about my own height, with a scrubby moustache, dressed in a white overall. On him I staked all my chances.

I went into the darkened smoking-room where the rays of morning light were beginning to creep through the shutters. There I breakfasted off a whisky-and-soda and some biscuits from the cupboard. By this time it was getting on to six o'clock. I put a pipe in my pocket and filled my pouch from the tobacco jar on the table by the fireplace. As

I poked into the tobacco my fingers touched something hard, and I drew out Scudder's little black pocket-book.

That seemed to me a good omen. I lifted the cloth from the body and was amazed at the peace and dignity of the dead face. "Good-bye, old chap," I said; "I am going to do my best for you. Wish me well wherever you are."

Then I hung about in the hall waiting for the milkman. That was the worst part of the business, for I was fairly choking to get out of doors. Six-thirty passed, then six-forty, but still he did not come. The fool had chosen this day of all days to be late.

At one minute after the quarter to seven I heard the rattle of the cans outside. I opened the front door, and there was my man, singling out my cans from a bunch he carried and whistling through his teeth. He jumped a bit at the sight of me.

"Come in here a moment," I said, "I want a word with you." And I led him into the dining-room.

"I reckon you're a bit of a sportsman," I said, "and I want you to do me a service. Lend me your cap and overall for ten minutes and here's a sovereign for you."

His eyes opened at the sight of the gold, and he grinned broadly. "Wot's the gyme?" he asked.

"A bet," I said. "I haven't time to explain, but to win it I've got to be a milkman for the next ten minutes. All you've got to do is to stay here till I come back. You'll be a bit late, but nobody will complain, and you'll have that quid for yourself."

"Right-o!" he said cheerily, "I ain't the man to spoil a bit of sport. Here's the rig, guv'nor."

I stuck on his flat blue hat and his white overall, picked up the cans, banged my door, and went whistling downstairs. The porter at the foot told me to shut my jaw, which sounded as if my make-up was adequate.

At first I thought there was nobody in the street. Then I caught sight of a policeman a hundred yards down, and a loafer shuffling past on the other side. Some impulse made me raise my eyes to the house opposite, and there at a first-floor window was a face. As the loafer passed he looked up and I fancied a signal was exchanged.

I crossed the street, whistling gaily and imitating the jaunty swing of the milkman. Then I took the first side street, and turned up a left-hand turning which led past a bit of vacant ground. There was no one in the little street, so I dropped the milk-cans inside the hoarding and sent the hat and overall after them. I had only just put on my cloth cap, when a postman came round the corner. I gave him good-morning, and he answered me unsuspiciously. At the moment the clock of a neighbouring church struck the hour of seven.

There was not a second to spare. As soon as I got to Euston Road I took to my heels and ran. The clock at Euston Station showed five minutes past the hour. At St. Pancras I had no time to take a ticket, let alone that I had not settled upon my destination. A porter told me the platform, and as I entered it I saw the train already in motion. Two station officials blocked the way, but I dodged them and clambered into the last carriage.

Three minutes later, as we were roaring through the northern tunnels, an irate guard interviewed me. He wrote out for me a ticket to Newtown Stewart, a name which had suddenly come back to my memory, and he conducted me from the first-class compartment where I had ensconced myself to a third-class smoker, occupied by a sailor and a stout woman with a child. He went off grumbling, and as I mopped my brow I observed to my companions in my broadest Scots that it was a sore job catching trains. I had already entered upon my part.

"The impidence o' that guard," said the lady bitterly. "He needit a Scotch tongue to pit him in his place. He was complainin' o' this wean no haein' a ticket and her no fower till August twelvemonth, and he was objectin' to this gentleman spittin'."

The sailor morosely agreed, and I started my new life in an atmosphere of protest against authority. I reminded myself that a week ago I had been finding the world dull.

CHAPTER III

THE ADVENTURE OF THE LITERARY INNKEEPER

I HAD a solemn time travelling north that day. It was fine May weather, with the hawthorn flowering on every hedge, and I asked myself why, when I was still a free man, I had stayed on in London and not got the good of this heavenly country. I didn't dare face the restaurant car, but I got a luncheon basket at Leeds, and shared it with the fat woman. Also I got the morning's papers, with news about starters for the Derby and the beginning of the cricket season, and some paragraphs about how Balkan affairs were settling down and a British squadron was going to Kiel. When I had done with them I got out Scudder's little black pocket-book and studied it. It was pretty well filled with jottings, chiefly figures, though now and then a name was printed in. For example, I found the words "Hofgaard," "Luneville," and "Avocado" pretty often, and especially the word "Pavia."

Now I was certain that Scudder never did anything without a reason, and I was pretty sure that there was a cipher in all this. That is a subject which has always interested me, and I did a bit at it myself once as intelligence-officer at Delagoa Bay during the Boer War. I have a head for things like chess and puzzles, and I used to reckon myself pretty good at finding out ciphers. This one looked like the numerical kind where sets of figures correspond to the letters of the alphabet, but any fairly shrewd man can find the clue to that sort after an hour or two's work, and I didn't think Scudder would have been content with anything so easy. So I fastened on the printed words, for you can make a pretty good numerical cipher if you have a key word which gives you the sequence of the letters. I tried for hours, but none of the words answered.

Then I fell asleep and woke at Dumfries just in time to bundle out and get into the slow

Galloway train. There was a man on the platform whose looks I didn't like, but he never glanced at me, and when I caught sight of myself in the mirror of an automatic machine, I didn't wonder. With my brown face, my old tweeds and my slouch I was the very model of one of the hill farmers who were crowding into the third-class carriages.

I travelled with half a dozen in an atmosphere of shag and clay pipes. They had come from the weekly market, and their mouths were full of prices. I heard accounts of how the lambing had gone up the Cairn and the Deuch and a dozen other mysterious waters. Above half the men had lunched heavily and were highly flavoured with whisky, but they took no notice of me. We rumbled slowly into a land of little wooded glens and then to a great, wide moorland place, gleaming with lochs, with high, blue hills showing northwards.

About five o'clock the carriage had emptied and I was left alone as I had hoped. I got out at the next station, a little place whose name I scarcely noted, set right in the heart of a bog. It reminded me of one of those forgotten little stations in the Karroo. An old station-master was digging in his garden, and with his spade over his shoulder sauntered to the train, took charge of a parcel and went back to his potatoes. A child of ten received my ticket, and I emerged on a white road that straggled over the brown moor.

It was a gorgeous spring evening, with every hill showing as clear as a cut amethyst. The air had the queer rooty smell of bogs, but it was as fresh as mid-ocean, and it had the strangest effect on my spirits. I actually felt light-hearted. I might have been a boy out for a spring holiday tramp, instead of a man of thirty-seven, very much wanted by the police. I felt just as I used to feel when I was starting for a big trek on a frosty morning on the high veld. If you believe me, I swung along that road whistling. There was no plan of campaign in my head, only just to go on and on in this blessed honest-smelling hill country, for every mile put me in better humour with myself.

In a roadside planting I cut a walking stick of hazel, and presently struck off the highway up a by-path which followed the glen of a brawling stream. I reckoned that I was still far ahead of any pursuit, and for that night might please myself. It was some hours since I had tasted food, and I was getting very hungry when I came to a herd's cottage set in a nook beside a waterfall. A brown-faced woman was standing by the door, and greeted me with the kindly shyness of moorland places. When I asked for a night's lodging she said I was welcome to the "bed in the loft," and very soon she set before me a hearty meal of ham and eggs, scones, and thick sweet milk. At the darkening her man came in from the hills, a lean giant who in one step covered as much ground as three paces of ordinary mortals. They asked no questions, for they had the perfect breeding of all dwellers in the wilds, but I could see they set me down as some kind of dealer, and I took some trouble to confirm their view. I spoke a lot about cattle, of which my host knew little, and I picked up from him a good deal about the local Galloway markets, which I tucked away in my memory for future use. At ten I was nodding in my chair, and the "bed in the loft" received a weary man, who never opened his eyes till five o'clock set the little homestead a-going once more.

They refused any payment, and by six I had breakfasted and was striding southwards again. My notion was to return to the railway line a station or two further on than the place where I had alighted yesterday and to double back. I reckoned that was the safest way, for the police would naturally assume that I was always making further from London in the direction of some western port. I thought I had still a good bit of a start, for, as I reasoned, it would take some hours to fix the blame on me and several more to identify the fellow who got on board the train at St. Pancras.

It was the same jolly clear spring weather

and I simply could not contrive to feel care-worn. Indeed, I was in better spirits than I had been for months. Over a long ridge of moorland I took my road, skirting the side of a high hill which the herd had called Cairnsmore of Fleet. Nestling curlews and plovers were crying everywhere and the links of green pasture by the streams were dotted with young lambs. All the slackness of the past months was slipping from my bones and I stepped out like a four-year-old. By and by I came to a swell of moorland which dipped to the vale of a little river, and a mile away in the heather I saw the smoke of a train.

The station, when I reached it, proved to be ideal for my purpose. The moor surged up around it and left room only for the single line, the slender siding, a waiting-room, an office, the station-master's cottage, and a tiny yard of gooseberries and sweet-william. There seemed no road to it from anywhere, and to increase the desolation the waves of a tarn lapped on their grey granite beach half a mile away. I waited in the deep heather till

I saw the smoke of an east-going train on the horizon. Then I approached the tiny booking-office and took a ticket for Dumfries.

The only occupants of the carriage were an old shepherd and his dog—a wall-eyed brute that I mistrusted. The man was asleep and on the cushions beside him was that morning's *Scotsman.* Eagerly I seized on it, for I fancied it would tell me something.

There were two columns about the Portland Place murder, as it was called. My man Paddock had given the alarm and had the milkman arrested. Poor devil, it looked as if the latter had earned his sovereign hardly; but for me he had been cheap at the price, for he seemed to have occupied the police the better part of the day. In the stop-press news I found a further installment of the story. The milkman had been released, I read, and the true criminal, about whose identity the police were reticent, was believed to have got away from London by one of the northern lines. There was a short note about me as the owner of the flat. I guessed the police had stuck that in, as a clumsy contrivance to persuade me that I was unsuspected.

There was nothing else in the paper, nothing about foreign politics or Karolides or the things that had interested Scudder. I laid it down, and found that we were approaching the station at which I had got out yesterday. The potato-digging station-master had been gingered up into some activity, for the west-going train was waiting to let us pass and from it had descended three men who were asking him questions. I supposed that they were the local police who had been stirred up by Scotland Yard and had traced me as far as this one-horse siding. Sitting well back in the shadow I watched them carefully. One of them had a book and took down notes. The old potato-digger seemed to have turned peevish, but the child who had collected my ticket was talking volubly. All the party looked out across the moor where the white road departed. I hoped they were going to take up my tracks there.

As we moved away from that station my companion woke up. He fixed me with a wondering glance, kicked his dog viciously and inquired where he was. Clearly he was very drunk.

"That's what comes o' bein' a teetotaler," he observed in bitter regret.

I expressed my surprise that in him I should have met a blue-ribbon stalwart.

"Aye, but I'm a strong teetotaler," he said pugnaciously. "I took the pledge last Martinmass, and I havena touched a drop o' whisky sinsyne. No even at Hogmanay, though I was sair tempted."

He swung his heels up on the seat and burrowed a frowsy head into the cushions.

"And that's a' I get," he moaned. "A heid hetter than hell fire and twae een lookin' different ways for the Sabbath."

"What did it?" I asked.

"A drink they ca' brandy. Bein' a teetotaler, I keepit off the whisky, but I was nip-nippin' a' day yestereen at this brandy, and I doubt I'll no be weel for a fortnicht."

His voice died away into a stutter, and sleep once more laid its heavy hand on him.

My plan had been to get out at some station down the line, but the train suddenly gave me a better chance, for it came to a standstill at the end of a culvert which spanned a brawling porter-coloured river. I looked out and saw that every carriage window was closed and no human figure appeared in the landscape. So I opened the door, and dropped quickly into the tangle of hazels which edged the line.

It would have been all right but for that infernal dog. Under the impression that I was decamping with its master's belongings, it started to bark and all but got me by the trousers. This woke up the herd who stood bawling at the carriage door in the belief that I had committed suicide. I crawled through the thicket, reached the edge of the stream, and in cover of the bushes put a hundred yards or so behind me. Then from my shelter I peered back, and saw that the guard and several passengers gathered round the open carriage door and stared in my direction. I could not have made a more public departure if I had left with a bugler and a brass band.

Happily the drunken herd provided a diversion. He and his dog, which was attached by a rope to his waist, suddenly cascaded out of the carriage, landed on their heads on the track, and rolled some way down the bank towards the water. In the rescue which followed, the dog bit somebody, for I could hear the sound of hard swearing. Presently they had forgotten me, and when after a quarter of a mile's crawl I ventured to look back, the train had started again and was vanishing in the cutting.

I was in a wide semi-circle of moorland, with the brown river as radius, and the high hills forming the northern circumference. There was not a sign or sound of a human being, only the plashing water and the interminable crying of curlews. Yet, oddly enough, for the first time I felt the terror of the hunted on me. It was not the police that I thought of, but the other folk, who knew that I knew Scudder's secret and dared not let me live. I was certain that they would pursue me with a keenness and vigilance unknown to the British law, and that once their grip closed on me I should find no mercy.

I looked back, but there was nothing in the landscape. The sun glinted on the metals of the line and the wet stones in the stream, and you could not have found a more peaceful sight in the world. Nevertheless, I started to run. Crouching low in the runnels of the bog, I ran till the sweat blinded my eyes. The mood did not leave me till I had reached the rim of mountain and flung myself panting on a ridge high above the young waters of the brown river.

From my vantage ground I could scan the whole moor right away to the railway line and to the south of it where green fields took the place of heather. I have eyes like a hawk, but I could see nothing moving in the whole countryside. Then I looked east beyond the ridge and saw a new kind of landscape—shallow green valleys with plentiful fir plantations and the faint lines of dust which spoke of highroads. Last of all I looked into the blue May sky, and there I saw that which set my pulses racing. Low down in the south a monoplane was climbing into the heavens. I was as certain as if I had been told that that aeroplane was looking for me, and that it did not belong to the police. For an hour or two I watched it from a pit of heather. It flew low along the hill-tops and then in narrow circles back over the valley up which I had come. Then it seemed to change its mind, rose to a great height and flew away back to the south.

I did not like this espionage from the air, and I began to think less well of the countryside I had chosen for a refuge. These heather hills were no sort of cover if my enemies were in the sky, and I must find a different kind of sanctuary. I looked with more satisfaction to the green country beyond the ridge, for there I should find woods and stone houses.

About six in the evening I came out of the moorland to a white ribbon of road which wound up the narrow vale of a lowland stream. As I followed it, fields gave place to bent, the glen became a plateau, and presently I had reached a kind of pass, where a solitary house smoked in the twilight. The road swung over a bridge and leaning on the parapet was a man.

He was smoking a long clay pipe and studying the water with spectacled eyes. In his left hand was a small book with a finger marking the place. Slowly he repeated—

> "As when a Gryphon through the wilderness,
> With winged step, o'er hill and moory dale
> Pursues the Arimaspian."

He jumped round as my step rung on the keystone, and I saw a pleasant, sunburnt, boyish face.

"Good evening to you," he said gravely. "It's a fine night for the road."

The smell of wood smoke and of some savoury roast floated to me from the house. "Is that place an inn?" I asked.

"At your service," he said politely. "I am the landlord, sir, and I hope you will stay the night, for to tell you the truth I have had no company for a week."

I pulled myself up on the parapet of the bridge and filled my pipe. I began to detect an ally.

"You're young to be an innkeeper," I said.

"My father died a year ago and left me the business. I live there with my grandmother. It's a slow job for a young man, and it wasn't my choice of profession."

"Which was?"

He actually blushed. "I want to write books," he said.

"And what better chance could you ask?" I cried. "Man, I've often thought that an innkeeper would make the best story-teller in the world."

"Not now," he said eagerly. "Maybe in the old days when you had pilgrims and ballad-makers and highwaymen and mail-coaches on the road; but not now. Nothing comes here but motor-cars full of fat women. who stop for lunch, and a fisherman or two in the spring, and the shooting tenant in August. There is not much material to be got out of that. I want to see life, to travel the world, and write things like Kipling and Conrad. But the most I've done yet is to get some verses printed in *Chambers' Journal.*"

I looked at the inn, standing golden in the sunset against the wine-red hills.

"I've knocked a bit about the world and I wouldn't despise such a hermitage. D'you think that adventure is found only in the tropics or among gentry in red shirts? Maybe you're rubbing shoulders with it at this moment."

"That's what Kipling says," he said, his eyes lightening, and he quoted some verse about "Romance bringing up the nine-fifteen."

"Here's a true tale for you then," I cried, "and a month hence you can make a novel out of it."

Sitting on the bridge in the soft May gloaming, I pitched him a lovely yarn. It was true in essentials, too, though I altered the minor details. I made out that I was a mining magnate from Kimberley, who had a lot of trouble with I. D. B. and had shown up a gang. They had pursued me across the ocean and had killed my best friend and were now on my tracks.

I told the story well, though I say it who shouldn't. I pictured a flight across the Kalahari to German Africa, the crackling, parching days, the wonderful blue-velvet nights. I described an attack on my life on the voyage home, and I made a really horrid affair of the Portland Place murder.

"You're looking for adventure," I cried. "Well, you've found it here. The devils are after me, and the police are after them. It's a race that I mean to win."

"By God," he whispered, drawing his breath in sharply, "it is all pure Rider Haggard and Conan Doyle."

"You believe me," I said gratefully.

"Of course I do," and he held out his hand. "I believe everything out of the common. The only thing to distrust is the normal."

He was very young, but he was the man for my money.

"I think they're off my track for the moment, but I must lie close for a couple of days. Can you take me in?"

He caught my elbow in his eagerness and drew me towards the house. "You can lie as snug here as if you were in a moss-hole. I'll see that nobody blabs, either. And you'll give me some more material about your adventures?"

As I entered the inn porch I heard from far off the beat of an engine. There silhouetted against the dusky west was my friend, the monoplane.

He gave me a room at the back of the house with a fine outlook over the plateau and he made me free of his own study, which was stacked with cheap editions of his favourite authors. I never saw the grandmother, so I guessed she was bed-ridden. An old woman called Margit brought me my meals, and the innkeeper was around me at all hours.

I wanted some time to myself, so I invented a job for him. He had a motor bicycle, and I sent him off next morning for the daily paper, which usually arrived with the post in the late afternoon. I told him to keep his eyes skinned, and make note of any strange figures he saw, keeping a special sharp lookout for motors and aeroplanes. Then I sat down in real earnest to Scudder's note-book.

He came back at midday with the *Scotsman*. There was nothing in it except some further evidence of Paddock and the milkman, and a repetition of yesterday's statement that the murderer had gone north. But there was a long article, reprinted from the *Times,* about Karolides and the state of affairs in the Balkans, though there was no mention of any visit to England. I got rid of the innkeeper for the afternoon, for I was getting very warm in my search for the cipher.

As I told you, it was a numerical cipher, and by an elaborate system of experiments I had pretty well discovered what were the nulls and stops. The trouble was the key word, and when I thought of the odd million words he might have used I felt pretty hopeless. But about three o'clock I had a sudden inspiration.

The name Julia Czechenyi flashed across my memory. Scudder had said it was the key to the Karolides business and it occurred to me to try it on his cipher.

It worked. The five letters of "Julia" gave me the position of the vowels. A was J, the tenth letter of the alphabet, and so represented by X in the cipher. E was U = XXI and so on. "Czechenyi" gave me the numerals for the principal consonants. I scribbled that scheme on a bit of paper and sat down to read Scudder's pages.

In half an hour I was reading with a whitish face and fingers that drummed on the table. I glanced out of the window and saw a big touring-car coming up the glen towards the inn. It drew up at the door and there was the sound of people alighting. There seemed to be two of them, men in acquascutums and tweed caps.

Ten minutes later the innkeeper slipped into the room, his eyes bright with excitement.

"There's two chaps below looking for you," he whispered. "They're in the dining-room having whiskys and sodas. They asked about you and said they had hoped to meet you here. Oh! and they described you jolly well, down to your boots and shirt. I told them you had been here last night and had gone off on a motor bicycle this morning, and one of the chaps swore like a navvy."

I made him tell me what they looked like. One was a dark-eyed, thin fellow with bushy eyebrows, the other was always smiling and lisped in his talk. Neither was any kind of foreigner; on this my young friend was positive.

I took a bit of paper and wrote these words in German as if they were part of a letter:

". . . Black Stone. Scudder had got on to this, but he could not act for a fortnight. I doubt if I can do any good now, especially as Karolides is uncertain about his plans. But if Mr. T. advises I will do the best I . . ."

I manufactured it rather neatly, so that it looked like a loose page of a private letter.

"Take this down and say it was found in my bedroom and ask them to return it to me if they overtake me."

Three minutes later I heard the car begin to move, and peeping from behind the curtain, caught sight of the two figures. One was slim, the other was sleek; that was the most I could make of my reconnaissance.

The innkeeper appeared in great excitement. "Your paper woke them up," he said gleefully. "The dark fellow went as white as death and cursed like blazes, and the fat one whistled and looked ugly. They paid for their drinks with half a sovereign and wouldn't wait for change."

"Now I'll tell you what I want you to do," I said. "Get on your bicycle and go off to Newtown Stewart to the chief constable. Describe the two men, and say you suspect them of having had something to do with the London murder. You can invent reasons. The two will come back, never fear. Not to-night, for they'll follow me forty miles along the road, but first thing to-morrow morning. Tell the police to be here bright and early."

He set off like a docile child, while I worked at Scudder's notes. When he came back we dined together and in common decency I had to let him pump me. I gave him a lot of stuff about lion hunts and the Matabele War, thinking all the while what tame businesses these were compared to this I was now engaged in. When he went to bed I sat up and finished Scudder. I smoked in a chair till daylight, for I could not sleep.

About eight next morning I witnessed the arrival of two constables and a sergeant. They put their car in a coach-house under the innkeeper's instructions and entered the house. Twenty minutes later I saw from my window a second car come across the plateau from the opposite direction. It did not come up to the inn, but stopped two hundred yards off in the shelter of a patch of wood. I noticed that its occupants carefully reversed it before leaving it. A minute or two later I heard their steps on the gravel outside the window. My plan had been to lie hid in my bedroom, and see what happened. I had a notion that, if I could bring the police and my other more dangerous pursuers together, something might work out of it to my advantage. But now I had a better idea. I scribbled a line of thanks to my host, opened the window and dropped quietly into a gooseberry bush. Unobserved I crossed the dike, crawled down the side of a tributary burn, and won the highroad on the far side of the patch of trees. There stood the car, very spick and span in the morning sunlight, but with the dust on her which told of a iong journey. I started her, jumped into the chauffeur's seat, and stole gently out on to the plateau. Almost at once the road dipped so that I lost sight of the inn, but the wind seemed to bring me the sound of angry voices.

CHAPTER IV

THE ADVENTURE OF THE RADICAL CANDIDATE

YOU may picture me driving that forty-horse-power car for all she was worth over the crisp moor roads on that shining May morning; glancing back at first over my shoulder and looking anxiously to the next turning; then driving with a vague eye, just wide enough awake to keep on the highway. For I was thinking desperately of what I had found in Scudder's pocket-book.

The little man had told me a pack of lies. All his yarns about the Balkans and the Jew-anarchists and the Foreign Office conference were eye-wash, and so was Karolides. And yet not quite, as you shall hear. I had staked everything on my belief in his story and had been let down; here was his book telling me a different tale, and instead of being once-bit-twice-shy, I believed it absolutely. Why? I don't know.

It rang desperately true, and the first yarn, if you understand me, had been in a queer way true also in spirit. The fifteenth day of June was going to be a day of destiny, a bigger destiny than the killing of a Dago. It was so big that I didn't blame Scudder for keeping me out of the game, and wanting to play a lone hand. That, I was pretty clear, was his intention. He had told me something which sounded big enough, but the real thing was so immortally big that he, the man who had found it out, wanted it all for himself. I didn't blame him. It was risks after all that he was chiefly greedy about.

The whole story was in the notes—with gaps, you understand, which he would have filled up from his memory. He stuck down his authorities too, and had an odd trick of giving them all a numerical value and then striking a balance, which stood for the reliability of each stage in the yarn. The three names he had printed were authorities, and there was a man, Ducrosne, who got five out of a possible five, and another fellow, Ammersfoort, who got three. The bare bones of the tale were all that was in the book—that, and one queer phrase which occurred half a dozen times inside brackets. "Thirty-nine steps" was the phrase, and at its last time of use it ran—"Thirty-nine steps I counted them; high tide 10:17 P.M." I could make nothing of that.

The first thing I learned was that it was no question of preventing a war. That was coming, as sure as Christmas, had been arranged, said Scudder, ever since February, 1912. Karolides was going to be the occasion. He was booked all right and was to hand in his checks on June 14th, two weeks and four days from that May morning. I gathered from Scudder's notes that nothing on earth could prevent that. His talk of Epirote guards that would skin their own grandmother was all billy-o.

The second thing was that this war was going to come as a mighty surprise to Britain.

Karolides' death would set the Balkans by the ears, and then Vienna would chip in with an ultimatum. Russia wouldn't like that, and there would be high words. But Berlin would play the peacemaker and pour oil on the waters, till suddenly she would find a good cause for a quarrel, pick it up, and in five hours let fly at us. That was the idea, and a pretty good one too. Honey and fair speeches and then a stroke in the dark. While we were talking about the good will and good intentions of Germany, our coast would be silently ringed with mines, and submarines would be waiting for every battleship.

But all this depended upon the third thing which was due to happen on June 15th. I would never have grasped this, if I hadn't once happened to meet a French staff officer, coming back from West Africa, who had told me a lot of things. One was that in spite of all the nonsense talked in Parliament there was a real working alliance between France and Britain, and that the two General Staffs met every now and then and made plans for joint action in time of war. Well, in June, a very great swell was coming over from Paris, and he was going to get nothing less than a statement of the disposition of the British home fleet on mobilisation. At least I gathered it was something like that; anyhow, it was something uncommonly important. But on the 15th day of June there were to be others in London—others at whom I could only guess. Scudder was content to call them collectively the "Black Stone." They represented not our allies, but our deadly foes, and the information, destined for France, was to be diverted to their pockets. And it was to be used, remember—used a week or two later, with great guns and swift torpedoes, suddenly in the darkness of a summer night.

This was the story I had been deciphering in a back room of a country inn, overlooking a cabbage garden. This was the story that hummed in my brain, as I swung in the big touring-car from glen to glen.

My first impulse had been to write a letter

to the Prime Minister, but a little reflection convinced me that that would be useless. Who would believe my tale? I must show a sign, some token in proof, and Heaven knew what that could be. Above all I must keep going myself, ready to act when things got riper, and that was going to be no light job with the police of the British Isles in full cry after me, and the watchers of the Black Stone running silently and swiftly on my trail.

I had no very clear purpose in my journey, but I steered east by the sun, for I remembered from the map that if I went north I would come into a region of coal-pits and industrial towns. Presently I was down from the moorlands and traversing the broad haugh of a river. For miles I ran alongside a park wall, and in a break of the trees I saw a great castle. I swung through little old thatched villages, and over peaceful lowland streams, and past gardens blazing with hawthorn and yellow laburnum. The land was so deep in peace that I could scarcely believe that somewhere behind me were those who sought my life; ay, and that in a month's time, unless I had the almightiest of luck, these round, country faces would be pinched and staring, and men would be lying dead in English fields.

About midday I entered a long straggling village, and had a mind to stop and eat. Half-way down was the post-office, and on the steps of it stood the post-mistress and a policeman hard at work conning a telegram. When they saw me they wakened up, and the policeman advanced with raised hand and cried on me to stop.

I nearly was fool enough to obey. Then it flashed upon me that the wire had to do with me, that my friends at the inn had come to an understanding and were united in desiring to see more of me, and that it had been easy enough for them to wire the description of me and the car to thirty villages through which I might pass. I released the brakes just in time. As it was the policeman made a claw at the hood and only dropped off when he got my left in his eye.

I saw that main roads were no place for me, and turned into the byways. It wasn't an easy job without a map, for there was the risk of getting onto a farm road and ending in a duck-pond or a stable-yard, and I couldn't afford that kind of delay. I began to see what an ass I had been to steal the car. The big green brute would be the safest kind of clue to me over the breadth of Scotland. If I left it and took to my feet, it would be discovered in an hour or two and I would get no start in the race.

The immediate thing to do was to get to the loneliest roads. These I soon found when I struck up a tributary of the big river, and got into a glen which climbed over a pass. Here I met nobody, but it was taking me too far north, so I slewed east along a bad track and finally struck a big double-line railway. Away below me I saw another broadish valley, and it occurred to me that if I crossed it I might find some remote hostelry to pass the night. The evening was now drawing in, and I was furiously hungry, for I had eaten nothing since breakfast except a couple of buns I had bought from a baker's cart.

Just then I heard a noise in the sky, and lo and behold there was that infernal aeroplane, flying low, about a dozen miles to the south and rapidly coming towards me.

I had the sense to remember that on a bare moor I was at the aeroplane's mercy, and that my only chance was to get to the leafy cover of the valley. Down the hill I went like blue lightning, screwing my head round whenever I dared, to watch that damned flying machine. Soon I was on a road between hedges, and dipping to the deep-cut glen of a stream. Then came a bit of thick wood, where I slackened speed.

Suddenly on my left I heard the hoot of another car and realised to my horror that I was almost upon a couple of gate-posts through which a private road debouched on the highway. My horn gave an agonised roar, but it was too late. I clapped on my brakes, but my impetus was too great, and there before me a car was sliding athwart my course. In a second there would have been the deuce of a wreck. I did the only thing possible, and ran slap into the hedge on the right trusting to find something soft beyond.

But there I was mistaken. My car slithered through the hedge like butter and then gave a sickening plunge forward. I saw what was coming, leaped on the seat and would have jumped out. But a branch of hawthorn got me in the chest, lifted me up and held me, while a ton or two of expensive metal slipped below me, bucked and pitched, and then dropped with an almighty smash fifty feet to the bed of the stream.

Slowly that thorn let me go. I subsided first on the hedge, and then very gently on a bower of nettles. As I scrambled to my feet a hand took me by the arm, and a sympathetic and badly scared voice asked me if I were hurt.

I found myself looking at a tall young man in goggles and a leather ulster who kept on blessing his soul and whinnying apologies.

For myself, once I got my wind back, I was rather glad than otherwise. This was one way of getting rid of the car.

"My blame, sir," I answered him. "It's lucky that I did not add homicide to my follies. That's the end of my Scotch motor tour, but it might have been the end of my life."

He plucked out a watch and studied it.

"You're the right sort of fellow," he said. "I can spare a quarter of an hour, and my house is two minutes off. I'll see you clothed and fed and snug in bed. Where's your kit, by the way? Is it in the burn along with the car?"

"It's in my pocket," I said, brandishing a tooth-brush. "I'm a colonial and travel light."

"A colonial," he cried. "By Gad, you're the very man I've been praying for. Are you by any blessed chance a Free Trader?"

"I am," said I, without the foggiest notion of what he meant.

He patted my shoulder and hurried me into his car. Three minutes later we drew up before a comfortable-looking shooting-box set among pine trees, and he ushered me in-doors. He took me first to a bedroom and flung half a dozen of his suits before me, for my own had been pretty well reduced to rags. I selected a loose blue serge, which differed most conspicuously from my own garments, and borrowed a linen collar. Then he haled me to the dining-room, where the remnants of a meal stood on the table, and announced that I had just five minutes to feed. "You can take a snack in your pocket, and we'll have supper when we get back. I've got to be at the Masonic Hall at eight o'clock or my agent will comb my hair."

I had a cup of coffee and some cold ham, while he yarned away on the hearth-rug.

"You find me in the deuce of a mess, Mr. ——; by the by you haven't told me your name. Twisden? Any relation of old Tommy Twisden of the Sixtieth? No. Well, you see I'm Liberal candidate for this part of the world, and I had a meeting on to-night at Brattleburn—that's my chief town, and an infernal Tory stronghold. I had got the Colonial ex-Premier fellow, Crumpleton, coming to speak for me to-night, and had the thing tremendously billed and the whole place ground-baited. This afternoon I got a wire from the ruffian saying he has got influenza at Blackpool, and here am I left to do the whole thing myself. I had meant to speak for ten minutes and must now go on for forty, and, though I've been racking my brains for three hours to think of something, I simply cannot last the course. Now you've got to be a good chap and help me. You're a Free Trader and can tell our people what a wash-out Protection is in the Colonies. All you fellows have the gift of the gab—I wish to Heaven I had it. I'll be for evermore in your debt."

I had very few notions about free trade one way or the other, but I saw no other chance to get what I wanted. My young gentleman was far too absorbed in his own difficulties to think how odd it was to ask a stranger who had just missed death by an ace and had lost a one-thousand-guinea car to address a meeting for him on the spur of the moment. But my necessities did not allow me to contemplate oddnesses or to pick and choose my supports.

"All right," I said. "I'm not much good as a speaker, but I'll tell them a bit about Australia."

At my words the cares of the ages slipped from his shoulders and he was rapturous in his thanks. He lent me a big driving coat—and never troubled to ask why I had started on a motor tour without possessing an ulster—and as we slipped down the dusty roads poured into my ears the simple facts of his history. He was an orphan and his uncle had brought him up—I've forgotten the uncle's name, but he was in the Cabinet and you can read his speeches in the papers. He had gone round the world after leaving Cambridge, and then, being short of a job, his uncle had advised politics. I gathered that he had no preference in parties. "Good chaps in both," he said cheerfully, "and plenty of blighters, too. I'm Liberal, because my family have always been Whigs." But if he was lukewarm politically he had strong views on other things. He found out I knew a bit about horses, and jawed away about the Derby entries; and he was full of plans for improving his shooting. Altogether, a very clean, decent, callow young man.

As we passed through a little town two policemen signalled us to stop, and flashed their lanterns on us. "Beg pardon, Sir Harry," said one. "We've got instructions to look out for a car and the description's not unlike yours."

"Right-o," said my host, while I thanked Providence for the devious ways I had been brought to safety. After that we spoke no more, for my host's mind began to labour heavily with his coming speech. His lips kept muttering, his eyes wandered, and I began to prepare myself for a second catastrophe. I tried to think of something to say myself, but my mind was dry as a stone. The next thing I knew we had drawn up outside a door in a street and were being welcomed by some noisy gentlemen with rosettes.

The hall had about five hundred in it, women mostly, a lot of bald heads, and a dozen or two young men. The chairman, a weaselly minister with a reddish nose, lamented Crumpleton's absence, soliloquised on his influenza, and gave me a certificate as a "trusted leader of Australian thought." There were two policemen at the door and I hoped they took note of that testimonial. Then Sir Harry started.

I never heard anything like it. He didn't begin to know how to talk. He had about a bushel of notes from which he read, and when he let go of them he fell into one prolonged stutter. Every now and then he remembered a phrase he had learned by heart, straightened his back, and gave it off like Henry Irving, and the next moment he was bent double and crooning over his papers. It was the most appalling rot, too. He talked about the "German menace," and said it was all a Tory invention to cheat the poor of their rights and keep back the great flood of social reform, but that "organised labour" realised this and laughed the Tories to scorn. He was all for reducing our navy as a proof of our good faith, and then sending Germany an ultimatum telling her to do the same or we would knock her into a cocked hat. He said that but for the Tories, Germany and Britain would be fellow workers in peace and reform. I thought of the little black book in my pocket! A giddy lot Scudder's friends cared for peace and reform.

Yet in a queer way I liked the speech. You could see the niceness of the chap shining out behind the muck with which he had been spoon-fed. Also it took a load off my mind. I mightn't be much of an orator, but I was a thousand per cent better than Sir Harry. I didn't get on so badly when it came to my turn. I simply told them all I could remember about Australia, praying there should be no Australian there—all about its labour party and emigration and universal service. I doubt if I remembered to mention free trade, but I said there were no Tories in

Australia, only Labour and Liberals. That fetched a cheer, and I woke them up a bit when I started in to tell them the kind of glorious business I thought could be made out of the Empire if we really put our backs into it.

Altogether I fancy I was rather a success. The minister didn't like me, though, and when he proposed a vote of thanks spoke of Sir Harry's speech as "statesmanlike," and mine as having "the eloquence of an emigration agent."

When we were in the car again my host was in wild spirits at having got his job over. "A ripping speech, Twisden," he said. "Now, you're coming home with me. I'm all alone, and if you'll stop a day or two I'll show you some very decent fishing."

We had a hot supper—and I wanted it pretty badly—and then drank grog in a big, cheery smoking-room with a crackling wood fire. I thought the time had come for me to put my cards on the table. I saw by this man's eye that he was the kind you can trust.

"Listen, Sir Harry," I said. "I've something pretty important to say to you. You're a good fellow and I'm going to be frank. Where on earth did you get that poisonous rubbish you talked to-night?"

His face fell. "Was it as bad as that?" he asked ruefully. "It did sound rather thin. I got most of it out of the *Progressive Magazine* and pamphlets that agent chap of mine keeps sending me. But you surely don't think Germany would ever go to war with us?"

"Ask that question in six weeks and it won't need an answer," I said. "If you'll give me your attention for half an hour I am going to tell you a story."

I can see yet that bright room with the deers' heads and the old prints on the walls, Sir Harry standing restlessly on the stone curb of the hearth, and myself lying back in an armchair, speaking. I seemed to be another person, standing aside and listening to my own voice, and judging carefully the reliability of my tale. It was the first time I had ever told any one the exact truth, so far as I understood it, and it did me no end of good, for it straightened out the thing in my own mind. I blinked no detail. He heard all about Scudder and the milkman, and the note-book, and my doings in Galloway. Presently he got very excited and walked up and down the hearth-rug.

"So you see," I concluded, "you have got here in your house the man that is wanted for the Portland Place murder. Your duty is to send your car for the police and give me up. I don't think I'll get very far. There'll be an accident and I'll have a knife in my ribs an hour or so after arrest. Nevertheless it's your duty, as a law-abiding citizen. Perhaps in a month's time you'll be sorry, but you have no cause to think of that."

He was looking at me with bright, steady eyes. "What was your job in Rhodesia, Mr. Hannay?" he asked.

"Mining engineer," I said. "I've made my pile cleanly and I've had a good time in the making of it."

"Not a profession that weakens the nerves, is it?"

I laughed. "Oh, as to that, my nerves are good enough." I took down a hunting knife from a stand on the wall, and did the old Mashona trick of tossing it and catching it in my lips. That wants a pretty steady heart.

He watched me with a smile. "I don't want proofs. I may be an ass on a platform, but I can size up a man. You're no murderer and you're no fool, and I believe you are speaking the truth. I'm going to back you up. Now, what can I do?"

"First, I want you to write a letter to your uncle. I've got to get in touch with the government people some time before the 15th of June."

He pulled his moustache.

"That won't help you. This is Foreign Office business and my uncle would have nothing to do with it. Besides, you'd never convince him. No, I'll go one better. I'll write to the permanent secretary at the Foreign

Office. He's my godfather and one of the best going. What do you want?"

He sat down at a table and wrote to my dictation. The gist of it was that if a man called Twisden (I thought I had better stick to that name) turned up before June 15th he was to treat him kindly. He said Twisden would prove his *bona fides* by passing the word "Black Stone" and whistling "Annie Laurie."

"Good," said Sir Harry. "That's the proper style. By the way you'll find my godfather—his name's Sir Walter Bullivant—down at his country cottage for Whitsuntide. It's close to Artinswell on the Kennet. That's done. Now, what's the next thing?"

"You're about my height. Lend me the oldest tweed suit you've got. Anything will do, so long as the colour is the opposite of the clothes I destroyed this afternoon. Then show me a map of the neighbourhood and explain to me the lie of the land. Lastly, if the police come asking about me, just show them the car in the glen. If the other lot turn up tell them I caught the south express after your meeting."

He did, or promised to do, all these things. I shaved off the remnants of my moustache, and got inside an ancient suit of what I believe is called heather mixture. The map gave me some notion of my whereabouts and told me the two things I wanted to know—where the main railway to the south could be joined and what were the wildest districts near at hand.

At two o'clock he wakened me from my slumbers in the smoking-room armchair and led me blinking into the dark, starry night. An old bicycle was found in a tool-shed and handed over to me.

"First turn to the right up by the long fir-wood," he enjoined. "By daybreak you'll be well into the hills. Then I should pitch the machine into a bog and take to the moors on foot. You can put in a week among the shepherds, and be as safe as if you were in New Guinea."

I pedalled diligently up steep roads of hill

gravel till the skies grew pale with morning. As the mists cleared before the sun I found myself in a wide green world with glens falling on every side and a faraway blue horizon. Here at any rate I could get early news of my enemies.

CHAPTER V

THE ADVENTURE OF THE SPECTACLED ROADMAN

I SAT down on the very crest of the pass and took stock of my position.

Behind me was the road climbing through a long cleft in the hills which was the upper glen of some notable river. In front was a flat space of maybe a mile all pitted with bog-holes and rough with tussocks, and then beyond it the road fell steeply down another glen to a plain whose blue dimness melted into the distance.

To left and right were round-shouldered, green hills as smooth as pancakes, but to the south—that is the left hand—there was a glimpse of high heathery mountains which I remembered from the map as the big knot of hill which I had chosen for my sanctuary. I was on the central boss of a huge upland country, and could see everything moving for miles. In the meadows below the road, half a mile back, a cottage smoked, but it was the only sign of human life. Otherwise there was only the calling of plovers and the tinkling of little streams.

It was now about seven o'clock, and as I waited I heard once again the ominous beat in the air. Then I realised that my vantage ground might be in reality a trap. There was no cover for a tomtit in those bald green places.

I sat quite still and hopeless while the beat grew louder. Then I saw an aeroplane coming up from the east. It was flying high, but as I looked it dropped several hundred feet and began to circle round the knot of hill in narrowing circles, just as a hawk wheels before it pounces. Now it was flying very low, and now the observer on board caught sight of me. I could see one of the two occupants examining me through glasses. Suddenly it began to rise in swift whorls, and the next I knew it was speeding eastward again till it became a speck in the blue morning.

That made me do some savage thinking. My enemies had located me, and the next thing would be a cordon round me. I didn't know what force they could command, but I was certain it would be sufficient. The aeroplane had seen my bicycle, and would conclude that I would try to escape by the road. In that case there might be a chance on the moors to the right or left. I wheeled the machine a hundred yards from the highway, and plunged it into a moss-hole where it sank among pond-weed and water-buttercups. Then I climbed to a knoll which gave me a view of the two valleys. Nothing was stirring on the long white ribbon that threaded them.

I have said there was not cover in the whole place to hide a rat. As the day advanced it was flooded with soft fresh light till it had the fragrant sunniness of the South African veld. At other times I should have liked the place, but now it seemed to suffocate me. The free moorlands were prison-walls, and the keen hill-air was the breath of a dungeon.

I tossed a coin—heads right, tails left—and

it fell heads, so I turned to the north. In a little I came to the brow of the ridge which was the containing wall of the pass. I saw the highroad for maybe ten miles, and far down it something that was moving and that I took to be a motor-car. Beyond the ridge I looked on a rolling green moor, which fell away into wooded glens. Now my life on the veld has given me the eyes of a kite, and I can see things for which most men need a telescope. Away down the slope, a couple of miles away, several men were advancing like a row of beaters at a shoot.

I dropped out of sight behind the skyline. That way was shut to me, and I must try the bigger hills to the south beyond the highway. The car I had noticed was getting nearer, but it was still a long road off with some very steep gradients before it. I ran hard, crouching low except in the hollows, and as I ran I kept scanning the brow of hill before me. Was it imagination, or did I see figures —one, two, perhaps more—moving in a glen beyond the stream?

If you are hemmed in on all sides in a patch of land—there is only one chance of escape. You must stay in the patch, and let your enemies search it and not find you. That was good sense, but how on earth was I to escape notice in that tablecloth of a place?

I would have buried myself to the neck in mud or lain below water or climbed the tallest tree. But there was not a stick of wood, the bog-holes were little puddles, the stream was a slender trickle. There was nothing but short heather and bare hill bent and the white highway.

Then in a tiny bight of road, beside a heap of stones, I found the Roadman.

He had just arrived, and was wearily flinging down his hammer. He looked at me with a fishy eye and yawned.

"Confoond the day I ever left the herdin'!" he said as if to the world at large. "There I was my ain maister. Now I'm a slave to the government, tethered to the roadside, wi' sair een, and a back like a suckle."

He took up the hammer, struck a stone,

dropped the implement with an oath, and put both hands to his ears. "Mercy on me! My heid's burstin'!" he cried.

He was a wild figure, about my own size, but much bent, with a week's beard on his chin and a pair of big horn spectacles.

"I canna dae't," he cried again. "The surveyor maun just report me. I'm for my bed."

I asked him what was the trouble, though indeed that was clear enough.

"The trouble is that I'm no sober. Last nicht my dochter, Merran, was waddit, and they danced till fower in the byre. Me and some ither chiels sat down to the drinkin'—and here I am. Peety that I ever lookit on the wine when it was red!"

I agreed with him about bed.

"It's easy speakin'," he moaned. "But I got a post-caird yestereen sayin' that the new road surveyor would be round the day. He'll come and he'll no find me, or else he'll find me fou, and either way I'm a done man. I'll awa back to my bed and say I'm no weel, but

I doot that'll no help me, for they ken my kind o' no-weelness."

Then I had an inspiration. "Does the new surveyor know you?" I asked.

"No him. He's just been a week at the job. He rins about in a wee motor-car, and wad speir the inside oot o' a whelk."

"Where's your house?" I asked, and was directed by a wavering finger to the cottage by the stream.

"Well, back to your bed," I said, "and sleep in peace. I'll take on your job for a bit and see the surveyor."

He stared at me blankly; then, as the notion dawned on his fuddled brain, his face broke into the vacant drunkard's smile.

"You're the billy," he cried. "It'll be easy eneuch managed. I've finished that bing o' stanes, so you needna chap ony mair this forenoon. Just take the barry, and wheel eneuch metal frae yon quarry doon the road to make anither bing the morn.

"My name's Alexander Turnbull, and I've been seeven year at this trade, and twenty afore that herdin' on Leithen Water. My freends ca' me Ecky, and whiles Specky, for I wear glasses, bein' weak i' the sicht. Just you speak the surveyor fair and ca' him sir, and he'll be fell pleased. I'll be back or midday."

I borrowed his spectacles and filthy old hat; stripped off coat, waistcoat and collar and gave him them to carry home; borrowed, too, the foul stump of a clay pipe as an extra property. He indicated my simple tasks, and without more ado set off at an amble bedwards. Bed may have been his chief object, but I think there was also something left in the foot of a bottle. I prayed that he might be safe under cover before my friends arrived on the scene.

Then I set to work to dress for the part. I opened the collar of my shirt—it was a vulgar blue-and-white check such as plowmen wear—and revealed a neck as brown as any tinker's. I rolled up my sleeves and there was a forearm which might have been a blacksmith's, sunburnt and rough with old scars. I got my boots and trouser-legs all white from the dust of the road, and hitched up my trousers, tying them with string below the knee. Then I set to work on my face. With a handful of dust I made a water-mark round my neck, the place where Mr. Turnbull's Sunday ablutions might be expected to stop. I rubbed a good deal of dirt also into the sunburn of my cheeks. A roadman's eyes would, no doubt, be a little inflamed, so I contrived to get some dust in both of mine, and by dint of vigorous rubbing produced a bleary effect.

The sandwiches Sir Harry had given me had gone off with my coat, but the roadman's lunch, tied up in a red handkerchief, was at my disposal. I ate with great relish several of the thick slabs of scone and cheese and drank a little of the cold tea. In the handkerchief was a local paper tied with string and addressed to Mr. Turnbull—obviously meant to solace his midday leisure. I did up the bundle again, and put the paper conspicuously beside it.

My boots did not satisfy me, but by dint of kicking among the stones I reduced them to the granite-like surface which marks a roadman's foot-gear. Then I bit and scraped my finger-nails till the edges were all cracked and uneven. The men I was matched against would miss no detail. I broke one of the boot-laces and retied it in a clumsy knot and loosed the other so that my thick grey socks bulged over the uppers. Still no sign of anything on the road. The motor I had observed half an hour ago must have gone home.

My toilet complete, I took up the barrow and began my journeys to and from the quarry a hundred yards off. I remembered an old scout in Rhodesia, who had done many queer things in his day, once telling me that the secret of playing a part was to think yourself into it. You could never keep it up, he said, unless you could manage to convince yourself that you were *it*. So I shut off all other thoughts and switched them on the roadmending. I thought of the little white cottage as my home, I recalled the years I had spent herding on Leithen Water, I made my mind dwell lovingly on sleep in a box-bed and a bottle of cheap whisky. Still nothing appeared on that long white road.

Now and then a sheep wandered off the heather to stare at me. A heron flopped down to a pool in the stream and started to fish, taking no more notice of me than if I had been a mile-stone. On I went trundling my loads of stone, with the heavy step of the professional. Soon I grew warm and the dust on my face changed into solid and abiding grit. I was already counting the hours till evening should put a limit to Mr. Turnbull's monotonous toil.

Suddenly a crisp voice spoke from the road, and looking up I saw a little Ford two-seater, and a round-faced young man in a bowler hat.

"Are you Alexander Turnbull?" he asked. "I am the new county road surveyor. You live at Blackhopefoot, and have charge of the section from Laidlawbyres to the Riggs? Good! A fair bit of road, Turnbull, and not badly engineered. A little soft about a mile off, and the edges want cleaning. See you look after that. Good morning. You'll know me the next time you see me."

Clearly my get-up was good enough for the dreaded surveyor. I went on with my work, and as the morning grew towards noon I was cheered by a little traffic. A baker's van breasted the hill, and sold me a bag of ginger biscuits which I stowed in my trouser-pockets against emergencies. Then a herd passed with sheep, and disturbed me somewhat by asking loudly, "What had become o' Specky?"

"In bed wi' the colic," I replied, and the herd passed on.

Just about midday a big car stole down the hill, glided past and drew up a hundred yards beyond. Its three occupants descended as if to stretch their legs, and sauntered toward me.

Two of the men I had seen before from the window of the Galloway inn—one lean, sharp and dark, the other comfortable and smiling. The third had the look of a countryman—a vet, perhaps, or a small farmer.

He was dressed in ill-cut knickerbockers, and the eye in his head was as bright and wary as a hen's.

"'Morning," said the last. "That's a fine easy job o' yours."

I had not looked up on their approach, and now, when accosted, I slowly and painfully straightened my back, after the manner of roadmen; spat vigorously, after the manner of the low Scot; and regarded them steadily before replying. I confronted three pairs of eyes that missed nothing.

"There's waur jobs and there's better," I said sententiously. "I wad rather hae yours, sittin' a' day on your hinderlands on thae cushions. It's you and your muckle cawrs that wreck my roads! If we a' had oor richts, you sud be made to mend what ye break!"

The bright-eyed man was looking at the newspaper lying beside Turnbull's bundle.

"I see you get your papers in good time," he said.

I glanced at it casually. "Aye, in gude

time. Seein' that that paper cam out last Saterday, I'm just fower days late."

He picked it up, glanced at the superscription and laid it down again. One of the others had been looking at my boots, and a word in German called the speaker's attention to them.

"You've a fine taste in boots," he said. "These were never made by a country shoemaker."

"They were not," I said readily. "They were made in London. I got them frae the gentleman that was here last year for the shootin'. What was his name now?" And I scratched a forgetful head.

Again the sleek one spoke in German. "Let us get on," he said. "This fellow is all right."

They asked one last question:

"Did you see any one pass early this morning? He might be on a bicycle or he might be on foot."

I very nearly fell into the trap and told a story of a bicyclist hurrying past in the grey dawn. But I had the sense to see my danger. I pretended to consider very deeply.

"I wasna up very early," I said. "Ye see my dochter was merrit last nicht, and we keepit it up late. I opened the house-door about seeven—and there was naebody on the road then. Since I cam up here there has been just the baker and the Ruchill herd, besides you gentlemen."

One of them gave me a cigar, which I smelled gingerly and stuck in Turnbull's bundle. They got into their car and were out of sight in three minutes.

My heart leaped with an enormous relief, but I went on wheeling my stones. It was as well, for ten minutes later the car returned, one of the occupants waving a hand to me. These gentry left nothing to chance.

I finished Turnbull's bread and cheese, and pretty soon I had finished the stones. The next step was what puzzled me. I could not keep up this road-making business for long. A merciful Providence had kept Mr. Turnbull indoors, but if he appeared on the scene there would be trouble. I had a notion that the cordon was still tight round the glen, and that if I walked in any direction I should meet with questioners.

But get out I must. No man's nerve could stand more than a day of being spied on.

I stayed at my post till about five o'clock. By that time I had resolved to go down to Turnbull's cottage at nightfall and take my chance of getting over the hills in the darkness. But suddenly a new car came up the road, and slowed down a yard or two from me. A fresh wind had risen, and the occupant wanted to light a cigarette.

It was a touring-car, with the tonneau full of an assortment of baggage. One man sat in it, and by an amazing chance I knew him. His name was Marmaduke Jopley, and he was an offence to creation. He was a sort of blood stockbroker, who did his business by toadying eldest sons and rich young peers and foolish old ladies.

"Marmie" was a familiar figure, I understood, at balls and polo-weeks and country houses. He was an adroit scandalmonger, and would crawl a mile on his belly to anything that had a title or a million. I had a business introduction to his firm when I came to London, and he was good enough to ask me to dinner at his club.

There he showed off at a great rate, and pattered about his duchesses till the snobbery of the creature turned me sick. I asked a man afterwards why nobody kicked him, and was told that Englishmen reverenced the weaker sex.

Anyhow there he was now, nattily dressed, in a fine new car, obviously on his way to visit some of his fine friends. A sudden daftness took me, and in a second I had jumped into the tonneau and had him by the shoulder.

"Hello, Jopley," I sang out. "Well met, my lad!"

He got a horrid fright. His chin dropped as he stared at me. "Who the devil are you?" he gasped.

"My name's Hannay," I said, "from Rhodesia, you remember?"

"Good God, the murderer!" he choked.

"Just so. And there'll be a second murder, my dear, if you don't do as I tell you. Give me that coat of yours. That cap, too."

He did as he was bid, for he was blind with terror. Over my dirty trousers and vulgar shirt I put on his smart driving-coat, which buttoned high at the top and thereby hid the deficiencies of my collar. I stuck the cap on my head, and added his gloves to my get-up. The dusty roadman in a minute was transformed into one of the neatest motorists in Scotland. On Mr. Jopley's head I clapped Turnbull's unspeakable hat, and told him to keep it there.

Then with some difficulty I turned the car. My plan was to go back the road he had come, for the watchers, having seen it before, would probably let it pass unremarked, and Marmie's figure was in no way like mine.

"Now, my child," I said, "sit quite still and be a good boy. I mean you no harm. I'm only borrowing your car for an hour or two. But if you play me any tricks, and above all if you open your mouth, as sure as there's a God above me, I'll wring your neck. *Savez?*"

I enjoyed that evening's ride. We ran eight miles down the valley, through a village or two, and I could not help noticing several strange-looking folk lounging by the roadside. These were the watchers who would have had much to say to me if I had come in other garb or company. As it was, they looked incuriously on. One touched his cap in salute, and I responded graciously.

As the dark fell I turned up a side glen which, as I remembered from the map, led into an unfrequented corner of the hills. Soon the villages were left behind, then the farms, and then even the wayside cottages. Presently we came to a lonely moor where the night was blackening the sunset gleam in the bog-pools. Here we stopped, and I obligingly reversed the car and restored to Mr. Jopley his belongings.

"A thousand thanks," I said. "There's more use in you than I thought. Now be off and find the police."

As I sat on the hillside, watching the tail-light dwindle, I reflected on the various kinds of crime I had now sampled. Contrary to general belief I was not a murderer, but I had become an unholy liar, a shameless impostor, and a highwayman with a marked taste for expensive motor-cars.

CHAPTER VI

THE ADVENTURE OF THE BALD ARCHÆOLOGIST

I SPENT the night on a shelf of the hillside, in the lee of a boulder where the heather grew long and soft. It was a cold business, for I had neither coat nor waistcoat. Those were in Mr. Turnbull's keep, as was Scudder's little book, my watch and—worst of all—my pipe and tobacco pouch. Only my money accompanied me in my belt, and about half a pound of ginger biscuits in my trousers pocket.

I supped off half those biscuits, and by worming myself deep into the heather got some kind of warmth. My spirits had risen, and I was beginning to enjoy this crazy game of hide-and-seek. So far I had been miraculously lucky. The milkman, the literary innkeeper, Sir Harry, the roadman, and the idiotic Marmie, were all pieces of undeserved good fortune. Somehow the first success gave me a feeling that I should pull through. My chief trouble was that I was desperately hungry. When a Jew shoots himself in the City and there is an inquest, the newspapers usually report that the deceased was "well nourished." I remember thinking that they would not call me well-nourished if I broke my neck in a bog-hole. I lay and tortured myself—for the ginger biscuits merely emphasised the aching void—with the memory of all the good food I had thought so little of in London. There were Paddock's crisp sausages and fragrant shavings of bacon, and shapely poached eggs—how often I had turned up my nose at them! There were the cutlets they did at the club, and a particular ham that stood on the cold table, for which my soul lusted. My thoughts hovered over all the varieties of mortal edible, and finally settled on a porter-house steak and a quart of bitter with a Welsh rabbit to follow. In longing hopelessly for these dainties I fell asleep.

I woke very cold and stiff about an hour

after dawn. It took me a little while to remember where I was, for I had been very weary and had slept heavily. I saw first the pale blue sky through a net of heather, then a big shoulder of hill, and then my own boots placed neatly in a blackberry-bush. I raised myself on my arms and looked down into the valley, and that one look set me lacing up my boots in mad haste. For there were men below, not more than a quarter of a mile off, spaced out on the hillside like a fan, and beating the heather. Marmie had not been slow in looking for his revenge.

I crawled out of my shelf into the cover of a boulder, and from it gained a shallow trench which slanted up the mountain face. This led me presently into the narrow gully of a burn, by way of which I scrambled to the top of the ridge. From there I looked back, and saw that I was still undiscovered. My pursuers were patiently quartering the hillside and moving upwards.

Keeping behind the skyline, I ran for maybe half a mile till I judged I was above the uppermost end of the glen. Then I showed myself, and was instantly noted by one of the flankers who passed the word to the others. I heard cries coming up from below, and saw that the line of search had changed its direction. I pretended to retreat over the sky-line, but instead went back the way I had come, and in twenty minutes was behind the ridge overlooking my sleeping place. From that viewpoint I had the satisfaction of seeing the pursuit streaming up the hill at the top of the glen on a hopelessly false scent. I had before me a choice of routes, and I chose a ridge which made an angle with the one I was on, and so would soon put a deep glen between me and my enemies. The exercise had warmed my blood, and I was beginning to enjoy myself amazingly. As I went I breakfasted on the dusty remnants of the ginger biscuits.

I knew very little about the country, and I hadn't a notion what I was going to do. I trusted to the strength of my legs, but I was well aware that those behind me would be familiar with the lie of the land, and that my ignorance would be a heavy handicap. I saw in front of me a sea of hills, rising very high towards the south, but northwards breaking down into broad ridges which separated wide and shallow dales. The ridge I had chosen seemed to sink after a mile or two to a moor which lay like a pocket in the uplands. That seemed as good a direction to take as any other.

My stratagem had given me a fair start—call it twenty minutes—and I had the width of a glen behind me before I saw the first heads of the pursuers. The police had evidently called in local herds or gamekeepers. They hallooed at the sight of me, and I waved my hand. Two dived into the glen and began to climb my ridge, while the others kept their own side of the hill. I felt as if I were taking part in a schoolboy game of hare and hounds.

But very soon it began to seem less of a game. Those fellows behind were hefty men on their native heath. Looking back I saw that only three were following direct and I guessed that the others had fetched a circuit to cut me off. My lack of local knowledge might very well be my undoing, and I resolved to get out of this tangle of glens to the pocket of moor I had seen from the tops. I must so increase my distance as to get clear away from them and I believed I could do this if I could find the right ground for it. If there had been cover I would have tried a bit of stalking, but on these bare slopes you could see a fly a mile off. My hope must be in the length of my legs and the soundness of my wind, but I needed easier ground for that, for I was not bred a mountaineer. How I longed for a good Afrikander pony!

I put on a great spurt and got off my ridge and down into the moor before any figures appeared on the skyline behind me. I crossed a burn, and came out on a highroad which made a pass between two glens. All in front of me was a big field of heather sloping up to a crest which was crowned with an odd feather of trees. In the dike by the roadside was a gate, from which a grass-grown track led over the first wave of the moor. I jumped the dike and followed it, and after a few hundred yards—as soon as it was out of sight of the highway—the grass stopped and it became a very respectable road which was evidently kept with some care. Clearly it ran to a house, and I began to think of doing the same. Hitherto my luck had held, and it might be that my best chance would be found in this remote dwelling. Anyhow there were trees there—and that meant cover.

I did not follow the road, but the burnside which flanked it on the right, where the bracken grew deep and the high banks made a tolerable screen. It was well I did so, for no sooner had I gained the hollow than, looking back, I saw the pursuit topping the ridge from which I had descended.

After that I did not look back; I had no time. I ran up the burnside, crawling over the open places, and for a large part wading in the shallow stream. I found a deserted cottage with a row of phantom peat-stacks and an overgrown garden. Then I was among young hay, and very soon had come to the edge of a plantation of windblown firs. From there I saw the chimneys of the house smoking a few hundred yards to my left. I forsook the burnside, crossed another dike, and almost before I knew was on a rough lawn. A glance back told me that I was well out of sight of the pursuit, which had not yet passed the first lift of the moor.

The lawn was a very rough place, cut with a scythe instead of a mower, and planted with beds of scrubby rhododendrons. A brace of blackgame, which are not usually garden birds, rose at my approach. The house before me was the ordinary moorland farm, with a more pretentious white-washed wing added. Attached to this wing was a glass verandah, and through the glass I saw the face of an elderly gentleman meekly watching me.

I stalked over the border of coarse hill gravel and entered the verandah door. Within was a pleasant room, glass on one side, and on the other a mass of books. More books showed in an inner room. On the floor, instead of tables, stood cases such as you see in a museum, filled with coins and queer stone implements. There was a knee-hole desk in the middle, and seated at it, with some papers and open volumes before him, was the benevolent old gentleman. His face was round and shiny, like Mr. Pickwick's, big glasses were stuck on the end of his nose, and the top of his head was as bright and bare as a glass bottle. He never moved when I entered, but raised his placid eyebrows and waited on me to speak.

It was not an easy job, with about five minutes to spare, to tell a stranger who I was and what I wanted, and to win his aid. I did not attempt it. There was something about the eye of the man before me, something so keen and knowledgeable, that I could not find a word. I simply stared at him and stuttered.

"You seem in a hurry, my friend," he said slowly.

I nodded towards the window. It gave a

prospect across the moor through a gap in the plantation, and revealed certain figures half a mile off straggling through the heather.

"Ah, I see," he said, and took up a pair of field glasses, through which he patiently scrutinised the figures.

"A fugitive from justice, eh? Well, we'll go into the matter at our leisure. Meantime, I object to my privacy being broken in upon by the clumsy rural policeman. Go into my study and you will see two doors facing you. Take the one to the left and close it behind you. You will be perfectly safe."

And this extraordinary man took up his pen again.

I did as I was bid, and found myself in a little dark chamber which smelled of chemicals and was lit only by a tiny window high up in the wall. The door had swung behind me with a click like the door of a safe. Once again I had found an unexpected sanctuary.

All the same I was not comfortable. There was something about the old gentleman which puzzled and rather terrified me. He had been too easy and ready, almost as if he had expected me. And his eyes had been horribly intelligent.

No sound came to me in that dark place. For all I knew the police might be searching the house, and if they did they would want to know what was behind this door. I tried to possess my soul in patience and to forget how hungry I was. Then I took a more cheerful view. The old gentleman could scarcely refuse me a meal, and I fell to reconstructing my breakfast. Bacon and eggs would content me, but I wanted the better part of a flitch of bacon and half a hundred eggs. And then, while my mouth was watering in anticipation, there was a click and the door stood open.

I emerged into the sunlight to find the master of the house sitting in a deep armchair in the room he called his study, and regarding me with curious eyes.

"Have they gone?" I asked.

"They have gone. I convinced them that you had crossed the hill. I do not choose that the police should come between me and one whom I am delighted to honour. This is a lucky morning for you, Mr. Richard Hannay."

As he spoke his eyelids seemed to tremble and to fall a little over his keen grey eyes. In a flash the phrase of Scudder's came back to me, when he had described the man he most dreaded in the world. He had said that he "could hood his eyes like a hawk." Then I saw that I had walked straight into the enemy's headquarters.

My first impulse was to throttle the old ruffian and make for the open air. He seemed to anticipate my intention, for he smiled gently and nodded to the door behind me. I turned and saw two men-servants who had me covered with pistols.

He knew my name, but he had never seen me before. And as the reflection darted across my mind, I saw a slender chance.

"I don't know what you mean," I said roughly. "And who are you calling Richard Hannay? My name's Ainslie."

"So?" he said, still smiling. "But of course you have others. We won't quarrel about a name."

I was pulling myself together now and I reflected that my garb, lacking coat and waistcoat and collar, would, at any rate, not betray me. I put on my surliest face and shrugged my shoulders.

"I suppose you're going to give me up after all, and I call it a damned dirty trick. My God, I wish I had never seen that cursed motor-car! Here's the money and be damned to you," and I flung four sovereigns on the table.

He opened his eyes a little. "Oh, no, I shall not give you up. My friends and I will have a little private settlement with you, that is all. You know a little too much, Mr. Hannay. You are a clever actor, but not quite clever enough."

He spoke with assurance, but I could see the dawning of a doubt in his mind.

"O, for God's sake stop jawing," I cried. "Everything's against me. I haven't had a bit of luck since I came on shore at Leith. What's the harm in a poor devil with an empty stomach picking up some money he finds in a bust-up motor-car? That's all I done, and for that I've been chivvied for two days by those blasted bobbies over those blasted hills. I tell you I'm fair sick of it. You can do what you like, old boy! Ned Ainslie's got no fight left in him."

I could see that the doubt was gaining.

"Will you oblige me with the story of your recent doings?" he asked.

"I can't, guv'nor," I said in a real beggar's whine. "I've not had a bite to eat for two days. Give me a mouthful of food, and then you'll hear God's truth."

I must have showed my hunger in my face, for he signalled to one of the men in the doorway. A bit of cold pie was brought and a glass of beer, and I wolfed them down like a pig—or rather like Ned Ainslie, for I was keeping up my character. In the middle of my meal he spoke suddenly to me in German, but I turned on him a face as blank as a stone wall.

Then I told him my story—how I had come off an Archangel ship at Leith a week ago, and was making my way overland to my brother at Wigton. I had run short of cash—I hinted vaguely at a spree—and I was pretty well on my uppers when I had come on a hole in a hedge, and, looking through, had seen a big motor-car lying in a burn. I had poked about to see what had happened, and had found three sovereigns lying on the seat and one on the floor. There was nobody there or any sign of an owner, so I had pocketed the cash. But somehow the law had got after me. When I had tried to change a sovereign in a baker's shop the woman had cried on the police, and a little later, when I was washing my face in a burn, I had been nearly gripped, and had only got away by leaving my coat and waistcoat behind me.

"They can have the money back," I cried, "for a fat lot of good it's done me. Those perishers are all down on a poor man. Now if it had been you, guv'nor, that had found the quids, nobody would have troubled you."

"You're a good liar, Hannay," he said.

I flew into a rage. "Stop fooling, damn you! I tell you my name's Ainslie, and I never heard of any one called Hannay in my born days. I'd sooner have the police than you with your Hannays and your monkey-faced pistol tricks. No, guv'nor, I don't mean that. I'm much obliged to you for the grub. I'll thank you to let me go now the coast's clear."

It was obvious that he was badly puzzled. You see he had never seen me, and my appearance must have altered considerably from my photographs—if he had got one of them. I was pretty smart and well dressed in London, and now I was a regular tramp.

"I do not propose to let you go. If you are what you say you are, you will soon have a chance of clearing yourself. If you are what I believe you are, I do not think you will see the light much longer."

He rang a bell and a third servant appeared from the verandah.

"I want the Lanchester in five minutes," he said. "There will be three to luncheon."

Then he looked steadily at me, and that was the hardest ordeal of all. There was something weird and devilish in those eyes, cold, malignant, unearthly, and most hellishly clever. They fascinated me like the bright eyes of a snake. I had a strong impulse to throw myself on his mercy and offer to join his side, and if you consider the way I felt about the whole thing, you will see that that impulse must have been purely physical, the weakness of a brain mesmerised and mastered by a stronger spirit. But I managed to stick it out and even to grin. "You'll know me next time, guv'nor," I said.

"Karl," he said in German to one of the men in the doorway. "You will put this fellow in the store-room till I return, and you will be answerable to me for his keeping."

I was marched out of the room with a pistol at each ear.

The store-room was a damp chamber in what had been the old farmhouse. There was no carpet on the uneven floor and nothing to sit down on but a school form. It was black as pitch, for the windows were heavily shuttered. I made out by groping that the walls were lined with boxes and barrels and sacks of some heavy stuff. The whole place smelled of mould and disuse. My jailers turned the key in the door, and I could hear them shifting their feet as they stood on guard outside.

I sat down in the chilly darkness in a very miserable frame of mind. The old boy had gone off in a motor to collect the two ruffians who had interviewed me yesterday. Now, they had seen me as the roadman, and they would remember me, for I was in the same rig. What was a roadman doing twenty miles from his beat, pursued by the police? A question or two would put them on the track. Probably they had seen Mr. Turnbull, probably Marmie too; most likely they could link me up with Sir Harry, and then the whole thing would be crystal clear. What chance had I in this moorland house with three desperadoes and their armed servants? I began to think wistfully of the police, now plodding over the hills after my wraith. They at any rate were fellow countrymen and honest men, and their tender mercies would be kinder than these ghoulish aliens. But they wouldn't have listened to me. That old devil with the eyelids had not taken long to get rid of them. I thought he probably had some kind of graft with the constabulary. Most likely he had letters from Cabinet Ministers saying he was to be given every facility for plotting against Britain. That's the sort of owlish way we run our politics in the Old Country.

The three would be back for lunch, so I hadn't more than a couple of hours to wait. It was simply waiting on destruction, for I could see no way out of this mess. I wished that I had Scudder's courage, for I am free to confess I didn't feel any great fortitude. The only thing that kept me going was that I was pretty furious. It made me boil with rage to think of those three spies getting the pull on me like this. I hoped that at any rate I might be able to twist one of their necks before they downed me.

The more I thought of it the angrier I grew, and I had to get up and move about the room. I tried the shutters, but they were the kind that lock with a key and I couldn't move them. From the outside came the faint clucking of hens in the warm sun. Then I groped among the sacks and boxes. I couldn't open the latter and the sacks seemed to be full of things like dog-biscuits that smelled of cinnamon. But, as I circumnavigated the room, I found a handle in the wall which seemed worth investigating.

It was the door of a wall cupboard—what they call a "press" in Scotland—and it was locked. I shook it and it seemed rather flimsy. For want of something better to do I put out my strength on that door, getting some purchase on the handle by looping my braces round it. Presently the thing gave with a crash which I thought would bring in my warders to inquire. I waited for a bit and then started to explore the cupboard shelves.

There was a multitude of queer things there. I found an odd vesta or two in my trouser pockets and struck a light. It went out in a second, but it showed me one thing. There was a little stock of electric torches on one shelf. I picked up one and found it was in working order.

With the torch to help me I investigated further. There were bottles and cases of queer smelling stuffs, chemicals no doubt for experiments, and there were coils of fine copper wire and yanks and yanks of a thin oiled silk. There was a box of detonators, and a lot of cord for fuses. Then away at the back of a shelf I found a stout brown cardboard box, and inside it a wooden case. I managed to wrench it open, and within lay half a dozen little grey bricks, each a couple of inches square.

I took up one and found that it crumbled easily in my hand. Then I smelled it and put my tongue to it. After that I sat down to think. I hadn't been a mining engineer for nothing, and I knew lentonite when I saw it.

With one of these bricks I could blow the house to smithereens. I had used the stuff in Rhodesia and knew its power. But the trouble was that my knowledge wasn't exact. I had forgotten the proper charge and the right way of preparing it, and I wasn't sure about the timing. I had only a vague notion, too, as to its power, for though I had used it I had not handled it with my own fingers.

But it was a chance, the only possible chance. It was a mighty risk, but against it was an absolute black certainty. If I used it the odds were, as I reckoned, about five to one in favour of my blowing myself into the tree-tops; but if I didn't I should very likely be occupying a six-foot hole in the garden by the evening. That was the way I had to look at it. The prospect was pretty dark either way, but anyhow there was a chance, both for myself and for my country.

The remembrance of little Scudder decided me. It was about the beastliest moment of my life, for I'm no good at these cold-blooded resolutions. Still I managed to rake up the pluck to set my teeth and choke back the horrid doubts that flooded in on me. I simply shut off my mind and pretended I was doing an experiment as simple as Guy Fawkes fireworks.

I got a detonator, and fixed it to a couple of feet of fuse. Then I took a quarter of a lentonite brick, and buried it near the door, below one of the sacks in a crack of the floor, fixing the detonator in it. For all I knew half those boxes might be dynamite. If the cupboard held such deadly explosives, why not the boxes? In that case there would be a glorious skyward journey for me and the German servants and about an acre of the surrounding country. There was also the risk that the detonation might set off the other bricks in the cupboard, for I had forgotten most that I knew about lentonite. But it didn't do to begin thinking about the possibilities. The odds were horrible, but I had to take them.

I ensconced myself just below the sill of the window and lit the fuse. Then I waited for a moment or two. There was dead silence —only a shuffle of heavy boots in the passage, and the peaceful cluck of hens from the warm out-of-doors. I commended my soul to my Maker, and wondered where I would be in five seconds.

A great wave of heat seemed to surge upwards from the floor, and hang for a blistering instant in the air. Then the wall opposite me flashed into a golden yellow and dissolved with a rending thunder that hammered my brain into a pulp. Something dropped on me, catching the point of my left shoulder.

And then I became unconscious.

My stupor can scarcely have lasted beyond a few seconds. I felt myself being choked by thick yellow fumes, and struggled out of the débris to my feet. Somewhere behind me I felt fresh air. The jambs of the window had fallen, and through the ragged rent the smoke was pouring out to the summer noon. I stepped over the broken lintel, and found myself standing in a yard in a dense and acrid fog. I felt very sick and ill, but I could move my limbs, and I staggered blindly forward away from the house.

A small mill lade ran in a wooden aqueduct at the other side of the yard, and into this I fell. The cool water revived me, and I had just enough wits left to think of escape. I squirmed up the lade among the slippery green slime till I reached the mill-wheel. Then I wriggled through the axle hole into the old mill and tumbled onto a bed of chaff. A nail caught the seat of my trousers, and I left a wisp of heather-mixture behind me.

The mill had been long out of use. The ladders were rotten with age, and in the loft the rats had gnawed great holes in the floor. Nausea shook me, and a wheel in my head kept turning, while my left shoulder and arm seemed to be stricken with the palsy. I looked out of the window and saw a fog still hanging over the house and smoke escaping from an upper window. Please God I had set the place on fire, for I could hear confused cries coming from the other side. But

I had no time to linger, since this mill was obviously a bad hiding-place. Any one looking for me would naturally follow the lade, and I made certain the search would begin as soon as they found that my body was not in the store-room. From another window I saw that on the far side of the mill stood an old stone dovecot. If I could get there without leaving tracks I might find a hiding-place, for I argued that my enemies, if they thought I could move, would conclude I had made for open country, and would go seeking me on the moor.

I crawled down the broken ladder, scattering chaff behind me to cover my footsteps. I did the same on the mill floor, and on the threshold where the door hung on broken hinges. Peeping out I saw that between me and the dovecot was a piece of bare cobbled ground, where no footmarks would show. Also it was mercifully hid by the mill buildings from any view from the house. I slipped across the space, got to the back of the dovecot and prospected a way of ascent.

That was one of the hardest jobs I ever took on. My shoulder and arm ached like hell, and I was so sick and giddy that I was always on the verge of falling. But I managed it somehow. By the use of outjutting stones and gaps in the masonry and a tough ivy root I got to the top in the end. There was a little parapet behind which I found space to lie down. Then I proceeded to go into an old-fashioned swoon.

I woke with a burning head and the sun glaring in my face. For a long time I lay motionless, for those horrible fumes seemed to have loosened my joints and dulled my brain. Sounds came to me from the house—men speaking throatily and the throbbing of a stationary car. There was a little gap in the parapet to which I wriggled, and from which I had some sort of prospect of the yard. I saw figures come out—a servant with his head bound up, and then a younger man in knickerbockers. They were looking for something, and moved towards the mill. Then one of them caught sight of the wisp of cloth on the nail, and cried out to the other. They both went back to the house, and brought two more to look at it. I saw the rotund figure of my late captor, and I thought I made out the man with the lisp. I noticed that all had pistols.

For half an hour they ransacked the mill. I could hear them kicking over the barrels and pulling up the rotten planking. Then they came outside, and stood just below the dovecot, arguing fiercely. The servant with the bandage was being soundly rated. I heard them fiddling with the door of the dovecot, and for one horrid moment I thought they were coming up. Then they thought better of it, and went back to the house.

All that long blistering afternoon I lay baking on the roof-top. Thirst was my chief torment. My tongue was like a stick, and to make it worse, I could hear the cool drip of water from the mill-lade. I watched the course of the little stream as it came in from the moor, and my fancy followed it to the top of the glen, where it must issue from an icy fountain fringed with cool ferns and mosses. I would have given a thousand pounds to plunge my face into that.

I had a fine prospect of the whole ring of moorland. I saw the car speed away with two occupants, and a man on a hill pony riding east. I judged they were looking for me, and I wished them joy of their quest. But I saw something else more interesting. The house stood almost on the summit of a swell of moorland which crowned a sort of plateau, and there was no higher point nearer than the big hills six miles off. The actual summit, as I have mentioned, was a biggish clump of trees—firs mostly, with a few ashes and beeches. On the dovecot I was almost on a level with the tree-tops, and could see what lay beyond. The wood was not solid, but only a ring, and inside was an oval of green turf, for all the world like a big cricket-field. I didn't take long to guess what it was. It was an aerodrome, and a secret one. The place had been most cunningly chosen. For suppose any one were watching an aeroplane descending here, he would think it had gone over the hill beyond the trees. As the place was on the top of a rise in the midst of a big amphitheatre any observer from any direction would conclude it had passed out of view behind the hill. Only a man very close at hand would realise that the aeroplane had not gone over but had descended in the midst of the wood. An observer with a telescope on one of the higher hills might have discovered the truth, but only herds went there, and herds do not carry spy-glasses. When I looked from the dovecot I could see far away a blue line which I knew was the sea, and I grew furious to think that our enemies had this secret conning-tower to rake our waterways.

Then I reflected that if that aeroplane came back the chances were ten to one that I would be discovered. So through the afternoon I lay and prayed for the coming of darkness, and glad I was when the sun went down over the big western hills and the twilight haze crept over the moor. The aeroplane was late. The gloaming was far advanced when I heard the beat of wings, and saw it volplaning downward to its home in the wood. Lights twinkled for a bit and there was much coming and going from the house. Then the dark fell and silence.

Thank God it was a black night. The moon was well on in its last quarter and would not rise till late. My thirst was too great to allow me to tarry, so about nine o'clock, so far as I could judge, I started to descend. It wasn't easy, and half-way down I heard the back door of the house open, and saw the gleam of a lantern against the mill wall. For some agonising minutes I hung by the ivy and prayed that whoever it was would not come round by the dovecot. Then the light disappeared, and I dropped as softly as I could onto the hard soil of the yard.

I crawled on my belly in the lee of a stone dike till I reached the fringe of trees which surrounded the house. If I had known how to do it I would have tried to put that aeroplane out of action, but I realised that any attempt would probably be futile. I was pretty certain that there would be some kind of defence round the house, so I went through the wood on hands and knees, feeling carefully every inch before me. It was as well, for presently I came on a wire about two feet from the ground. If I had tripped over that, it would doubtless have rung some bell in the house and I would have been captured.

A hundred yards further on I found another wire cunningly placed on the edge of a small stream. Beyond that lay the moor, and in five minutes I was deep in bracken and heather. Soon I was round the shoulder of the rise, in the little glen from which the mill-lade flowed. Ten minutes later my face was deep in the spring, and I was soaking down pints of the blessed water. But I did not stop till I had put half a dozen miles between me and that accursed dwelling.

CHAPTER VII

THE DRY-FLY FISHERMAN

I SAT down on a hill-top and took stock of my position. I wasn't feeling very happy, for my natural thankfulness at my escape was clouded by my severe bodily discomfort. Those lentonite fumes had fairly poisoned me, and the baking hours on the dovecot hadn't helped matters. I had a crushing headache, and felt as sick as a cat. Also my shoulder was in a bad way. At first I thought it was only a bruise, but it seemed to be swelling and I had no use of my left arm.

My plan was to seek Mr. Turnbull's cottage, recover my garments and especially Scudder's note-book, and then make for the main line and get back to the south. It seemed to me that the sooner I got in touch with the Foreign Office man, Sir Walter Bullivant, the better. I didn't see how I could get more proof than I had got already. He must just take or leave my story, and anyway with him I would be in better hands than those devilish Germans. I had begun to feel quite kindly towards the British police.

It was a wonderful starry night and I had not much difficulty about the road. Sir Harry's map had given me the lie of the land, and all I had to do was to steer a point or two west of southwest to come to the stream where I had met the roadman. In all these travels I never knew the names of the places, but I believe this stream was no less than the upper waters of the river Tweed. I calculated I must be about eighteen miles distant, and that meant I could not get there before morning. So I must lie up a day somewhere, for I was too outrageous a figure to be seen in the sunlight. I had neither coat, waistcoat, collar nor hat, my trousers were badly torn, and my face and hands were black with the explosion. I dare say I had other beauties, for my eyes felt as if they were furiously bloodshot.

Altogether I was no spectacle for God-fearing citizens to see on a highroad.

Very soon after daybreak I made an attempt to clean myself in a hill burn, and then approached a herd's cottage, for I was feeling the need of food. The herd was away from home, and his wife was alone, with no neighbour for five miles. She was a decent old body, and a plucky one, for though she got a fright when she saw me, she had an ax handy, and would have used it on any evil-doer. I told her that I had had a fall—I didn't say how—and she saw by my looks that I was pretty sick. Like a true Samaritan she asked no questions, but gave me a bowl of milk with a dash of whisky in it, and let me sit for a little by her kitchen fire. She would have bathed my shoulder, but it ached so badly that I would not let her touch it. I don't know what she took me for—a repentant burglar, perhaps; for when I wanted to pay her for the milk and tendered a sovereign, which was the smallest coin I had, she shook her head and said something about "giving it to them that had a right to it." At this I protested so strongly that I think she believed me honest, for she took the money and gave me a warm new plaid for it and an old hat of her man's. She showed me how to wrap the plaid round my shoulders and when I left that cottage I was the living image of the kind of Scotsman you see in the illustrations to Burns's poems. But at any rate I was more or less clad.

It was as well, for the weather changed before midday to a thick drizzle of rain. I found shelter below an overhanging rock in the crook of a burn, where a drift of dead brackens made a tolerable bed. There I managed to sleep till nightfall, waking very cramped and wretched with my shoulder gnawing like a toothache. I ate the oat-cake and cheese the old wife had given me, and set out again just before the darkening.

I pass over the miseries of that night among the wet hills. There were no stars to steer by, and I had to do the best I could from my memory of the map. Twice I lost my way, and I had some nasty falls into peat-bogs. I had only about ten miles to go as the crow flies, but my mistakes made it nearer twenty. The last bit was completed with set teeth and a very light and dizzy head. But I managed it, and in the early dawn I was knocking at Mr. Turnbull's door. The mist lay close and thick, and from the cottage I could not see the highroad.

Mr. Turnbull himself opened to me—sober and something more than sober. He was primly dressed in an ancient but well-tended suit of black; he had been shaved not later than the night before; he wore a linen collar; and in his left hand he carried a pocket Bible. At first he did not recognise me.

"Whae are ye that comes stravaigin' here on the Sabbath mornin'?" he asked.

I had lost all count of the days. So the Sabbath was the reason for his strange decorum.

My head was swimming so wildly that I could not frame a coherent answer. But he recognised me and he saw that I was ill.

"Hae ye got my specs?" he asked.

I fetched them out of my trousers pocket and gave him them.

"Ye'll hae come for your jacket and west-coat," he said. "Come in, bye. Losh, man, ye're terrible dune i' the legs. Haud up till I get ye to a chair."

I perceived I was in for a bout of malaria. I had a good deal of fever in my bones, and the wet night had brought it out, while my shoulder and the effects of the fumes combined to make me feel pretty bad. Before I knew, Mr. Turnbull was helping me off with my clothes, and putting me to bed in one of the two cupboards that lined the kitchen walls.

He was a true friend in need, that old road-man. His wife was dead years ago, and since his daughter's marriage he lived alone. For the better part of ten days he did all the rough nursing I needed. I simply wanted to be left in peace while the fever took its course, and when my skin was cool again I found that the bout had more or less cured my shoulder. But it was a baddish go, and though I was out of bed in five days, it took me some time to get my legs again.

He went out each morning, leaving me milk for the day, and locking the door behind him; and came in in the evening to sit silent in the chimney corner. Not a soul came near the place. When I was getting better he never bothered me with a question. Several times he fetched me a two-days-old *Scotsman,* and I noticed that the interest in the Portland Place murder seemed to have died down. There was no mention of it, and I could find very little about anything except a thing called the General Assembly—some ecclesiastical spree, I gathered.

One day he produced my belt from a lockfast drawer. "There's a terrible heap o' siller in't," he said. "Ye'd better count it to see it's a' there."

He never even inquired my name. I asked him if anybody had been around making inquiries subsequent to my spell at the roadmaking.

"Aye, there was a man in a motor-cawr. He

speired whae had ta'en my place that day, and I let on I thocht him daft. But he keepit on at me, and syne I said he maun be thinkin' o' my gude-brither frae the Cleuch that whiles lent me a haun'. He was a wersh-lookin' soul, and I couldna understand the half o' his English tongue."

I was getting pretty restless those last days, and as soon as I felt myself fit I decided to be off. That was not till the twelfth day of June, and as luck would have it, a drover went past that morning taking some cattle to Moffat. He was a man named Hislop, a friend of Turnbull's, and he came in to his breakfast with us and offered to take me with him.

I made Turnbull accept five pounds for my lodging, and a hard job I had of it. There never was a more independent being. He grew positively rude when I pressed him, and shy and red, and took the money at last without a thank you. When I told him how much I owed him, he grunted something about "ae guid turn deservin' anither." You would have thought from our leavetaking that we had parted in disgust.

Hislop was a cheery soul, who chattered all the way over the pass and down the sunny vale of Annan. I talked of Galloway markets and sheep prices, and he made up his mind I was a "pack-shepherd" from those parts—whatever that may be. My plaid and my old hat, as I have said, gave me a fine theatrical Scots look. But driving cattle is a mortally slow job, and we took the better part of the day to cover a dozen miles. If I had not had such an anxious heart I would have enjoyed that time. It was shining blue weather, with a constantly changing prospect of brown hills and far, green meadows, and a continual spund of larks and curlews and falling streams. But I had no mind for the summer, and little for Hislop's conversation, for as the fateful 15th of June grew near I was overweighted with the hopeless difficulties of my enterprise.

I got some dinner in a humble Moffat public-house, and walked the two miles to the junction on the main line. The night express for the south was not due till near midnight, and to fill up the time I went up on the hillside and fell asleep, for the walk had tired me. I all but slept too long, and had to run to the station and catch the train with two minutes to spare. The feel of the hard third-class cushions and the smell of stale tobacco cheered me up wonderfully. At any rate I felt now that I was getting to grips with my job.

I was decanted at Crewe in the small hours and had to wait till six to get a train for Birmingham. In the afternoon I got to Reading and changed into a local train which journeyed into the deeps of Berkshire. Presently I was in a land of lush water-meadows and slow reedy streams. About eight o'clock in the evening, a weary and travel-stained being—a cross between a farm-labourer and a vet—with a checked black-and-white plaid over his arm (for I did not dare to wear it south of the border)—descended at the little station of Arstinswell. There were several people on the platform, and I thought I had better wait to ask my way till I was clear of the place.

The road led through a wood of great beeches and then into a shallow valley with the green backs of downs peeping over the distant trees. After Scotland the air smelled heavy and flat, but infinitely sweet, for the limes and chestnuts and lilac-bushes were domes of blossom. Presently I came to a bridge, below which a clear, slow stream flowed between snowy beds of water-buttercups. A little above it was a mill; and the lasher made a pleasant cool sound in the scented dusk. Somehow the place soothed me and put me at my ease. I fell to whistling as I looked into the green depths, and the tune which came to my lips was "Annie Laurie."

A fisherman came up from the waterside, and as he neared me he, too, began to whistle. The tune was infectious, for he followed my suit. He was a huge man in untidy old flannels and a wide-brimmed hat, with a canvas bag slung on his shoulder. He nodded to me, and I thought I had never seen a shrewder or better-tempered face. He leaned his delicate ten-foot split cane rod against the bridge and looked with me at the water.

"Clear, isn't it?" he said pleasantly. "I back our Kennet any day against the Test. Look at that big fellow! Four pounds, if he's an ounce! But the evening rise is over and you can't tempt 'em."

"I don't see him," said I.

"Look! There! A yard from the reeds, just above that stickle."

"I've got him now. You might swear he was a black stone."

"So," he said, and whistled another bar of "Annie Laurie."

"Twisden's the name, isn't it?" he said over his shoulder, his eyes still fixed on the stream.

"No," I said. "I mean to say yes." I had forgotten all about my alias.

"It's a wise conspirator that knows his own name," he observed, grinning broadly at a moor-hen that emerged from the bridge's shadow.

I stood up and looked at him, at his square

cleft jaw and broad, lined brow and the firm folds of cheek, and began to think that here at last was an ally worth having. His whimsical blue eyes seemed to go very deep.

Suddenly he frowned. "I call it disgraceful," he said, raising his voice. "Disgraceful that an able-bodied man like you should dare to beg. You can get a meal from my kitchen, but you'll get no money from me."

A dog-cart was passing, driven by a young man who raised his whip to salute the fisherman. When he had gone, he picked up his rod.

"That's my house," he said, pointing to a white gate a hundred yards on. "Wait five minutes and then go round to the back door." And with that he left me.

I did as I was bidden. I found a pretty cottage with a lawn running down to the stream, and a perfect jungle of guelder-rose and lilac flanking the path. The back door stood open and a grave butler was awaiting me.

"Come this way, sir," he said, and he led

me along a passage and up a back staircase to a pleasant bedroom looking towards the river. There I found a complete outfit laid out for me, dress clothes with all the fixings, a brown flannel suit, shirts, collars, ties, shaving things and hair-brushes, even a pair of patent shoes. "Sir Walter thought as how Mr. Reggie's things would fit you, sir," said the butler. "He keeps some clothes 'ere, for he comes regular on the week-ends. There's a bathroom next door, and I've prepared a 'ot bath. Dinner in 'alf an hour, sir. You'll 'ear the gong."

The grave being withdrew, and I sat down in a chintz-covered easy chair and gaped. It was like a pantomime to come suddenly out of beggardom into this orderly comfort. Obviously Sir Walter believed in me, though why he did I could not guess. I looked at myself in the mirror, and saw a wild, haggard brown fellow with a fortnight's ragged beard and dust in ears and eyes, collarless, vulgarly shirted, with shapeless old tweed clothes and boots that had not been cleaned for the better part of a month. I made a fine tramp and a fair drover; and here I was ushered by a prim butler into this temple of gracious ease. And the best of it was that they did not even know my name.

I resolved not to puzzle my head, but to take the gifts the gods had provided. I shaved and bathed luxuriously, and got into the dress clothes and clean, crackling shirt, which fitted me not so badly. By the time I had finished the looking-glass showed a not unpersonable young man.

Sir Walter awaited me in a dusky dining-room, where a little round table was lit with silver candles. The sight of him—so respectable and established and secure, the embodiment of law and government and all the conventions—took me aback and made me feel an interloper. He couldn't know the truth about me, or he wouldn't treat me like this. I simply could not accept his hospitality on false pretenses.

"I am more obliged to you than I can say, but I'm bound to make things clear," I said.

"I'm an innocent man, but I'm wanted by the police. I've got to tell you this, and I won't be surprised if you kick me out."

He smiled. "That's all right. Don't let that interfere with your appetite. We can talk about these things after dinner."

I never ate a meal with greater relish, for I had had nothing all day but railway sandwiches. Sir Walter did me proud, for we drank a good champagne and had some uncommon fine port afterwards. It made me almost hysterical to be sitting there, waited on by a footman and a sleek butler, and remember that I had been living for three weeks like a brigand, with every man's hand against me. I told Sir Walter about tiger-fish in the Zambesi that bite off your fingers if you give them a chance, and we discussed sport up and down the globe, for he had hunted a bit in his day.

We went to his study for coffee, a jolly room full of books and trophies and untidiness and comfort. I made up my mind that if ever I got rid of this business and had a house of my own, I would create just such a room.

Then when the coffee-cups were cleared away, and we had got our cigars alight, my host swung his long legs over the side of his chair and bade me get started with my yarn.

"I've obeyed Harry's instructions," he said, "and the bribe he offered me was that you would tell me something to wake me up. I'm ready, Mr. Hannay." I noticed with a start that he called me by my proper name.

I began at the very beginning. I told of my boredom in London, and the night I had come back to find Scudder gibbering on my door-step. I told him all Scudder had told me about Karolides and the Foreign Office conference, and that made him purse his lips and grin. Then I got to the murder, and he grew solemn again. He heard all about the milkman and my time in Galloway, and my deciphering Scudder's notes at the inn.

"You've got them here?" he asked sharply, and drew a long breath when I whipped the little book from my pocket.

I said nothing of the contents. Then I described my meeting with Sir Harry, and the speeches at the hall. At that he laughed uproariously.

"Harry talked dashed nonsense, did he? I quite believe it. He's as good a chap as ever breathed, but his idiot of an uncle has stuffed his head with maggots. Go on, Mr. Hannay."

My day as roadman excited him a bit. He made me describe the two fellows in the car very closely, and seemed to be raking back in his memory. He grew merry again when he heard of the fate of that ass, Jopley.

But the old man in the moorland house solemnised him. Again I had to describe every detail of his appearance.

"Bland and bald-headed and hooded his eyes like a bird. . . . He sounds a sinister wild fowl! And you dynamited his hermitage, after he had saved you from the police? Spirited piece of work, that!"

Presently I reached the end of my wanderings. He got up slowly and looked down at me from the hearth-rug.

"You may dismiss the police from your

mind," he said. "You're in no danger from the law of this land."

"Great Scott!" I cried. "Have they got the murderer?"

"No. But for the last fortnight they have dropped you from the list of possibles."

"Why?" I asked in amazement.

"Principally because I received a letter from Scudder. I knew something of the man, and he did several jobs for me. He was half crank, half genius, but he was wholly honest. The trouble about him was his partiality for playing a lone hand. That made him pretty well useless in any secret service—a pity, for he had uncommon gifts. I think he was the bravest man in the world, for he was always shivering with fright, and yet nothing would choke him off. I had a letter from him on the 31st of May."

"But he had been dead a week by then."

"The letter was written and posted on the 23rd. He evidently did not anticipate an immediate decease. His communications usually took a week to reach me, for they were sent under cover to Spain and then to Newcastle. He had a mania, you know, for concealing his tracks."

"What did he say?" I stammered.

"Nothing. Merely that he was in danger, but had found shelter with a good friend, and that I would hear from him before the 15th of June. He gave me no address, but said he was living near Portland Place. I think his object was to clear you if anything happened. When I got it I went to Scotland Yard, went over the details of the inquest, and concluded that you were the friend. We made inquiries about you, Mr. Hannay, and found you were respectable. I thought I knew the motives for your disappearance—not only the police, the other one too—and when I got Harry's scrawl I guessed at the rest. I have been expecting you any time this past week."

You can imagine what a load this took off my mind. I felt a free man once more, for I was now up against my country's enemies only, and not my country's law.

"Now let us have the little note-book," said Sir Walter.

It took us a good hour to work through it. I explained the cypher, and he was jolly quick at picking it up. He amended my reading of it on several points, but I had been fairly correct, on the whole. His face was very grave before he had finished, and he sat silent for a while.

"I don't know what to make of it," he said at last. "He is right about one thing—what is going to happen the day after to-morrow. How the devil can it have got known? That is ugly enough in itself. But all this about war and the Black Stone—it reads like some wild melodrama. If only I had more confidence in Scudder's judgment. The trouble about him was that he was too romantic. He had the artistic temperament, and wanted a story to be better than God meant it to be. He had a lot of odd biases, too. Jews, for example, made him see red. Jews and the high finance."

"The Black Stone," he repeated. *"Der*

Schwarze stein. It's like a penny novelette. And all this stuff about Karolides. That is the weak part of the tale, for I happen to know that the virtuous Karolides is likely to outlast us both. There is no state in Europe that wants him gone. Besides, he has just been playing up to Berlin and Vienna and giving my chief some uneasy moments. No! Scudder has gone off the track there. Frankly, Hannay, I don't believe that part of his story. There's some nasty business afoot, and he found out too much and lost his life over it. But I am ready to take my oath that it is ordinary spy work. A certain great European power makes a hobby of her spy system and her methods are not too particular. Since she pays by piece-work her blackguards are not likely to stick at a murder or two. They want our naval dispositions for their collection at the Marinamt; but they will be pigeon-holed—nothing more."

Just then the butler entered the room.

"There's a trunk-call from London, Sir

Walter. It's Mr. 'Eath, and he wants to speak to you personally."

My host went off to the telephone.

He returned in five minutes with a whitish face. "I apologise to the shade of Scudder," he said. "Karolides was shot dead this evening at a few minutes after seven!"

CHAPTER VIII

THE COMING OF THE BLACK STONE

I CAME down to breakfast next morning, after eight hours of blessed dreamless sleep, to find Sir Walter decoding a telegram in the midst of muffins and marmalade. His fresh rosiness of yesterday seemed a thought tarnished.

"I had a busy hour on the telephone after you went to bed," he said. "I got my chief to speak to the First Lord and the Secretary for War, and they are bringing Royer over a day sooner. This wire clinches it. He will be in London at five. Odd that the code word for a *Sous-chef d'Etat Major General* should be 'Porker'."

He directed me to the hot dishes and went on.

"Not that I think it will do much good. If your friends were clever enough to find out the first arrangement they are clever enough to discover the change. I would give my head to know where the leak is. We believed there were only five men in England who knew about Royer's visit, and you may be certain there were fewer in France, for they manage these things better there."

While I ate he continued to talk, making me to my surprise a present of his full confidence.

"Can the dispositions not be changed?" I asked.

"They could," he said. "But we want to avoid that if possible. They are the result of immense thought, and no alteration would be as good. Besides, on one or two points change is simply impossible. Still, something could be done, if it were absolutely necessary. But you see the difficulty, Hannay. Our enemies are not going to be such fools as to pick Royer's pocket or any childish game like that. They know that would mean a row and put us on our guard. Their aim is to get the details without any of us knowing, so that

Royer will go back to Paris in the belief that the whole business is still deadly secret. If they can't do that they fail, for once we suspect they know that the whole thing must be altered."

"Then we must stick by the Frenchman's side till he is home again," I said. "If they thought they could get the information in Paris they would try there. It means that they have some deep scheme on foot in London which they reckon is going to win out."

"Royer dines with my chief, and then comes to my house where four people will see him —Whittaker from the Admiralty, myself, Sir Arthur Drew, and General Winstanley. The First Lord is ill, and has gone to Sheringham. At my house he will get a certain document from Whittaker, and after that he will be motored to Portsmouth where a destroyer will take him to Havre. His journey is too important for the ordinary boat-train. He will never be left unattended for a moment till he is safe on French soil. The same with Whittaker till he meets Royer. That is the best we can do and it's hard to see how there can be any miscarriage. But I don't mind admitting that I'm horribly nervous. This murder of Karolides will play the deuce in the chancellories of Europe."

After breakfast he asked me if I could drive a car.

"Well, you'll be my chauffeur to-day and wear Hudson's rig. You're about his size. You have a hand in this business and we are taking no risks. There are desperate men against us, who will not respect the country retreat of an over-worked official."

When I first came to London I had bought a car and amused myself with running about the south of England, so I knew something of the geography. I took Sir Walter to town by the Bath Road and made good going. It was a soft breathless June morning, with a promise of sultriness later, but it was delicious enough swinging through the little towns with their freshly watered streets, and past the summer gardens of the Thames valley. I landed Sir Walter at his house in Queen

Anne's Gate punctually by half-past eleven. The butler was coming up by train with the luggage.

The first thing he did was to take me round to Scotland Yard. There we saw a prim gentleman, with a clean-shaven lawyer's face.

"I've brought you the Portland Place murderer," was Sir Walter's introduction.

The reply was a wry smile. "It would have been a welcome present, Bullivant. This, I presume, is Mr. Richard Hannay, who for some days greatly interested my department."

"Mr. Hannay will interest it again. He has much to tell you, but not to-day. For certain grave reasons his tale must wait for twenty-four hours. Then, I can promise you, you will be entertained and possibly edified. I want you to assure Mr. Hannay that he will suffer no further inconvenience."

This assurance was promptly given. "You can take up your life where you left off," I was told. "Your flat, which probably you no longer wish to occupy, is waiting for you, and your man is still there. As you were never publicly accused, we considered that there was no need of a public exculpation. But on that, of course, you must please yourself."

"We may want your assistance later on, MacGillivray," Sir Walter said as we left.

Then he turned me loose.

"Come and see me to-morrow, Hannay. I needn't tell you to keep deadly quiet. If I were you I would go to bed, for you must have considerable arrears of sleep to overtake. You had better lie low, for if one of your Black Stone friends saw you there might be trouble."

I felt curiously at a loose end. At first it was very pleasant to be a free man, able to go where I wanted without fearing anything. I had only been a month under the ban of the law and it was quite enough for me. I went to the Savoy and ordered very carefully a very good luncheon, and then smoked the best cigar the house could provide. But I was still feeling nervous. When I saw anybody look at me in the lounge, I grew shy, and wondered if they were thinking about the murder.

After that I took a taxi and drove miles away up into North London. I walked back through the fields and lines of villas and terraces and then slums and mean streets, and it took me pretty nearly two hours. All the while my restlessness was growing worse. I felt that great things, tremendous things, were happening or about to happen, and I, who was the cog-wheel of the whole business, was out of it. Royer would be landing at Dover, Sir Walter would be making plans with the few people in England who were in the secret, and somewhere in the darkness the Black Stone would be working. I felt the sense of danger and impending calamity, and I had the curious feeling, too, that I alone could avert it, alone could grapple with it. But I was out of the game now. How could it be otherwise? It was not likely that Cabinet Ministers and Admiralty Lords and Generals would admit me to their councils.

I actually began to wish that I could run up

CHŒUR

Ainsi toujours sur tes autels
Tous les mortels
Offrent leurs cœurs en sacrifice !
Ainsi le zéphir en tout temps
Sur tes palais de Cythère et d'Éryce
Fasse régner les grâces du printemps !

Daigne affermir l'heureuse paix
Qu'à nos souhaits
Vient de promettre ton oracle;
Et fais pour ces jeunes amants,
Pour qui tu viens de faire ce miracle,
Un siècle entier de doux ravissements.

Dans nos campagnes et nos bois
Toutes nos voix
Béniront tes douces atteintes;
Et dans les rochers d'alentour,
Le même Écho qui redisait nos plaintes
Ne redira que des soupirs d'amour.

CÉPHÉE

C'est assez... la Déesse est déjà disparue;
Ses dernières clartés se perdent dans la nue;
Allons jeter le sort pour la dernière fois.
Malheureux le dernier que foudroiera son choix,
Et dont en ce grand jour la perte domestique
Souillera de ses pleurs l'allégresse publique !
Madame, cependant, songez à préparer
Cet hymen que les Dieux veulent tant honorer :
Rendez-en l'appareil digne de ma puissance,
Et digne, s'il se peut, d'une telle présence.

CASSIOPE

J'obéis avec joie, et c'est me commander
Ce qu'avec passion j'allais vous demander.

SCÈNE IV

CASSIOPE, PERSÉE, SUITE DE LA REINE

CASSIOPE

Eh bien ! vous le voyez, ce n'était pas un crime,
Et les Dieux ont trouvé cet hymen légitime,
Puisque leur ordre exprès nous le fait achever,
Et que par leur présence ils doivent l'approuver.
Mais quoi? vous soupirez?

PERSÉE

J'en ai bien lieu, Madame.

CASSIOPE

Le sujet?

PERSÉE

Votre joie.

CASSIOPE

Elle vous gêne l'âme?

PERSÉE

Après ce que j'ai dit, douter d'un si beau feu,
Reine, c'est ou m'entendre ou me croire bien peu.
Mais ne me forcez pas du moins à vous le dire,
Quand mon âme en frémit et mon cœur en soupire;
Pouvais-je avoir des yeux et ne pas l'adorer?
Et pourrais-je la perdre et n'en pas soupirer?

CASSIOPE

Quel espoir formiez-vous, puisqu'elle était promise,
Et qu'en vain son bonheur domptait votre franchise?

PERSÉE

Vouloir que la raison règne sur un amant,
C'est être plus que lui dedans l'aveuglement.
Un cœur digne d'aimer court à l'objet aimable,
Sans penser au succès dont sa flamme est capable;
Il s'abandonne entier, et n'examine rien :
Aimer est tout son but, aimer est tout son bien;

Il n'eſt difficulté ni péril qui l'étonne.
« Ce qui n'eſt point à moi n'eſt encore à personne,
Disais-je; et ce rival qui possède sa foi,
S'il espère un peu plus, n'obtient pas plus que moi. »
Voilà durant vos maux de quoi vivait ma flamme,
Et les douces erreurs dont je flattais mon âme.
Pour nourrir des désirs d'un beau feu trop contents,
C'était assez d'espoir que d'espérer au temps;
Lui qui fait chaque jour tant de métamorphoses,
Pouvait en ma faveur faire beaucoup de choses.
Mais enfin la Déesse a prononcé ma mort,
Et je suis ce dernier sur qui tombe le sort.
J'étais indigne d'elle et de son hyménée,
Et toutefois, hélas ! je valais bien Phinée.

CASSIOPE

Vous plaindre, en cet état, c'eſt tout ce que je puis.

PERSÉE

Vous vous plaindrez peut-être apprenant qui je suis.
Vous ne vous trompiez point touchant mon origine,
Lorsque vous la jugiez ou royale ou divine :
Mon père eſt... Mais pourquoi contre vous l'animer?
Puisqu'il nous faut mourir, mourons sans le nommer;
Il vengerait ma mort, si j'avais fait connaître
De quel illuſtre sang j'ai la gloire de naître;
Et votre grand bonheur serait mal assuré,
Si vous m'aviez connu sans m'avoir préféré.
C'eſt trop perdre de temps, courons à votre joie,
Courons à ce bonheur que le ciel vous envoie;
J'en veux être témoin, afin que mon tourment
Puisse par ce poison finir plus promptement.

CASSIOPE

Le temps vous fera voir pour souverain remède
Le peu que vous perdez en perdant Andromède;
Et les Dieux, dont pour nous vous voyez la bonté,
Vous rendront bientôt plus qu'ils ne vous ont ôté.

PERSÉE

Ni le temps ni les Dieux ne feront ce miracle.
Mais allons : à votre heur je ne mets point d'obſtacle,
Reine; c'eſt l'affaiblir, que de le retarder;
Et les Dieux ont parlé, c'eſt à moi de céder.

ACTE II

DÉCORATION DU SECOND ACTE

Cette place publique s'évanouit en un instant pour faire place à un jardin délicieux; et ces grands palais sont changés en autant de vases de marbre blanc, qui portent alternativement, les uns des statues d'où sortent autant de jets d'eau, les autres des myrtes, des jasmins et d'autres arbres de cette nature. De chaque côté se détache un rang d'orangers dans de pareils vases, qui viennent former un admirable berceau jusqu'au milieu du théâtre, et le séparent ainsi en trois allées, que l'artifice ingénieux de la perspective fait paraître longues de plus de mille pas. C'est là qu'on voit Andromède avec ses nymphes qui cueillent des fleurs, et en composent une guirlande dont cette princesse veut couronner Phinée, pour le récompenser, par cette galanterie, de la bonne nouvelle qu'il lui vient d'apporter.

SCÈNE PREMIÈRE

ANDROMÈDE, CHŒUR DE NYMPHES

ANDROMÈDE

NYMPHES, notre guirlande est encor mal ornée;
Et devant qu'il soit peu nous reverrons Phinée,
Que de ma propre main j'en voulais couronner
Pour les heureux avis qu'il vient de me donner.
Toutefois la faveur ne serait pas bien grande,
Et mon cœur après tout vaut bien une guirlande.
Dans l'état où le ciel nous a mis aujourd'hui,
C'est l'unique présent qui soit digne de lui.
Quittez, Nymphes, quittez ces peines inutiles;
L'augure déplairait de tant de fleurs stériles :
Il faut à notre hymen des présages plus doux.
Dites-moi cependant laquelle d'entre vous...
Mais il faut me le dire, et sans faire les fines.

AGLANTE

Quoi? Madame.

ANDROMÈDE

A tes yeux je vois que tu devines.
Dis-moi donc d'entre vous laquelle a retenu
En ces lieux jusqu'ici cet illustre inconnu;
Car enfin ce n'est point sans un peu de mystère
Qu'un tel héros s'attache à la cour de mon père :
Quelque chaîne l'arrête et le force à tarder.
Qu'on ne perde point temps à s'entre-regarder :
Parlez, et d'un seul mot éclaircissez mes doutes.
Aucune ne répond, et vous rougissez toutes !
Quoi? toutes, l'aimez-vous? Un si parfait amant
Vous a-t-il su charmer toutes également?
Il n'en faut point rougir, il est digne qu'on l'aime :
Si je n'aimais ailleurs, peut-être que moi-même,
Oui, peut-être, à le voir si bien fait, si bien né,
Il aurait eu mon cœur, s'il n'eût été donné.
Mais j'aime trop Phinée, et le change est un crime.

AGLANTE

Ce héros vaut beaucoup, puisqu'il a votre estime;
Mais il sait ce qu'il vaut, et n'a jusqu'à ce jour
A pas une de nous daigné montrer d'amour.

ANDROMÈDE

Que dis-tu?

AGLANTE

Pas fait même une offre de service.

ANDROMÈDE

Ah ! c'est de quoi rougir toutes avec justice;
Et la honte à vos fronts doit bien cette couleur,
Si tant de si beaux yeux ont pu manquer son cœur.

CÉPHALIE

Où les vôtres, Madame, épandent leur lumière,
Cette honte pour nous est assez coutumière.
Les plus vives clartés s'éteignent auprès d'eux,
Comme auprès du soleil meurent les autres feux;

Et pour peu qu'on vous voie et qu'on vous considère,
Vous ne nous laissez point de conquêtes à faire.

ANDROMÈDE

Vous êtes une adroite; achevez, achevez :
C'est peut-être en effet vous qui le captivez;
Car il aime, et j'en vois la preuve trop certaine.
Chaque fois qu'il me parle il semble être à la gêne;
Son visage et sa voix changent à tout propos;
Il hésite, il s'égare au bout de quatre mots;
Ses discours vont sans ordre; et plus je les écoute,
Plus j'entends des soupirs dont j'ignore la route.
Où vont-ils, Céphalie? où vont-ils? répondez.

CÉPHALIE

C'est à vous d'en juger, vous qui les entendez.

UN PAGE, *chantant sans être vu.*

Qu'elle est lente, cette journée !

ANDROMÈDE

Taisons-nous : cette voix me parle pour Phinée;
Sans doute il n'est pas loin, et veut à son retour
Que des accents si doux m'expliquent son amour.

PAGE

Qu'elle est lente, cette journée
Dont la fin me doit rendre heureux !
Chaque moment à mon cœur amoureux
Semble durer plus d'une année.
O ciel ! quel est l'heur d'un amant,
Si quand il en a l'assurance,
Sa juste impatience
Est un nouveau tourment?

Je dois posséder Andromède :
Juge, Soleil, quel est mon bien !
Vis-tu jamais amour égal au mien?
Vois-tu beauté qui ne lui cède?
Puis donc que la longueur du jour
De mon nouveau mal est la source,
Précipite ta course,
Et tarde ton retour.

Tu luis encore, et ta lumière
Semble se plaire à m'affliger.
Ah ! mon amour te va bien obliger
A quitter soudain ta carrière.
Viens, Soleil, viens voir la beauté
Dont le divin éclat me dompte;
Et tu fuiras de honte
D'avoir moins de clarté.

SCÈNE II

PHINÉE, ANDROMÈDE,
CHŒUR DE NYMPHES, SUITE DE PHINÉE

PHINÉE

Ce n'est pas mon dessein, Madame, de surprendre,
Puisque avant que d'entrer je me suis fait entendre.

ANDROMÈDE

Vos vœux pour les cacher n'étaient pas criminels,
Puisqu'ils suivent des Dieux les ordres éternels.

PHINÉE

Que me direz-vous donc de leur galanterie?

ANDROMÈDE

Que je vais vous payer de votre flatterie.

PHINÉE

Comment?

ANDROMÈDE

En vous donnant de semblables témoins,
Si vous aimez beaucoup, que je n'aime pas moins.
Approchez, Liriope, et rendez-lui son change;
C'est vous, c'est votre voix que je veux qui me venge.
De grâce, écoutez-la; nous avons écouté,
Et demandons silence après l'avoir prêté.

LIRIOPE *chante.*

Phinée est plus aimé qu'Andromède n'est belle,
Bien qu'ici-bas tout cède à ses attraits;

Comme il n'est point de si doux traits,
Il n'est point de cœur si fidèle.
De mille appas son visage semé
La rend une merveille;
Mais quoiqu'elle soit sans pareille,
Phinée est encor plus aimé.

Bien que le juste ciel fasse voir que sans crime
On la préfère aux nymphes de la mer,
Ce n'est que de savoir aimer
Qu'elle-même veut qu'on l'estime;
Chacun, d'amour pour elle consumé,
D'un cœur lui fait un temple;
Mais quoiqu'elle soit sans exemple,
Phinée est encor plus aimé.

Enfin, si ses beaux yeux passent pour un miracle,
C'est un miracle aussi que son amour,
Pour qui Vénus en ce beau jour
A prononcé ce digne oracle :
Le ciel lui-même, en la voyant, charmé,
La juge incomparable;
Mais quoiqu'il l'ait faite adorable,
Phinée est encor plus aimé.

Cet air chanté, le page de Phinée et cette nymphe font un dialogue en musique, dont chaque couplet a pour refrain l'oracle que Vénus a prononcé au premier acte en faveur de ces deux amants, chanté par les deux voix unies, et répété par le chœur entier de la musique.

PAGE

Heureux amant !

LIRIOPE

Heureuse amante !

PAGE

Ils n'ont qu'une âme.

LIRIOPE

Ils n'ont tous deux qu'un cœur.

PAGE

Joignons nos voix pour chanter leur bonheur.

LIRIOPE

Joignons nos voix pour bénir leur attente.

PAGE ET LIRIOPE

Andromède ce soir aura l'illustre époux
Qui seul est digne d'elle, et dont seule elle est digne.
Préparons son hymen, où, pour faveur insigne,
Les Dieux ont résolu de se joindre avec nous.

CHŒUR

Préparons son hymen, où, pour faveur insigne,
Les Dieux ont résolu de se joindre avec nous.

PAGE

Le ciel le veut.

LIRIOPE

Vénus l'ordonne.

PAGE

L'amour les joint.

LIRIOPE

L'hymen va les unir.

PAGE

Douce union que chacun doit bénir !

LIRIOPE

Heureuse amour qu'un tel succès couronne !

PAGE ET LIRIOPE

Andromède ce soir aura l'illustre époux
Qui seul est digne d'elle, et dont seule elle est digne.
Préparons son hymen, où, pour faveur insigne,
Les Dieux ont résolu de se joindre avec nous.

CHŒUR

Préparons son hymen, où, pour faveur insigne,
Les Dieux ont résolu de se joindre avec nous.

ANDROMÈDE

Il n'en faut point mentir, leur accord m'a surprise.

PHINÉE

Madame, c'eſt ainsi que tout me favorise,
Et que tous vos sujets soupirent en ces lieux
Après l'heureux effet de cet arrêt des Dieux,
Que leurs souhaits unis...

SCÈNE III

PHINÉE, ANDROMÈDE, TIMANTE,
CHŒUR DE NYMPHES, SUITE DE PHINÉE

TIMANTE

Ah ! Seigneur, ah ! Madame.

PHINÉE

Que nous veux-tu, Timante, et qui trouble ton âme?

TIMANTE

Le pire des malheurs.

PHINÉE

Le Roi serait-il mort?

TIMANTE

Non, Seigneur; mais enfin le triſte choix du sort
Vient de tomber... Hélas ! pourrai-je vous le dire?

ANDROMÈDE

Eſt-ce sur quelque objet pour qui ton cœur soupire?

TIMANTE

Soupirer à vos yeux du pire de ses coups,
N'eſt-ce pas dire assez qu'il eſt tombé sur vous?

PHINÉE

Qui te fait nous donner de si vaines alarmes?

TIMANTE

Si vous n'en croyez pas mes soupirs et mes larmes,
Vous en croirez le Roi, qui bientôt à vos yeux
La va livrer lui-même aux miniſtres des Dieux.

PHINÉE

C'est nous faire, Timante, un conte ridicule;
Et je tiendrais le Roi bien simple et bien crédule,
Si plus qu'une déesse il en croyait le sort.

TIMANTE

Le Roi non plus que vous ne l'a pas cru d'abord;
Il a fait par trois fois essayer sa malice,
Et l'a vu par trois fois faire même injustice :
Du vase par trois fois ce beau nom est sorti.

PHINÉE

Et toutes les trois fois le sort en a menti.
Le ciel a fait pour vous une autre destinée :
Son ordre est immuable, il veut notre hyménée;
Il le veut, il y met le bonheur de ces lieux;
Et ce n'est pas au sort à démentir les Dieux.

ANDROMÈDE

Assez souvent le ciel par quelque fausse joie
Se plaît à prévenir les maux qu'il nous envoie;
Du moins il m'a rendu quelques moments bien doux
Par ce flatteur espoir que j'allais être à vous.
Mais puisque ce n'était qu'une trompeuse attente,
Gardez mon souvenir, et je mourrai contente.

PHINÉE

Et vous mourrez contente ! Et j'ai pu mériter
Qu'avec contentement vous puissiez me quitter !
Détacher sans regret votre âme de la mienne !
Vouloir que je le voie, et que je m'en souvienne !
Et mon fidèle amour qui reçut votre foi
Vous trouve indifférente entre la mort et moi !
Oui, je m'en souviendrai, vous le voulez, Madame;
J'accepte le supplice où vous livrez mon âme;
Mais quelque peu d'amour que vous me fassiez voir,
Le mien n'oubliera pas les lois de son devoir.
Je dois malgré le sort, je dois malgré vous-même,
Si vous aimez si mal, vous montrer comme on aime,
Et faire reconnaître aux yeux qui m'ont charmé
Que j'étais digne au moins d'être un peu mieux aimé.
Vous l'avouerez bientôt, et j'aurai cette gloire,
Qui dans tout l'avenir suivra notre mémoire,

Que pour se voir quitter avec contentement,
Un amant tel que moi n'en eſt pas moins amant.

ANDROMÈDE

C'eſt donc trop peu pour moi que des malheurs si proches,
Si vous ne les croissez par d'injuſtes reproches !
Vous quitter sans regret ! Les Dieux me sont témoins
Que j'en montrerais plus si je vous aimais moins.
C'eſt pour vous trop aimer que je parais tout autre :
J'étouffe ma douleur pour n'aigrir pas la vôtre;
Je retiens mes soupirs de peur de vous fâcher,
Et me montre insensible afin de moins toucher.
Hélas ! si vous savez faire voir comme on aime,
Du moins vous voyez mal quand l'amour eſt extrême;
Oui, Phinée, et je doute, en courant à la mort,
Lequel m'eſt plus cruel, ou de vous, ou du sort.

PHINÉE

Hélas ! qu'il était grand quand je l'ai cru s'éteindre,
Votre amour ! et qu'à tort ma flamme osait s'en plaindre !
Princesse, vous pouvez me quitter sans regret :
Vous ne perdez en moi qu'un amant indiscret,
Qu'un amant téméraire, et qui même a l'audace
D'accuser votre amour quand vous lui faites grâce,
Mais pour moi, dont la perte eſt sans comparaison,
Qui perds en vous perdant et lumière et raison,
Je n'ai que ma douleur qui m'aveugle et me guide :
Dessus toute mon âme elle seule préside;
Elle y règne, et je cède entier à son transport;
Mais je ne cède pas aux caprices du sort.
 Que le Roi par scrupule à sa rigueur défère,
Qu'une indigne équité le fasse injuſte père,
La Reine et mon amour sauront bien empêcher
Qu'un choix si criminel ne coûte un sang si cher.
J'ose tout, je puis tout après un tel oracle.

TIMANTE

La Reine eſt hors d'état d'y joindre aucun obſtacle :
Surprise comme vous d'un tel événement,
Elle en a de douleur perdu tout sentiment;
Et sans doute le Roi livrera la Princesse
Avant qu'on l'ait pu voir sortir de sa faiblesse.

PHINÉE

Eh bien ! mon amour seul saura jusqu'au trépas,
Malgré tous...

ANDROMÈDE

Le Roi vient; ne vous emportez pas.

SCÈNE IV

CÉPHÉE, PHINÉE, ANDROMÈDE, PERSÉE,
TIMANTE, CHŒUR DE NYMPHES,
SUITE DU ROI ET DE PHINÉE

CÉPHÉE

Ma fille, si tu sais les nouvelles funestes
De ce dernier effort des colères célestes,
Si tu sais de ton sort l'impitoyable cours,
Qui fait le plus cruel du plus beau de nos jours,
Épargne ma douleur, juges-en par sa cause,
Et va sans me forcer à te dire autre chose.

ANDROMÈDE

Seigneur, je vous l'avoue, il est bien rigoureux
De tout perdre au moment qu'on se doit croire heureux;
Et le coup qui surprend un espoir légitime
Porte plus d'une mort au cœur de la victime.
Mais enfin il est juste, et je le dois bénir :
La cause des malheurs les doit faire finir.
Le ciel, qui se repent sitôt de ses caresses,
Verra plus de constance en moi qu'en ses promesses :
Heureuse, si mes jours un peu précipités
Satisfont à ces Dieux pour moi seule irrités,
Si je suis la dernière à leur courroux offerte,
Si le salut public peut naître de ma perte !
Malheureuse pourtant de ce qu'un si grand bien
Vous a déjà coûté d'autre sang que le mien,
Et que je ne suis pas la première et l'unique
Qui rende à votre État la sûreté publique !

PHINÉE

Quoi? vous vous obstinez encore à me trahir?

ANDROMÈDE

Je vous plains, je me plains, mais je dois obéir.

PHINÉE

Honteuse obéissance à qui votre amour cède !

CÉPHÉE

Obéissance illustre, et digne d'Andromède !
Son nom comblé par là d'un immortel honneur...

PHINÉE

Je l'empêcherai bien, ce funeste bonheur.
Andromède est à moi, vous me l'avez donnée;
Le ciel pour notre hymen a pris cette journée;
Vénus l'a commandé : qui me la peut ôter?
Le sort auprès des Dieux se doit-il écouter?
Ah ! si j'en vois ici les infâmes ministres
S'apprêter aux effets de ses ordres sinistres...

CÉPHÉE

Apprenez que le sort n'agit que sous les Dieux,
Et souffrez comme moi le bonheur de ces lieux.
Votre perte n'est rien au prix de ma misère :
Vous n'êtes qu'amoureux, Phinée, et je suis père.
Il est d'autres objets dignes de votre foi;
Mais il n'est point ailleurs d'autres filles pour moi.
Songez donc mieux qu'un père à ces affreux ravages
Que partout de ce monstre épandirent les rages;
Et n'en rappelez pas l'épouvantable horreur,
Pour trop croire et trop suivre une aveugle fureur.

PHINÉE

Que de nouveau ce monstre entré dessus vos terres
Fasse à tous vos sujets d'impitoyables guerres,
Le sang de tout un peuple est trop bien employé
Quand celui de ses rois en peut être payé;
Et je ne connais point d'autre perte publique
Que celle où vous condamne un sort si tyrannique.

CÉPHÉE

Craignez ces mêmes Dieux qui président au sort.

PHINÉE

[cord.
Qu'entre eux-mêmes ces Dieux se montrent donc d'ac-
Quelle crainte après tout me pourrait y résoudre?
S'ils m'ôtent Andromède, ont-ils quelque autre foudre?
Il n'eśt plus de respeƈt qui puisse rien sur moi;
Andromède eśt mon sort, et mes Dieux, et mon roi;
Punissez un impie, et perdez un rebelle;
Satisfaites le sort en m'exposant pour elle :
J'y cours; mais autrement je jure ses beaux yeux,
Et mes uniques rois, et mes uniques Dieux...

Ici le tonnerre commence à rouler avec un si grand bruit, et accompagné d'éclairs redoublés avec tant de promptitude, que cette feinte donne de l'épouvante aussi bien que de l'admiration, tant elle approche du naturel. On voit cependant descendre Éole avec huit vents, dont quatre sont à ses deux côtés, en sorte toutefois que les deux plus proches sont portés sur le même nuage que lui, et les deux plus éloignés sont comme volants en l'air tout contre ce même nuage. Les quatre autres paraissent deux à deux au milieu de l'air sur les ailes du théâtre, deux à la main gauche et deux à la droite : ce qui n'empêche pas Phinée de continuer ses blasphèmes.

SCÈNE V

ÉOLE, HUIT VENTS, CÉPHÉE, PERSÉE, PHINÉE,
ANDROMÈDE, CHŒUR DE NYMPHES,
SUITE DU ROI ET DE PHINÉE

CÉPHÉE

Arrêtez; ce nuage enferme une tempête
Qui peut-être déjà menace votre tête.
N'irritez plus les Dieux déjà trop irrités.

PHINÉE

Qu'il crève, ce nuage, et que ces déités...

CÉPHÉE

Ne les irritez plus, vous dis-je, et prenez garde...

PHINÉE

A les trop irriter qu'est-ce que je hasarde?
Que peut craindre un amant quand il voit tout perdu?
Tombe, tombe sur moi leur foudre, s'il m'est dû!
Mais s'il est quelque main assez lâche et traîtresse
Pour suivre leur caprice et saisir ma princesse,
Seigneur, encore un coup, je jure ses beaux yeux,
Et mes uniques rois, et mes uniques Dieux...

ÉOLE, *au milieu de l'air.*

Téméraire mortel, n'en dis pas davantage;
Tu n'obliges que trop les Dieux à te haïr :
Quoi que pense attenter l'orgueil de ton courage,
Ils ont trop de moyens de se faire obéir.
Connais-moi pour ton infortune;
Je suis Éole, roi des vents.
Partez, mes orageux suivants,
Faites ce qu'ordonne Neptune.

Ce commandement d'Éole produit un spectacle étrange et merveilleux tout ensemble. Les deux vents qui étaient à ses côtés suspendus en l'air s'envolent, l'un à gauche et l'autre à droite; deux autres remontent avec lui dans le ciel sur le même nuage qui les vient d'apporter; deux autres, qui étaient à sa main gauche sur les ailes du théâtre, s'avancent au milieu de l'air, où ayant fait un tour, ainsi que deux tourbillons, ils passent au côté droit du théâtre, d'où les deux derniers fondent sur Andromède et l'ayant saisie chacun par un bras, ils l'enlèvent de l'autre côté jusque dans les nues.

ANDROMÈDE

O Ciel!

CÉPHÉE

Ils l'ont saisie, et l'enlèvent en l'air.

PHINÉE

Ah! ne présumez pas ainsi me la voler :
Je vous suivrai partout malgré votre surprise.

SCÈNE VI

CÉPHÉE, PERSÉE, SUITE DU ROI

PERSÉE

Seigneur, un tel péril ne veut point de remise;
Mais espérez encor, je vole à son secours,
Et vais forcer le sort à prendre un autre cours.

CÉPHÉE

Vingt amants pour Nérée en firent l'entreprise;
Mais il n'est point d'effort que ce monstre ne brise.
Tous voulurent sauver ses attraits adorés,
Tous furent avec elle à l'instant dévorés.

PERSÉE

Le ciel aime Andromède, il veut son hyménée,
Seigneur; et si les vents l'arrachent à Phinée,
Ce n'est que pour la rendre à quelque illustre époux
Qui soit plus digne d'elle, et plus digne de vous;
A quelque autre par là les Dieux l'ont réservée.
Vous saurez qui je suis quand je l'aurai sauvée.
Adieu : par des chemins aux hommes inconnus
Je vais mettre en effet l'oracle de Vénus.
Le temps nous est trop cher pour le perdre en paroles.

CÉPHÉE

Moi, qui ne puis former d'espérances frivoles,
Pour ne voir point courir ce grand cœur au trépas,
Je vais faire des vœux qu'on n'écoutera pas.

ACTE III

DÉCORATION DU TROISIÈME ACTE

Il se fait ici une si étrange métamorphose, qu'il semble qu'avant que de sortir de ce jardin Persée ait découvert cette monstrueuse tête de Méduse qu'il porte partout sous son bouclier. Les myrtes et les jasmins qui le composaient sont devenus des rochers affreux, dont les masses inégalement escarpées et bossues suivent si parfaitement le caprice de la nature, qu'il semble qu'elle ait plus contribué que l'art à les placer ainsi des deux côtés du théâtre : c'est en quoi l'artifice de l'ouvrier est merveilleux, et se fait voir d'autant plus, qu'il prend soin de se cacher. Les vagues s'emparent de toute la scène, à la réserve de cinq ou six pieds qu'elles laissent pour leur servir de rivage ; elles sont dans une agitation continuelle, et composent comme un golfe enfermé entre ces deux rangs de falaises ; on en voit l'embouchure se dégorger dans la pleine mer, qui paraît si vaste et d'une si grande étendue, qu'on jurerait que les vaisseaux qui flottent près de l'horizon, dont la vue est bornée, sont éloignés de plus de six lieues de ceux qui les considèrent. Il n'y a personne qui ne juge que cet horrible spectacle est le funeste appareil de l'injustice des Dieux et du supplice d'Andromède ; aussi la voit-on au haut des nues, d'où les deux vents qui l'ont enlevée l'apportent avec impétuosité et l'attachent au pied d'un de ces rochers.

SCÈNE PREMIÈRE

ANDROMÈDE *au pied d'un rocher ;* DEUX VENTS *qui l'y attachent,* TIMANTE, CHŒUR DE PEUPLE *sur le rivage.*

TIMANTE

ALLONS voir, chers amis, ce qu'elle est devenue,
La Princesse, et mourir, s'il se peut, à sa vue.

CHŒUR

La voilà que ces vents achèvent d'attacher,
En infâmes bourreaux, à ce fatal rocher.

TIMANTE

Oui, c'est elle sans doute. Ah ! l'indigne spectacle !

CHŒUR

Si le ciel n'est injuste, il lui doit un miracle.

Les vents s'envolent.

TIMANTE

Il en fera voir un, s'il en croit nos désirs.

ANDROMÈDE

O Dieux !

TIMANTE

Avec respect écoutons ses soupirs;
Et puissent les accents de ses premières plaintes
Porter dans tous nos cœurs de mortelles atteintes !

ANDROMÈDE

Affreuse image du trépas
Qu'un triste honneur m'avait fardée,
Surprenantes horreurs, épouvantable idée,
Qui tantôt ne m'ébranliez pas,
Que l'on vous conçoit mal quand on vous envisage
Avec un peu d'éloignement !
Qu'on vous méprise alors ! qu'on vous brave aisément !
Mais que la grandeur du courage
Devient d'un difficile usage
Lorsqu'on touche au dernier moment[4] !

Ici seule, et de toutes parts
A mon destin abandonnée,
Ici que je n'ai plus ni parents, ni Phinée,
Sur qui détourner mes regards,
L'attente de la mort de tout mon cœur s'empare,
Il n'a qu'elle à considérer;
Et quoi que de ce monstre il s'ose figurer,
Ma constance qui s'y prépare
Le trouve d'autant plus barbare
Qu'il diffère à me dévorer.

Étrange effet de mes malheurs !
Mon âme traînante, abattue,
N'a qu'un moment à vivre, et ce moment me tue
A force de vives douleurs.
Ma frayeur a pour moi mille mortelles feintes,
Cependant que la mort me fuit :
Je pâme au moindre vent, je meurs au moindre bruit;
Et mes espérances éteintes
N'attendent la fin de mes craintes
Que du monstre qui les produit.

Qu'il tarde à suivre mes désirs !
Et que sa cruelle paresse
A ce cœur dont ma flamme est encor la maîtresse
Coûte d'amers et longs soupirs !
O toi, dont jusqu'ici la douleur m'a suivie,
Va-t'en, souvenir indiscret;
Et cessant de me faire un entretien secret
De ce prince qui m'a servie,
Laisse-moi sortir de la vie
Avec un peu moins de regret.

C'est assez que tout l'univers
Conspire à faire mes supplices;
Ne les redouble point, toi qui fus mes délices,
En me montrant ce que je perds;
Laisse-moi...

SCÈNE II

CASSIOPE, ANDROMÈDE, TIMANTE,
CHŒUR DE PEUPLE

CASSIOPE

Me voici, qui seule ai fait le crime;
Me voici, justes Dieux, prenez votre victime;
S'il est quelque justice encore parmi vous,
C'est à moi seule, à moi qu'est dû votre courroux.
Punir les innocents, et laisser les coupables,
Inhumains ! est-ce en être, est-ce en être capables?
A moi tout le supplice, à moi tout le forfait.

Que faites-vous, cruels? qu'avez-vous presque fait?
Andromède eſt ici votre plus rare ouvrage;
Andromède eſt ici votre plus digne image;
Elle rassemble en soi vos attraits divisés :
On vous connaîtra moins si vous la détruisez.
Ah! je découvre enfin d'où provient tant de haine :
Vous en êtes jaloux plus que je n'en fus vaine;
Si vous la laissiez vivre, envieux tout-puissants,
Elle aurait plus que vous et d'autels et d'encens;
Chacun préférerait le portrait au modèle,
Et bientôt l'univers n'adorerait plus qu'elle.

ANDROMÈDE

En l'état où je suis le sort m'eſt-il trop doux,
Si vous ne me donnez de quoi craindre pour vous?
Faut-il encor ce comble à des malheurs extrêmes?
Qu'espérez-vous, Madame, à force de blasphèmes?

CASSIOPE

Attirer et leur monſtre et leur foudre sur moi;
Mais je ne les irrite, hélas! que contre toi :
Sur ton sang innocent retombent tous mes crimes;
Seule tu leur tiens lieu de mille autres victimes;
Et pour punir ta mère ils n'ont, ces cruels Dieux,
Ni monſtre dans la mer, ni foudre dans les cieux.
Aussi savent-ils bien que se prendre à ta vie,
C'eſt percer de mon cœur la plus tendre partie;
Que je souffre bien plus en te voyant périr,
Et qu'ils me feraient grâce en me faisant mourir.
Ma fille, c'eſt donc là cet heureux hyménée,
Cette illuſtre union par Vénus ordonnée,
Qu'avecque tant de pompe il fallait préparer,
Et que ces mêmes Dieux devaient tant honorer!
Ce que nos yeux ont vu n'était-ce donc qu'un songe,
Déesse? ou ne vins-tu que pour dire un mensonge?
Nous aurais-tu parlé sans l'aveu du Deſtin?
Eſt-ce ainsi qu'à nos maux le ciel trouve une fin?
Eſt-ce ainsi qu'Andromède en reçoit les caresses?
Si contre elle l'Envie émeut quelques déesses,
L'Amour en sa faveur n'arme-t-il point de Dieux?
Sont-ils tous devenus, ou sans cœur, ou sans yeux?
Le maître souverain de toute la nature
Pour de moindres beautés a changé de figure;

Neptune a soupiré pour de moindres appas;
Elle en montre à Phœbus que Daphné n'avait pas;
Et l'Amour en Psyché voyait bien moins de charmes,
Quand pour elle il daigna se blesser de ses armes.
Qui dérobe à tes yeux le droit de tout charmer,
Ma fille? Au vif éclat qu'ils sèment dans la mer,
Les tritons amoureux, malgré leurs Néréides,
Devraient déjà sortir de leurs grottes humides,
Aux fureurs de leur monstre à l'envi s'opposer,
Contre ce même écueil eux-mêmes l'écraser,
Et de ses os brisés, de sa rage étouffée,
Au pied de ton rocher t'élever un trophée.

ANDROMÈDE, *voyant venir le monstre de loin.*

Renouveler le crime, est-ce pour les fléchir?
Vous hâtez mon supplice au lieu de m'affranchir.
Vous appelez le monstre. Ah! du moins à sa vue
Quittez la vanité qui m'a déjà perdue.
Il n'est mortel ni dieu qui m'ose secourir.
Il vient : consolez-vous, et me laissez mourir.

CASSIOPE

Je le vois, c'en est fait. Parais du moins, Phinée,
Pour sauver la beauté qui t'était destinée;
Parais. Il en est temps; viens en dépit des Dieux
Sauver ton Andromède, ou périr à ses yeux;
L'amour te le commande, et l'honneur t'en convie;
Peux-tu, si tu la perds, aimer encor la vie?

ANDROMÈDE

Il n'a manque d'amour, ni manque de valeur;
Mais sans doute, Madame, il est mort de douleur;
Et comme il a du cœur et sait que je l'adore,
Il périrait ici, s'il respirait encore.

CASSIOPE

Dis plutôt que l'ingrat n'ose te mériter.
Toi donc, qui plus que lui t'osais tantôt vanter,
Viens, amant inconnu, dont la haute origine,
Si nous t'en voulons croire, est royale ou divine;
Viens en donner la preuve, et par un prompt secours,
Fais-nous voir quelle foi l'on doit à tes discours;

Supplante ton rival par une illustre audace;
Viens à droit de conquête en occuper la place :
Andromède est à toi si tu l'oses gagner.
Quoi? lâches, le péril vous la fait dédaigner!
Il éteint en tous deux ces flammes sans secondes!
Allons, mon désespoir, jusqu'au milieu des ondes
Faire servir l'effort de nos bras impuissants
D'exemple et de reproche à leurs feux languissants;
Faisons ce que tous deux devraient faire avec joie;
Détournons sa fureur dessus une autre proie :
Heureuse si mon sang la pouvait assouvir!
Allons. Mais qui m'arrête? Ah! c'est mal me servir.

On voit ici Persée descendre du haut des nues.

SCÈNE III

ANDROMÈDE, *attachée au rocher;* PERSÉE, *en l'air, sur le cheval Pégase;* CASSIOPE, TIMANTE ET LE CHŒUR, *sur le rivage.*

TIMANTE, *montrant Persée à Cassiope, et l'empêchant de se jeter à la mer.*

Courez-vous à la mort quand on vole à votre aide?
Voyez par quels chemins on secourt Andromède;
Quel héros, ou quel dieu sur ce cheval ailé...

CASSIOPE

Ah! c'est cet inconnu par mes cris appelé,
C'est lui-même, Seigneur, que mon âme étonnée...

PERSÉE, *en l'air, sur le Pégase.*

Reine, voyez par là si je vaux bien Phinée,
Si j'étais moins que lui digne de votre choix,
Et si le sang des Dieux cède à celui des rois.

CASSIOPE

Rien n'égale, Seigneur, un amour si fidèle;
Combattez donc pour vous en combattant pour elle :
Vous ne trouverez point de sentiments ingrats.

PERSÉE, *à Andromède.*

Adorable princesse, avouez-en mon bras.

CHŒUR DE MUSIQUE, *cependant que Persée combat le monstre.*

Courage, enfant des Dieux ! elle est votre conquête;
Et jamais amant ni guerrier
Ne vit ceindre sa tête
D'un si beau myrte ou d'un si beau laurier.

UNE VOIX *seule.*

Andromède est le prix qui suit votre victoire :
Combattez, combattez;
Et vos plaisirs et votre gloire
Rendront jaloux les Dieux dont vous sortez.

LE CHŒUR *répète.*

Courage, enfant des Dieux ! elle est votre conquête;
Et jamais amant ni guerrier
Ne vit ceindre sa tête
D'un si beau myrte ou d'un si beau laurier.

TIMANTE, *à la Reine.*

Voyez de quel effet notre attente est suivie,
Madame : elle est sauvée, et le monstre est sans vie.

PERSÉE, *ayant tué le monstre.*

Rendez grâces au dieu qui m'en a fait vainqueur.

CASSIOPE

O ciel ! que ne vous puis-je assez ouvrir mon cœur !
L'oracle de Vénus enfin s'est fait entendre :
Voilà ce dernier choix qui nous devait tout rendre;
Et vous êtes, Seigneur, l'incomparable époux
Par qui le sang des Dieux se doit joindre avec nous.
Ne pense plus, ma fille, à ton ingrat Phinée :
C'est à ce grand héros que le sort t'a donnée;
C'est pour lui que le ciel te destine aujourd'hui;
Il est digne de toi, rends-toi digne de lui.

PERSÉE

Il faut la mériter par mille autres services;
Un peu d'espoir suffit pour de tels sacrifices.

Princesse, cependant quittez ces tristes lieux,
Pour rendre à votre cour tout l'éclat de vos yeux.
Ces vents, ces mêmes vents qui vous ont enlevée,
Vont rendre de tout point ma victoire achevée :
L'ordre que leur prescrit mon père Jupiter
Jusqu'en votre palais les force à vous porter,
Les force à vous remettre où tantôt leur surprise[5]...

ANDROMÈDE

D'une frayeur mortelle à peine encor remise,
Pardonnez, grand héros, si mon étonnement
N'a pas la liberté d'aucun remercîment.

PERSÉE

Venez, tyrans des mers, réparer votre crime,
Venez restituer cette illustre victime;
Méritez votre grâce, impétueux mutins,
Par votre obéissance au maître des destins.

Les vents obéissent aussitôt à ce commandement de Persée ; et on les voit en un moment détacher cette princesse, et la reporter par-dessus les flots jusqu'aux lieux d'où ils l'avaient apportée au commencement de cet acte. En même temps Persée revole en haut sur son cheval ailé ; et, après avoir fait un caracol admirable au milieu de l'air, il tire du même côté qu'on a vu disparaître la Princesse : tandis qu'il vole, tout le rivage retentit de cris de joie et de chants de victoire.

CASSIOPE, *voyant Persée revoler en haut après sa victoire.*

Peuple, qu'à pleine voix l'allégresse publique
Après un tel miracle en triomphe s'explique,
Et fasse retentir sur ce rivage heureux
L'immortelle valeur d'un bras si généreux.

CHŒUR

Le monstre est mort, crions victoire,
Victoire tous, victoire à pleine voix;
Que nos campagnes et nos bois
Ne résonnent que de sa gloire.
Princesse, elle vous donne enfin l'illustre époux
Qui seul était digne de vous.

Vous êtes sa digne conquête.
Victoire tous, victoire à son amour !
C'est lui qui nous rend ce beau jour,
C'est lui qui calme la tempête;
Et c'est lui qui vous donne enfin l'illustre époux
Qui seul était digne de vous.

CASSIOPE, *après que Persée est disparu.*

Dieux ! j'étais sur ces bords immobile de joie.
Allons voir où ces vents ont reporté leur proie,
Embrasser ce vainqueur, et demander au Roi
L'effet du juste espoir qu'il a reçu de moi.

SCÈNE IV

CYMODOCE, ÉPHYRE, CYDIPPE
Ces trois néréides s'élèvent du milieu des flots.

CYMODOCE

Ainsi notre colère est de tout point bravée;
Ainsi notre victime à nos yeux enlevée
Va croître les douceurs de ses contentements
Par le juste mépris de nos ressentiments.

ÉPHYRE

Toute notre fureur, toute notre vengeance
Semble avec son destin être d'intelligence,
N'agir qu'en sa faveur; et ses plus rudes coups
Ne font que lui donner un plus illustre époux.

CYDIPPE

Le sort, qui jusqu'ici nous a donné le change,
Immole à ses beautés le monstre qui nous venge;
Du même sacrifice, et dans le même lieu,
De victime qu'elle est, elle devient le dieu.
Cessons dorénavant, cessons d'être immortelles,
Puisque les immortels trahissent nos querelles,
Qu'une beauté commune est plus chère à leurs yeux;
Car son libérateur est sans doute un des Dieux.

Autre qu'un dieu n'eût pu nous ôter cette proie
Autre qu'un dieu n'eût pu prendre une telle voie;
Et ce cheval ailé fût péri mille fois,
Avant que de voler sous un indigne poids.

CYMODOCE

Oui, c'est sans doute un dieu qui vient de la défendre :
Mais il n'est pas, mes sœurs, encor temps de nous rendre;
Et puisqu'un dieu pour elle ose nous outrager,
Il faut trouver aussi des dieux à nous venger.
Du sang de notre monstre encore toutes teintes,
Au palais de Neptune allons porter nos plaintes,
Lui demander raison de l'immortel affront
Qu'une telle défaite imprime à notre front.

CYDIPPE

Je crois qu'il nous prévient; les ondes en bouillonnent;
Les conques des tritons dans ces rochers résonnent :
C'est lui-même, parlons.

SCÈNE V

NEPTUNE, LES TROIS NÉRÉIDES

NEPTUNE, *dans son char formé d'une grande conque de nacre, et tiré par deux chevaux marins.*

Je sais vos déplaisirs,
Mes filles; et je viens au bruit de vos soupirs,
De l'affront qu'on vous fait plus que vous en colère.
C'est moi que tyrannise un superbe de frère,
Qui dans mon propre État m'osant faire la loi,
M'envoie un de ses fils pour triompher de moi.
Qu'il règne dans le ciel, qu'il règne sur la terre;
Qu'il gouverne à son gré l'éclat de son tonnerre;
Que même du Destin il soit indépendant;
Mais qu'il me laisse à moi gouverner mon trident.
C'est bien assez pour lui d'un si grand avantage,
Sans me venir braver encor dans mon partage.
Après cet attentat sur l'empire des mers,
Même honte à leur tour menace les enfers;

Aussi leur souverain prendra notre querelle :
Je vais l'intéresser avec Junon pour elle;
Et tous trois, assemblant notre pouvoir en un,
Nous saurons bien dompter notre tyran commun.
Adieu : consolez-vous, nymphes trop outragées;
Je périrai moi-même, ou vous serez vengées;
Et j'ai su du Destin, qui se ligue avec nous,
Qu'Andromède ici-bas n'aura jamais d'époux.

Il fond au milieu de la mer.

CYMODOCE

Après le doux espoir d'une telle promesse,
Reprenons, chères sœurs, une entière allégresse.

Les néréides se plongent aussi dans la mer.

ACTE IV

DÉCORATION DU QUATRIÈME ACTE

Les vagues fondent sous le théâtre ; et ces hideuses masses de pierres dont elles battaient le pied font place à la magnificence d'un palais royal. On ne le voit pas tout entier, on n'en voit que le vestibule, ou plutôt la grande salle, qui doit servir aux noces de Persée et d'Andromède. Deux rangs de colonnes de chaque côté, l'un de rondes, et l'autre de carrées, en font les ornements : elles sont enrichies de statues de marbre blanc d'une grandeur naturelle, et leurs bases, corniches, amortissements, étalent tout ce que peut la justesse de l'architecture. Le frontispice suit le même ordre ; et par trois portes dont il est percé, il fait voir trois allées de cyprès où l'œil s'enfonce à perte de vue.

SCÈNE PREMIÈRE

ANDROMÈDE, PERSÉE,
CHŒUR DE NYMPHES, SUITE DE PERSÉE

PERSÉE

QUE me permettez-vous, Madame, d'espérer?
Mon amour jusqu'à vous a-t-il lieu d'aspirer?
Et puis-je, en cette illustre et charmante journée,
Prétendre jusqu'au cœur que possédait Phinée?

ANDROMÈDE

Laissez-moi l'oublier, puisqu'on me donne à vous;
Et s'il l'a possédé, n'en soyez point jaloux.
Le choix du Roi l'y mit, le choix du Roi l'en chasse;
Ce même choix du Roi vous y donne sa place;
N'exigez rien de plus : je ne sais point haïr,
Je ne sais point aimer, mais je sais obéir :

Je sais porter ce cœur à tout ce qu'on m'ordonne,
Il suit aveuglément la main qui vous le donne :
De sorte, grand héros, qu'après le choix du Roi,
Ce que vous demandez est plus à vous qu'à moi.

PERSÉE

Que je puisse abuser ainsi de sa puissance !
Hasarder vos plaisirs sur votre obéissance !
Et de libérateur de vos rares beautés
M'élever en tyran dessus vos volontés !
Princesse, mon bonheur vous aurait mal servie,
S'il vous faisait esclave en vous rendant la vie,
Et s'il n'avait sauvé des jours si précieux
Que pour les attacher sous un joug odieux.
C'est aux courages bas, c'est aux amants vulgaires,
A faire agir pour eux l'autorité des pères.
Souffrez à mon amour des chemins différents.
J'ai vu parler pour moi les Dieux et vos parents;
Je sens que mon espoir s'enfle de leur suffrage;
Mais je n'en veux enfin tirer autre avantage
Que de pouvoir ici faire hommage à vos yeux
Du choix de vos parents et du vouloir des Dieux.
Ils vous donnent à moi, je vous rends à vous-même;
Et comme enfin, c'est vous, et non pas moi, que j'aime,
J'aime mieux m'exposer à perdre un bien si doux,
Que de vous obtenir d'un autre que de vous.
Je garde cet espoir et hasarde le reste,
Et me soit votre choix ou propice ou funeste,
Je bénirai l'arrêt qu'en feront vos désirs,
Si ma mort vous épargne un peu de déplaisirs.
Remplissez mon espoir ou trompez mon attente,
Je mourrai sans regret, si vous vivez contente;
Et mon trépas n'aura que d'aimables moments,
S'il vous ôte un obstacle à vos contentements.

ANDROMÈDE

C'est trop d'être vainqueur dans la même journée
Et de ma retenue et de ma destinée.
Après que par le Roi vos vœux sont exaucés,
Vous parler d'obéir c'était vous dire assez;
Mais vous voulez douter, afin que je m'explique,
Et que votre victoire en devienne publique.
Sachez donc...

PERSÉE

Non, Madame : où j'ai tant d'intérêt,
Ce n'est pas devant moi qu'il faut faire l'arrêt.
L'excès de vos bontés pourrait en ma présence
Faire à vos sentiments un peu de violence :
Ce bras vainqueur du monstre, et qui vous rend le jour,
Pourrait en ma faveur séduire votre amour;
La pitié de mes maux pourrait même surprendre
Ce cœur trop généreux pour s'en vouloir défendre;
Et le moyen qu'un cœur ou séduit ou surpris
Fût juste en ses faveurs, ou juste en ses mépris?
De tout ce que j'ai fait ne voyez que ma flamme;
De tout ce qu'on vous dit ne croyez que votre âme;
Ne me répondez point, et consultez-la bien;
Faites votre bonheur sans aucun soin du mien :
Je lui voudrais du mal s'il retranchait du vôtre,
S'il vous pouvait coûter un soupir pour quelque autre,
Et si quittant pour moi quelques destins meilleurs,
Votre devoir laissait votre tendresse ailleurs.
Je vous le dis encor dans ma plus douce attente,
Je mourrai trop content si vous vivez contente,
Et si l'heur de ma vie ayant sauvé vos jours,
La gloire de ma mort assure vos amours.
Adieu : je vais attendre ou triomphe ou supplice,
L'un comme effet de grâce, et l'autre de justice.

ANDROMÈDE

A ces profonds respects qu'ici vous me rendez
Je ne réplique point; vous me le défendez;
Mais quoique votre amour me condamne au silence,
Je vous dirai, Seigneur, malgré votre défense,
Qu'un héros tel que vous ne saurait ignorer
Qu'ayant tout mérité, l'on doit tout espérer.

SCÈNE II

ANDROMÈDE, CHŒUR DE NYMPHES

ANDROMÈDE

Nymphes, l'auriez-vous cru, qu'en moins d'une journée
J'aimasse de la sorte un autre que Phinée?

Le Roi l'a commandé, mais de mon sentiment
Je m'offrais en secret à son commandement.
Ma flamme impatiente invoquait sa puissance,
Et courait au-devant de mon obéissance.
Je fais plus : au seul nom de mon premier vainqueur,
L'amour à la colère abandonne mon cœur;
Et ce captif rebelle, ayant brisé sa chaîne,
Va jusques au dédain, s'il ne passe à la haine.
Que direz-vous d'un change et si prompt et si grand,
Qui dans ce même cœur moi-même me surprend?

AGLANTE

Que pour faire un bonheur promis par tant d'oracles,
Cette grande journée est celle des miracles,
Et qu'il n'est pas aux Dieux besoin de plus d'effort
A changer votre cœur qu'à changer votre sort.
Cet empire absolu qu'ils ont dessus nos âmes
Éteint comme il leur plaît et rallume nos flammes,
Et verse dans nos cœurs, pour se faire obéir,
Des principes secrets d'aimer et de haïr.
Nous en voyions au vôtre en cette haute estime
Que vous nous témoigniez pour ce bras magnanime;
Au défaut de l'amour que Phinée emportait,
Il lui donnait dès lors tout ce qui lui restait;
Dès lors ces mêmes Dieux, dont l'ordre s'exécute,
Le penchaient du côté qu'ils préparaient sa chute,
Et cette haute estime attendant ce beau jour
N'était qu'un beau degré pour monter à l'amour.

CÉPHALIE

Un digne amour succède à cette haute estime :
Si je puis toutefois vous le dire sans crime,
C'est hasarder beaucoup que croire entièrement
L'impétuosité d'un si prompt changement. [mes,
Comme pour vous Phinée eut toujours quelques char-
Peut-être il ne lui faut qu'un soupir et deux larmes
Pour dissiper un peu de cette avidité
Qui d'un si gros torrent suit la rapidité.
Deux amants que sépare une légère offense
Rentrent d'un seul coup d'œil en pleine intelligence.
Vous reverrez en lui ce qui le fit aimer,
Les mêmes qualités qu'il vous plut estimer...

ANDROMÈDE

Et j'y verrai de plus cette âme lâche et basse
Jusqu'à m'abandonner à toute ma disgrâce;
Cet ingrat trop aimé qui n'osa me sauver,
Qui me voyant périr, voulut se conserver,
Et crut s'être acquitté devant ce que nous sommes
En querellant les Dieux et menaçant les hommes.
S'il eût... Mais le voici : voyons si ses discours
Rompront de ce torrent ou grossiront le cours.

SCÈNE III

ANDROMÈDE, PHINÉE, AMMON,
CHŒUR DE NYMPHES, SUITE DE PHINÉE

PHINÉE

Sur un bruit qui m'étonne, et que je ne puis croire[6],
Madame, mon amour, jaloux de votre gloire,
Vient savoir s'il est vrai que vous soyez d'accord,
Par un change honteux, de l'arrêt de ma mort.
Je ne suis point surpris que le Roi, que la Reine,
Suivent les mouvements d'une faiblesse humaine :
Tout ce qui me surprend, ce sont vos volontés.
On vous donne à Persée, et vous y consentez !
Et toute votre foi demeure sans défense,
Alors que de mon bien on fait sa récompense !

ANDROMÈDE

Oui, j'y consens, Phinée, et j'y dois consentir;
Et quel que soit ce bien qu'il a su garantir,
Sans vous faire injustice on en fait son salaire,
Quand il a fait pour moi ce que vous deviez faire.
De quel front osez-vous me nommer votre bien,
Vous qu'on a vu tantôt n'y prétendre plus rien?
Quoi? vous consentirez qu'un monstre me dévore,
Et ce monstre étant mort je suis à vous encore !
Quand je sors de péril vous revenez à moi !
Vous avez de l'amour, et je vous dois ma foi !
C'était de sa fureur qu'il me fallait défendre,

Si vous vouliez garder quelque droit d'y prétendre :
Ce demi-dieu n'a fait, quoi que vous prétendiez,
Que m'arracher au monstre à qui vous me cédiez.
Quittez donc cette vaine et téméraire idée;
Ne me demandez plus, quand vous m'avez cédée.
Ce doit être pour vous même chose aujourd'hui,
Ou de me voir au monstre, ou de me voir à lui.

PHINÉE

Qu'ai-je oublié pour vous de ce que j'ai pu faire?
N'ai-je pas des Dieux même attiré la colère?
Lorsque je vis Éole armé pour m'en punir,
Fut-il en mon pouvoir de vous mieux retenir?
N'eurent-ils pas besoin d'un éclat de tonnerre,
Ses ministres ailés, pour me jeter par terre?
Et voyant mes efforts avorter sans effets,
Quels pleurs n'ai-je versés, et quels vœux n'ai-je faits?

ANDROMÈDE

Vous avez donc pour moi daigné verser des larmes,
Lorsque pour me défendre un autre a pris les armes!
Et dedans mon péril vos sentiments ingrats
S'amusaient à des vœux quand il fallait des bras!

PHINÉE

Que pouvais-je de plus, ayant vu pour Nérée
De vingt amants armés la troupe dévorée?
Devais-je encor promettre un succès à ma main,
Qu'on voyait au-dessus de tout l'effort humain?
Devais-je me flatter de l'espoir d'un miracle?

ANDROMÈDE

Vous deviez l'espérer sous la foi d'un oracle :
Le ciel l'avait promis par un arrêt si doux!
Il l'a fait par un autre, et l'aurait fait par vous.
Mais quand vous auriez cru votre perte assurée,
Du moins ces vingt amants dévorés pour Nérée
Vous laissaient un exemple et noble et glorieux,
Si vous n'eussiez pas craint de périr à mes yeux.
Ils voyaient de leur mort la même certitude;
Mais avec plus d'amour et moins d'ingratitude,
Tous voulurent mourir pour leur objet mourant.
Que leur amour du vôtre était bien différent!

L'effort de leur courage a produit vos alarmes,
Vous a réduit aux vœux, vous a réduit aux larmes;
Et quoique plus heureuse en un semblable sort,
Je vois d'un œil jaloux la gloire de sa mort.
Elle avait vingt amants qui voulurent la suivre,
Et je n'en avais qu'un, qui m'a voulu survivre[7].
Encor ces vingt amants qui vous ont alarmé,
N'étaient pas tous aimés, et vous étiez aimé :
Ils n'avaient la plupart qu'une faible espérance,
Et vous aviez, Phinée, une entière assurance;
Vous possédiez mon cœur, vous possédiez ma foi;
N'était-ce point assez pour mourir avec moi?
Pouviez-vous?...

PHINÉE

Ah! de grâce, imputez-moi, Madame,
Les crimes les plus noirs dont soit capable une âme;
Mais ne soupçonnez point ce malheureux amant
De vous pouvoir jamais survivre un seul moment.
J'épargnais à mes yeux un funeste spectacle,
Où mes bras impuissants n'avaient pu mettre obstacle,
Et tenais ma main prête à servir ma douleur
Au moindre et premier bruit qu'eût fait votre malheur.

ANDROMÈDE

Et vos respects trouvaient une digne matière
A me laisser l'honneur de périr la première!
Ah! c'était à mes yeux qu'il fallait y courir,
Si vous aviez pour moi cette ardeur de mourir.
Vous ne me deviez pas envier cette joie
De voir offrir au monstre une première proie;
Vous m'auriez de la mort adouci les horreurs,
Vous m'auriez fait du monstre adorer les fureurs;
Et lui voyant ouvrir ce gouffre épouvantable,
Je l'aurais regardé comme un port favorable,
Comme un vivant sépulcre où mon cœur amoureux
Eût brûlé de rejoindre un amant généreux.
J'aurais désavoué la valeur de Persée;
En me sauvant la vie il m'aurait offensée;
Et de ce même bras qu'il m'aurait conservé
Je vous immolerais ce qu'il m'aurait sauvé.
Ma mort aurait déjà couronné votre perte,
Et la bonté du ciel ne l'aurait pas soufferte;

C'eſt à votre refus que les Dieux ont remis
En de plus dignes mains ce qu'ils m'avaient promis.
Mon cœur eût mieux aimé le tenir de la vôtre;
Mais je vis par un autre et vivrai pour un autre.
Vous n'avez aucun lieu d'en devenir jaloux,
Puisque sur ce rocher, j'étais morte pour vous.
Qui pouvait le souffrir peut me voir sans envie
Vivre pour un héros de qui je tiens la vie;
Et quand l'amour encor me parlerait pour lui,
Je ne puis disposer des conquêtes d'autrui.
Adieu.

SCÈNE IV

Phinée, Ammon, suite de Phinée

Phinée

Vous voulez donc que j'en fasse la mienne,
Cruelle, et que ma foi de mon bras vous obtienne?
Eh bien ! nous l'irons voir, ce bienheureux vainqueur,
Qui triomphant d'un monſtre, a dompté votre cœur.
C'était trop peu pour lui d'une seule victoire,
S'il n'eût dedans ce cœur triomphé de ma gloire !
Mais si sa main au monſtre arrache un bien si cher,
La mienne à son bonheur saura bien l'arracher;
Et vainqueur de tous deux en une seule tête,
De ce qui fut mon bien je ferai ma conquête.
La force me rendra ce que ne peut l'amour.
Allons-y, chers amis, et montrons dès ce jour...

Ammon

Seigneur, auparavant d'une âme plus remise
Daignez voir le succès d'une telle entreprise.
Savez-vous que Persée eſt fils de Jupiter,
Et qu'ainsi vous avez le foudre à redouter?

Phinée

Je sais que Danaé fut son indigne mère :
L'or qui plut dans son sein l'y forma d'adultère;
Mais le pur sang des rois n'eſt pas moins précieux
Ni moins chéri du ciel que les crimes des Dieux.

AMMON

Mais vous ne savez pas, Seigneur, que son épée
De l'horrible Méduse a la tête coupée,
Que sous son bouclier il la porte en tous lieux,
Et que c'est fait de vous, s'il en frappe vos yeux.

PHINÉE

On dit que ce prodige est pire qu'un tonnerre,
Qu'il ne faut que le voir pour n'être plus que pierre,
Et que naguère Atlas, qui ne s'en put cacher,
A cet aspect fatal devint un grand rocher.
Soit une vérité, soit un conte, n'importe;
Si la valeur ne peut, que le nombre l'emporte.
Puisque Andromède enfin voulait me voir périr,
Ou triompher d'un monstre afin de l'acquérir,
Que fière de se voir l'objet de tant d'oracles,
Elle veut que pour elle on fasse des miracles,
Cette tête est un monstre aussi bien que celui
Dont cet heureux rival la délivre aujourd'hui;
Et nous aurons ainsi dans un seul adversaire
Et monstres à combattre, et miracles à faire.
Peut-être quelques Dieux prendront notre parti,
Quoique de leur monarque il se dise sorti;
Et Junon pour le moins prendra notre querelle
Contre l'amour furtif d'un époux infidèle.

Junon se fait voir dans un char superbe, tiré par deux paons, et si bien enrichi, qu'il paraît digne de l'orgueil de la déesse qui s'y fait porter. Elle se promène au milieu de l'air, dont nos poëtes lui attribuent l'empire, et y fait plusieurs tours, tantôt à droite et tantôt à gauche, cependant qu'elle assure Phinée de sa protection.

SCÈNE V

JUNON, *dans son char, au milieu de l'air;* PHINÉE, AMMON, SUITE DE PHINÉE

JUNON

N'en doute point, Phinée, et cesse d'endurer.

PHINÉE

Elle-même paraît pour nous en assurer.

JUNON

Je ne serai pas seule : ainsi que moi Neptune
S'intéresse en ton infortune;
Et déjà la noire Alecton,
Du fond des enfers déchaînée,
A, par les ordres de Pluton,
De mille cœurs pour toi la fureur mutinée :
Fort de tant de seconds, ose, et sers mon courroux
Contre l'indigne sang de mon perfide époux.

PHINÉE

Nous te suivons, Déesse; et dessous tes auspices
Nous franchirons sans peur les plus noirs précipices.
Que craindrons-nous, amis? Nous avons dieux pour [dieux,
Oracle pour oracle; et la faveur des cieux,
D'un contre-poids égal dessus nous balancée,
N'est pas entièrement du côté de Persée.

JUNON

Je te le dis encore, ose, et sers mon courroux
Contre l'indigne sang de mon perfide époux.

AMMON

Sous tes commandements nous y courons, Déesse,
Le cœur plein d'espérance, et l'âme d'allégresse.
Allons, Seigneur, allons assembler vos amis;
Courons au grand succès qu'elle vous a promis :
Aussi bien le Roi vient, il faut quitter la place,
De peur...

PHINÉE

Non, demeurez pour voir ce qui se passe;
Et songez à m'en faire un fidèle rapport,
Tandis que je m'apprête à cet illustre effort.

SCÈNE VI

CÉPHÉE, CASSIOPE, ANDROMÈDE,
PERSÉE, AMMON, TIMANTE, CHŒUR DE PEUPLE

TIMANTE

Seigneur, le souvenir des plus âpres supplices,
Quand un tel bien les suit, n'a jamais que délices.

Si d'un mal sans pareil nous vous vîmes surpris,
Nous bénissons le ciel d'un tel mal à ce prix;
Et voyant quel époux il donne à la Princesse,
La douleur s'en termine en ces chants d'allégresse.

CHŒUR *chante.*

Vivez, vivez, heureux amants,
Dans les douceurs que l'amour vous inspire;
Vivez heureux, et vivez si longtemps,
Qu'au bout d'un siècle entier on puisse encor vous dire :
« Vivez, heureux amants. »

Que les plaisirs les plus charmants
Fassent les jours d'une si belle vie;
Qu'ils soient sans tache, et que tous leurs moments
Fassent redire même à la voix de l'Envie :
« Vivez, heureux amants. »

Que les peuples les plus puissants
Dans nos souhaits à pleins vœux nous secondent;
Qu'aux Dieux pour vous ils prodiguent l'encens,
Et des bouts de la terre à l'envi nous répondent :
« Vivez, heureux amants. »

CÉPHÉE

Allons, amis, allons dans ce comble de joie,
Rendre grâces au ciel de l'heur qu'il nous envoie.
Allons dedans le temple avecque mille vœux
De cet illustre hymen achever les beaux nœuds.
Allons sacrifier à Jupiter son père,
Le prier de souffrir ce que nous pensons faire,
Et ne s'offenser pas que ce noble lien
Fasse un mélange heureux de son sang et du mien.

CASSIOPE

Souffrez qu'auparavant par d'autres sacrifices
Nous nous rendions des eaux les déités propices.
Neptune est irrité; les nymphes de la mer
Ont de nouveaux sujets encor de s'animer;
Et comme mon orgueil fit naître leur colère,
Par mes submissions je dois les satisfaire.
Sur leurs sables, témoins de tant de vanités,
Je vais sacrifier à leurs divinités;

Et conduisant ma fille à ce même rivage,
De ces mêmes beautés leur rendre un plein hommage,
Joindre nos vœux au sang des taureaux immolés,
Puis nous vous rejoindrons au temple où vous allez.

PERSÉE

Souffrez qu'en même temps de ma fière marâtre
Je tâche d'apaiser la haine opiniâtre;
Qu'un pareil sacrifice et de semblables vœux
Tirent d'elle l'aveu qui peut me rendre heureux.
Vous savez que Junon à ce lien préside,
Que sans elle l'hymen marche d'un pied timide,
Et que sa jalousie aime à persécuter
Quiconque ainsi que moi sort de son Jupiter.

CÉPHÉE

Je suis ravi de voir qu'au milieu de vos flammes
De si dignes respects règnent dessus vos âmes.
Allez, j'immolerai pour vous à Jupiter,
Et je ne vois plus rien enfin à redouter.
Des dieux les moins bénins l'éternelle puissance
Ne veut de nous qu'amour et que reconnaissance;
Et jamais leur courroux ne montre de rigueurs
Que n'abatte aussitôt l'abaissement des cœurs.

ACTE V

DÉCORATION DU CINQUIÈME ACTE

L'architecte ne s'est pas épuisé en la structure de ce palais royal. Le temple qui lui succède a tant d'avantage sur lui, qu'il fait mépriser ce qu'on admirait : aussi est-il juste que la demeure des Dieux l'emporte sur celle des hommes ; et l'art du sieur Torelli est ici d'autant plus merveilleux, qu'il fait paraître une grande diversité en ces deux décorations, quoiqu'elles soient presque la même chose. On voit encore en celle-ci deux rangs de colonnes comme en l'autre, mais d'un ordre si différent, qu'on n'y remarque aucun rapport. Celles-ci sont de porphyre ; et tous les accompagnements qui les soutiennent et qui les finissent, de bronze ciselé, dont la gravure représente quantité de dieux et de déesses. La réflexion des lumières sur ce bronze en fait sortir un jour tout extraordinaire. Un grand et superbe dôme couvre le milieu de ce temple magnifique ; il est partout enrichi du même métal ; et au devant de ce dôme, l'artifice de l'ouvrier jette une galerie tout brillante d'or et d'azur. Le dessous de cette galerie laisse voir le dedans du temple par trois portes d'argent ouvragées à jour : on y verrait Céphée sacrifiant à Jupiter pour le mariage de sa fille, n'était que l'attention que les spectateurs prêteraient à ce sacrifice les détournerait de celle qu'ils doivent à ce qui se passe dans le parvis que représente le théâtre.

SCÈNE PREMIÈRE

PHINÉE, AMMON

AMMON

Vos amis rassemblés brûlent tous de vous suivre,
Et Junon dans son temple entre vos mains le livre.
Ce rival, presque seul au pied de son autel,
Semble attendre à genoux l'honneur du coup mortel.

Là, comme la Déesse agréera la victime,
Plus les lieux seront saints, moindre en sera le crime;
Et son aveu changeant de nom à l'attentat,
Ce sera sacrifice au lieu d'assassinat.

PHINÉE

Que me sert que Junon, que Neptune propice,
Que tous les Dieux ensemble aiment ce sacrifice,
Si la seule déesse à qui je fais des vœux
Ne m'en voit que d'un œil d'autant plus rigoureux,
Et si ce coup, sensible au cœur de l'inhumaine,
D'un injuste mépris fait une juste haine?
  Ami, quelque fureur qui puisse m'agiter,
Je cherche à l'acquérir, et non à l'irriter;
Et m'immoler l'objet de sa nouvelle flamme,
Ce n'est pas le chemin de rentrer dans son âme.

AMMON

Mais, Seigneur, vous touchez à ce moment fatal
Qui pour jamais la donne à cet heureux rival.
En cette extrémité que prétendez-vous faire?

PHINÉE

Tout, hormis l'irriter; tout, hormis lui déplaire :
Soupirer à ses pieds, pleurer à ses genoux,
Trembler devant sa haine, adorer son courroux.

AMMON

Quittez, quittez, Seigneur, un respect si funeste;
Otez-vous ce rival, et hasardez le reste :
En dût-elle à jamais dédaigner vos soupirs,
La vengeance elle seule a de si doux plaisirs...

PHINÉE

N'en cherchons les douceurs, ami, que les dernières.
Rarement un amant les peut goûter entières;
Et quand de sa vengeance elles sont tout le fruit,
Ce sont fausses douceurs que l'amertume suit.
La mort de son rival, les pleurs de son ingrate,
Ont bien je ne sais quoi qui dans l'abord le flatte;
Mais de ce cher objet s'en voyant plus haï,
Plus il s'en est flatté, plus il s'en croit trahi.

Sous d'éternels regrets son âme est abattue,
Et sa propre vengeance incessamment le tue.
Ce n'est pas que je veuille enfin la négliger :
Si je ne puis fléchir, je cours à me venger;
Mais souffre à mon amour, mais souffre à ma faiblesse
Encore un peu d'effort auprès de ma princesse.
Un amant véritable espère jusqu'au bout,
Tant qu'il voit un moment qui peut lui rendre tout.
L'inconstante, peut-être encor tout étonnée,
N'était pas bien à soi quand elle s'est donnée;
Et la reconnaissance a fait plus que l'amour
En faveur d'une main qui lui rendait le jour.
Au sortir du péril, pâle encore et tremblante,
L'image de la mort devant les yeux errante,
Elle a cru tout devoir à son libérateur;
Mais souvent le devoir ne donne pas le cœur;
Il agit rarement sans un peu d'imposture,
Et fait peu de présents dont ce cœur ne murmure.
Peut-être, ami, peut-être après ce grand effroi
Son amour en secret aura parlé pour moi :
Les traits mal effacés de tant d'heureux services,
Les douceurs d'un beau feu qui furent ses délices,
D'un regret amoureux touchant son souvenir,
Auront en ma faveur surpris quelque soupir,
Qui s'échappant d'un cœur qu'elle force à ma perte,
M'en aura pu laisser la porte encore ouverte.
Ah ! si ce triste hymen se pouvait éloigner !

AMMON

Quoi? vous voulez encor vous faire dédaigner?
Sous ce honteux espoir votre fureur se dompte?

PHINÉE

Que veux-tu? ne sois point le témoin de ma honte :
Andromède revient; va trouver nos amis,
Va préparer leurs bras à ce qu'ils m'ont promis.
Ou mes nouveaux respects fléchiront l'inhumaine,
Ou ses nouveaux mépris animeront ma haine;
Et tu verras mes feux, changés en juste horreur,
Armer mes désespoirs, et hâter ma fureur.

AMMON

Je vous plains; mais enfin j'obéis, et vous laisse.

SCÈNE II

CASSIOPE, ANDROMÈDE, PHINÉE,
SUITE DE LA REINE

PHINÉE

Une seconde fois, adorable princesse,
Malgré de vos rigueurs l'impérieuse loi...

ANDROMÈDE

Quoi? vous voyez la Reine, et vous parlez à moi !

PHINÉE

C'est de vous seule aussi que j'ai droit de me plaindre :
Je serais trop heureux de la voir vous contraindre,
Et n'accuserais plus votre infidélité,
Si vous vous excusiez sur son autorité.
Au nom de cette amour autrefois si puissante,
Aidez un peu la mienne à vous faire innocente :
Dites-moi que votre âme à regret obéit,
Qu'un rigoureux devoir malgré vous me trahit;
Donnez-moi lieu de dire : « Elle-même elle en pleure,
Elle change forcée, et son cœur me demeure »;
Et soudain, de la Reine embrassant les genoux,
Vous m'y verrez mourir sans me plaindre de vous.
Mais que lui puis-je, hélas ! demander pour remède,
Quand la main qui me tue est celle d'Andromède,
Et que son cœur léger ne court au changement
Qu'avec la vanité d'y courir justement?

CASSIOPE

Et quel droit sur ce cœur pouvait garder Phinée,
Quand Persée a trouvé la place abandonnée,
Et n'a fait autre chose, en prenant son parti,
Que s'emparer d'un lieu dont vous étiez sorti?
Mais sorti, le dirai-je, et pourrez-vous l'entendre?
Oui, sorti lâchement, de peur de le défendre.
Ainsi nous n'avons fait que le récompenser
D'un bien où votre bras venait de renoncer,
Que vous cédiez au monstre, à lui-même, à tout autre :
Si c'est une injustice, examinons la vôtre.

La voyant exposée aux rigueurs de son sort,
Vous vous étiez déjà consolé de sa mort;
Et quand par un héros le ciel l'a garantie,
Vous ne vous pouvez plus consoler de sa vie.

PHINÉE

Ah ! Madame...

CASSIOPE

Eh bien ! soit, vous avez soupiré
Autant que l'a pu faire un cœur désespéré.
Jamais aucun tourment n'égala votre peine;
Certes, quelque douleur dont votre âme fût pleine,
Ce désespoir illustre et ces nobles regrets
Lui devaient un peu plus que des soupirs secrets.
A ce défaut, Persée...

PHINÉE

Ah ! c'en est trop, Madame;
Ce nom rend, malgré moi, la fureur à mon âme :
Je me force au respect; mais toujours le vanter,
C'est me forcer moi-même à ne rien respecter.
Qu'a-t-il fait, après tout, si digne de vous plaire,
Qu'avec un tel secours tout autre n'eût pu faire?
Et tout héros qu'il est, qu'eût-il osé pour vous,
S'il n'eût eu que sa flamme et son bras comme nous?
Mille et mille auraient fait des actions plus belles,
Si le ciel comme à lui leur eût prêté des ailes;
Et vous les auriez vus encor plus généreux,
S'ils eussent vu le monstre et le péril sous eux :
On s'expose aisément quand on n'a rien à craindre.
Combattre un ennemi qui ne pouvait l'atteindre,
Voir sa victoire sûre et daigner l'accepter,
C'est tout le rare exploit dont il se peut vanter;
Et je ne comprends point ni quelle en est la gloire,
Ni quel grand prix mérite une telle victoire.

CASSIOPE

Et votre aveuglement sera bien moins compris,
Qui d'un sujet d'estime en fait un de mépris.
Le ciel, qui mieux que nous connaît ce que nous sommes,
Mesure ses faveurs au mérite des hommes;
Et d'un pareil secours vous auriez eu l'appui,

S'il eût pu voir en vous mêmes vertus qu'en lui.
Ce sont grâces d'en haut rares et singulières[8],
Qui n'en descendent point pour des âmes vulgaires;
Ou pour en mieux parler, la justice des cieux
Garde ce privilège au digne sang des Dieux :
C'est par là que leur roi vient d'avouer sa race.

ANDROMÈDE

Je dirai plus, Phinée; et pour vous faire grâce,
Je ne veux rien devoir à cet heureux secours
Dont ce vaillant guerrier a conservé mes jours :
Je veux fermer les yeux sur toute cette gloire,
Oublier mon péril, oublier sa victoire,
Et, quel qu'en soit enfin le mérite ou l'éclat,
Ne juger entre vous que depuis le combat.
Voyez ce qu'il a fait, lorsque après ces alarmes,
Me voyant tout acquise au bonheur de ses armes,
Ayant pour lui les Dieux, ayant pour lui le Roi,
Dans sa victoire même il s'est vaincu pour moi.
Il m'a sacrifié tout ce haut avantage;
De toute sa conquête il m'a fait un hommage;
Il m'en a fait un don; et fort de tant de voix,
Au péril de tout perdre, il met tout à mon choix :
Il veut tenir pour grâce un si juste salaire;
Il réduit son bonheur à ne me point déplaire :
Préférant mes refus, préférant son trépas
A l'effet de ses vœux qui ne me plairait pas.
En usez-vous de même? et votre violence
Garde-t-elle pour moi la même déférence?
Vous avez contre vous et les Dieux et le Roi,
Et vous voulez encor m'obtenir malgré moi !
Sous ombre d'une foi qui se tient en réserve,
Je dois à votre amour ce qu'un autre conserve;
A moins que d'être ingrate à mon libérateur,
A moins que d'adorer un lâche adorateur,
Que d'être à mes parents, aux dieux mêmes rebelle,
Vous crierez après moi sans cesse : « A l'infidèle ! »
C'était aux yeux du monstre, au pied de ce rocher,
Que l'effet de ma foi se devait rechercher;
Mon âme, encor pour vous de même ardeur pressée,
Vous eût tendu la main au mépris de Persée,
Et cru plus glorieux qu'on m'eût vue aujourd'hui
Expirer avec vous que régner avec lui.

Mais puisque vous m'avez envié cette joie,
Cessez de m'envier ce que le ciel m'envoie;
Et souffrez que je tâche enfin à mériter,
Au refus de Phinée, un fils de Jupiter.

PHINÉE

Je perds donc temps, Madame; et votre âme obstinée
N'a plus d'amour, ni foi, ni pitié pour Phinée?
Un peu de vanité qui flatte vos parents,
Et d'un rival adroit les respects apparents,
Font plus en un moment, avec leurs artifices,
Que n'ont fait en six ans ma flamme et mes services?
Je ne vous dirai point que de pareils respects
A tout autre que vous pourraient être suspects,
Que qui peut se priver de la personne aimée
N'a qu'une ardeur civile et fort mal allumée,
Que dans ma violence on doit voir plus d'amour :
C'est un présent des cieux, faites-lui votre cour;
Plus fidèle qu'à moi, tenez-lui mieux parole :
J'en vais rougir pour vous, cependant qu'il me vole;
Mais ce rival peut-être, après m'avoir volé,
Ne sera pas toujours sur ce cheval ailé.

ANDROMÈDE

Il n'en a pas besoin s'il n'a que vous à craindre.

PHINÉE

Il peut avec le temps être le plus à plaindre.

ANDROMÈDE

Il porte à son côté de quoi l'en garantir.

PHINÉE

Vous l'attendez ici, je vais l'en avertir.

CASSIOPE

Son amour peut sans vous nous rendre cet office.

PHINÉE

Le mien s'efforcera pour ce dernier service.
Vous pouvez cependant divertir vos esprits
A rendre compte au Roi de vos justes mépris.

SCÈNE III

CÉPHÉE, CASSIOPE, ANDROMÈDE,
SUITE DU ROI ET DE LA REINE

CÉPHÉE

Que faisait là Phinée? Est-il si téméraire
Que ce que font les Dieux il pense à le défaire?

CASSIOPE

Après avoir prié, soupiré, menacé,
Il vous a vu, Seigneur, et l'orage a passé.

CÉPHÉE

Et vous prêtiez l'oreille à ses discours frivoles?

CASSIOPE

Un amant qui perd tout peut perdre des paroles;
Et l'écouter sans trouble et sans rien hasarder,
C'est la moindre faveur qu'on lui puisse accorder.
  Mais, Seigneur, dites-nous si Jupiter propice
Se déclare en faveur de votre sacrifice,
Si de notre famille il se rend le soutien,
S'il consent l'union de notre sang au sien.

CÉPHÉE

Jamais les feux sacrés et la mort des victimes
N'ont daigné mieux répondre à des vœux légitimes.
Tous auspices heureux; et le grand Jupiter
Par des signes plus clairs ne pouvait l'accepter,
A moins qu'y joindre encor l'honneur de sa présence,
Et de sa propre bouche assurer l'alliance.

CASSIOPE

Les nymphes de la mer nous en ont fait autant;
Toutes ont hors des flots paru presque à l'instant;
Et leurs bénins regards envoyés au rivage
Avecque notre encens ont reçu notre hommage;
Après le sacrifice honoré de leurs yeux,
Où Neptune à l'envi mêlait ses demi-dieux,

Toutes ont témoigné d'un penchement de tête
Consentir au bonheur que le ciel nous apprête;
Et nos submissions désarmant leurs dédains,
Toutes ont pour adieu battu l'onde des mains.
Que si même bonheur suit les vœux de Persée,
Qu'il ait vu de Junon sa prière exaucée,
Nous n'avons plus à craindre aucun sinistre effet.

CÉPHÉE

Les Dieux ne laissent point leur ouvrage imparfait;
N'en doutez point, Madame, aussi bien que Neptune,
Junon consentira notre bonne fortune.
Mais que nous veut Aglante?

SCÈNE IV

CÉPHÉE, CASSIOPE, ANDROMÈDE, AGLANTE,
SUITE DU ROI ET DE LA REINE

AGLANTE

Ah! Seigneur, au secours!
Du généreux Persée on attaque les jours.
Presque au sortir du temple une troupe mutine
Vient de l'environner, et déjà l'assassine.
Phinée en les joignant, furieux et jaloux,
Leur a crié : « Main basse! à lui seul! donnez tous! »
Ceux qui l'accompagnaient tout aussitôt se rendent,
Clyte et Nylée encor vaillamment le défendent;
Mais ce sont vains efforts de peu d'autres suivis,
Et je viens toute en pleurs vous en donner avis.

CASSIOPE

Dieux! est-ce là l'effet de tant d'heureux présages?
Allez, gardes, allez signaler vos courages;
Allez perdre ce traître, et punir ce voleur
Qui prétend sous le nombre accabler la valeur.

CÉPHÉE

Modérez vos frayeurs, et vous, séchez vos larmes.
Le ciel n'a pas besoin du secours de nos armes;

Il a de ce héros trop pris les intérêts,
Pour n'avoir pas pour lui des miracles tout prêts :
Et peut-être bientôt sur ce lâche adversaire
Vous entendrez tomber la foudre de son père.
Jugez de l'avenir par ce qui s'est passé;
Les Dieux achèveront ce qu'ils ont commencé;
Oui, les Dieux à leur sang doivent ce privilège :
Y mêler notre main, c'est faire un sacrilège.

CASSIOPE

Seigneur, sur cet espoir hasarder ce héros,
C'est trop...

SCÈNE V

CÉPHÉE, CASSIOPE, ANDROMÈDE, PHORBAS,
AGLANTE, SUITE DU ROI ET DE LA REINE

PHORBAS

Mettez, grand roi, votre esprit en repos;
La tête de Méduse a puni tous ces traîtres.

CÉPHÉE

Le ciel n'est point menteur, et les Dieux sont nos maîtres.

PHORBAS

Aussitôt que Persée a pu voir son rival :
« Descendons, a-t-il dit, en un combat égal;
Quoique j'aye en ma main un entier avantage,
Je ne veux que mon bras, ne prends que ton courage.
— Prends, prends cet avantage, et j'userai du mien »,
Dit Phinée; et soudain, sans plus répondre rien,
Les siens donnent en foule, et leur troupe pressée
Fait choir Ménale et Clyte aux pieds du grand Persée.
Il s'écrie aussitôt : « Amis, fermez les yeux,
Et sauvez vos regards de ce présent des cieux :
J'atteste qu'on m'y force, et n'en fais plus d'excuse. »
Il découvre à ces mots la tête de Méduse.
Soudain j'entends des cris qu'on ne peut achever;
J'entends gémir les uns, les autres se sauver;

J'entends le repentir succéder à l'audace;
J'entends Phinée enfin qui lui demande grâce.
« Perfide, il n'eﬆ plus temps », lui dit Persée. Il fuit :
J'entends comme à grands pas ce vainqueur le poursuit;
Comme il court se venger de qui l'osait surprendre;
Je l'entends s'éloigner, puis je cesse d'entendre.
Alors, ouvrant les yeux par son ordre fermés,
Je vois tous ces méchants en pierre transformés;
Mais l'un plein de fureur et l'autre plein de crainte,
En porte sur le front la marque encore empreinte;
Et tel voulait frapper, dont le coup suspendu
Demeure en sa ﬆatue à demi descendu;
Tant cet affreux prodige...

SCÈNE VI

CÉPHÉE, CASSIOPE, ANDROMÈDE, PERSÉE,
PHORBAS, AGLANTE, SUITE DU ROI ET DE LA REINE

CÉPHÉE, *à Persée.*

Eﬆ-il puni, ce lâche,
Cet impie?

PERSÉE

Oui, Seigneur; et si sa mort vous fâche,
Si c'eﬆ de votre sang avoir fait peu d'état...

CÉPHÉE

Il n'eﬆ plus de ma race après cet attentat :
Ce crime l'en dégrade, et ce coup téméraire
Efface de mon sang l'illuﬆre caractère.
Perdons-en la mémoire, et faisons-la céder
A l'heur de vous revoir et de vous posséder,
Vous que le juﬆe ciel, remplissant son oracle,
Par miracle nous donne, et nous rend par miracle.
Entrons dedans ce temple, où l'on n'attend que vous
Pour nous unir aux Dieux par des liens si doux;
Entrons sans différer.

(Les portes se ferment comme ils veulent entrer.)

Mais quel nouveau prodige
Dans cet excès de joie à craindre nous oblige?

Qui nous ferme la porte et nous défend d'entrer
Où tout notre bonheur se devait rencontrer?

PERSÉE

Puissant maître du foudre, est-il quelque tempête
Que le Destin jaloux à dissiper m'apprête?
Quelle nouvelle épreuve attaque ma vertu?
Après ce qu'elle a fait la désavouerais-tu?
Ou si c'est que le prix dont tu la vois suivie
Au bonheur de ton fils te fait porter envie?

SCÈNE VII

MERCURE, CÉPHÉE, CASSIOPE, ANDROMÈDE,
PERSÉE, PHORBAS, AGLANTE,
SUITE DU ROI ET DE LA REINE

MERCURE, *au milieu de l'air.*

Roi, Reine, et vous Princesse, et vous heureux vainqueur,
Que Jupiter mon père
Tient pour mon digne frère,
Ne craignez plus du sort la jalouse rigueur.
Ces portes du temple fermées,
Dont vos âmes sont alarmées,
Vous marquent des faveurs où tout le ciel consent :
Tous les Dieux sont d'accord de ce bonheur suprême;
Et leur monarque tout-puissant
Vous le vient apprendre lui-même.
Mercure revole en haut après avoir parlé.

CASSIOPE

Redoublons donc nos vœux, redoublons nos ferveurs,
Pour mériter du ciel ces nouvelles faveurs.

CHŒUR DE MUSIQUE

Maître des Dieux, hâte-toi de paraître,
Et de verser sur ton sang et nos rois
Les grâces que garde ton choix
À ceux que tu fais naître.

Fais choir sur eux de nouvelles couronnes,
Et fais-nous voir, par un heur accompli,

Qu'ils ont tous dignement rempli
Le rang que tu leur donnes.

Tandis qu'on chante, Jupiter descend du ciel dans un trône tout éclatant d'or et de lumières, enfermé dans un nuage qui l'environne. A ses deux côtés, deux autres nuages apportent jusqu'à terre Junon et Neptune, apaisés par les sacrifices des amants ; ils se déploient en rond autour de celui de Jupiter, et, occupant toute la face du théâtre, ils font le plus agréable spectacle de toute cette représentation.

SCÈNE VIII

JUPITER, JUNON, NEPTUNE, CÉPHÉE,
CASSIOPE, ANDROMÈDE, PERSÉE, PHORBAS,
AGLANTE, SUITE DU ROI ET DE LA REINE

JUPITER, *dans son trône au milieu de l'air.*

Des noces de mon fils la terre n'est pas digne,
La gloire en appartient aux cieux,
Et c'est là ce bonheur insigne
Qu'en vous fermant mon temple ont annoncé les Dieux.
Roi, Reine, et vous amants, venez sans jalousie
Vivre à jamais en ce brillant séjour,
Où le nectar et l'ambrosie
Vous seront comme à nous prodigués chaque jour :
Et quand la nuit aura tendu ses voiles,
Vos corps semés de nouvelles étoiles,
Du haut du ciel éclairant aux mortels,
Leur apprendront qu'il vous faut des autels.

JUNON, *à Persée.*

Junon même y consent, et votre sacrifice
A calmé les fureurs de son esprit jaloux.

NEPTUNE, *à Cassiope.*

Neptune n'est pas moins propice,
Et vos encens désarment son courroux.

JUNON

Venez, héros, et vous Céphée,
Prendre là-haut vos places de ma main.

NEPTUNE

Reine, venez ; que ma haine étouffée
Vous conduise elle-même à cet heur souverain.

PERSÉE

Accablé et surpris d'une faveur si grande...

JUNON

Arrêtez là votre remercîment :
L'obéissance eſt le seul compliment
Qu'agrée un dieu quand il commande.

Sitôt que Junon a dit ces vers, elle fait prendre place au Roi et à Persée auprès d'elle. Neptune fait le même honneur à la Reine et à la princesse Andromède ; et tous ensemble remontent dans le ciel qui les attend, cependant que le peuple, pour acclamation publique, chante ces vers qui viennent d'être prononcés par Jupiter.

CHOEUR

Allez, amants, allez sans jalousie
Vivre à jamais en ce brillant séjour,
Où le neƈtar et l'ambrosie
Vous seront comme aux Dieux prodigués chaque jour :
Et quand la nuit aura tendu ses voiles,
Vos corps semés de nouvelles étoiles,
Du haut du ciel éclairant aux mortels,
Leur apprendront qu'il vous faut des autels.

DON SANCHE D'ARAGON

COMÉDIE HÉROIQUE

A MONSIEUR DE ZUYLICHEM

CONSEILLER ET SECRÉTAIRE DE MONSEIGNEUR LE PRINCE D'ORANGE

MONSIEUR,

Voici un poëme d'une espèce nouvelle, et qui n'a point d'exemple chez les anciens. Vous connaissez l'humeur de nos Français; ils aiment la nouveauté; et je hasarde non tam meliora quam nova, *sur l'espérance de les mieux divertir. C'était l'humeur des Grecs dès le temps d'Eschyle,*

Apud quos
Illecebris erat et grata novitate morandus
Spectator;

et, si je ne me trompe, c'était aussi celle des Romains,

Vel qui praetextas, vel qui docuere togatas.
Nec minimum meruere decus, vestigia Graeca
Ausi deserere...

Ainsi j'ai du moins des exemples d'avoir entrepris une chose qui n'en a point. Je vous avouerai toutefois qu'après l'avoir faite je me suis trouvé fort embarrassé à lui choisir un nom. Je n'ai jamais pu me résoudre à celui de tragédie, n'y voyant que les personnages qui en fussent dignes. Cela eût suffi au bonhomme Plaute, qui n'y cherchait point d'autre finesse : parce qu'il y a des dieux et des rois dans son Amphitryon, *il veut que c'en soit une, et parce qu'il y a des valets qui bouffonnent, il veut que ce soit aussi une comédie, et lui donne l'un et l'autre nom, par un composé qu'il forme exprès, de peur de ne lui donner pas tout ce qu'il croit lui appartenir. Mais c'est trop déférer aux personnages, et considérer trop peu l'action. Aristote en use autrement dans la définition qu'il fait de la tragédie, où il décrit les qualités que doit avoir celle-ci, et les effets qu'elle doit produire, sans parler aucunement de ceux-là; et j'ose m'imaginer que ceux qui ont restreint cette sorte de poëme aux personnes illustres n'en ont décidé que sur l'opinion qu'ils ont eue qu'il n'y avait que la fortune des rois et des princes qui fût capable d'une action telle que ce grand maître de l'art nous prescrit. Cependant quand il examine lui-même les qualités nécessaires au héros de la tragédie, il ne touche point du tout à sa naissance, et ne s'attache qu'aux incidents de sa vie et à ses mœurs. Il demande un homme qui ne soit ni tout méchant ni tout bon; il le demande persécuté par quelqu'un de ses plus proches; il demande qu'il tombe en danger de mourir par une main obligée à le conserver; et je ne vois point pourquoi cela ne puisse arriver qu'à un prince, et que dans un moindre rang on soit à couvert de ces malheurs. L'histoire dédaigne de les marquer, à moins qu'ils ayent accablé quelqu'une de ces grandes têtes, et c'est sans doute pourquoi jusqu'à présent la tragédie s'y est arrêtée. Elle a besoin de son appui pour les événements qu'elle traite ; et comme ils n'ont de l'éclat que parce qu'ils sont hors de la vraisemblance ordinaire, ils ne seraient pas croyables sans son autorité, qui agit avec empire, et semble commander de croire ce qu'elle veut persuader. Mais je ne comprends point ce qui lui défend de descendre plus bas, quand il s'y rencontre des actions qui méritent qu'elle prenne soin de les imiter ; et je ne puis croire que l'hospitalité violée en la personne des filles de Scédase*[1]*, qui n'était qu'un paysan de Leuctres, soit moins digne d'elle que l'assassinat d'Agamemnon par sa femme, ou la vengeance de cette mort par Oreste sur sa propre mère ; quitte pour chausser le cothurne un peu plus bas :*

Et tragicus plerumque dolet sermone pedestri.

Je dirai plus MONSIEUR *: la tragédie doit exciter de la pitié et de la crainte, et cela est de ses parties essentielles, puisqu'il entre dans sa définition. Or s'il est vrai que ce dernier sentiment ne s'excite en nous par sa représentation que quand nous voyons souffrir nos semblables, et que leurs infortunes nous en font appréhender de pareilles, n'est-il pas vrai aussi qu'il y pourrait être excité plus fortement par la vue des malheurs arrivés aux personnes de notre condition, à qui nous ressemblons tout à fait, que par l'image de ceux qui font trébucher de leurs trônes les plus grands monarques, avec qui nous n'avons aucun rapport qu'en tant que nous sommes susceptibles des passions qui les ont jetés dans ce précipice : ce qui ne se rencontre pas toujours? Que si vous trouvez quelque apparence en ce raisonnement, et ne désapprouvez pas qu'on puisse faire une tragédie entre des personnes médiocres, quand leurs infortunes ne sont pas au-dessous de sa dignité, permettez-moi de conclure,* a simili, *que nous pouvons faire une comédie entre des personnes illustres, quand nous nous en proposons quelque aventure qui ne s'élève point au-dessus de sa portée. Et certes, après avoir lu dans Aristote que la tragédie est une imitation des actions, et non pas des hommes, je pense avoir quelque droit de dire la même chose de la comédie, et de prendre pour maxime que c'est par la seule considération des actions, sans aucun égard aux personnages, qu'on doit déterminer de quelle espèce est un poëme dramatique. Voilà,* MONSIEUR, *bien du discours, dont il n'était pas besoin pour vous attirer à mon parti, et gagner votre suffrage en faveur du titre que j'ai donné à* Don Sanche. *Vous savez mieux que moi tout ce que je vous dis ; mais comme j'en fais confidence au public, j'ai cru que vous ne vous offenseriez pas que je vous fisse souvenir des choses dont je lui dois quelque lumière. Je continuerai donc, s'il vous plaît, et lui dirai que* Don Sanche *est une véritable comédie, quoique tous les acteurs soient ou rois ou grands d'Espagne, puisqu'on n'y voit naître aucun péril par qui nous puissions être portés à la pitié ou à la crainte. Notre aventurier Carlos n'y court aucun risque. Deux de ses rivaux sont trop jaloux de leur rang pour se commettre avec lui, et trop généreux pour lui dresser quelque supercherie. Le mépris qu'ils en font, sur l'incertitude de son origine, ne détruit point en eux l'estime* *de sa valeur, et se change en respect sitôt qu'ils le peuvent soupçonner d'être ce qu'il est véritablement, quoiqu'il ne le sache pas. Le troisième lie la partie avec lui, mais elle est incontinent rompue par la Reine; et quand même elle s'achèverait par la perte de sa vie, la mort d'un ennemi par un ennemi n'a rien de pitoyable ni de terrible, et par conséquent rien de tragique. Il a de grands déplaisirs, et qui semblent vouloir quelque pitié de nous, lorsqu'il dit lui-même à une de ses maîtresses,*

Je plaindrais un amant qui souffrirait mes peines;

mais nous ne voyons autre chose dans les comédies que des amants qui vont mourir, s'ils ne possèdent ce qu'ils aiment, et de semblables douleurs ne préparant aucun effet tragique, on ne peut dire qu'elles aillent au-dessus de la comédie. Il tombe dans l'unique malheur qu'il appréhende : il est découvert pour fils d'un pêcheur; mais en cet état même, il n'a garde de nous demander notre pitié, puisqu'il s'offense de celle de ses rivaux. Ce n'est point un héros à la mode d'Euripide, qui les habillait de lambeaux pour mendier les larmes des spectateurs : celui-ci soutient sa disgrâce avec tant de fermeté, qu'il nous imprime plus d'admiration de son grand courage, que de compassion de son infortune. Nous la craignons pour lui avant qu'elle arrive, mais cette crainte n'a sa source que dans l'intérêt que nous prenons d'ordinaire à ce qui touche le premier acteur, et se peut ranger inter communia utriusque dramatis, *aussi bien que la reconnaissance qui fait le dénouement de cette pièce. La crainte tragique ne devance pas le malheur du héros, elle le suit, elle n'est pas pour lui, elle est pour nous; et se produisant par une prompte application que la vue de ses malheurs nous fait faire sur nous-mêmes, elle purge en nous les passions que nous en voyons être la cause. Enfin je ne vois rien en ce poëme qui puisse mériter le nom de tragédie si nous ne voulons nous contenter de la définition qu'en donne Averroès*, qui l'appelle simplement « un art de louer ». En ce cas, nous ne lui pourrons dénier ce titre sans nous aveugler volontairement, et ne vouloir pas voir que toutes ses parties ne sont qu'une peinture des puissantes impressions que les rares qualités d'un honnête homme font sur toutes sortes d'esprits, qui est une façon de louer assez ingénieuse et hors du commun des panégyriques. Mais j'aurais mauvaise grâce de me prévaloir d'un auteur arabe, que je ne connais que sur la foi d'une traduction latine; et puisque sa paraphrase abrège le texte d'Aristote en cet article, au lieu de l'étendre, je ferai mieux d'en croire ce dernier, qui ne permet point à cet ouvrage de prendre un nom plus relevé que celui de comédie. Ce n'est pas que je n'aye hésité quelque temps sur ce que je n'y voyais rien qui pût émouvoir à rire. Cet agrément a été jusqu'ici tellement de la pratique de la comédie, que beaucoup ont cru qu'il était aussi de son essence; et je serais encore dans ce scrupule, si je n'en avais été guéri par votre Heinsius, de qui je viens d'apprendre heureusement que* movere risum non constituit comœdiam, sed plebis aucupium est, et abusus. *Après l'autorité d'un si grand homme, je serais coupable de chercher d'autres raisons et de craindre d'être mal fondé à soutenir que la comédie se peut passer du ridicule. J'ajoute à celle-ci l'épithète de*

---

* Ibn Roschd Averroès, né à Cordoue, mort à Maroc en 1192.

héroïque, pour satisfaire aucunement à la dignité de ses personnages, qui pourrait sembler profanée par la bassesse d'un titre que jamais on n'a appliqué si haut. Mais, après tout, MONSIEUR, ce n'est qu'un interim, *jusqu'à ce que vous m'ayez appris comme j'ai dû l'intituler. Je ne vous l'adresse que pour vous l'abandonner entièrement; et si vos Elzéviers se saisissent de ce poëme, comme ils ont fait de quelques-uns des miens qui l'ont précédé, ils peuvent le faire voir à vos provinces sous le titre que vous lui jugerez plus convenable, et nous exécuterons ici l'arrêt que vous en aurez donné. J'attends de vous cette instruction avec impatience, pour m'affermir dans mes premières pensées, ou les rejeter comme de mauvaises tentations : elles flotteront jusque-là; et si vous ne me pouvez accorder la gloire d'avoir appuyé une nouveauté, vous me laisserez du moins celle d'avoir passablement défendu un paradoxe. Mais quand même vous m'ôteriez toutes les deux, je m'en consolerai fort aisément, parce que je suis très-assuré que vous ne m'en sauriez ôter une qui m'est beaucoup plus précieuse; c'est celle d'être toute ma vie,*

MONSIEUR,

Votre très-humble et très-obéissant serviteur,

CORNEILLE.

ARGUMENT

Don Fernand, roi d'Aragon, chassé de ses États par la révolte de don Garcie d'Ayala, comte de Fuensalida, n'avait plus sous son obéissance que la ville de Catalaïud et le territoire des environs, lorsque la reine doña Léonor, sa femme, accoucha d'un fils, qui fut nommé don Sanche. Ce déplorable prince, craignant qu'il ne demeurât exposé aux fureurs de ce rebelle, le fit aussitôt enlever par don Raymond de Moncade, son confident, afin de le faire nourrir secrètement. Ce cavalier, trouvant dans le village de Bubierça la femme d'un pêcheur nouvellement accouchée d'un enfant mort, lui donne celui-ci à nourrir, sans lui dire qui il était; mais seulement qu'un jour le roi et la reine d'Aragon le feraient Grand lorsqu'elle leur ferait présenter par lui un petit écrin qu'en même temps il lui donna. Le mari de cette pauvre femme était pour lors à la guerre, si bien que revenant au bout d'un an, il prit aisément cet enfant pour sien, et l'éleva comme s'il en eût été le père. La Reine ne put jamais savoir du Roi où il avait fait porter son fils : et tout ce qu'elle en tira, après beaucoup de prières, ce fut qu'elle le reconnaîtrait un jour quand on lui présenterait cet écrin, où il aurait mis leurs deux portraits, avec un billet de sa main et quelques autres pièces de remarque; mais, voyant qu'elle continuait toujours à en vouloir savoir davantage, il arrêta sa curiosité tout d'un coup, et lui dit qu'il était mort. Il soutint après cela cette malheureuse guerre encore trois ou quatre ans, ayant toujours quelque nouveau désavantage, et mourut enfin de déplaisir et de fatigue, laissant ses affaires désespérées, et la Reine grosse, à qui il conseilla d'abandonner entièrement l'Aragon et de se réfugier en Castille : elle exécuta ses ordres, et y accoucha d'une fille nommée doña Elvire, qu'elle y éleva jusques à l'âge de vingt ans. Cependant le jeune prince don Sanche, qui se croyait fils d'un pêcheur, dès qu'il en eut atteint seize, se dérobe de ses parents et se jette dans les armées du roi de Castille, qui avait de grandes guerres contre les Maures; et de peur d'être connu pour ce qu'il pensait être, il quitte le nom de Sanche qu'on lui avait laissé, et prend celui de Carlos. Sous ce faux nom, il fait tant de merveilles, qu'il entre en grande considération auprès du roi don Alphonse, à qui il sauve la vie en un jour de bataille; mais comme ce monarque était prêt de le récompenser, il est surpris de la mort, et ne lui laisse autre chose que les favorables regards de la reine doña Isabelle, sa sœur et son héritière, et de la jeune princesse d'Aragon, doña Elvire, que l'admiration de ses belles actions avait portées toutes deux jusques à l'aimer, mais d'un amour étouffé par le souvenir de ce qu'elles devaient à la dignité de leur naissance. Lui-même avait conçu aussi de la passion pour toutes deux, sans oser prétendre à pas une, se croyant si fort indigne d'elles. Cependant tous les grands de Castille, ne voyant point de rois voisins qui pussent épouser leur reine, prétendent à l'envi l'un de l'autre à son mariage, et étant près de former une guerre civile pour ce sujet, les États du royaume la supplient de choisir un mari, pour éviter les malheurs qu'ils en prévoyaient devoir naître. Elle s'en excuse comme ne connaissant pas assez particulièrement le mérite de ses prétendants, et leur commande de choisir eux-mêmes les trois qu'ils en jugent les plus dignes, les assurant que s'il se rencontre quelqu'un entre ces trois pour qui elle puisse prendre quelque inclination, elle l'épousera. Ils obéissent, et lui nomment don Manrique de Lare, don Lope de Gusman, et don Alvar de Lune, qui bien que passionné pour la princesse doña Elvire, eût cru faire une lâcheté et offenser sa reine, s'il eût rejeté l'honneur qu'il recevait de son pays par cette nomination. D'autre côté, les Aragonois, ennuyés de la tyrannie de don Garcie et de don Ramire, son fils, les chassent de Saragosse, et, les ayant assiégés dans la forteresse de Jaca, envoient des députés à leurs princesses, réfugiées en Castille, pour les prier de revenir prendre possession d'un royaume qui leur appartenait. Depuis leur départ, ces deux tyrans ayant été tués en la prise de Jaca, don Raymond, qu'ils y tenaient prisonnier depuis six ans, apprend à ces peuples que don Sanche, leur prince, était vivant, et part aussitôt pour le chercher à Bubierça, où il apprend que le pêcheur, qui le croyait son fils, l'avait perdu depuis huit ans, et l'était allé chercher en Castille, sur quelques nouvelles qu'il en avait eues par un soldat qui avait servi sous lui contre les Maures. Il pousse aussitôt de ce côté-là, et joint les députés comme ils étaient près d'arriver. C'est par son arrivée que l'aventurier Carlos est reconnu pour le prince don Sanche; après quoi la reine doña Isabelle se donne à lui, du consentement même des trois que ses États lui avaient nommés; et don Alvar en obtient la princesse doña Elvire, qui par cette reconnaissance se trouve être sa sœur.

EXAMEN

Cette pièce est toute d'invention, mais elle n'est pas toute de la mienne. Ce qu'a de fastueux le premier acte est tiré d'une comédie espagnole[2], intitulée *El Palacio confuso;* et la double reconnaissance qui finit le cinquième est prise du roman de don Pélage. Elle eut d'abord grand éclat sur le théâtre; mais une disgrâce particulière fit avorter toute sa bonne fortune. Le refus d'un illustre suffrage[3] dissipa les applaudissements que le public lui avait donnés trop libéralement, et anéantit si bien tous les arrêts que Paris et le reste de la cour avaient prononcés en sa faveur, qu'au bout de quelque temps elle se trouva reléguée dans les provinces, où elle conserve encore son premier lustre.

Le sujet n'a pas grand artifice. C'est un inconnu, assez honnête homme pour se faire aimer de deux reines. L'inégalité des conditions met un obstacle au bien qu'elles lui veulent durant quatre actes et demi; et quand il faut de nécessité finir la pièce, un bon homme semble tomber des nues pour faire développer le secret de sa naissance, qui le rend mari de l'une, en le faisant reconnaître pour frère de l'autre :

Haec eadem a summo expectes minimoque poeta.

Don Raymond et ce pêcheur ne suivent point la règle que j'ai voulu établir, de n'introduire aucun acteur qui ne fût insinué dès le premier acte, ou appelé par quelqu'un de ceux qu'on y a connus. Il m'était aisé d'y faire dire à la reine doña Léonor ce qu'elle dit à l'entrée du quatrième; mais si elle eût fait savoir qu'elle eût eu un fils, et que le Roi, son mari, lui eût appris en mourant que don Raymond avait un secret à lui révéler, on eût trop tôt deviné que Carlos était ce prince. On peut dire de don Raymond qu'il vient avec les députés d'Aragon dont il est parlé au premier acte, et qu'ainsi il satisfait aucunement à cette règle; mais ce n'est que par hasard qu'il vient avec eux. C'était le pêcheur qu'il était allé chercher, et non pas eux; et il ne les joint sur le chemin qu'à cause de ce qu'il a appris chez ce pêcheur, qui de son côté vient en Castille de son seul mouvement, sans y être amené par aucun incident dont on aye parlé dans la protase; et il n'a point de raison d'arriver ce jour-là plutôt qu'un autre, sinon que la pièce n'aurait pu finir s'il ne fût arrivé.

L'unité de jour y est si peu violentée, qu'on peut soutenir que l'action ne demande pour sa durée que le temps de sa représentation. Pour celle de lieu, j'ai déjà dit que je n'en parlerais plus sur les pièces qui restent à examiner en ce volume. Les sentiments du second acte ont autant ou plus de délicatesse qu'aucuns que j'aye mis sur le théâtre. L'amour des deux reines pour Carlos y paraît très visible, malgré le soin et l'adresse que toutes les deux apportent à le cacher dans leurs différents caractères, dont l'un marque plus d'orgueil, et l'autre plus de tendresse. La confidence qu'y fait celle de Castille avec Blanche est assez ingénieuse; et par une réflexion sur ce qui s'est passé au premier acte, elle prend occasion de faire savoir aux spectateurs sa passion pour ce brave inconnu, qu'elle a si bien vengé du mépris qu'en ont fait les comtes. Ainsi on ne peut dire qu'elle choisisse sans raison ce jour-là plutôt qu'un autre pour lui en confier le secret, puisqu'il paraît qu'elle le sait déjà, et qu'elles ne font que raisonner ensemble sur ce qu'on vient de voir représenter.

ACTEURS

D. ISABELLE, *Reine de Castille.*
D. LÉONOR, *Reine d'Aragon.*
D. ELVIRE, *Princesse d'Aragon.*
BLANCHE, *Dame d'honneur de la Reine de Castille.*
CARLOS, *Cavalier inconnu, qui se trouve être D. Sanche, roi d'Aragon.*
D. RAYMOND DE MONCADE, *Favori du défunt roi d'Aragon.*
D. LOPE DE GUSMAN,
D. MANRIQUE DE LARE, *Grands de Castille.*
D. ALVAR DE LUNE,

La scène est à Valladolid.

ACTE PREMIER

SCÈNE PREMIÈRE

DONA LÉONOR, DONA ELVIRE

DONA LÉONOR

Après tant de malheurs, enfin le ciel propice
S'est résolu, ma fille, à nous faire justice :
Notre Aragon, pour nous presque tout révolté,
Enlève à nos tyrans ce qu'ils nous ont ôté,
Brise les fers honteux de leurs injustes chaînes,
Se remet sous nos lois, et reconnaît ses reines;
Et par ses députés, qu'aujourd'hui l'on attend,
Rend d'un si long exil le retour éclatant.
Comme nous, la Castille attend cette journée
Qui lui doit de sa reine assurer l'hyménée :
Nous l'allons voir ici faire choix d'un époux.
Que ne puis-je, ma fille, en dire autant de vous !
Nous allons en des lieux sur qui vingt ans d'absence
Nous laissent une faible et douteuse puissance :
Le trouble règne encore où vous devez régner;
Le peuple vous rappelle, et peut vous dédaigner,
Si vous ne lui portez, au retour de Castille,
Que l'avis d'une mère et le nom d'une fille.
D'un mari valeureux les ordres et le bras
Sauraient bien mieux que nous assurer vos États,
Et par des actions nobles, grandes et belles,
Dissiper les mutins, et dompter les rebelles.
Vous ne pouvez manquer d'amants dignes de vous;
On aime votre sceptre, on vous aime; et sur tous,
Du comte don Alvar la vertu non commune
Vous aima dans l'exil et durant l'infortune.
Qui vous aima sans sceptre et se fit votre appui,
Quand vous le recouvrez, est bien digne de lui.

DONA ELVIRE

Ce comte est généreux, et me l'a fait paraître;
Aussi le ciel pour moi l'a voulu reconnaître;
Puisque les Castillans l'ont mis entre les trois
Dont à leur grande reine ils demandent le choix;
Et comme ses rivaux lui cèdent en mérite,
Un espoir à présent plus doux le sollicite;
Il règnera sans nous. Mais, Madame, après tout,
Savez-vous à quel choix l'Aragon se résout,
Et quels troubles nouveaux j'y puis faire renaître,
S'il voit que je lui mène un étranger pour maître?
Montons, de grâce, au trône; et de là beaucoup mieux
Sur le choix d'un époux nous baisserons les yeux.

DONA LÉONOR

Vous les abaissez trop; une secrète flamme
A déjà malgré moi fait ce choix dans votre âme :
De l'inconnu Carlos l'éclatante valeur
Aux mérites du comte a fermé votre cœur.
Tout est illustre en lui, moi-même je l'avoue;
Mais son sang, que le ciel n'a formé que de boue,
Et dont il cache exprès la source obstinément...

DONA ELVIRE

Vous pourriez en juger plus favorablement;
Sa naissance inconnue est peut-être sans tache :
Vous la présumez basse à cause qu'il la cache;
Mais combien a-t-on vu des princes déguisés
Signaler leur vertu sous des noms supposés,
Dompter des nations, gagner des diadèmes,
Sans qu'aucun les connût, sans se connaître eux-mêmes !

DONA LÉONOR

Quoi? voilà donc enfin de quoi vous vous flattez !

DONA ELVIRE

J'aime et prise en Carlos ses rares qualités.
Il n'est point d'âme noble en qui tant de vaillance
N'arrache cette estime et cette bienveillance;
Et l'innocent tribut de ces affections
Que doit toute la terre aux belles actions,
N'a rien qui déshonore une jeune princesse.
En cette qualité, je l'aime et le caresse;

En cette qualité, ses devoirs assidus
Me rendent les respects à ma naissance dus.
Il fait sa cour chez moi comme un autre peut faire :
Il a trop de vertus pour être téméraire;
Et si jamais ses vœux s'échappaient jusqu'à moi,
Je sais ce que je suis, et ce que je me doi.

DONA LÉONOR

Daigne le juste ciel vous donner le courage
De vous en souvenir et le mettre en usage !

DONA ELVIRE

Vos ordres sur mon cœur sauront toujours régner.

DONA LÉONOR

Cependant ce Carlos vous doit accompagner,
Doit venir jusqu'aux lieux de votre obéissance,
Vous rendre ces respects dus à votre naissance,
Vous faire, comme ici, sa cour tout simplement?

DONA ELVIRE

De ses pareils la guerre est l'unique élément :
Accoutumés d'aller de victoire en victoire,
Ils cherchent en tous lieux les dangers et la gloire.
La prise de Séville, et les Mores défaits,
Laissent à la Castille une profonde paix :
S'y voyant sans emploi, sa grande âme inquiète
Veut bien de don Garcie achever la défaite,
Et contre les efforts d'un reste de mutins
De toute sa valeur hâter nos bons destins.

DONA LÉONOR

Mais quand il vous aura dans le trône affermie,
Et jeté sous vos pieds la puissance ennemie,
S'en ira-t-il soudain aux climats étrangers
Chercher tout de nouveau la gloire et les dangers?

DONA ELVIRE

Madame, la Reine entre.

SCÈNE II

DONA ISABELLE, DONA LÉONOR,
DONA ELVIRE, BLANCHE

DONA LÉONOR

Aujourd'hui donc, Madame,
Vous allez d'un héros rendre heureuse la flamme,
Et d'un mot satisfaire aux plus ardents souhaits
Que poussent vers le ciel vos fidèles sujets.

DONA ISABELLE

Dites, dites plutôt qu'aujourd'hui, grandes reines,
Je m'impose à vos yeux la plus dure des gênes,
Et fais dessus moi-même un illustre attentat
Pour me sacrifier au repos de l'État.
Que c'est un sort fâcheux et triste que le nôtre,
De ne pouvoir régner que sous les lois d'un autre;
Et qu'un sceptre soit cru d'un si grand poids pour nous,
Que pour le soutenir il nous faille un époux!
A peine ai-je deux mois porté le diadème,
Que de tous les côtés j'entends dire qu'on m'aime,
Si toutefois sans crime et sans m'en indigner
Je puis nommer amour une ardeur de régner.
L'ambition des grands à cet espoir ouverte
Semble pour m'acquérir s'apprêter à ma perte;
Et pour trancher le cours de leurs dissensions,
Il faut fermer la porte à leurs prétentions;
Il m'en faut choisir un; eux-mêmes m'en convient,
Mon peuple m'en conjure, et mes États m'en prient;
Et même par mon ordre ils m'en proposent trois,
Dont mon cœur à leur gré peut faire un digne choix.
Don Lope de Gusman, Don Manrique de Lare,
Et don Alvar de Lune, ont un mérite rare;
Mais que me sert ce choix qu'on fait en leur faveur,
Si pas un d'eux enfin n'a celui de mon cœur?

DONA LÉONOR

On vous les a nommés, mais sans vous les prescrire;
On vous obéira, quoi qu'il vous plaise élire :
Si le cœur a choisi, vous pouvez faire un roi.

DONA ISABELLE

Madame, je suis reine, et dois régner sur moi.
Le rang que nous tenons, jaloux de notre gloire,
Souvent dans un tel choix nous défend de nous croire,
Jette sur nos désirs un joug impérieux,
Et dédaigne l'avis et du cœur et des yeux.
Qu'on ouvre. Juste ciel, vois ma peine, et m'inspire
Et ce que je dois faire, et ce que je dois dire.

SCÈNE III

DONA ISABELLE, DONA LÉONOR,
DONA ELVIRE, BLANCHE, DON LOPE,
DON MANRIQUE, DON ALVAR, CARLOS

DONA ISABELLE

Avant que de choisir je demande un serment,
Comtes, qu'on agréera mon choix aveuglément;
Que les deux méprisés, et tous les trois peut-être,
De ma main, quel qu'il soit, accepteront un maître;
Car enfin je suis libre à disposer de moi;
Le choix de mes États ne m'est point une loi;
D'une troupe importune il m'a débarrassée,
Et d'eux tous sur vous trois détourné ma pensée,
Mais sans nécessité de l'arrêter sur vous.
J'aime à savoir par là qu'on vous préfère à tous;
Vous m'en êtes plus chers et plus considérables :
J'y vois de vos vertus les preuves honorables;
J'y vois la haute estime où sont vos grands exploits;
Mais quoique mon dessein soit d'y borner mon choix,
Le ciel en un moment quelquefois nous éclaire.
Je veux, en le faisant, pouvoir ne le pas faire,
Et que vous avouiez que pour devenir roi,
Quiconque me plaira n'a besoin que de moi.

DON LOPE

C'est une autorité qui vous demeure entière;
Votre État avec vous n'agit que par prière,
Et ne vous a pour nous fait voir ses sentiments
Que par obéissance à vos commandements.

Ce n'eſt point ni son choix ni l'éclat de ma race
Qui me font, grande reine, espérer cette grâce;
Je l'attends de vous seule et de votre bonté,
Comme on attend un bien qu'on n'a pas mérité,
Et dont, sans regarder service ni famille,
Vous pouvez faire part au moindre de Caſtille.
C'eſt à nous d'obéir, et non d'en murmurer;
Mais vous nous permettrez toutefois d'espérer
Que vous ne ferez choir cette faveur insigne,
Ce bonheur d'être à vous, que sur le moins indigne;
Et que votre vertu vous fera trop savoir
Qu'il n'eſt pas bon d'user de tout votre pouvoir.
Voilà mon sentiment.

DONA ISABELLE

Parlez, vous, don Manrique.

DON MANRIQUE

Madame, puisqu'il faut qu'à vos yeux je m'explique,
Quoique votre discours nous ait fait des leçons
Capables d'ouvrir l'âme à de juſtes soupçons,
Je vous dirai pourtant, comme à ma souveraine,
Que pour faire un vrai roi vous le fassiez en reine,
Que vous laisser borner, c'eſt vous-même affaiblir
La dignité du rang qui le doit ennoblir;
Et qu'à prendre pour loi le choix qu'on vous propose,
Le roi que vous feriez vous devrait peu de chose,
Puisqu'il tiendrait les noms de monarque et d'époux
Du choix de vos États aussi bien que de vous.
Pour moi, qui vous aimai sans sceptre et sans couronne,
Qui n'a jamais eu d'yeux que pour votre personne,
Que même le feu Roi daigna considérer
Jusqu'à souffrir ma flamme et me faire espérer,
J'oserai me promettre un sort assez propice
De cet aveu d'un frère et quatre ans de service;
Et sur ce doux espoir dussé-je me trahir,
Puisque vous le voulez, je jure d'obéir.

DONA ISABELLE

C'eſt comme il faut m'aimer. Et don Alvar de Lune?

DON ALVAR

Je ne vous ferai point de harangue importune.

Choisissez hors des trois, tranchez absolument;
Je jure d'obéir, Madame, aveuglément.

DONA ISABELLE

Sous les profonds respects de cette déférence
Vous nous cachez peut-être un peu d'indifférence;
Et comme votre cœur n'est pas sans autre amour,
Vous savez des deux parts faire bien votre cour.

DON ALVAR

Madame...

DONA ISABELLE

C'est assez; que chacun prenne place.

Ici les trois reines prennent chacune un fauteuil, et après que les trois comtes et le reste des grands qui sont présents se sont assis sur des bancs préparés exprès, Carlos, y voyant une place vide, s'y veut seoir, et don Manrique l'en empêche.

DON MANRIQUE

Tout beau, tout beau, Carlos! d'où vous vient cette [audace?
Et quel titre en ce rang a pu vous établir?

CARLOS

J'ai vu la place vide, et cru la bien remplir.

DON MANRIQUE

Un soldat bien remplir une place de comte!

CARLOS

Seigneur, ce que je suis ne me fait point de honte.
Depuis plus de six ans il ne s'est fait combat
Qui ne m'ait bien acquis ce grand nom de soldat:
J'en avais pour témoin le feu Roi votre frère,
Madame; et par trois fois...

DON MANRIQUE

Nous vous avons vu faire,
Et savons mieux que vous ce que peut votre bras.

DONA ISABELLE

Vous en êtes instruits, et je ne la suis pas:
Laissez-le me l'apprendre. Il importe aux monarques
Qui veulent aux vertus rendre de dignes marques,

De les savoir connaître, et ne pas ignorer
Ceux d'entre leurs sujets qu'ils doivent honorer.

DON MANRIQUE

Je ne me croyais pas être ici pour l'entendre.

DONA ISABELLE

Comte, encore une fois, laissez-le me l'apprendre.
Nous aurons temps pour tout. Et vous, parlez, Carlos.

CARLOS

Je dirai qui je suis, Madame, en peu de mots.
On m'appelle soldat : je fais gloire de l'être[4];
Au feu Roi par trois fois je le fis bien paraître.
L'étendard de Castille, à ses yeux enlevé,
Des mains des ennemis par moi seul fut sauvé :
Cette seule action rétablit la bataille,
Fit rechasser le More au pied de sa muraille,
Et rendant le courage aux plus timides cœurs,
Rappela les vaincus, et défit les vainqueurs.
Ce même roi me vit dedans l'Andalousie
Dégager sa personne en prodiguant ma vie,
Quand tout percé de coups, sur un monceau de morts,
Je lui fis si longtemps bouclier de mon corps,
Qu'enfin autour de lui ses troupes ralliées,
Celles qui l'enfermaient furent sacrifiées;
Et le même escadron qui vint le secourir
Le ramena vainqueur, et moi prêt à mourir.
Je montai le premier sur les murs de Séville,
Et tins la brèche ouverte aux troupes de Castille.
Je ne vous parle point d'assez d'autres exploits,
Qui n'ont pas pour témoins eu les yeux de mes rois.
Tel me voit et m'entend, et me méprise encore,
Qui gémirait sans moi dans les prisons du More.

DON MANRIQUE

Nous parlez-vous, Carlos, pour don Lope et pour moi?

CARLOS

Je parle seulement de ce qu'a vu le Roi,
Seigneur; et qui voudra parle à sa conscience.
Voilà dont le feu Roi me promit récompense;
Mais la mort le surprit comme il la résolvait.

DONA ISABELLE

Il se fût acquitté de ce qu'il vous devait;
Et moi, comme héritant son sceptre et sa couronne,
Je prends sur moi sa dette, et je vous la fais bonne.
Seyez-vous, et quittons ces petits différends.

DON LOPE

Souffrez qu'auparavant il nomme ses parents.
Nous ne contestons point l'honneur de sa vaillance,
Madame; et s'il en faut notre reconnaissance,
Nous avouerons tous deux qu'en ces combats derniers
L'un et l'autre, sans lui, nous étions prisonniers;
Mais enfin la valeur, sans l'éclat de la race,
N'eut jamais aucun droit d'occuper cette place.

CARLOS

Se pare qui voudra des noms de ses aïeux :
Moi, je ne veux porter que moi-même en tous lieux;
Je ne veux rien devoir à ceux qui m'ont fait naître,
Et suis assez connu sans les faire connaître.
Mais pour en quelque sorte obéir à vos lois,
Seigneur, pour mes parents je nomme mes exploits;
Ma valeur est ma race, et mon bras est mon père.

DON LOPE

Vous le voyez, Madame, et la preuve en est claire;
Sans doute il n'est pas noble.

DONA ISABELLE

Eh bien ! je l'anoblis,
Quelle que soit sa race et de qui qu'il soit fils.
Qu'on ne conteste plus.

DON MANRIQUE

Encore un mot, de grâce.

DONA ISABELLE

Don Manrique, à la fin, c'est prendre trop d'audace.
Ne puis-je l'anoblir si vous n'y consentez?

DON MANRIQUE

Oui, mais ce rang n'est dû qu'aux hautes dignités;
Tout autre qu'un marquis ou comte le profane.

DONA ISABELLE, *à Carlos.*

Eh bien ! seyez-vous donc, marquis de Santillane,
Comte de Pennafiel, gouverneur de Burgos[5].
Don Manrique, est-ce assez pour faire seoir Carlos?
Vous reste-t-il encor quelque scrupule en l'âme?

Don Manrique et Don Lope se lèvent, et Carlos se sied.

DON MANRIQUE

Achevez, achevez; faites-le roi, Madame :
Par ces marques d'honneur l'élever jusqu'à nous,
C'est moins nous l'égaler que l'approcher de vous.
Ce préambule adroit n'était pas sans mystère;
Et ces nouveaux serments qu'il nous a fallu faire
Montraient bien dans votre âme un tel choix préparé.
Enfin vous le pouvez, et nous l'avons juré.
Je suis prêt d'obéir; et loin d'y contredire,
Je laisse entre ses mains et vous et votre empire.
Je sors avant ce choix, non que j'en sois jaloux,
Mais de peur que mon front n'en rougisse pour vous.

DONA ISABELLE

Arrêtez, insolent; votre reine pardonne
Ce qu'une indigne crainte imprudemment soupçonne;
Et pour la démentir, veut bien vous assurer
Qu'au choix de ses États elle veut demeurer;
Que vous tenez encor même rang dans son âme;
Qu'elle prend vos transports pour un excès de flamme;
Et qu'au lieu d'en punir le zèle injurieux,
Sur un crime d'amour elle ferme les yeux.

DON MANRIQUE

Madame, excusez donc si quelque antipathie...

DONA ISABELLE

Ne faites point ici de fausse modestie :
J'ai trop vu votre orgueil pour le justifier,
Et sais bien les moyens de vous humilier.
 Soit que j'aime Carlos, soit que par simple estime
Je rende à ses vertus un honneur légitime,
Vous devez respecter, quels que soient mes desseins,
Ou le choix de mon cœur, ou l'œuvre de mes mains.
Je l'ai fait votre égal; et quoiqu'on s'en mutine,

Sachez qu'à plus encor ma faveur le destine.
Je veux qu'aujourd'hui même il puisse plus que moi :
J'en ai fait un marquis, je veux qu'il fasse un roi.
S'il a tant de valeur que vous-mêmes le dites,
Il sait quelle est la vôtre, et connaît vos mérites,
Et jugera de vous avec plus de raison
Que moi, qui n'en connais que la race et le nom.
Marquis, prenez ma bague, et la donnez pour marque
Au plus digne des trois, que j'en fasse un monarque.
Je vous laisse y penser tout ce reste du jour.
  Rivaux ambitieux, faites-lui votre cour :
Qui me rapportera l'anneau que je lui donne
Recevra sur-le-champ ma main et ma couronne.
Allons, reines, allons, et laissons-les juger
De quel côté l'amour avait su m'engager.

SCÈNE IV

DON MANRIQUE, DON LOPE, DON ALVAR, CARLOS

DON LOPE

Eh bien ! seigneur marquis, nous direz-vous, de grâce,
Ce que, pour vous gagner, il est besoin qu'on fasse?
Vous êtes notre juge, il faut vous adoucir.

CARLOS

Vous y pourriez peut-être assez mal réussir.
Quittez ces contre-temps de froide raillerie.

DON MANRIQUE

Il n'en est pas saison, quand il faut qu'on vous prie.

CARLOS

Ne raillons, ni prions, et demeurons amis.
Je sais ce que la Reine en mes mains a remis;
J'en userai fort bien : vous n'avez rien à craindre,
Et pas un de vous trois n'aura lieu de se plaindre.
  Je n'entreprendrai point de juger entre vous
Qui mérite le mieux le nom de son époux :
Je serais téméraire, et m'en sens incapable;
Et peut-être quelqu'un m'en tiendrait récusable.

Je m'en récuse donc, afin de vous donner
Un juge que sans honte on ne peut soupçonner;
Ce sera votre épée et votre bras lui-même.
Comtes, de cet anneau dépend le diadème.
Il vaut bien un combat; vous avez tous du cœur,
Et je le garde...

DON LOPE

A qui, Carlos?

CARLOS

A mon vainqueur.
Qui pourra me l'ôter l'ira rendre à la Reine :
Ce sera du plus digne une preuve certaine.
Prenez entre vous l'ordre et du temps et du lieu;
Je m'y rendrai sur l'heure, et vais l'attendre. Adieu.

SCÈNE V

DON MANRIQUE, DON LOPE, DON ALVAR

DON LOPE

Vous voyez l'arrogance.

DON ALVAR

Ainsi les grands courages
Savent en généreux repousser les outrages.

DON MANRIQUE

Il se méprend pourtant, s'il pense qu'aujourd'hui
Nous daignions mesurer notre épée avec lui.

DON ALVAR

Refuser un combat!

DON LOPE

Des généraux d'armée,
Jaloux de leur honneur et de leur renommée,
Ne se commettent point contre un aventurier.

DON ALVAR

Ne mettez point si bas un si vaillant guerrier :

Qu'il soit ce qu'en voudra présumer votre haine,
Il doit être pour nous ce qu'a voulu la Reine.

DON LOPE

La Reine qui nous brave, et sans égard au sang,
Ose souiller ainsi l'éclat de notre rang !

DON ALVAR

Les rois de leurs faveurs ne sont jamais comptables;
Ils font, comme il leur plaît, et défont nos semblables.

DON MANRIQUE

Envers les majestés vous êtes bien discret.
Voyez-vous cependant qu'elle l'aime en secret?

DON ALVAR

Dites, si vous voulez, qu'ils sont d'intelligence,
Qu'elle a de sa valeur si haute confiance,
Qu'elle espère par là faire approuver son choix,
Et se rendre avec gloire au vainqueur de tous trois,
Qu'elle nous hait dans l'âme autant qu'elle l'adore :
C'est à nous d'honorer ce que la Reine honore.

DON MANRIQUE

Vous la respectez fort; mais y prétendez-vous?
On dit que l'Aragon a des charmes si doux...

DON ALVAR

Qu'ils me soient doux ou non, je ne crois pas sans crime
Pouvoir de mon pays désavouer l'estime;
Et puisqu'il m'a jugé digne d'être son roi,
Je soutiendrai partout l'état qu'il fait de moi.
Je vais donc disputer, sans que rien me retarde,
Au marquis don Carlos cet anneau qu'il nous garde;
Et si sur sa valeur je le puis emporter,
J'attendrai de vous deux qui voudra me l'ôter :
Le champ vous sera libre.

DON LOPE

A la bonne heure, comte;
Nous vous irons alors le disputer sans honte :
Nous ne dédaignons point un si digne rival;
Mais pour votre marquis, qu'il cherche son égal.

ACTE II

SCÈNE PREMIÈRE

DONA ISABELLE, BLANCHE

DONA ISABELLE

BLANCHE, as-tu rien connu d'égal à ma misère?
Tu vois tous mes désirs condamnés à se taire,
Mon cœur faire un beau choix sans l'oser accepter,
Et nourrir un beau feu sans l'oser écouter.
Vois par là ce que c'est, Blanche, que d'être reine :
Comptable de moi-même au nom de souveraine,
Et sujette à jamais du trône où je me voi,
Je puis tout pour tout autre et ne puis rien pour moi.
Ô sceptres ! s'il est vrai que tout vous soit possible,
Pourquoi ne pouvez-vous rendre un cœur insensible?
Pourquoi permettez-vous qu'il soit d'autres appas,
Ou que l'on ait des yeux pour ne les croire pas?

BLANCHE

Je présumais tantôt que vous les alliez croire :
J'en ai plus d'une fois tremblé pour votre gloire.
Ce qu'à vos trois amants vous avez fait jurer
Au choix de don Carlos semblait tout préparer :
Je le nommais pour vous. Mais enfin par l'issue
Ma crainte s'est trouvée heureusement déçue;
L'effort de votre amour a su se modérer;
Vous l'avez honoré sans vous déshonorer,
Et satisfait ensemble, en trompant mon attente,
La grandeur d'une reine et l'ardeur d'une amante.

DONA ISABELLE

Dis que pour honorer sa générosité,
Mon amour s'est joué de mon autorité,
Et qu'il a fait servir, en trompant ton attente,
Le pouvoir de la Reine au courroux de l'amante.

D'abord par ce discours, qui t'a semblé suspect,
Je voulais seulement essayer leur respect,
Soutenir jusqu'au bout la dignité de reine;
Et comme enfin ce choix me donnait de la peine,
Perdre quelques moments, choisir un peu plus tard :
J'allais nommer pourtant, et nommer au hasard;
Mais tu sais quel orgueil ont lors montré les comtes,
Combien d'affronts pour lui, combien pour moi de honte.
Certes, il est bien dur à qui se voit régner
De montrer quelque estime, et la voir dédaigner.
Sous ombre de venger sa grandeur méprisée,
L'amour à la faveur trouve une pente aisée;
A l'intérêt du sceptre aussitôt attaché,
Il agit d'autant plus qu'il se croit bien caché,
Et s'ose imaginer qu'il ne fait rien paraître
Que ce change de nom ne fasse méconnaître.
J'ai fait Carlos marquis, et comte, et gouverneur;
Il doit à ses jaloux tous ces titres d'honneur :
M'en voulant faire avare, ils m'en faisaient prodigue;
Ce torrent grossissait, rencontrant cette digue :
C'était plus les punir que le favoriser,
L'amour me parlait trop, j'ai voulu l'amuser;
Par ces profusions j'ai cru le satisfaire,
Et l'ayant satisfait, l'obliger à se taire;
Mais, hélas! en mon cœur il avait tant d'appui,
Que je n'ai pu jamais prononcer contre lui,
Et n'ai mis en ses mains ce don du diadème
Qu'afin de l'obliger à s'exclure lui-même.
Ainsi, pour apaiser les murmures du cœur,
Mon refus a porté les marques de faveur;
Et revêtant de gloire un invisible outrage,
De peur d'en faire un roi je l'ai fait davantage :
Outre qu'indifférente aux vœux de tous les trois
J'espérais que l'amour pourrait suivre son choix,
Et que le moindre d'eux, de soi-même estimable,
Recevrait de sa main la qualité d'aimable.
Voilà, Blanche, où j'en suis; voilà ce que j'ai fait;
Voilà les vrais motifs dont tu voyais l'effet;
Car mon âme pour lui, quoique ardemment pressée,
Ne saurait se permettre une indigne pensée;
Et je mourrais encore avant que m'accorder
Ce qu'en secret mon cœur ose me demander.
Mais enfin je vois bien que je me suis trompée

De m'en être remise à qui porte une épée,
Et trouve occasion, dessous cette couleur,
De venger le mépris qu'on fait de sa valeur.
Je devais par mon choix étouffer cent querelles;
Et l'ordre que j'y tiens en forme de nouvelles,
Et jette entre les grands, amoureux de mon rang,
Une nécessité de répandre du sang.
Mais j'y saurai pourvoir.

BLANCHE

C'eſt un pénible ouvrage
D'arrêter un combat qu'autorise l'usage,
Que les lois ont réglé, que les rois vos aïeux
Daignaient assez souvent honorer de leurs yeux :
On ne s'en dédit point sans quelque ignominie,
Et l'honneur aux grands cœurs eſt plus cher que la vie.

DONA ISABELLE

Je sais ce que tu dis, et n'irai pas de front
Faire un commandement qu'ils prendraient pour affront.
Lorsque le déshonneur souille l'obéissance,
Les rois peuvent douter de leur toute-puissance :
Qui la hasarde alors n'en sait pas bien user,
Et qui veut pouvoir tout ne doit pas tout oser.
Je romprai ce combat feignant de le permettre,
Et je le tiens rompu si je puis le remettre.
Les reines d'Aragon pourront même m'aider.
Voici déjà Carlos que je viens de mander;
Demeure, et tu verras avec combien d'adresse
Ma gloire de mon âme eſt toujours la maîtresse.

SCÈNE II

DONA ISABELLE, CARLOS, BLANCHE

DONA ISABELLE

Vous avez bien servi, marquis, et jusqu'ici
Vos armes ont pour vous dignement réussi :
Je pense avoir aussi bien payé vos services.
Malgré vos envieux et leurs mauvais offices,
J'ai fait beaucoup pour vous, et tout ce que j'ai fait

Ne vous a pas coûté seulement un souhait.
Si cette récompense eſt pourtant si petite
Qu'elle ne puisse aller jusqu'à votre mérite,
S'il vous en reſte encor quelque autre à souhaiter,
Parlez, et donnez-moi moyen de m'acquitter.

CARLOS

Après tant de faveurs à pleines mains versées,
Dont mon cœur n'eût osé concevoir les pensées,
Surpris, troublé, confus, accablé de bienfaits,
Que j'osasse former encor quelques souhaits !

DONA ISABELLE

Vous êtes donc content; et j'ai lieu de me plaindre.

CARLOS

De moi?

DONA ISABELLE

De vous, marquis. Je vous parle sans feindre :
Écoutez. Votre bras a bien servi l'État,
Tant que vous n'avez eu que le nom de soldat;
Dès que je vous fais grand, sitôt que je vous donne
Le droit de disposer de ma propre personne,
Ce même bras s'apprête à troubler son repos,
Comme si le marquis cessait d'être Carlos,
Ou que cette grandeur ne fût qu'un avantage
Qui dût à sa ruine armer votre courage.
Les trois comtes en sont les plus fermes soutiens :
Vous attaquez en eux ses appuis et les miens :
C'eſt son sang le plus pur que vous voulez répandre;
Et vous pouvez juger l'honneur qu'on leur doit rendre,
Puisque ce même Etat, me demandant un roi,
Les a jugés eux trois les plus dignes de moi.
Peut-être un peu d'orgueil vous a mis dans la tête
Qu'à venger leur mépris ce prétexte eſt honnête :
Vous en avez suivi la première chaleur;
Mais leur mépris va-t-il jusqu'à votre valeur?
N'en ont-ils pas rendu témoignage à ma vue?
Ils ont fait peu d'état d'une race inconnue,
Ils ont douté d'un sort que vous voulez cacher :
Quand un doute si juſte aurait dû vous toucher,
J'avais pris quelque soin de vous venger moi-même.
Remettre entre vos mains le don du diadème,

Ce n'était pas, marquis, vous venger à demi.
Je vous ai fait leur juge, et non leur ennemi,
Et si sous votre choix j'ai voulu les réduire,
C'est pour vous faire honneur et non pour les détruire.
C'est votre seul avis, non leur sang que je veux;
Et c'est m'entendre mal que vous armer contre eux.
N'auriez-vous point pensé que si ce grand courage
Vous pouvait sur tous trois donner quelque avantage,
On dirait que l'État, me cherchant un époux,
N'en aurait pu trouver de comparable à vous?
Ah ! si je vous croyais si vain, si téméraire...

CARLOS

Madame, arrêtez là votre juste colère;
Je suis assez coupable, et n'ai que trop osé,
Sans choisir pour me perdre un crime supposé.
Je ne me défends point des sentiments d'estime
Que vos moindres sujets auraient pour vous sans crime.
Lorsque je vois en vous les célestes accords
Des grâces de l'esprit et des beautés du corps,
Je puis, de tant d'attraits l'âme toute ravie,
Sur l'heur de votre époux jeter un œil d'envie;
Je puis contre le ciel en secret murmurer
De n'être pas né roi pour pouvoir espérer;
Et les yeux éblouis de cet éclat suprême,
Baisser soudain la vue et rentrer en moi-même;
Mais que je laisse aller d'ambitieux soupirs,
Un ridicule espoir, de criminels désirs !...
Je vous aime, Madame, et vous estime en reine;
Et quand j'aurais des feux dignes de votre haine,
Si votre âme, sensible à ces indignes feux,
Se pouvait oublier jusqu'à souffrir mes vœux;
Si par quelque malheur que je ne puis comprendre,
Du trône jusqu'à moi je la voyais descendre,
Commençant aussitôt à vous moins estimer,
Je cesserais sans doute aussi de vous aimer.
L'amour que j'ai pour vous est tout à votre gloire :
Je ne vous prétends point pour fruit de ma victoire;
Je combats vos amants, sans dessein d'acquérir
Que l'heur d'en faire voir le plus digne, et mourir;
Et tiendrais mon destin assez digne d'envie,
S'il le faisait connaître aux dépens de ma vie.
Serait-ce à vos faveurs répondre pleinement

Que hasarder ce choix à mon seul jugement?
Il vous doit un époux, à la Castille un maître :
Je puis en mal juger, je puis les mal connaître.
Je sais qu'ainsi que moi le démon des combats
Peut donner au moins digne et vous et vos États;
Mais du moins, si le sort des armes journalières
En laisse par ma mort de mauvaises lumières,
Elle m'en ôtera la honte et le regret;
Et même si votre âme en aime un en secret,
Et que ce triste choix rencontre mal le vôtre,
Je ne vous verrai point, entre les bras d'un autre,
Reprocher à Carlos par de muets soupirs
Qu'il est l'unique auteur de tous vos déplaisirs.

DONA ISABELLE

Ne cherchez point d'excuse à douter de ma flamme,
Marquis; je puis aimer, puisque enfin je suis femme;
Mais, si j'aime, c'est mal me faire votre cour
Qu'exposer au trépas l'objet de mon amour;
Et toute votre ardeur se serait modérée
A m'avoir dans ce doute assez considérée :
Je le veux éclaircir, et vous mieux éclairer,
Afin de vous apprendre à me considérer.
Je ne le cèle point; j'aime, Carlos, oui, j'aime;
Mais l'amour de l'État, plus fort que de moi-même,
Cherche, au lieu de l'objet le plus doux à mes yeux,
Le plus digne héros de régner en ces lieux;
Et craignant que mes feux osassent me séduire,
J'ai voulu m'en remettre à vous pour m'en instruire.
Mais je crois qu'il suffit que cet objet d'amour
Perde le trône et moi sans perdre encor le jour;
Et mon cœur qu'on lui vole en souffre assez d'alarmes,
Sans que sa mort pour moi me demande des larmes.

CARLOS

Ah ! si le ciel tantôt me daignait inspirer
En quel heureux amant je vous dois révérer,
Que par une facile et soudaine victoire...

DONA ISABELLE

Ne pensez qu'à défendre et vous et votre gloire.
Quel qu'il soit, les respects qui l'auraient épargné
Lui donneraient un prix qu'il aurait mal gagné;
Et céder à mes feux plutôt qu'à son mérite

Ne serait que me rendre au juge que j'évite.
Je n'abuserai point du pouvoir absolu,
Pour défendre un combat entre vous résolu ;
Je blesserais par là l'honneur de tous les quatre :
Les lois vous l'ont permis, je vous verrai combattre,
C'est à moi, comme reine, à nommer le vainqueur.
Dites-moi, cependant, qui montre plus de cœur?
Qui des trois le premier éprouve la fortune?

CARLOS

Don Alvar.

DONA ISABELLE

Don Alvar !

CARLOS

Oui, don Alvar de Lune.

DONA ISABELLE

On dit qu'il aime ailleurs.

CARLOS

On le dit; mais enfin
Lui seul jusqu'ici tente un si noble destin.

DONA ISABELLE

Je devine à peu près quel intérêt l'engage;
Et nous verrons demain quel sera son courage.

CARLOS

Vous ne m'avez donné que ce jour pour ce choix.

DONA ISABELLE

J'aime mieux au lieu d'un vous en accorder trois.

CARLOS

Madame, son cartel marque cette journée.

DONA ISABELLE

C'est peu que son cartel, si je ne l'ai donnée;
Qu'on le fasse venir pour la voir différer.
Je vais pour vos combats faire tout préparer.
Adieu : souvenez-vous surtout de ma défense;
Et vous aurez demain l'honneur de ma présence.

SCÈNE III

CARLOS

Consens-tu qu'on diffère, honneur? le consens-tu?
Cet ordre n'a-t-il rien qui souille ma vertu?
N'ai-je point à rougir de cette déférence
Qui d'un combat illustre achète la licence?
Tu murmures, ce semble? Achève; explique-toi.
La Reine a-t-elle droit de te faire la loi?
Tu n'es point son sujet, l'Aragon m'a vu naître.
O ciel ! je m'en souviens, et j'ose encor paraître !
Et je puis, sous les noms de comte et de marquis,
D'un malheureux pêcheur reconnaître le fils !
Honteuse obscurité, qui seule me fais craindre !
Injurieux destin, qui seul me rends à plaindre !
Plus on m'en fait sortir, plus je crains d'y rentrer,
Et crois ne t'avoir fui que pour te rencontrer.
Ton cruel souvenir sans fin me persécute;
Du rang où l'on m'élève il me montre la chute.
Lasse-toi désormais de me faire trembler;
Je parle à mon honneur, ne viens point le troubler.
Laisse-le sans remords m'approcher des couronnes,
Et ne viens point m'ôter plus que tu ne me donnes.
Je n'ai plus rien à toi : la guerre a consumé
Tout cet indigne sang dont tu m'avais formé;
J'ai quitté jusqu'au nom que je tiens de ta haine,
Et ne puis... Mais voici ma véritable reine.

SCÈNE IV

DONA ELVIRE, CARLOS

DONA ELVIRE

Ah ! Carlos, car j'ai peine à vous nommer marquis,
Non qu'un titre si beau ne vous soit bien acquis,
Non qu'avecque justice il ne vous appartienne,
Mais parce qu'il vous vient d'autre main que la mienne,

Et que je présumais n'appartenir qu'à moi
D'élever votre gloire au rang où je la voi.
Je me consolerais toutefois avec joie
Des faveurs que sans moi le ciel sur vous déploie,
Et verrais sans envie agrandir un héros
Si le marquis tenait ce qu'a promis Carlos,
S'il avait comme lui son bras à mon service.
Je venais à la Reine en demander justice;
Mais puisque je vous vois, vous m'en ferez raison.
  Je vous accuse donc, non pas de trahison,
Pour un cœur généreux cette tache est trop noire,
Mais d'un peu seulement de manque de mémoire.

CARLOS

Moi, Madame?

DONA ELVIRE

Écoutez mes plaintes en repos.
Je me plains du marquis, et non pas de Carlos :
Carlos de tout son cœur me tiendrait sa parole;
Mais ce qu'il m'a donné, le marquis me le vole :
C'est lui seul qui dispose ainsi du bien d'autrui,
Et prodigue son bras quand il n'est plus à lui.
Carlos se souviendrait que sa haute vaillance
Doit ranger don Garcie à mon obéissance,
Qu'elle doit affermir mon sceptre dans ma main,
Qu'il doit m'accompagner peut-être dès demain;
Mais ce Carlos n'est plus, le marquis lui succède,
Qu'une autre soif de gloire, un autre objet possède,
Et qui du même bras que m'engageait sa foi,
Entreprend trois combats pour une autre que moi.
Hélas ! si ces honneurs dont vous comble la Reine
Réduisent mon espoir en une attente vaine;
Si les nouveaux desseins que vous en concevez
Vous ont fait oublier ce que vous me devez,
Rendez-lui ces honneurs qu'un tel oubli profane,
Rendez-lui Pennafiel, Burgos, et Santillane;
L'Aragon a de quoi vous payer ces refus,
Et vous donner encor quelque chose de plus.

CARLOS

Et Carlos, et marquis, je suis à vous, Madame :
Le changement de rang ne change point mon âme;

Mais vous trouverez bon que, par ces trois défis,
Carlos tâche à payer ce que doit le marquis.
Vous réserver mon bras noirci d'une infamie,
Attirerait sur vous la fortune ennemie,
Et vous hasarderait, par cette lâcheté,
Au juste châtiment qu'il aurait mérité.
Quand deux occasions pressent un grand courage,
L'honneur à la plus proche avidement l'engage,
Et lui fait préférer, sans le rendre inconstant,
Celle qui se présente à celle qui l'attend.
Ce n'est pas toutefois, Madame, qu'il l'oublie,
Mais bien que je vous doive immoler don Garcie,
J'ai vu que vers la Reine on perdait le respect,
Que d'un indigne amour son cœur était suspect;
Pour m'avoir honoré je l'ai vue outragée,
Et ne puis m'acquitter qu'après l'avoir vengée.

DONA ELVIRE

C'est me faire une excuse où je ne comprends rien,
Sinon que son service est préférable au mien,
Qu'avant que de me suivre on doit mourir pour elle,
Et qu'étant son sujet, il faut m'être infidèle.

CARLOS

Ce n'est point en sujet que je cours au combat :
Peut-être suis-je né dedans quelque autre État;
Mais par un zèle entier et pour l'une et pour l'autre,
J'embrasse également son service et le vôtre,
Et les plus grands périls n'ont rien de hasardeux
Que j'ose refuser pour aucune des deux.
Quoique engagé demain à combattre pour elle,
S'il fallait aujourd'hui venger votre querelle,
Tout ce que je lui dois ne m'empêcherait pas
De m'exposer pour vous à plus de trois combats.
Je voudrais toutes deux pouvoir vous satisfaire,
Vous, sans manquer vers elle; elle, sans vous déplaire;
Cependant je ne puis servir elle ni vous
Sans de l'une ou de l'autre allumer le courroux.
Je plaindrais un amant qui souffrirait mes peines,
Et tel pour deux beautés que je suis pour deux reines,
Se verrait déchiré par un égal amour,
Tel que sont mes respects dans l'une et l'autre cour :
L'âme d'un tel amant, tristement balancée,

Sur d'éternels soucis voit flotter sa pensée;
Et ne pouvant résoudre à quels vœux se borner,
N'ose rien acquérir, ni rien abandonner :
Il n'aime qu'avec trouble, il ne voit qu'avec crainte;
Tout ce qu'il entreprend donne sujet de plainte;
Ses hommages partout ont de fausses couleurs,
Et son plus grand service est un grand crime ailleurs.

DONA ELVIRE

Aussi sont-ce d'amour les premières maximes,
Que partager son âme est le plus grand des crimes.
Un cœur n'est à personne alors qu'il est à deux;
Aussitôt qu'il les offre il dérobe ses vœux;
Ce qu'il a de constance, à choisir trop timide,
Le rend vers l'une ou l'autre incessamment perfide;
Et comme il n'est enfin ni rigueurs, ni mépris
Qui d'un pareil amour ne soient un digne prix,
Il ne peut mériter d'aucun œil qui le charme,
En servant, un regard; en mourant, une larme.

CARLOS

Vous seriez bien sévère envers un tel amant.

DONA ELVIRE

Allons voir si la Reine agirait autrement,
S'il en devrait attendre un plus léger supplice.
Cependant don Alvar le premier entre en lice;
Et vous savez l'amour qu'il m'a toujours fait voir.

CARLOS

Je sais combien sur lui vous avez de pouvoir.

DONA ELVIRE

Quand vous le combattrez, pensez à ce que j'aime,
Et ménagez son sang comme le vôtre même.

CARLOS

Quoi? m'ordonneriez-vous qu'ici j'en fisse un roi?

DONA ELVIRE

Je vous dis seulement que vous pensiez à moi.

ACTE III

SCÈNE PREMIÈRE

DONA ELVIRE, DON ALVAR

DONA ELVIRE

Vous pouvez donc m'aimer, et d'une âme bien saine
Entreprendre un combat pour acquérir la Reine !
Quel astre agit sur vous avec tant de rigueur,
Qu'il force votre bras à trahir votre cœur?
L'honneur, me dites-vous, vers l'amour vous excuse.
Ou cet honneur se trompe, ou cet amour s'abuse;
Et je ne comprends point, dans un si mauvais tour,
Ni quel est cet honneur, ni quel est cet amour.
Tout l'honneur d'un amant, c'est d'être amant fidèle :
Si vous m'aimez encor, que prétendez-vous d'elle?
Et si vous l'acquérez, que voulez-vous de moi?
Aurez-vous droit alors de lui manquer de foi?
La mépriserez-vous quand vous l'aurez acquise?

DON ALVAR

Qu'étant né son sujet jamais je la méprise !

DONA ELVIRE

Que me voulez-vous donc? Vaincu par don Carlos,
Aurez-vous quelque grâce à troubler mon repos?
En serez-vous plus digne? et par cette victoire,
Répandra-t-il sur vous un rayon de sa gloire?

DON ALVAR

Que j'ose présenter ma défaite à vos yeux !

DONA ELVIRE

Que me veut donc enfin ce cœur ambitieux?

DON ALVAR

Que vous preniez pitié de l'état déplorable
Où votre long refus réduit un misérable.
Mes vœux mieux écoutés, par un heureux effet,
M'auraient su garantir de l'honneur qu'on m'a fait;
Et l'État par son choix ne m'eût pas mis en peine
De manquer à ma gloire, ou d'acquérir ma reine.
Votre refus m'expose à cette dure loi
D'entreprendre un combat qui n'est que contre moi :
J'en crains également l'une et l'autre fortune.
Et le moyen aussi que j'en souhaite aucune?
Ni vaincu, ni vainqueur, je ne puis être à vous :
Vaincu, j'en suis indigne, et vainqueur, son époux;
Et le destin m'y traite avec tant d'injustice,
Que son plus beau succès me tient lieu de supplice.
Aussi, quand mon devoir ose la disputer,
Je ne veux l'acquérir que pour vous mériter,
Que pour montrer qu'en vous j'adorais la personne,
Et me pouvais ailleurs promettre une couronne.
Fasse le juste ciel que j'y puisse, ou mourir,
Ou ne la mériter que pour vous acquérir !

DONA ELVIRE

Ce sont vœux superflus de vouloir un miracle
Où votre gloire oppose un invincible obstacle;
Et la Reine pour moi vous saura bien payer
Du temps qu'un peu d'amour vous fit mal employer.
Ma couronne est douteuse, et la sienne affermie;
L'avantage du change en ôte l'infamie.
Allez; n'en perdez pas la digne occasion,
Poursuivez-la sans honte et sans confusion.
La légèreté même où tant d'honneur engage
Est moins légèreté que grandeur de courage :
Mais gardez que Carlos ne me venge de vous.

DON ALVAR

Ah ! laissez-moi, Madame, adorer ce courroux.
J'avais cru jusqu'ici mon combat magnanime;
Mais je suis trop heureux s'il passe pour un crime,
Et si, quand de vos lois l'honneur me fait sortir,
Vous m'estimez assez pour vous en ressentir.
De ce crime vers vous quels que soient les supplices,

Du moins il m'a valu plus que tous mes services,
Puisqu'il me fait connaître, alors qu'il vous déplaît,
Que vous daignez en moi prendre quelque intérêt.

DONA ELVIRE

Le crime, don Alvar, dont je semble irritée,
C'est qu'on me persécute après m'avoir quittée;
Et pour vous dire encor quelque chose de plus,
Je me fâche d'entendre accuser mes refus.
Je suis reine sans sceptre, et n'en ai que le titre;
Le pouvoir m'en est dû, le temps en est l'arbitre.
Si vous m'avez servie en généreux amant
Quand j'ai reçu du ciel le plus dur traitement,
J'ai tâché d'y répondre avec toute l'estime
Que pouvait en attendre un cœur si magnanime.
Pouvais-je en cet exil davantage sur moi?
Je ne veux point d'époux que je n'en fasse un roi;
Et je n'ai pas une âme assez basse et commune
Pour en faire un appui de ma triste fortune.
C'est chez moi, don Alvar, dans la pompe et l'éclat,
Que me le doit choisir le bien de mon État.
Il fallait arracher mon sceptre à mon rebelle,
Le remettre en ma main pour le recevoir d'elle;
Je vous aurais peut-être alors considéré
Plus que ne m'a permis un sort si déploré;
Mais une occasion plus prompte et plus brillante
A surpris cependant votre amour chancelante;
Et soit que votre cœur s'y trouvât disposé,
Soit qu'un si long refus l'y laissât exposé,
Je ne vous blâme point de l'avoir acceptée :
De plus constants que vous l'auraient bien écoutée.
Quelle qu'en soit pourtant la cause ou la douleur,
Vous pouviez l'embrasser avec moins de chaleur,
Combattre le dernier, et par quelque apparence,
Témoigner que l'honneur vous faisait violence :
De cette illusion l'artifice secret
M'eût forcée à vous plaindre et vous perdre à regret;
Mais courir au-devant, et vouloir bien qu'on voie
Que vos vœux mal reçus m'échappent avec joie !

DON ALVAR

Vous auriez donc voulu que l'honneur d'un tel choix
Eût montré votre amant le plus lâche des trois?

Que pour lui cette gloire eût eu trop peu d'amorces,
Jusqu'à ce qu'un rival eût épuisé ses forces?
Que...

DONA ELVIRE

Vous achèverez au sortir du combat,
Si toutefois Carlos vous en laisse en état.
Voilà vos deux rivaux avec qui je vous laisse,
Et vous dirai demain pour qui je m'intéresse.

DON ALVAR

Hélas ! pour le bien voir je n'ai que trop de jour.

SCÈNE II

DON MANRIQUE, DON LOPE, DON ALVAR

DON MANRIQUE

Qui vous traite le mieux, la fortune ou l'amour?
La Reine charme-t-elle auprès de donne Elvire?

DON ALVAR

Si j'emporte la bague, il faudra vous le dire.

DON LOPE

Carlos vous nuit partout, du moins à ce qu'on croit.

DON ALVAR

Il fait plus d'un jaloux, du moins à ce qu'on voit.

DON LOPE

Il devrait par pitié vous céder l'une ou l'autre.

DON ALVAR

Plaignant mon intérêt, n'oubliez pas le vôtre.

DON MANRIQUE

De vrai, la presse est grande à qui le fera roi.

DON ALVAR

Je vous plains fort tous deux, s'il vient à bout de moi.

DON MANRIQUE

Mais si vous le vainquez, serons-nous fort à plaindre?

DON ALVAR

Quand je l'aurai vaincu, vous aurez fort à craindre.

DON LOPE

Oui, de vous voir longtemps hors de combat pour nous.

DON ALVAR

Nous aurons essuyé les plus dangereux coups.

DON MANRIQUE

L'heure nous tardera d'en voir l'expérience.

DON ALVAR

On pourra vous guérir de cette impatience.

DON LOPE

De grâce, faites donc que ce soit promptement.

SCÈNE III

DONA ISABELLE, DON MANRIQUE,
DON LOPE, DON ALVAR

DONA ISABELLE

Laissez-moi, don Alvar, leur parler un moment :
Je n'entreprendrai rien à votre préjudice;
Et mon dessein ne va qu'à vous faire justice,
Qu'à vous favoriser plus que vous ne voulez.

DON ALVAR

Je ne sais qu'obéir alors que vous parlez.

SCÈNE IV

DONA ISABELLE, DON MANRIQUE,
DON LOPE

DONA ISABELLE

Comtes, je ne veux plus donner lieu qu'on murmure
Que choisir par autrui c'est me faire une injure;
Et puisque de ma main le choix sera plus beau,
Je veux choisir moi-même, et reprendre l'anneau.
Je ferai plus pour vous : des trois qu'on me propose,
J'en exclus don Alvar; vous en savez la cause :
Je ne veux point gêner un cœur plein d'autres feux,
Et vous ôte un rival pour le rendre à ses vœux.
Qui n'aime que par force aime qu'on le néglige;
Et mon refus du moins autant que vous l'oblige.
  Vous êtes donc les seuls que je veux regarder;
Mais avant qu'à choisir j'ose me hasarder,
Je voudrais voir en vous quelque preuve certaine
Qu'en moi c'est moi qu'on aime, et non l'éclat de reine.
L'amour n'est, ce dit-on, qu'une union d'esprits;
Et je tiendrais des deux celui-là mieux épris
Qui favoriserait ce que je favorise,
Et ne mépriserait que ce que je méprise,
Qui prendrait en m'aimant même cœur, mêmes yeux :
Si vous ne m'entendez, je vais m'expliquer mieux.
  Aux vertus de Carlos j'ai paru libérale :
Je voudrais en tous deux voir une estime égale,
Qu'il trouvât même honneur, même justice en vous,
Car ne présumez pas que je prenne un époux
Pour m'exposer moi-même à ce honteux outrage
Qu'un roi fait de ma main détruise mon ouvrage;
N'y pensez l'un ni l'autre, à moins qu'un digne effet
Suive de votre part ce que pour lui j'ai fait,
Et que par cet aveu je demeure assurée
Que tout ce qui m'a plu doit être de durée.

DON MANRIQUE

Toujours Carlos, Madame ! et toujours son bonheur
Fait dépendre de lui le nôtre et votre cœur !

Mais puisque c'est par là qu'il faut enfin vous plaire,
Vous-même apprenez-nous ce que nous pouvons faire.
Nous l'estimons tous deux un des braves guerriers
A qui jamais la guerre ait donné des lauriers;
Notre liberté même est due à sa vaillance;
Et quoiqu'il ait tantôt montré quelque insolence,
Dont nous a dû piquer l'honneur de notre rang,
Vous avez suppléé l'obscurité du sang.
Ce qu'il vous plaît qu'il soit, il est digne de l'être.
Nous lui devons beaucoup, et l'allions reconnaître,
L'honorer en soldat, et lui faire du bien;
Mais après vos faveurs nous ne pouvons plus rien :
Qui pouvait pour Carlos ne peut rien pour un comte;
Il n'est rien en nos mains qu'il en reçût sans honte;
Et vous avez pris soin de le payer pour nous.

DONA ISABELLE

Il en est en vos mains des présents assez doux,
Qui purgeraient vos noms de toute ingratitude,
Et mon âme pour lui de toute inquiétude;
Il en est dont sans honte il serait possesseur :
En un mot, vous avez l'un et l'autre une sœur;
Et je veux que le roi qu'il me plaira de faire
En recevant ma main, le fasse son beau-frère;
Et que par cet hymen son destin affermi
Ne puisse en mon époux trouver son ennemi.
Ce n'est pas, après tout, que j'en craigne la haine;
Je sais qu'en cet État je serai toujours reine,
Et qu'un tel roi jamais, quel que soit son projet,
Ne sera sous ce nom que mon premier sujet;
Mais je ne me plais pas à contraindre personne,
Et moins que tous un cœur à qui le mien se donne.
Répondez donc tous deux : n'y consentez-vous pas?

DON MANRIQUE

Oui, Madame, au plus long et plus cruel trépas,
Plutôt qu'à voir jamais de pareils hyménées
Ternir en un moment l'éclat de mille années.
Ne cherchez point par là cette union d'esprits;
Votre sceptre, Madame, est trop cher à ce prix;
Et jamais...

DONA ISABELLE

Ainsi donc vous me faites connaître

Que ce que je l'ai fait, il eſt digne de l'être,
Que je puis suppléer l'obscurité du sang?

DON MANRIQUE

Oui, bien pour l'élever jusques à notre rang.
Jamais un souverain ne doit compte à personne
Des dignités qu'il fait, et des grandeurs qu'il donne :
S'il eſt d'un sort indigne ou l'auteur ou l'appui,
Comme il le fait lui seul, la honte eſt toute à lui.
Mais disposer d'un sang que j'ai reçu sans tache !
Avant que le souiller il faut qu'on me l'arrache :
J'en dois compte aux aïeux dont il eſt hérité,
A toute leur famille, à la poſtérité.

DONA ISABELLE

Et moi, Manrique, et moi, qui n'en dois aucun conte,
J'en disposerai seule, et j'en aurai la honte.
Mais quelle extravagance a pu vous figurer
Que je me donne à vous pour vous déshonorer,
Que mon sceptre en vos mains porte quelque infamie?
Si je suis jusque-là de moi-même ennemie,
En quelle qualité, de sujet ou d'amant,
M'osez-vous expliquer ce noble sentiment?
Ah ! si vous n'apprenez à parler d'autre sorte...

DON LOPE

Madame, pardonnez à l'ardeur qui l'emporte;
Il devait s'excuser avec plus de douceur.
Nous avons, en effet, l'un et l'autre une sœur;
Mais si j'ose en parler avec quelque franchise,
A d'autres qu'au marquis l'une et l'autre eſt promise.

DONA ISABELLE

A qui, don Lope?

DON MANRIQUE

A moi, Madame...

DONA ISABELLE

Et l'autre?

DON LOPE

A moi.

DONA ISABELLE

J'ai donc tort parmi vous de vouloir faire un roi.
Allez, heureux amants, allez voir vos maîtresses;
Et parmi les douceurs de vos dignes caresses,
N'oubliez pas de dire à ces jeunes esprits
Que vous faites du trône un généreux mépris.
Je vous l'ai déjà dit, je ne force personne,
Et rends grâce à l'État des amants qu'il me donne.

DON LOPE

Écoutez-nous, de grâce.

DONA ISABELLE

Et que me direz-vous?
Que la constance est belle au jugement de tous?
Qu'il n'est point de grandeurs qui la doivent séduire?
Quelques autres que vous m'en sauront mieux instruire;
Et si cette vertu ne se doit point forcer,
Peut-être qu'à mon tour je saurai l'exercer.

DON LOPE

Exercez-la, Madame, et souffrez qu'on s'explique.
Vous connaîtrez du moins don Lope et don Manrique,
Qu'un vertueux amour qu'ils ont tous deux pour vous,
Ne pouvant rendre heureux sans en faire un jaloux,
Porte à tarir ainsi la source des querelles
Qu'entre les grands rivaux on voit si naturelles.
Ils se sont l'un à l'autre attachés par ces nœuds
Qui n'auront leur effet que pour le malheureux :
Il me devra sa sœur, s'il faut qu'il vous obtienne;
Et si je suis à vous, je lui devrai la mienne.
Celui qui doit vous perdre, ainsi, malgré son sort,
A s'approcher de vous fait encor son effort;
Ainsi, pour consoler l'une ou l'autre infortune,
L'une et l'autre est promise, et nous n'en devons qu'une :
Nous ignorons laquelle et vous la choisirez,
Puisque enfin c'est la sœur du roi que vous ferez.
Jugez donc si Carlos en peut être beau-frère,
Et si vous devez rompre un nœud si salutaire,
Hasarder un repos à votre État si doux,
Qu'affermit sous vos lois la concorde entre nous.

DONA ISABELLE

Et ne savez-vous point qu'étant ce que vous êtes,
Vos sœurs, par conséquent, mes premières sujettes,
Les donner sans mon ordre, et même malgré moi,
C'est dans mon propre État m'oser faire la loi?

DON MANRIQUE

Agissez donc enfin, Madame, en souveraine,
Et souffrez qu'on s'excuse, ou commandez en reine;
Nous vous obéirons, mais sans y consentir;
Et pour vous dire tout avant que de sortir,
Carlos est généreux, il connaît sa naissance;
Qu'il se juge en secret sur cette connaissance;
Et s'il trouve son sang digne d'un tel honneur,
Qu'il vienne, nous tiendrons l'alliance à bonheur;
Qu'il choisisse des deux, et l'épouse, s'il l'ose.
Nous n'avons plus, Madame, à vous dire autre chose:
Mettre en un tel hasard le choix de leur époux,
C'est jusqu'où nous pouvons nous abaisser pour vous;
Mais, encore une fois, que Carlos y regarde,
Et pense à quels périls cet hymen le hasarde.

DONA ISABELLE

Vous-même gardez bien, pour le trop dédaigner,
Que je ne montre enfin comme je sais régner.

SCÈNE V

DONA ISABELLE

Quel est ce mouvement qui tous deux les mutine,
Lorsque l'obéissance au trône les destine?
Est-ce orgueil? est-ce envie? est-ce animosité,
Défiance, mépris ou générosité?
N'est-ce point que le ciel ne consent qu'avec peine
Cette triste union d'un sujet à sa reine,
Et jette un prompt obstacle aux plus aisés desseins
Qui laissent choir mon sceptre en leurs indignes mains?
Mes yeux n'ont-ils horreur d'une telle bassesse
Que pour s'abaisser trop lorsque je les abaisse?
Quel destin à ma gloire oppose mon ardeur?
Quel destin à ma flamme oppose ma grandeur?

Si ce n'est que par là que je m'en puis défendre,
Ciel, laisse-moi donner ce que je n'ose prendre;
Et puisque enfin pour moi tu n'as point fait de rois,
Souffre de mes sujets le moins indigne choix.

SCÈNE VI

DONA ISABELLE, BLANCHE

DONA ISABELLE

Blanche, j'ai perdu temps.

BLANCHE

Je l'ai perdu de même.

DONA ISABELLE

Les comtes à ce prix fuyent le diadème.

BLANCHE

Et Carlos ne veut point de fortune à ce prix.

DONA ISABELLE

Rend-il haine pour haine, et mépris pour mépris?

BLANCHE

Non, Madame; au contraire, il estime ces dames
Dignes des plus grands cœurs et des plus belles flammes.

DONA ISABELLE

Et qui l'empêche donc d'aimer et de choisir?

BLANCHE

Quelque secret obstacle arrête son désir.
Tout le bien qu'il en dit ne passe point l'estime;
Charmantes qu'elles sont, les aimer, c'est un crime.
Il ne s'excuse point sur l'inégalité;
Il semble plutôt craindre une infidélité;
Et ses discours obscurs, sous un confus mélange,
M'ont fait voir malgré lui comme une horreur du change,
Comme une aversion qui n'a pour fondement
Que les secrets liens d'un autre attachement.

DONA ISABELLE

Il aimerait ailleurs !

BLANCHE

Oui, si je ne m'abuse,
Il aime en lieu plus haut que n'est ce qu'il refuse;
Et si je ne craignais votre juste courroux,
J'oserais deviner, Madame, que c'est vous.

DONA ISABELLE

Ah ! ce n'est pas pour moi qu'il est si téméraire;
Tantôt dans ses respects j'ai trop vu le contraire :
Si l'éclat de mon sceptre avait pu le charmer,
Il ne m'aurait jamais défendu de l'aimer.
S'il aime en lieu si haut, il aime donne Elvire;
Il doit l'accompagner jusque dans son empire,
Et fait à mes amants ces défis généreux,
Non pas pour m'acquérir, mais pour se venger d'eux.
Je l'ai donc agrandi pour le voir disparaître,
Et qu'une reine, ingrate à l'égal de ce traître,
M'enlève, après vingt ans de refuge en ces lieux,
Ce qu'avait mon État de plus doux à mes yeux !
Non, j'ai pris trop de soin de conserver sa vie.
Qu'il combatte, qu'il meure, et j'en serai ravie.
Je saurai par sa mort à quels vœux m'engager,
Et j'aimerai des trois qui m'en saura venger.

BLANCHE

Que vous peut offenser sa flamme ou sa retraite,
Puisque vous n'aspirez qu'à vous en voir défaite?
Je ne sais pas s'il aime ou donne Elvire ou vous,
Mais je ne comprends point ce mouvement jaloux.

DONA ISABELLE

Tu ne le comprends point ! et c'est ce qui m'étonne :
Je veux donner son cœur, non que son cœur le donne;
Je veux que son respect l'empêche de m'aimer,
Non des flammes qu'une autre a su mieux allumer;
Je veux bien plus; qu'il m'aime, et qu'un juste silence
Fasse à des feux pareils pareille violence;
Que l'inégalité lui donne même ennui;
Qu'il souffre autant pour moi que je souffre pour lui;
Que par le seul dessein d'affermir sa fortune,

Et non point par amour, il se donne à quelqu'une;
Que par mon ordre seul il s'y laisse obliger;
Que ce soit m'obéir, et non me négliger;
Et que voyant ma flamme à l'honorer trop prompte,
Il m'ôte de péril sans me faire de honte.
Car enfin il l'a vue, et la connaît trop bien;
Mais il aspire au trône, et ce n'est pas au mien;
Il me préfère une autre, et cette préférence
Forme de son respect la trompeuse apparence :
Faux respect qui me brave, et veut régner sans moi !

BLANCHE

Pour aimer donne Elvire, il n'est pas encor roi.

DONA ISABELLE

Elle est reine, et peut tout sur l'esprit de sa mère.

BLANCHE

Si ce n'est un faux bruit, le ciel lui rend un frère :
Don Sanche n'est point mort, et vient ici, dit-on,
Avec les députés qu'on attend d'Aragon :
C'est ce qu'en arrivant leurs gens ont fait entendre.

DONA ISABELLE

Blanche, s'il est ainsi, que d'heur j'en dois attendre !
L'injustice du ciel, faute d'autres objets,
Me forçait d'abaisser mes yeux sur mes sujets,
Ne voyant point de prince égal à ma naissance,
Qui ne fût sous l'hymen, ou More, ou dans l'enfance;
Mais s'il lui rend un frère, il m'envoie un époux.
Comtes, je n'ai plus d'yeux pour Carlos ni pour vous;
Et devenant par là reine de ma rivale,
J'aurai droit d'empêcher qu'elle ne se ravale,
Et ne souffrirai pas qu'elle ait plus de bonheur
Que ne m'en ont permis ces tristes lois d'honneur.

BLANCHE

La belle occasion que votre jalousie,
Douteuse encor qu'elle est, a promptement saisie !

DONA ISABELLE

Allons l'examiner, Blanche, et tâchons de voir
Quelle juste espérance on peut en concevoir.

ACTE IV

SCÈNE PREMIÈRE

DONA LÉONOR, DON MANRIQUE,
DON LOPE

DON MANRIQUE

QUOIQUE l'espoir d'un trône et l'amour d'une reine
Soient des biens que jamais on ne céda sans peine,
Quoiqu'à l'un de nous deux elle ait promis sa foi,
Nous cessons de prétendre où nous voyons un roi.
Dans notre ambition nous savons nous connaître;
Et bénissant le ciel qui nous donne un tel maître,
Ce prince qu'il vous rend après tant de travaux
Trouve en nous des sujets et non pas des rivaux :
Heureux si l'Aragon, joint avec la Castille,
Du sang de deux grands rois ne fait qu'une famille !
Nous vous en conjurons, loin d'en être jaloux,
Comme étant l'un et l'autre à l'État plus qu'à nous;
Et tous impatients d'en voir la force unie
Des Mores, nos voisins, dompter la tyrannie,
Nous renonçons sans honte à ce choix glorieux,
Qui d'une grande reine abaissait trop les yeux.

DONA LÉONOR

La générosité de votre déférence,
Comtes, flatte trop tôt ma nouvelle espérance :
D'un avis si douteux j'attends fort peu de fruit;
Et ce grand bruit enfin peut-être n'est qu'un bruit.
Mais jugez-en tous deux et me daignez apprendre
Ce qu'avecque raison mon cœur en doit attendre.
Les troubles d'Aragon vous sont assez connus;
Je vous en ai souvent tous deux entretenus,
Et ne vous redis point quelles longues misères
Chassèrent don Fernand du trône de ses pères.
Il y voyait déjà monter ses ennemis,

Ce prince malheureux, quand j'accouchai d'un fils :
On le nomma don Sanche; et pour cacher sa vie
Aux barbares fureurs du traître don Garcie,
A peine eus-je loisir de lui dire un adieu,
Qu'il le fit enlever sans me dire en quel lieu;
Et je n'en pus jamais savoir que quelques marques,
Pour reconnaître un jour le sang de nos monarques.
Trop inutiles soins contre un si mauvais sort!
Lui-même au bout d'un an m'apprit qu'il était mort.
Quatre ans après il meurt et me laisse une fille
Dont je vins par son ordre accoucher en Castille.
Il me souvient toujours de ses derniers propos;
Il mourut dans mes bras avec ces tristes mots :
« Je meurs, et je vous laisse en un sort déplorable :
Le ciel vous puisse un jour être plus favorable!
Don Raymond a pour vous des secrets importants,
Et vous les apprendra quand il en sera temps :
Fuyez dans la Castille. » A ces mots il expire,
Et jamais don Raymond ne me voulut rien dire.
Je partis sans lumière en ces obscurités :
Mais le voyant venir avec ses députés,
Et que c'est par leurs gens que ce grand bruit éclate
(Voyez qu'en sa faveur aisément on se flatte!),
J'ai cru que du secret le temps était venu,
Et que don Sanche était ce mystère inconnu;
Qu'il l'amenait ici reconnaître sa mère.
Hélas! que c'est en vain que mon amour l'espère!
A ma confusion ce bruit s'est éclairci;
Bien loin de l'amener, ils le cherchent ici :
Voyez quelle apparence, et si cette province
A jamais su le nom de ce malheureux prince.

DON LOPE

Si vous croyez au nom, vous croirez son trépas,
Et qu'on cherche don Sanche où don Sanche n'est pas;
Mais si vous en voulez croire la voix publique,
Et que notre pensée avec elle s'explique,
Ou le ciel pour jamais a repris ce héros,
Ou cet illustre prince est le vaillant Carlos.
Nous le dirons tous deux, quoique suspects d'envie,
C'est un miracle pur que le cours de sa vie[6].
Cette haute vertu qui charme tant d'esprits,
Cette fière valeur qui brave nos mépris,

Ce port majestueux, qui tout inconnu même,
A plus d'accès que nous auprès du diadème;
Deux reines qu'à l'envi nous voyons l'estimer,
Et qui peut-être ont peine à ne le pas aimer;
Ce prompt consentement d'un peuple qui l'adore :
Madame, après cela j'ose le dire encore,
Ou le ciel pour jamais a repris ce héros,
Ou cet illustre prince est le vaillant Carlos.
Nous avons méprisé sa naissance inconnue;
Mais à ce peu de jour nous recouvrons la vue,
Et verrions à regret qu'il fallût aujourd'hui
Céder notre espérance à tout autre qu'à lui.

DONA LÉONOR

Il en a le mérite et non pas la naissance;
Et lui-même il en donne assez de connaissance,
Abandonnant la Reine à choisir parmi vous
Un roi pour la Castille, et pour elle un époux.

DON MANRIQUE

Et ne voyez-vous pas que sa valeur s'apprête
A faire sur tous trois cette illustre conquête?
Oubliez-vous déjà qu'il a dit à vos yeux
Qu'il ne veut rien devoir au nom de ses aïeux?
Son grand cœur se dérobe à ce haut avantage,
Pour devoir sa grandeur entière à son courage;
Dans une cour si belle et si pleine d'appas,
Avez-vous remarqué qu'il aime en lieu plus bas?

DONA LÉONOR

Le voici : nous saurons ce que lui-même en pense.

SCÈNE II

DONA LÉONOR, CARLOS, DON MANRIQUE,
DON LOPE

CARLOS

Madame, sauvez-moi d'un honneur qui m'offense :
Un peuple opiniâtre à m'arracher mon nom

Veut que je sois don Sanche, et prince d'Aragon.
Puisque par sa présence il faut que ce bruit meure,
Dois-je être, en l'attendant, le fantôme d'une heure?
Ou si c'est une erreur qui lui promet ce roi,
Souffrez-vous qu'elle abuse et de vous et de moi?

DONA LÉONOR

Quoi que vous présumiez de la voix populaire,
Par de secrets rayons le ciel souvent l'éclaire[7] :
Vous apprendrez par là du moins les vœux de tous,
Et quelle opinion les peuples ont de vous.

DON LOPE

Prince, ne cachez plus ce que le ciel découvre;
Ne fermez pas nos yeux quand sa main nous les ouvre.
Vous devez être las de nous faire faillir.
Nous ignorons quel fruit vous en vouliez cueillir,
Mais nous avions pour vous une estime assez haute
Pour n'être pas forcés à commettre une faute;
Et notre honneur, au vôtre en aveugle opposé,
Méritait par pitié d'être désabusé.
Notre orgueil n'est pas tel qu'il s'attache aux personnes,
Ou qu'il ose oublier ce qu'il doit aux couronnes;
Et s'il n'a pas eu d'yeux pour un roi déguisé,
Si l'inconnu Carlos s'en est vu méprisé,
Nous respectons don Sanche, et l'acceptons pour maître,
Sitôt qu'à notre reine il se fera connaître;
Et sans doute son cœur nous en avouera bien.
Hâtez cette union de votre sceptre au sien,
Seigneur, et d'un soldat quittant la fausse image,
Recevez, comme roi, notre premier hommage.

CARLOS

Comtes, ces faux respects dont je me vois surpris
Sont plus injurieux encor que vos mépris.
Je pense avoir rendu mon nom assez illustre
Pour n'avoir pas besoin qu'on lui donne un faux lustre.
Reprenez vos honneurs où je n'ai point de part.
J'imputais ce faux bruit aux fureurs du hasard,
Et doutais qu'il pût être une âme assez hardie
Pour ériger Carlos en roi de comédie;
Mais puisque c'est un jeu de votre belle humeur,
Sachez que les vaillants honorent la valeur,

Et que tous vos pareils auraient quelque scrupule
A faire de la mienne un éclat ridicule.
Si c'est votre dessein d'en réjouir ces lieux,
Quand vous m'aurez vaincu vous me raillerez mieux :
La raillerie est belle après une victoire;
On la fait avec grâce aussi bien qu'avec gloire.
Mais vous précipitez un peu trop ce dessein :
La bague de la Reine est encore en ma main,
Et l'inconnu Carlos, sans nommer sa famille,
Vous sert encor d'obstacle au trône de Castille.
Ce bras, qui vous sauva de la captivité,
Peut s'opposer encore à votre avidité.

DON MANRIQUE

Pour n'être que Carlos, vous parlez bien en maître,
Et tranchez bien du prince en déniant de l'être.
Si nous avons tantôt jusqu'au bout défendu
L'honneur qu'à notre rang nous voyions être dû,
Nous saurons bien encor jusqu'au bout le défendre;
Mais ce que nous devons, nous aimons à le rendre.
Que vous soyez don Sanche ou qu'un autre le soit,
L'un et l'autre de nous lui rendra ce qu'il doit.
Pour le nouveau marquis, quoique l'honneur l'irrite,
Qu'il sache qu'on l'honore autant qu'il le mérite;
Mais que, pour nous combattre, il faut que le bon sang
Aide un peu sa valeur à soutenir ce rang.
Qu'il n'y prétende point, à moins qu'il se déclare;
Non que nous demandions qu'il soit Guzman ou Lare :
Qu'il soit noble, il suffit pour nous traiter d'égal;
Nous le verrons tous deux comme un digne rival;
Et si don Sanche enfin n'est qu'une attente vaine,
Nous lui disputerons cet anneau de la Reine.
Qu'il souffre cependant, quoique brave guerrier,
Que notre bras dédaigne un simple aventurier.
Nous vous laissons, Madame, éclaircir ce mystère.
Le sang a des secrets qu'entend mieux une mère;
Et dans les différends qu'avec lui nous avons,
Nous craignons d'oublier ce que nous vous devons.

SCÈNE III

DONA LÉONOR, CARLOS

CARLOS

Madame, vous voyez comme l'orgueil me traite;
Pour me faire un honneur, on veut que je l'achète;
Mais s'il faut qu'il m'en coûte un secret de vingt ans,
Cet anneau dans mes mains pourra briller longtemps.

DONA LÉONOR

Laissons là ce combat, et parlons de don Sanche.
Ce bruit est grand pour vous, toute la cour y penche :
De grâce, dites-moi, vous connaissez-vous bien?

CARLOS

Plût à Dieu qu'en mon sort je ne connusse rien!
Si j'étais quelque enfant épargné des tempêtes,
Livré dans un désert à la merci des bêtes,
Exposé par la crainte ou par l'inimitié,
Rencontré par hasard et nourri par pitié,
Mon orgueil à ce bruit prendrait quelque espérance
Sur votre incertitude et sur mon ignorance;
Je me figurerais ces destins merveilleux,
Qui tiraient du néant les héros fabuleux,
Et me revêtirais des brillantes chimères
Qu'osa former pour eux le loisir de nos pères;
Car enfin je suis vain, et mon ambition
Ne peut s'examiner sans indignation;
Je ne puis regarder sceptre ni diadème,
Qu'ils n'emportent mon âme au delà d'elle-même :
Inutiles élans d'un vol impétueux
Que pousse vers le ciel un cœur présomptueux,
Que soutiennent en l'air quelques exploits de guerre,
Et qu'un coup d'œil sur moi rabat soudain à terre!
Je ne suis point don Sanche, et connais mes parents;
Ce bruit me donne en vain un nom que je vous rends;
Gardez-le pour ce prince : une heure ou deux peut-être
Avec vos députés vous le feront connaître.
Laissez-moi cependant à cette obscurité
Qui ne fait que justice à ma témérité.

DONA LÉONOR

En vain donc je me flatte, et ce que j'aime à croire
N'est qu'une illusion que me fait votre gloire?
Mon cœur vous en dédit : un secret mouvement,
Qui le penche vers vous, malgré moi vous dément :
Mais je ne puis juger quelle source l'anime,
Si c'est l'ardeur du sang, ou l'effort de l'estime;
Si la nature agit, ou si c'est le désir;
Si c'est vous reconnaître, ou si c'est vous choisir.
Je veux bien toutefois étouffer ce murmure
Comme de vos vertus une aimable imposture,
Condamner, pour vous plaire, un bruit qui m'est si doux;
Mais où sera mon fils s'il ne vit point en vous?
On veut qu'il soit ici; je n'en vois aucun signe :
On connaît, hormis vous, quiconque en serait digne;
Et le vrai sang des rois, sous le sort abattu,
Peut cacher sa naissance et non pas sa vertu;
Il porte sur le front un luisant caractère
Qui parle malgré lui de tout ce qu'il veut taire;
Et celui que le ciel sur le vôtre avait mis
Pouvait seul m'éblouir si vous l'eussiez permis.
Vous ne l'êtes donc point, puisque vous me le dites;
Mais vous êtes à craindre avec tant de mérites.
Souffrez que j'en demeure à cette obscurité.
Je ne condamne point votre témérité;
Mon estime, au contraire, est pour vous si puissante,
Qu'il ne tiendra qu'à vous que mon cœur n'y consente :
Votre sang avec moi n'a qu'à se déclarer,
Et je vous donne après liberté d'espérer.
Que si même à ce prix vous cachez votre race,
Ne me refusez point du moins une autre grâce :
Ne vous préparez plus à nous accompagner;
Nous n'avons plus besoin de secours pour régner.
La mort de don Garcie a puni tous ses crimes,
Et rendu l'Aragon à ses rois légitimes;
N'en cherchez plus la gloire, et quels que soient vos vœux,
Ne me contraignez point à plus que je ne veux.
Le prix de la valeur doit avoir ses limites :
Et je vous crains enfin avec tant de mérites.
C'est assez vous en dire. Adieu : pensez-y bien,
Et faites-vous connaître, ou n'aspirez à rien.

SCÈNE IV

CARLOS, BLANCHE

BLANCHE

Qui ne vous craindra point, si les reines vous craignent?

CARLOS

Elles se font raison lorsqu'elles me dédaignent.

BLANCHE

Dédaigner un héros qu'on reconnaît pour roi !

CARLOS

N'aide point à l'envie à se jouer de moi,
Blanche, si tu te plais à seconder sa haine,
Du moins respecte en moi l'ouvrage de ta reine.

BLANCHE

La Reine même en vous ne voit plus aujourd'hui
Qu'un prince que le ciel nous montre malgré lui;
Mais c'est trop la tenir dedans l'incertitude;
Ce silence vers elle est une ingratitude :
Ce qu'a fait pour Carlos sa générosité
Méritait de don Sanche une civilité.

CARLOS

Ah ! nom fatal pour moi, que tu me persécutes,
Et prépares mon âme à d'effroyables chutes !

SCÈNE V

DONA ISABELLE, CARLOS, BLANCHE

CARLOS

Madame, commandez qu'on me laisse en repos,
Qu'on ne confonde plus don Sanche avec Carlos;
C'est faire au nom d'un prince une trop longue injure :
Je ne veux que celui de votre créature;
Et si le sort jaloux, qui semble me flatter,

Veut m'élever plus haut pour m'en précipiter,
Souffrez qu'en m'éloignant je dérobe ma tête
A l'indigne revers que sa fureur m'apprête.
Je le vois de trop loin pour l'attendre en ce lieu;
Souffrez que je l'évite en vous disant adieu;
Souffrez...

DONA ISABELLE

Quoi? ce grand cœur redoute une couronne!
Quand on le croit monarque, il frémit, il s'étonne!
Il veut fuir cette gloire, et se laisse alarmer
De ce que sa vertu force d'en présumer!

CARLOS

Ah! vous ne voyez pas que cette erreur commune
N'eſt qu'une trahison de ma bonne fortune;
Que déjà mes secrets sont à demi trahis.
Je lui cachais en vain ma race et mon pays;
En vain sous un faux nom je me faisais connaître,
Pour lui faire oublier ce qu'elle m'a fait naître;
Elle a déjà trouvé mon pays et mon nom.
Je suis Sanche, Madame, et né dans l'Aragon;
Et je crois déjà voir sa malice funeſte
Détruire votre ouvrage en découvrant le reſte,
Et faire voir ici, par un honteux effet,
Quel comte et quel marquis votre faveur a fait.

DONA ISABELLE

Pourrais-je alors manquer de force ou de courage
Pour empêcher le sort d'abattre mon ouvrage?
Ne me dérobez point ce qu'il ne peut ternir;
Et la main qui l'a fait saura le soutenir.
Mais vous vous en formez une vaine menace
Pour faire un beau prétexte à l'amour qui vous chasse.
Je ne demande plus d'où partait ce dédain,
Quand j'ai voulu vous faire un hymen de ma main.
Allez dans l'Aragon suivre votre princesse,
Mais allez-y du moins sans feindre une faiblesse;
Et puisque ce grand cœur s'attache à ses appas,
Montrez, en la suivant, que vous ne fuyez pas.

CARLOS

Ah! Madame, plutôt apprenez tous mes crimes;
Ma tête eſt à vos pieds, s'il vous faut des victimes.

Tout chétif que je suis, je dois vous avouer
Qu'en me plaignant du sort j'ai de quoi m'en louer :
S'il m'a fait en naissant quelque désavantage,
Il m'a donné d'un roi le nom et le courage;
Et depuis que mon cœur est capable d'aimer,
A moins que d'une reine, il n'a pu s'enflammer :
Voilà mon premier crime, et je ne puis vous dire
Qui m'a fait infidèle, ou vous, ou donne Elvire;
Mais je sais que ce cœur, des deux parts engagé,
Se donnant à vous deux, ne s'est point partagé,
Toujours prêt d'embrasser son service et le vôtre,
Toujours prêt à mourir et pour l'une et pour l'autre.
Pour n'en adorer qu'une, il eût fallu choisir;
Et ce choix eût été du moins quelque désir,
Quelque espoir outrageux d'être mieux reçu d'elle,
Et j'ai cru moins de crime à paraître infidèle.
Qui n'a rien à prétendre en peut bien aimer deux,
Et perdre en plus d'un lieu des soupirs et des vœux :
Voilà mon second crime; et quoique ma souffrance
Jamais à ce beau feu n'ait permis d'espérance,
Je ne puis sans mourir d'un désespoir jaloux,
Voir dans les bras d'un autre, ou donne Elvire, ou vous.
Voyant que votre choix m'apprêtait ce martyre,
Je voulais m'y soustraire en suivant donne Elvire,
Et languir auprès d'elle, attendant que le sort
Par un semblable hymen m'eût envoyé la mort.
Depuis, l'occasion que vous-même avez faite,
M'a fait quitter le soin d'une telle retraite.
Ce trouble a quelque temps amusé ma douleur;
J'ai cru par ces combats reculer mon malheur.
Le coup de votre perte est devenu moins rude,
Lorsque j'en ai vu l'heure en quelque incertitude,
Et que j'ai pu me faire une si douce loi
Que ma mort vous donnât un plus vaillant que moi.
Mais je n'ai plus, Madame, aucun combat à faire.
Je vois pour vous don Sanche un époux nécessaire;
Car ce n'est point l'amour qui fait l'hymen des rois :
Les raisons de l'État règlent toujours leur choix;
Leur sévère grandeur jamais ne se ravale,
Ayant devant les yeux un prince qui l'égale;
Et puisque le saint nœud qui le fait votre époux
Arrête comme sœur donne Elvire avec vous,
Que je ne puis la voir sans voir ce qui me tue.

Permettez que j'évite une fatale vue,
Et que je porte ailleurs les criminels soupirs
D'un reste malheureux de tant de déplaisirs.

DONA ISABELLE

Vous m'en dites assez pour mériter ma haine,
Si je laissais agir les sentiments de reine;
Par un trouble secret je les sens confondus;
Partez, je le consens, et ne les troublez plus.
Mais non : pour fuir don Sanche, attendez qu'on le voie;
Ce bruit peut être faux, et me rendre ma joie.
Que dis-je? Allez, marquis, j'y consens de nouveau;
Mais avant de partir donnez-lui mon anneau :
Si ce n'est toutefois une faveur trop grande
Que pour tant de faveurs une reine demande.

CARLOS

Vous voulez que je meure, et je dois obéir,
Dût cette obéissance à mon sort me trahir :
Je recevrai pour grâce un si juste supplice,
S'il en rompt la menace et prévient la malice,
Et souffre que Carlos en donnant cet anneau,
Emporte ce faux nom et sa gloire au tombeau.
C'est l'unique bonheur où ce coupable aspire.

DONA ISABELLE

Que n'êtes-vous don Sanche ! Ah ciel ! qu'osé-je dire?
Adieu : ne croyez pas ce soupir indiscret.

CARLOS

Il m'en a dit assez pour mourir sans regret.

ACTE V

SCÈNE PREMIÈRE

DON ALVAR, DONA ELVIRE

DON ALVAR

Enfin, après un sort à mes vœux si contraire,
Je dois bénir le ciel qui vous renvoie un frère;
Puisque de notre reine il doit être l'époux,
Cette heureuse union me laisse tout à vous.
Je me vois affranchi d'un honneur tyrannique,
D'un joug que m'imposait cette faveur publique,
D'un choix qui me forçait à vouloir être roi :
Je n'ai plus de combat à faire contre moi,
Plus à craindre le prix d'une triste victoire;
Et l'infidélité que vous faisait ma gloire
Consent que mon amour, de ses lois dégagé,
Vous rende un inconstant qui n'a jamais changé.

DONA ELVIRE

Vous êtes généreux, mais votre impatience
Sur un bruit incertain prend trop de confiance;
Et cette prompte ardeur de rentrer dans mes fers
Me console trop tôt d'un trône que je perds.
Ma perte n'est encor qu'une rumeur confuse
Qui du nom de Carlos, malgré Carlos, abuse;
Et vous ne savez pas, à vous en bien parler,
Par quelle offre et quels vœux on peut m'en consoler.
Plus que vous ne pensez la couronne m'est chère;
Je perds plus qu'on ne croit, si Carlos est mon frère.
Attendez les effets que produiront ces bruits;
Attendez que je sache au vrai ce que je suis,
Si le ciel m'ôte ou laisse enfin le diadème,
S'il vous faut m'obtenir d'un frère ou de moi-même,
Si par l'ordre d'autrui je vous dois écouter,
Ou si j'ai seulement mon cœur à consulter.

DON ALVAR

Ah ! ce n'est qu'à ce cœur que le mien vous demande,
Madame, c'est lui seul que je veux qui m'entende;
Et mon propre bonheur m'accablerait d'ennui,
Si je n'étais à vous que par l'ordre d'autrui.
Pourrais-je de ce frère implorer la puissance,
Pour ne vous obtenir que par obéissance,
Et par un lâche abus de son autorité,
M'élever en tyran sur votre volonté?

DONA ELVIRE

Avec peu de raison vous craignez qu'il arrive
Qu'il ait des sentiments que mon âme ne suive :
Le digne sang des rois n'a point d'yeux que leurs yeux,
Et leurs premiers sujets obéissent le mieux.
Mais vous êtes étrange avec vos déférences,
Dont les submissions cherchent des assurances,
Vous ne craignez d'agir contre ce que je veux,
Que pour tirer de moi que j'accepte vos vœux,
Et vous obstineriez dans ce respect extrême
Jusques à me forcer à dire : « Je vous aime. »
Ce mot est un peu rude à prononcer pour nous;
Souffrez qu'à m'expliquer j'en trouve de plus doux.
Je vous dirai beaucoup, sans pourtant rien vous dire.
   Je sais depuis quel temps vous aimez donne Elvire;
Je sais ce que je dois, je sais ce que je puis;
Mais, encore une fois, sachons ce que je suis;
Et si vous n'aspirez qu'au bonheur de me plaire,
Tâchez d'approfondir ce dangereux mystère.
Carlos a tant de lieu de vous considérer,
Que s'il devient mon roi, vous devez espérer.

DON ALVAR

Madame...

DONA ELVIRE

En ma faveur donnez-vous cette peine,
Et me laissez, de grâce, entretenir la Reine.

DON ALVAR

J'obéis avec joie, et ferai mon pouvoir
A vous dire bientôt ce qui s'en peut savoir.

SCÈNE II

DONA LÉONOR, DONA ELVIRE

DONA LÉONOR

Don Alvar me fuit-il?

DONA ELVIRE

Madame, à ma prière,
Il va dans tous ces bruits chercher quelque lumière.
J'ai craint, en vous voyant, un secours pour ses feux,
Et de défendre mal mon cœur contre vous deux.

DONA LÉONOR

Ne pourra-t-on jamais gagner votre courage?

DONA ELVIRE

Il peut tout obtenir, ayant votre suffrage.

DONA LÉONOR

Je lui puis donc enfin promettre votre foi?

DONA ELVIRE

Oui, si vous lui gagnez celui du nouveau roi.

DONA LÉONOR

Et si ce bruit eſt faux? si vous demeurez Reine?

DONA ELVIRE

Que vous puis-je répondre, en étant incertaine?

DONA LÉONOR

En cette incertitude on peut faire espérer.

DONA ELVIRE

On peut attendre aussi pour en délibérer :
On agit autrement quand le pouvoir suprême...

SCÈNE III

DONA ISABELLE, DONA LÉONOR
DONA ELVIRE

DONA ISABELLE

J'interromps vos secrets, mais j'y prends part moi-même;
Et j'ai tant d'intérêt de connaître ce fils,
Que j'ose demander ce qui s'en est appris.

DONA LÉONOR

Vous ne m'en voyez pas davantage éclaircie.

DONA ISABELLE

Mais de qui tenez-vous la mort de don Garcie,
Vu que depuis un mois qu'il vient des députés,
On parlait seulement de peuples révoltés?

DONA LÉONOR

Je vous puis sur ce point aisément satisfaire :
Leurs gens m'en ont donné la raison assez claire.
On assiégeait encore, alors qu'ils sont partis,
Dedans leur dernier fort don Garcie et son fils.
On l'a pris tôt après; et soudain par sa prise
Don Raymond prisonnier recouvrant sa franchise,
Les voyant tous deux morts, publie à haute voix
Que nous avions un roi du vrai sang de nos rois,
Que don Sanche vivait, et part en diligence
Pour rendre à l'Aragon le bien de sa présence.
Il joint nos députés hier sur la fin du jour,
Et leur dit que ce prince était en votre cour.
C'est tout ce que j'ai pu tirer d'un domestique :
Outre qu'avec ces gens rarement on s'explique,
Comme ils entendent mal, leur rapport est confus;
Mais bientôt don Raymond vous dira le surplus.
Que nous veut cependant Blanche tout étonnée?

SCÈNE IV

DONA ISABELLE, DONA LÉONOR, DONA ELVIRE, BLANCHE

BLANCHE

Ah ! Madame !

DONA ISABELLE

Qu'as-tu?

BLANCHE

La funeste journée !
Votre Carlos...

DONA ISABELLE

Eh bien?

BLANCHE

Son père est en ces lieux,
Et n'est...

DONA ISABELLE

Quoi?

BLANCHE

Qu'un pêcheur.

DONA ISABELLE

Qui te l'a dit?

BLANCHE

Mes yeux.

DONA ISABELLE

Tes yeux?

BLANCHE

Mes propres yeux.

DONA ISABELLE

Que j'ai peine à les croire !

DONA LÉONOR

Voudriez-vous, Madame, en apprendre l'histoire?

DONA ELVIRE

Que le ciel est injuste!

DONA ISABELLE

Il l'est, et nous fait voir
Par cet injuste effet son absolu pouvoir,
Qui du sang le plus vil tire une âme si belle,
Et forme une vertu qui n'a lustre que d'elle.
Parle, Blanche, et dis-nous comme il voit ce malheur.

BLANCHE

Avec beaucoup de honte, et plus encor de cœur.
Du haut de l'escalier je le voyais descendre;
En vain de ce faux bruit il se voulait défendre;
Votre cour, obstinée à lui changer de nom,
Murmurait tout autour : « Don Sanche d'Aragon! »
Quand un chétif vieillard le saisit et l'embrasse.
Lui qui le reconnaît frémit de sa disgrâce;
Puis laissant la nature à ses pleins mouvements,
Répond avec tendresse à ses embrassements.
Ses pleurs mêlent aux siens une fierté sincère; [père!
On n'entend que soupirs : « Ah! mon fils! — Ah! mon
— Oh! jour trois fois heureux! moment trop attendu!
— Tu m'as rendu la vie! » et : «Vous m'avez perdu! »
Chose étrange! à ces cris de douleur et de joie,
Un grand peuple accouru ne veut pas qu'on les croie;
Il s'aveugle soi-même; et ce pauvre pêcheur,
En dépit de Carlos, passe pour imposteur.
Dans les bras de ce fils on lui fait mille hontes :
C'est un fourbe, un méchant suborné par les comtes.
Eux-mêmes (admirez leur générosité)
S'efforcent d'affermir cette incrédulité;
Non qu'ils prennent sur eux de si lâches pratiques;
Mais ils en font auteur un de leurs domestiques,
Qui pensant bien leur plaire, a si mal à propos
Instruit ce malheureux pour affronter Carlos.
Avec avidité cette histoire est reçue :
Chacun la tient trop vraie aussitôt qu'elle est sue;
Et pour plus de croyance à cette trahison,
Les comtes font traîner ce bonhomme en prison.

Carlos rend témoignage en vain contre soi-même;
Les vérités qu'il dit cèdent au stratagème,
Et dans le déshonneur qui l'accable aujourd'hui,
Ses plus grands envieux l'en sauvent malgré lui.
Il tempête, il menace, et bouillant de colère,
Il crie à pleine voix qu'on lui rende son père :
On tremble devant lui sans croire son courroux;
Et rien... Mais le voici qui vient s'en plaindre à vous.

SCÈNE V

DONA ISABELLE, DONA LÉONOR,
DONA ELVIRE, BLANCHE, CARLOS,
DON MANRIQUE, DON LOPE

CARLOS

Eh bien ! Madame, enfin on connaît ma naissance :
Voilà le digne fruit de mon obéissance.
J'ai prévu ce malheur, et l'aurais évité,
Si vos commandements ne m'eussent arrêté.
Ils m'ont livré, Madame, à ce moment funeste;
Et l'on m'arrache encor le seul bien qui me reste !
On me vole mon père ! on le fait criminel !
On attache à son nom un opprobre éternel !
Je suis fils d'un pêcheur, mais non pas d'un infâme;
La bassesse du sang ne va point jusqu'à l'âme,
Et je renonce aux noms de comte et de marquis
Avec bien plus d'honneur qu'aux sentiments de fils;
Rien n'en peut effacer le sacré caractère.
De grâce, commandez qu'on me rende mon père.
Ce doit leur être assez de savoir qui je suis,
Sans m'accabler encor par de nouveaux ennuis.

DON MANRIQUE

Forcez ce grand courage à conserver sa gloire,
Madame, et l'empêchez lui-même de se croire.
Nous n'avons pu souffrir qu'un bras qui tant de fois
A fait trembler le More et triompher nos rois,
Reçût de sa naissance une tache éternelle :
Tant de valeur mérite une source plus belle.

Aidez ainsi que nous ce peuple à s'abuser;
Il aime son erreur, daignez l'autoriser :
A tant de beaux exploits rendez cette justice,
Et de notre pitié soutenez l'artifice.

CARLOS

Je suis bien malheureux, si je vous fais pitié;
Reprenez votre orgueil et votre inimitié.
Après que ma fortune a soûlé votre envie,
Vous plaignez aisément mon entrée à la vie;
Et me croyant par elle à jamais abattu,
Vous exercez sans peine une haute vertu.
Peut-être elle ne fait qu'une embûche à la mienne.
La gloire de mon nom vaut bien qu'on la retienne;
Mais son plus bel éclat serait trop acheté,
Si je le retenais par une lâcheté.
Si ma naissance est basse, elle est du moins sans tache :
Puisque vous la savez, je veux bien qu'on la sache.
Sanche, fils d'un pêcheur, et non d'un imposteur,
De deux comtes jadis fut le libérateur;
Sanche, fils d'un pêcheur, mettait naguère en peine
Deux illustres rivaux sur le choix de leur reine;
Sanche, fils d'un pêcheur, tient encore en sa main
De quoi faire bientôt tout l'heur d'un souverain;
Sanche enfin, malgré lui, dedans cette province,
Quoique fils d'un pêcheur, a passé pour un prince.
Voilà ce qu'a pu faire et qu'a fait à vos yeux
Un cœur que ravalait le nom de ses aïeux.
La gloire qui m'en reste après cette disgrâce
Éclate encore assez pour honorer ma race,
Et paraîtra plus grande à qui comprendra bien
Qu'à l'exemple du ciel j'ai fait beaucoup de rien.

DON LOPE

Cette noble fierté désavoue un tel père,
Et par un témoignage à soi-même contraire,
Obscurcit de nouveau ce qu'on voit éclairci.
Non, le fils d'un pêcheur ne parle point ainsi,
Et son âme paraît si dignement formée,
Que j'en crois plus que lui l'erreur que j'ai semée.
Je le soutiens, Carlos, vous n'êtes point son fils :
La justice du ciel ne peut l'avoir permis;
Les tendresses du sang vous font une imposture,

Et je démens pour vous la voix de la nature.
  Ne vous repentez point de tant de dignités
Dont il vous plut orner ses rares qualités :
Jamais plus digne main ne fit plus digne ouvrage,
Madame; il les relève avec ce grand courage;
Et vous ne leur pouviez trouver plus haut appui,
Puisque même le sort est au-dessous de lui.

DONA ISABELLE

La générosité qu'en tous les trois j'admire
Me met en un état de n'avoir que leur dire,
Et dans la nouveauté de ces événements,
Par un illustre effort prévient mes sentiments.
  Ils paraîtront en vain, comtes, s'ils vous excitent
A lui rendre l'honneur que ses hauts faits méritent,
Et ne dédaigner pas l'illustre et rare objet
D'une haute valeur qui part d'un sang abjet;
Vous courez au-devant avec tant de franchise,
Qu'autant que du pêcheur je m'en trouve surprise.
  Et vous, que par mon ordre ici j'ai retenu,
Sanche, puisqu'à ce nom vous êtes reconnu,
Miraculeux héros dont la gloire refuse
L'avantageuse erreur d'un peuple qui s'abuse,
Parmi les déplaisirs que vous en recevez,
Puis-je vous consoler d'un sort que vous bravez?
Puis-je vous demander ce que je vous vois faire?
Je vous tiens malheureux d'être né d'un tel père;
Mais je vous tiens ensemble heureux au dernier point
D'être né d'un tel père, et de n'en rougir point,
Et de ce qu'un grand cœur, mis dans l'autre balance,
Emporte encor si haut une telle naissance.

SCÈNE VI

DONA ISABELLE, DONA LÉONOR,
DONA ELVIRE, CARLOS, DON MANRIQUE,
DON LOPE, DON ALVAR, BLANCHE

DON ALVAR

Princesses, admirez l'orgueil d'un prisonnier,
Qu'en faveur de son fils on veut calomnier.

Ce malheureux pêcheur, par promesse ni crainte,
Ne saurait se résoudre à souffrir une feinte.
J'ai voulu lui parler, et n'en fais que sortir;
J'ai tâché, mais en vain, de lui faire sentir
Combien mal à propos sa présence importune
D'un fils si généreux renverse la fortune,
Et qu'il le perd d'honneur, à moins que d'avouer
Que c'est un lâche tour qu'on le force à jouer;
J'ai même à ces raisons ajouté la menace :
Rien ne peut l'ébranler, Sanche est toujours sa race,
Et quant à ce qu'il perd de fortune et d'honneur,
Il dit qu'il a de quoi le faire grand seigneur,
Et que plus de cent fois il a su de sa femme
(Voyez qu'il est crédule et simple au fond de l'âme)
Que voyant ce présent, qu'en mes mains il a mis,
La reine d'Aragon agrandirait son fils.

(A dona Léonor.)

Si vous le recevez avec autant de joie,
Madame, que par moi ce vieillard vous l'envoie,
Vous donnerez sans doute à cet illustre fils
Un rang encor plus haut que celui de marquis.
Ce bonhomme en paraît l'âme toute comblée.

Don Alvar présente à dona Léonor un petit écrin qui s'ouvre sans clef, au moyen d'un ressort secret.

DONA ISABELLE

Madame, à cet aspect vous paraissez troublée.

DONA LÉONOR

J'ai bien sujet de l'être en recevant ce don,
Madame : j'en saurai si mon fils vit ou non;
Et c'est où le feu Roi, déguisant sa naissance,
D'un sort si précieux mit la reconnaissance.
Disons ce qu'il enferme avant que de l'ouvrir.
Ah ! Sanche, si par là je puis le découvrir,
Vous pouvez être sûr d'un entier avantage
Dans les lieux dont le ciel a fait notre partage;
Et qu'après ce trésor que vous m'aurez rendu,
Vous recevrez le prix qui vous en sera dû.
Mais à ce doux transport c'est déjà trop permettre.
Trouvons notre bonheur avant que d'en promettre.
Ce présent donc enferme un tissu de cheveux
Que reçut don Fernand pour arrhes de mes vœux,

Son portrait et le mien, deux pierres les plus rares
Que forme le soleil sous les climats barbares,
Et pour un témoignage encore plus certain,
Un billet que lui-même écrivit de sa main.

UN GARDE

Madame, don Raymond vous demande audience.

DONA LÉONOR

Qu'il entre. Pardonnez à mon impatience,
Si l'ardeur de le voir et de l'entretenir
Avant votre congé l'ose faire venir.

DONA ISABELLE

Vous pouvez commander dans toute la Castille,
Et je ne vous vois plus qu'avec des yeux de fille.

SCÈNE VII

DONA ISABELLE, DONA LÉONOR,
DONA ELVIRE, CARLOS, DON MANRIQUE,
DON LOPE, DON ALVAR, BLANCHE,
DON RAYMOND

DONA LÉONOR

Laissez-là, don Raymond, la mort de nos tyrans,
Et rendez seulement don Sanche à ses parents.
Vit-il? peut-il braver nos fières destinées?

DON RAYMOND

Sortant d'une prison de plus de six années,
Je l'ai cherché, Madame, où pour les mieux braver,
Par l'ordre du feu Roi je le fis élever,
Avec tant de secret, que même un second père,
Qui l'estime son fils, ignore ce mystère.
Ainsi qu'en votre cour Sanche y fut son vrai nom,
Et l'on n'en retrancha que cet illustre don.
Là, j'ai su qu'à seize ans son généreux courage
S'indigna des emplois de son faux parentage;
Qu'impatient déjà d'être si mal tombé,
A sa fausse bassesse il s'était dérobé;

Que déguisant son nom et cachant sa famille,
Il avait fait merveille aux guerres de Castille,
D'où quelque sien voisin, depuis peu de retour,
L'avait vu plein de gloire, et fort bien en la cour;
Que du bruit de son nom elle était toute pleine,
Qu'il était connu même et chéri de la Reine :
Si bien que ce pêcheur, d'aise tout transporté,
Avait couru chercher ce fils si fort vanté.

DONA LÉONOR

Don Raymond, si vos yeux pouvaient le reconnaître...

DON RAYMOND

Oui, je le vois, Madame. Ah ! Seigneur, ah ! mon maître !

DON LOPE

Nous l'avions bien jugé; grand prince, rendez-vous :
La vérité paraît; cédez aux vœux de tous.

DONA LÉONOR

Don Sanche, voulez-vous être seul incrédule?

CARLOS

Je crains encor du sort un revers ridicule.
Mais, Madame, voyez si le billet du Roi
Accorde à don Raymond ce qu'il vous dit de moi.

DONA LÉONOR, *ouvre l'écrin, et en tire un billet qu'elle lit.*

Pour tromper un tyran je vous trompe vous-même.
Vous reverrez ce fils que je vous fais pleurer :
Cette erreur lui peut rendre un jour le diadème;
Et je vous l'ai caché pour le mieux assurer.

Si ma feinte vers vous passe pour criminelle,
Pardonnez-moi les maux qu'elle vous fait souffrir,
De crainte que les soins de l'amour maternelle
Par leurs empressements le fissent découvrir.

Nugne, un pauvre pêcheur, s'en croit être le père;
Sa femme en son absence accouchant d'un fils mort,
Elle reçut le vôtre, et sut si bien se taire,
Que le père et le fils en ignorent le sort.

Elle-même l'ignore ; et d'un si grand échange
Elle sait seulement qu'il n'eſt pas de son sang,
Et croit que ce présent par un miracle étrange,
Doit un jour par vos mains lui rendre son vrai rang.

A ces marques, un jour, daignez le reconnaître ;
Et puisse l'Aragon, retournant sous vos lois,
Apprendre ainsi que vous, de moi qui l'ai vu naître,
Que Sanche, fils de Nugne, eſt le sang de ses rois !

DON FERNAND D'ARAGON.

DONA LÉONOR, *après avoir lu.*

Ah ! mon fils, s'il en faut encore davantage,
Croyez-en vos vertus et votre grand courage.

CARLOS, *à Dona Léonor.*

Ce serait mal répondre à ce rare bonheur
Que vouloir me défendre encor d'un tel honneur.
(A Dona Isabelle.)
Je reprends, toutefois Nugne pour mon vrai père,
Si vous ne m'ordonnez, Madame, que j'espère.

DONA ISABELLE

C'eſt trop peu d'espérer, quand tout vous eſt acquis.
Je vous avais fait tort en vous faisant marquis;
Et vous n'aurez pas lieu désormais de vous plaindre
De ce retardement où j'ai su vous contraindre.
Et pour moi, que le ciel deſtinait pour un roi,
Digne de la Caſtille et digne encor de moi,
J'avais mis cette bague en des mains assez bonnes
Pour la rendre à don Sanche, et joindre nos couronnes.

CARLOS

Je ne m'étonne plus de l'orgueil de mes vœux,
Qui, sans le partager, donnaient mon cœur à deux :
Dans les obscurités d'une telle aventure,
L'amour se confondait avecque la nature.

DONA ELVIRE

Le nôtre y répondait sans faire honte au rang,
Et le mien vous payait ce que devait le sang.

CARLOS, *à Dona Elvire.*

Si vous m'aimez encor, et m'honorez en frère,
Un époux de ma main pourrait-il vous déplaire?

DONA ELVIRE

Si don Alvar de Lune est cet illustre époux,
Il vaut bien à mes yeux tout ce qui n'est point vous.

CARLOS, *à Dona Elvire.*

Il honorait en moi la vertu toute nue.
(A Don Manrique et à Don Lope.)
Et vous, qui dédaigniez ma naissance inconnue,
Comtes, et les premiers en cet événement
Jugiez en ma faveur si véritablement,
Votre dédain fut juste autant que son estime :
C'est la même vertu sous une autre maxime.

DON RAYMOND, *à Dona Isabelle.*

Souffrez qu'à l'Aragon il daigne se montrer.
Nos députés, Madame, impatients d'entrer...

DONA ISABELLE

Il vaut mieux leur donner audience publique,
Afin qu'aux yeux de tous ce miracle s'explique.
Allons; et cependant qu'on mette en liberté
Celui par qui tant d'heur nous vient d'être apporté;
Et qu'on l'amène ici, plus heureux qu'il ne pense,
Recevoir de ses soins la digne récompense.

NICOMÈDE[1]

TRAGÉDIE

AU LECTEUR

Voici une pièce d'une constitution assez extraordinaire : aussi est-ce la vingt et unième que j'ai fait voir sur le théâtre; et après y avoir fait réciter quarante mille vers[2], il est bien malaisé de trouver quelque chose de nouveau, sans s'écarter un peu du grand chemin, et se mettre au hasard de s'égarer. La tendresse et les passions, qui doivent être l'âme des tragédies, n'ont aucune part en celle-ci : la grandeur de courage y règne seule, et regarde son malheur d'un œil si dédaigneux qu'il n'en saurait arracher une plainte. Elle y est combattue par la politique, et n'oppose à ses artifices qu'une prudence généreuse, qui marche à visage découvert, qui prévoit le péril sans s'émouvoir, et ne veut point d'autre appui que celui de sa vertu, et de l'amour qu'elle imprime dans les cœurs de tous les peuples. L'histoire qui m'a prêté de quoi la faire paraître en ce haut degré est tirée de Justin; et voici comme il la raconte à la fin de son trente-quatrième livre:

« En même temps Prusias, roi de Bithynie, prit dessein de faire assassiner son fils Nicomède, pour avancer ses autres fils, qu'il avait eus d'une autre femme, et qu'il faisait élever à Rome; mais ce dessein fut découvert à ce jeune prince par ceux mêmes qui l'avaient entrepris; ils firent plus, ils l'exhortèrent à rendre la pareille à un père si cruel, et faire retomber sur sa tête les embûches qu'il lui avait préparées, et n'eurent pas grande peine à le persuader. Sitôt donc qu'il fut entré dans le royaume de son père, qui l'avait appelé auprès de lui, il fut proclamé roi; et Prusias, chassé du trône, et délaissé même de ses domestiques, quelque soin qu'il prît à se cacher, fut enfin tué par ce fils, et perdit la vie par un crime aussi grand que celui qu'il avait commis en donnant les ordres de l'assassiner. »

J'ai ôté de ma scène l'horreur d'une catastrophe si barbare, et n'ai donné ni au père ni au fils aucun dessein de parricide. J'ai fait ce dernier amoureux de Laodice, afin que l'union d'une couronne voisine donnât plus d'ombrage aux Romains, et leur fît prendre plus de soin d'y mettre un obstacle de leur part. J'ai approché de cette histoire celle de la mort d'Annibal, qui arriva un peu auparavant chez ce même roi, et dont le nom n'est pas un petit ornement à mon ouvrage. J'en ai fait Nicomède disciple, pour lui prêter plus de valeur et plus de fierté contre les Romains; et prenant l'occasion de l'ambassade où Flaminius fut envoyé par eux vers ce roi, leur allié, pour demander qu'on remît entre leurs mains ce vieil ennemi de leur grandeur, je l'ai chargé d'une commission secrète de traverser ce mariage, qui leur devait donner de la jalousie. J'ai fait que pour gagner l'esprit de la Reine, qui, suivant l'ordinaire des secondes femmes, avait tout pouvoir sur celui de son vieux mari, il lui ramène un de ses fils, que mon auteur m'apprend avoir été nourris à Rome. Cela fait deux effets; car d'un côté, il obtient la perte d'Annibal par le moyen de cette mère ambitieuse, et, de l'autre, il oppose à Nicomède un rival appuyé de toute la faveur des Romains, jaloux de sa gloire et de sa grandeur naissante.

Les assassins qui découvrirent à ce prince les sanglants desseins de son père m'ont donné jour à d'autres artifices pour le faire tomber dans les embûches que sa belle-mère lui avait préparées; et pour la fin, je l'ai réduite en sorte que tous mes personnages y agissent avec générosité, et que les uns rendant ce qu'ils doivent à la vertu, et les autres demeurant dans la fermeté de leur devoir, laissent un exemple assez illustre, et une conclusion assez agréable.

La représentation n'en a point déplu; et comme ce ne sont pas les moindres vers qui soient partis de ma main, j'ai sujet d'espérer que la lecture n'ôtera rien à cet ouvrage de la réputation qu'il s'est acquise jusqu'ici, et ne le fera point juger indigne de suivre ceux qui l'ont précédé. Mon principal but a été de peindre la politique des Romains au dehors, et comme ils agissaient impérieusement avec les rois leurs alliés; leurs maximes pour les empêcher de s'accroître, et les soins qu'ils prenaient de traverser leur grandeur, quand elle commençait à leur devenir suspecte à force de s'augmenter et de se rendre considérable par de nouvelles conquêtes.[3] C'est le caractère que j'ai donné à leur république en la personne de son ambassadeur Flaminius, qui rencontre un prince intrépide, qui voit sa perte assurée, sans s'ébranler, et brave l'orgueilleuse masse de leur puissance, lors même qu'il en est accablé. Ce héros de ma façon sort un peu des règles de la tragédie, en ce qu'il ne cherche point à faire pitié par l'excès de ses malheurs; mais le succès a montré que la fermeté des grands cœurs, qui n'excite que de l'admiration dans l'âme du spectateur, est quelquefois aussi agréable que la compassion que notre art nous commande de mendier pour leurs misères. Il est bon de hasarder un peu, et ne s'attacher pas toujours si servilement à ses préceptes, ne fût-ce que pour pratiquer celui de notre Horace :

Et mihi res, non me rebus, submittere conor.

Mais il faut que l'événement justifie cette hardiesse, et dans une liberté de cette nature on demeure coupable, à moins que d'être fort heureux.

EXAMEN

Voici une pièce d'une constitution assez extraordinaire : aussi est-ce la vingt et unième que j'ai mise sur le théâtre; et après y avoir fait réciter quarante mille vers, il est bien malaisé de trouver quelque chose de nouveau, sans s'écarter un peu du grand chemin, et se mettre au hasard de s'égarer. La tendresse et les passions, qui doivent être l'âme des tragédies, n'ont aucune part en celle-ci : la grandeur du courage y règne seule, et regarde son malheur d'un œil si dédaigneux qu'il n'en saurait arracher une plainte. Elle y est combattue par la politique, et n'oppose à ses artifices qu'une prudence généreuse, qui marche à visage découvert, qui prévoit le péril sans s'émouvoir, et qui ne veut point d'autre appui que celui de sa vertu, et de l'amour qu'elle imprime dans les cœurs de tous les peuples.

L'histoire qui m'a prêté de quoi la faire paraître en ce haut degré est tirée du trente-quatrième livre de Justin. J'ai ôté de ma scène l'horreur de sa catastrophe, où le fils fait assassiner son père qui lui en avait voulu faire autant, et n'ai donné ni à Prusias ni à Nicomède aucun dessein de parricide. J'ai fait ce dernier amoureux de Laodice, reine d'Arménie, afin que l'union d'une couronne voisine à la sienne donnât plus d'ombrage aux Romains, et leur fît prendre plus de soin d'y mettre un obstacle de leur part. J'ai approché de cette histoire celle de la mort d'Annibal, qui arriva un peu auparavant chez ce même roi, et dont le nom n'est pas un petit ornement à mon ouvrage. J'en ai fait Nicomède disciple, pour lui prêter plus de valeur et plus de fierté contre les Romains; et prenant l'occasion de l'ambassade où Flaminius fut envoyé par eux vers ce roi, leur allié, pour demander qu'on remît entre leurs mains ce vieil ennemi de leur grandeur, je l'ai chargé d'une commission secrète de traverser ce mariage, qui leur devait donner de la jalousie. J'ai fait que pour gagner l'esprit de la Reine, qui, suivant l'ordinaire des secondes femmes, avait tout pouvoir sur celui de son vieux mari, il lui ramène un de ses fils, que mon auteur m'apprend avoir été nourris à Rome. Cela fait deux effets; car, d'un côté, il obtient la perte d'Annibal par le moyen de cette mère ambitieuse; et de l'autre, il oppose à Nicomède un rival appuyé de toute la faveur des Romains, jaloux de sa gloire et de sa grandeur naissante.

Les assassins qui découvrirent à ce prince les sanglants desseins de son père m'ont donné jour à d'autres artifices pour le faire tomber dans les embûches que sa belle-mère lui avait préparées; et pour la fin, je l'ai réduite en sorte que tous mes personnages y agissent avec générosité, et que les uns rendant ce qu'ils doivent à la vertu, et les autres demeurant dans la fermeté de leur devoir, laissent un exemple assez illustre et une conclusion assez agréable.

La représentation n'en a point déplu, et ce ne sont pas les moindres vers qui soient partis de ma main. Mon principal but a été de peindre la politique des Romains au dehors, et comme ils agissaient impérieusement avec les rois leurs alliés; leurs maximes pour les empêcher de s'accroître, et les soins qu'ils prenaient de traverser leur grandeur quand elle commençait à leur devenir suspecte à force de s'augmenter et de se rendre considérable par de nouvelles conquêtes. C'est le caractère que j'ai donné à leur république en la personne de son ambassadeur Flaminius à qui j'oppose un prince intrépide, qui voit sa perte assurée sans s'ébranler, et qui brave l'orgueilleuse masse de leur puissance, lors même qu'il en est accablé. Ce héros de ma façon sort un peu des règles de la tragédie, en ce qu'il ne cherche point à faire pitié par l'excès de ses infortunes : mais le succès a montré que la fermeté des grands cœurs, qui n'excite que de l'admiration dans l'âme du spectateur, est quelquefois aussi agréable que la compassion que notre art nous ordonne d'y produire par la représentation de leurs malheurs. Il en fait naître toutefois quelqu'une, mais elle ne va pas jusqu'à tirer des larmes. Son effet se borne à mettre les auditeurs dans les intérêts de ce prince, et à leur faire former des souhaits pour ses prospérités.

Dans l'admiration qu'on a pour sa vertu, je trouve une manière de purger les passions dont n'a point parlé Aristote, et qui est peut-être plus sûre que celle qu'il prescrit à la tragédie par le moyen de la pitié et de la crainte. L'amour qu'elle nous donne pour cette vertu que nous admirons, nous imprime de la haine pour le vice contraire. La grandeur de courage de Nicomède nous laisse une aversion de la pusillanimité; et la généreuse reconnaissance d'Héraclius, qui expose sa vie pour Martian, à qui il est redevable de la sienne, nous jette dans l'horreur de l'ingratitude.

Je ne veux point dissimuler que cette pièce est une de celles pour qui j'ai le plus d'amitié. Aussi n'y remarquerai-je que ce défaut de la fin, qui va trop vite, comme je l'ai dit ailleurs, et où l'on peut même trouver quelque inégalité de mœurs en Prusias et Flaminius, qui après avoir pris la fuite sur la mer, s'avisent tout d'un coup de rappeler leur courage, et viennent se ranger auprès de la reine Arsinoé, pour mourir avec elle en la défendant. Flaminius y demeure en assez méchante posture, voyant réunir toute la famille royale, malgré les soins qu'il avait pris de la diviser, et les instructions qu'il en avait apportées de Rome. Il s'y voit enlever par Nicomède les affections de cette reine et du prince Attale, qu'il avait choisis pour instruments à traverser sa grandeur, et semble n'être revenu que pour être témoin du triomphe qu'il remporte sur lui. D'abord j'avais fini la pièce sans les faire revenir, et m'étais contenté de faire témoigner par Nicomède à sa belle-mère grand déplaisir de ce que la fuite du Roi ne lui permettait pas de lui rendre ses obéissances. Cela ne démentait point l'effet historique, puisqu'il laissait sa mort en incertitude; mais le goût des spectateurs, que nous avons accoutumés à voir rassembler tous nos personnages à la conclusion de cette sorte de poëmes, fut cause de ce changement, où je me résolus pour leur donner plus de satisfaction, bien qu'avec moins de régularité.

ACTEURS

PRUSIAS, *Roi de Bithynie.*
FLAMINIUS, *Ambassadeur de Rome.*
ARSINOÉ, *Seconde femme de Prusias.*
LAODICE, *Reine d'Arménie.*
NICOMÈDE, *Fils aîné de Prusias, sorti du premier lit.*
ATTALE, *Fils de Prusias et d'Arsinoé.*
ARASPE, *Capitaine des gardes de Prusias.*
CLÉONE, *Confidente d'Arsinoé.*

La scène est à Nicomédie.

ACTE PREMIER

SCÈNE PREMIÈRE

NICOMÈDE, LAODICE

LAODICE

APRÈS tant de hauts faits, il m'est bien doux, Seigneur,
De voir encor mes yeux régner sur votre cœur;
De voir, sous les lauriers qui vous couvrent la tête,
Un si grand conquérant être encor ma conquête,
Et de toute la gloire acquise à ses travaux
Faire un illustre hommage à ce peu que je vaux.
Quelques biens toutefois que le ciel me renvoie,
Mon cœur épouvanté se refuse à la joie :
Je vous vois à regret, tant mon cœur amoureux
Trouve la cour pour vous un séjour dangereux.
Votre marâtre y règne, et le Roi votre père
Ne voit que par ses yeux, seule la considère,
Pour souveraine loi n'a que sa volonté :
Jugez après cela de votre sûreté.
La haine que pour vous elle a si naturelle
A mon occasion encor se renouvelle.
Votre frère son fils, depuis peu de retour...

NICOMÈDE

Je le sais, ma princesse, et qu'il vous fait la cour;
Je sais que les Romains, qui l'avaient en otage,
L'ont enfin renvoyé pour un plus digne ouvrage;
Que ce don à sa mère était le prix fatal
Dont leur Flaminius marchandait Annibal;
Que le Roi par son ordre eût livré ce grand homme,
S'il n'eût par le poison lui-même évité Rome,
Et rompu par sa mort les spectacles pompeux
Où l'effroi de son nom le destinait chez eux.
Par mon dernier combat je voyais réunie
La Cappadoce entière avec la Bithynie,

Lorsqu'à cette nouvelle, enflammé de courroux
D'avoir perdu mon maître et de craindre pour vous,
J'ai laissé mon armée aux mains de Théagène,
Pour voler en ces lieux, au secours de ma reine.
Vous en aviez besoin, Madame, et je le voi,
Puisque Flaminius obsède encor le Roi.
Si de son arrivée Annibal fut la cause,
Lui mort, ce long séjour prétend quelque autre chose;
Et je ne vois que vous qui le puisse arrêter,
Pour aider à mon frère à vous persécuter.

LAODICE

Je ne veux point douter que sa vertu romaine
N'embrasse avec chaleur l'intérêt de la Reine :
Annibal, qu'elle vient de lui sacrifier,
L'engage en sa querelle et m'en fait défier.
Mais, Seigneur, jusqu'ici j'aurais tort de m'en plaindre;
Et quoi qu'il entreprenne, avez-vous lieu de craindre?
Ma gloire et mon amour peuvent bien peu sur moi,
S'il faut votre présence à soutenir ma foi,
Et si je puis tomber en cette frénésie
De préférer Attale au vainqueur de l'Asie :
Attale, qu'en otage ont nourri les Romains,
Ou plutôt qu'en esclave ont façonné leurs mains,
Sans lui rien mettre au cœur qu'une crainte servile
Qui tremble à voir une aigle, et respecte un édile !

NICOMÈDE

Plutôt, plutôt la mort que mon esprit jaloux
Forme des sentiments si peu dignes de vous.
Je crains la violence, et non votre faiblesse;
Et si Rome une fois contre nous s'intéresse...

LAODICE

Je suis reine, Seigneur; et Rome a beau tonner,
Elle ni votre roi n'ont rien à m'ordonner :
Si de mes jeunes ans il est dépositaire,
C'est pour exécuter les ordres de mon père;
Il m'a donnée à vous, et nul autre que moi
N'a droit de l'en dédire, et me choisir un roi.
Par son ordre et le mien, la reine d'Arménie
Est due à l'héritier du roi de Bithynie,
Et ne prendra jamais un cœur assez abjet

Pour se laisser réduire à l'hymen d'un sujet.
Mettez-vous en repos.

NICOMÈDE

Et le puis-je, Madame,
Vous voyant exposée aux fureurs d'une femme,
Qui pouvant tout ici, se croira tout permis
Pour se mettre en état de voir régner son fils?
Il n'est rien de si saint qu'elle ne fasse enfreindre.
Qui livrait Annibal pourra bien vous contraindre,
Et saura vous garder même fidélité
Qu'elle a gardée aux droits de l'hospitalité.

LAODICE

Mais ceux de la nature ont-ils un privilège
Qui vous assure d'elle après ce sacrilège?
Seigneur, votre retour, loin de rompre ses coups,
Vous expose vous-même, et m'expose après vous.
Comme il est fait sans ordre, il passera pour crime;
Et vous serez bientôt la première victime
Que la mère et le fils, ne pouvant m'ébranler,
Pour m'ôter mon appui se voudront immoler.
Si j'ai besoin de vous de peur qu'on me contraigne,
J'ai besoin que le Roi, qu'elle-même vous craigne.
Retournez à l'armée, et pour me protéger
Montrez cent mille bras tout prêts à me venger.
Parlez la force en main, et hors de leur atteinte :
S'ils vous tiennent ici, tout est pour eux sans crainte;
Et ne vous flattez point ni sur votre grand cœur,
Ni sur l'éclat d'un nom cent et cent fois vainqueur;
Quelque haute valeur que puisse être la vôtre,
Vous n'avez en ces lieux que deux bras comme un autre;
Et fussiez-vous du monde et l'amour et l'effroi,
Quiconque entre au palais porte sa tête au Roi.
Je vous le dis encor, retournez à l'armée;
Ne montrez à la cour que votre renommée;
Assurez votre sort pour assurer le mien;
Faites que l'on vous craigne, et je ne craindrai rien.

NICOMÈDE

Retourner à l'armée ! Ah ! sachez que la Reine
La sème d'assassins achetés par sa haine.
Deux s'y sont découverts, que j'amène avec moi

Afin de la convaincre et détromper le Roi.
Quoiqu'il soit son époux, il eſt encor mon père;
Et quand il forcera la nature à se taire,
Trois sceptres à son trône attachés par mon bras
Parleront au lieu d'elle, et ne se tairont pas.
Que si notre fortune à ma perte animée,
La prépare à la cour aussi bien qu'à l'armée,
Dans ce péril égal qui me suit en tous lieux
M'envierez-vous l'honneur de mourir à vos yeux?

LAODICE

Non, je ne vous dis plus désormais que je tremble,
Mais que, s'il faut périr, nous périrons ensemble.
Armons-nous de courage, et nous ferons trembler
Ceux dont les lâchetés pensent nous accabler.
Le peuple ici vous aime, et hait ces cœurs infâmes;
Et c'eſt être bien fort que régner sur tant d'âmes.
Mais votre frère Attale adresse ici ses pas.

NICOMÈDE

Il ne m'a jamais vu; ne me découvrez pas.

SCÈNE II

LAODICE, NICOMÈDE, ATTALE

ATTALE

Quoi? Madame, toujours un front inexorable?
Ne pourrai-je surprendre un regard favorable,
Un regard désarmé de toutes ces rigueurs,
Et tel qu'il eſt enfin quand il gagne les cœurs?

LAODICE

Si ce front eſt mal propre à m'acquérir le vôtre,
Quand j'en aurai dessein, j'en saurai prendre un autre.

ATTALE

Vous ne l'acquerrez point, puisqu'il eſt tout à vous.

LAODICE

Je n'ai donc pas besoin d'un visage plus doux.

ATTALE

Conservez-le, de grâce, après l'avoir su prendre.

LAODICE

C'eſt un bien mal acquis que j'aime mieux vous rendre.

ATTALE

Vous l'eſtimez trop peu pour le vouloir garder.

LAODICE

Je vous eſtime trop pour vouloir rien farder.
Votre rang et le mien ne sauraient le permettre :
Pour garder votre cœur je n'ai pas où le mettre;
La place eſt occupée, et je vous l'ai tant dit,
Prince, que ce discours vous dût être interdit :
On le souffre d'abord, mais la suite importune.

ATTALE

Que celui qui l'occupe a de bonne fortune !
Et que serait heureux qui pourrait aujourd'hui
Disputer cette place et l'emporter sur lui !

NICOMÈDE

La place à l'emporter coûterait bien des têtes,
Seigneur : ce conquérant garde bien ses conquêtes,
Et l'on ignore encor parmi ses ennemis
L'art de reprendre un fort qu'une fois il a pris.

ATTALE

Celui-ci toutefois peut s'attaquer de sorte
Que, tout vaillant qu'il eſt, il faudra qu'il en sorte.

LAODICE

Vous pourriez vous méprendre.

ATTALE

Et si le roi le veut?

LAODICE

Le Roi, juſte et prudent, ne veut que ce qu'il peut.

ATTALE

Et que ne peut ici la grandeur souveraine?

LAODICE

Ne parlez pas si haut : s'il est roi, je suis reine;
Et vers moi tout l'effort de son autorité
N'agit que par prière et par civilité.

ATTALE

Non; mais agir ainsi souvent c'est beaucoup dire
Aux reines comme vous qu'on voit dans son empire;
Et si ce n'est assez des prières d'un roi,
Rome qui m'a nourri vous parlera pour moi.

NICOMÈDE

Rome ! Seigneur.

ATTALE

Oui, Rome; en êtes-vous en doute?

NICOMÈDE

Seigneur, je crains pour vous qu'un Romain vous écoute;
Et si Rome savait de quels feux vous brûlez,
Bien loin de vous prêter l'appui dont vous parlez,
Elle s'indignerait de voir sa créature
A l'éclat de son nom faire une telle injure,
Et vous dégraderait peut-être dès demain
Du titre glorieux de citoyen romain.
Vous l'a-t-elle donné pour mériter sa haine,
En le déshonorant par l'amour d'une reine,
Et ne savez-vous plus qu'il n'est princes ni rois
Qu'elle daigne égaler à ses moindres bourgeois?
Pour avoir tant vécu chez ces cœurs magnanimes,
Vous en avez bientôt oublié les maximes.
Reprenez un orgueil digne d'elle et de vous;
Remplissez mieux un nom sous qui nous tremblons tous,
Et sans plus l'abaisser à cette ignominie
D'idolâtrer en vain la reine d'Arménie,
Songez qu'il faut du moins, pour toucher votre cœur,
La fille d'un tribun ou celle d'un préteur;
Que Rome vous permet cette haute alliance,
Dont vous aurait exclu le défaut de naissance,
Si l'honneur souverain de son adoption
Ne vous autorisait à tant d'ambition.
Forcez, rompez, brisez de si honteuses chaînes;
Aux rois qu'elle méprise abandonnez les reines;
Et concevez enfin des vœux plus élevés,
Pour mériter les biens qui vous sont réservés.

ATTALE

Si cet homme est à vous, imposez-lui silence,
Madame, et retenez une telle insolence.
Pour voir jusqu'à quel point elle pourrait aller,
J'ai forcé ma colère à le laisser parler;
Mais je crains qu'elle échappe et que, s'il continue,
Je ne m'obstine plus à tant de retenue.

NICOMÈDE

Seigneur, si j'ai raison, qu'importe à qui je sois?
Perd-elle de son prix pour emprunter ma voix?
Vous-même, amour à part, je vous en fais arbitre.
  Ce grand nom de Romain est un précieux titre;
Et la Reine et le Roi l'ont assez acheté
Pour ne se plaire pas à le voir rejeté,
Puisqu'ils se sont privés, pour ce nom d'importance,
Des charmantes douceurs d'élever votre enfance.
Dès l'âge de quatre ans ils vous ont éloigné;
Jugez si c'est pour voir ce titre dédaigné,
Pour vous voir renoncer, par l'hymen d'une reine,
A la part qu'ils avaient à la grandeur romaine.
D'un si rare trésor l'un et l'autre jaloux...

ATTALE

Madame, encore un coup, cet homme est-il à vous?
Et pour vous divertir est-il si nécessaire
Que vous ne lui puissiez ordonner de se taire?

LAODICE

Puisqu'il vous a déplu vous traitant de Romain,
Je veux bien vous traiter de fils de souverain.
  En cette qualité vous devez reconnaître
Qu'un prince votre aîné doit être votre maître,
Craindre de lui déplaire et savoir que le sang
Ne vous empêche pas de différer de rang,
Lui garder le respect qu'exige sa naissance,
Et loin de lui voler son bien en son absence...

ATTALE

Si l'honneur d'être à vous est maintenant son bien,
Dites un mot, Madame, et ce sera le mien;
Et si l'âge à mon rang fait quelque préjudice,
Vous en corrigerez la fatale injustice.

Mais si je lui dois tant en fils de souverain,
Permettez qu'une fois je vous parle en Romain.
Sachez qu'il n'en est point que le ciel n'ait fait naître
Pour commander aux rois, et pour vivre sans maître;
Sachez que mon amour est un noble projet
Pour éviter l'affront de me voir son sujet;
Sachez...

LAODICE

Je m'en doutais, Seigneur, que ma couronne
Vous charmait bien du moins autant que ma personne ;
Mais telle que je suis, et ma couronne et moi,
Tout est à cet aîné qui sera votre roi;
Et s'il était ici, peut-être en sa présence
Vous penseriez deux fois à lui faire une offense.

ATTALE

Que ne puis-je l'y voir ! mon courage amoureux...

NICOMÈDE

Faites quelques souhaits qui soient moins dangereux,
Seigneur : s'il les savait, il pourrait bien lui-même
Venir d'un tel amour venger l'objet qu'il aime.

ATTALE

Insolent ! est-ce enfin le respect qui m'est dû?

NICOMÈDE

Je ne sais de nous deux, Seigneur, qui l'a perdu.

ATTALE

Peux-tu bien me connaître et tenir ce langage?

NICOMÈDE

Je sais à qui je parle, et c'est mon avantage
Que n'étant point connu, Prince, vous ne savez
Si je vous dois respect, ou si vous m'en devez.

ATTALE

Ah ! Madame, souffrez que ma juste colère...

LAODICE

Consultez-en, Seigneur, la Reine votre mère;
Elle entre.

SCÈNE III

NICOMÈDE, ARSINOÉ, LAODICE, ATTALE, CLÉONE

NICOMÈDE

Instruisez mieux le Prince votre fils,
Madame, et dites-lui, de grâce, qui je suis :
Faute de me connaître, il s'emporte, il s'égare;
Et ce désordre est mal dans une âme si rare :
J'en ai pitié.

ARSINOÉ

Seigneur, vous êtes donc ici?

NICOMÈDE

Oui, Madame, j'y suis, et Métrobate aussi.

ARSINOÉ

Métrobate ! ah ! le traître !

NICOMÈDE

Il n'a rien dit, Madame,
Qui vous doive jeter aucun trouble dans l'âme.

ARSINOÉ

Mais qui cause, Seigneur, ce retour surprenant?
Et votre armée?

NICOMÈDE

Elle est sous un bon lieutenant;
Et quant à mon retour, peu de chose le presse.
J'avais ici laissé mon maître et ma maîtresse :
Vous m'avez ôté l'un, vous, dis-je, ou les Romains;
Et je viens sauver l'autre et d'eux et de vos mains.

ARSINOÉ

C'est ce qui vous amène?

NICOMÈDE

Oui, Madame; et j'espère
Que vous m'y servirez auprès du Roi mon père.

ARSINOÉ

Je vous y servirai comme vous l'espérez.

NICOMÈDE

De votre bon vouloir nous sommes assurés.

ARSINOÉ

Il ne tiendra qu'au Roi qu'aux effets je ne passe.

NICOMÈDE

Vous voulez à tous deux nous faire cette grâce?

ARSINOÉ

Tenez-vous assuré que je n'oublierai rien.

NICOMÈDE

Je connais votre cœur, ne doutez pas du mien.

ATTALE

Madame, c'est donc là le prince Nicomède?

NICOMÈDE

Oui, c'est moi qui viens voir s'il faut que je vous cède.

ATTALE

Ah ! Seigneur, excusez si vous connaissant mal...

NICOMÈDE

Prince, faites-moi voir un plus digne rival.
Si vous aviez dessein d'attaquer cette place,
Ne vous départez point d'une si noble audace;
Mais comme à son secours je n'amène que moi,
Ne la menacez plus de Rome ni du Roi :
Je la défendrai seul, attaquez-la de même,
Avec tous les respects qu'on doit au diadème.
Je veux bien mettre à part, avec le nom d'aîné,
Le rang de votre maître où je suis destiné;
Et nous verrons ainsi qui fait mieux un brave homme,
Des leçons d'Annibal, ou de celles de Rome.
Adieu : pensez-y bien, je vous laisse y rêver.

SCÈNE IV

ARSINOÉ, ATTALE, CLÉONE

ARSINOÉ

Quoi? tu faisais excuse à qui m'osait braver !

ATTALE

Que ne peut point, Madame, une telle surprise?
Ce prompt retour me perd, et rompt votre entreprise.

ARSINOÉ

Tu l'entends mal, Attale; il la met dans ma main.
Va trouver de ma part l'ambassadeur romain;
Dedans mon cabinet amène-le sans suite,
Et de ton heureux sort laisse-moi la conduite.

ATTALE

Mais, Madame, s'il faut...

ARSINOÉ

Va, n'appréhende rien,
Et pour avancer tout, hâte cet entretien.

SCÈNE V

ARSINOÉ, CLÉONE

CLÉONE

Vous lui cachez, Madame, un dessein qui le touche !

ARSINOÉ

Je crains qu'en l'apprenant son cœur ne s'effarouche;
Je crains qu'à la vertu par les Romains instruit
De ce que je prépare il ne m'ôte le fruit,
Et ne conçoive mal qu'il n'est fourbe ni crime
Qu'un trône acquis par là ne rende légitime.

CLÉONE

J'aurais cru les Romains un peu moins scrupuleux,
Et la mort d'Annibal m'eût fait mal juger d'eux.

ARSINOÉ

Ne leur impute pas une telle injustice :
Un Romain seul l'a faite, et par mon artifice.
Rome l'eût laissé vivre, et sa légalité
N'eût point forcé les lois de l'hospitalité.
Savante à ses dépens de ce qu'il savait faire,
Elle le souffrait mal auprès d'un adversaire;
Mais quoique, par ce triste et prudent souvenir,
De chez Antiochus elle l'ait fait bannir,
Elle aurait vu couler sans crainte et sans envie
Chez un prince allié les restes de sa vie :
Le seul Flaminius, trop piqué de l'affront
Que son père défait lui laisse sur le front;
Car je crois que tu sais que quand l'aigle romaine
Vit choir ses légions aux bords de Trasimène,
Flaminius son père en était général[4],
Et qu'il y tomba mort de la main d'Annibal;
Ce fils donc, qu'a pressé la soif de sa vengeance,
S'est aisément rendu de mon intelligence :
L'espoir d'en voir l'objet entre ses mains remis
A pratiqué par lui le retour de mon fils;
Par lui j'ai jeté Rome en haute jalousie
De ce que Nicomède a conquis dans l'Asie,
Et de voir Laodice unir tous ses États,
Par l'hymen de ce prince, à ceux de Prusias :
Si bien que le sénat prenant un juste ombrage
D'un empire si grand sous un si grand courage,
Il s'en est fait nommer lui-même ambassadeur,
Pour rompre cet hymen et borner sa grandeur.
Et voilà le seul point où Rome s'intéresse.

CLÉONE

Attale à ce dessein entreprend sa maîtresse !
Mais que n'agissait Rome avant que le retour
De cet amant si cher affermît son amour?

ARSINOÉ

Irriter un vainqueur en tête d'une armée
Prête à suivre en tous lieux sa colère allumée,

C'était trop hasarder; et j'ai cru pour le mieux
Qu'il fallait de son fort l'attirer en ces lieux.
Métrobate l'a fait, par des terreurs paniques,
Feignant de lui trahir mes ordres tyranniques,
Et pour l'assassiner se disant suborné,
Il l'a, grâces aux Dieux, doucement amené.
Il vient s'en plaindre au Roi, lui demander justice;
Et sa plainte le jette au bord du précipice.
Sans prendre aucun souci de m'en justifier,
Je saurai m'en servir à me fortifier.
Tantôt en le voyant j'ai fait de l'effrayée,
J'ai changé de couleur, je me suis écriée :
Il a cru me surprendre, et l'a cru bien en vain,
Puisque son retour même est l'œuvre de ma main.

CLÉONE

Mais quoi que Rome fasse et qu'Attale prétende,
Le moyen qu'à ses yeux Laodice se rende?

ARSINOÉ

Et je n'engage aussi mon fils en cet amour
Qu'à dessein d'éblouir le Roi, Rome et la cour.
Je n'en veux pas, Cléone, au sceptre d'Arménie :
Je cherche à m'assurer celui de Bithynie;
Et si ce diadème une fois est à nous,
Que cette reine après se choisisse un époux.
Je ne la vais presser que pour la voir rebelle,
Que pour aigrir les cœurs de son amant et d'elle.
Le Roi, que le Romain poussera vivement,
De peur d'offenser Rome agira chaudement,
Et ce prince, piqué d'une juste colère,
S'emportera sans doute, et bravera son père.
S'il est prompt et bouillant, le Roi ne l'est pas moins;
Et comme à l'échauffer j'appliquerai mes soins,
Pour peu qu'à de tels coups cet amant soit sensible,
Mon entreprise est sûre, et sa perte infaillible.
Voilà mon cœur ouvert, et tout ce qu'il prétend.
Mais dans mon cabinet Flaminius m'attend;
Allons, et garde bien le secret de la Reine.

CLÉONE

Vous me connaissez trop pour vous en mettre en peine.

ACTE II

SCÈNE PREMIÈRE

PRUSIAS, ARASPE

PRUSIAS

REVENIR sans mon ordre, et se montrer ici !

ARASPE

Sire, vous auriez tort d'en prendre aucun souci,
Et la haute vertu du prince Nicomède
Pour ce qu'on peut en craindre eſt un puissant remède;
Mais tout autre que lui devrait être suspeɕt :
Un retour si soudain manque un peu de respeɕt,
Et donne lieu d'entrer en quelque défiance
Des secrètes raisons de tant d'impatience.

PRUSIAS

Je ne les vois que trop, et sa témérité
N'eſt qu'un pur attentat sur mon autorité :
Il n'en veut plus dépendre, et croit que ses conquêtes
Au-dessus de son bras ne laissent point de têtes;
Qu'il eſt lui seul sa règle, et que sans se trahir
Des héros tels que lui ne sauraient obéir.

ARASPE

C'eſt d'ordinaire ainsi que ses pareils agissent :
A suivre leur devoir leurs hauts faits se ternissent[5];
Et ces grands cœurs, enflés du bruit de leurs combats,
Souverains dans l'armée et parmi leurs soldats,
Font du commandement une douce habitude,
Pour qui l'obéissance eſt un métier bien rude.

PRUSIAS

Dis tout, Araspe : dis que le nom de sujet
Réduit toute leur gloire en un rang trop abjet;
Que bien que leur naissance au trône les deſtine,
Si son ordre eſt trop lent, leur grand cœur s'en mutine;

Qu'un père garde trop un bien qui leur est dû,
Et qui perd de son prix étant trop attendu;
Qu'on voit naître de là mille sourdes pratiques
Dans le gros de son peuple et dans ses domestiques;
Et que si l'on ne va jusqu'à trancher le cours
De son règne ennuyeux et de ses tristes jours,
Du moins une insolente et fausse obéissance,
Lui laissant un vain titre, usurpe sa puissance.

ARASPE

C'est ce que de tout autre il faudrait redouter,
Seigneur, et qu'en tout autre il faudrait arrêter;
Mais ce n'est pas pour vous un avis nécessaire :
Le Prince est vertueux, et vous êtes bon père.

PRUSIAS

Si je n'étais bon père, il serait criminel :
Il doit son innocence à l'amour paternel;
C'est lui seul qui l'excuse et qui le justifie,
Ou lui seul qui me trompe et qui me sacrifie,
Car je dois craindre enfin que sa haute vertu
Contre l'ambition n'ait en vain combattu,
Qu'il ne force en son cœur la nature à se taire.
Qui se lasse d'un roi peut se lasser d'un père;
Mille exemples sanglants nous peuvent l'enseigner :
Il n'est rien qui ne cède à l'ardeur de régner;
Et depuis qu'une fois elle nous inquiète,
La nature est aveugle, et la vertu muette.
Te le dirai-je, Araspe? il m'a trop bien servi[6];
Augmentant mon pouvoir, il me l'a tout ravi :
Il n'est plus mon sujet qu'autant qu'il le veut être;
Et qui me fait régner en effet est mon maître.
Pour paraître à mes yeux son mérite est trop grand :
On n'aime point à voir ceux à qui l'on doit tant.
Tout ce qu'il a fait parle au moment qu'il m'approche,
Et sa seule présence est un secret reproche :
Elle me dit toujours qu'il m'a fait trois fois roi;
Que je tiens plus de lui qu'il ne tiendra de moi;
Et que si je lui laisse un jour une couronne,
Ma tête en porte trois que sa valeur me donne.
J'en rougis dans mon âme; et ma confusion,
Qui renouvelle et croît à chaque occasion.

Sans cesse offre à mes yeux cette vue importune,
Que qui m'en donne trois peut bien m'en ôter une;
Qu'il n'a qu'à l'entreprendre, et peut tout ce qu'il veut.
Juge, Araspe, où j'en suis s'il veut tout ce qu'il peut.

ARASPE

Pour tout autre que lui je sais comme s'explique
La règle de la vraie et saine politique.
Aussitôt qu'un sujet s'est rendu trop puissant,
Encor qu'il soit sans crime, il n'est pas innocent[7] :
On n'attend point alors qu'il s'ose tout permettre;
C'est un crime d'État que d'en pouvoir commettre;
Et qui sait bien régner l'empêche prudemment
De mériter un juste et plus grand châtiment,
Et prévient, par un ordre à tous deux salutaire,
Ou les maux qu'il prépare, ou ceux qu'il pourra faire.
Mais, Seigneur, pour le Prince, il a trop de vertu;
Je vous l'ai déjà dit.

PRUSIAS

Et m'en répondras-tu?
Me seras-tu garant de ce qu'il pourra faire
Pour venger Annibal, ou pour perdre son frère?
Et le prends-tu pour homme à voir d'un œil égal
Et l'amour de son frère, et la mort d'Annibal?
Non, ne nous flattons point, il court à sa vengeance;
Il en a le prétexte, il en a la puissance;
Il est l'astre naissant qu'adorent mes États;
Il est le Dieu du peuple, et celui des soldats.
Sûr de ceux-ci, sans doute il vient soulever l'autre,
Fondre avec son pouvoir sur le reste du nôtre;
Mais ce peu qui m'en reste, encor que languissant,
N'est pas peut-être encor tout à fait impuissant.
Je veux bien toutefois agir avec adresse,
Joindre beaucoup d'honneur à bien peu de rudesse,
Le chasser avec gloire, et mêler doucement
Le prix de son mérite à mon ressentiment;
Mais s'il ne m'obéit, ou s'il ose s'en plaindre,
Quoi qu'il ait fait pour moi, quoi que j'en voie à craindre,
Dussé-je voir par là tout l'État hasardé...

ARASPE

Il vient.

SCÈNE II

PRUSIAS, NICOMÈDE, ARASPE

PRUSIAS

Vous voilà, Prince ! et qui vous a mandé?

NICOMÈDE

La seule ambition de pouvoir en personne
Mettre à vos pieds, Seigneur, encore une couronne,
De jouir de l'honneur de vos embrassements,
Et d'être le témoin de vos contentements.
Après la Cappadoce heureusement unie
Aux royaumes du Pont et de la Bithynie,
Je viens remercier et mon père et mon roi
D'avoir eu la bonté de s'y servir de moi,
D'avoir choisi mon bras pour une telle gloire,
Et fait tomber sur moi l'honneur de sa victoire.

PRUSIAS

Vous pouviez vous passer de mes embrassements,
Me faire par écrit de tels remercîments;
Et vous ne deviez pas envelopper d'un crime
Ce que votre victoire ajoute à votre estime.
Abandonner mon camp en est un capital,
Inexcusable en tous, et plus au général;
Et tout autre que vous, malgré cette conquête,
Revenant sans mon ordre, eût payé de sa tête.

NICOMÈDE

J'ai failli, je l'avoue, et mon cœur imprudent
A trop cru les transports d'un désir trop ardent :
L'amour que j'ai pour vous a commis cette offense,
Lui seul à mon devoir fait cette violence.
Si le bien de vous voir m'était moins précieux,
Je serais innocent, mais si loin de vos yeux,
Que j'aime mieux, Seigneur, en perdre un peu d'estime,
Et qu'un bonheur si grand me coûte un petit crime,
Qui ne craindra jamais la plus sévère loi,
Si l'amour juge en vous ce qu'il a fait en moi.

PRUSIAS

La plus mauvaise excuse est assez pour un père,
Et sous le nom d'un fils toute faute est légère;
Je ne veux voir en vous que mon unique appui.
Recevez tout l'honneur qu'on vous doit aujourd'hui :
L'ambassadeur romain me demande audience;
Il verra ce qu'en vous je prends de confiance;
Vous l'écouterez, Prince, et répondrez pour moi.
Vous êtes aussi bien le véritable roi;
Je n'en suis plus que l'ombre, et l'âge ne m'en laisse
Qu'un vain titre d'honneur qu'on rend à ma vieillesse;
Je n'ai plus que deux jours peut-être à le garder :
L'intérêt de l'État vous doit seul regarder.
Prenez-en aujourd'hui la marque la plus haute;
Mais gardez-vous aussi d'oublier votre faute;
Et comme elle fait brèche au pouvoir souverain,
Pour la bien réparer, retournez dès demain.
Remettez en éclat la puissance absolue :
Attendez-la de moi comme je l'ai reçue,
Inviolable, entière; et n'autorisez pas
De plus méchants que vous à la mettre plus bas.
Le peuple qui vous voit, la cour qui vous contemple,
Vous désobéiraient sur votre propre exemple :
Donnez-leur-en un autre, et montrez à leurs yeux
Que nos premiers sujets obéissent le mieux.

NICOMÈDE

J'obéirai, Seigneur, et plus tôt qu'on ne pense;
Mais je demande un prix de mon obéissance.
La reine d'Arménie est due à ses États,
Et j'en vois les chemins ouverts par nos combats.
Il est temps qu'en son ciel cet astre aille reluire :
De grâce, accordez-moi l'honneur de l'y conduire.

PRUSIAS

Il n'appartient qu'à vous, et cet illustre emploi
Demande un roi lui-même, ou l'héritier d'un roi;
Mais pour la renvoyer jusqu'en son Arménie,
Vous savez qu'il y faut quelque cérémonie :
Tandis que je ferai préparer son départ,
Vous irez dans mon camp l'attendre de ma part.

NICOMÈDE

Elle est prête à partir sans plus grand équipage.

PRUSIAS

Je n'ai garde à son rang de faire un tel outrage.
Mais l'ambassadeur entre, il le faut écouter;
Puis nous verrons quel ordre on y doit apporter.

SCÈNE III

PRUSIAS, NICOMÈDE, FLAMINIUS, ARASPE

FLAMINIUS

Sur le point de partir, Rome, Seigneur, me mande
Que je vous fasse encor pour elle une demande.
Elle a nourri vingt ans un prince votre fils;
Et vous pouvez juger les soins qu'elle en a pris
Par les hautes vertus et les illustres marques
Qui font briller en lui le sang de vos monarques.
Surtout il est instruit en l'art de bien régner :
C'est à vous de le croire, et de le témoigner.
Si vous faites état de cette nourriture,
Donnez ordre qu'il règne : elle vous en conjure;
Et vous offenseriez l'estime qu'elle en fait
Si vous le laissiez vivre et mourir en sujet.
Faites donc aujourd'hui que je lui puisse dire
Où vous lui destinez un souverain empire.

PRUSIAS

Les soins qu'ont pris de lui le peuple et le sénat
Ne trouveront en moi jamais un père ingrat;
Je crois que pour régner il en a les mérites,
Et n'en veux point douter après ce que vous dites;
Mais vous voyez, Seigneur, le Prince son aîné,
Dont le bras généreux trois fois m'a couronné;
Il ne fait que sortir encor d'une victoire;
Et pour tant de hauts faits je lui dois quelque gloire :
Souffrez qu'il ait l'honneur de répondre pour moi.

NICOMÈDE

Seigneur, c'est à vous seul de faire Attale roi.

PRUSIAS

C'est votre intérêt seul que sa demande touche.

NICOMÈDE

Le vôtre toutefois m'ouvrira seul la bouche.
De quoi se mêle Rome, et d'où prend le sénat,
Vous vivant, vous régnant, ce droit sur votre État?
Vivez, régnez, Seigneur, jusqu'à la sépulture,
Et laissez faire après, ou Rome, ou la nature.

PRUSIAS

Pour de pareils amis il faut se faire effort.

NICOMÈDE

Qui partage vos biens aspire à votre mort;
Et de pareils amis, en bonne politique...

PRUSIAS

Ah ! ne me brouillez point avec la République :
Portez plus de respect à de tels alliés.

NICOMÈDE

Je ne puis voir sous eux les rois humiliés;
Et quel que soit ce fils que Rome vous renvoie,
Seigneur, je lui rendrais son présent avec joie.
S'il est si bien instruit en l'art de commander,
C'est un rare trésor qu'elle devrait garder,
Et conserver chez soi sa chère nourriture,
Ou pour le consulat, ou pour la dictature.

FLAMINIUS

Seigneur, dans ce discours qui nous traite si mal,
Vous voyez un effet des leçons d'Annibal;
Ce perfide ennemi de la grandeur romaine
N'en a mis en son cœur que mépris et que haine.

NICOMÈDE

Non, mais il m'a surtout laissé ferme en ce point,
D'estimer beaucoup Rome, et ne la craindre point.
On me croit son disciple, et je le tiens à gloire;
Et quand Flaminius attaque sa mémoire,

Il doit savoir qu'un jour il me fera raison
D'avoir réduit mon maître au secours du poison,
Et n'oublier jamais qu'autrefois ce grand homme
Commença par son père à triompher de Rome.

FLAMINIUS

Ah ! c'est trop m'outrager !

NICOMÈDE

N'outragez plus les morts.

PRUSIAS

Et vous, ne cherchez point à former de discords :
Parlez, et nettement, sur ce qu'il me propose.

NICOMÈDE

Eh bien ! s'il est besoin de répondre autre chose,
Attale doit régner, Rome l'a résolu;
Et puisqu'elle a partout un pouvoir absolu,
C'est aux rois d'obéir alors qu'elle commande.
Attale a le cœur grand, l'esprit grand, l'âme grande,
Et toutes les grandeurs dont se fait un grand roi;
Mais c'est trop que d'en croire un Romain sur sa foi.
Par quelque grand effet voyons s'il en est digne,
S'il a cette vertu, cette valeur insigne :
Donnez-lui votre armée, et voyons ses grands coups;
Qu'il en fasse pour lui ce que j'ai fait pour vous;
Qu'il règne avec éclat sur sa propre conquête,
Et que de sa victoire il couronne sa tête.
Je lui prête mon bras, et veux dès maintenant,
S'il daigne s'en servir, être son lieutenant.
L'exemple des Romains m'autorise à le faire;
Le fameux Scipion le fut bien de son frère;
Et lorsque Antiochus fut par eux détrôné,
Sous les lois du plus jeune on vit marcher l'aîné.
Les bords de l'Hellespont, ceux de la mer Égée,
Les restes de l'Asie à nos côtés rangée,
Offrent une matière à son ambition...

FLAMINIUS

Rome prend tout ce reste en sa protection;
Et vous n'y pouvez plus étendre vos conquêtes,
Sans attirer sur vous d'effroyables tempêtes.

NICOMÈDE

J'ignore sur ce point les volontés du Roi;
Mais peut-être qu'un jour je dépendrai de moi,
Et nous verrons alors l'effet de ces menaces.
  Vous pouvez cependant faire munir ces places,
Préparer un obstacle à mes nouveaux desseins,
Disposer de bonne heure un secours de Romains;
Et si Flaminius en est le capitaine,
Nous pourrons lui trouver un lac de Trasimène.

PRUSIAS

Prince, vous abusez trop tôt de ma bonté :
Le rang d'ambassadeur doit être respecté;
Et l'honneur souverain qu'ici je vous défère...

NICOMÈDE

Ou laissez-moi parler, Sire, ou faites-moi taire.
Je ne sais pas répondre autrement pour un roi
A qui dessus son trône on veut faire la loi.

PRUSIAS

Vous m'offensez moi-même en parlant de la sorte,
Et vous devez dompter l'ardeur qui vous emporte.

NICOMÈDE

Quoi? je verrai, Seigneur, qu'on borne vos États,
Qu'au milieu de ma course on m'arrête le bras,
Que de vous menacer on a même l'audace,
Et je ne rendrai point menace pour menace !
Et je remercierai qui me dit hautement
Qu'il ne m'est plus permis de vaincre impunément !

PRUSIAS, *à Flaminius.*

Seigneur, vous pardonnez aux chaleurs de son âge;
Le temps et la raison pourront le rendre sage.

NICOMÈDE

La raison et le temps m'ouvrent assez les yeux,
Et l'âge ne fera que me les ouvrir mieux.
  Si j'avais jusqu'ici vécu comme ce frère,
Avec une vertu qui fût imaginaire
(Car je l'appelle ainsi quand elle est sans effets;

Et l'admiration de tant d'hommes parfaits
Dont il a vu dans Rome éclater le mérite,
N'est pas grande vertu si l'on ne les imite);
Si j'avais donc vécu dans ce même repos
Qu'il a vécu dans Rome auprès de ses héros,
Elle me laisserait la Bithynie entière,
Telle que tout le temps l'aîné la tient d'un père,
Et s'empresserait moins à le faire régner,
Si vos armes sous moi n'avaient su rien gagner.
Mais parce qu'elle voit avec la Bithynie
Par trois sceptres conquis trop de puissance unie,
Il faut la diviser; et dans ce beau projet,
Ce prince est trop bien né pour vivre mon sujet!
Puisqu'il peut la servir à me faire descendre,
Il a plus de vertus que n'en eut Alexandre;
Et je lui dois quitter, pour le mettre en mon rang,
Le bien de mes aïeux, ou le prix de mon sang.
Grâces aux immortels, l'effort de mon courage
Et ma grandeur future ont mis Rome en ombrage :
Vous pouvez l'en guérir, Seigneur, et promptement;
Mais n'exigez d'un fils aucun consentement :
Le maître qui prit soin d'instruire ma jeunesse
Ne m'a jamais appris à faire une bassesse.

FLAMINIUS

A ce que je puis voir, vous avez combattu,
Prince, par intérêt, plutôt que par vertu.
Les plus rares exploits que vous ayez pu faire
N'ont jeté qu'un dépôt sur la tête d'un père :
Il n'est que gardien de leur illustre prix,
Et ce n'est que pour vous que vous avez conquis,
Puisque cette grandeur à son trône attachée
Sur nul autre que vous ne peut être épanchée.
Certes, je vous croyais un peu plus généreux :
Quand les Romains le sont, ils ne font rien pour eux.
Scipion, dont tantôt vous vantiez le courage,
Ne voulait point régner sur les murs de Carthage;
Et de tout ce qu'il fit pour l'empire romain
Il n'en eut que la gloire et le nom d'Africain.
Mais on ne voit qu'à Rome une vertu si pure;
Le reste de la terre est d'une autre nature.
  Quant aux raisons d'État qui vous font concevoir
Que nous craignons en vous l'union du pouvoir,

Si vous en consultiez des têtes bien sensées,
Elles vous déferaient de ces belles pensées :
Par respect pour le Roi je ne dis rien de plus.
Prenez quelque loisir de rêver là-dessus;
Laissez moins de fumée à vos feux militaires,
Et vous pourrez avoir des visions plus claires.

NICOMÈDE

Le temps pourra donner quelque décision
Si la pensée est belle, ou si c'est vision.
Cependant...

FLAMINIUS

Cependant, si vous trouvez des charmes
A pousser plus avant la gloire de vos armes,
Nous ne la bornons point; mais comme il est permis
Contre qui que ce soit de servir ses amis,
Si vous ne le savez, je veux bien vous l'apprendre,
Et vous en donne avis pour ne vous pas surprendre.
Au reste, soyez sûr que vous posséderez
Tout ce qu'en votre cœur déjà vous dévorez :
Le Pont sera pour vous avec la Galatie,
Avec la Cappadoce, avec la Bithynie.
Ce bien de vos aïeux, ces prix de votre sang,
Ne mettront point Attale en votre illustre rang;
Et puisque leur partage est pour vous un supplice,
Rome n'a pas dessein de vous faire injustice.
Ce prince régnera sans rien prendre sur vous.
(A Prusias.)
La reine d'Arménie a besoin d'un époux,
Seigneur; l'occasion ne peut être plus belle :
Elle vit sous vos lois, et vous disposez d'elle.

NICOMÈDE

Voilà le vrai secret de faire Attale roi,
Comme vous l'avez dit, sans rien prendre sur moi.
La pièce est délicate, et ceux qui l'ont tissue
A de si longs discours font une digne issue.
Je n'y réponds qu'un mot, étant sans intérêt.
Traitez cette princesse en reine comme elle est :
Ne touchez point en elle aux droits du diadème,
Ou pour les maintenir je périrai moi-même.
Je vous en donne avis, et que jamais les rois,

Pour vivre en nos États, ne vivent sous nos lois[8];
Qu'elle seule en ces lieux d'elle-même dispose.

PRUSIAS

N'avez-vous, Nicomède, à lui dire autre chose?

NICOMÈDE

Non, Seigneur, si ce n'est que la Reine, après tout,
Sachant ce que je puis, me pousse trop à bout.

PRUSIAS

Contre elle, dans ma cour, que peut votre insolence?

NICOMÈDE

Rien du tout, que garder ou rompre le silence.
Une seconde fois avisez, s'il vous plaît,
A traiter Laodice en reine comme elle est :
C'est moi qui vous en prie.

SCÈNE IV

PRUSIAS, FLAMINIUS, ARASPE

FLAMINIUS

Eh quoi! toujours obstacle?

PRUSIAS

De la part d'un amant ce n'est pas grand miracle.
Cet orgueilleux esprit, enflé de ses succès,
Pense bien de son cœur nous empêcher l'accès;
Mais il faut que chacun suive sa destinée.
L'amour entre les rois ne fait pas l'hyménée,
Et les raisons d'État, plus fortes que ses nœuds,
Trouvent bien les moyens d'en éteindre les feux.

FLAMINIUS

Comme elle a de l'amour, elle aura du caprice.

PRUSIAS

Non, non : je vous réponds, Seigneur, de Laodice;
Mais enfin elle est reine, et cette qualité

Semble exiger de nous quelque civilité.
J'ai sur elle après tout une puissance entière;
Mais j'aime à la cacher sous le nom de prière[9].
Rendons-lui donc visite, et comme ambassadeur,
Proposez cet hymen vous-même à sa grandeur.
Je seconderai Rome, et veux vous introduire.
Puisqu'elle est en nos mains, l'amour ne vous peut nuire.
Allons de sa réponse à votre compliment
Prendre l'occasion de parler hautement.

ACTE III

SCÈNE PREMIÈRE

PRUSIAS, FLAMINIUS, LAODICE

PRUSIAS

REINE, puisque ce titre a pour vous tant de charmes,
Sa perte vous devrait donner quelques alarmes :
Qui tranche trop du roi ne règne pas longtemps.

LAODICE

J'observerai, Seigneur, ces avis importants;
Et si jamais je règne, on verra la pratique
D'une si salutaire et noble politique.

PRUSIAS

Vous vous mettez fort mal au chemin de régner.

LAODICE

Seigneur, si je m'égare, on peut me l'enseigner.

PRUSIAS

Vous méprisez trop Rome, et vous devriez faire
Plus d'estime d'un roi qui vous tient lieu de père.

LAODICE

Vous verriez qu'à tous deux je rends ce que je doi,
Si vous vouliez mieux voir ce que c'est qu'être roi.
  Recevoir ambassade en qualité de reine,
Ce serait à vos yeux faire la souveraine,
Entreprendre sur vous, et dedans votre État
Sur votre autorité commettre un attentat :
Je la refuse donc, Seigneur, et me dénie
L'honneur qui ne m'est dû que dans mon Arménie.
C'est là que sur mon trône avec plus de splendeur
Je puis honorer Rome en son ambassadeur,

Faire réponse en reine, et comme le mérite
Et de qui l'on me parle, et qui m'en sollicite.
Ici c'est un métier que je n'entends pas bien,
Car hors de l'Arménie enfin je ne suis rien;
Et ce grand nom de reine ailleurs ne m'autorise
Qu'à n'y voir point de trône à qui je sois soumise,
A vivre indépendante, et n'avoir en tous lieux
Pour souverains que moi, la raison, et les Dieux.

PRUSIAS

Ces Dieux, vos souverains, et le Roi votre père,
De leur pouvoir sur vous m'ont fait dépositaire;
Et vous pourrez peut-être apprendre une autre fois
Ce que c'est en tous lieux que la raison des rois.
Pour en faire l'épreuve allons en Arménie :
Je vais vous y remettre en bonne compagnie;
Partons; et dès demain, puisque vous le voulez,
Préparez-vous à voir vos pays désolés;
Préparez-vous à voir par toute votre terre
Ce qu'ont de plus affreux les fureurs de la guerre,
Des montagnes de morts, des rivières de sang.

LAODICE

Je perdrai mes États et garderai mon rang;
Et ces vastes malheurs où mon orgueil me jette
Me feront votre esclave et non votre sujette :
Ma vie est en vos mains, mais non ma dignité.

PRUSIAS

Nous ferons bien changer ce courage indompté;
Et quand vos yeux, frappés de toutes ces misères,
Verront Attale assis au trône de vos pères,
Alors peut-être, alors vous le prierez en vain
Que pour y remonter il vous donne la main.

LAODICE

Si jamais jusque-là votre guerre m'engage,
Je serai bien changée et d'âme et de courage.
Mais peut-être, Seigneur, vous n'irez pas si loin :
Les Dieux de ma fortune auront un peu de soin;
Ils vous inspireront, ou trouveront un homme
Contre tant de héros que vous prêtera Rome.

PRUSIAS

Sur un présomptueux vous fondez votre appui;
Mais il court à sa perte, et vous traîne avec lui.
  Pensez-y bien, Madame, et faites-vous justice :
Choisissez d'être reine, ou d'être Laodice;
Et, pour dernier avis que vous aurez de moi,
Si vous voulez régner, faites Attale roi.
Adieu.

SCÈNE II

FLAMINIUS, LAODICE

FLAMINIUS

Madame, enfin une vertu parfaite...

LAODICE

Suivez le Roi, Seigneur, votre ambassade est faite;
Et je vous dis encor, pour ne vous point flatter,
Qu'ici je ne la dois ni la veux écouter.

FLAMINIUS

Et je vous parle aussi, dans ce péril extrême,
Moins en ambassadeur qu'en homme qui vous aime,
Et qui, touché du sort que vous vous préparez,
Tâche à rompre le cours des maux où vous courez.
  J'ose donc comme ami vous dire en confidence
Qu'une vertu parfaite a besoin de prudence,
Et doit considérer, pour son propre intérêt,
Et les temps où l'on vit, et les lieux où l'on est.
La grandeur de courage en une âme royale
N'est sans cette vertu qu'une vertu brutale,
Que son mérite aveugle, et qu'un faux jour d'honneur
Jette en un tel divorce avec le vrai bonheur,
Qu'elle-même se livre à ce qu'elle doit craindre,
Ne se fait admirer que pour se faire plaindre,
Que pour nous pouvoir dire, après un grand soupir :
« J'avais droit de régner, et n'ai su m'en servir. »
Vous irritez un roi dont vous voyez l'armée
Nombreuse, obéissante, à vaincre accoutumée;
Vous êtes en ses mains, vous vivez dans sa cour.

LAODICE

Je ne sais si l'honneur eut jamais un faux jour,
Seigneur; mais je veux bien vous répondre en amie.
Ma prudence n'est pas tout à fait endormie[10];
Et sans examiner par quel destin jaloux
La grandeur de courage est si mal avec vous,
Je veux vous faire voir que celle que j'étale
N'est pas tant qu'il vous semble une vertu brutale;
Que si j'ai droit au trône, elle s'en veut servir,
Et sait bien repousser qui me le veut ravir.
Je vois sur la frontière une puissante armée,
Comme vous l'avez dit, à vaincre accoutumée;
Mais par quelle conduite, et sous quel général?
Le Roi, s'il s'en fait fort, pourrait s'en trouver mal;
Et, s'il voulait passer de son pays au nôtre,
Je lui conseillerais de s'assurer d'un autre.
Mais je vis dans sa cour, je suis dans ses États,
Et j'ai peu de raison de ne le craindre pas.
Seigneur, dans sa cour même, et hors de l'Arménie,
La vertu trouve appui contre la tyrannie.
Tout son peuple a des yeux pour voir quel attentat
Font sur le bien public les maximes d'État :
Il connaît Nicomède, il connaît sa marâtre,
Il en sait, il en voit la haine opiniâtre;
Il voit la servitude où le Roi s'est soumis,
Et connaît d'autant mieux ses dangereux amis.
Pour moi, que vous croyez au bord du précipice,
Bien loin de mépriser Attale par caprice,
J'évite les mépris qu'il recevrait de moi,
S'il tenait de ma main la qualité de roi.
Je le regarderais comme une âme commune,
Comme un homme mieux né pour une autre fortune,
Plus mon sujet qu'époux, et le nœud conjugal
Ne le tirerait pas de ce rang inégal.
Mon peuple à mon exemple en ferait peu d'estime.
Ce serait trop, Seigneur, pour un cœur magnanime :
Mon refus lui fait grâce, et malgré ses désirs,
J'épargne à sa vertu d'éternels déplaisirs.

FLAMINIUS

Si vous me dites vrai, vous êtes ici reine;
Sur l'armée et la cour je vous vois souveraine;
Le Roi n'est qu'une idée, et n'a de son pouvoir

Que ce que par pitié vous lui laissez avoir.
Quoi? même vous allez jusques à faire grâce!
Après cela, Madame, excusez mon audace;
Souffrez que Rome enfin vous parle par ma voix[11] :
Recevoir ambassade est encor de vos droits;
Ou si ce nom vous choque ailleurs qu'en Arménie,
Comme simple Romain souffrez que je vous die
Qu'être allié de Rome, et s'en faire un appui,
C'est l'unique moyen de régner aujourd'hui;
Que c'est par là qu'on tient ses voisins en contrainte,
Ses peuples en repos, ses ennemis en crainte;
Qu'un prince est dans son trône à jamais affermi
Quand il est honoré du nom de son ami;
Qu'Attale avec ce titre est plus roi, plus monarque
Que tous ceux dont le front ose en porter la marque;
Et qu'enfin...

LAODICE

Il suffit; je vois bien ce que c'est :
Tous les rois ne sont rois qu'autant comme il vous plaît;
Mais si de leurs États Rome à son gré dispose,
Certes pour son Attale elle fait peu de chose;
Et qui tient en sa main tant de quoi lui donner
A mendier pour lui devrait moins s'obstiner.
Pour un prince si cher sa réserve m'étonne;
Que ne me l'offre-t-elle avec une couronne?
C'est trop m'importuner en faveur d'un sujet,
Moi qui tiendrais un roi pour un indigne objet,
S'il venait par votre ordre, et si votre alliance
Souillait entre ses mains la suprême puissance.
Ce sont des sentiments que je ne puis trahir :
Je ne veux point de rois qui sachent obéir;
Et puisque vous voyez mon âme tout entière,
Seigneur, ne perdez plus menace ni prière.

FLAMINIUS

Puis-je ne pas vous plaindre en cet aveuglement?
Madame, encore un coup, pensez-y mûrement :
Songez mieux ce qu'est Rome et ce qu'elle peut faire;
Et si vous vous aimez, craignez de lui déplaire.
Carthage étant détruite, Antiochus défait,
Rien de nos volontés ne peut troubler l'effet :

Tout fléchit sur la terre, et tout tremble sur l'onde;
Et Rome est aujourd'hui la maîtresse du monde.

LAODICE

La maîtresse du monde ! Ah ! vous me feriez peur,
S'il ne s'en fallait pas l'Arménie et mon cœur,
Si le grand Annibal n'avait qui lui succède,
S'il ne revivait pas au prince Nicomède,
Et s'il n'avait laissé dans de si dignes mains
L'infaillible secret de vaincre les Romains.
Un si vaillant disciple aura bien le courage
D'en mettre jusqu'au bout les leçons en usage :
L'Asie en fait l'épreuve, où trois sceptres conquis
Font voir en quelle école il en a tant appris.
Ce sont des coups d'essai, mais si grands que peut-être
Le Capitole a droit d'en craindre un coup de maître,
Et qu'il ne puisse un jour...

FLAMINIUS

Ce jour est encor loin,
Madame, et quelques-uns vous diront, au besoin,
Quels dieux du haut en bas renversent les profanes,
Et que même au sortir de Trébie et de Cannes,
Son ombre épouvanta votre grand Annibal.
Mais le voici ce bras à Rome si fatal.

SCÈNE III

NICOMÈDE, LAODICE, FLAMINIUS

NICOMÈDE

Ou Rome à ses agents donne un pouvoir bien large,
Ou vous êtes bien long à faire votre charge.

FLAMINIUS

Je sais quel est mon ordre, et si j'en sors ou non,
C'est à d'autres qu'à vous que j'en rendrai raison.

NICOMÈDE

Allez-y donc, de grâce, et laissez à ma flamme
Le bonheur à son tour d'entretenir Madame :

Vous avez dans son cœur fait de si grands progrès,
Et vos discours pour elle ont de si grands attraits,
Que sans de grands efforts je n'y pourrai détruire
Ce que votre harangue y voulait introduire.

FLAMINIUS

Les malheurs où la plonge une indigne amitié
Me faisaient lui donner un conseil par pitié.

NICOMÈDE

Lui donner de la sorte un conseil charitable,
C'est être ambassadeur et tendre et pitoyable.
Vous a-t-il conseillé beaucoup de lâchetés,
Madame?

FLAMINIUS

Ah! c'en est trop; et vous vous emportez.

NICOMÈDE

Je m'emporte?

FLAMINIUS

Sachez qu'il n'est point de contrée
Où d'un ambassadeur la dignité sacrée...

NICOMÈDE

Ne nous vantez plus tant son rang et sa splendeur :
Qui fait le conseiller n'est plus ambassadeur;
Il excède sa charge, et lui-même y renonce.
Mais dites-moi, Madame, a-t-il eu sa réponse?

LAODICE

Oui, Seigneur.

NICOMÈDE

Sachez donc que je ne vous prends plus
Que pour l'agent d'Attale, et pour Flaminius;
Et si vous me fâchiez, j'ajouterais peut-être
Que pour l'empoisonneur d'Annibal, de mon maître.
Voilà tous les honneurs que vous aurez de moi :
S'ils ne vous satisfont, allez vous plaindre au Roi.

FLAMINIUS

Il me fera justice, encor qu'il soit bon père,
Ou Rome à son refus se la saura bien faire.

NICOMÈDE

Allez de l'un et l'autre embrasser les genoux.

FLAMINIUS

Les effets répondront. Prince, pensez à vous.

SCÈNE IV

NICOMÈDE, LAODICE

NICOMÈDE

Cet avis est plus propre à donner à la Reine.
Ma générosité cède enfin à sa haine :
Je l'épargnais assez pour ne découvrir pas
Les infâmes projets de ses assassinats;
Mais enfin on m'y force, et tout son crime éclate.
J'ai fait entendre au roi Zénon et Métrobate;
Et comme leur rapport a de quoi l'étonner,
Lui-même il prend le soin de les examiner.

LAODICE

Je ne sais pas, Seigneur, quelle en sera la suite;
Mais je ne comprends point toute cette conduite,
Ni comme à cet éclat la Reine vous contraint.
Plus elle vous doit craindre, et moins elle vous craint;
Et plus vous la pouvez accabler d'infamie,
Plus elle vous attaque en mortelle ennemie.

NICOMÈDE

Elle prévient ma plainte, et cherche adroitement
A la faire passer pour un ressentiment;
Et ce masque trompeur de fausse hardiesse
Nous déguise sa crainte et couvre sa faiblesse.

LAODICE

Les mystères de cour souvent sont si cachés
Que les plus clairvoyants y sont bien empêchés.
Lorsque vous n'étiez point ici pour me défendre,
Je n'avais contre Attale aucun combat à rendre;
Rome ne songeait point à troubler notre amour;
Bien plus, on ne vous souffre ici que ce seul jour,
Et dans ce même jour Rome, en votre présence,

Avec chaleur pour lui presse mon alliance.
Pour moi, je ne vois goutte en ce raisonnement,
Qui n'attend point le temps de votre éloignement,
Et j'ai devant les yeux toujours quelque nuage
Qui m'offusque la vue et m'y jette un ombrage.
Le roi chérit sa femme, il craint Rome; et pour vous,
S'il ne voit vos hauts faits d'un œil un peu jaloux,
Du moins, à dire tout, je ne saurais vous taire
Qu'il est trop bon mari pour être assez bon père.
Voyez quel contre-temps Attale prend ici !
Qui l'appelle avec nous? quel projet? quel souci?
Je conçois mal, Seigneur, ce qu'il faut que j'en pense;
Mais j'en romprai le coup, s'il y faut ma présence.
Je vous quitte.

SCÈNE V

NICOMÈDE, ATTALE, LAODICE

ATTALE

Madame, un si doux entretien
N'est plus charmant pour vous quand j'y mêle le mien.

LAODICE

Votre importunité, que j'ose dire extrême,
Me peut entretenir en un autre moi-même :
Il connaît tout mon cœur, et répondra pour moi,
Comme à Flaminius il a fait pour le Roi.

SCÈNE VI

NICOMÈDE, ATTALE

ATTALE

Puisque c'est la chasser, Seigneur, je me retire.

NICOMÈDE

Non, non; j'ai quelque chose aussi bien à vous dire,
Prince. J'avais mis bas, avec le nom d'aîné,

L'avantage du trône où je suis destiné;
Et voulant seul ici défendre ce que j'aime,
Je vous avais prié de l'attaquer de même,
Et de ne mêler point surtout dans vos desseins
Ni le secours du Roi, ni celui des Romains.
Mais ou vous n'avez pas la mémoire fort bonne,
Ou vous n'y mettez rien de ce qu'on vous ordonne.

ATTALE

Seigneur, vous me forcez à m'en souvenir mal,
Quand vous n'achevez pas de rendre tout égal :
Vous vous défaites bien de quelques droits d'aînesse;
Mais vous défaites-vous du cœur de la Princesse,
De toutes les vertus qui vous en font aimer,
Des hautes qualités qui savent tout charmer,
De trois sceptres conquis, du gain de six batailles,
Des glorieux assauts de plus de cent murailles?
Avec de tels seconds rien n'est pour vous douteux.
Rendez donc la Princesse égale entre nous deux :
Ne lui laissez plus voir ce long amas de gloire
Qu'à pleines mains sur vous a versé la victoire;
Et faites qu'elle puisse oublier une fois
Et vos rares vertus, et vos fameux exploits;
Ou contre son amour, contre votre vaillance,
Souffrez Rome et le Roi dedans l'autre balance :
Le peu qu'ils ont gagné vous fait assez juger
Qu'ils n'y mettront jamais qu'un contre-poids léger.

NICOMÈDE

C'est n'avoir pas perdu tout votre temps à Rome,
Que vous savoir ainsi défendre en galant homme :
Vous avez de l'esprit, si vous n'avez du cœur.

SCÈNE VII

ARSINOÉ, NICOMÈDE, ATTALE, ARASPE

ARASPE

Seigneur, le Roi vous mande.

NICOMÈDE

Il me mande?

ARASPE

Oui, Seigneur.

ARSINOÉ

Prince, la calomnie est aisée à détruire.

NICOMÈDE

J'ignore à quel sujet vous m'en venez instruire,
Moi qui ne doute point de cette vérité,
Madame.

ARSINOÉ

Si jamais vous n'en aviez douté,
Prince, vous n'auriez pas, sous l'espoir qui vous flatte,
Amené de si loin Zénon et Métrobate.

NICOMÈDE

Je m'obstinais, Madame, à tout dissimuler;
Mais vous m'avez forcé de les faire parler.

ARSINOÉ

La vérité les force, et mieux que vos largesses.
Ces hommes du commun tiennent mal leurs promesses :
Tous deux en ont plus dit qu'ils n'avaient résolu.

NICOMÈDE

J'en suis fâché pour vous, mais vous l'avez voulu.

ARSINOÉ

Je le veux bien encor, et je n'en suis fâchée
Que d'avoir vu par là votre vertu tachée,
Et qu'il faille ajouter à vos titres d'honneur
La noble qualité de mauvais suborneur.

NICOMÈDE

Je les ai subornés contre vous à ce conte?

ARSINOÉ

J'en ai le déplaisir, vous en aurez la honte.

NICOMÈDE

Et vous pensez par là leur ôter tout crédit?

ARSINOÉ

Non, Seigneur : je me tiens à ce qu'ils en ont dit.

NICOMÈDE

Qu'ont-ils dit qui vous plaise, et que vous vouliez croire?

ARSINOÉ

Deux mots de vérité qui vous comblent de gloire.

NICOMÈDE

Peut-on savoir de vous ces deux mots importants?

ARASPE

Seigneur, le Roi s'ennuie, et vous tardez longtemps.

ARSINOÉ

Vous les saurez de lui, c'est trop le faire attendre.

NICOMÈDE

Je commence, Madame, enfin à vous entendre :
Son amour conjugal, chassant le paternel,
Vous fera l'innocente, et moi le criminel.
Mais...

ARSINOÉ

Achevez, Seigneur; ce mais, que veut-il dire?

NICOMÈDE

Deux mots de vérité qui font que je respire.

ARSINOÉ

Peut-on savoir de vous ces deux mots importants?

NICOMÈDE

Vous les saurez du Roi, je tarde trop longtemps.

SCÈNE VIII

ARSINOÉ, ATTALE

ARSINOÉ

Nous triomphons, Attale; et ce grand Nicomède
Voit quelle digne issue à ses fourbes succède.

Les deux accusateurs que lui-même a produits,
Que pour l'assassiner je dois avoir séduits,
Pour me calomnier subornés par lui-même,
N'ont su bien soutenir un si noir stratagème.
Tous deux m'ont accusée, et tous deux avoué
L'infâme et lâche tour qu'un prince m'a joué.
Qu'en présence des rois les vérités sont fortes !
Que pour sortir d'un cœur elles trouvent de portes !
Qu'on en voit le mensonge aisément confondu !
Tous deux voulaient me perdre, et tous deux l'ont perdu.

ATTALE

Je suis ravi de voir qu'une telle imposture
Ait laissé votre gloire et plus grande et plus pure;
Mais pour l'examiner et bien voir ce que c'est,
Si vous pouviez vous mettre un peu hors d'intérêt,
Vous ne pourriez jamais sans un peu de scrupule,
Avoir pour deux méchants une âme si crédule.
Ces perfides tous deux se sont dits aujourd'hui
Et subornés par vous, et subornés par lui :
Contre tant de vertus, contre tant de victoires,
Doit-on quelque croyance à des âmes si noires?
Qui se confesse traître est indigne de foi.

ARSINOÉ

Vous êtes généreux, Attale, et je le voi,
Même de vos rivaux la gloire vous est chère.

ATTALE

Si je suis son rival, je suis aussi son frère;
Nous ne sommes qu'un sang, et ce sang dans mon cœur
A peine à le passer pour calomniateur.

ARSINOÉ

Et vous en avez moins à me croire assassine,
Moi dont la perte est sûre, à moins que sa ruine?

ATTALE

Si contre lui j'ai peine à croire ces témoins,
Quand ils vous accusaient je les croyais bien moins.
Votre vertu, Madame, est au-dessus du crime.
Souffrez donc que pour lui je garde un peu d'estime :
La sienne dans la cour lui fait mille jaloux,

Dont quelqu'un a voulu le perdre auprès de vous;
Et ce lâche attentat n'est qu'un trait de l'envie
Qui s'efforce à noircir une si belle vie.
 Pour moi, si par soi-même on peut juger d'autrui,
Ce que je sens en moi, je le présume en lui.
Contre un si grand rival j'agis à force ouverte,
Sans blesser son honneur, sans pratiquer sa perte.
J'emprunte du secours, et le fais hautement;
Je crois qu'il n'agit pas moins généreusement,
Qu'il n'a que les desseins où sa gloire l'invite,
Et n'oppose à mes vœux que son propre mérite.

ARSINOÉ

Vous êtes peu du monde, et savez mal la cour.

ATTALE

Est-ce autrement qu'en prince on doit traiter l'amour?

ARSINOÉ

Vous le traitez, mon fils, et parlez en jeune homme.

ATTALE

Madame, je n'ai vu que des vertus à Rome.

ARSINOÉ

Le temps vous apprendra par de nouveaux emplois
Quelles vertus il faut à la suite des rois.
Cependant, si le Prince est encor votre frère,
Souvenez-vous aussi que je suis votre mère;
Et malgré les soupçons que vous avez conçus,
Venez savoir du Roi ce qu'il croit là-dessus.

ACTE IV

SCÈNE PREMIÈRE

PRUSIAS, ARSINOÉ, ARASPE

PRUSIAS

FAITES venir le Prince, Araspe.

(Araspe rentre.)

Et vous, Madame,
Retenez des soupirs dont vous me percez l'âme.
Quel besoin d'accabler mon cœur de vos douleurs,
Quand vous y pouvez tout sans le secours des pleurs?
Quel besoin que ces pleurs prennent votre défense?
Douté-je de son crime ou de votre innocence?
Et reconnaissez-vous que tout ce qu'il m'a dit
Par quelque impression ébranle mon esprit?

ARSINOÉ

Ah! Seigneur, est-il rien qui répare l'injure
Que fait à l'innocence un moment d'imposture?
Et peut-on voir mensonge assez tôt avorté
Pour rendre à la vertu toute sa pureté?
Il en reste toujours quelque indigne mémoire
Qui porte une souillure à la plus haute gloire.
Combien en votre cour est-il de médisants?
Combien le Prince a-t-il d'aveugles partisans,
Qui sachant une fois qu'on m'a calomniée,
Croiront que votre amour m'a seul justifiée?
Et si la moindre tache en demeure à mon nom,
Si le moindre du peuple en conserve un soupçon,
Suis-je digne de vous, et de telles alarmes
Touchent-elles trop peu pour mériter mes larmes?

PRUSIAS

Ah! c'est trop de scrupule, et trop mal présumer
D'un mari qui vous aime et qui vous doit aimer.

La gloire est plus solide après la calomnie,
Et brille d'autant mieux qu'elle s'en vit ternie.
Mais voici Nicomède, et je veux qu'aujourd'hui...

SCÈNE II

PRUSIAS, ARSINOÉ, NICOMÈDE,
ARASPE, GARDES

ARSINOÉ

Grâce, grâce, Seigneur, à notre unique appui !
Grâce à tant de lauriers en sa main si fertiles !
Grâce à ce conquérant, à ce preneur de villes !
Grâce...

NICOMÈDE

De quoi, Madame? est-ce d'avoir conquis
Trois sceptres, que ma perte expose à votre fils?
D'avoir porté si loin vos armes dans l'Asie,
Que même votre Rome en a pris jalousie?
D'avoir trop soutenu la majesté des rois?
Trop rempli votre cour du bruit de mes exploits?
Trop du grand Annibal pratiqué les maximes?
S'il faut grâce pour moi, choisissez de mes crimes,
Les voilà tous, Madame; et si vous y joignez
D'avoir cru des méchants par quelque autre gagnés,
D'avoir une âme ouverte, une franchise entière,
Qui dans leur artifice a manqué de lumière,
C'est gloire et non pas crime à qui ne voit le jour
Qu'au milieu d'une armée et loin de votre cour,
Qui n'a que la vertu de son intelligence,
Et vivant sans remords, marche sans défiance.

ARSINOÉ

Je m'en dédis, Seigneur : il n'est point criminel.
S'il m'a voulu noircir d'un opprobre éternel,
Il n'a fait qu'obéir à la haine ordinaire
Qu'imprime à ses pareils le nom de belle-mère.
De cette aversion son cœur préoccupé
M'impute tous les traits dont il se sent frappé.
Que son maître Annibal, malgré la foi publique,

S'abandonne aux fureurs d'une terreur panique;
Que ce vieillard confie et gloire et liberté
Plutôt au désespoir qu'à l'hospitalité;
Ces terreurs, ces fureurs sont de mon artifice.
Quelque appas que lui-même il trouve en Laodice,
C'est moi qui fais qu'Attale a des yeux comme lui;
C'est moi qui force Rome à lui servir d'appui;
De cette seule main part tout ce qui le blesse;
Et pour venger ce maître et sauver sa maîtresse,
S'il a tâché, Seigneur, de m'éloigner de vous,
Tout est trop excusable en un amant jaloux.
Ce faible et vain effort ne touche point mon âme.
Je sais que tout mon crime est d'être votre femme;
Que ce nom seul l'oblige à me persécuter;
Car enfin, hors de là, que peut-il m'imputer?
Ma voix, depuis dix ans qu'il commande une armée,
A-t-elle refusé d'enfler sa renommée?
Et lorsqu'il l'a fallu puissamment secourir,
Que la moindre longueur l'aurait laissé périr,
Quel autre a mieux pressé les secours nécessaires?
Qui l'a mieux dégagé de ses destins contraires?
A-t-il eu près de vous un plus soigneux agent
Pour hâter les renforts et d'hommes et d'argent?
Vous le savez, Seigneur, et pour reconnaissance,
Après l'avoir servi de toute ma puissance,
Je vois qu'il a voulu me perdre auprès de vous;
Mais tout est excusable en un amant jaloux :
Je vous l'ai déjà dit.

PRUSIAS

Ingrat ! que peux-tu dire?

NICOMÈDE

Que la Reine a pour moi des bontés que j'admire.
Je ne vous dirai point que ces puissants secours
Dont elle a conservé mon honneur et mes jours,
Et qu'avec tant de pompe à vos yeux elle étale,
Travaillaient par ma main à la grandeur d'Attale;
Que par mon propre bras elle amassait pour lui,
Et préparait dès lors ce qu'on voit aujourd'hui :
Par quelques sentiments qu'elle aye été poussée,
J'en laisse le ciel juge, il connaît sa pensée;
Il sait pour mon salut comme elle a fait des vœux;

Il lui rendra justice, et peut-être à tous deux.
Cependant, puisque enfin l'apparence est si belle,
Elle a parlé pour moi, je dois parler pour elle,
Et pour son intérêt vous faire souvenir
Que vous laissez longtemps deux méchants à punir.
Envoyez Métrobate et Zénon au supplice.
Sa gloire attend de vous ce digne sacrifice :
Tous deux l'ont accusée; et s'ils s'en sont dédits
Pour la faire innocente et charger votre fils,
Ils n'ont rien fait pour eux, et leur mort est trop juste
Après s'être joués d'une personne auguste.
L'offense une fois faite à ceux de notre rang
Ne se répare point que par des flots de sang :
On n'en fut jamais quitte ainsi pour s'en dédire.
Il faut sous les tourments que l'imposture expire;
Ou vous exposeriez tout votre sang royal
A la légèreté d'un esprit déloyal.
L'exemple est dangereux et hasarde nos vies,
S'il met en sûreté de telles calomnies.

ARSINOÉ

Quoi? Seigneur, les punir de la sincérité
Qui soudain dans leur bouche a mis la vérité,
Qui vous a contre moi sa fourbe découverte,
Qui vous rend votre femme et m'arrache à ma perte,
Qui vous a retenu d'en prononcer l'arrêt,
Et couvrir tout cela de mon seul intérêt!
C'est être trop adroit, Prince, et trop bien l'entendre.

PRUSIAS

Laisse là Métrobate, et songe à te défendre :
Purge-toi d'un forfait si honteux et si bas.

NICOMÈDE

M'en purger! moi, Seigneur! vous ne le croyez pas!
Vous ne savez que trop qu'un homme de ma sorte,
Quand il se rend coupable, un peu plus haut se porte;
Qu'il lui faut un grand crime à tenter son devoir,
Où sa gloire se sauve à l'ombre du pouvoir.
Soulever votre peuple, et jeter votre armée
Dedans les intérêts d'une reine opprimée;
Venir, le bras levé, la tirer de vos mains,
Malgré l'amour d'Attale et l'effort des Romains,

Et fondre en vos pays contre leur tyrannie
Avec tous vos soldats et toute l'Arménie,
C'est ce que pourrait faire un homme tel que moi,
S'il pouvait se résoudre à vous manquer de foi.
La fourbe n'est le jeu que des petites âmes,
Et c'est là proprement le partage des femmes.
  Punissez donc, Seigneur, Métrobate et Zénon;
Pour la Reine, ou pour moi, faites-vous-en raison.
A ce dernier moment la conscience presse;
Pour rendre compte aux Dieux tout respect humain cesse;
Et ces esprits légers, approchant des abois,
Pourraient bien se dédire une seconde fois.

ARSINOÉ

Seigneur...

NICOMÈDE

Parlez, Madame, et dites quelle cause
A leur juste supplice obstinément s'oppose;
Ou laissez-nous penser qu'aux portes du trépas
Ils auraient des remords qui ne vous plairaient pas.

ARSINOÉ

Vous voyez à quel point sa haine m'est cruelle;
Quand je le justifie, il me fait criminelle;
Mais sans doute, Seigneur, ma présence l'aigrit,
Et mon éloignement remettra son esprit;
Il rendra quelque calme à son cœur magnanime,
Et lui pourra sans doute épargner plus d'un crime.
  Je ne demande point que par compassion
Vous assuriez un sceptre à ma protection,
Ni que pour garantir la personne d'Attale,
Vous partagiez entre eux la puissance royale;
Si vos amis de Rome en ont pris quelque soin,
C'était sans mon aveu, je n'en ai pas besoin.
Je n'aime point si mal que de ne vous pas suivre,
Sitôt qu'entre mes bras vous cesserez de vivre;
Et sur votre tombeau mes premières douleurs
Verseront tout ensemble et mon sang et mes pleurs.

PRUSIAS

Ah! Madame.

ARSINOÉ

Oui, Seigneur, cette heure infortunée
Par vos derniers soupirs clora ma destinée;
Et puisque ainsi jamais il ne sera mon roi,
Qu'ai-je à craindre de lui? que peut-il contre moi?
Tout ce que je demande en faveur de ce gage,
De ce fils qui déjà lui donne tant d'ombrage,
C'est que chez les Romains il retourne achever
Des jours que dans leur sein vous fîtes élever;
Qu'il retourne y traîner, sans péril et sans gloire,
De votre amour pour moi l'impuissante mémoire.
Ce grand prince vous sert, et vous servira mieux
Quand il n'aura plus rien qui lui blesse les yeux;
Et n'appréhendez point Rome ni sa vengeance;
Contre tout son pouvoir il a trop de vaillance :
Il sait tous les secrets du fameux Annibal,
De ce héros à Rome en tous lieux si fatal,
Que l'Asie et l'Afrique admirent l'avantage
Qu'en tire Antiochus, et qu'en reçut Carthage.
Je me retire donc, afin qu'en liberté
Les tendresses du sang pressent votre bonté;
Et je ne veux plus voir ni qu'en votre présence
Un prince que j'estime indignement m'offense,
Ni que je sois forcée à vous mettre en courroux
Contre un fils si vaillant et si digne de vous.

SCÈNE III

PRUSIAS, NICOMÈDE, ARASPE

PRUSIAS

Nicomède, en deux mots, ce désordre me fâche.
Quoi qu'on t'ose imputer, je ne te crois point lâche;
Mais donnons quelque chose à Rome, qui se plaint,
Et tâchons d'assurer la Reine qui te craint.
J'ai tendresse pour toi, j'ai passion pour elle;
Et je ne veux pas voir cette haine éternelle,
Ni que des sentiments que j'aime à voir durer
Ne règnent dans mon cœur que pour le déchirer.

J'y veux mettre d'accord l'amour et la nature,
Etre père et mari dans cette conjoncture...

NICOMÈDE

Seigneur, voulez-vous bien vous en fier à moi?
Ne soyez l'un ni l'autre.

PRUSIAS

Et que dois-je être?

NICOMÈDE

Roi.

Reprenez hautement ce noble caractère.
Un véritable roi n'est ni mari ni père[12];
Il regarde son trône, et rien de plus. Régnez;
Rome vous craindra plus que vous ne la craignez.
Malgré cette puissance et si vaste et si grande,
Vous pouvez déjà voir comme elle m'appréhende,
Combien en me perdant elle espère gagner,
Parce qu'elle prévoit que je saurai régner.

PRUSIAS

Je règne donc ingrat! puisque tu me l'ordonnes;
Choisis, ou Laodice, ou mes quatre couronnes.
Ton roi fait ce partage entre ton frère et toi;
Je ne suis plus ton père, obéis à ton roi.

NICOMÈDE

Si vous étiez aussi le roi de Laodice,
Pour l'offrir à mon choix avec quelque justice,
Je vous demanderais le loisir d'y penser;
Mais enfin pour vous plaire, et ne pas l'offenser,
J'obéirai, Seigneur, sans répliques frivoles,
A vos intentions, et non à vos paroles.
A ce frère si cher transportez tous mes droits,
Et laissez Laodice en liberté du choix.
Voilà quel est le mien.

PRUSIAS

Quelle bassesse d'âme,
Quelle fureur t'aveugle en faveur d'une femme?
Tu la préfères, lâche! à ces prix glorieux
Que ta valeur unit au bien de tes aïeux!
Après cette infamie es-tu digne de vivre[13]?

NICOMÈDE

Je crois que votre exemple est glorieux à suivre :
Ne préférez-vous pas une femme à ce fils
Par qui tous ces États aux vôtres sont unis?

PRUSIAS

Me vois-tu renoncer pour elle au diadème?

NICOMÈDE

Me voyez-vous pour l'autre y renoncer moi-même?
Que cédé-je à mon frère en cédant vos États?
Ai-je droit d'y prétendre avant votre trépas?
Pardonnez-moi ce mot, il est fâcheux à dire,
Mais un monarque enfin comme un autre homme expire;
Et vos peuples alors, ayant besoin d'un roi,
Voudront choisir peut-être entre ce prince et moi.
Seigneur, nous n'avons pas si grande ressemblance,
Qu'il faille de bons yeux pour y voir différence;
Et ce vieux droit d'aînesse est souvent si puissant,
Que pour remplir un trône il rappelle un absent.
Que si leurs sentiments se règlent sur les vôtres,
Sous le joug de vos lois j'en ai bien rangé d'autres;
Et dussent vos Romains en être encor jaloux,
Je ferai bien pour moi ce que j'ai fait pour vous.

PRUSIAS

J'y donnerai bon ordre.

NICOMÈDE

Oui, si leur artifice
De votre sang par vous se fait un sacrifice;
Autrement vos États à ce prince livrés
Ne seront en ses mains qu'autant que vous vivrez.
Ce n'est point en secret que je vous le déclare;
Je le dis à lui-même, afin qu'il s'y prépare :
Le voilà qui m'entend.

PRUSIAS

Va, sans verser mon sang,
Je saurai bien ingrat! l'assurer en ce rang;
Et demain...

SCÈNE IV

PRUSIAS, NICOMÈDE, ATTALE,
FLAMINIUS, ARASPE, GARDES

FLAMINIUS

Si pour moi vous êtes en colère,
Seigneur, je n'ai reçu qu'une offense légère :
Le sénat en effet pourra s'en indigner;
Mais j'ai quelques amis qui sauront le gagner.

PRUSIAS

Je lui ferai raison; et dès demain Attale
Recevra de ma main la puissance royale;
Je le fais roi de Pont, et mon seul héritier,
Et quant à ce rebelle, à ce courage fier,
Rome entre vous et lui jugera de l'outrage;
Je veux qu'au lieu d'Attale il lui serve d'otage;
Et pour l'y mieux conduire, il vous sera donné,
Sitôt qu'il aura vu son frère couronné.

NICOMÈDE

Vous m'envoirez à Rome !

PRUSIAS

On t'y fera justice.
Va, va lui demander ta chère Laodice.

NICOMÈDE

J'irai, j'irai, Seigneur, vous le voulez ainsi;
Et j'y serai plus roi que vous n'êtes ici.

FLAMINIUS

Rome sait vos hauts faits, et déjà vous adore.

NICOMÈDE

Tout beau, Flaminius ! je n'y suis pas encore :
La route en est mal sûre, à tout considérer,
Et qui m'y conduira pourra bien s'égarer.

PRUSIAS

Qu'on le ramène, Araspe, et redoublez sa garde.
Toi, rends grâces à Rome, et sans cesse regarde
Que comme son pouvoir eſt la source du tien,
En perdant son appui tu ne seras plus rien.
Vous, Seigneur, excusez si, me trouvant en peine
De quelques déplaisirs que m'a fait voir la Reine,
Je vais l'en consoler, et vous laisse avec lui.
Attale, encore un coup, rends grâce à ton appui.

SCÈNE V

FLAMINIUS, ATTALE

ATTALE

Seigneur, que vous dirai-je après des avantages
Qui sont même trop grands pour les plus grands courages!
Vous n'avez point de borne, et votre affection
Passe votre promesse et mon ambition.
Je l'avouerai pourtant, le trône de mon père
Ne fait pas le bonheur que plus je considère :
Ce qui touche mon cœur, ce qui charme mes sens,
C'eſt Laodice acquise à mes yeux innocents.
La qualité de roi qui me rend digne d'elle...

FLAMINIUS

Ne rendra pas son cœur à vos vœux moins rebelle.

ATTALE

Seigneur, l'occasion fait un cœur différent :
D'ailleurs, c'eſt l'ordre exprès de son père mourant;
Et par son propre aveu la reine d'Arménie
Eſt due à l'héritier du roi de Bithynie.

FLAMINIUS

Ce n'eſt pas loi pour elle; et reine comme elle eſt.
Cet ordre, à bien parler, n'eſt que ce qu'il lui plaît.
Aimerait-elle en vous l'éclat d'un diadème

Qu'on vous donne aux dépens d'un grand prince qu'elle
En vous qui la privez d'un si cher protecteur? [aime?
En vous qui de sa chute êtes l'unique auteur?

ATTALE

Ce prince hors d'ici, Seigneur, que fera-t-elle?
Qui contre Rome et nous soutiendra sa querelle?
Car j'ose me promettre encor votre secours.

FLAMINIUS

Les choses quelquefois prennent un autre cours;
Pour ne vous point flatter, je n'en veux pas répondre.

ATTALE

Ce serait bien, Seigneur, de tout point me confondre,
Et je serais moins roi qu'un objet de pitié,
Si le bandeau royal m'ôtait votre amitié.
Mais je m'alarme trop, et Rome est plus égale :
N'en avez-vous pas l'ordre?

FLAMINIUS

Oui, pour le prince Attale,
Pour un homme en son sein nourri dès le berceau;
Mais pour le roi de Pont il faut ordre nouveau.

ATTALE

Il faut ordre nouveau ! Quoi? se pourrait-il faire
Qu'à l'œuvre de ses mains Rome devînt contraire?
Que ma grandeur naissante y fît quelques jaloux?

FLAMINIUS

Que présumez-vous, Prince? et que me dites-vous?

ATTALE

Vous-même dites-moi comme il faut que j'explique
Cette inégalité de votre république.

FLAMINIUS

Je vais vous l'expliquer, et veux bien vous guérir
D'une erreur dangereuse où vous semblez courir.
Rome, qui vous servait auprès de Laodice,
Pour vous donner son trône eût fait une injustice :
Son amitié pour vous lui faisait cette loi;

Mais par d'autres moyens elle vous a fait roi;
Et le soin de sa gloire à présent la dispense
De se porter pour vous à cette violence.
Laissez donc cette reine en pleine liberté,
Et tournez vos désirs de quelque autre côté.
Rome de votre hymen prendra soin d'elle-même.

ATTALE

Mais s'il arrive enfin que Laodice m'aime?

FLAMINIUS

Ce serait mettre encor Rome dans le hasard
Que l'on crût artifice ou force de sa part;
Cet hymen jetterait une ombre sur sa gloire.
Prince, n'y pensez plus, si vous m'en pouvez croire;
Ou si de mes conseils vous faites peu d'état,
N'y pensez plus du moins sans l'aveu du sénat.

ATTALE

A voir quelle froideur à tant d'amour succède,
Rome ne m'aime pas; elle hait Nicomède;
Et lorsqu'à mes désirs elle a feint d'applaudir,
Elle a voulu le perdre et non pas m'agrandir.

FLAMINIUS

Pour ne vous faire pas de réponse trop rude
Sur ce beau coup d'essai de votre ingratitude,
Suivez votre caprice, offensez vos amis :
Vous êtes souverain, et tout vous est permis;
Mais puisque enfin ce jour vous doit faire connaître
Que Rome vous a fait ce que vous allez être,
Que perdant son appui, vous ne serez plus rien,
Que le Roi vous l'a dit, souvenez-vous-en bien.

SCÈNE VI

ATTALE

Attale, était-ce ainsi que régnaient tes ancêtres?
Veux-tu le nom de roi pour avoir tant de maîtres?
Ah! ce titre à ce prix déjà m'est importun :

S'il nous en faut avoir, du moins n'en ayons qu'un.
Le ciel nous l'a donné trop grand, trop magnanime,
Pour souffrir qu'aux Romains il serve de victime.
Montrons-leur hautement que nous avons des yeux,
Et d'un si rude joug affranchissons ces lieux.
Puisque à leurs intérêts tout ce qu'ils font s'applique,
Que leur vaine amitié cède à leur politique,
Soyons à notre tour de leur grandeur jaloux,
Et comme ils font pour eux faisons aussi pour nous.

ACTE V

SCÈNE PREMIÈRE

ARSINOÉ, ATTALE

ARSINOÉ

J'AI prévu ce tumulte, et n'en vois rien à craindre :
Comme un moment l'allume, un moment peut l'éteindre,
Et si l'obscurité laisse croître ce bruit,
Le jour dissipera les vapeurs de la nuit.
Je me fâche bien moins qu'un peuple se mutine,
Que de voir que ton cœur dans son amour s'obstine,
Et d'une indigne ardeur lâchement embrasé
Ne rend point de mépris à qui t'a méprisé.
Venge-toi d'une ingrate, et quitte une cruelle,
A présent que le sort t'a mis au-dessus d'elle.
Son trône, et non ses yeux, avait dû te charmer :
Tu vas régner sans elle; à quel propos l'aimer?
Porte, porte ce cœur à de plus douces chaînes.
Puisque te voilà roi, l'Asie a d'autres reines,
Qui loin de te donner des rigueurs à souffrir,
T'épargneront bientôt la peine de t'offrir.

ATTALE

Mais, Madame...

ARSINOÉ

Eh bien ! soit, je veux qu'elle se rende :
Prévois-tu les malheurs qu'ensuite j'appréhende?
Sitôt que d'Arménie elle t'aura fait roi,
Elle t'engagera dans sa haine pour moi.
Mais, ô Dieux ! pourra-t-elle y borner sa vengeance?
Pourras-tu dans son lit dormir en assurance?
Et refusera-t-elle à son ressentiment
Le fer ou le poison pour venger son amant?
Qu'est-ce qu'en sa fureur une femme n'essaie?

ATTALE

Que de fausses raisons pour me cacher la vraie !
Rome, qui n'aime pas à voir un puissant roi,
L'a craint en Nicomède, et le craindrait en moi.
Je ne dois plus prétendre à l'hymen d'une reine,
Si je ne veux déplaire à notre souveraine;
Et puisque la fâcher ce serait me trahir,
Afin qu'elle me souffre, il vaut mieux obéir.
Je sais par quels moyens sa sagesse profonde
S'achemine à grands pas à l'empire du monde.
Aussitôt qu'un État devient un peu trop grand,
Sa chute doit guérir l'ombrage qu'elle en prend.
C'est blesser les Romains que faire une conquête,
Que mettre trop de bras sous une seule tête;
Et leur guerre est trop juste, après cet attentat
Que fait sur leur grandeur un tel crime d'État.
Eux, qui pour gouverner sont les premiers des hommes,
Veulent que sous leur ordre on soit ce que nous sommes,
Veulent sur tous les rois un si haut ascendant,
Que leur empire seul demeure indépendant.
Je les connais, Madame, et j'ai vu cet ombrage
Détruire Antiochus et renverser Carthage.
De peur de choir comme eux, je veux bien m'abaisser,
Et cède à des raisons que je ne puis forcer.
D'autant plus justement mon impuissance y cède,
Que je vois qu'en leurs mains on livre Nicomède.
Un si grand ennemi leur répond de ma foi;
C'est un lion tout prêt à déchaîner sur moi.

ARSINOÉ

C'est de quoi je voulais vous faire confidence;
Mais vous me ravissez d'avoir cette prudence.
Le temps pourra changer; cependant prenez soin
D'assurer des jaloux dont vous avez besoin.

SCÈNE II

FLAMINIUS, ARSINOÉ, ATTALE

ARSINOÉ

Seigneur, c'est remporter une haute victoire
Que de rendre un amant capable de me croire :

J'ai su le ramener aux termes du devoir,
Et sur lui la raison a repris son pouvoir.

FLAMINIUS

Madame, voyez donc si vous serez capable
De rendre également ce peuple raisonnable.
Le mal croît; il est temps d'agir de votre part,
Ou quand vous le voudrez, vous le voudrez trop tard.
Ne vous figurez plus que ce soit le confondre
Que de le laisser faire et ne lui point répondre.
Rome autrefois a vu de ces émotions,
Sans embrasser jamais vos résolutions.
Quand il fallait calmer toute une populace,
Le sénat n'épargnait promesse ni menace,
Et rappelait par là son escadron mutin
Et du mont Quirinal et du mont Aventin,
Dont il l'aurait vu faire une horrible descente,
S'il eût traité longtemps sa fureur d'impuissante
Et l'eût abandonnée à sa confusion,
Comme vous semblez faire en cette occasion.

ARSINOÉ

Après ce grand exemple en vain on délibère :
Ce qu'a fait le sénat montre ce qu'il faut faire;
Et le Roi... Mais il vient.

SCÈNE III

PRUSIAS, ARSINOÉ, FLAMINIUS, ATTALE

PRUSIAS

Je ne puis plus douter,
Seigneur, d'où vient le mal que je vois éclater :
Ces mutins ont pour chefs les gens de Laodice.

FLAMINIUS

J'en avais soupçonné déjà son artifice.

ATTALE

Ainsi votre tendresse et vos soins sont payés !

FLAMINIUS

Seigneur, il faut agir; et si vous m'en croyez...

SCÈNE IV

PRUSIAS, ARSINOÉ, FLAMINIUS,
ATTALE, CLÉONE

CLÉONE

Tout est perdu, Madame, à moins d'un prompt remède:
Tout le peuple à grands cris demande Nicomède;
Il commence lui-même à se faire raison,
Et vient de déchirer Métrobate et Zénon.

ARSINOÉ

Il n'est donc plus à craindre, il a pris ses victimes :
Sa fureur sur leur sang va consumer ses crimes;
Elle s'applaudira de cet illustre effet,
Et croira Nicomède amplement satisfait.

FLAMINIUS

Si ce désordre était sans chefs et sans conduite,
Je voudrais, comme vous, en craindre moins la suite :
Le peuple par leur mort pourrait s'être adouci;
Mais un dessein formé ne tombe pas ainsi :
Il suit toujours son but jusqu'à ce qu'il l'emporte;
Le premier sang versé rend sa fureur plus forte;
Il l'amorce, il l'acharne, il en éteint l'horreur,
Et ne lui laisse plus ni pitié ni terreur.

SCÈNE V

PRUSIAS, ARSINOÉ, FLAMINIUS, ATTALE,
CLÉONE, ARASPE

ARASPE

Seigneur, de tous côtés le peuple vient en foule;
De moment en moment votre garde s'écoule;

Et suivant les discours qu'ici même j'entends,
Le Prince entre mes mains ne sera pas longtemps;
Je n'en puis plus répondre.

PRUSIAS

Allons, allons le rendre,
Ce précieux objet d'une amitié si tendre.
Obéissons, Madame, à ce peuple sans foi,
Qui las de m'obéir, en veut faire son roi;
Et du haut d'un balcon, pour calmer la tempête,
Sur ses nouveaux sujets faisons voler sa tête.

ATTALE

Ah! Seigneur.

PRUSIAS

C'eſt ainsi qu'il lui sera rendu :
A qui le cherche ainsi, c'eſt ainsi qu'il eſt dû.

ATTALE

Ah! Seigneur, c'eſt tout perdre, et livrer à sa rage
Tout ce qui de plus près touche votre courage;
Et j'ose dire ici que votre Majeſté
Aura peine elle-même à trouver sûreté.

PRUSIAS

Il faut donc se résoudre à tout ce qu'il m'ordonne,
Lui rendre Nicomède avecque ma couronne :
Je n'ai point d'autre choix; et s'il eſt le plus fort,
Je dois à son idole ou mon sceptre ou la mort.

FLAMINIUS

Seigneur, quand ce dessein aurait quelque juſtice,
Eſt-ce à vous d'ordonner que ce prince périsse?
Quel pouvoir sur ses jours vous demeure permis?
C'eſt l'otage de Rome, et non plus votre fils :
Je dois m'en souvenir, quand son père l'oublie.
C'eſt attenter sur nous qu'ordonner de sa vie;
J'en dois compte au sénat, et n'y puis consentir.
Ma galère eſt au port toute prête à partir;
Le palais y répond par la porte secrète :
Si vous le voulez perdre, agréez ma retraite;

Souffrez que mon départ fasse connaître à tous
Que Rome a des conseils plus justes et plus doux;
Et ne l'exposez pas à ce honteux outrage
De voir à ses yeux même immoler son otage.

ARSINOÉ

Me croirez-vous, Seigneur, et puis-je m'expliquer?

PRUSIAS

Ah ! rien de votre part ne saurait me choquer :
Parlez.

ARSINOÉ

Le ciel m'inspire un dessein dont j'espère
Et satisfaire Rome et ne vous pas déplaire.
S'il est prêt à partir, il peut en ce moment
Enlever avec lui son otage aisément :
Cette porte secrète ici nous favorise;
Mais, pour faciliter d'autant mieux l'entreprise,
Montrez-vous à ce peuple, et flattant son courroux,
Amusez-le du moins à débattre avec vous :
Faites-lui perdre temps, tandis qu'en assurance
La galère s'éloigne avec son espérance;
S'il force le palais, et ne l'y trouve plus,
Vous ferez comme lui le surpris, le confus;
Vous accuserez Rome, et promettrez vengeance
Sur quiconque sera de son intelligence.
Vous envoierez après, sitôt qu'il sera jour[14],
Et vous lui donnerez l'espoir d'un prompt retour,
Où mille empêchements que vous ferez vous-même
Pourront de toutes parts aider au stratagème.
Quelque aveugle transport qu'il témoigne aujourd'hui,
Il n'attentera rien tant qu'il craindra pour lui,
Tant qu'il présumera son effort inutile.
Ici la délivrance en paraît trop facile;
Et s'il l'obtient, Seigneur, il faut fuir vous et moi :
S'il le voit à sa tête, il en fera son roi;
Vous le jugez vous-même.

PRUSIAS

Ah ! j'avouerai, Madame,
Que le ciel a versé ce conseil dans votre âme.
Seigneur, se peut-il voir rien de mieux concerté?

FLAMINIUS

Il vous assure et vie, et gloire, et liberté;
Et vous avez d'ailleurs Laodice en otage;
Mais qui perd temps ici perd tout son avantage.

PRUSIAS

Il n'en faut donc plus perdre : allons-y de ce pas.

ARSINOÉ

Ne prenez avec vous qu'Araspe et trois soldats :
Peut-être un plus grand nombre aurait quelque infidèle.
J'irai chez Laodice, et m'assurerai d'elle.
Attale, où courez-vous?

ATTALE

Je vais de mon côté
De ce peuple mutin amuser la fierté,
A votre stratagème en ajouter quelque autre.

ARSINOÉ

Songez que ce n'est qu'un que mon sort et le vôtre,
Que vos seuls intérêts me mettent en danger.

ATTALE

Je vais périr, Madame, ou vous en dégager.

ARSINOÉ

Allez donc. J'aperçois la reine d'Arménie.

SCÈNE VI

ARSINOÉ, LAODICE, CLÉONE

ARSINOÉ

La cause de nos maux doit-elle être impunie?

LAODICE

Non, Madame; et pour peu qu'elle ait d'ambition,
Je vous réponds déjà de sa punition.

ARSINOÉ

Vous qui savez son crime, ordonnez de sa peine.

LAODICE

Un peu d'abaissement suffit pour une reine :
C'est déjà trop de voir son dessein avorté.

ARSINOÉ

Dites, pour châtiment de sa témérité,
Qu'il lui faudrait du front tirer le diadème.

LAODICE

Parmi les généreux il n'en va pas de même :
Ils savent oublier quand ils ont le dessus,
Et ne veulent que voir leurs ennemis confus.

ARSINOÉ

Ainsi qui peut vous croire aisément se contente !

LAODICE

Le ciel ne m'a pas fait l'âme plus violente.

ARSINOÉ

Soulever des sujets contre leur souverain,
Leur mettre à tous le fer et la flamme en la main,
Jusque dans le palais pousser leur insolence,
Vous appelez cela fort peu de violence?

LAODICE

Nous nous entendons mal, Madame; et je le voi,
Ce que je dis pour vous, vous l'expliquez pour moi.
Je suis hors de souci pour ce qui me regarde;
Et je viens vous chercher pour vous prendre en ma garde,
Pour ne hasarder pas en vous la majesté
Au manque de respect d'un grand peuple irrité.
Faites venir le Roi, rappelez votre Attale,
Que je conserve en eux la dignité royale :
Ce peuple en sa fureur peut les connaître mal.

ARSINOÉ

Peut-on voir un orgueil à votre orgueil égal?
Vous, par qui seule ici tout ce désordre arrive;
Vous, qui dans ce palais vous voyez ma captive;

Vous, qui me répondrez au prix de votre sang
De tout ce qu'un tel crime attente sur mon rang,
Vous me parlez encore avec la même audace
Que si j'avais besoin de vous demander grâce !

LAODICE

Vous obstiner, Madame, à me parler ainsi,
C'est ne vouloir pas voir que je commande ici,
Que quand il me plaira, vous serez ma victime.
Et ne m'imputez point ce grand désordre à crime :
Votre peuple est coupable, et dans tous vos sujets
Ces cris séditieux sont autant de forfaits;
Mais pour moi qui suis reine, et qui dans nos querelles,
Pour triompher de vous, vous ai fait ces rebelles,
Par le droit de la guerre il fut toujours permis
D'allumer la révolte entre ses ennemis :
M'enlever mon époux, c'est vous faire la mienne.

ARSINOÉ

Je la suis donc, Madame; et quoi qu'il en avienne,
Si ce peuple une fois enfonce le palais,
C'est fait de votre vie, et je vous le promets.

LAODICE

Vous tiendrez mal parole, ou bientôt sur ma tombe
Tout le sang de vos rois servira d'hécatombe.
Mais avez-vous encor parmi votre maison
Quelque autre Métrobate, ou quelque autre Zénon?
N'appréhendez-vous point que tous vos domestiques
Ne soient déjà gagnés par mes sourdes pratiques?
En savez-vous quelqu'un si prêt à se trahir,
Si las de voir le jour, que de vous obéir?
Je ne veux point régner sur votre Bithynie :
Ouvrez-moi seulement les chemins d'Arménie;
Et pour voir tout d'un coup vos malheurs terminés,
Rendez-moi cet époux qu'en vain vous retenez.

ARSINOÉ

Sur le chemin de Rome il vous faut l'aller prendre;
Flaminius l'y mène, et pourra vous le rendre :
Mais hâtez-vous, de grâce, et faites bien ramer.
Car déjà sa galère a pris le large en mer.

LAODICE

Ah ! si je le croyais !...

ARSINOÉ

N'en doutez point, Madame.

LAODICE

Fuyez donc les fureurs qui saisissent mon âme :
Après le coup fatal de cette indignité,
Je n'ai plus ni respect ni générosité.
Mais plutôt demeurez pour me servir d'otage,
Jusqu'à ce que ma main de ses fers le dégage.
J'irai jusque dans Rome en briser les liens,
Avec tous vos sujets, avecque tous les miens;
Aussi bien Annibal nommait une folie
De présumer la vaincre ailleurs qu'en Italie[15].
Je veux qu'elle me voie au cœur de ses États
Soutenir ma fureur d'un million de bras;
Et sous mon désespoir rangeant sa tyrannie...

ARSINOÉ

Vous voulez donc enfin régner en Bithynie?
Et dans cette fureur qui vous trouble aujourd'hui,
Le Roi pourra souffrir que vous régniez pour lui?

LAODICE

J'y régnerai, Madame, et sans lui faire injure.
Puisque le Roi veut bien n'être roi qu'en peinture,
Que lui doit importer qui donne ici la loi,
Et qui règne pour lui des Romains ou de moi?
Mais un second otage entre mes mains se jette.

SCÈNE VII

ARSINOÉ, LAODICE, ATTALE, CLÉONE

ARSINOÉ

Attale, avez-vous su comme ils ont fait retraite?

ATTALE

Ah ! Madame.

ARSINOÉ

Parlez.

ATTALE

Tous les Dieux irrités
Dans les derniers malheurs nous ont précipités.
Le Prince eſt échappé.

LAODICE

Ne craignez plus, Madame :
La générosité déjà rentre en mon âme.

ARSINOÉ

Attale, prenez-vous plaisir à m'alarmer?

ATTALE

Ne vous flattez point tant que de le présumer.
Le malheureux Araspe, avec sa faible escorte,
L'avait déjà conduit à cette fausse porte;
L'ambassadeur de Rome était déjà passé,
Quand dans le sein d'Araspe un poignard enfoncé
Le jette aux pieds du Prince. Il s'écrie, et sa suite,
De peur d'un pareil sort, prend aussitôt la fuite.

ARSINOÉ

Et qui dans cette porte a pu le poignarder?

ATTALE

Dix ou douze soldats qui semblaient la garder.
Et ce prince...

ARSINOÉ

Ah ! mon fils, qu'il eſt partout de traîtres !
Qu'il eſt peu de sujets fidèles à leurs maîtres !
Mais de qui savez-vous un désaſtre si grand?

ATTALE

Des compagnons d'Araspe, et d'Araspe mourant.
Mais écoutez encor ce qui me désespère.
J'ai couru me ranger auprès du Roi mon père;
Il n'en était plus temps : ce monarque étonné
A ses frayeurs déjà s'était abandonné,
Avait pris un esquif pour tâcher de rejoindre
Ce Romain, dont l'effroi peut-être n'eſt pas moindre.

SCÈNE VIII

PRUSIAS, FLAMINIUS, ARSINOÉ, LAODICE, ATTALE, CLÉONE

PRUSIAS

Non, non; nous revenons l'un et l'autre en ces lieux
Défendre votre gloire, ou mourir à vos yeux.

ARSINOÉ

Mourons, mourons, Seigneur, et dérobons nos vies
A l'absolu pouvoir des fureurs ennemies;
N'attendons pas leur ordre, et montrons-nous jaloux
De l'honneur qu'ils auraient à disposer de nous.

LAODICE

Ce désespoir, Madame, offense un si grand homme
Plus que vous n'avez fait en l'envoyant à Rome :
Vous devez le connaître; et puisqu'il a ma foi,
Vous devez présumer qu'il eﬆ digne de moi.
Je le désavouerais, s'il n'était magnanime,
S'il manquait à remplir l'effort de mon eﬆime,
S'il ne faisait paraître un cœur toujours égal.
Mais le voici : voyez si je le connais mal.

SCÈNE IX

PRUSIAS, NICOMÈDE, ARSINOÉ, LAODICE, FLAMINIUS, ATTALE, CLÉONE

NICOMÈDE

Tout eﬆ calme, Seigneur : un moment de ma vue
A soudain apaisé la populace émue.

PRUSIAS

Quoi? me viens-tu braver jusque dans mon palais,
Rebelle?

NICOMÈDE

C'est un nom que je n'aurai jamais.
Je ne viens point ici montrer à votre haine
Un captif insolent d'avoir brisé sa chaîne;
Je viens en bon sujet vous rendre le repos
Que d'autres intérêts troublaient mal à propos.
Non que je veuille à Rome imputer quelque crime :
Du grand art de régner elle suit la maxime;
Et son ambassadeur ne fait que son devoir,
Quand il veut entre nous partager le pouvoir.
Mais ne permettez pas qu'elle vous y contraigne :
Rendez-moi votre amour, afin qu'elle vous craigne;
Pardonnez à ce peuple un peu trop de chaleur
Qu'à sa compassion a donné mon malheur;
Pardonnez un forfait qu'il a cru nécessaire,
Et qui ne produira qu'un effet salutaire.
Faites-lui grâce aussi, Madame, et permettez
Que jusques au tombeau j'adore vos bontés.
Je sais par quel motif vous m'êtes si contraire :
Votre amour maternel veut voir régner mon frère;
Et je contribuerai moi-même à ce dessein,
Si vous pouvez souffrir qu'il soit roi de ma main.
Oui, l'Asie à mon bras offre encor des conquêtes;
Et pour l'en couronner mes mains sont toutes prêtes :
Commandez seulement, choisissez en quels lieux,
Et j'en apporterai la couronne à vos yeux.

ARSINOÉ

Seigneur, faut-il si loin pousser votre victoire,
Et qu'ayant en vos mains et mes jours et ma gloire,
La haute ambition d'un si puissant vainqueur
Veuille encor triompher jusque dedans mon cœur?
Contre tant de vertu je ne puis le défendre;
Il est impatient lui-même de se rendre.
Joignez cette conquête à trois sceptres conquis,
Et je croirai gagner en vous un second fils.

PRUSIAS

Je me rends donc aussi, Madame; et je veux croire
Qu'avoir un fils si grand est ma plus grande gloire.
Mais parmi les douceurs qu'enfin nous recevons,
Faites-nous savoir, Prince, à qui nous vous devons.

NICOMÈDE

L'auteur d'un si grand coup m'a caché son visage;
Mais il m'a demandé mon diamant pour gage,
Et me le doit ici rapporter dès demain.

ATTALE

Le voulez-vous, Seigneur, reprendre de ma main?

NICOMÈDE

Ah ! laissez-moi toujours à cette digne marque
Reconnaître en mon sang un vrai sang de monarque.
Ce n'est plus des Romains l'esclave ambitieux,
C'est le libérateur d'un sang si précieux.
Mon frère, avec mes fers vous en brisez bien d'autres :
Ceux du Roi, de la Reine, et les siens et les vôtres.
Mais pourquoi vous cacher en sauvant tout l'État?

ATTALE

Pour voir votre vertu dans son plus haut éclat;
Pour la voir seule agir contre notre injustice,
Sans la préoccuper par ce faible service;
Et me venger enfin ou sur vous ou sur moi,
Si j'eusse mal jugé de tout ce que je voi.
Mais, Madame...

ARSINOÉ

Il suffit : voilà le stratagème
Que vous m'aviez promis pour moi contre moi-même.
(A Nicomède.)
Et j'ai l'esprit, Seigneur, d'autant plus satisfait,
Que mon sang rompt le cours du mal que j'avais fait.

NICOMÈDE, *à Flaminius.*

Seigneur, à découvert, toute âme généreuse
D'avoir votre amitié doit se tenir heureuse;
Mais nous n'en voulons plus avec ces dures lois
Qu'elle jette toujours sur la tête des rois :
Nous vous la demandons hors de la servitude,
Ou le nom d'ennemi nous semblera moins rude.

FLAMINIUS, *à Nicomède.*

C'est de quoi le sénat pourra délibérer;
Mais cependant pour lui j'ose vous assurer,

Prince, qu'à ce défaut vous aurez son eſtime,
Telle que doit l'attendre un cœur si magnanime;
Et qu'il croira se faire un illuſtre ennemi,
S'il ne vous reçoit pas pour généreux ami.

PRUSIAS

Nous autres, réunis sous de meilleurs auspices,
Préparons à demain de juſtes sacrifices;
Et demandons aux Dieux, nos dignes souverains,
Pour comble de bonheur l'amitié des Romains.

PERTHARITE
ROI DES LOMBARDS
TRAGÉDIE

AU LECTEUR

La mauvaise réception que le public a faite à cet ouvrage, m'avertit qu'il eſt temps que je sonne la retraite, et que des préceptes de mon Horace je ne songe plus à pratiquer que celui-ci :

Solve senescentem mature sanus equum, ne
Peccet ad extremum ridendus et ilia ducat.

Il vaut mieux que je prenne congé de moi-même que d'attendre qu'on me le donne tout à fait; et il eſt juſte qu'après vingt années de travail, je commence à m'apercevoir que je deviens trop vieux pour être encore à la mode[1]. J'en remporte cette satisfaction, que je laisse le théâtre français en meilleur état que je ne l'ai trouvé, et du côté de l'art et du côté des mœurs : les grands génies qui lui ont prêté leurs veilles de mon temps y ont beaucoup contribué; et je me flatte jusqu'à penser que mes soins n'y ont pas nui : il en viendra de plus heureux après nous qui le mettront à sa perfection, et achèveront de l'épurer; je le souhaite de tout mon cœur. Cependant agréez que je joigne ce malheureux poëme aux vingt et un qui l'ont précédé avec plus d'éclat; ce sera la dernière importunité que je vous ferai de cette nature : non que j'en fasse une résolution si forte qu'elle ne se puisse rompre; mais il y a grande apparence que j'en demeurerai là. Je ne vous dirai rien touchant la juſtification de *Pertharite :* ce n'eſt pas ma coutume de m'opposer au jugement du public; mais vous ne serez pas fâché que je vous fasse voir à mon ordinaire les originaux dont j'ai tiré cet événement, afin que vous puissiez séparer le faux d'avec le vrai, et les embellissements de nos feintes d'avec la pureté de l'hiſtoire. Celui qui l'a écrite le premier a été Paul Diacre, à la fin de son quatrième livre, et au commencement du cinquième, *des Geſtes des Lombards;* et pour n'y mêler rien du mien, je vous en donne la traduction fidèle qu'en a faite Antoine du Verdier dans ses *Diverses leçons;* j'y ajoute un mot d'Erycus Puteanus, pour quelques circonſtances en quoi ils diffèrent, et je le laisse en latin de peur de corrompre la beauté de son langage par la faiblesse de mes expressions. Flavius Blondus, dans son *Hiſtoire de la décadence de l'Empire romain,* parle encore de Pertharite; mais comme il le fait chasser de son royaume étant encore enfant, sans nommer Rodelinde qu'à la fin de sa vie, je n'ai pas cru qu'il fût à propos de vous produire un témoin qui ne dit rien de ce que je traite.

ANTOINE DU VERDIER

Livre IV de ses *Diverses leçons,* chapitre XII.

Pertharite fut fils d'Aripert, roi des Lombards, lequel, après la mort du père régna à Milan; et Gondebert, son frère, à Pavie; et étant survenue quelque noise et querelle entre les deux frères, Gondebert envoya Garibalde, duc de Turin, par devers Grimoald, comte de Bénévent, capitaine généreux, le priant de le vouloir secourir contre Pertharite, avec promesse de lui donner une sienne sœur en mariage. Mais Garibalde, usant de trahison envers son seigneur, persuada à Grimoald d'y venir pour occuper le royaume, qui par la discorde des frères était en fort mauvais état, et prochain de sa ruine. Ce qu'entendant Grimoald se dépouilla de sa comté de Bénévent, de laquelle il fit comte son fils, et avec le plus de force qu'il put assembler, se mit en chemin pour aller à Pavie; et par toutes les cités où il passa s'acquit plusieurs amis, pour s'en aider à prendre le royaume. Étant arrivé à Pavie, et parlé qu'il eut à Gondebert, il le tua par l'intelligence et moyen de Garibalde, et occupa le royaume. Pertharite entendant ces nouvelles, abandonna Rodelinde sa femme et un sien petit fils, lesquels Grimoald confina à Bénévent, et s'enfuit et retira vers Cacan, roi des Avariens ou Huns. Grimoald ayant confirmé et établi son royaume à Pavie, entendant que Pertharite s'étoit sauvé vers Cacan, lui envoya ambassadeurs pour lui faire entendre que s'il gardoit Pertharite en son royaume, il ne jouiroit plus de la paix qu'il avoit eue avec les Lombards, et qu'il auroit un roi pour ennemi. Suivant laquelle ambassade, le roi des Avariens appela en secret Pertharite, lui disant qu'il allât là par où il voudroit, afin que par lui les Avariens ne tombassent en l'inimitié des Lombards : ce qu'ayant entendu Pertharite, s'en retournant en Italie, vint trouver Grimoald, soy fiant en sa clémence, et comme il fut près de la ville de Lodi, il envoya devant un sien gentilhomme nommé Unulphe, auquel il se fioit grandement, pour advertir Grimoald de sa venue. Unulphe se présentant au nouveau roi, lui donna avis comme Pertharite avoit recours à sa bonté, à laquelle il se venoit librement soumettre, s'il lui plaisoit l'accepter. Quoi entendant Grimoald, lui promit et jura de ne faire aucun déplaisir à son maître, lequel pouvoit venir sûrement, quand il voudroit, sur sa foi. Unulphe ayant rapporté telle réponse à son seigneur Pertharite, iceluy vint se présenter devant Grimoald, et se prosterner à ses pieds, lequel le reçut gracieusement et le baisa. Quoi fait, Pertharite lui dit : « Je vous suis serviteur; et sachant que vous êtes très-chrétien et ami de piété, bien que je pusse vivre entre les païens, néanmoins, me confiant en votre douceur et débonnaireté, me suis venu rendre à vos pieds. » Lors Grimoald, usant de ses serments accoutumés, lui promit, disant : « Par celui qui m'a fait naître, puisque vous avez recours à ma foi, vous ne souffrirez mal aucun en chose qui soit, et donnerai ordre que vous pourrez honnêtement vivre. »

Ce dit, lui ayant fait donner un bon logis, commanda qu'il fût entretenu selon sa qualité, et que toutes choses à lui nécessaires lui fussent abondamment baillées. Or comme Pertharite eut pris congé du Roi, et se fut retiré en son logis, advint que soudain les citoyens de Pavie à grandes troupes accoururent pour le voir et saluer, comme l'ayant auparavant connu et honoré. Mais voici de combien peut nuire une mauvaise langue. Quelques flatteurs et malins, ayant pris garde aux caresses faites par le peuple à Pertharite, vinrent trouver Grimoald, et lui firent entendre que si bientôt il ne faisoit tuer Pertharite, il étoit en branle de perdre le royaume et la vie, lui assurant qu'à cette fin tous ceux de la ville lui faisoient la cour. Grimoald, homme facile à croire, et bien souvent trop de léger, s'étonna aucunement, et atteint de défiance, ayant mis en oubli sa promesse, s'enflamma subitement de colère, et dès lors jura la mort de l'innocent Pertharite, commençant à prendre avis en soi par quel moyen et en quelle sorte il lui pourroit le lendemain ôter la vie, pour ce que lors étoit trop tard; et à ce soir lui envoya diverses sortes de viandes, et vins des plus friands en grande abondance pour le faire enivrer, afin que par trop boire et manger, et étant enseveli en vin et à dormir, il ne pût penser aucunement à son salut. Mais un gentilhomme qui avoit jadis été serviteur du père de Pertharite, qui lui portoit de la viande de la part du Roi, baissant la tête sous la table, comme s'il lui eût voulu faire la révérence et embrasser le genouil, lui fit savoir secrètement que Grimoald avoit délibéré de le faire mourir : dont Pertharite commanda à l'instant à son échanson qu'il ne lui versât autre breuvage durant le repas qu'un peu d'eau dans sa coupe d'argent. Tellement qu'étant Pertharite invité par les courtisans, qui lui présentoient les viandes de diverses sortes, de faire brindes[2], et ne laisser rien dans sa coupe pour l'amour du Roi; lui, pour l'honneur et révérence de Grimoald, promettoit de la vider du tout, et toutefois ce n'étoit qu'eau qu'il buvoit. Les gentilshommes et serviteurs rapportèrent à Grimoald comme Pertharite haussoit le gobelet, et buvoit à sa bonne grâce démesurément; de quoi se réjouissant, Grimoald dit en riant : « Cet yvrongne boive son saoul seulement, car demain il rendra le vin mêlé avec son sang. » Le soir même il envoya ses gardes entourer la maison de Pertharite, afin qu'il ne s'en pût fuir : lequel, après qu'il eût soupé, et que tous furent sortis de la chambre, lui demeuré seul avec Unulphe et le page qui avoit accoutumé le vêtir, lesquels étoient les deux plus fidèles serviteurs qu'il eût, leur découvrit comme Grimoald avoit entrepris de le faire mourir : pour à quoi obvier, Unulphe lui chargea sur les épaules les couvertes d'un lit, une coutre, et une peau d'ours qui lui couvroit le dos et le visage; et comme si c'eust été quelque rustique ou faquin, commença de grande affection à le chasser à grands coups de bâton hors de la chambre, et à lui faire plusieurs outrages et vilenies, tellement que chassé et ainsi battu, il se laissoit choir souvent en terre : ce que voyant les gardes de Grimoald qui étoient en sentinelle à l'entour de la maison, demandèrent à Unulphe que c'étoit : « C'eſt, répondit-il, un maraud de valet que j'ai, qui, outre mon commandement, m'avoit dressé mon lit en la chambre de cet yvrongne Pertharite, lequel eſt tellement rempli de vin qu'il dort comme mort; et partant je le frappe. » Eux entendant ces paroles, les croyant véritables, se réjouirent tous, et pensant que Pertharite fût un valet, lui firent place et à Unulphe, et les laissèrent aller. La même nuit Pertharite arriva en la ville d'Aſt, et de là passa les monts, et vint en France. Or comme il fut sorti, et Unulphe après, le fidèle page avoit diligemment fermé la porte après lui, et demeura seul dedans la chambre, là où le lendemain les messagers du Roi vinrent pour mener Pertharite au palais; et ayant frappé à l'huis, le page prioit d'attendre, disant : « Pour Dieu, ayez pitié de lui, et laissez-le achever de dormir; car étant encore lassé du chemin, il dort de profond sommeil. » Ce que lui ayant accordé, le rapportèrent à Grimoald, lequel dit que tant mieux, et commanda que quoi que ce fût, on y retournât, et qu'ils l'amenassent : auquel commandement les soldats revinrent heurter de plus fort à l'huis de la chambre, et le page les pria de permettre qu'il reposât encore un peu; mais ils crioient et tempêtoient de tant plus, disant : « N'aura meshuy dormi assez cet yvrongne? » et en un même temps rompirent à coups de pieds la porte, et entrés dedans cherchèrent Pertharite dans le lit; mais ne le trouvant point, demandèrent au page où il étoit, lequel leur dit qu'il s'en étoit fui. Lors ils prirent le page par les cheveux, et le menèrent en grande furie au palais; et comme ils furent devant le Roi, dirent que Pertharite avoit fait vie[3], à quoi le page avoit tenu la main, dont il méritoit la mort. Grimoald demanda par ordre par quel moyen Pertharite s'étoit sauvé; et le page lui conta le fait de la sorte qu'il étoit advenu. Grimoald connoissant la fidélité de ce jeune homme, voulut qu'il fût un de ses pages, l'exhortant à lui garder celle foi qu'il avoit à Pertharite, lui promettant en outre de lui faire beaucoup de bien. Il fit venir en après Unulphe devant lui, auquel il pardonna de même, lui recommandant sa foi et sa prudence. Quelques jours après, il lui demanda s'il ne vouloit pas être bientôt avec Pertharite : à quoi Unulphe avec serment, répondit que plutôt il auroit voulu mourir avec Pertharite que vivre en tout autre lieu en tout plaisir et délices. Le Roi fit pareille demande au page, à savoir-mon s'il trouvoit meilleur de demeurer avec soi au palais que de vivre avec Pertharite en exil; mais le page lui ayant répondu comme Unulphe avoit fait, le Roi, prenant en bonne part leurs paroles, et louant la foi de tous deux, commanda à Unulphe demander tout ce qu'il voudroit de sa maison, et qu'il s'en allât en toute sûreté trouver Pertharite. Il licencia et donna congé de même au page, lequel avec Unulphe, portans avec eux, par la courtoisie et libéralité du Roi, ce qui leur étoit de besoin pour leur voyage, s'en allèrent en France trouver leur désiré seigneur Pertharite.

ERYCUS PUTEANUS

Historiae barbaricae, lib. II, n° xv.

Tàm tragico nuncio obstupefactus Pertharitus, ampliusque tyrannum quam fratrem timens, fugam ad Cacanum Hunnorum regem arripuit, Rodelindâ uxore et filio Cuniperto Mediolani relictis : sed jam magnâ sui parte miser, et in carissimis pignoribus captus, cùm a rege hospite rejiceretur, ad hostem redire statuit, et cujus sævitiam timuerat, clementiam experiri. Quid votis obesset? non regnum, sed incolumitas quærebatur. Etenim Pertharitus, quasi pati jam fortunæ contumeliam posset, fratre occiso, supplex esse sustinuit : et quia ampliùs putavit Grimoaldus, reddere vitam, quam regnum eripere, facilis fuit. Longè tamen aliud fata ordiebantur : ut nec securus esset, qui parcere voluit; nec liber à discrimine, qui salutem duntaxat pactus erat. Atque intereà rex novus, destinatis nuptiis potentiam firmaturus, desponsam sibi virginem tori sceptrique sociam assumit. Et sic in familiâ Ariperti regium permanere nomen videbatur; quippè post filios gener diadema sumpserat. Venit igitur Ticinum Pertharitus, et, suæ oblitus appellationis, sororem reginam salutavit. Plenus mutuæ benevolentiæ hic congressus fuit, ac planè redire ad felicitatem profugus videbatur, nisi quod non imperaret. Domus et familia quasi proximam nupero splendori vitam acturo datur. Quid fit? Visendi et salutandi causâ cum frequentes confluerent, partim Longobardi, partim Insubres, humanitatis regem pœnituit. Sic officia nocuere : et quia in exemplum benignitas miserantis valuit, extincta est. A populo coli, et regnum moliri, juxtà habitum. Itaque, ut rex metu solveretur, secundum parricidium non exhorruit. Nuper manu, nunc imperio, cruentus, morti Pertharitum destinat. Sed nihil insidiæ, nihil percussores immissi potuêre : elapsus est. Amicâ et ingeniosâ Unulphi fraude beneficium salutis stetit, qui inclusum et obsessum ursinâ pelle circumtegens et tanquam pro mancipio pellens, cubiculo ejecit. Dolum ingesta quoque verbera vestiebant : et quia nox erat, falli satellites potuêre. Facinus quemadmodùm regi displicuit, ità fidei exemplum laudatum est.

EXAMEN

Le succès de cette tragédie a été si malheureux, que pour m'épargner le chagrin de m'en souvenir, je n'en dirai presque rien. Le sujet est écrit par Paul Diacre, aux 4. et 5. livres des *Gestes des Lombards,* et depuis lui, par Erycus Puteanus, au second livre de son *Histoire des invasions de l'Italie par les Barbares.* Ce qui l'a fait avorter au théâtre a été l'événement extraordinaire qui me l'avait fait choisir. On n'y a pu supporter qu'un roi dépouillé de son royaume, après avoir fait tout son possible pour y rentrer, se voyant sans forces et sans amis, en cède à son vainqueur les droits inutiles, afin de retirer sa femme prisonnière de ses mains : tant les vertus de bon mari sont peu à la mode[4] ! On n'y a pas aimé la surprise avec laquelle Pertharite se présente au troisième acte, quoique le bruit de son retour soit épandu dès le premier, ni que Grimoald reporte toutes ses affections à Edüige, sitôt qu'il a reconnu que la vie de Pertharite, qu'il avait cru mort jusque-là, le mettait dans l'impossibilité de réussir auprès de Rodelinde. J'ai parlé ailleurs[5] de l'inégalité de l'emploi des personnages, qui donne à Rodelinde le premier rang dans les trois premiers actes, et la réduit au second ou au troisième dans les deux derniers. J'ajoute ici, malgré sa disgrâce, que les sentiments en sont assez vifs et nobles, les vers assez bien tournés, et que la façon dont le sujet s'explique dans la première scène ne manque pas d'artifice.

ACTEURS

PERTHARITE, *Roi des Lombards.*
GRIMOALD, *Comte de Bénévent, ayant conquis le royaume des Lombards sur Pertharite.*
GARIBALDE, *Duc de Turin.*
UNULPHE, *Seigneur lombard.*
RODELINDE, *Femme de Pertharite.*
EDUIGE, *Sœur de Pertharite.*
SOLDATS.

La scène est à Milan.

ACTE PREMIER

SCÈNE PREMIÈRE

RODELINDE, UNULPHE

RODELINDE

Oui, l'honneur qu'il me rend ne fait que m'outrager;
Je vous le dis encor, rien ne peut me changer :
Ses conquêtes pour moi sont des objets de haine;
L'hommage qu'il m'en fait renouvelle ma peine,
Et, comme son amour redouble mon tourment,
Si je le hais vainqueur, je le déteste amant.
  Voilà quelle je suis, et quelle je veux être,
Et ce que vous direz au comte votre maître.

UNULPHE

Dites au Roi, Madame.

RODELINDE

Ah ! je ne pense pas
Que de moi Grimoald exige un cœur si bas;
S'il m'aime, il doit aimer cette digne arrogance
Qui brave ma fortune et remplit ma naissance.
  Si d'un roi malheureux et la fuite et la mort
L'assurent dans son trône à titre du plus fort,
Ce n'est point à sa veuve à traiter de monarque
Un prince qui ne l'est qu'à cette triste marque.
Qu'il ne se flatte point d'un espoir décevant :
Il est toujours pour moi comte de Bénévent,
Toujours l'usurpateur du sceptre de nos pères,
Et toujours, en un mot, l'auteur de mes misères.

UNULPHE

C'est ne connaître pas la source de vos maux,
Que de les imputer à ses nobles travaux.

Laissez à sa vertu le prix qu'elle mérite,
Et n'en accusez plus que votre Pertharite :
Son ambition seule...

RODELINDE

Unulphe, oubliez-vous
Que vous parlez à moi, qu'il était mon époux?

UNULPHE

Non; mais vous oubliez que bien que la naissance
Donnât à son aîné la suprême puissance,
Il osa toutefois partager avec lui
Un sceptre dont son bras devait être l'appui;
Qu'on vit alors deux rois en votre Lombardie,
Pertharite à Milan, Gundebert à Pavie,
Dont ce dernier, piqué par un tel attentat,
Voulut entre ses mains réunir son État,
Et ne put voir longtemps en celles de son frère...

RODELINDE

Dites qu'il fut rebelle aux ordres de son père.
Le Roi, qui connaissait ce qu'ils valaient tous deux,
Mourant entre leurs bras, fit ce partage entre eux :
Il vit en Pertharite une âme trop royale
Pour ne pas lui laisser une fortune égale;
Et vit en Gundebert un cœur assez abjet
Pour ne mériter pas son frère pour sujet.
Ce n'est pas attenter aux droits d'une couronne
Qu'en conserver la part qu'un père nous en donne;
De son dernier vouloir c'est se faire des lois,
Honorer sa mémoire, et défendre son choix.

UNULPHE

Puisque vous le voulez, j'excuse son courage;
Mais condamnez du moins l'auteur de ce partage,
Dont l'amour indiscret pour des fils généreux,
Les faisant tous deux rois, les a perdus tous deux.
Ce mauvais politique avait dû reconnaître
Que le plus grand État ne peut souffrir qu'un maître,
Que les rois n'ont qu'un trône et qu'une majesté,
Que leurs enfants entre eux n'ont point d'égalité,
Et qu'enfin la naissance a son ordre infaillible
Qui fait de leur couronne un point indivisible.

RODELINDE

Et toutefois le ciel par les événements
Fit voir qu'il approuvait ses justes sentiments.
Du jaloux Gundebert l'ambitieuse haine
Fondant sur Pertharite, y trouva tôt sa peine.
Une bataille entre eux vidait leur différend;
Il en sortit défait, il en sortit mourant :
Son trépas nous laissait toute la Lombardie,
Dont il nous enviait une faible partie;
Et j'ai versé des pleurs qui n'auraient pas coulé
Si votre Grimoald ne s'en fût point mêlé.
Il lui promit vengeance, et sa main plus vaillante
Rendit après sa mort sa haine triomphante :
Quand nous croyions le sceptre en la nôtre affermi,
Nous changeâmes de sort en changeant d'ennemi;
Et le voyant régner où régnaient les deux frères,
Jugez à qui je puis imputer nos misères.

UNULPHE

Excusez un amour que vos yeux ont éteint :
Son cœur pour Édüige en était lors atteint;
Et pour gagner la sœur à ses désirs trop chère,
Il fallut épouser les passions du frère.
Il arma ses sujets, plus pour la conquérir,
Qu'à dessein de vous nuire ou de le secourir.
Alors qu'il arriva, Gundebert rendait l'âme,
Et sut en ce moment abuser de sa flamme.
« Bien, dit-il, que je touche à la fin de mes jours,
Vous n'avez pas en vain amené du secours;
Ma mort vous va laisser ma sœur et ma querelle;
Si vous l'osez aimer, vous combattrez pour elle. »
Il la proclame reine; et sans retardement
Les chefs et les soldats ayant prêté serment,
Il en prend d'elle un autre, et de mon prince même :
« Pour montrer à tous deux à quel point je vous aime,
Je vous donne, dit-il, Grimoald pour époux,
Mais à condition qu'il soit digne de vous;
Et vous ne croirez point, ma sœur, qu'il vous mérite,
Qu'il n'ait vengé ma mort et détruit Pertharite,
Qu'il n'ait conquis Milan, qu'il n'y donne la loi.
A la main d'une reine, il faut celle d'un roi. »
Voilà ce qu'il voulut, voilà ce qu'ils jurèrent,
Voilà sur quoi tous deux contre vous s'animèrent.

Non que souvent mon prince, impatient amant,
N'ait voulu prévenir l'effet de son serment;
Mais contre son amour la Princesse obstinée
A toujours opposé la parole donnée;
Si bien que ne voyant autre espoir de guérir,
Il a fallu sans cesse et vaincre et conquérir.
Enfin, après deux ans, Milan par sa conquête
Lui donnait Édüige en couronnant sa tête,
Si ce même Milan dont elle était le prix
N'eût fait perdre à ses yeux ce qu'ils avaient conquis.
Avec un autre sort il prit un cœur tout autre.
Vous fûtes sa captive, et le fîtes le vôtre;
Et la princesse alors par un bizarre effet,
Pour l'avoir voulu roi, le perdit tout à fait.
Nous le vîmes quitter ses premières pensées,
N'avoir plus pour l'hymen ces ardeurs empressées,
Éviter Édüige, à peine lui parler,
Et sous divers prétextes à son tour reculer.
Ce n'est pas que longtemps il n'ait tâché d'éteindre
Un feu dont vos vertus avaient lieu de se plaindre;
Et tant que dans sa fuite a vécu votre époux,
N'étant plus à sa sœur, il n'osait être à vous;
Mais sitôt que sa mort l'eut rendu légitime
Cette ardeur qui n'était jusque-là qu'un doux crime...

SCÈNE II

RODELINDE, ÉDUIGE, UNULPHE

ÉDUIGE

Madame, si j'étais d'un naturel jaloux,
Je m'inquiéterais de le voir avec vous,
Je m'imaginerais, ce qui pourrait bien être,
Que ce fidèle agent vous parle pour son maître;
Mais comme mon esprit n'est pas si peu discret
Qu'il vous veuille envier la douceur du secret,
De cette opinion j'aime mieux me défendre,
Pour mettre en votre choix celle que je dois prendre,
La régler par votre ordre, et croire avec respect
Tout ce qu'il vous plaira d'un entretien suspect.

RODELINDE

Le secret n'eſt pas grand qu'aisément on devine,
Et l'on peut croire alors tout ce qu'on s'imagine.
Oui, Madame, son maître a de fort mauvais yeux;
Et s'il m'en pouvait croire, il en userait mieux.

ÉDUIGE

Il a beau s'éblouir alors qu'il vous regarde,
Il vous échappera si vous n'y prenez garde.
Il lui faut obéir, tout amoureux qu'il eſt,
Et vouloir ce qu'il veut, quand et comme il lui plaît.

RODELINDE

Avez-vous reconnu par votre expérience
Qu'il faille déférer à son impatience?

ÉDUIGE

Vous ne savez que trop ce que c'eſt que sa foi.

RODELINDE

Autre eſt celle d'un comte, autre celle d'un roi;
Et comme un nouveau rang forme une âme nouvelle,
D'un comte déloyal il fait un roi fidèle.

ÉDUIGE

Mais quelquefois, Madame, avec facilité
On croit des maris morts qui sont pleins de santé;
Et lorsqu'on se prépare aux seconds hyménées,
On voit par leur retour des veuves étonnées.

RODELINDE

Qu'avez-vous vu, Madame, ou que vous a-t-on dit?

ÉDUIGE

Ce mot un peu trop tôt vous alarme l'esprit.
Je ne vous parle pas de votre Pertharite;
Mais il se pourra faire enfin qu'il ressuscite,
Qu'il rende à vos désirs leur juſte possesseur;
Et c'eſt dont je vous donne avis en bonne sœur.

RODELINDE

N'abusez point d'un nom que votre orgueil rejette.
Si vous étiez ma sœur, vous seriez ma sujette;

Mais un sceptre vaut mieux que les titres du sang,
Et la nature cède à la splendeur du rang.

ÉDUIGE

La nouvelle vous fâche, et du moins importune
L'espoir déjà formé d'une bonne fortune.
Consolez-vous, Madame : il peut n'en être rien;
Et souvent on nous dit ce qu'on ne sait pas bien.

RODELINDE

Il sait mal ce qu'il dit, quiconque vous fait croire
Qu'aux feux de Grimoald je trouve quelque gloire.
Il eſt vaillant, il règne, et comme il faut régner;
Mais toutes ses vertus me le font dédaigner.
Je hais dans sa valeur l'effort qui le couronne;
Je hais dans sa bonté les cœurs qu'elle lui donne;
Je hais dans sa prudence un grand peuple charmé;
Je hais dans sa juſtice un tyran trop aimé;
Je hais ce grand secret d'assurer sa conquête,
D'attacher fortement ma couronne à sa tête;
Et le hais d'autant plus que je vois moins de jour
A détruire un vainqueur qui règne avec amour.

ÉDUIGE

Cette haine qu'en vous sa vertu même excite
Eſt fort ingénieuse à voir tout son mérite;
Et qui nous parle ainsi d'un objet odieux
En dirait bien du mal s'il plaisait à ses yeux.

RODELINDE

Qui hait brutalement permet tout à sa haine :
Il s'emporte, il se jette où sa fureur l'entraîne,
Il ne veut avoir d'yeux que pour ses faux portraits;
Mais qui hait par devoir ne s'aveugle jamais :
C'eſt sa raison qui hait, qui toujours équitable,
Voit en l'objet haï ce qu'il a d'eſtimable,
Et verrait en l'aimé ce qu'il y faut blâmer,
Si ce même devoir lui commandait d'aimer.

ÉDUIGE

Vous en savez beaucoup.

RODELINDE

Je sais comme il faut vivre.

ÉDUIGE

Vous êtes donc, Madame, un grand exemple à suivre.

RODELINDE

Pour vivre l'âme saine, on n'a qu'à m'imiter.

ÉDUIGE

Et qui veut vivre aimé n'a qu'à vous en conter?

RODELINDE

J'aime en vous un soupçon qui vous sert de supplice :
S'il me fait quelque outrage, il m'en fait bien justice.

ÉDUIGE

Quoi? vous refuseriez Grimoald pour époux?

RODELINDE

Si je veux l'accepter, m'en empêcherez-vous?
Ce qui jusqu'à présent vous donne tant d'alarmes,
Sitôt qu'il me plaira, vous coûtera des larmes;
Et quelque grand pouvoir que vous preniez sur moi,
Je n'ai qu'à dire un mot pour vous faire la loi.
N'aspirez point, Madame, où je voudrai prétendre :
Tout son cœur est à moi, si je daigne le prendre.
Consolez-vous pourtant : il m'en fait l'offre en vain;
Je veux bien sa couronne, et ne veux point sa main.
Faites, si vous pouvez, revivre Pertharite,
Pour l'opposer aux feux dont votre amour s'irrite.
Produisez un fantôme, ou semez un faux bruit,
Pour remettre en vos fers un prince qui vous fuit;
J'aiderai votre feinte, et ferai mon possible
Pour tromper avec vous ce monarque invincible,
Pour renvoyer chez vous les vœux qu'on vient m'offrir,
Et n'avoir plus chez moi d'importuns à souffrir.

ÉDUIGE

Qui croit déjà ce bruit un tour de mon adresse,
De son effet sans doute aurait peu d'allégresse,
Et loin d'aider la feinte avec sincérité,
Pourrait fermer les yeux même à la vérité.

RODELINDE

Après m'avoir fait perdre époux et diadème,
C'est trop que d'attenter jusqu'à ma gloire même,
Qu'ajouter l'infamie à de si rudes coups.
Connaissez-moi, Madame, et désabusez-vous.
Je ne vous cèle point qu'ayant l'âme royale,
L'amour du sceptre encor me fait votre rivale,
Et que je ne puis voir d'un cœur lâche et soumis
La sœur de mon époux déshériter mon fils;
Mais que dans mes malheurs jamais je me dispose
A les vouloir finir m'unissant à leur cause,
A remonter au trône, où vont tous mes désirs,
En épousant l'auteur de tous mes déplaisirs !
Non, non, vous présumez en vain que je m'apprête
A faire de ma main sa dernière conquête :
Unulphe peut vous dire en fidèle témoin
Combien à me gagner il perd d'art et de soin.
Si malgré la parole et donnée et reçue,
Il cessa d'être à vous au moment qu'il m'eût vue,
Aux cendres d'un mari tous mes feux réservés
Lui rendent le mépris que vous en recevez.

SCÈNE III

GRIMOALD, RODELINDE, ÉDUIGE,
GARIBALDE, UNULPHE

RODELINDE

Approche, Grimoald, et dis à ta jalouse,
A qui du moins ta foi doit le titre d'épouse,
Si depuis que pour moi je t'ai vu soupirer,
Jamais d'un seul coup d'œil je t'ai fait espérer;
Ou si tu veux laisser pour éternelle gêne
A cette ambitieuse une frayeur si vaine,
Dis-moi de mon époux le déplorable sort :
Il vit, il vit encor, si j'en crois son rapport;
De ses derniers honneurs les magnifiques pompes
Ne sont qu'illusions avec quoi tu me trompes :
Et ce riche tombeau que lui fait son vainqueur
N'est qu'un appas superbe à surprendre mon cœur.

GRIMOALD

Madame, vous savez ce qu'on m'eſt venu dire,
Qu'allant de ville en ville et d'empire en empire
Contre Édüige et moi mendier du secours,
Auprès du roi des Huns il a fini ses jours;
Et si depuis sa mort j'ai tâché de vous rendre...

RODELINDE

Qu'elle soit vraie ou non, tu n'en dois rien attendre.
Je dois à sa mémoire, à moi-même, à son fils,
Ce que je dus aux nœuds qui nous avaient unis.
Ce n'eſt qu'à le venger que tout mon cœur s'applique;
Et puisqu'il faut enfin que tout ce cœur s'explique,
Si je puis une fois échapper de tes mains,
J'irai porter partout de si juſtes desseins :
J'irai dessus ses pas aux deux bouts de la terre
Chercher des ennemis à te faire la guerre;
Ou s'il me faut languir prisonnière en ces lieux,
Mes vœux demanderont cette vengeance aux cieux,
Et ne cesseront point jusqu'à ce que leur foudre
Sur mon trône usurpé brise ta tête en poudre.
Madame, vous voyez avec quels sentiments
Je mets ce grand obſtacle à vos contentements.
Adieu : si vous pouvez, conservez ma couronne,
Et regagnez un cœur que je vous abandonne.

SCÈNE IV

GRIMOALD, ÉDUIGE, GARIBALDE, UNULPHE

GRIMOALD

Qu'avez-vous dit, Madame, et que supposez-vous
Pour la faire douter du sort de son époux?
Depuis quand et de qui savez-vous qu'il respire?

ÉDUIGE

Ce confident si cher pourra vous le redire.

GRIMOALD

M'auriez-vous accusé d'avoir feint son trépas?

ÉDUIGE

Ne vous alarmez point, elle ne m'en croit pas.
Son destin est plus doux veuve que mariée,
Et de croire sa mort vous l'avez trop priée.

GRIMOALD

Mais enfin?

ÉDUIGE

Mais enfin, chacun sait ce qu'il sait;
Et quand il sera temps nous en verrons l'effet.
Épouse-la, parjure, et fais-en une infâme :
Qui ravit un État peut ravir une femme;
L'adultère et le rapt sont du droit des tyrans.

GRIMOALD

Vous me donniez jadis des titres différents.
Quand pour vous acquérir je gagnais des batailles,
Que mon bras de Milan foudroyait les murailles,
Que je semais partout la terreur et l'effroi,
J'étais un grand héros, j'étais un digne roi;
Mais depuis que je règne en prince magnanime,
Qui chérit la vertu, qui sait punir le crime,
Que le peuple sous moi voit ses destins meilleurs,
Je ne suis qu'un tyran, parce que j'aime ailleurs.
Ce n'est plus la valeur, ce n'est plus la naissance
Qui donne quelque droit à la toute-puissance :
C'est votre amour lui seul qui fait des conquérants,
Suivant qu'ils sont à vous, des rois ou des tyrans.
Si ce titre odieux s'acquiert à vous déplaire,
Je n'ai qu'à vous aimer, si je veux m'en défaire;
Et ce même moment, de lâche usurpateur,
Me fera vrai monarque en vous rendant mon cœur.

ÉDUIGE

Ne prétends plus au mien après ta perfidie.
J'ai mis entre tes mains toute la Lombardie;
Mais ne t'aveugle point dans ton nouveau souci :
Ce n'est que sous mon nom que tu règnes ici,
Et le peuple bientôt montrera par sa haine
Qu'il n'adorait en toi que l'amant de sa reine,
Qu'il ne respectait qu'elle, et ne veut point d'un roi
Qui commence par elle à violer sa foi.

GRIMOALD

Si vous étiez, Madame, au milieu de Pavie,
Dont vous fit reine un frère en sortant de la vie,
Ce discours, quoique même un peu hors de saison,
Pourrait avoir du moins quelque ombre de raison.
Mais ici, dans Milan, dont j'ai fait ma conquête,
Où ma seule valeur a couronné ma tête,
Au milieu d'un État où tout le peuple à moi
Ne saurait craindre en vous que l'amour de son roi,
La menace impuissante est de mauvaise grâce :
Avec tant de faiblesse il faut la voix plus basse.
J'y règne, et régnerai malgré votre courroux;
J'y fais à tous justice, et commence par vous.

ÉDUIGE

Par moi?

GRIMOALD

Par vous, Madame.

ÉDUIGE

Après la foi reçue !
Après deux ans d'amour si lâchement déçue !

GRIMOALD

Dites après deux ans de haine et de mépris,
Qui de toute ma flamme ont été le seul prix.

ÉDUIGE

Appelles-tu mépris une amitié sincère?

GRIMOALD

Une amitié fidèle à la haine d'un frère,
Un long orgueil armé d'un frivole serment,
Pour s'opposer sans cesse au bonheur d'un amant.
Si vous m'aviez aimé, vous n'auriez pas eu honte
D'attacher votre sort à la valeur d'un comte.
Jusqu'à ce qu'il fût roi vous plaire à le gêner,
C'était vouloir vous vendre, et non pas vous donner.
Je me suis donc fait roi pour plaire à votre envie;
J'ai conquis votre cœur au péril de ma vie;
Mais alors qu'il m'est dû, je suis en liberté
De vous laisser un bien que j'ai trop acheté,

Et votre ambition eſt juſtement punie
Quand j'affranchis un roi de votre tyrannie.
Un roi doit pouvoir tout; et je ne suis pas roi,
S'il ne m'eſt pas permis de disposer de moi.
C'eſt quitter, c'eſt trahir les droits du diadème,
Que sur le haut d'un trône être esclave moi-même;
Et dans ce même trône où vous m'avez voulu,
Sur moi comme sur tous je dois être absolu :
C'eſt le prix de mon sang; souffrez que j'en dispose,
Et n'accusez que vous du mal que je vous cause.

ÉDUIGE

Pour un grand conquérant que tu te défends mal !
Et quel étrange roi tu fais de Grimoald !
Ne dis plus que ce rang veut que tu m'abandonnes,
Et que la trahison eſt un droit des couronnes,
Mais si tu veux trahir, trouve du moins, ingrat,
De plus belles couleurs dans les raisons d'Etat.
Dis qu'un usurpateur doit amuser la haine
Des peuples mal domptés, en épousant leur reine;
Leur faire présumer qu'il veut rendre à son fils
Un sceptre sur le père injuſtement conquis;
Qu'il ne veut gouverner que durant son enfance,
Qu'il ne veut qu'en dépôt la suprême puissance,
Qu'il ne veut autre titre, en leur donnant la loi,
Que d'époux de la Reine et de tuteur du Roi;
Dis que sans cet hymen ta puissance t'échappe,
Qu'un vieil amour des rois la détruit et la sape;
Dis qu'un tyran qui règne en pays ennemi
N'y saurait voir son trône autrement affermi.
De cette illusion l'apparence plausible
Rendrait ta lâcheté peut-être moins visible;
Et l'on pourrait donner à la nécessité
Ce qui n'eſt qu'un effet de ta légèreté.

GRIMOALD

J'embrasse un bon avis, de quelque part qu'il vienne.
Unulphe, allez trouver la Reine, de la mienne,
Et tâchez par cette offre à vaincre sa rigueur.
Madame, c'eſt à vous que je devrai son cœur;
Et pour m'en revancher, je prendrai soin moi-même
De faire choix pour vous d'un mari qui vous aime,

Qui soit digne de vous, et puisse mériter
L'amour que, malgré moi, vous voulez me porter.

ÉDUIGE

Traître; je n'en veux point que ta mort ne me donne,
Point qui n'ait par ton sang affermi ma couronne.

GRIMOALD

Vous pourrez à ce prix en trouver aisément.
Remettez la Princesse à son appartement,
Duc; et tâchez à rompre un dessein sur ma vie
Qui me ferait trembler si j'étais à Pavie.

ÉDUIGE

Crains-moi, crains-moi partout : et Pavie, et Milan,
Tout lieu, tout bras est propre à punir un tyran;
Et tu n'as point de fort où vivre en assurance,
Si de ton sang versé je suis la récompense.

GRIMOALD

Dissimulez du moins ce violent courroux :
Je deviendrais tyran, mais ce serait pour vous.

ÉDUIGE

Va, je n'ai point le cœur assez lâche pour feindre.

GRIMOALD

Allez-donc; et craignez, si vous me faites craindre.

ACTE II

SCÈNE PREMIÈRE[6]

ÉDUIGE, GARIBALDE

ÉDUIGE

Je l'ai dit à mon maître, et je vous le redis,
Je me dois cette joie après de tels mépris;
Et mes ardents souhaits de voir punir son change
Assurent ma conquête à quiconque me venge.
Suivez le mouvement d'un si juste courroux,
Et sans perdre de vœux obtenez-moi de vous.
Pour gagner mon amour il faut servir ma haine :
A ce prix est le sceptre, à ce prix une reine;
Et Grimoald puni rendra digne de moi
Quiconque ose m'aimer, ou se veut faire roi.

GARIBALDE

Mettre à ce prix vos feux et votre diadème,
C'est ne connaître pas votre haine et vous-même;
Et qui, sous cet espoir, voudrait vous obéir,
Chercherait le moyen de se faire haïr.
Grimoald inconstant n'a plus pour vous de charmes,
Mais Grimoald puni vous coûterait des larmes.
A cet objet sanglant, l'effort de la pitié
Reprendrait tous les droits d'une vieille amitié
Et son crime en son sang éteint avec sa vie
Passerait en celui qui vous aurait servie.
Quels que soient ses mépris, peignez-vous bien sa mort,
Madame, et votre cœur n'en sera pas d'accord.
Quoi qu'un amant volage excite de colère,
Son change est odieux, mais sa personne est chère;
Et ce qu'a joint l'amour a beau se désunir,
Pour le rejoindre mieux il ne faut qu'un soupir.

Ainsi n'espérez pas que jamais on s'assure
Sur les bouillants transports qu'arrache son parjure.
Si le ressentiment de sa légèreté
Aspire à la vengeance avec sincérité,
En quelques dignes mains qu'il veuille la remettre,
Il vous faut vous donner, et non pas vous promettre,
Attacher votre sort, avec le nom d'époux,
A la valeur du bras qui s'armera pour vous.
Tant qu'on verra ce prix en quelque incertitude,
L'oserait-on punir de son ingratitude?
Votre haine tremblante est un mauvais appui
A quiconque pour vous entreprendrait sur lui;
Et quelque doux espoir qu'offre cette colère,
Une plus forte haine en serait le salaire.
Donnez-vous donc, Madame, et faites qu'un vengeur
N'ait plus à redouter le désaveu du cœur.

ÉDUIGE

Que vous m'êtes cruel en faveur d'un infâme,
De vouloir, malgré moi, lire au fond de mon âme,
Où mon amour trahi, que j'éteins à regret,
Lui fait contre ma haine un partisan secret!
Quelques justes arrêts que ma bouche prononce,
Ce sont de vains efforts où tout mon cœur renonce.
Ce lâche malgré moi l'ose encor protéger,
Et veut mourir du coup qui m'en pourrait venger.
Vengez-moi toutefois, mais d'une autre manière :
Pour conserver mes jours, laissez-lui la lumière.
Quelque mort que je doive à son manque de foi,
Otez-lui Rodelinde, et c'est assez pour moi;
Faites qu'elle aime ailleurs, et punissez son crime
Par ce désespoir même où son change m'abîme.
Faites plus : s'il est vrai que je puis tout sur vous,
Ramenez cet ingrat tremblant à mes genoux,
Le repentir au cœur, les pleurs sur le visage,
De tant de lâchetés me faire un plein hommage,
Implorer le pardon qu'il ne mérite pas,
Et remettre en mes mains sa vie et son trépas.

GARIBALDE

Ajoutez-y, Madame, encor qu'à vos yeux même
Cette odieuse main perce un cœur qui vous aime,

Et que l'amant fidèle, au volage immolé,
Expie au lieu de lui ce qu'il a violé.
L'ordre en sera moins rude, et moindre le supplice,
Que celui qu'à mes yeux prescrit votre injustice :
Et le trépas en soi n'a rien de rigoureux
A l'égal de vous rendre un rival plus heureux.

ÉDUIGE

Duc, vous vous alarmez faute de me connaître :
Mon cœur n'est pas si bas qu'il puisse aimer un traître.
Je veux qu'il se repente, et se repente en vain,
Rendre haine pour haine, et dédain pour dédain;
Je veux qu'en vain son âme, esclave de la mienne,
Me demande sa grâce, et jamais ne l'obtienne,
Qu'il soupire sans fruit; et pour le punir mieux,
Je veux même à mon tour vous aimer à ses yeux.

GARIBALDE

Le pourrez-vous, Madame, et savez-vous vos forces?
Savez-vous de l'amour quelles sont les amorces?
Savez-vous ce qu'il peut, et qu'un visage aimé
Est toujours trop aimable à ce qu'il a charmé?
Si vous ne m'abusez, votre cœur vous abuse.
L'inconstance jamais n'a de mauvaise excuse;
Et comme l'amour seul fait le ressentiment,
Le moindre repentir obtient grâce à l'amant.

ÉDUIGE

Quoi qu'il puisse arriver, donnez-vous cette gloire
D'avoir sur cet ingrat rétabli ma victoire;
Sans songer qu'à me plaire exécutez mes lois,
Et pour l'événement laissez tout à mon choix :
Souffrez qu'en liberté je l'aime ou le néglige.
L'amant est trop payé quand son service oblige;
Et quiconque en aimant aspire à d'autres prix
N'a qu'un amour servile et digne de mépris.
Le véritable amour jamais n'est mercenaire,
Il n'est jamais souillé de l'espoir du salaire,
Il ne veut que servir, et n'a point d'intérêt
Qu'il n'immole à celui de l'objet qui lui plaît.
Voyez donc Grimoald, tâchez à le réduire :
Faites-moi triompher au hasard de vous nuire;
Et si je prends pour lui des sentiments plus doux,
Vous m'aurez faite heureuse, et c'est assez pour vous.

Je verrai par l'effort de votre obéissance
Où doit aller celui de ma reconnaissance.
Cependant, s'il est vrai que j'ai pu vous charmer,
Aimez-moi plus que vous, ou cessez de m'aimer :
C'est par là seulement qu'on mérite Édüige.
Je veux bien qu'on espère, et non pas qu'on exige.
Je ne veux rien devoir; mais lorsqu'on me sert bien,
On peut attendre tout de qui ne promet rien.

SCÈNE II

GARIBALDE

Quelle confusion ! et quelle tyrannie
M'ordonne d'espérer ce qu'elle me dénie !
Et de quelle façon est-ce écouter des vœux,
Qu'obliger un amant à travailler contre eux?
Simple, ne prétends pas sur cet espoir frivole,
Que je tâche à te rendre un cœur que je te vole.
Je t'aime, mais enfin je m'aime plus que toi.
C'est moi seul qui le porte à ce manque de foi;
Auprès d'un autre objet c'est moi seul qui l'engage :
Je ne détruirai pas moi-même mon ouvrage.
Il m'a choisi pour toi, de peur qu'un autre époux
Avec trop de chaleur n'embrasse ton courroux;
Mais lui-même il se trompe en l'amant qu'il te donne.
Je t'aime, et puissamment, mais moins que la couronne;
Et mon ambition, qui tâche à te gagner,
Ne cherche en ton hymen que le droit de régner.
De tes ressentiments s'il faut que je l'obtienne,
Je saurai joindre encor cent haines à la tienne,
L'ériger en tyran par mes propres conseils,
De sa perte par lui dresser les appareils,
Mêler si bien l'adresse avec un peu d'audace,
Qu'il ne faille qu'oser pour me mettre en sa place;
Et comme en t'épousant j'en aurai droit de toi,
Je t'épouserai, lors, mais pour me faire roi.
Mais voici Grimoald.

SCÈNE III

GRIMOALD, GARIBALDE

GRIMOALD

Eh bien ! quelle espérance,
Duc? et qu'obtiendrons-nous de ta persévérance?

GARIBALDE

Ne me commandez plus, Seigneur, de l'adorer,
Ou ne lui laissez plus aucun lieu d'espérer.

GRIMOALD

Quoi? de tout mon pouvoir je l'avais irritée
Pour faire que ta flamme en fût mieux écoutée,
Qu'un dépit redoublé, la pressant contre moi,
La rendît plus facile à recevoir ta foi,
Et fît tomber ainsi par ses ardeurs nouvelles
Le dépôt de sa haine en des mains si fidèles :
Cependant son espoir à mon trône attaché
Par aucun de nos soins n'en peut être arraché !
Mais as-tu bien promis ma tête à sa vengeance?
Ne l'as-tu point offerte avecque négligence,
Avec quelque froideur qui l'ait fait soupçonner
Que tu la promettais sans la vouloir donner?

GARIBALDE

Je n'ai rien oublié de ce qui peut séduire
Un vrai ressentiment qui voudrait vous détruire;
Mais son feu mal éteint ne se peut déguiser :
Son plus ardent courroux brûle de s'apaiser;
Et je n'obtiendrai point, Seigneur, qu'elle m'écoute,
Jusqu'à ce qu'elle ait vu votre hymen hors de doute,
Et que de Rodelinde étant l'illustre époux
Vous chassiez de son cœur tout espoir d'être à vous.

GRIMOALD

Hélas ! je mets en vain toute chose en usage :
Ni prières ni vœux n'ébranlent son courage.
Malgré tous mes respects je vois de jour en jour
Croître sa résistance autant que mon amour;

Et si l'offre d'Unulphe à présent ne la touche,
Si l'intérêt d'un fils ne la rend moins farouche,
Désormais je renonce à l'espoir d'amollir
Un cœur que tant d'efforts ne font qu'enorgueillir.

GARIBALDE

Non, non, Seigneur, il faut que cet orgueil vous cède;
Mais un mal violent veut un pareil remède.
Montrez-vous tout ensemble amant et souverain,
Et sachez commander, si vous priez en vain.
Que sert ce grand pouvoir qui suit le diadème,
Si l'amant couronné n'en use pour soi-même?
Un roi n'est pas moins roi pour se laisser charmer,
Et doit faire obéir qui ne veut pas aimer.

GRIMOALD

Porte, porte aux tyrans tes damnables maximes :
Je hais l'art de régner qui se permet des crimes[7].
De quel front donnerais-je un exemple aujourd'hui
Que mes lois dès demain puniraient en autrui?
Le pouvoir absolu n'a rien de redoutable
Dont à sa conscience un roi ne soit comptable.
L'amour l'excuse mal, s'il règne injustement,
Et l'amant couronné doit n'agir qu'en amant.

GARIBALDE

Si vous n'osez forcer, du moins faites-vous craindre :
Daignez, pour être heureux, un moment vous contrain-
Et si l'offre d'Unulphe en reçoit des mépris, [dre;
Menacez hautement de la mort de son fils.

GRIMOALD

Que par ces lâchetés j'ose me satisfaire !

GARIBALDE

Si vous n'osez parler, du moins laissez-nous faire :
Nous saurons vous servir, Seigneur, et malgré vous.
Prêtez-nous seulement un moment de courroux,
Et permettez après qu'on l'explique et qu'on feigne
Ce que vous n'osez dire, et qu'il faut qu'elle craigne.
Vous désavouerez tout. Après de tels projets,
Les rois impunément dédisent leurs sujets.

GRIMOALD

Sachons ce qu'il a fait avant que de résoudre
Si je dois en tes mains laisser gronder ce foudre.

SCÈNE IV

GRIMOALD, GARIBALDE, UNULPHE

GRIMOALD

Que faut-il faire, Unulphe? eſt-il temps de mourir?
N'as-tu vu pour ton roi nul espoir de guérir?

UNULPHE

Rodelinde, Seigneur, enfin plus raisonnable,
Semble avoir dépouillé cet orgueil indomptable;
Elle a reçu votre offre avec tant de douceur...

GRIMOALD

Mais l'a-t-elle acceptée? as-tu touché son cœur?
A-t-elle montré joie? en paraît-elle émue?
Peut-elle s'abaisser jusqu'à souffrir ma vue?
Qu'a-t-elle dit enfin?

UNULPHE

Beaucoup, sans dire rien :
Elle a paisiblement souffert mon entretien;
Son âme à mes discours surprise, mais tranquille...

GRIMOALD

Ah ! c'eſt m'assassiner d'un discours inutile :
Je ne veux rien savoir de sa tranquillité;
Dis seulement un mot de sa facilité.
Quand veut-elle à son fils donner mon diadème?

UNULPHE

Elle en veut apporter la réponse elle-même.

GRIMOALD

Quoi? tu n'as su pour moi plus avant l'engager?

UNULPHE

Seigneur, c'eſt assez dire à qui veut bien juger :
Vous n'en sauriez avoir une preuve plus claire.

Qui demande à vous voir ne veut pas vous déplaire;
Ses refus se seraient expliqués avec moi,
Sans chercher la présence et le courroux d'un roi.

GRIMOALD

Mais touchant cet époux qu'Édüige ranime?...

UNULPHE

De ce discours en l'air elle fait peu d'eſtime :
L'artifice eſt si lourd, qu'il ne peut l'émouvoir,
Et d'une main suspecte il n'a point de pouvoir.

GARIBALDE

Édüige elle-même eſt mal persuadée
D'un retour dont elle aime à vous donner l'idée;
Et ce n'eſt qu'un faux jour qu'elle a voulu jeter
Pour lui troubler la vue, et vous inquiéter.
Mais déjà Rodelinde apporte sa réponse.

GRIMOALD

Ah! j'entends mon arrêt sans qu'on me le prononce :
Je vais mourir, Unulphe, et ton zèle pour moi
T'abuse le premier, et m'abuse après toi.

UNULPHE

Espérez mieux, Seigneur.

GRIMOALD

Tu le veux, et j'espère.
Mais que cette douceur va devenir amère!
Et que ce peu d'espoir où tu me viens forcer
Rendra rudes les coups dont on va me percer!

SCÈNE V

GRIMOALD, RODELINDE, GARIBALDE, UNULPHE

GRIMOALD

Madame, il eſt donc vrai que votre âme sensible
A la compassion s'eſt rendue accessible;

Qu'elle fait succéder dans ce cœur plus humain
La douceur à la haine et l'estime au dédain,
Et que laissant agir une bonté cachée,
A de si longs mépris elle s'est arrachée?

RODELINDE

Ce cœur dont tu te plains, de ta plainte est surpris :
Comte, je n'eus pour toi jamais aucun mépris;
Et ma haine elle-même aurait cru faire un crime
De t'avoir dérobé ce qu'on te doit d'estime.
Quand je vois ta conduite en mes propres États
Achever sur les cœurs l'ouvrage de ton bras,
Avec ces mêmes cœurs qu'un si grand art te donne
Je dis que la vertu règne dans ta personne;
Avec eux je te loue, et je doute avec eux
Si sous leur vrai monarque ils seraient plus heureux :
Tant ces hautes vertus qui fondent ta puissance
Réparent ce qui manque à l'heur de ta naissance!
Mais quoi qu'on en ait vu d'admirable et de grand,
Ce que m'en dit Unulphe aujourd'hui me surprend.
Un vainqueur dans le trône, un conquérant qu'on aime
Faisant justice à tous, se la fait à soi-même!
Se croit usurpateur sur ce trône conquis!
Et ce qu'il ôte au père, il veut le rendre au fils!
Comte, c'est un effort à dissiper la gloire
Des noms les plus fameux dont se pare l'histoire,
Et que le grand Auguste ayant osé tenter,
N'osa prendre du cœur jusqu'à l'exécuter.
Je viens donc y répondre, et de toute mon âme
Te rendre pour mon fils...

GRIMOALD

Ah! c'en est trop, Madame;
Ne vous abaissez point à des remercîments :
C'est moi qui vous dois tout; et si mes sentiments...

RODELINDE

Souffre les miens, de grâce, et permets que je mette
Cet effort merveilleux en sa gloire parfaite,
Et que ma propre main tâche d'en arracher
Tout ce mélange impur dont tu le veux tacher;
Car enfin cet effort est de telle nature,
Que la source en doit être à nos yeux toute pure :

La vertu doit régner dans un si grand projet[8],
En être seule cause, et l'honneur seul objet;
Et depuis qu'on le souille ou d'espoir de salaire,
Ou de chagrin d'amour, ou de souci de plaire,
Il part indignement d'un courage abattu
Où la passion règne, et non pas la vertu.
Comte, penses-y bien; et pour m'avoir aimée,
N'imprime point de tache à tant de renommée;
Ne crois que ta vertu : laisse-la seule agir,
De peur qu'un tel effort ne te donne à rougir.
On publierait de toi que les yeux d'une femme
Plus que ta propre gloire auraient touché ton âme,
On dirait qu'un héros si grand, si renommé,
Ne serait qu'un tyran s'il n'avait point aimé.

GRIMOALD

Donnez-moi cette honte, et je la tiens à gloire :
Faites de vos mépris ma dernière victoire,
Et souffrez qu'on impute à ce bras trop heureux
Que votre seul amour l'a rendu généreux.
Souffrez que cet amour, par un effort si juste,
Ternisse le grand nom et les hauts faits d'Auguste,
Qu'il ait plus de pouvoir que ses vertus n'ont eu.
Qui n'adore que vous n'aime que la vertu.
Cet effort merveilleux est de telle nature,
Qu'il ne saurait partir d'une source plus pure;
Et la plus noble enfin des belles passions
Ne peut faire de tache aux grandes actions.

RODELINDE

Comte, ce qu'elle jette à tes yeux de poussière
Pour voir ce que tu fais les laisse sans lumière.
A ces conditions rendre un sceptre conquis,
C'est asservir la mère en couronnant le fils;
Et pour en bien parler, ce n'est pas tant le rendre,
Qu'au prix de mon honneur indignement le vendre.
Ta gloire en pourrait croître, et tu le veux ainsi;
Mais l'éclat de la mienne en serait obscurci.
Quel que soit ton amour, quel que soit ton mérite,
La défaite et la mort de mon cher Pertharite,
D'un sanglant caractère ébauchant tes hauts faits,
Les peignent à mes yeux comme autant de forfaits;
Et ne pouvant les voir que d'un œil d'ennemie,

Je n'y puis prendre part sans entière infamie.
Ce sont des sentiments que je ne puis trahir :
Je te dois estimer, mais je te dois haïr[9];
Je dois agir en veuve autant qu'en magnanime,
Et porter cette haine aussi loin que l'estime.

GRIMOALD

Ah ! forcez-vous, de grâce, à des termes plus doux
Pour des crimes qui seuls m'ont fait digne de vous :
Par eux seuls ma valeur en tête d'une armée
A des plus grands héros atteint la renommée;
Par eux seuls j'ai vaincu, par eux seuls j'ai régné,
Par eux seuls ma justice a tant de cœurs gagné,
Par eux seuls j'ai paru digne du diadème,
Par eux seuls je vous vois, par eux seuls je vous aime,
Et par eux seuls enfin mon amour tout parfait
Ose faire pour vous ce qu'on n'a jamais fait.

RODELINDE

Tu ne fais que pour toi, s'il t'en faut récompense;
Et je te dis encor que toute ta vaillance,
T'ayant fait vers moi seule à jamais criminel,
A mis entre nous deux un obstacle éternel.
Garde donc ta conquête, et me laisse ma gloire;
Respecte d'un époux et l'ombre et la mémoire :
Tu l'as chassé du trône et non pas de mon cœur.

GRIMOALD

Unulphe, c'est donc là toute cette douceur?
C'est là comme son âme, enfin plus raisonnable,
Semble avoir dépouillé cet orgueil indomptable !

GARIBALDE

Seigneur, souvenez-vous qu'il est temps de parler.

GRIMOALD

Oui, l'affront est trop grand pour le dissimuler :
Elle en sera punie, et, puisqu'on me méprise,
Je deviendrai tyran de qui me tyrannise,
Et ne souffrirai plus qu'une indigne fierté
Se joue impunément de mon trop de bonté.

RODELINDE

Eh bien ! deviens tyran : renonce à ton estime;
Renonce au nom de juste, au nom de magnanime...

GRIMOALD

La vengeance est plus douce enfin que ces vains noms;
S'ils me font malheureux, à quoi me sont-ils bons?
Je me ferai justice en domptant qui me brave.
Qui ne veut point régner mérite d'être esclave.
Allez, sans irriter plus longtemps mon courroux,
Attendre ce qu'un maître ordonnera de vous.

RODELINDE

Qui ne craint point la mort craint peu quoi qu'il ordonne.

GRIMOALD

Vous la craindrez peut-être en quelque autre personne?

RODELINDE

Quoi? tu voudrais...

GRIMOALD

Allez, et ne me pressez point;
On vous pourra trop tôt éclaircir sur ce point;

Rodelinde rentre.

Voilà tous les efforts qu'enfin j'ai pu me faire.
Toute ingrate qu'elle est, je tremble à lui déplaire;
Et ce peu que j'ai fait, suivi d'un désaveu,
Gêne autant ma vertu comme il trahit mon feu.
Achève, Garibalde : Unulphe est trop crédule,
Il prend trop aisément un espoir ridicule;
Menace, puisque enfin c'est perdre temps qu'offrir.
Toi qui m'as trop flatté, viens m'aider à souffrir.

ACTE III

SCÈNE PREMIÈRE

GARIBALDE, RODELINDE

GARIBALDE

Ce n'eſt plus seulement l'offre d'un diadème
Que vous fait pour un fils un prince qui vous aime,
Et de qui le refus ne puisse être imputé
Qu'à fermeté de haine ou magnanimité :
Il y va de sa vie, et la juſte colère
Où jettent cet amant les mépris de la mère,
Veut punir sur le sang de ce fils innocent
La dureté d'un cœur si peu reconnaissant.
C'eſt à vous d'y penser : tout le choix qu'on vous donne,
C'eſt d'accepter pour lui la mort ou la couronne[10] :
Son sort eſt en vos mains : aimer ou dédaigner
Le va faire périr ou le faire régner.

RODELINDE

S'il me faut faire un choix d'une telle importance,
On me donnera bien le loisir que j'y pense.

GARIBALDE

Pour en délibérer vous n'avez qu'un moment :
J'en ai l'ordre pressant; et sans retardement,
Madame, il faut résoudre, et s'expliquer sur l'heure :
Un mot eſt bientôt dit. Si vous voulez qu'il meure,
Prononcez-en l'arrêt, et j'en prendrai la loi
Pour faire exécuter les volontés du Roi.

RODELINDE

Un mot eſt bientôt dit; mais dans un tel martyre
On n'a pas bientôt vu quel mot c'eſt qu'il faut dire;
Et le choix qu'on m'ordonne eſt pour moi si fatal,

Qu'à mes yeux des deux parts le supplice est égal.
Puisqu'il faut obéir, fais-moi venir ton maître.

GARIBALDE

Quel choix avez-vous fait?

RODELINDE

Je lui ferai connaître
Que si...

GARIBALDE

C'est avec moi qu'il vous faut achever :
Il est las désormais de s'entendre braver;
Et si je ne lui porte une entière assurance
Que vos désirs enfin suivent son espérance,
Sa vue est un honneur qui vous est défendu.

RODELINDE

Que me dis-tu, perfide, ai-je bien entendu?
Tu crains donc qu'une femme, à force de se plaindre,
Ne sauve une vertu que tu tâches d'éteindre,
Ne remette un héros au rang de ses pareils,
Dont tu veux l'arracher par tes lâches conseils?
Oui, je l'épouserai, ce trop aveugle maître,
Tout cruel, tout tyran que tu le forces d'être :
Va, cours l'en assurer; mais penses-y deux fois.
Crains-moi, crains son amour, s'il accepte mon choix.
Je puis beaucoup sur lui; j'y pourrai davantage,
Et régnerai peut-être après cet esclavage.

GARIBALDE

Vous régnerez, Madame, et je serai ravi
De mourir glorieux pour l'avoir bien servi.

RODELINDE

Va, je lui ferai voir que de pareils services
Sont dignes seulement des plus cruels supplices,
Et que de tous les maux dont les rois sont auteurs,
Ils s'en doivent venger sur de tels serviteurs.
Tu peux en attendant lui donner cette joie,
Que pour gagner mon cœur il a trouvé la voie,
Que ton zèle insolent et ton mauvais destin
A son amour barbare en ouvrent le chemin.

Dis-lui, puisqu'il le faut, qu'à l'hymen je m'apprête;
Mais fuis-nous, s'il s'achève, et tremble pour ta tête.

GARIBALDE

Je veux bien à ce prix vous donner un grand roi.

RODELINDE

Qu'à ce prix donc il vienne, et m'apporte sa foi.

SCÈNE II

RODELINDE, ÉDUIGE

ÉDUIGE

Votre félicité sera mal assurée
Dessus un fondement de si peu de durée,
Vous avez toutefois de si puissants appas...

RODELINDE

Je sais quelques secrets que vous ne savez pas;
Et si j'ai moins que vous d'attraits et de mérite,
J'ai des moyens plus sûrs d'empêcher qu'on me quitte.

ÉDUIGE

Mon exemple...

RODELINDE

Souffrez que je n'en craigne rien,
Et par votre malheur ne jugez pas du mien.
Chacun à ses périls peut suivre sa fortune,
Et j'ai quelques soucis que l'exemple importune.

ÉDUIGE

Ce n'est pas mon dessein de vous importuner.

RODELINDE

Ce n'est pas mon dessein aussi de vous gêner;
Mais votre jalousie un peu trop inquiète
Se donne malgré moi cette gêne secrète.

ÉDUIGE

Je ne suis point jalouse, et l'infidélité...

RODELINDE

Eh bien ! soit jalousie ou curiosité,
Depuis quand sommes-nous en telle intelligence
Que tout mon cœur vous doive entière confidence?

ÉDUIGE

Je n'en prétends aucune, et c'est assez pour moi
D'avoir bien entendu comme il accepte un roi.

RODELINDE

On n'entend pas toujours ce qu'on croit bien entendre.

ÉDUIGE

De vrai, dans un discours difficile à comprendre,
Je ne devine point, et n'en ai pas l'esprit;
Mais l'esprit n'a que faire où l'oreille suffit.

RODELINDE

Il faudrait que l'oreille entendît la pensée.

ÉDUIGE

J'entends assez la vôtre : on vous aura forcée;
On vous aura fait peur, ou de la mort d'un fils,
Ou de ce qu'un tyran se croit être permis,
Et l'on fera courir quelque mauvaise excuse
Dont la cour s'éblouisse et le peuple s'abuse.
Mais cependant ce cœur que vous m'abandonniez...

RODELINDE

Il n'est pas temps encor que vous vous en plaigniez :
Comme il m'a fait des lois, j'ai des lois à lui faire.

ÉDUIGE

Il les acceptera pour ne vous pas déplaire;
Prenez-en sa parole, il sait bien la garder.

RODELINDE

Pour remonter au trône on peut tout hasarder.
Laissez-m'en, quoi qu'il fasse, ou la gloire ou la honte,

Puisque ce n'eſt qu'à moi que j'en dois rendre compte.
Si votre cœur souffrait ce que souffre le mien,
Vous ne vous plairiez pas en un tel entretien;
Et votre âme à ce prix voyant un diadème,
Voudrait en liberté se consulter soi-même.

ÉDUIGE

Je demande pardon si je vous fais souffrir,
Et vais me retirer pour ne vous plus aigrir.

RODELINDE

Allez, et demeurez dans cette erreur confuse :
Vous ne méritez pas que je vous désabuse.

ÉDUIGE

Ce cher amant sans moi vous entretiendra mieux,
Et je n'ai plus besoin de rapport de mes yeux.

SCÈNE III

GRIMOALD, RODELINDE, GARIBALDE

RODELINDE

Je me rends, Grimoald, mais non pas à la force :
Le titre que tu prends m'eſt une douce amorce,
Et s'empare si bien de mon affection,
Qu'elle ne veut de toi qu'une condition.
Si je n'ai pu t'aimer et juſte et magnanime,
Quand tu deviens tyran je t'aime dans le crime;
Et pour moi ton hymen eſt un souverain bien,
S'il rend ton nom infâme aussi bien que le mien.

GRIMOALD

Que j'aimerai, Madame, une telle infamie
Qui vous fera cesser d'être mon ennemie !
Achevez, achevez, et sachons à quel prix
Je puis mettre une borne à de si longs mépris :
Je ne veux qu'une grâce, et disposez du reſte.
Je crains pour Garibalde une haine funeſte,
Je la crains pour Unulphe : à cela près, parlez.

RODELINDE

Va, porte cette crainte à des cœurs ravalés;
Je ne m'abaisse point aux faiblesses des femmes
Jusques à me venger de ces petites âmes.
Si leurs mauvais conseils me forcent de régner,
Je les en dois haïr, et sais les dédaigner.
Le ciel, qui punit tout, choisira pour leur peine
Quelque moyen plus bas que cette illustre haine.
Qu'ils vivent cependant, et que leur lâcheté
A l'ombre d'un tyran trouve sa sûreté.
Ce que je veux de toi porte le caractère
D'une vertu plus haute et digne de te plaire.
Tes offres n'ont point eu d'exemples jusqu'ici,
Et ce que je demande est sans exemple aussi;
Mais je veux qu'il te donne une marque infaillible
Que l'intérêt d'un fils ne me rend point sensible,
Que je veux être à toi sans le considérer,
Sans regarder en lui que craindre ou qu'espérer.

GRIMOALD

Madame, achevez donc de m'accabler de joie.
Par quels heureux moyens faut-il que je vous croie?
Expliquez-vous, de grâce, et j'atteste les cieux
Que tout suivra sur l'heure un bien si précieux.

RODELINDE

Après un tel serment j'obéis et m'explique.
Je veux donc d'un tyran un acte tyrannique :
Puisqu'il en veut le nom, qu'il le soit tout à fait;
Que toute sa vertu meure en un grand forfait,
Qu'il renonce à jamais aux glorieuses marques
Qui le mettaient au rang des plus dignes monarques;
Et pour le voir méchant, lâche, impie, inhumain,
Je veux voir ce fils même immolé de sa main.

GRIMOALD

Juste ciel!

RODELINDE

Que veux-tu pour marque plus certaine
Que l'intérêt d'un fils n'amollit point ma haine,
Que je me donne à toi sans le considérer,
Sans regarder en lui que craindre ou qu'espérer?

Tu trembles, tu pâlis, il semble que tu n'oses
Toi-même exécuter ce que tu me proposes !
S'il te faut du secours, je n'y recule pas,
Et veux bien te prêter l'exemple de mon bras.
Fais, fais venir ce fils, qu'avec toi je l'immole.
Dégage ton serment, je tiendrai ma parole.
Il faut bien que le crime unisse à l'avenir
Ce que trop de vertus empêchaient de s'unir.
Qui tranche du tyran, doit se résoudre à l'être.
Pour remplir ce grand nom as-tu besoin d'un maître,
Et faut-il qu'une mère, aux dépens de son sang,
T'apprenne à mériter cet effroyable rang?
N'en souffre pas la honte, et prends toute la gloire
Que cet illustre effort attache à ta mémoire.
Fais voir à tes flatteurs, qui te font trop oser,
Que tu sais mieux que moi l'art de tyranniser;
Et par une action aux seuls tyrans permise,
Deviens le vrai tyran de qui te tyrannise.
A ce prix je me donne, à ce prix je me rends;
Ou si tu l'aimes mieux, à ce prix je me vends,
Et consens à ce prix que ton amour m'obtienne,
Puisqu'il souille ta gloire aussi bien que la mienne.

GRIMOALD

Garibalde, est-ce là ce que tu m'avais dit?

GARIBALDE

Avec votre jalouse elle a changé d'esprit;
Et je l'avais laissée à l'hymen toute prête,
Sans que son déplaisir menaçât que ma tête.
Mais ces fureurs enfin ne sont qu'illusion,
Pour vous donner, Seigneur, quelque confusion;
Ne vous étonnez point, vous l'en verrez dédire.

GRIMOALD

Vous l'ordonnez, Madame, et je dois y souscrire :
J'en ferai ma victime, et ne suis point jaloux
De vous voir sur ce fils porter les premiers coups.
Quelque honneur qui par là s'attache à ma mémoire,
Je veux bien avec vous en partager la gloire,
Et que tout l'avenir ait de quoi m'accuser
D'avoir appris de vous l'art de tyranniser.

Vous devriez pourtant régler mieux ce courage,
N'en pousser point l'effort jusqu'aux bords de la rage,
Ne lui permettre rien qui sentît la fureur,
Et le faire admirer sans en donner d'horreur.
Faire la furieuse et la désespérée,
Paraître avec éclat mère dénaturée,
Sortir hors de vous-même, et montrer à grand bruit
A quelle extrémité mon amour vous réduit,
C'est mettre avec trop d'art la douleur en parade;
Qui fait le plus de bruit n'est pas le plus malade :
Les plus grands déplaisirs sont les moins éclatants;
Et l'on sait qu'un grand cœur se possède en tout temps.
Vous le savez, Madame, et que les grandes âmes
Ne s'abaissent jamais aux faiblesses des femmes,
Ne s'aveuglent jamais ainsi hors de saison;
Que leur désespoir même agit avec raison,
Et que...

RODELINDE

C'en est assez : sois-moi juge équitable,
Et dis-moi si le mien agit en raisonnable,
Si je parle en aveugle, ou si j'ai de bons yeux.
Tu veux rendre à mon fils le bien de ses aïeux,
Et toute ta vertu jusque-là t'abandonne,
Que tu mets en mon choix sa mort ou ta couronne !
Quand j'aurai satisfait tes vœux désespérés,
Dois-je croire ses jours beaucoup plus assurés?
Cette offre, ou, si tu veux, ce don du diadème
N'est, à le bien nommer, qu'un faible stratagème.
Faire un roi d'un enfant pour être son tuteur,
C'est quitter pour ce nom celui d'usurpateur;
C'est choisir pour régner un favorable titre;
C'est du sceptre et de lui te faire seul arbitre,
Et mettre sur le trône un fantôme pour roi
Jusques au premier fils qui te naîtra de moi,
Jusqu'à ce qu'on nous craigne, et que le temps arrive
De remettre en ses mains la puissance effective.
Qui veut bien l'immoler à son affection
L'immolerait sans peine à son ambition.
On se lasse bientôt de l'amour d'une femme;
Mais la soif de régner règne toujours sur l'âme;
Et comme la grandeur a d'éternels appas,
L'Italie est sujette à de soudains trépas.

Il eſt des moyens sourds pour lever un obſtacle,
Et faire un nouveau roi sans bruit et sans miracle;
Quitte pour te forcer à deux ou trois soupirs,
Et peindre alors ton front d'un peu de déplaisirs.
La porte à ma vengeance en serait moins ouverte :
Je perdrais avec lui tout le fruit de sa perte.
Puisqu'il faut qu'il périsse, il vaut mieux tôt que tard;
Que sa mort soit un crime, et non pas un hasard;
Que cette ombre innocente à toute heure m'anime,
Me demande à toute heure une grande victime;
Que ce jeune monarque, immolé de ta main,
Te rende abominable à tout le genre humain;
Qu'il t'excite partout des haines immortelles;
Que de tous tes sujets il fasse des rebelles,
Je t'épouserai lors, et m'y viens d'obliger,
Pour mieux servir ma haine, et pour mieux me venger,
Pour moins perdre de vœux contre ta barbarie,
Pour être à tous moments maîtresse de ta vie,
Pour avoir l'accès libre à pousser ma fureur,
Et mieux choisir la place à te percer le cœur.
Voilà mon désespoir, voilà ses juſtes causes :
A ces conditions prends ma main si tu l'oses.

GRIMOALD

Oui, je la prends, Madame, et veux auparavant...

SCÈNE IV

PERTHARITE, GRIMOALD, RODELINDE,
GARIBALDE, UNULPHE

UNULPHE

Que faites-vous, Seigneur? Pertharite eſt vivant :
Ce n'eſt plus un bruit sourd, le voilà qu'on amène;
Des chasseurs l'ont surpris dans la forêt prochaine,
Où, caché dans un fort, il attendait la nuit.

GRIMOALD

Je vois trop clairement quelle main le produit.

RODELINDE

Est-ce donc vous, Seigneur? et les bruits infidèles
N'ont-ils semé de vous que de fausses nouvelles?

PERTHARITE

Oui, cet époux si cher à vos chastes désirs,
Qui vous a tant coûté de pleurs et de soupirs...

GRIMOALD

Va, fantôme insolent, retrouver qui t'envoie,
Et ne te mêle point d'attenter à ma joie.
Il est encore ici des supplices pour toi,
Si tu viens y montrer la vaine ombre d'un roi.
Pertharite n'est plus.

PERTHARITE

Pertharite respire,
Il te parle, il te voit régner dans son empire.
Que ton ambition ne s'effarouche pas
Jusqu'à me supposer toi-même un faux trépas :
Il est honteux de feindre où l'on peut toutes choses.
Je suis mort, si tu veux; je suis mort, si tu l'oses,
Si toute ta vertu peut demeurer d'accord
Que le droit de régner me rend digne de mort.
Je ne viens point ici par de noirs artifices
De mon cruel destin forcer les injustices,
Pousser des assassins contre tant de valeur,
Et t'immoler en lâche à mon trop de malheur.
Puisque le sort trahit ce droit de ma naissance,
Jusqu'à te faire un don de ma toute-puissance,
Règne sur mes États que le ciel t'a soumis;
Peut-être un autre temps me rendra des amis.
Use mieux cependant de la faveur céleste :
Ne me dérobe pas le seul bien qui me reste,
Un bien où je te suis un obstacle éternel,
Et dont le seul désir est pour toi criminel.
Rodelinde n'est pas du droit de ta conquête :
Il faut, pour être à toi, qu'il m'en coûte la tête;
Puisqu'on m'a découvert, elle dépend de toi;
Prends-la comme tyran, ou l'attaque en vrai roi.
J'en garde hors du trône encor les caractères,
Et ton bras t'a saisi de celui de mes pères.

Je veux bien qu'il supplée au défaut de ton sang,
Pour mettre entre nous deux égalité de rang.
Si Rodelinde enfin tient ton âme charmée,
Pour voir qui la mérite, il ne faut point d'armée.
Je suis roi, je suis seul, j'en suis maître, et tu peux
Par un illustre effort faire place à tes vœux.

GRIMOALD

L'artifice grossier n'a rien qui m'épouvante.
Édüige à fourber n'est pas assez savante;
Quelque adresse qu'elle aye, elle t'a mal instruit,
Et d'un si haut dessein elle a fait trop de bruit.
Elle en fait avorter l'effet par la menace,
Et ne te produit plus que de mauvaise grâce.

PERTHARITE

Quoi! je passe à tes yeux pour un homme attitré[11]?

GRIMOALD

Tu l'avoueras toi-même ou de force ou de gré,
Il faut plus de secret alors qu'on veut surprendre,
Et l'on ne surprend point quand on se fait attendre.

PERTHARITE

Parlez, parlez, Madame; et faites voir à tous
Que vous avez des yeux pour connaître un époux.

GRIMOALD

Tu veux qu'en ta faveur j'écoute ta complice!
Eh bien! parlez, Madame; achevez l'artifice.
Est-ce là votre époux?

RODELINDE

Toi qui veux en douter,
Par quelle illusion m'oses-tu consulter?
Si tu démens tes yeux, croiras-tu mon suffrage?
Et ne peux-tu sans moi connaître son visage?
Tu l'as vu tant de fois, au milieu des combats,
Montrer, à tes périls, ce que pesait son bras,
Et l'épée à la main, disputer en personne,
Contre tout ton bonheur, sa vie et sa couronne.
Si tu cherches une aide à traiter d'imposteur
Un roi qui t'a fermé la porte de mon cœur,

Consulte Garibalde, il tremble à voir son maître :
Qui l'osa bien trahir l'osera méconnaître;
Et tu peux recevoir de son mortel effroi
L'assurance qu'enfin tu n'attends pas de moi.
Un service si haut veut une âme plus basse;
Et tu sais...

GRIMOALD

Oui, je sais jusqu'où va votre audace.
Sous l'espoir de jouir de ma perplexité,
Vous cherchez à me voir l'esprit inquiété;
Et ces discours en l'air que l'orgueil vous inspire
Veulent persuader ce que vous n'osez dire,
Brouiller la populace, et lui faire après vous
En un fourbe impudent respecter votre époux.
Poussez donc jusqu'au bout, devenez plus hardie;
Dites-nous hautement...

RODELINDE

Que veux-tu que je die?
Il ne peut être ici que ce que tu voudras :
Tes flatteurs en croiront ce que tu résoudras.
Je n'ai pas pour t'instruire assez de complaisance;
Et puisque son malheur l'a mis en ta puissance,
Je sais ce que je dois, si tu ne me le rends.
Achève de te mettre au rang des vrais tyrans.

SCÈNE V

GRIMOALD, PERTHARITE, GARIBALDE, UNULPHE

GRIMOALD

Que cet événement de nouveau m'embarrasse !

GARIBALDE

Pour un fourbe chez vous la pitié trouve place !

GRIMOALD

Non, l'échafaud bientôt m'en fera la raison.
Que ton appartement lui serve de prison;
Je te le donne en garde, Unulphe.

PERTHARITE

Prince, écoute :
Mille et mille témoins te mettront hors de doute;
Tout Milan, tout Pavie...

GRIMOALD

Allez, sans contester :
Vous aurez tout loisir de vous faire écouter.
(A Garibalde.)
Toi, va voir Édüige, et jette dans son âme
Un si flatteur espoir du retour de ma flamme,
Qu'elle-même, déjà s'assurant de ma foi,
Te nomme l'imposteur qu'elle déguise en roi[12].

SCÈNE VI

GARIBALDE

Quel revers imprévu ! quel éclat de tonnerre
Jette en moins d'un moment tout mon espoir par terre.
Ce funeste retour, malgré tout mon projet,
Va rendre Grimoald à son premier objet;
Et s'il traite ce prince en héros magnanime,
N'ayant plus de tyran, je n'ai plus de victime :
Je n'ai rien à venger, et ne puis le trahir,
S'il m'ôte les moyens de le faire haïr.
N'importe toutefois, ne perdons pas courage;
Forçons notre fortune à changer de visage;
Obstinons Grimoald, par maxime d'État,
A le croire imposteur, ou craindre un attentat;
Accablons son esprit de terreurs chimériques,
Pour lui faire embrasser des conseils tyranniques;
De son trop de vertu sachons le dégager,
Et perdons Pertharite afin de le venger.
Peut-être qu'Édüige, à regret plus sévère,
N'osera l'accepter teint du sang de son frère,
Et que l'effet suivra notre prétention
Du côté de l'amour et de l'ambition.
Tâchons, quoi qu'il en soit, d'en achever l'ouvrage;
Et pour régner un jour mettons tout en usage.

ACTE IV

SCÈNE PREMIÈRE

GRIMOALD, GARIBALDE

GARIBALDE

Je ne m'en dédis point, Seigneur, ce prompt retour
N'est qu'une illusion qu'on fait à votre amour.
Je ne l'ai vu que trop aux discours d'Édüige :
Comme sensiblement votre change l'afflige,
Et qu'avec le feu roi ce fourbe a du rapport,
Sa flamme au désespoir fait ce dernier effort.
Rodelinde, comme elle, aime à vous mettre en peine.
L'une sert son amour et l'autre sert sa haine;
Ce que l'une produit, l'autre ose l'avouer,
Et leur inimitié s'accorde à vous jouer.
L'imposteur cependant, quoi qu'on lui donne à feindre,
Le soutient d'autant mieux qu'il ne voit rien à craindre;
Car soit que ses discours puissent vous émouvoir
Jusqu'à rendre Édüige à son premier pouvoir;
Soit que malgré sa fourbe et vaine et languissante,
Rodelinde sur vous reste toute-puissante,
A l'une ou l'autre enfin votre âme à l'abandon
Ne lui pourra jamais refuser ce pardon.

GRIMOALD

Tu dis vrai, Garibalde, et déjà je le donne
A qui voudra des deux partager ma couronne :
Non que j'espère encore amollir ce rocher,
Que ni respects ni vœux n'ont jamais su toucher.
Si j'aimai Rodelinde, et si pour n'aimer qu'elle,
Mon âme à qui m'aimait s'est rendue infidèle;
Si d'éternels dédains, si d'éternels ennuis,
Les bravades, la haine, et le trouble où je suis,
Ont été jusqu'ici toute la récompense

De cet amour parjure où mon cœur se dispense,
Il est temps désormais que, par un juste effort
J'affranchisse mon cœur de cet indigne sort.
Prenons l'occasion que nous fait Édüige :
Aimons cette imposture où son amour l'oblige.
Elle plaint un ingrat de tant de maux soufferts,
Et lui prête la main pour le tirer des fers.
Aimons, encore un coup, aimons son artifice,
Aimons-en le secours, et rendons-lui justice.
Soit qu'elle en veuille au trône ou n'en veuille qu'à moi,
Qu'elle aime Grimoald ou qu'elle aime le Roi,
Qu'elle ait beaucoup d'amour ou beaucoup de courage,
Je dois tout à la main qui rompt mon esclavage.
Toi qui ne la servais qu'afin de m'obéir,
Qui tâchais par mon ordre à m'en faire haïr,
Duc, ne t'y force plus, et rends-moi ma parole :
Que je rende à ses feux tout ce que je leur vole,
Et que je puisse ainsi d'une même action
Récompenser sa flamme ou son ambition.

GARIBALDE

Je vous la rends, Seigneur; mais enfin prenez garde
A quels nouveaux périls cet effort vous hasarde,
Et si ce n'est point croire un peu trop promptement
L'impétueux transport d'un premier mouvement.
L'imposteur impuni passera pour monarque;
Tout le peuple en prendra votre bonté pour marque;
Et comme il est ardent après la nouveauté,
Il s'imaginera son rang seul respecté.
Je sais bien qu'aussitôt votre haute vaillance
De ce peuple mutin domptera l'insolence;
Mais tenez-vous fort sûr ce que vous prétendez
Du côté d'Édüige, à qui vous vous rendez?
J'ai pénétré, Seigneur, jusqu'au fond de son âme,
Où je n'ai vu pour vous aucun reste de flamme;
Sa haine seule agit, et cherche à vous ôter
Ce que tous vos désirs s'efforcent d'emporter.
Elle veut, il est vrai, vous rappeler vers elle;
Mais pour faire à son tour l'ingrate et la cruelle,
Pour vous traiter de lâche, et vous rendre soudain
Parjure pour parjure et dédain pour dédain.
Elle veut que votre âme, esclave de la sienne,
Lui demande sa grâce, et jamais ne l'obtienne :

Ce sont ses mots exprès; et pour vous punir mieux,
Elle me veut aimer, et m'aimer à vos yeux :
Elle me l'a promis.

SCÈNE II

GRIMOALD, GARIBALDE, ÉDUIGE

ÉDUIGE

Je te l'ai promis, traître !
Oui, je te l'ai promis, et l'aurais fait peut-être,
Si ton âme, attachée à mes commandements,
Eût pu dans ton amour suivre mes sentiments.
J'avais mis mes secrets en bonne confidence !
Vois par là, Grimoald, quelle est ton imprudence,
Et juge, par les miens lâchement déclarés,
Comme les tiens sur lui peuvent être assurés.
Qui trahit sa maîtresse aisément fait connaître
Que sans aucun scrupule il trahirait son maître,
Et que des deux côtés laissant flotter sa foi,
Son cœur n'aime en effet ni son maître ni moi.
Il a son but à part, Grimoald, prends-y garde :
Quelque dessein qu'il ait, c'est toi seul qu'il regarde.
Examine ce cœur, juges-en comme il faut.
Qui m'aime et me trahit aspire encor plus haut.

GARIBALDE

Vous le voyez, Seigneur, avec quelle injustice
On me fait criminel quand je vous rends service.
Mais de quoi n'est capable un malheureux amant
Que la peur de vous perdre agite incessamment,
Madame? Vous voulez que le Roi vous adore,
Et pour l'en empêcher je ferais plus encore :
Je ne m'en défends point, et mon esprit jaloux
Cherche tous les moyens de l'éloigner de vous.
Je ne vous saurais voir entre les bras d'un autre;
Mon amour, si c'est crime, a l'exemple du vôtre.
Que ne faites-vous point pour obliger le Roi
A quitter Rodelinde, et vous rendre sa foi?
Est-il rien en ces lieux que n'ait mis en usage
L'excès de votre ardeur ou de votre courage?
Pour être tout à vous, j'ai fait tous mes efforts;

Mais je n'ai point encor fait revivre les morts.
J'ai dit des vérités dont votre cœur murmure;
Mais je n'ai point été jusques à l'imposture,
Et je n'ai point poussé des sentiments si beaux
Jusqu'à faire sortir les ombres des tombeaux.
Ce n'est point mon amour qui produit Pertharite :
Ma flamme ignore encor cet art qui ressuscite;
Et je ne vois en elle enfin rien à blâmer,
Sinon que je trahis, si c'est trahir qu'aimer.

ÉDUIGE

De quel front et de quoi cet insolent m'accuse?

GRIMOALD

D'un mauvais artifice et d'une faible ruse.
Votre dessein, Madame, était mal concerté :
On ne m'a point surpris quand on s'est présenté.
Vous m'aviez préparé vous-même à m'en défendre,
Et me l'ayant promis, j'avais lieu de l'attendre.
Consolez-vous pourtant, il a fait son effet :
Je suis à vous, Madame, et j'y suis tout à fait.
Si je vous ai trahie, et si mon cœur volage
Vous a volé longtemps un légitime hommage,
Si pour un autre objet le vôtre en fut banni,
Les maux que j'ai soufferts m'en ont assez puni.
Je recouvre la vue, et reconnais mon crime :
A mes feux rallumés ce cœur s'offre en victime;
Oui, Princesse, et pour être à vous jusqu'au trépas,
Il demande un pardon qu'il ne mérite pas.
Votre propre bonté qui vous en sollicite
Obtient déjà celui de ce faux Pertharite.
Un si grand attentat blesse la majesté;
Mais s'il est criminel, je l'ai moi-même été.
Faites grâce, et j'en fais; oubliez, et j'oublie.
Il reste seulement que lui-même il publie,
Par un aveu sincère, et sans rien déguiser,
Que pour me rendre à vous il voulait m'abuser,
Qu'il n'empruntait ce nom que par votre ordre même.
Madame, assurez-vous par là mon diadème,
Et ne permettez pas que cette illusion
Aux mutins contre nous prête d'occasion.
Faites donc qu'il l'avoue, et que ma grâce offerte,
Tout imposteur qu'il est, le dérobe à sa perte;

Et délivrez par là de ces troubles soudains
Le sceptre qu'avec moi je remets en vos mains.

ÉDUIGE

J'avais eu jusqu'ici ce respect pour ta gloire,
Qu'en te nommant tyran, j'avais peine à me croire :
Je me tenais suspecte, et sentais que mon feu
Faisait de ce reproche un secret désaveu;
Mais tu lèves le masque, et m'ôtes de scrupule.
Je ne puis plus garder ce respect ridicule;
Et je vois clairement, le masque étant levé,
Que jamais on n'a vu tyran plus achevé.
Tu fais adroitement le doux et le sévère,
Afin que la sœur t'aide à massacrer le frère :
Tu fais plus, et tu veux qu'en trahissant son sort,
Lui-même il se condamne et se livre à la mort,
Comme s'il pouvait être amoureux de la vie
Jusqu'à la racheter par une ignominie,
Ou qu'un frivole espoir de te revoir à moi
Me pût rendre perfide et lâche comme toi.
Aime-moi, si tu veux, déloyal; mais n'espère
Aucun secours de moi pour t'immoler mon frère.
Si je te menaçais tantôt de son retour,
Si j'en donnais l'alarme à ton nouvel amour,
C'étaient discours en l'air inventés par ma flamme,
Pour brouiller ton esprit et celui de sa femme.
J'avais peine à te perdre, et parlais au hasard,
Pour te perdre du moins quelques moments plus tard;
Et quand par ce retour il a su nous surprendre,
Le ciel m'a plus rendu que je n'osais attendre.

GRIMOALD

Madame...

ÉDUIGE

Tu perds temps; je n'écoute plus rien,
Et j'attends ton arrêt pour résoudre le mien.
Agis, si tu le veux, en vainqueur magnanime;
Agis comme tyran, et prends cette victime :
Je suivrai ton exemple, et sur tes actions
Je réglerai ma haine ou mes affections.
Il suffit à présent que je te désabuse,
Pour payer ton amour ou pour punir ta ruse.
Adieu.

SCÈNE III

GRIMOALD, GARIBALDE, UNULPHE

GRIMOALD

Que veut Unulphe?

UNULPHE

Il eſt de mon devoir
De vous dire, Seigneur, que chacun le vient voir.
J'ai permis à fort peu de lui rendre visite;
Mais tous l'ont reconnu pour le vrai Pertharite.
Le peuple même parle, et déjà sourdement
On entend des discours semés confusément...

GARIBALDE

Voyez en quels périls vous jette l'impoſture :
Le peuple déjà parle, et sourdement murmure.
Le feu va s'allumer, si vous ne l'éteignez.
Pour perdre un impoſteur, qu'eſt-ce que vous craignez?
La haine d'Édüige, elle qui ne prépare
A vos submissions qu'une fierté barbare?
Elle que vos mépris ayant mise en fureur,
Rendent opiniâtre à vous mettre en erreur?
Elle qui n'a plus soif que de votre ruine?
Elle dont la main seule en conduit la machine?
De semblables malheurs se doivent dédaigner,
Et la vertu timide eſt mal propre à régner.
Épousez Rodelinde, et malgré son fantôme,
Assurez-vous l'État, et calmez le royaume;
Et livrant l'impoſteur à ses mauvais deſtins,
Otez dès aujourd'hui tout prétexte aux mutins.

GRIMOALD

Oui, je te croirai, duc; et dès demain sa tête
Abattue à mes pieds, calmera la tempête.
Qu'on le fasse venir, et qu'on mande avec lui
Celle qui de sa fourbe eſt le second appui,
La reine qui me brave et qui par grandeur d'âme
Semble avoir quelque gêne à se nommer sa femme.

GARIBALDE

Ses pleurs vous toucheront.

GRIMOALD

Je suis armé contre eux.

GARIBALDE

L'amour vous séduira.

GRIMOALD

Je n'en crains point les feux;
Ils ont peu de pouvoir quand l'âme est résolue[13].

GARIBALDE

Agissez donc, Seigneur, de puissance absolue;
Soutenez votre sceptre avec l'autorité
Qu'imprime au front des rois leur propre majesté.
Un roi doit pouvoir tout, et ne sait pas bien l'être
Quand au fond de son cœur il souffre un autre maître.

SCÈNE IV

GRIMOALD, PERTHARITE, RODELINDE,
GARIBALDE, UNULPHE

GRIMOALD

Viens, fourbe, viens, méchant, éprouver ma bonté,
Et ne la réduis pas à la sévérité.
Je veux te faire grâce : avoue et me confesse
D'un si hardi dessein qui t'a fourni l'adresse,
Qui des deux l'a formé, qui t'a le mieux instruit :
Tu m'entends; et surtout fais cesser ce faux bruit;
Détrompe mes sujets, ta prison est ouverte;
Sinon, prépare-toi dès demain à ta perte;
N'y force pas ton prince; et sans plus t'obstiner,
Mérite le pardon qu'il cherche à te donner.

PERTHARITE

Que tu perds lâchement de ruse et d'artifice,
Pour trouver à me perdre une ombre de justice,

Et sauver les dehors d'une adroite vertu
Dont aux yeux éblouis tu parais revêtu !
Le ciel te livre exprès une grande victime,
Pour voir si tu peux être et juste et magnanime;
Mais il ne t'abandonne après tout que son sang :
Tu ne lui peux ôter ni son nom ni son rang :
Je mourrai comme roi né pour le diadème;
Et bientôt mes sujets, détrompés par toi-même,
Connaîtront par ma mort qu'ils n'adorent en toi
Que de fausses couleurs qui te peignent en roi.
Hâte donc cette mort, elle t'est nécessaire;
Car puisque enfin tu veux la vérité sincère,
Tout ce qu'entre tes mains je forme de souhaits,
C'est d'affranchir bientôt ces malheureux sujets.
Crains-moi, si je t'échappe; et sois sûr de ta perte,
Si par ton mauvais sort la prison m'est ouverte.
Mon peuple aura des yeux pour connaître son roi,
Et mettra différence entre un tyran et moi :
Il n'a point de fureur que soudain je n'excite.
Voilà, dedans tes fers, l'espoir de Pertharite;
Voilà des vérités qu'il ne peut déguiser,
Et l'aveu qu'il te faut pour te désabuser.

RODELINDE

Veux-tu pour t'éclaircir de plus illustres marques?
Veux-tu mieux voir le sang de nos premiers monarques?
Ce grand cœur...

GRIMOALD

Oui, Madame, il est fort bien instruit
A montrer de l'orgueil et fourber à grand bruit.
Mais si par son aveu la fourbe reconnue
Ne détrompe aujourd'hui la populace émue,
Qu'il prépare sa tête, et vous-même en ce lieu
Ne pensez qu'à lui dire un éternel adieu.
Laissons-les seuls, Unulphe, et demeure à la porte;
Qu'avant que je l'ordonne aucun n'entre ni sorte.

SCÈNE V

PERTHARITE, RODELINDE

PERTHARITE

Madame, vous voyez où l'amour m'a conduit.
J'ai su que de ma mort il courait un faux bruit,
Des désirs du tyran j'ai su la violence;
J'en ai craint sur ce bruit la dernière insolence,
Et n'ai pu faire moins que de tout exposer,
Pour vous revoir encore et vous désabuser.
J'ai laissé hasarder à cette digne envie
Les restes languissants d'une importune vie,
A qui l'ennui mortel d'être éloigné de vous
Semblait à tous moments porter les derniers coups;
Car, je vous l'avouerai, dans l'état déplorable
Où m'abîme du sort la haine impitoyable,
Où tous mes alliés me refusent leurs bras,
Mon plus cuisant chagrin est de ne vous voir pas.
Je bénis mon destin, quelques maux qu'il m'envoie,
Puisqu'il peut consentir à ce moment de joie;
Et bien qu'il ose encor de nouveau me trahir,
En un moment si doux je ne le puis haïr.

RODELINDE

C'est donc trop peu, Seigneur, pour mon âme affligée,
De toute la misère où je me vois plongée;
C'était peu des rigueurs de ma captivité,
Sans celle où votre amour vous a précipité;
Et pour dernier outrage où son excès m'expose,
Il faut vous voir mourir et m'en savoir la cause !
    Je ne vous dirai point que ce moment m'est doux.
Il met à trop haut prix ce qu'il me rend de vous;
Et votre souvenir m'aurait bien su défendre
De tout ce qu'un tyran aurait osé prétendre.
N'attendez point de moi de soupirs ni de pleurs :
Ce sont amusements de légères douleurs.
L'amour que j'ai pour vous hait ces molles bassesses
Où d'un sexe craintif descendent les faiblesses;
Et contre vos malheurs j'ai trop su m'affermir,
Pour ne dédaigner pas l'usage de gémir.

D'un déplaisir si grand la noble violence
Se résout tout entière en ardeur de vengeance,
Et méprisant l'éclat, porte tout son effort
A sauver votre vie, ou venger votre mort.
Je ferai l'un ou l'autre, ou périrai moi-même.

PERTHARITE

Aimez plutôt, Madame, un vainqueur qui vous aime.
Vous avez assez fait pour moi, pour votre honneur;
Il est temps de tourner du côté du bonheur,
De ne plus embrasser des destins trop sévères,
Et de laisser finir mes jours et vos misères.
Le ciel, qui vous destine à régner en ces lieux,
M'accorde au moins le bien de mourir à vos yeux.
J'aime à lui voir briser une importune chaîne
De qui les nœuds rompus vous font heureuse reine;
Et sous votre destin je veux bien succomber,
Pour remettre en vos mains ce que j'en fis tomber.

RODELINDE

Est-ce là donc, Seigneur, la digne récompense
De ce que pour votre ombre on m'a vu de constance?
Quand je vous ai cru mort, et qu'un si grand vainqueur,
Sa conquête à mes pieds, m'a demandé mon cœur,
Quand toute autre en ma place eût peut-être fait gloire
De cet hommage entier de toute sa victoire...

PERTHARITE

Je sais que vous avez dignement combattu :
Le ciel va couronner aussi votre vertu;
Il va vous affranchir de cette inquiétude
Que pouvait de ma mort former l'incertitude,
Et vous mettre sans trouble en pleine liberté
De monter au plus haut de la félicité.

RODELINDE

Que dis-tu, cher époux?

PERTHARITE

Que je vois sans murmure
Naître votre bonheur de ma triste aventure.
L'amour me ramenait, sans pouvoir rien pour vous,
Que vous envelopper dans l'exil d'un époux,

Vous dérober sans bruit à cette ardeur infâme
Où s'opposent ma vie et le nom de ma femme.
Pour changer avec gloire, il vous faut mon trépas;
Et s'il vous faut régner, je ne le perdrai pas.
Après tant de malheurs que mon amour vous cause,
Il est temps que ma mort vous serve à quelque chose,
Et qu'un victorieux à vos pieds abattu
Cesse de renoncer à toute sa vertu.
D'un conquérant si grand et d'un héros si rare
Vous faites trop longtemps un tyran, un barbare;
Il l'est, mais seulement pour vaincre vos refus.
Soyez à lui, Madame, il ne le sera plus;
Et je tiendrai ma vie heureusement perdue,
Puisque...

RODELINDE

N'achève point un discours qui me tue,
Et ne me force point à mourir de douleur,
Avant qu'avoir pu rompre ou venger ton malheur.
Moi qui l'ai dédaigné dans son char de victoire,
Couronné de vertus encor plus que de gloire,
Magnanime, vaillant, juste, bon, généreux,
Pour m'attacher à l'ombre, au nom d'un malheureux,
Je pourrais à ta vue, aux dépens de ta vie,
Épouser d'un tyran l'horreur et l'infamie,
Et trahir mon bonheur, ma naissance, mon rang,
Pour baiser une main fumante de ton sang :
Ah ! tu me connais mieux, cher époux.

PERTHARITE

Non, Madame,
Il ne faut point souffrir ce scrupule en votre âme.
Quand ces devoirs communs ont d'importunes lois,
La majesté du trône en dispense les rois :
Leur gloire est au-dessus des règles ordinaires,
Et cet honneur n'est beau que pour les cœurs vulgaires.
Sitôt qu'un roi vaincu tombe aux mains du vainqueur,
Il a trop mérité la dernière rigueur.
Ma mort pour Grimoald ne peut avoir de crime :
Le soin de s'affermir lui rend tout légitime[14].
Quand j'aurai dans ses fers cessé de respirer,
Donnez-lui votre main sans rien considérer :
Épargnez les efforts d'une impuissante haine,
Et permettez au ciel de vous faire encor reine.

RODELINDE

Épargnez-moi, Seigneur, ce cruel sentiment,
Vous qui savez...

SCÈNE VI

PERTHARITE, RODELINDE, UNULPHE

UNULPHE

Madame, achevez promptement :
Le Roi, de plus en plus se rendant intraitable,
Mande vers lui ce prince, ou faux, ou véritable.

PERTHARITE

Adieu, puisqu'il le faut; et croyez qu'un époux
A tous les sentiments qu'il doit avoir de vous.
Il voit tout votre amour et tout votre mérite;
Et mourant sans regret, à regret il vous quitte.

RODELINDE

Adieu, puisqu'on m'y force; et recevez ma foi
Que l'on me verra digne et de vous et de moi.

PERTHARITE

Ne vous exposez point au même précipice.

RODELINDE

Le ciel hait les tyrans, et nous fera justice.

PERTHARITE

Hélas ! s'il était juste, il vous aurait donné
Un plus puissant monarque, ou moins infortuné.

ACTE V

SCÈNE PREMIÈRE

UNULPHE, ÉDUIGE

ÉDUIGE

Quoi? Grimoald s'obstine à perdre ainsi mon frère!
D'imposture et de fourbe il traite sa misère!
Et feignant de me rendre et son cœur et sa foi,
Il n'a point d'yeux pour lui ni d'oreilles pour moi!

UNULPHE

Madame, n'accusez que le duc qui l'obsède :
Le mal, s'il en est cru, deviendra sans remède;
Et si le Roi suivait ses conseils violents,
Vous n'en verriez déjà que des effets sanglants.

ÉDUIGE

Jadis pour Grimoald il quitta Pertharite;
Et s'il le laisse vivre, il craint ce qu'il mérite.

UNULPHE

Ajoutez qu'il vous aime, et veut par tous moyens
Rattacher ce vainqueur à ses derniers liens;
Que Rodelinde à lui, par amour ou par force,
Assure entre vous deux un éternel divorce;
Et s'il peut une fois jusque-là l'irriter,
Par force ou par amour il croit vous emporter.
Mais vous n'avez, Madame, aucun sujet de crainte;
Ce héros est à vous sans réserve et sans feinte,
Et...

ÉDUIGE

S'il quitte sans feinte un objet si chéri,
Sans doute au fond de l'âme il connaît son mari.
Mais s'il le connaissait, en dépit de ce traître,
Qui pourrait l'empêcher de le faire paraître?

UNULPHE

Sur le trône conquis il craint quelque attentat,
Et ne le méconnaît que par raison d'État.
C'est un aveuglement qu'il a cru nécessaire ;
Et comme Garibalde animait sa colère,
De ses mauvais conseils sans cesse combattu,
Il donnait lieu de craindre enfin pour sa vertu.
Mais, Madame, il n'est plus en état de le croire.
Je n'ai pu voir longtemps ce péril pour sa gloire.
Quelque fruit que le duc espère en recueillir,
Je viens d'ôter au Roi les moyens de faillir.
Pertharite, en un mot, n'est plus en sa puissance.
Mais ne présumez pas que j'aye eu l'imprudence
De laisser à sa fuite un libre et plein pouvoir
De se montrer au peuple et d'oser l'émouvoir.
Pour fuir en sûreté, je lui prête main-forte,
Ou plutôt je lui donne une fidèle escorte,
Qui sous cette couleur de lui servir d'appui,
Le met hors du royaume, et me répond de lui.
J'empêche ainsi le duc d'achever son ouvrage,
Et j'en donne à mon roi ma tête pour otage.
Votre bonté, Madame, en prendra quelque soin.

ÉDUIGE

Oui, je serai pour toi criminelle au besoin :
Je prendrai, s'il le faut, sur moi toute la faute.

UNULPHE

Ou je connais fort mal une vertu si haute,
Ou, s'il revient à soi, lui-même tout ravi
M'avouera le premier que je l'ai bien servi.

SCÈNE II

GRIMOALD, ÉDUIGE, UNULPHE

GRIMOALD

Que voulez-vous enfin, Madame, que j'espère?
Qu'ordonnez-vous de moi?

ÉDUIGE

Que fais-tu de mon frère?
Qu'ordonnes-tu de lui? prononce ton arrêt.

GRIMOALD

Toujours d'un imposteur prendrez-vous l'intérêt?

ÉDUIGE

Veux-tu suivre toujours le conseil tyrannique
D'un traître qui te livre à la haine publique?

GRIMOALD

Qu'en faveur de ce fourbe à tort vous m'accusez!
Je vous offre sa grâce, et vous la refusez.

ÉDUIGE

Cette offre est un supplice aux princes qu'on opprime :
Il ne faut point de grâce à qui se voit sans crime;
Et tes yeux, malgré moi, ne te font que trop voir
Que c'est à lui d'en faire, et non d'en recevoir.
Ne t'obstine donc plus à t'aveugler toi-même :
Sois tel que je t'aimais, si tu veux que je t'aime;
Sois tel que tu parus quand tu conquis Milan :
J'aime encor son vainqueur, mais non pas son tyran.
Rends-toi cette vertu pleine, haute, sincère,
Qui t'affermit si bien au trône de mon frère;
Rends-lui du moins son nom, si tu me rends ton cœur.
Qui peut feindre pour lui peut feindre pour la sœur;
Et tu ne vois en moi qu'une amante incrédule,
Quand je vois qu'avec lui ton âme dissimule.
Quitte, quitte en vrai roi les vertus des tyrans,
Et ne me cache plus un cœur que tu me rends.

GRIMOALD

Lisez-y donc vous-même : il est à vous, Madame;
Vous en voyez le trouble aussi bien que la flamme.
Sans plus me demander ce que vous connaissez,
De grâce, croyez-en tout ce que vous pensez.
C'est redoubler ensemble et mes maux et ma honte
Que de forcer ma bouche à vous en rendre conte.
Quand je n'aurais point d'yeux, chacun en a pour moi.
Garibalde lui seul a méconnu son roi;
Et par un intérêt qu'aisément je devine,

Ce lâche, tant qu'il peut, par ma main l'assassine.
Mais que plutôt le ciel me foudroie à vos yeux,
Que je songe à répandre un sang si précieux !
Madame, cependant mettez-vous en ma place :
Si je le reconnais, que faut-il que j'en fasse?
Le tenir dans les fers avec le nom de roi,
C'est soulever pour lui ses peuples contre moi.
Le mettre en liberté, c'est le mettre à leur tête,
Et moi-même hâter l'orage qui s'apprête.
Puis-je m'assurer d'eux et souffrir son retour?
Puis-je occuper son trône et le voir dans ma cour?
Un roi, quoique vaincu, garde son caractère :
Aux fidèles sujets sa vue est toujours chère;
Au moment qu'il paraît, les plus grands conquérants,
Pour vertueux qu'ils soient, ne sont que des tyrans;
Et dans le fond des cœurs sa présence fait naître
Un mouvement secret qui les rend à leur maître.
Ainsi mon mauvais sort a de quoi me punir
Et de le délivrer et de le retenir.
Je vois dans mes prisons sa personne enfermée
Plus à craindre pour moi qu'en tête d'une armée.
Là, mon bras animé de toute ma valeur
Chercherait avec gloire à lui percer le cœur;
Mais, ici sans défense, hélas ! qu'en puis-je faire?
Si je pense régner, sa mort m'est nécessaire;
Mais soudain ma vertu s'arme si bien pour lui,
Qu'en mille bataillons il aurait moins d'appui.
Pour conserver sa vie et m'assurer l'empire,
Je fais ce que je puis à le faire dédire :
Des plus cruels tyrans j'emprunte le courroux
Pour tirer cet aveu de la Reine ou de vous;
Mais partout je perds temps, partout même constance
Rend à tous mes efforts pareille résistance.
Encor s'il ne fallait qu'éteindre ou dédaigner
En des troubles si grands la douceur de régner,
Et que pour vous aimer et ne vous point déplaire
Ce grand titre de roi ne fût pas nécessaire,
Je me vaincrais moi-même, et lui rendant l'État,
Je mettrais ma vertu dans son plus haut éclat.
Mais je vous perds, Madame, en quittant la couronne;
Puisqu'il vous faut un roi, c'est vous que j'abandonne;
Et dans ce cœur à vous par vos yeux combattu
Tout mon amour s'oppose à toute ma vertu.

Vous pour qui je m'aveugle avec tant de lumières,
Si vous êtes sensible encore à mes prières,
Daignez servir de guide à mon aveuglement,
Et faites le destin d'un frère et d'un amant.
Mon amour de tous deux vous fait la souveraine :
Ordonnez-en vous-même, et prononcez en reine.
Je périrai content, et tout me sera doux,
Pourvu que vous croyiez que je suis tout à vous.

ÉDUIGE

Que tu me connais mal, si tu connais mon frère !
Tu crois donc qu'à ce point la couronne m'est chère,
Que j'ose mépriser un comte généreux
Pour m'attacher au sort d'un tyran trop heureux?
Aime-moi si tu veux, mais crois-moi magnanime;
Avec tout cet amour garde-moi ton estime;
Crois-moi quelque tendresse encor pour mon vrai sang,
Qu'une haute vertu me plaît mieux qu'un haut rang,
Et que vers Gundebert je crois ton serment quitte,
Quand tu n'aurais qu'un jour régné pour Pertharite.
Milan, qui l'a vu fuir, et t'a nommé son roi,
De la haine d'un mort a dégagé ma foi.
A présent je suis libre, et comme vraie amante
Je secours malgré moi ta vertu chancelante,
Et dérobe mon frère à ta soif de régner,
Avant que tout ton cœur s'en soit laissé gagner.
Oui, j'ai brisé ses fers, j'ai corrompu ses gardes,
J'ai mis en sûreté tout ce que tu hasardes.
Il fuit, et tu n'as plus à traiter d'imposteur
De tes troubles secrets le redoutable auteur.
Il fuit, et tu n'as plus à craindre de tempête.
Secourant ta vertu, j'assure ta conquête;
Et les soins que j'ai pris... Mais la Reine survient.

SCÈNE III

GRIMOALD, RODELINDE, ÉDUIGE, UNULPHE

GRIMOALD, *à Rodelinde.*

Que tardez-vous, Madame, et quel soin vous retient?
Suivez de votre époux le nom, l'image, ou l'ombre;

De ceux qui m'ont trahi croissez l'indigne nombre,
Et délivrez mes yeux, trop aisés à charmer,
Du péril de vous voir et de vous trop aimer.
Suivez : votre captif ne vous tient plus captive.

RODELINDE

Rends-le-moi donc, tyran, afin que je le suive.
A quelle indigne feinte oses-tu recourir,
De m'ouvrir sa prison quand tu l'as fait mourir !
Lâche, présumes-tu qu'un faux bruit de sa fuite
Cache de tes fureurs la barbare conduite?
Crois-tu qu'on n'ait point d'yeux pour voir ce que tu fais,
Et jusque dans ton cœur découvrir tes forfaits.

ÉDUIGE

Madame...

RODELINDE

Eh bien ! Madame, êtes-vous sa complice?
Vous chargez-vous pour lui de toute l'injustice?
Et sa main qu'il vous tend vous plaît-elle à ce prix?

ÉDUIGE

Vous la vouliez tantôt teinte du sang d'un fils,
Et je puis l'accepter teinte du sang d'un frère,
Si je veux être sœur comme vous étiez mère.

RODELINDE

Ne me reprochez point une juste fureur
Où des feux d'un tyran me réduisait l'horreur;
Et puisque de sa foi vous êtes ressaisie,
Faites cesser l'aigreur de votre jalousie.

ÉDUIGE

Ne me reprochez point des sentiments jaloux,
Quand je hais les tyrans autant ou plus que vous.

RODELINDE

Vous pouvez les haïr quand Grimoald vous aime !

ÉDUIGE

J'aime en lui sa vertu plus que son diadème;
Et voyant quels motifs le font encor agir,
Je ne vois rien en lui qui me fasse rougir.

RODELINDE, *à Grimoald.*

Rougis-en donc toi seul, toi qui caches ton crime,
Qui t'immolant un roi, dérobes ta victime,
Et d'un grand ennemi déguisant tout le sort,
Le fait fourbe en sa vie et fuir après sa mort.
De tes fausses vertus les brillantes pratiques
N'élevaient que pour toi ces tombeaux magnifiques :
C'étaient de vains éclats de générosité,
Pour rehausser ta gloire avec impunité.
Tu n'accablais son nom de tant d'honneurs funèbres
Que pour ensevelir sa mort dans les ténèbres,
Et lui tendre avec pompe un piège illustre et beau,
Pour le priver un jour des honneurs du tombeau.
Soûle-toi de son sang; mais rends-moi ce qui reste,
Attendant ma vengeance, ou le courroux céleste,
Que je puisse...

GRIMOALD, *à Édüige.*

Ah ! Madame, où me réduisez-vous
Pour un fourbe qu'elle aime à nommer son époux?
Votre pitié ne sert qu'à me couvrir de honte,
Si quand vous me l'ôtez, il m'en faut rendre conte,
Et si la cruauté de mon triste destin
De ce que vous sauvez me nomme l'assassin.

UNULPHE

Seigneur, je crois savoir la route qu'il a prise;
Et si Sa Majesté veut que je l'y conduise,
Au péril de ma tête en moins d'une heure ou deux,
Je m'offre de la rendre à l'objet de ses vœux.
Allons, allons, Madame; et souffrez que je tâche...

RODELINDE, *à Unulphe.*

O d'un lâche tyran ministre encor plus lâche,
Qui sous un faux semblant d'un peu d'humanité
Penses contre mes pleurs faire sa sûreté !
Que ne dis-tu plutôt que ses justes alarmes
Aux yeux des bons sujets veulent cacher mes larmes,
Qu'il lui faut me bannir, de crainte que mes cris
Du peuple et de la cour émeuvent les esprits?
Traître, si tu n'étais de son intelligence,
Pourrait-il refuser ta tête à sa vengeance?
Que devient, Grimoald, que devient ton courroux?

Tes ordres en sa garde avaient mis mon époux.
Il a brisé ses fers, il sait où va sa fuite;
Si je le veux rejoindre, il s'offre à ma conduite;
Et quand son sang devrait te répondre du sien,
Il te voit, il te parle, et n'appréhende rien !

GRIMOALD, *à Rodelinde.*

Quand ce qu'il fait pour vous hasarderait ma vie,
Je ne puis le punir de vous avoir servie.
Si j'avais cependant quelque peur que vos cris
De la cour et du peuple émussent les esprits,
Sans vous prier de fuir pour finir mes alarmes,
J'aurais trop de moyens de leur cacher vos larmes.
Mais vous êtes, Madame, en pleine liberté;
Vous pouvez faire agir toute votre fierté,
Porter dans tous les cœurs ce qui règne en votre âme :
Le vainqueur du mari ne peut craindre la femme.
Mais que veut ce soldat?

SCÈNE IV

GRIMOALD, RODELINDE, ÉDUIGE, UNULPHE, SOLDAT

SOLDAT

Vous avertir, Seigneur,
D'un grand malheur ensemble et d'un rare bonheur.
Garibalde n'est plus, et l'imposteur infâme
Qui tranche ici du roi lui vient d'arracher l'âme;
Mais ce même imposteur est en votre pouvoir.

GRIMOALD

Que dis-tu, malheureux?

SOLDAT

Ce que vous allez voir.

GRIMOALD

O ciel ! en quel état ma fortune est réduite,
S'il ne m'est pas permis de jouir de sa fuite !

Faut-il que de nouveau mon cœur embarrassé
Ne puisse... Mais dis-nous comment tout s'est passé.

SOLDAT

Le duc, ayant appris quelles intelligences
Dérobaient un tel fourbe à vos justes vengeances,
L'attendait à main-forte, et lui fermant le pas :
« A lui seul, nous dit-il; mais ne le blessons pas.
Réservons tout son sang aux rigueurs des supplices,
Et laissons par pitié fuir ses lâches complices. »
Ceux qui le conduisaient, du grand nombre étonnés,
Et par mes compagnons soudain environnés,
Acceptent la plupart ce qu'on leur facilite,
Et s'écartent sans bruit de ce faux Pertharite.
Lui, que l'ordre reçu nous forçait d'épargner
Jusqu'à baisser l'épée, et le trop dédaigner,
S'ouvre en son désespoir parmi nous un passage,
Jusque sur notre chef pousse toute sa rage,
Et lui plonge trois fois un poignard dans le sein,
Avant qu'aucun de nous ait pu voir son dessein.
Nos bras étaient levés pour l'en punir sur l'heure;
Mais le duc par nos mains ne consent pas qu'il meure,
Et son dernier soupir est un ordre nouveau
De garder tout son sang à celle d'un bourreau.
Ainsi ce fugitif retombe dans sa chaîne,
Et vous pouvez, Seigneur, ordonner de sa peine :
Le voici.

GRIMOALD

Quel combat pour la seconde fois !

SCÈNE V

PERTHARITE, GRIMOALD, RODELINDE,
ÉDUIGE, UNULPHE, SOLDATS

PERTHARITE

Tu me revois, tyran qui méconnais les rois;
Et j'ai payé pour toi d'un si rare service
Celui qui rend ma tête à ta fausse justice.

Pleure, pleure ce bras qui t'a si bien servi;
Pleure ce bon sujet que le mien t'a ravi.
Hâte-toi de venger ce ministre fidèle :
C'est toi qu'à sa vengeance en mourant il appelle.
Signale ton amour, et parais aujourd'hui,
S'il fut digne de toi, plus digne encor de lui.
Mais cesse désormais de traiter d'imposture
Les traits que sur mon front imprime la nature.
Milan m'a vu passer, et partout en passant
J'ai vu couler ses pleurs pour son prince impuissant[15];
Tu lui déguiserais en vain ta tyrannie :
Pousses-en jusqu'au bout l'insolente manie :
Et quoi que ta fureur te prescrive pour moi,
Ordonne de mes jours comme de ceux d'un roi.

GRIMOALD

Oui, tu l'es en effet, et j'ai su te connaître,
Dès le premier moment que je t'ai vu paraître.
Si j'ai fermé les yeux, si j'ai voulu gauchir,
Des maximes d'État j'ai voulu t'affranchir,
Et ne voir pas ma gloire indignement trahie
Par la nécessité de m'immoler ta vie.
De cet aveuglement les soins mystérieux
Empruntaient les dehors d'un tyran furieux,
Et forçaient ma vertu d'en souffrir l'artifice,
Pour t'arracher ton nom par l'effroi du supplice.
Mais mon dessein n'était que de t'intimider,
Ou d'obliger quelqu'un à te faire évader.
Unulphe a bien compris en serviteur fidèle,
Ce que ma violence attendait de son zèle;
Mais un traître pressé par d'autres intérêts
A rompu tout l'effet de mes désirs secrets.
Ta main, grâces au ciel, nous en a fait justice.
Cependant ton retour m'est un nouveau supplice;
Car enfin que veux-tu que je fasse de toi?
Puis-je porter ton sceptre et te traiter de roi?
Ton peuple qui t'aimait, pourra-t-il te connaître,
Et souffrir à tes yeux les lois d'un autre maître?
Toi-même pourras-tu, sans entreprendre rien,
Me voir jusqu'au trépas possesseur de ton bien?
Pourras-tu négliger l'occasion offerte,
Et refuser ta main ou ton ordre à ma perte?
Si tu n'étais qu'un lâche, on aurait quelque espoir

Qu'enfin tu pourrais vivre, et ne rien émouvoir;
Mais qui me croit tyran, et hautement me brave,
Quelque faible qu'il soit, n'a point le cœur d'esclave,
Et montre une grande âme au-dessus du malheur,
Qui manque de fortune, et non pas de valeur.
Je vois donc malgré moi ma victoire asservie
A te rendre le sceptre, ou prendre encor ta vie;
Et plus l'ambition trouble ce grand effort,
Plus ceux de ma vertu me refusent ta mort.
Mais c'est trop retenir ma vertu prisonnière :
Je lui dois comme à toi liberté tout entière;
Et mon ambition a beau s'en indigner,
Cette vertu triomphe, et tu t'en vas régner.
Milan, revois ton prince, et reprends ton vrai maître,
Qu'en vain pour t'aveugler j'ai voulu méconnaître;
Et vous que d'imposteur à regret j'ai traité...

PERTHARITE

Ah ! c'est porter trop loin la générosité.
Rendez-moi Rodelinde, et gardez ma couronne,
Que pour sa liberté sans regret j'abandonne :
Avec ce cher objet tout destin m'est trop doux.

GRIMOALD

Rodelinde et Milan et mon cœur sont à vous;
Et je vous remettrais toute la Lombardie,
Si comme dans Milan je régnais dans Pavie.
Mais vous n'ignorez pas, Seigneur, que le feu Roi
En fit reine Édüige; et lui donnant ma foi,
Je promis...

ÉDUIGE, *à Grimoald.*

Si ta foi t'oblige à la défendre,
Ton exemple m'oblige encor plus à la rendre;
Et je mériterais un nouveau changement,
Si mon cœur n'égalait celui de mon amant.

PERTHARITE, *à Édüige.*

Son exemple, ma sœur, en vain vous y convie.
Avec ce grand héros je vous laisse Pavie,
Et me croirais moi-même aujourd'hui malheureux,
Si je voyais sans sceptre un bras si généreux.

RODELINDE, *à Grimoald.*

Pardonnez si ma haine a trop cru l'apparence :
Je présumais beaucoup de votre violence;
Mais je n'aurais osé, Seigneur, en présumer
Que vous m'eussiez forcée enfin à vous aimer.

GRIMOALD, *à Rodelinde.*

Vous m'avez outragé sans me faire injustice.

RODELINDE

Qu'une amitié si ferme aujourd'hui nous unisse,
Que l'un et l'autre État en admire les nœuds,
Et doute avec raison qui règne de vous deux.

PERTHARITE

Pour en faire admirer la chaîne fortunée,
Allons mettre en éclat cette grande journée,
Et montrer à ce peuple, heureusement surpris,
Que des hautes vertus la gloire est le seul prix.

ŒDIPE

TRAGÉDIE

VERS PRÉSENTÉS
A MONSEIGNEUR
LE PROCUREUR GÉNÉRAL FOUQUET
SURINTENDANT DES FINANCES

Laisse aller ton essor jusqu'à ce grand génie
Qui te rappelle au jour dont les ans t'ont bannie,
Muse, et n'oppose plus un silence obstiné
A l'ordre surprenant que sa main t'a donné.
De ton âge importun la timide faiblesse
A trop et trop longtemps déguisé ta paresse,
Et fourni de couleurs à la raison d'État
Qui mutine ton cœur contre le siècle ingrat.
L'ennui de voir toujours ses louanges frivoles
Rendre à tes longs travaux paroles pour paroles,
Et le stérile honneur d'un éloge impuissant
Terminer son accueil le plus reconnaissant ;
Ce légitime ennui qu'au fond de l'âme excite
L'excusable fierté d'un peu de vrai mérite,
Par un juste dégoût ou par ressentiment,
Lui pouvait de tes vers envier l'agrément ;
Mais aujourd'hui qu'on voit un héros magnanime
Témoigner pour ton nom une tout autre estime,
Et répandre l'éclat de sa propre bonté
Sur l'endurcissement de ton oisiveté,
Il te serait honteux d'affermir ton silence
Contre une si pressante et douce violence ;
Et tu ferais un crime à lui dissimuler
Que ce qu'il fait pour toi te condamne à parler.
Oui, généreux appui de tout notre Parnasse,
Tu me rends ma vigueur lorsque tu me fais grâce ;
Et je veux bien apprendre à tout notre avenir
Que tes regards bénins ont su me rajeunir.
Je m'élève sans crainte avec de si bons guides :
Depuis que je t'ai vu, je ne vois plus mes rides ;
Et plein d'une plus claire et noble vision,
Je prends mes cheveux gris pour cette illusion.
Je sens le même feu, je sens la même audace,
Qui fit plaindre le Cid, qui fit combattre Horace ;
Et je me trouve encor la main qui crayonna
L'âme du grand Pompée et l'esprit de Cinna.

Choisis-moi seulement quelque nom dans l'histoire
Pour qui tu veuilles place au temple de la Gloire,
Quelque nom favori qu'il te plaise arracher
A la nuit de la tombe, aux cendres du bûcher.
Soit qu'il faille ternir ceux d'Enée et d'Achille
Par un noble attentat sur Homère et Virgile,
Soit qu'il faille obscurcir par un dernier effort
Ceux que j'ai sur la scène affranchis de la mort :
Tu me verras le même, et je te ferai dire,
Si jamais pleinement ta grande âme m'inspire,
Que dix lustres et plus n'ont pas tout emporté
Cet assemblage heureux de force et de clarté,
Ces prestiges secrets de l'aimable imposture
Qu'à l'envi m'ont prêtée et l'art et la nature.
N'attends pas toutefois que j'ose m'enhardir
Ou jusqu'à te dépeindre, ou jusqu'à t'applaudir :
Ce serait présumer que d'une seule vue
J'aurais vu de ton cœur la plus vaste étendue ;
Qu'un moment suffirait à mes débiles yeux
Pour démêler en toi ces dons brillants des cieux
De qui l'inépuisable et perçante lumière,
Sitôt que tu parais, fait baisser la paupière.
J'ai déjà vu beaucoup en ce moment heureux :
Je t'ai vu magnanime, affable, généreux ;
Et ce qu'on voit à peine après dix ans d'excuses,
Je t'ai vu tout d'un coup libéral pour les muses.
Mais pour te voir entier, il faudrait un loisir
Que tes délassements daignassent me choisir :
C'est lors que je verrais la saine politique
Soutenir par tes soins la fortune publique,
Ton zèle infatigable à servir ton grand roi,
Ta force et ta prudence à régir ton emploi ;
C'est lors que je verrais ton courage intrépide
Unir la vigilance à la vertu solide ;
Je verrais cet illustre et haut discernement
Qui te met au-dessus de tant d'accablement ;
Et tout ce dont l'aspect d'un astre salutaire
Pour le bonheur des lis t'a fait dépositaire.
Jusque-là ne crains pas que je gâte un portrait
Dont je ne puis encor tracer qu'un premier trait ;
Je dois être témoin de toutes ces merveilles
Avant que d'en permettre une ébauche à mes veilles ;
Et ce flatteur espoir fera tous mes plaisirs,
Jusqu'à ce que l'effet succède à mes désirs.
Hâte-toi cependant de rendre un vol sublime
Au génie amorti que ta bonté ranime,
Et dont l'impatience attend pour se borner
Tout ce que tes faveurs lui voudront ORDONNER.

AU LECTEUR

Ce n'eſt pas sans raison que je fais marcher ces vers à la tête de l'*Œdipe*, puisqu'ils sont cause que je vous donne l'*Œdipe*. Ce fut par eux que je tâchai de témoigner à M. le procureur général quelque sentiment de reconnaissance pour une faveur signalée que j'en venais de recevoir; et bien qu'ils fussent remplis de cette présomption si naturelle à ceux de notre métier, qui manquent rarement d'amour-propre, il me fit cette nouvelle grâce d'accepter les offres qu'ils lui faisaient de ma part, et de me proposer trois sujets pour le théâtre, dont il me laissa le choix. Chacun sait que ce grand miniſtre n'eſt pas moins le surintendant des belles-lettres que des finances; que sa maison eſt aussi ouverte aux gens d'esprit qu'aux gens d'affaires; et que soit à Paris, soit à la campagne, c'eſt dans les bibliothèques qu'on attend ces précieux moments qu'il dérobe aux occupations qui l'accablent, pour en gratifier ceux qui ont quelque talent d'écrire avec succès. Ces vérités sont connues de tout le monde; mais tout le monde ne sait pas que sa bonté s'eſt étendue jusqu'à ressusciter les muses ensevelies dans un long silence et qui étaient comme mortes au monde, puisque le monde les avait oubliées. C'eſt donc à moi à le publier après qu'il a daigné m'y faire revivre si avantageusement. Non que de là j'ose prendre l'occasion de faire ses éloges : nos dernières années ont produit peu de livres considérables, ou pour la profondeur de la doctrine, ou pour la pompe et la netteté de l'expression, ou pour les agréments et la juſtesse de l'art, dont les auteurs ne se soient mis sous une protection si glorieuse, et ne lui ayent rendu les hommages que nous devons tous à ce concert éclatant et merveilleux de rares qualités et de vertus extraordinaires qui laissent une admiration continuelle à ceux qui ont le bonheur de l'approcher. Les téméraires efforts que j'y pourrais faire après eux ne serviraient qu'à montrer combien je suis au-dessous d'eux : la matière eſt inépuisable, mais nos esprits sont bornés; et, au lieu de travailler à la gloire de mon protecteur, je ne travaillerais qu'à ma honte. Je me contenterai de vous dire simplement que si le public a reçu quelque satisfaction de ce poëme, et s'il en reçoit encore de ceux de cette nature et de ma façon qui pourront le suivre, c'eſt à lui qu'il en doit imputer le tout, puisque sans ses commandements je n'aurais jamais fait l'*Œdipe*, et que cette tragédie a plu assez au Roi pour me faire recevoir de véritables et solides marques de son approbation; je veux dire ses libéralités, que j'ose nommer des ordres tacites, mais pressants, de consacrer aux divertissements de Sa Majeſté ce que l'âge et les vieux travaux m'ont laissé d'esprit et de vigueur[1].

Au reſte, je ne vous dissimulerai point qu'après avoir arrêté mon choix sur ce sujet, dans la confiance que j'aurais pour moi les suffrages de tous les savants, qui l'ont regardé comme le chef-d'œuvre de l'antiquité, et que les pensées de ces grands génies qui l'ont traité en grec et en latin me faciliteront les moyens d'en venir à bout assez tôt pour le faire représenter dans le carnaval, je n'ai pas laissé de trembler quand je l'ai envisagé de près et un peu plus à loisir que je n'avais fait en le choisissant. J'ai reconnu que ce qui avait passé pour miraculeux dans ces siècles éloignés pourrait sembler horrible au nôtre, et que cette éloquente et curieuse description de la manière dont ce malheureux prince se crève les yeux, et le spectacle de ces mêmes yeux crevés, dont le sang lui distille sur le visage, qui occupe tout le cinquième acte chez ces incomparables originaux, ferait soulever la délicatesse de nos dames, qui composent la plus belle partie de notre auditoire, et dont le dégoût attire aisément la censure de ceux qui les accompagnent; et qu'enfin, l'amour n'ayant point de part dans ce sujet, ni les femmes d'emploi, il était dénué des principaux ornements qui nous gagnent d'ordinaire la voix publique. J'ai tâché de remédier à ces désordres au moins mal que j'ai pu, en épargnant d'un côté à mes auditeurs ce dangereux spectacle, et y ajoutant de l'autre l'heureux épisode des amours de Thésée et de Dircé, que je fais fille de Laïus, et seule héritière de sa couronne, supposé que son frère, qu'on avait exposé aux bêtes sauvages, en eût été dévoré comme on le croyait; j'ai retranché le nombre des oracles, qui pouvait être importun, et donner trop de jour à Œdipe pour se connaître; j'ai rendu la réponse de Laïus, évoqué par Tirésie, assez obscure dans sa clarté pour faire un nouveau nœud, et qui peut-être n'est pas moins beau que celui de nos anciens; j'ai cherché même des raisons pour justifier ce qu'Aristote y trouve sans raison, et qu'il excuse en ce qu'il arrive au commencement de la fable; et j'ai fait en sorte qu'Œdipe, encore qu'il se souvienne d'avoir combattu trois hommes au lieu même où fut tué Laïus, et dans le même temps de sa mort, bien loin de s'en croire l'auteur, la croit avoir vengée sur trois brigands à qui le bruit commun l'attribue. Cela m'a fait perdre l'avantage que je m'étais promis de n'être souvent que le traducteur de ces grands hommes qui m'ont précédé. Comme j'ai pris une autre route que la leur, il m'a été impossible de me rencontrer avec eux; mais, en récompense, j'ai eu le bonheur de faire avouer à la plupart de mes auditeurs que je n'ai fait aucune pièce de théâtre où il se trouve tant d'art qu'en celle-ci, bien que ce ne soit qu'un ouvrage de deux mois, que l'impatience française m'a fait précipiter, par un juste empressement d'exécuter les ordres favorables que j'avais reçus.

EXAMEN

La mauvaise fortune de *Pertharite* m'avait assez dégoûté du théâtre pour m'obliger à faire retraite[2], et à m'imposer un silence que je garderais encore, si M. le procureur général Fouquet me l'eût permis. Comme il n'était pas moins surintendant des belles-lettres que des finances, je ne pus me défendre des ordres qu'il daigna me donner de mettre sur notre scène un des trois sujets qu'il me proposa. Il m'en laissa le choix, et je m'arrêtai à celui-ci, dont le bonheur me vengea bien de la déroute de l'autre, puisque le Roi s'en satisfit assez pour me faire recevoir des marques solides de son approbation par ses libéralités, que je pris pour des commandements tacites de consacrer aux divertissements de Sa Majesté ce que l'âge et les vieux travaux m'avaient laissé d'esprit et de vigueur.

Je ne déguiserai point qu'après avoir fait le choix de ce sujet, sur cette confiance que j'aurais pour moi les suffrages de tous les savants, qui le regardent encore comme le chef-d'œuvre de l'antiquité, et que les pensées de Sophocle et de Sénèque, qui l'ont traité en leurs langues, me faciliteraient les moyens d'en venir à bout, je tremblai quand je l'envisageai de près : je reconnus que ce qui avait passé pour merveilleux en leurs siècles pourrait sembler horrible au nôtre; que cette éloquente et sérieuse description de la manière dont ce malheureux prince se crève les yeux, qui occupe tout leur cinquième acte, ferait soulever la délicatesse de nos dames, dont le dégoût attire aisément celui du reste de l'auditoire; et qu'enfin, l'amour n'ayant point de part en cette tragédie, elle était dénuée des principaux agréments qui sont en possession de gagner la voix publique.

Ces considérations m'ont fait cacher aux yeux un si dangereux spectacle, et introduire l'heureux épisode de Thésée et de Dircé. J'ai retranché le nombre des oracles qui pouvait être importun, et donner à Œdipe trop de soupçon de sa naissance. J'ai rendu la réponse de Laïus, évoqué par Tirésie, assez obscure dans sa clarté apparente pour en faire une fausse application à cette princesse; j'ai rectifié ce qu'Aristote y trouve sans raison, et qu'il n'excuse que parce qu'il arrive avant le commencement de la pièce; et j'ai fait en sorte qu'Œdipe, loin de se croire l'auteur de la mort du Roi son prédécesseur, s'imagine l'avoir vengée sur trois brigands, à qui le bruit commun l'attribue; et ce n'est pas un petit artifice qu'il s'en convainque lui-même lorsqu'il en veut convaincre Phorbas.

Ces changements m'ont fait perdre l'avantage que je m'étais promis, de n'être souvent que le traducteur de ces grands génies qui m'ont précédé. La différente route que j'ai prise m'a empêché de me rencontrer avec eux, et de me parer de leur travail; mais, en récompense, j'ai eu le bonheur de faire avouer qu'il n'est point sorti de pièce de ma main où il se trouve tant d'art qu'en celle-ci. On m'y a fait deux objections : l'une, que Dircé, au troisième acte, manque de respect envers sa mère, ce qui ne peut être une faute de théâtre, puisque nous ne sommes pas obligés de rendre parfaits ceux que nous y faisons voir; outre que cette princesse considère encore tellement ces devoirs de la nature, que bien qu'elle aye lieu de regarder cette mère comme une personne qui s'est emparée d'un trône qui lui appartient, elle lui demande pardon de cette échappée, et la condamne aussi bien que les plus rigoureux de mes juges. L'autre objection regarde la guérison publique, sitôt qu'Œdipe s'est puni. La narration s'en fait par Cléante et par Dymas; et l'on veut qu'il eût pu suffire de l'un des deux pour la faire : à quoi je réponds que ce miracle s'étant fait tout d'un coup, un seul homme n'en pouvait savoir assez tôt tout l'effet, et qu'il a fallu donner à l'un le récit de ce qui s'était passé dans la ville, et à l'autre, de ce qu'il avait vu dans le palais. Je trouve plus à dire à Dircé, qui les écoute, et devrait avoir couru auprès de sa mère, sitôt qu'on lui en a dit la mort; mais on peut répondre que si les devoirs de la nature nous appellent auprès de nos parents quand ils meurent, nous nous retirons d'ordinaire d'auprès d'eux quand ils sont morts, afin de nous épargner ce funeste spectacle, et qu'ainsi Dircé a pu n'avoir aucun empressement de voir sa mère, à qui son secours ne pouvait plus être utile, puisqu'elle était morte : outre que si elle y eût couru, Thésée l'aurait suivie, et il ne me serait demeuré personne pour entendre ces récits. C'est une incommodité de la représentation qui doit faire souffrir quelque manquement à l'exacte vraisemblance. Les anciens avaient leurs chœurs qui ne sortaient point du théâtre, et étaient toujours prêts d'écouter tout ce qu'on leur voulait apprendre; mais cette facilité était compensée par tant d'autres importunités de leur part, que nous ne devons point nous repentir du retranchement que nous en avons fait

ACTEURS[3]

ŒDIPE, *Roi de Thèbes, fils et mari de Jocaste.*
THÉSÉE, *Prince d'Athènes et amant de Dircé.*
JOCASTE, *Reine de Thèbes, femme et mère d'Œdipe.*
DIRCÉ, *Princesse de Thèbes, fille de Laïus et de Jocaste, sœur d'Œdipe et amante de Thésée.*
CLÉANTE, } *Confidents d'Œdipe.*
DYMAS, }
PHORBAS, *Vieillard thébain.*
IPHICRATE, *Vieillard de Corinthe.*
NÉRINE, *Dame d'honneur de la Reine.*
MÉGARE, *Fille d'honneur de Dircé.*
PAGE.

La scène est à Thèbes.

ACTE PREMIER

SCÈNE PREMIÈRE

THÉSÉE, DIRCÉ, MÉGARE

THÉSÉE

N'ÉCOUTEZ plus, Madame, une pitié cruelle,
Qui d'un fidèle amant vous ferait un rebelle :
La gloire d'obéir n'a rien qui me soit doux,
Lorsque vous m'ordonnez de m'éloigner de vous.
Quelque ravage affreux qu'étale ici la peste,
L'absence aux vrais amants est encor plus funeste;
Et d'un si grand péril l'image s'offre en vain,
Quand ce péril douteux épargne un mal certain.

DIRCÉ

Le trouvez-vous douteux quand toute votre suite
Par cet affreux ravage à Phædime est réduite,
De qui même le front déjà pâle et glacé,
Porte empreint le trépas dont il est menacé?
Seigneur, toutes ces morts dont il vous environne
Sont des avis pressants que de grâce il vous donne,
Et tant lever le bras avant que de frapper,
C'est vous dire assez haut qu'il est temps d'échapper.

THÉSÉE

Je le vois comme vous; mais alors qu'il m'assiège,
Vous laisse-t-il, Madame, un plus grand privilège?
Ce palais par la peste est-il plus respecté?
Et l'air auprès du trône est-il moins infecté?

DIRCÉ

Ah ! Seigneur, quand l'amour tient une âme alarmée,
Il l'attache aux périls de la personne aimée.
Je vois aux pieds du Roi chaque jour des mourants;
J'y vois tomber du ciel les oiseaux expirants;

Je me vois exposée à ces vastes misères;
J'y vois mes sœurs, la Reine, et les princes mes frères :
Je sais qu'en ce moment je puis les perdre tous;
Et mon cœur toutefois ne tremble que pour vous,
Tant de cette frayeur les profondes atteintes
Repoussent fortement toutes les autres craintes !

THÉSÉE

Souffrez donc que l'amour me fasse même loi,
Que je tremble pour vous quand vous tremblez pour moi,
Et ne m'imposez pas cette indigne faiblesse
De craindre autres périls que ceux de ma princesse;
J'aurais en ma faveur le courage bien bas,
Si je fuyais des maux que vous ne fuyez pas.
Votre exemple est pour moi la seule règle à suivre;
Éviter vos périls, c'est vouloir vous survivre :
Je n'ai que cette honte à craindre sous les cieux.
Ici je puis mourir, mais mourir à vos yeux;
Et si malgré la mort de tous côtés errante,
Le destin me réserve à vous y voir mourante,
Mon bras sur moi du moins enfoncera les coups
Qu'aura son insolence élevés jusqu'à vous,
Et saura me soustraire à cette ignominie
De souffrir après vous quelques moments de vie,
Qui, dans le triste état où le ciel nous réduit,
Seraient de mon départ l'infâme et le seul fruit.

DIRCÉ

Quoi? Dircé par sa mort deviendrait criminelle
Jusqu'à forcer Thésée à mourir après elle,
Et ce cœur intrépide au milieu du danger,
Se défendrait si mal d'un malheur si léger !
M'immoler une vie à tous si précieuse,
Ce serait rendre à tous ma mémoire odieuse,
Et par toute la Grèce animer trop d'horreur
Contre une ombre chérie avec tant de fureur.
Ces infâmes brigands dont vous l'avez purgée,
Ces ennemis publics dont vous l'avez vengée,
Après votre trépas à l'envi renaissants,
Pilleraient sans frayeur les peuples impuissants;
Et chacun maudirait, en les voyant paraître,
La cause d'une mort qui les ferait renaître.
Oserai-je, Seigneur, vous dire hautement

Qu'un tel excès d'amour n'est pas d'un tel amant?
S'il est vertu pour nous, que le ciel n'a formées
Que pour le doux emploi d'aimer et d'être aimées,
Il faut qu'en vos pareils les belles passions
Ne soient que l'ornement des grandes actions.
Ces hauts emportements qu'un beau feu leur inspire
Doivent les élever, et non pas les détruire;
Et quelque désespoir que leur cause un trépas,
Leur vertu seule a droit de faire agir leurs bras.
Ces bras, que craint le crime à l'égal du tonnerre,
Sont des dons que le ciel fait à toute la terre;
Et l'univers en eux perd un trop grand secours,
Pour souffrir que l'amour soit maître de leurs jours.
Faites voir, si je meurs, une entière tendresse;
Mais vivez après moi pour toute notre Grèce,
Et laissez à l'amour conserver par pitié
De ce tout désuni la plus digne moitié.
Vivez pour faire vivre en tous lieux ma mémoire,
Pour porter en tous lieux vos soupirs et ma gloire,
Et faire partout dire : « Un si vaillant héros
Au malheur de Dircé donne encor des sanglots;
Il en garde en son âme encor toute l'image,
Et rend à sa chère ombre encor ce triste hommage. »
Cet espoir est le seul dont j'aime à me flatter,
Et l'unique douceur que je veux emporter.

THÉSÉE

Ah ! Madame, vos yeux combattent vos maximes :
Si j'en crois leur pouvoir, vos conseils sont des crimes.
Je ne vous ferai point ce reproche odieux,
Que si vous aimiez bien, vous conseilleriez mieux :
Je dirai seulement qu'auprès de ma princesse
Aux seuls devoirs d'amant un héros s'intéresse,
Et que de l'univers fût-il le seul appui,
Aimant un tel objet, il ne doit rien qu'à lui.
Mais ne contestons point et sauvons l'un et l'autre :
L'hymen justifiera ma retraite et la vôtre.
Le Roi me pourrait-il en refuser l'aveu,
Si vous en avouez l'audace de mon feu?
Pourrait-il s'opposer à cette illustre envie
D'assurer sur un trône une si belle vie,
Et ne point consentir que des destins meilleurs
Vous exilent d'ici pour commander ailleurs?

DIRCÉ

Le Roi, tout roi qu'il eﬆ, Seigneur, n'eﬆ pas mon maître;
Et le sang de Laïus, dont j'eus l'honneur de naître,
Dispense trop mon cœur de recevoir la loi
D'un trône que sa mort n'a dû laisser qu'à moi.
Mais comme enfin le peuple et l'hymen de ma mère
Ont mis entre ses mains le sceptre de mon père,
Et qu'en ayant ici toute l'autorité
Je ne puis rien pour vous contre sa volonté,
Pourra-t-il trouver bon qu'on parle d'hyménée
Au milieu d'une ville à périr condamnée,
Où le courroux du ciel, changeant l'air en poison,
Donne lieu de trembler pour toute sa maison?

MÉGARE

Madame.

Elle lui parle à l'oreille.

DIRCÉ

Adieu, Seigneur : la Reine, qui m'appelle,
M'oblige à vous quitter pour me rendre auprès d'elle;
Et d'ailleurs le Roi vient.

THÉSÉE

Que ferai-je?

DIRCÉ

Parlez.
Je ne puis plus vouloir que ce que vous voulez.

SCÈNE II

ŒDIPE, THÉSÉE, CLÉANTE

ŒDIPE

Au milieu des malheurs que le ciel nous envoie,
Prince, nous croiriez-vous capable d'une joie,
Et que nous voyant tous sur les bords du tombeau,
Nous pussions d'un hymen allumer le flambeau?
C'eﬆ choquer la raison peut-être et la nature;
Mais mon âme en secret s'en forme un doux augure

Que Delphes, dont j'attends réponse en ce moment,
M'envoira de nos maux le plein soulagement.

THÉSÉE

Seigneur, si j'avais cru que parmi tant de larmes
La douceur d'un hymen pût avoir quelques charmes,
Que vous en eussiez pu supporter le dessein,
Je vous aurais fait voir un beau feu dans mon sein,
Et tâché d'obtenir cet aveu favorable
Qui peut faire un heureux d'un amant misérable.

ŒDIPE

Je l'avais bien jugé, qu'un intérêt d'amour
Fermait ici vos yeux au péril de ma cour;
Mais je croirais me faire à moi-même un outrage
Si je vous obligeais d'y tarder davantage,
Et si trop de lenteur à seconder vos feux
Hasardait plus longtemps un cœur si généreux.
Le mien sera ravi que de si nobles chaînes
Unissent les États de Thèbes et d'Athènes.
Vous n'avez qu'à parler, vos vœux sont exaucés :
Nommez ce cher objet, grand prince, et c'est assez.
Un gendre tel que vous m'est plus qu'un nouveau trône,
Et vous pouvez choisir d'Ismène ou d'Antigone;
Car je n'ose penser que le fils d'un grand roi,
Un si fameux héros, aime ailleurs que chez moi,
Et qu'il veuille en ma cour, au mépris de mes filles,
Honorer de sa main de communes familles.

THÉSÉE

Seigneur, il est tout vrai : j'aime en votre palais;
Chez vous est la beauté qui fait tous mes souhaits :
Vous l'aimez à l'égal d'Antigone et d'Ismène :
Elle tient même rang chez vous et chez la Reine;
En un mot, c'est leur sœur, la princesse Dircé,
Dont les yeux...

ŒDIPE

Quoi? ses yeux, Prince, vous ont blessé?
Je suis fâché pour vous que la Reine sa mère
Ait su vous prévenir pour un fils de son frère.
Ma parole est donnée, et je n'y puis plus rien;
Mais je crois qu'après tout ses sœurs la valent bien.

THÉSÉE

Antigone est parfaite, Ismène est admirable;
Dircé, si vous voulez, n'a rien de comparable :
Elles sont l'une et l'autre un chef-d'œuvre des cieux;
Mais où le cœur est pris on charme en vain les yeux.
Si vous avez aimé, vous avez su connaître
Que l'amour de son choix veut être le seul maître;
Que s'il ne choisit pas toujours le plus parfait,
Il attache du moins les cœurs au choix qu'il fait;
Et qu'entre cent beautés dignes de notre hommage,
Celle qu'il nous choisit plaît toujours davantage.
Ce n'est pas offenser deux si charmantes sœurs,
Que voir en leur aînée aussi quelques douceurs.
J'avouerai, s'il le faut, que c'est un pur caprice,
Un pur aveuglement qui leur fait injustice;
Mais ce serait trahir tout ce que je leur doi,
Que leur promettre un cœur quand il n'est plus à moi.

ŒDIPE

Mais c'est m'offenser, moi, Prince, que de prétendre
A des honneurs plus hauts que le nom de mon gendre.
Je veux toutefois être encor de vos amis;
Mais ne demandez plus un bien que j'ai promis.
Je vous l'ai déjà dit que pour cet hyménée
Aux vœux du prince Æmon[4] ma parole est donnée.
Vous avez attendu trop tard à m'en parler,
Et je vous offre assez de quoi vous consoler.
La parole des rois doit être inviolable.

THÉSÉE

Elle est toujours sacrée et toujours adorable;
Mais ils ne sont jamais esclaves de leur voix,
Et le plus puissant roi doit quelque chose aux rois.
Retirer sa parole à leur juste prière,
C'est honorer en eux son propre caractère;
Et si le prince Æmon ose encor vous parler,
Vous lui pouvez offrir de quoi se consoler.

ŒDIPE

Quoi? Prince, quand les Dieux tiennent en main leur fou-[dre,
Qu'ils ont le bras levé pour vous réduire en poudre,
J'oserais violer un serment solennel,
Dont j'ai pris à témoin leur pouvoir éternel?

THÉSÉE

C'eſt pour un grand monarque un peu bien du scrupule[5].

ŒDIPE

C'eſt en votre faveur être un peu bien crédule
De présumer qu'un roi, pour contenter vos yeux,
Veuille pour ennemis les hommes et les Dieux.

THÉSÉE

Je n'ai qu'un mot à dire après un si grand zèle :
Quand vous donnez Dircé, Dircé se donne-t-elle?

ŒDIPE

Elle sait son devoir.

THÉSÉE

Savez-vous quel il eſt?

ŒDIPE

L'aurait-elle réglé suivant votre intérêt?
A me désobéir l'auriez-vous résolue?

THÉSÉE

Non, je respecte trop la puissance absolue;
Mais lorsque vous voudrez sans elle en disposer,
N'aura-t-elle aucun droit, Seigneur, de s'excuser?

ŒDIPE

Le temps vous fera voir ce que c'eſt qu'une excuse.

THÉSÉE

Le temps me fera voir jusques où je m'abuse;
Et ce sera lui seul qui saura m'éclaircir
De ce que pour Æmon vous ferez réussir.
Je porte peu d'envie à sa bonne fortune;
Mais je commence à voir que je vous importune.
Adieu : faites, Seigneur, de grâce un juſte choix;
Et si vous êtes roi, considérez les rois.

SCÈNE III

ŒDIPE, CLÉANTE

ŒDIPE

Si je suis roi, Cléante ! et que me croit-il être?
Cet amant de Dircé déjà me parle en maître !
Vois, vois ce qu'il ferait s'il était son époux.

CLÉANTE

Seigneur, vous avez lieu d'en être un peu jaloux.
Cette princesse est fière; et comme sa naissance
Croit avoir quelque droit à la toute-puissance,
Tout est au-dessous d'elle, à moins que de régner,
Et sans doute qu'Æmon s'en verra dédaigner.

ŒDIPE

Le sang a peu de droits dans le sexe imbécile[6];
Mais c'est un grand prétexte à troubler une ville;
Et lorsqu'un tel orgueil se fait un fort appui,
Le roi le plus puissant doit tout craindre de lui.
Toi qui, né dans Argos et nourri dans Mycènes,
Peux être mal instruit de nos secrètes haines,
Vois-les jusqu'en leur source, et juge entre elle et moi
Si je règne sans titre, et si j'agis en roi.
    On t'a parlé du Sphinx, dont l'énigme funeste
Ouvrit plus de tombeaux que n'en ouvre la peste,
Ce monstre à voix humaine, aigle, femme et lion[7],
Se campait fièrement sur le mont Cithéron,
D'où chaque jour ici devait fondre sa rage,
A moins qu'on n'éclaircît un si sombre nuage.
Ne porter qu'un faux jour dans son obscurité,
C'était de ce prodige enfler la cruauté;
Et les membres épars des mauvais interprètes
Ne laissaient dans ces murs que des bouches muettes.
Mais comme aux grands périls le salaire enhardit,
Le peuple offre le sceptre, et la reine son lit;
De cent cruelles morts cette offre est tôt suivie :
J'arrive, je l'apprends, j'y hasarde ma vie.
Au pied du roc affreux, semé d'os blanchissants,
Je demande l'énigme et j'en cherche le sens;

Et ce qu'aucun mortel n'avait encor pu faire,
J'en dévoile l'image et perce le mystère.
Le monstre, furieux de se voir entendu,
Venge aussitôt sur lui tant de sang répandu,
Du roc s'élance en bas, et s'écrase lui-même.
La Reine tint parole, et j'eus le diadème.
Dircé fournissait lors à peine un lustre entier,
Et me vit sur le trône avec un œil altier.
J'en vis frémir son cœur, j'en vis couler ses larmes;
J'en pris pour l'avenir dès lors quelques alarmes;
Et si l'âge en secret a pu la révolter,
Vois ce que mon départ n'en doit point redouter.
La mort du Roi mon père à Corinthe m'appelle;
J'en attends aujourd'hui la funeste nouvelle,
Et je hasarde tout à quitter les Thébains,
Sans mettre ce dépôt en de fidèles mains.
Æmon serait pour moi digne de la princesse :
S'il a de la naissance, il a quelque faiblesse;
Et le peuple du moins pourrait se partager,
Si dans quelque attentat il osait l'engager;
Mais un prince voisin, tel que tu vois Thésée,
Ferait de ma couronne une conquête aisée,
Si d'un pareil hymen le dangereux lien
Armait pour lui son peuple et soulevait le mien.
Athènes est trop proche, et durant une absence,
L'occasion qui flatte anime l'espérance;
Et quand tous mes sujets me garderaient leur foi,
Désolés comme ils sont, que pourraient-ils pour moi?
La Reine a pris le soin d'en parler à sa fille.
Æmon est de son sang, et chef de sa famille;
Et l'amour d'une mère a souvent plus d'effet
Que n'ont... Mais la voici; sachons ce qu'elle a fait.

SCÈNE IV

ŒDIPE, JOCASTE, CLÉANTE, NÉRINE

JOCASTE

J'ai perdu temps, Seigneur, et cette âme embrasée,
Met trop de différence entre Æmon et Thésée.

Aussi je l'avouerai, bien que l'un soit mon sang,
Leur mérite diffère encor plus que leur rang;
Et l'on a peu d'éclat auprès d'une personne
Qui joint à de hauts faits celui d'une couronne.

ŒDIPE

Thésée est donc, Madame, un dangereux rival?

JOCASTE

Æmon est fort à plaindre, ou je devine mal.
J'ai tout mis en usage auprès de la Princesse :
Conseil, autorité, reproche, amour, tendresse;
J'en ai tiré des pleurs, arraché des soupirs,
Et n'ai pu de son cœur ébranler les désirs.
J'ai poussé le dépit de m'en voir séparée
Jusques à la nommer fille dénaturée.
« Le sang royal n'a point ces bas attachements
Qui font les déplaisirs de ces éloignements,
Et les âmes, dit-elle, au trône destinées
Ne doivent aux parents que les jeunes années. »

ŒDIPE

Et ces mots ont soudain calmé votre courroux?

JOCASTE

Pour les justifier elle ne veut que vous :
Votre exemple lui prête une preuve assez claire
Que le trône est plus doux que le sein d'une mère.
Pour régner en ces lieux vous avez tout quitté.

ŒDIPE

Mon exemple et sa faute ont peu d'égalité.
C'est loin de ses parents qu'un homme apprend à vivre.
Hercule m'a donné ce grand exemple à suivre,
Et c'est pour l'imiter que par tous nos climats
J'ai cherché comme lui la gloire et les combats.
Mais bien que la pudeur par des ordres contraires
Attache de plus près les filles à leurs mères,
La vôtre aime une audace où vous la soutenez.

JOCASTE

Je la condamnerai, si vous la condamnez;
Mais à parler sans fard, si j'étais en sa place,

J'en userais comme elle et j'aurais même audace;
Et vous-même, Seigneur, après tout, dites-moi,
La condamneriez-vous si vous n'étiez son roi?

ŒDIPE

Si je condamne en roi son amour ou sa haine,
Vous devez comme moi les condamner en reine.

JOCASTE

Je suis reine, Seigneur, mais je suis mère aussi :
Aux miens, comme à l'État, je dois quelque souci.
Je sépare Dircé de la cause publique;
Je vois qu'ainsi que vous elle a sa politique :
Comme vous agissez en monarque prudent,
Elle agit de sa part en cœur indépendant,
En amante à bon titre, en princesse avisée,
Qui mérite ce trône où l'appelle Thésée.
Je ne puis vous flatter, et croirais vous trahir,
Si je vous promettais qu'elle pût obéir.

ŒDIPE

Pourrait-on mieux défendre un esprit si rebelle?

JOCASTE

Parlons-en comme il faut : nous nous aimons plus qu'elle;
Et c'est trop nous aimer que voir d'un œil jaloux
Qu'elle nous rend le change, et s'aime plus que nous.
Un peu trop de lumière à nos désirs s'oppose.
Peut-être avec le temps nous pourrions quelque chose;
Mais n'espérons jamais qu'on change en moins d'un jour,
Quand la raison soutient le parti de l'amour.

ŒDIPE

Souscrivons donc, Madame, à tout ce qu'elle ordonne.
Couronnons cet amour de ma propre couronne;
Cédons de bonne grâce, et d'un esprit content
Remettons à Dircé tout ce qu'elle prétend.
A mon ambition Corinthe peut suffire,
Et pour les plus grands cœurs c'est assez d'un empire.
Mais vous souvenez-vous que vous avez deux fils
Que le courroux du ciel a fait naître ennemis,
Et qu'il vous en faut craindre un exemple barbare,
A moins que pour régner leur destin les sépare?

JOCASTE

Je ne vois rien encor fort à craindre pour eux :
Dircé les aime en sœur, Thésée est généreux;
Et si pour un grand cœur c'est assez d'un empire,
A son ambition Athènes doit suffire.

ŒDIPE

Vous mettez une borne à cette ambition !

JOCASTE

J'en prends, quoi qu'il en soit, peu d'appréhension;
Et Thèbes et Corinthe ont des bras comme Athènes.
Mais nous touchons peut-être à la fin de nos peines :
Dymas est de retour, et Delphes a parlé.

ŒDIPE

Que son visage montre un esprit désolé !

SCÈNE V

ŒDIPE, JOCASTE, DYMAS, CLÉANTE, NÉRINE

ŒDIPE

Eh bien ! quand verrons-nous finir notre infortune?
Qu'apportez-vous, Dymas? quelle réponse?

DYMAS

Aucune.

ŒDIPE

Quoi ! les Dieux sont muets?

DYMAS

Ils sont muets et sourds.
Nous avons par trois fois imploré leur secours,
Par trois fois redoublé nos vœux et nos offrandes :
Ils n'ont pas daigné même écouter nos demandes.
A peine parlions-nous, qu'un murmure confus,
Sortant du fond de l'antre expliquait leur refus;
Et cent voix tout à coup, sans être articulées,
Dans une nuit subite à nos soupirs mêlées,
Faisaient avec horreur soudain connaître à tous
Qu'ils n'avaient plus ni d'yeux ni d'oreilles pour nous.

ŒDIPE

Ah ! Madame.

JOCASTE

Ah ! Seigneur, que marque un tel silence?

ŒDIPE

Que pourrait-il marquer qu'une juste vengeance?
Les Dieux, qui tôt ou tard savent se ressentir,
Dédaignent de répondre à qui les fait mentir.
Ce fils dont ils avaient prédit les aventures,
Exposé par votre ordre, a trompé leurs augures,
Et ce sang innocent, et ces Dieux irrités,
Se vengent maintenant de vos impiétés.

JOCASTE

Devions-nous l'exposer à son destin funeste,
Pour le voir parricide et pour le voir inceste?
Et des crimes si noirs étouffés au berceau
Auraient-ils su pour moi faire un crime nouveau?
Non, non : de tant de maux Thèbes n'est assiégée
Que pour la mort du Roi, que l'on n'a pas vengée;
Son ombre incessamment me frappe encor les yeux;
Je l'entends murmurer à toute heure, en tous lieux,
Et se plaindre en mon cœur de cette ignominie
Qu'imprime à son grand nom cette mort impunie.

ŒDIPE

Pourrions-nous en punir des brigands inconnus,
Que peut-être jamais en ces lieux on n'a vus?
Si vous m'avez dit vrai, peut-être ai-je moi-même
Sur trois de ces brigands vengé le diadème;
Au lieu même, au temps même, attaqué seul par trois,
J'en laissai deux sans vie, et mis l'autre aux abois.
Mais ne négligeons rien, et du royaume sombre
Faisons par Tirésie évoquer sa grande ombre.
Puisque le ciel se tait, consultons les enfers :
Sachons à qui de nous sont dus les maux soufferts;
Sachons-en, s'il se peut, la cause et le remède :
Allons tout de ce pas réclamer tous son aide.
J'irai revoir Corinthe avec moins de souci,
Si je laisse plein calme et pleine joie ici.

ACTE II

SCÈNE PREMIÈRE

ŒDIPE, DIRCÉ, CLÉANTE, MÉGARE

ŒDIPE

Je ne le cèle point, cette hauteur m'étonne.
Æmon a du mérite, on chérit sa personne;
Il eſt prince, et de plus étant offert par moi...

DIRCÉ

Je vous ai déjà dit, Seigneur, qu'il n'eſt pas roi.

ŒDIPE

Son hymen toutefois ne vous fait point descendre :
S'il n'eſt pas dans le trône, il a droit d'y prétendre;
Et, comme il eſt sorti de même sang que vous,
Je crois vous faire honneur d'en faire votre époux.

DIRCÉ

Vous pouvez donc sans honte en faire votre gendre :
Mes sœurs en l'épousant n'auront point à descendre;
Mais pour moi, vous savez qu'il eſt ailleurs des rois,
Et même en votre cour, dont je puis faire choix.

ŒDIPE

Vous le pouvez, Madame, et n'en voudrez pas faire
Sans en prendre mon ordre et celui d'une mère.

DIRCÉ

Pour la Reine, il eſt vrai qu'en cette qualité
Le sang peut lui devoir quelque civilité :
Je m'en suis acquittée, et ne puis bien comprendre,
Étant ce que je suis, quel ordre je dois prendre.

ŒDIPE

Celui qu'un vrai devoir prend des fronts couronnés,
Lorsqu'on tient auprès d'eux le rang que vous tenez.
Je pense être ici roi.

DIRCÉ

Je sais ce que vous êtes;
Mais si vous me comptez au rang de vos sujettes,
Je ne sais si celui qu'on vous a pu donner
Vous asservit un front qu'on a dû couronner.
Seigneur, quoi qu'il en soit, j'ai fait choix de Thésée;
Je me suis à ce choix moi-même autorisée.
J'ai pris l'occasion que m'ont faite les Dieux
De fuir l'aspect d'un trône où vous blessez mes yeux,
Et de vous épargner cet importun ombrage
Qu'à des rois comme vous peut donner mon visage.

ŒDIPE

Le choix d'un si grand prince est bien digne de vous,
Et je l'estime trop pour en être jaloux;
Mais le peuple au milieu des colères célestes
Aime encor de Laïus les adorables restes,
Et ne pourra souffrir qu'on lui vienne arracher
Ces gages d'un grand roi qu'il tint jadis si cher.

DIRCÉ

De l'air dont jusqu'ici ce peuple m'a traitée,
Je dois craindre fort peu de m'en voir regrettée.
S'il eût eu pour son roi quelque ombre d'amitié,
Si mon sexe ou mon âge eût ému sa pitié,
Il n'aurait jamais eu cette lâche faiblesse
De livrer en vos mains l'État et sa princesse,
Et me verra toujours éloigner sans regret,
Puisque c'est l'affranchir d'un reproche secret.

ŒDIPE

Quel reproche secret lui fait votre présence?
Et quel crime a commis cette reconnaissance
Qui par un sentiment et juste et relevé
L'a consacré lui-même à qui l'a conservé?
Si vous aviez du Sphinx vu le sanglant ravage...

DIRCÉ

Je puis dire, Seigneur, que j'ai vu davantage :
J'ai vu ce peuple ingrat que l'énigme surprit
Vous payer assez bien d'avoir eu de l'esprit.
Il pouvait toutefois avec quelque justice
Prendre sur lui le prix d'un si rare service;
Mais quoiqu'il ait osé vous payer de mon bien,
En vous faisant son roi, vous a-t-il fait le mien?
En se donnant à vous, eut-il droit de me vendre?

ŒDIPE

Ah ! c'est trop me forcer, Madame, à vous entendre.
La jalouse fierté qui vous enfle le cœur
Me regarde toujours comme un usurpateur :
Vous voulez ignorer cette juste maxime,
Que le dernier besoin peut faire un roi sans crime,
Qu'un peuple sans défense et réduit aux abois...

DIRCÉ

Le peuple est trop heureux quand il meurt pour ses rois.
Mais, Seigneur, la matière est un peu délicate;
Vous pouvez vous flatter, peut-être je me flatte.
Sans rien approfondir, parlons à cœur ouvert.
Vous régnez en ma place, et les dieux l'ont souffert :
Je dis plus, ils vous ont saisi de ma couronne.
Je n'en murmure point, comme eux je vous la donne;
J'oublierai qu'à moi seule ils devaient la garder;
Mais si vous attentez jusqu'à me commander,
Jusqu'à prendre sur moi quelque pouvoir de maître,
Je me souviendrai lors de ce que je dois être,
Et si je ne le suis pour vous faire la loi,
Je le serai du moins pour me choisir un roi.
Après cela, Seigneur, je n'ai rien à vous dire :
J'ai fait choix de Thésée, et ce mot doit suffire.

ŒDIPE

Et je veux à mon tour, Madame, à cœur ouvert,
Vous apprendre en deux mots que ce grand choix vous [perd,
Qu'il vous remplit le cœur d'une attente frivole,
Qu'au prince Æmon pour vous j'ai donné ma parole,
Que je perdrai le sceptre, ou saurai la tenir.
Puissent, si je la romps, tous les Dieux m'en punir !

Puisse de plus de maux m'accabler leur colère
Qu'Apollon n'en prédit jadis pour votre frère !

DIRCÉ

N'insultez point au sort d'un enfant malheureux,
Et faites des serments qui soient plus généreux.
On ne sait pas toujours ce qu'un serment hasarde;
Et vous ne voyez pas ce que le ciel vous garde.

ŒDIPE

On se hasarde à tout quand un serment est fait.

DIRCÉ

Ce n'est pas de vous seul que dépend son effet.

ŒDIPE

Je suis roi, je puis tout.

DIRCÉ

Je puis fort peu de chose;
Mais enfin de mon cœur moi seule je dispose,
Et jamais sur ce cœur on n'avancera rien
Qu'en me donnant un sceptre, ou me rendant le mien.

ŒDIPE

Il est quelques moyens de vous faire dédire.

DIRCÉ

Il en est de braver le plus injuste empire;
Et de quoi qu'on menace en de tels différends,
Qui ne craint point la mort ne craint point les tyrans.
Ce mot m'est échappé, je n'en fais point d'excuse;
J'en ferai, si le temps m'apprend que je m'abuse.
Rendez-vous cependant maître de tout mon sort;
Mais n'offrez à mon choix que Thésée ou la mort.

ŒDIPE

On pourra vous guérir de cette frénésie.
Mais il faut aller voir ce qu'a fait Tirésie :
Nous saurons au retour encor vos volontés.

DIRCÉ

Allez savoir de lui ce que vous méritez.

SCÈNE II

DIRCÉ, MÉGARE

DIRCÉ

Mégare, que dis-tu de cette violence?
Après s'être emparé des droits de ma naissance,
Sa haine opiniâtre à croître mes malheurs
M'ose encore envier ce qui me vient d'ailleurs.
Elle empêche le ciel de m'être enfin propice,
De réparer vers moi ce qu'il eut d'injustice,
Et veut lier les mains au destin adouci
Qui m'offre en d'autres lieux ce qu'on me vole ici.

MÉGARE

Madame, je ne sais ce que je dois vous dire :
La raison vous anime, et l'amour vous inspire;
Mais je crains qu'il n'éclate un peu plus qu'il ne faut,
Et que cette raison ne parle un peu trop haut.
Je crains qu'elle n'irrite un peu trop la colère
D'un roi qui jusqu'ici vous a traitée en père,
Et qui vous a rendu tant de preuves d'amour,
Qu'il espère de vous quelque chose à son tour.

DIRCÉ

S'il a cru m'éblouir par de fausses caresses,
J'ai vu sa politique en former les tendresses;
Et ces amusements de ma captivité
Ne me font rien devoir à qui m'a tout ôté.

MÉGARE

Vous voyez que d'Æmon il a pris la querelle,
Qu'il l'estime, chérit.

DIRCÉ

Politique nouvelle.

MÉGARE

Mais comment pour Thésée en viendrez-vous à bout?
Il le méprise, hait.

DIRCÉ

Politique partout.
Si la flamme d'Æmon en eſt favorisée,
Ce n'eſt pas qu'il l'eſtime, ou méprise Thésée;
C'eſt qu'il craint dans son cœur que le droit souverain
(Car enfin il m'eſt dû) ne tombe en bonne main.
Comme il connaît le mien, sa peur de me voir reine
Dispense à mes amants sa faveur ou sa haine,
Et traiterait ce prince ainsi que ce héros,
S'il portait la couronne ou de Sparte ou d'Argos.

MÉGARE

Si vous en jugez bien, que vous êtes à plaindre !

DIRCÉ

Il fera de l'éclat, il voudra me contraindre;
Mais quoi qu'il me prépare à souffrir dans sa cour,
Il éteindra ma vie avant que mon amour.

MÉGARE

Espérons que le ciel vous rendra plus heureuse.
Cependant je vous trouve assez peu curieuse :
Tout le peuple, accablé de mortelles douleurs,
Court voir ce que Laïus dira de nos malheurs;
Et vous ne suivez point le Roi chez Tirésie,
Pour savoir ce qu'en juge une ombre si chérie?

DIRCÉ

J'ai tant d'autres sujets de me plaindre de lui,
Que je fermais les yeux à ce nouvel ennui.
Il aurait fait trop peu de menacer la fille,
Il faut qu'il soit tyran de toute la famille,
Qu'il porte sa fureur jusqu'aux âmes sans corps,
Et trouble insolemment jusqu'aux cendres des morts.
Mais ces mânes sacrés qu'il arrache au silence
Se vengeront sur lui de cette violence;
Et les Dieux des enfers, juſtement irrités,
Puniront l'attentat de ses impiétés.

MÉGARE

Nous ne savons pas bien comme agit l'autre monde;
Il n'eſt point d'œil perçant dans cette nuit profonde;

Et quand les Dieux vengeurs laissent tomber leur bras,
Il tombe assez souvent sur qui n'y pense pas.

DIRCÉ

Dût leur décret fatal me choisir pour victime,
Si j'ai part au courroux, je n'en veux point au crime :
Je veux m'offrir sans tache à leur bras tout-puissant,
Et n'avoir à verser que du sang innocent.

SCÈNE III

DIRCÉ, NÉRINE, MÉGARE

NÉRINE

Ah ! Madame, il en faut de la même innocence
Pour apaiser du ciel l'implacable vengeance;
Il faut une victime et pure et d'un tel rang,
Que chacun la voudrait racheter de son sang.

DIRCÉ

Nérine, que dis-tu? serait-ce bien la Reine?
Le ciel ferait-il choix d'Antigone, ou d'Ismène?
Voudrait-il Étéocle, ou Polynice, ou moi?
Car tu me dis assez que ce n'est pas le Roi;
Et, si le ciel demande une victime pure,
Appréhender pour lui, c'est lui faire une injure.
Serait-ce enfin Thésée? Hélas ! si c'était lui...
Mais, nomme, et dis quel sang le ciel veut aujourd'hui.

NÉRINE

L'ombre du grand Laïus, qui lui sert d'interprète,
De honte ou de dépit sur ce nom est muette;
Je n'ose vous nommer ce qu'elle nous a tu;
Mais, préparez, Madame, une haute vertu :
Prêtez à ce récit une âme généreuse,
Et vous-même jugez si la chose est douteuse.

DIRCÉ

Ah ! ce sera Thésée, ou la Reine.

NÉRINE

Écoutez,
Et tâchez d'y trouver quelques obscurités.
Tirésie a longtemps perdu ses sacrifices
Sans trouver ni les Dieux ni les ombres propices;
Et celle de Laïus évoqué par son nom
S'obstinait au silence aussi bien qu'Apollon.
Mais la Reine en la place à peine est arrivée,
Qu'une épaisse vapeur s'est du temple élevée,
D'où cette ombre aussitôt sortant jusqu'en plein jour
A surpris tous les yeux du peuple et de la cour.
L'impérieux orgueil de son regard sévère
Sur son visage pâle avait peint la colère;
Tout menaçait en elle, et des restes de sang
Par un prodige affreux lui dégouttaient du flanc.
A ce terrible aspect la Reine s'est troublée,
La frayeur a couru dans toute l'assemblée,
Et de vos deux amants j'ai vu les cœurs glacés
A ces funestes mots que l'ombre a prononcés :
« Un grand crime impuni cause votre misère;
Par le sang de ma race il se doit effacer;
Mais à moins que de le verser,
Le ciel ne se peut satisfaire;
Et la fin de vos maux ne se fera point voir
Que mon sang n'ait fait son devoir. »
Ces mots dans tous les cœurs redoublent les alarmes;
L'ombre, qui disparaît, laisse la Reine en larmes,
Thésée au désespoir, Æmon tout hors de lui;
Le roi même arrivant partage leur ennui;
Et d'une voix commune ils refusent une aide
Qui fait trouver le mal plus doux que le remède.

DIRCÉ

Peut-être craignent-ils que mon cœur révolté
Ne leur refuse un sang qu'ils n'ont pas mérité;
Mais ma flamme à la mort m'avait trop résolue,
Pour ne pas y courir quand les Dieux l'ont voulue.
Tu m'as fait sans raison concevoir de l'effroi;
Je n'ai point dû trembler, s'ils ne veulent que moi.
Ils m'ouvrent une porte à sortir d'esclavage,
Que tient trop précieuse un généreux courage :
Mourir pour sa patrie est un sort plein d'appas
Pour quiconque à des fers préfère le trépas.

Admire, peuple ingrat, qui m'as déshéritée,
Quelle vengeance en prend ta princesse irritée,
Et connais dans la fin de tes longs déplaisirs
Ta véritable reine à ses derniers soupirs.
Vois comme à tes malheurs je suis tout asservie :
L'un m'a coûté mon trône, et l'autre veut ma vie.
Tu t'es sauvé du Sphinx aux dépens de mon rang;
Sauve-toi de la peste aux dépens de mon sang.
Mais après avoir vu dans la fin de ta peine
Que pour toi le trépas semble doux à ta reine,
Fais-toi de son exemple une adorable loi :
Il est encor plus doux de mourir pour son roi.

MÉGARE

Madame, aurait-on cru que cette ombre d'un père,
D'un roi dont vous tenez la mémoire si chère,
Dans votre injuste perte eût pris tant d'intérêt
Qu'elle vînt elle-même en prononcer l'arrêt?

DIRCÉ

N'appelle point injuste un trépas légitime :
Si j'ai causé sa mort, puis-je vivre sans crime?

NÉRINE

Vous, Madame?

DIRCÉ

Oui, Nérine; et tu l'as pu savoir.
L'amour qu'il me portait eut sur lui tel pouvoir,
Qu'il voulut sur mon sort faire parler l'oracle;
Mais, comme à ce dessein la Reine mit obstacle,
De peur que cette voix des destins ennemis
Ne fût aussi funeste à la fille qu'au fils,
Il se déroba d'elle, ou plutôt prit la fuite,
Sans vouloir que Phorbas et Nicandre pour suite.
Hélas ! sur le chemin il fut assassiné.
Ainsi se vit pour moi son destin terminé;
Ainsi j'en fus la cause.

MÉGARE

Oui, mais trop innocente
Pour vous faire un supplice où la raison consente;
Et jamais des tyrans les plus barbares lois...

DIRCÉ

Mégare, tu sais mal ce que l'on doit aux rois.
Un sang si précieux ne saurait se répandre
Qu'à l'innocente cause on n'ait droit de s'en prendre;
Et de quelque façon que finisse leur sort,
On n'est point innocent quand on cause leur mort.
C'est ce crime impuni qui demande un supplice;
C'est par là que mon père a part au sacrifice;
C'est ainsi qu'un trépas qui me comble d'honneur
Assure sa vengeance et fait votre bonheur,
Et que tout l'avenir chérira la mémoire
D'un châtiment si juste où brille tant de gloire.

SCÈNE IV

THÉSÉE, DIRCÉ, MÉGARE, NÉRINE

DIRCÉ

Mais que vois-je? Ah ! Seigneur, quels que soient vos en-
Que venez-vous me dire en l'état où je suis? [nuis,

THÉSÉE

Je viens prendre de vous l'ordre qu'il me faut suivre;
Mourir, s'il faut mourir, et vivre, s'il faut vivre.

DIRCÉ

Ne perdez point d'efforts à m'arrêter au jour :
Laissez faire l'honneur.

THÉSÉE

Laissez agir l'amour.

DIRCÉ

Vivez, Prince; vivez.

THÉSÉE

Vivez donc, ma princesse.

DIRCÉ

Ne me ravalez point jusqu'à cette bassesse.

Retarder mon trépas, c'est faire tout périr :
Tout meurt, si je ne meurs.

THÉSÉE

Laissez-moi donc mourir.

DIRCÉ

Hélas ! qu'osez-vous dire?

THÉSÉE

Hélas ! qu'allez-vous faire?

DIRCÉ

Finir les maux publics, obéir à mon père,
Sauver tous mes sujets.

THÉSÉE

Par quelle injuste loi
Faut-il les sauver tous pour ne perdre que moi?
Eux dont le cœur ingrat porte les justes peines
D'un rebelle mépris qu'ils ont fait de vos chaînes,
Qui dans les mains d'un autre ont mis tout votre bien !

DIRCÉ

Leur devoir violé doit-il rompre le mien?
Les exemples abjets de ces petites âmes
Règlent-ils de leurs rois les glorieuses trames?
Et quel fruit un grand cœur pourrait-il recueillir
A recevoir du peuple un exemple à faillir?
Non, non : s'il m'en faut un, je ne veux que le vôtre;
L'amour que j'ai pour vous n'en reçoit aucun autre.
Pour le bonheur public n'avez-vous pas toujours
Prodigué votre sang et hasardé vos jours?
Quand vous avez défait le Minotaure en Crète,
Quand vous avez puni Damaste et Périphète,
Sinnis, Phæa, Scirron, que faisiez-vous, Seigneur,
Que chercher à périr pour le commun bonheur?
Souffrez que pour la gloire une chaleur égale
D'une amante aujourd'hui vous fasse une rivale.
Le ciel offre à mon bras par où me signaler :
S'il ne sait pas combattre, il saura m'immoler;
Et si cette chaleur ne m'a point abusée,
Je deviendrai par là digne du grand Thésée.

Mon sort en ce point seul du vôtre eſt différent,
Que je ne puis sauver mon peuple qu'en mourant,
Et qu'au salut du vôtre un bras si nécessaire
A chaque jour pour lui d'autres combats à faire.

THÉSÉE

J'en ai fait et beaucoup, et d'assez généreux;
Mais celui-ci, Madame, eſt le plus dangereux.
J'ai fait trembler partout, et devant vous je tremble.
L'amant et le héros s'accordent mal ensemble;
Mais enfin après vous tous deux veulent courir :
Le héros ne peut vivre où l'amant doit mourir;
La fermeté de l'un par l'autre eſt épuisée;
Et si Dircé n'eſt plus, il n'eſt plus de Thésée.

DIRCÉ

Hélas ! c'eſt maintenant, c'eſt lorsque je vous voi
Que ce même combat eſt dangereux pour moi.
Ma vertu la plus forte à votre aspect chancelle :
Tout mon cœur applaudit à sa flamme rebelle;
Et l'honneur, qui charmait ses plus noirs déplaisirs,
N'eſt plus que le tyran de mes plus chers désirs.
Allez, Prince; et du moins par pitié de ma gloire
Gardez-vous d'achever une indigne victoire;
Et si jamais l'honneur a su vous animer...

THÉSÉE

Hélas ! à votre aspect je ne sais plus qu'aimer.

DIRCÉ

Par un pressentiment j'ai déjà su vous dire
Ce que ma mort sur vous se réserve d'empire.
Votre bras de la Grèce eſt le plus ferme appui :
Vivez pour le public, comme je meurs pour lui.

THÉSÉE

Périsse l'univers, pourvu que Dircé vive !
Périsse le jour même avant qu'elle s'en prive !
Que m'importe la perte ou le salut de tous?
Ai-je rien à sauver, rien à perdre que vous?
Si votre amour, Madame, était encor le même,
Si vous saviez encore aimer comme on vous aime...

DIRCÉ

Ah ! faites moins d'outrage à ce cœur affligé
Que pressent les douleurs où vous l'avez plongé.
Laissez vivre du peuple un pitoyable reste
Aux dépens d'un moment que m'a laissé la peste,
Qui peut-être à vos yeux viendra trancher mes jours,
Si mon sang répandu ne lui tranche le cours.
Laissez-moi me flatter de cette triste joie
Que si je ne mourais vous en seriez la proie,
Et que ce sang aimé que répandront mes mains,
Sera versé pour vous plus que pour les Thébains.
Des Dieux mal obéis la majesté suprême
Pourrait en ce moment s'en venger sur vous-même;
Et j'aurais cette honte, en ce funeste sort,
D'avoir prêté mon crime à faire votre mort.

THÉSÉE

Et ce cœur généreux me condamne à la honte
De voir que ma princesse en amour me surmonte,
Et de n'obéir pas à cette aimable loi
De mourir avec vous quand vous mourez pour moi !
Pour moi, comme pour vous, soyez plus magnanime :
Voyez mieux qu'il y va même de votre estime,
Que le choix d'un amant si peu digne de vous
Souillerait cet honneur qui vous semble si doux,
Et que de ma princesse on dirait d'âge en âge
Qu'elle eut de mauvais yeux pour un si grand courage.

DIRCÉ

Mais, Seigneur, je vous sauve en courant au trépas;
Et mourant avec moi vous ne me sauvez pas.

THÉSÉE

La gloire de ma mort n'en deviendra pas moindre;
Si ce n'est vous sauver, ce sera vous rejoindre :
Séparer deux amants, c'est tous deux les punir;
Et dans le tombeau même il est doux de s'unir.

DIRCÉ

Que vous m'êtes cruel de jeter dans mon âme
Un si honteux désordre avec des traits de flamme !
Adieu, Prince : vivez, je vous l'ordonne ainsi;

La gloire de ma mort est trop douteuse ici;
Et je hasarde trop une si noble envie
A voir l'unique objet pour qui j'aime la vie.

THÉSÉE

Vous fuyez, ma princesse, et votre adieu fatal...

DIRCÉ

Prince, il est temps de fuir quand on se défend mal.
Vivez, encore un coup : c'est moi qui vous l'ordonne.

THÉSÉE

Le véritable amour ne prend loi de personne;
Et si ce fier honneur s'obstine à nous trahir,
Je renonce, Madame, à vous plus obéir.

ACTE III

SCÈNE PREMIÈRE

DIRCÉ

IMPITOYABLE soif de gloire,
Dont l'aveugle et noble transport
Me fait précipiter ma mort
Pour faire vivre ma mémoire,
Arrête pour quelques moments
Les impétueux sentiments
De cette inexorable envie,
Et souffre qu'en ce triste et favorable jour,
Avant que te donner ma vie,
Je donne un soupir à l'amour.

Ne crains pas qu'une ardeur si belle
Ose te disputer un cœur
Qui de ton illustre rigueur
Est l'esclave le plus fidèle.
Ce regard tremblant et confus,
Qu'attire un bien qu'il n'attend plus,
N'empêche pas qu'il ne se dompte.
Il est vrai qu'il murmure, et se dompte à regret;
Mais s'il m'en faut rougir de honte,
Je n'en rougirai qu'en secret.

L'éclat de cette renommée
Qu'assure un si brillant trépas
Perd la moitié de ses appas
Quand on aime et qu'on est aimée.
L'honneur, en monarque absolu,
Soutient ce qu'il a résolu

Contre les assauts qu'on te livre.
Il eﬅ beau de mourir pour en suivre les lois;
Mais il eﬅ assez doux de vivre
Quand l'amour a fait un beau choix.

Toi qui faisais toute la joie
Dont sa flamme osait me flatter,
Prince que j'ai peine à quitter,
A quelques honneurs qu'on m'envoie,
Accepte ce faible retour
Que vers toi d'un si juﬅe amour
Fait la douloureuse tendresse.
Sur les bords de la tombe où tu me vois courir,
Je crains les maux que je te laisse,
Quand je fais gloire de mourir.

J'en fais gloire, mais je me cache
Un comble affreux de déplaisirs;
Je fais taire tous mes désirs,
Mon cœur à soi-même s'arrache.
Cher Prince, dans un tel aveu,
Si tu peux voir quel eﬅ mon feu,
Vois combien il se violente.
Je meurs l'esprit content, l'honneur m'en fait la loi;
Mais j'aurais vécu plus contente,
Si j'avais pu vivre pour toi.

SCÈNE II

JOCASTE, DIRCÉ

DIRCÉ

Tout eﬅ-il prêt, Madame, et votre Tirésie
Attend-il aux autels la viﬅime choisie?

JOCASTE

Non, ma fille; et du moins nous aurons quelques jours
A demander au ciel un plus heureux secours.
On prépare à demain exprès d'autres viﬅimes.
Le peuple ne veut pas que vous payiez ses crimes :

Il aime mieux périr qu'être ainsi conservé;
Et le Roi même, encor que vous l'ayez bravé,
Sensible à vos malheurs autant qu'à ma prière,
Vous offre sur ce point liberté tout entière.

DIRCÉ

C'est assez vainement qu'il m'offre un si grand bien,
Quand le ciel ne veut pas que je lui doive rien;
Et ce n'est pas à lui de mettre des obstacles
Aux ordres souverains que donnent ses oracles.

JOCASTE

L'oracle n'a rien dit.

DIRCÉ

Mais mon père a parlé;
L'ordre de nos destins par lui s'est révélé;
Et des morts de son rang les ombres immortelles
Servent souvent aux Dieux de truchements fidèles.

JOCASTE

Laissez la chose en doute, et du moins hésitez
Tant qu'on ait par leur bouche appris leurs volontés.

DIRCÉ

Exiger qu'avec nous ils s'expliquent eux-mêmes,
C'est trop nous asservir ces majestés suprêmes.

JOCASTE

Ma fille, il est toujours assez tôt de mourir.

DIRCÉ

Madame, il n'est jamais trop tôt de secourir;
Et pour un mal si grand qui réclame notre aide,
Il n'est point de trop sûr ni de trop prompt remède.
Plus nous le différons, plus le mal devient grand.
J'assassine tous ceux que la peste surprend;
Aucun n'en peut mourir qui ne me laisse un crime[8] :
Je viens d'étouffer seule et Sostrate et Phædime;
Et durant ce refus des remèdes offerts,
La Parque se prévaut des moments que je perds.
Hélas ! si sa fureur dans ces pertes publiques
Enveloppait Thésée après ses domestiques !
Si nos retardements...

JOCASTE

Vivez pour lui, Dircé :
Ne lui dérobez point un cœur si bien placé.
Avec tant de courage ayez quelque tendresse;
Agissez en amante aussi bien qu'en princesse.
Vous avez liberté tout entière en ces lieux :
Le Roi n'y prend pas garde, et je ferme les yeux.
C'est vous en dire assez : l'amour est un doux maître;
Et quand son choix est beau, son ardeur doit paraître.

DIRCÉ

Je n'ose demander si de pareils avis
Partent des sentiments que vous ayez suivis.
Votre second hymen put avoir d'autres causes;
Mais j'oserai vous dire, à bien juger des choses,
Que pour avoir reçu la vie en votre flanc,
J'y dois avoir sucé fort peu de votre sang.
Celui du grand Laïus, dont je m'y suis formée,
Trouve bien qu'il est doux d'aimer et d'être aimée;
Mais il ne peut trouver qu'on soit digne du jour
Quand aux soins de sa gloire on préfère l'amour.
Je sais sur les grands cœurs ce qu'il se fait d'empire :
J'avoue, et hautement, que le mien en soupire;
Mais quoi qu'un si beau choix puisse avoir de douceurs,
Je garde un autre exemple aux princesses mes sœurs.

JOCASTE

Je souffre tout de vous en l'état où vous êtes.
Si vous ne savez pas même ce que vous faites,
Le chagrin inquiet du trouble où je vous voi
Vous peut faire oublier que vous parlez à moi;
Mais quittez ces dehors d'une vertu sévère,
Et souvenez-vous mieux que je suis votre mère.

DIRCÉ

Ce chagrin inquiet, pour se justifier,
N'a qu'à prendre chez vous l'exemple d'oublier.
Quand vous mîtes le sceptre en une autre famille,
Vous souvint-il assez que j'étais votre fille?

JOCASTE

Vous n'étiez qu'un enfant.

DIRCÉ

J'avais déjà des yeux,
Et sentais dans mon cœur le sang de mes aïeux;
C'était ce même sang dont vous m'avez fait naître
Qui s'indignait dès lors qu'on lui donnât un maître,
Et que vers soi Laïus aime mieux rappeler
Que de voir qu'à vos yeux on l'ose ravaler.
Il oppose ma mort à l'indigne hyménée
Où par raison d'État, il me voit destinée;
Il la fait glorieuse, et je meurs plus pour moi
Que pour ces malheureux qui se sont fait un roi.
Le ciel en ma faveur prend ce cher interprète,
Pour m'épargner l'affront de vivre encor sujette;
Et s'il a quelque foudre, il saura le garder
Pour qui m'a fait des lois où j'ai dû commander.

JOCASTE

Souffrez qu'à ses éclairs votre orgueil se dissipe :
Ce foudre vous menace un peu plus tôt qu'Œdipe;
Et le Roi n'a pas lieu d'en redouter les coups,
Quand parmi tout son peuple ils n'ont choisi que vous.

DIRCÉ

Madame, il se peut faire encor qu'il me prévienne :
S'il sait ma destinée, il ignore la sienne;
Le ciel pourra venger ses ordres retardés.
Craignez ce changement que vous lui demandez.
Souvent on l'entend mal quand on le croit entendre :
L'oracle le plus clair se fait le moins comprendre.
Moi-même je le dis sans comprendre pourquoi;
Et ce discours en l'air m'échappe malgré moi.
Pardonnez cependant à cette humeur hautaine :
Je veux parler en fille, et je m'explique en reine.
Vous qui l'êtes encor, vous savez ce que c'est,
Et jusqu'où nous emporte un si haut intérêt.
Si je n'en ai le rang, j'en garde la teinture.
Le trône a d'autres droits que ceux de la nature.
J'en parle trop peut-être alors qu'il faut mourir.
Hâtons-nous d'empêcher ce peuple de périr;
Et sans considérer quel fut vers moi son crime,
Puisque le ciel le veut, donnons-lui sa victime.

JOCASTE

Demain ce juste ciel pourra s'expliquer mieux.
Cependant vous laissez bien du trouble en ces lieux;
Et si votre vertu pouvait croire mes larmes,
Vous nous épargneriez cent mortelles alarmes.

DIRCÉ

Dussent avec vos pleurs tous vos Thébains s'unir,
Ce que n'a pu l'amour, rien ne doit l'obtenir.

SCÈNE III

ŒDIPE, JOCASTE, DIRCÉ

DIRCÉ

A quel propos, Seigneur, voulez-vous qu'on diffère,
Qu'on dédaigne un remède à tous si salutaire?
Chaque instant que je vis vous enlève un sujet,
Et l'État s'affaiblit par l'affront qu'on me fait.
Cette ombre de pitié n'est qu'un comble d'envie :
Vous m'avez envié le bonheur de ma vie;
Et je vous vois par là jaloux de tout mon sort,
Jusques à m'envier la gloire de ma mort.

ŒDIPE

Qu'on perd de temps, Madame, alors qu'on vous fait [grâce !

DIRCÉ

Le ciel m'en a trop fait pour souffrir qu'on m'en fasse.

JOCASTE

Faut-il voir votre esprit obstinément aigri,
Quand ce qu'on fait pour vous doit l'avoir attendri?

DIRCÉ

Faut-il voir son envie à mes vœux opposée,
Quand il ne s'agit plus d'Æmon ni de Thésée?

ŒDIPE

Il s'agit de répandre un sang si précieux,
Qu'il faut un second ordre et plus exprès des Dieux.

DIRCÉ

Doutez-vous qu'à mourir je ne sois toute prête,
Quand les Dieux par mon père ont demandé ma tête?

ŒDIPE

Je vous connais, Madame, et je n'ai point douté
De cet illustre excès de générosité;
Mais la chose après tout n'est pas encor si claire,
Que cet ordre nouveau ne nous soit nécessaire.

DIRCÉ

Quoi? mon père tantôt parlait obscurément?

ŒDIPE

Je n'en ai rien connu que depuis un moment.
C'est un autre que vous peut-être qu'il menace.

DIRCÉ

Si l'on ne m'a trompée, il n'en veut qu'à sa race.

ŒDIPE

Je sais qu'on vous a fait un fidèle rapport;
Mais vous pourriez mourir et perdre votre mort;
Et la Reine sans doute était bien inspirée
Alors que par ses pleurs elle l'a différée.

JOCASTE

Je ne reçois qu'en trouble un si confus espoir.

ŒDIPE

Ce trouble augmentera peut-être avant ce soir.

JOCASTE

Vous avancez des mots que je ne puis comprendre.

ŒDIPE

Vous vous plaindrez fort peu de ne les point entendre :
Nous devons bientôt voir le mystère éclairci.
Madame, cependant vous êtes libre ici;
La Reine vous l'a dit, ou vous a dû le dire;
Et si vous m'entendez, ce mot vous doit suffire.

DIRCÉ

Quelque secret motif qui vous aye excité
A ce tardif excès de générosité,
Je n'emporterai point de Thèbes dans Athènes
La colère des Dieux et l'amas de leurs haines,
Qui pour premier objet pourraient choisir l'époux
Pour qui j'aurais osé mériter leur courroux.
Vous leur faites demain offrir un sacrifice?

ŒDIPE

J'en espère pour vous un destin plus propice.

DIRCÉ

J'y trouverai ma place et ferai mon devoir.
Quant au reste, Seigneur, je n'en veux rien savoir :
J'y prends si peu de part, que sans m'en mettre en peine,
Je vous laisse expliquer votre énigme à la Reine.
Mon cœur doit être las d'avoir tant combattu,
Et fuit un piège adroit qu'on tend à sa vertu.

SCÈNE IV

JOCASTE, ŒDIPE, SUITE

ŒDIPE

Madame, quand des Dieux la réponse funeste,
De peur d'un parricide et de peur d'un inceste,
Sur le mont Cithéron fit exposer ce fils
Pour qui tant de forfaits avaient été prédits,
Sûtes-vous faire choix d'un ministre fidèle?

JOCASTE

Aucun pour le feu Roi n'a montré plus de zèle,
Et quand par des voleurs il fut assassiné,
Ce digne favori l'avait accompagné.
Par lui seul on a su cette noire aventure;
On le trouva percé d'une large blessure,
Si baigné dans son sang, et si près de mourir,
Qu'il fallut une année et plus pour l'en guérir.

ŒDIPE

Est-il mort?

JOCASTE

Non, Seigneur : la perte de son maître
Fut cause qu'en la cour il cessa de paraître;
Mais il respire encore, assez vieil et cassé;
Et Mégare, sa fille, est auprès de Dircé.

ŒDIPE

Où fait-il sa demeure?

JOCASTE

Au pied de cette roche
Que de ces tristes murs nous voyons la plus proche.

ŒDIPE

Tâchez de lui parler.

JOCASTE

J'y vais tout de ce pas.
Qu'on me prépare un char pour aller chez Phorbas.
Son dégoût de la cour pourrait sur un message
S'excuser par caprice et prétexter son âge.
Dans une heure au plus tard je saurai vous revoir.
Mais que dois-je lui dire, et qu'en faut-il savoir?

ŒDIPE

Un bruit court depuis peu qu'il vous a mal servie,
Que ce fils qu'on croit mort est encor plein de vie.
L'oracle de Laïus par là devient douteux,
Et tout ce qu'il a dit peut s'étendre sur deux.

JOCASTE

Seigneur, ou sur ce bruit je suis fort abusée,
Ou ce n'est qu'un effet de l'amour de Thésée :
Pour sauver ce qu'il aime et vous embarrasser,
Jusques à votre oreille il l'aura fait passer;
Mais Phorbas aisément convaincra d'imposture
Quiconque ose à sa foi faire une telle injure.

ŒDIPE

L'innocence de l'âge aura pu l'émouvoir.

JOCASTE

Je l'ai toujours connu ferme dans son devoir;

Mais si déjà ce bruit vous met en jalousie,
Vous pouvez consulter le devin Tirésie,
Publier sa réponse et traiter d'imposteur
De cette illusion le téméraire auteur.

ŒDIPE

Je viens de le quitter, et de là vient ce trouble
Qu'en mon cœur alarmé chaque moment redouble.
« Ce prince, m'a-t-il dit, respire en votre cour :
Vous pourrez le connaître avant la fin du jour;
Mais il pourra vous perdre en se faisant connaître.
Puisse-t-il ignorer quel sang lui donne l'être ! »
Voilà ce qu'il m'a dit d'un ton si plein d'effroi,
Qu'il l'a fait rejaillir jusqu'en l'âme d'un roi.
Ce fils, qui devait être inceste et parricide,
Doit avoir un cœur lâche, un courage perfide;
Et par un sentiment facile à deviner,
Il ne se cache ici que pour m'assassiner :
C'est par là qu'il aspire à devenir monarque,
Et vous le connaîtrez bientôt à cette marque.
Quoi qu'il en soit, Madame, allez trouver Phorbas :
Tirez-en, s'il se peut, les clartés qu'on n'a pas.
Tâchez en même temps de voir aussi Thésée :
Dites-lui qu'il peut faire une conquête aisée,
Qu'il ose pour Dircé, que je n'en verrai rien.
J'admire un changement si confus que le mien :
Tantôt dans leur hymen je croyais voir ma perte,
J'allais pour l'empêcher jusqu'à la force ouverte;
Et sans savoir pourquoi, je voudrais que tous deux
Fussent, loin de ma vue, au comble de leurs vœux,
Que les emportements d'une ardeur mutuelle
M'eussent débarrassé de son amant et d'elle.
Bien que de leur vertu rien ne me soit suspect,
Je ne sais quelle horreur me trouble à leur aspect;
Ma raison le repousse, et ne m'en peut défendre;
Moi-même en cet état je ne puis me comprendre;
Et l'énigme du Sphinx fut moins obscur[9] pour moi
Que le fond de mon cœur ne l'est dans cet effroi :
Plus je le considère, et plus je m'en irrite.
Mais ce prince paraît, souffrez que je l'évite;
Et si vous vous sentez l'esprit moins interdit,
Agissez avec lui comme je vous l'ai dit.

SCÈNE V

JOCASTE, THÉSÉE

JOCASTE

Prince, que faites-vous? quelle pitié craintive,
Quel faux respect des Dieux tient votre flamme oisive?
Avez-vous oublié comme il faut secourir?

THÉSÉE

Dircé n'est plus, Madame, en état de périr :
Le ciel vous rend un fils, et ce n'est qu'à ce prince
Qu'est dû le triste honneur de sauver sa province.

JOCASTE

C'est trop vous assurer sur l'éclat d'un faux bruit.

THÉSÉE

C'est une vérité dont je suis mieux instruit.

JOCASTE

Vous le connaissez donc?

THÉSÉE

A l'égal de moi-même.

JOCASTE

De quand?

THÉSÉE

De ce moment.

JOCASTE

Et vous l'aimez?

THÉSÉE

Je l'aime
Jusqu'à mourir du coup dont il sera percé.

JOCASTE

Mais cette amitié cède à l'amour de Dircé?

THÉSÉE

Hélas ! cette princesse à mes désirs si chère
En un fidèle amant trouve un malheureux frère,
Qui mourrait de douleur d'avoir changé de sort,
N'était le prompt secours d'une plus digne mort,
Et qu'assez tôt connu pour mourir au lieu d'elle
Ce frère malheureux meurt en amant fidèle.

JOCASTE

Quoi? vous seriez mon fils?

THÉSÉE

Et celui de Laïus.

JOCASTE

Qui vous a pu le dire?

THÉSÉE

Un témoin qui n'est plus,
Phædime, qu'à mes yeux vient de ravir la peste :
Non qu'il m'en ait donné la preuve manifeste;
Mais Phorbas, ce vieillard qui m'exposa jadis,
Répondra mieux que lui de ce que je vous dis,
Et vous éclaircira touchant une aventure
Dont je n'ai pu tirer qu'une lumière obscure.
Ce peu qu'en ont pour moi les soupirs d'un mourant
Du grand droit de régner serait mauvais garant.
Mais ne permettez pas que le Roi me soupçonne,
Comme si ma naissance ébranlait sa couronne,
Quelque honneur, quelques droits qu'elle ait pu m'ac-
Je ne viens disputer que celui de mourir. [quérir,

JOCASTE

Je ne sais si Phorbas avouera votre histoire;
Mais, qu'il l'avoue ou non, j'aurai peine à vous croire.
Avec votre mourant Tirésie est d'accord,
A ce que dit le Roi, que mon fils n'est point mort.
C'est déjà quelque chose; et toutefois mon âme
Aime à tenir suspecte une si belle flamme.
Je ne sens point pour vous l'émotion du sang,
Je vous trouve en mon cœur toujours en même rang;
J'ai peine à voir un fils où j'ai cru voir un gendre;
La nature avec vous refuse de s'entendre,

Et me dit en secret, sur votre emportement,
Qu'il a bien peu d'un frère, et beaucoup d'un amant;
Qu'un frère a pour des sœurs une ardeur plus remise,
A moins que sous ce titre un amant se déguise,
Et qu'il cherche en mourant la gloire et la douceur
D'arracher à la mort ce qu'il nomme sa sœur.

THÉSÉE

Que vous connaissez mal ce que peut la nature !
Quand d'un parfait amour elle a pris la teinture,
Et que le désespoir d'un illustre projet
Se joint aux déplaisirs d'en voir périr l'objet,
Il est doux de mourir pour une sœur si chère.
Je l'aimais en amant, je l'aime encore en frère;
C'est sous un autre nom le même empressement :
Je ne l'aime pas moins, mais je l'aime autrement.
L'ardeur sur la vertu fortement établie
Par ces retours du sang ne peut être affaiblie;
Et ce sang qui prêtait sa tendresse à l'amour
A droit d'en emprunter les forces à son tour.

JOCASTE

Eh bien ! soyez mon fils, puisque vous voulez l'être;
Mais donnez-moi la marque où je dois le connaître.
Vous n'êtes point ce fils, si vous n'êtes méchant :
Le ciel sur sa naissance imprima ce penchant;
J'en vois quelque partie en ce désir inceste;
Mais pour ne plus douter, vous chargez-vous du reste?
Êtes-vous l'assassin et d'un père et d'un roi?

THÉSÉE

Ah ! Madame, ce mot me fait pâlir d'effroi.

JOCASTE

C'était là de mon fils la noire destinée;
Sa vie à ces forfaits par le ciel condamnée
N'a pu se dégager de cet astre ennemi,
Ni de son ascendant s'échapper à demi.
Si ce fils vit encore, il a tué son père :
C'en est l'indubitable et le seul caractère;
Et le ciel, qui prit soin de nous en avertir,
L'a dit trop hautement pour se voir démentir.
Sa mort seule pouvait le dérober au crime.

Prince, renoncez donc à toute votre estime :
Dites que vos vertus sont crimes déguisés;
Recevez tout le sort que vous vous imposez;
Et pour remplir un nom dont vous êtes avide,
Acceptez ceux d'inceste et de fils parricide.
J'en croirai ces témoins que le ciel m'a prescrits,
Et ne vous puis donner mon aveu qu'à ce prix.

THÉSÉE

Quoi? la nécessité des vertus et des vices[10]
D'un astre impérieux doit suivre les caprices,
Et Delphes, malgré nous, conduit nos actions
Au plus bizarre effet de ses prédictions?
L'âme est donc tout esclave : une loi souveraine
Vers le bien ou le mal incessamment l'entraîne;
Et nous ne recevons ni crainte ni désir
De cette liberté qui n'a rien à choisir,
Attachés sans relâche à cet ordre sublime,
Vertueux sans mérite, et vicieux sans crime.
Qu'on massacre les rois, qu'on brise les autels,
C'est la faute des Dieux, et non pas des mortels.
De toute la vertu sur la terre épandue,
Tout le prix à ces dieux, toute la gloire est due;
Ils agissent en nous quand nous pensons agir;
Alors qu'on délibère on ne fait qu'obéir;
Et notre volonté n'aime, hait, cherche, évite,
Que suivant que d'en haut leur bras la précipite.
D'un tel aveuglement daignez me dispenser.
Le ciel, juste à punir, juste à récompenser,
Pour rendre aux actions leur peine ou leur salaire,
Doit nous offrir son aide, et puis nous laisser faire.
N'enfonçons toutefois ni votre œil ni le mien
Dans ce profond abîme où nous ne voyons rien :
Delphes a pu vous faire une fausse réponse;
L'argent put inspirer la voix qui les prononce;
Cet organe des Dieux put se laisser gagner
A ceux que ma naissance éloignait de régner;
Et par tous les climats on n'a que trop d'exemples
Qu'il est ainsi qu'ailleurs des méchants dans les temples.
Du moins puis-je assurer que dans tous mes combats
Je n'ai jamais souffert de seconds que mon bras;
Que je n'ai jamais vu ces lieux de la Phocide
Où fut par des brigands commis ce parricide;

Que la fatalité des plus pressants malheurs
Ne m'aurait pu réduire à suivre des voleurs;
Que j'en ai trop puni pour en croître le nombre...

JOCASTE

Mais Laïus a parlé, vous en avez vu l'ombre :
De l'oracle avec elle on voit tant de rapport,
Qu'on ne peut qu'à ce fils en imputer la mort;
Et c'est le dire assez qu'ordonner qu'on efface
Un grand crime impuni par le sang de sa race.
Attendons toutefois ce qu'en dira Phorbas :
Autre que lui n'a vu ce malheureux trépas;
Et de ce témoin seul dépend la connaissance
Et de ce parricide et de votre naissance.
Si vous êtes coupable, évitez-en les yeux;
Et de peur d'en rougir, prenez d'autres aïeux.

THÉSÉE

Je le verrai, Madame, et sans inquiétude.
Ma naissance confuse a quelque incertitude;
Mais pour ce parricide, il est plus que certain
Que ce ne fut jamais un crime de ma main.

ACTE IV

SCÈNE PREMIÈRE

THÉSÉE, DIRCÉ, MÉGARE

DIRCÉ

OUI, déjà sur ce bruit l'amour m'avait flattée :
Mon âme avec plaisir s'était inquiétée;
Et ce jaloux honneur qui ne consentait pas
Qu'un frère me ravît un glorieux trépas,
Après cette douceur fièrement refusée,
Ne me refusait point de vivre pour Thésée,
Et laissait doucement corrompre sa fierté
A l'espoir renaissant de ma perplexité.
Mais si je vois en vous ce déplorable frère,
Quelle faveur du ciel voulez-vous que j'espère,
S'il n'est pas en sa main de m'arrêter au jour
Sans faire soulever et l'honneur et l'amour?
S'il dédaigne mon sang, il accepte le vôtre;
Et si quelque miracle épargne l'un et l'autre,
Pourra-t-il détacher de mon sort le plus doux
L'amertume de vivre, et n'être point à vous?

THÉSÉE

Le ciel choisit souvent de secrètes conduites
Qu'on ne peut démêler qu'après de longues suites;
Et de mon sort douteux l'obscur événement
Ne défend pas l'espoir d'un second changement.
Je chéris ce premier qui vous est salutaire.
Je ne puis en amant ce que je puis en frère;
J'en garderai le nom tant qu'il faudra mourir;
Mais si jamais d'ailleurs on peut vous secourir,
Peut-être que le ciel me faisant mieux connaître,
Sitôt que vous vivrez, je cesserai de l'être;
Car je n'aspire point à calmer son courroux,
Et ne veux ni mourir ni vivre que pour vous.

DIRCÉ

Cet amour mal éteint sied mal au cœur d'un frère :
Où le sang doit parler, c'est à lui de se taire;
Et sitôt que sans crime il ne peut plus durer,
Pour ses feux les plus vifs il est temps d'expirer.

THÉSÉE

Laissez-lui conserver ces ardeurs empressées
Qui vous faisaient l'objet de toutes mes pensées.
J'ai mêmes yeux encore, et vous mêmes appas :
Si mon sort est douteux, mon souhait ne l'est pas.
Mon cœur n'écoute point ce que le sang veut dire :
C'est d'amour qu'il gémit, c'est d'amour qu'il soupire
Et pour pouvoir sans crime en goûter la douceur,
Il se révolte exprès contre le nom de sœur.
De mes plus chers désirs ce partisan sincère
En faveur de l'amant tyrannise le frère,
Et partage à tous deux le digne empressement
De mourir comme frère et vivre comme amant.

DIRCÉ

O du sang de Laïus preuves trop manifestes !
Le ciel, vous destinant à des flammes incestes,
A su de votre esprit déraciner l'horreur
Que doit faire à l'amour le sacré nom de sœur;
Mais si sa flamme y garde une place usurpée,
Dircé dans votre erreur n'est point enveloppée :
Elle se défend mieux de ce trouble intestin,
Et si c'est votre sort, ce n'est pas son destin.
Non qu'enfin sa vertu vous regarde en coupable :
Puisque le ciel vous force, il vous rend excusable;
Et l'amour pour les sens est un si doux poison,
Qu'on ne peut pas toujours écouter la raison.
Moi-même, en qui l'honneur n'accepte aucune grâce,
J'aime en ce douteux sort tout ce qui m'embarrasse,
Je ne sais quoi m'y plaît qui n'ose s'exprimer,
Et ce confus mélange a de quoi me charmer.
Je n'aime plus qu'en sœur, et malgré moi j'espère.
Ah ! Prince, s'il se peut, ne soyez point mon frère,
Et laissez-moi mourir avec les sentiments
Que la gloire permet aux illustres amants.

THÉSÉE

Je vous ai déjà dit, Princesse, que peut-être,
Sitôt que vous vivrez, je cesserai de l'être :
Faut-il que je m'explique? et toute votre ardeur
Ne peut-elle sans moi lire au fond de mon cœur?
Puisqu'il eſt tout à vous, pénétrez-y, Madame :
Vous verrez que sans crime il conserve sa flamme.
Si je suis descendu jusqu'à vous abuser,
Un juſte désespoir m'aurait fait plus oser;
Et l'amour, pour défendre une si chère vie,
Peut faire vanité d'un peu de tromperie.
J'en ai tiré ce fruit, que ce nom décevant
A fait connaître ici que ce prince eſt vivant.
Phorbas l'a confessé; Tirésie a lui-même
Appuyé de sa voix cet heureux ſtratagème :
C'eſt par lui qu'on a su qu'il respire en ces lieux.
Souffrez donc qu'un moment je trompe encor leurs yeux;
Et puisque dans ce jour ce frère doit paraître,
Jusqu'à ce qu'on l'ait vu permettez-moi de l'être.

DIRCÉ

Je pardonne un abus que l'amour a formé,
Et rien ne peut déplaire alors qu'on eſt aimé.
Mais hasardiez-vous tant sans aucune lumière?

THÉSÉE

Mégare m'avait dit le secret de son père;
Il m'a valu l'honneur de m'exposer pour tous;
Mais je n'en abusais que pour mourir pour vous.
Le succès a passé cette triſte espérance :
Ma flamme en vos périls ne voit plus d'apparence.
Si l'on peut à l'oracle ajouter quelque foi,
Ce fils a de sa main versé le sang du Roi;
Et son ombre, en parlant de punir un grand crime,
Dit assez que c'eſt lui qu'elle veut pour viƐtime.

DIRCÉ

Prince, quoi qu'il en soit, n'empêchez plus ma mort,
Si par le sacrifice on n'éclaircit mon sort.
La Reine, qui paraît, fait que je me retire :
Sachant ce que je sais, j'aurais peur d'en trop dire;
Et, comme enfin ma gloire a d'autres intérêts,

Vous saurez mieux sans moi ménager vos secrets :
Mais puisque vous voulez que mon esprit revive,
Ne tenez pas longtemps la vérité captive.

SCÈNE II

JOCASTE, THÉSÉE, NÉRINE

JOCASTE

Prince, j'ai vu Phorbas; et tout ce qu'il m'a dit
A ce que vous croyez peut donner du crédit.
  Un passant inconnu, touché de cette enfance
Dont un astre envieux condamnait la naissance,
Sur le mont Cithéron reçut de lui mon fils,
Sans qu'il lui demandât son nom ni son pays,
De crainte qu'à son tour il ne conçût l'envie
D'apprendre dans quel sang il conservait la vie.
Il l'a revu depuis, et presque tous les ans,
Dans le temple d'Élide offrir quelques présents.
Ainsi chacun des deux connaît l'autre au visage,
Sans s'être l'un à l'autre expliqués davantage.
Il a bien su de lui que ce fils conservé
Respire encor le jour dans un rang élevé;
Mais je demande en vain qu'à mes yeux il le montre,
A moins que ce vieillard avec lui se rencontre.
  Si Phædime après lui vous eut en son pouvoir,
De cet inconnu même il put vous recevoir,
Et voyant à Trézène une mère affligée,
De la perte du fils qu'elle avait eu d'Égée,
Vous offrir en sa place, elle vous accepter.
Tout ce qui sur ce point pourrait faire douter,
C'est qu'il vous a souffert dans une flamme inceste,
Et n'a parlé de rien qu'en mourant de la peste.
  Mais d'ailleurs Tirésie a dit que dans ce jour
Nous pourrons voir ce prince, et qu'il vit dans la cour;
Quelques moments après on vous a vu paraître;
Ainsi vous pouvez l'être, et pouvez ne pas l'être.
Passons outre. A Phorbas ajouteriez-vous foi?
S'il n'a pas vu mon fils, il vit la mort du Roi,
Il connaît l'assassin : voulez-vous qu'il vous voie?

THÉSÉE

Je le verrai, Madame, et l'attends avec joie,
Sûr, comme je l'ai dit, qu'il n'est point de malheurs
Qui m'eussent pu réduire à suivre des voleurs.

JOCASTE

Ne vous assurez point sur cette conjecture,
Et souffrez qu'elle cède à la vérité pure.
Honteux qu'un homme seul eût triomphé de trois,
Qu'il en eût tué deux et mis l'autre aux abois,
Phorbas nous supposa ce qu'il nous en fit croire,
Et parla de brigands pour sauver quelque gloire.
Il me vient d'avouer sa faiblesse à genoux.
« D'un bras seul, m'a-t-il dit, partirent tous les coups;
Un bras seul à tous trois nous ferma le passage,
Et d'une seule main ce grand crime est l'ouvrage. »

THÉSÉE

Le crime n'est pas grand s'il fut seul contre trois;
Mais jamais sans forfait on ne se prend aux rois;
Et fussent-ils cachés sous un habit champêtre,
Leur propre majesté les doit faire connaître.
L'assassin de Laïus est digne du trépas,
Bien que seul contre trois, il ne le connût pas.
Pour moi, je l'avouerai, que jamais ma vaillance
A mon bras contre trois n'a commis ma défense.
L'œil de votre Phorbas aura beau me chercher
Jamais dans la Phocide on ne m'a vu marcher.
Qu'il vienne : à ses regards sans crainte je m'expose;
Et c'est un imposteur s'il vous dit autre chose.

JOCASTE

Faites entrer Phorbas. Prince, pensez-y bien.

THÉSÉE

S'il est homme d'honneur, je n'en dois craindre rien.

JOCASTE

Vous voudrez, mais trop tard, en éviter la vue.

THÉSÉE

Qu'il vienne; il tarde trop, cette lenteur me tue;
Et si je le pouvais sans perdre le respect,
Je me plaindrais un peu de me voir trop suspect.

SCÈNE III

JOCASTE, THÉSÉE, PHORBAS, NÉRINE

JOCASTE

Laissez-moi lui parler, et prêtez-nous silence.
Phorbas, envisagez ce prince en ma présence :
Le reconnaissez-vous?

PHORBAS

Je crois vous l'avoir dit
Que je ne l'ai point vu depuis qu'on le perdit,
Madame : un si long temps laisse mal reconnaître
Un prince qui pour lors ne faisait que de naître;
Et si je vois en lui l'effet de mon secours,
Je n'y puis voir les traits d'un enfant de deux jours.

JOCASTE

Je sais, ainsi que vous, que les traits de l'enfance
N'ont avec ceux d'un homme aucune ressemblance;
Mais comme ce héros, s'il est sorti de moi,
Doit avoir de sa main versé le sang du Roi,
Seize ans n'ont pas changé tellement son visage
Que vous n'en conserviez quelque imparfaite image.

PHORBAS

Hélas! j'en garde encor si bien le souvenir,
Que je l'aurai présent durant tout l'avenir.
Si pour connaître un fils il vous faut cette marque,
Ce prince n'est point né de notre grand monarque.
Mais désabusez-vous, et sachez que sa mort
Ne fut jamais d'un fils le parricide effort.

JOCASTE

Et de qui donc, Phorbas? Avez-vous connaissance
Du nom du meurtrier? Savez-vous sa naissance?

PHORBAS

Et de plus sa demeure et son rang. Est-ce assez?

JOCASTE

Je saurai le punir si vous le connaissez.
Pourrez-vous le convaincre?

PHORBAS

Et par sa propre bouche.

JOCASTE

A nos yeux?

PHORBAS

A vos yeux. Mais peut-être il vous touche;
Peut-être y prendrez-vous un peu trop d'intérêt,
Pour m'en croire aisément quand j'aurai dit qui c'est.

THÉSÉE

Ne nous déguisez rien, parlez en assurance,
Que le fils de Laïus en hâte la vengeance.

JOCASTE

Il n'est pas assuré, Prince, que ce soit vous,
Comme il l'est que Laïus fut jadis mon époux;
Et d'ailleurs si le ciel vous choisit pour victime,
Vous me devez laisser à punir ce grand crime.

THÉSÉE

Avant que de mourir, un fils peut le venger.

PHORBAS

Si vous l'êtes ou non, je ne le puis juger;
Mais je sais que Thésée est si digne de l'être,
Qu'au seul nom qu'il en prend je l'accepte pour maître.
Seigneur, vengez un père, ou ne soutenez plus
Que nous voyons en vous le vrai sang de Laïus.

JOCASTE

Phorbas, nommez ce traître, et nous tirez de doute;
Et j'atteste à vos yeux le ciel, qui nous écoute,
Que pour cet assassin il n'est point de tourments
Qui puissent satisfaire à mes ressentiments.

PHORBAS

Mais si je vous nommais quelque personne chère,
Æmon votre neveu, Créon votre seul frère,

Ou le prince Lycus, ou le Roi votre époux,
Me pourriez-vous en croire, ou garder ce courroux?

JOCASTE

De ceux que vous nommez je sais trop l'innocence.

PHORBAS

Peut-être qu'un des quatre a fait plus qu'il ne pense;
Et j'ai lieu de juger qu'un trop cuisant ennui...

JOCASTE

Voici le Roi qui vient : dites tout devant lui.

SCÈNE IV

ŒDIPE, JOCASTE, THÉSÉE, PHORBAS, SUITE

ŒDIPE

Si vous trouvez un fils dans le prince Thésée,
Mon âme en son effroi s'était bien abusée :
Il ne choisira point de chemin criminel,
Quand il voudra rentrer au trône paternel,
Madame; et ce sera du moins à force ouverte
Qu'un si vaillant guerrier entreprendra ma perte.
Mais dessus ce vieillard plus je porte les yeux,
Plus je crois l'avoir vu jadis en d'autres lieux :
Ses rides me font peine à le bien reconnaître.
Ne m'as-tu jamais vu?

PHORBAS

Seigneur, cela peut être.

ŒDIPE

Il y pourrait avoir entre quinze et vingt ans.

PHORBAS

J'ai de confus rapports d'environ même temsp.

ŒDIPE

Environ ce temps-là fis-tu quelque voyage?

PHORBAS

Oui, Seigneur, en Phocide; et là, dans un passage...

ŒDIPE

Ah ! je te reconnais, ou je suis fort trompé :
C'est un de mes brigands à la mort échappé,
Madame, et vous pouvez lui choisir des supplices;
S'il n'a tué Laïus, il fut un des complices.

JOCASTE

C'est un de vos brigands ! Ah ! que me dites-vous?

ŒDIPE

Je le laissai pour mort, et tout percé de coups.

PHORBAS

Quoi? vous m'auriez blessé? moi, Seigneur?

ŒDIPE

Oui, perfide
Tu fis, pour ton malheur, ma rencontre en Phocide,
Et tu fus un des trois que je sus arrêter
Dans ce passage étroit qu'il fallut disputer;
Tu marchais le troisième : en faut-il davantage?

PHORBAS

Si de mes compagnons vous peigniez le visage,
Je n'aurais rien à dire, et ne pourrais nier.

ŒDIPE

Seize ans, à ton avis, m'ont fait les oublier !
Ne le présume pas : une action si belle
En laisse au fond de l'âme une idée immortelle;
Et si dans un combat on ne perd point de temps
A bien examiner les traits des combattants,
Après que celui-ci m'eut tout couvert de gloire,
Je sus tout à loisir contempler ma victoire.
Mais tu nieras encore, et n'y connaîtras rien.

PHORBAS

Je serai convaincu, si vous les peignez bien :
Les deux que je suivis sont connus de la Reine.

ŒDIPE

Madame, jugez donc si sa défense est vaine.
Le premier de ces trois que mon bras sut punir
A peine méritait un léger souvenir :
Petit de taille, noir, le regard un peu louche,
Le front cicatrisé, la mine assez farouche;
Mais homme, à dire vrai, de si peu de vertu,
Que dès le premier coup je le vis abattu.
Le second, je l'avoue, avait un grand courage,
Bien qu'il parût déjà dans le penchant de l'âge :
Le front assez ouvert, l'œil perçant, le teint frais
(On en peut voir en moi la taille et quelques traits);
Chauve sur le devant, mêlé sur le derrière,
Le port majestueux, et la démarche fière.
Il se défendit bien, et me blessa deux fois;
Et tout mon cœur s'émut de le voir aux abois.
Vous pâlissez, Madame?

JOCASTE

Ah ! Seigneur, puis-je apprendre
Que vous ayez tué Laïus après Nicandre,
Que vous ayez blessé Phorbas de votre main,
Sans en frémir d'horreur, sans en pâlir soudain?

ŒDIPE

Quoi? c'est là ce Phorbas qui vit tuer son maître?

JOCASTE

Vos yeux, après seize ans, l'ont trop su reconnaître;
Et ses deux compagnons que vous avez dépeints
De Nicandre et du Roi portent les traits empreints.

ŒDIPE

Mais ce furent brigands, dont le bras...

JOCASTE

C'est un conte
Dont Phorbas au retour voulut cacher sa honte.
Une main seule, hélas ! fit ces funestes coups,
Et, par votre rapport, ils partirent de vous.

PHORBAS

J'en fus presque sans vie un peu plus d'une année.
Avant ma guérison on vit votre hyménée.

Je guéris; et mon cœur, en secret mutiné
De connaître quel roi vous nous aviez donné,
S'imposa cet exil dans un séjour champêtre,
Attendant que le ciel me fît un autre maître.

THÉSÉE

Seigneur, je suis le frère ou l'amant de Dircé;
Et son père ou le mien, de votre main percé...

ŒDIPE

Prince, je vous entends, il faut venger ce père,
Et ma perte à l'État semble être nécessaire,
Puisque de nos malheurs la fin ne se peut voir,
Si le sang de Laïus ne remplit son devoir.
C'est ce que Tirésie avait voulu me dire.
Mais ce reste du jour souffrez que je respire :
Le plus sévère honneur ne saurait murmurer
De ce peu de moments que j'ose différer;
Et ce coup surprenant permet à votre haine
De faire cette grâce aux larmes de la Reine.

THÉSÉE

Nous nous verrons demain, Seigneur, et résoudrons...

ŒDIPE

Quand il en sera temps, Prince, nous répondrons;
Et s'il faut, après tout, qu'un grand crime s'efface
Par le sang que Laïus a transmis à sa race,
Peut-être aurez-vous peine à reprendre son rang,
Qu'il ne vous ait coûté quelque peu de ce sang.

THÉSÉE

Demain chacun de nous fera sa destinée.

SCÈNE V

ŒDIPE, JOCASTE, SUITE

JOCASTE

Que de maux nous promet cette triste journée !
J'y dois voir ou ma fille ou mon fils s'immoler,
Tout le sang de ce fils de votre main couler,
Ou de la sienne enfin le vôtre se répandre;

Et ce qu'oracle aucun n'a fait encore attendre,
Rien ne m'affranchira de voir sans cesse en vous,
Sans cesse en un mari, l'assassin d'un époux.
Puis-je plaindre à ce mort la lumière ravie,
Sans haïr le vivant, sans détester ma vie?
Puis-je de ce vivant plaindre l'aveugle sort,
Sans détester ma vie et sans trahir le mort?

ŒDIPE

Madame, votre haine est pour moi légitime;
Et cet aveugle sort m'a fait vers vous un crime,
Dont ce prince demain me punira pour vous,
Ou mon bras vengera ce fils et cet époux;
Et m'offrant pour victime à votre inquiétude,
Il vous affranchira de toute ingratitude.
Alors sans balancer vous plaindrez tous les deux,
Vous verrez sans rougir alors vos derniers feux,
Et permettrez sans honte à vos douleurs pressantes
Pour Laïus et pour moi des larmes innocentes.

JOCASTE

Ah ! Seigneur, quelque bras qui puisse vous punir,
Il n'effacera rien dedans mon souvenir :
Je vous verrai toujours, sa couronne à la tête,
De sa place en mon lit faire votre conquête;
Je me verrai toujours vous placer en son rang,
Et baiser votre main fumante de son sang.
Mon ombre même un jour dans les royaumes sombres
Ne recevra des Dieux pour bourreaux que vos ombres;
Et sa confusion l'offrant à toutes deux,
Elle aura pour tourments tout ce qui fit mes feux.
Oracles décevants, qu'osiez-vous me prédire?
Si sur notre avenir vos dieux ont quelque empire,
Quelle indigne pitié divise leur courroux?
Ce qu'elle épargne au fils retombe sur l'époux;
Et comme si leur haine, impuissante ou timide,
N'osait le faire ensemble inceste et parricide,
Elle partage à deux un sort si peu commun,
Afin de me donner deux coupables pour un.

ŒDIPE

O partage inégal de ce courroux céleste !
Je suis le parricide, et ce fils est l'inceste.

Mais mon crime eſt entier, et le sien imparfait;
Le sien n'eſt qu'en désirs, et le mien en effet.
Ainsi, quelques raisons qui puissent me défendre,
La veuve de Laïus ne saurait les entendre;
Et les plus beaux exploits passent pour trahisons,
Alors qu'il faut du sang, et non pas des raisons.

JOCASTE

Ah ! je n'en vois que trop qui me déchirent l'âme.
La veuve de Laïus eſt toujours votre femme,
Et n'oppose que trop, pour vous juſtifier,
A la moitié du mort celle du meurtrier.
Pour toute autre que moi votre erreur eſt sans crime,
Toute autre admirerait votre bras magnanime,
Et toute autre, réduite à punir votre erreur,
La punirait du moins sans trouble et sans horreur.
Mais, hélas ! mon devoir aux deux partis m'attache[11] :
Nul espoir d'aucun d'eux, nul effort ne m'arrache;
Et je trouve toujours dans mon esprit confus
Et tout ce que je suis et tout ce que je fus.
Je vous dois de l'amour, je vous dois de la haine :
L'un et l'autre me plaît, l'un et l'autre me gêne;
Et mon cœur, qui doit tout, et ne voit rien permis,
Souffre tout à la fois deux tyrans ennemis.
La haine aurait l'appui d'un serment qui me lie;
Mais je le romps exprès pour en être punie;
Et pour finir des maux qu'on ne peut soulager,
J'aime à donner aux Dieux un parjure à venger.
C'eſt votre foudre, ô ciel, qu'à mon secours j'appelle :
Œdipe eſt innocent, je me fais criminelle;
Par un juſte supplice osez me désunir
De la nécessité d'aimer et de punir.

ŒDIPE

Quoi? vous ne voyez pas que sa fausse juſtice
Ne sait plus ce que c'eſt que d'un juſte supplice,
Et que par un désordre à confondre nos sens
Son injuſte rigueur n'en veut qu'aux innocents?
Après avoir choisi ma main pour ce grand crime,
C'eſt le sang de Laïus qu'il choisit pour victime,
Et le bizarre éclat de son discernement
Sépare le forfait d'avec le châtiment.
C'eſt un sujet nouveau d'une haine implacable,

De voir sur votre sang la peine du coupable;
Et les Dieux vous en font une éternelle loi,
S'ils punissent en lui ce qu'ils ont fait par moi.
Voyez comme les fils de Jocaste et d'Œdipe
D'une si juste haine ont tous deux le principe :
A voir leurs actions, à voir leur entretien,
L'un n'est que votre sang, l'autre n'est que le mien,
Et leur antipathie inspire à leur colère
Des préludes secrets de ce qu'il vous faut faire.

JOCASTE

Pourrez-vous me haïr jusqu'à cette rigueur
De souhaiter pour vous même haine en mon cœur?

ŒDIPE

Toujours de vos vertus j'adorerai les charmes,
Pour ne haïr qu'en moi la source de vos larmes.

JOCASTE

Et je me forcerai toujours à vous blâmer,
Pour ne haïr qu'en moi ce qui vous fit m'aimer.
Mais finissons, de grâce, un discours qui me tue :
L'assassin de Laïus doit me blesser la vue;
Et malgré ce courroux par sa mort allumé,
Je sens qu'Œdipe enfin sera toujours aimé.

ŒDIPE

Que fera cet amour?

JOCASTE

Ce qu'il doit à la haine.

ŒDIPE

Qu'osera ce devoir?

JOCASTE

Croître toujours ma peine.

ŒDIPE

Faudra-t-il pour jamais me bannir de vos yeux?

JOCASTE

Peut-être que demain nous le saurons des Dieux.

ACTE V

SCÈNE PREMIÈRE

ŒDIPE, DYMAS, SUITE

DYMAS

SEIGNEUR, il eſt trop vrai que le peuple murmure,
Qu'il rejette sur vous sa funeſte aventure,
Et que de tous côtés on n'entend que mutins
Qui vous nomment l'auteur de leurs mauvais deſtins.
D'un devin suborné les infâmes preſtiges
De l'ombre, disent-ils, ont fait tous les prodiges :
L'or mouvait ce fantôme; et pour perdre Dircé,
Vos présents lui dictaient ce qu'il a prononcé :
Tant ils conçoivent mal qu'un si grand roi consente
A venger son trépas sur sa race innocente,
Qu'il assure son sceptre, aux dépens de son sang,
A ce bras impuni qui lui perça le flanc,
Et que par cet injuſte et cruel sacrifice,
Lui-même de sa mort il se fasse juſtice !

ŒDIPE

Ils ont quelque raison de tenir pour suspect
Tout ce qui s'eſt montré tantôt à leur aspect;
Et je n'ose blâmer cette horreur que leur donne
L'assassin de leur roi qui porte sa couronne.
Moi-même, au fond du cœur, de même horreur frappé,
Je veux fuir le remords de son trône occupé;
Et je dois cette grâce à l'amour de la Reine,
D'épargner ma présence aux devoirs de sa haine,
Puisque de notre hymen les liens mal tissus
Par ces mêmes devoirs semblent être rompus.
Je vais donc à Corinthe achever mon supplice.
Mais ce n'eſt pas au peuple à se faire juſtice :

L'ordre que tient le ciel à lui choisir des rois
Ne lui permet jamais d'examiner son choix;
Et le devoir aveugle y doit toujours souscrire,
Jusqu'à ce que d'en haut on veuille s'en dédire.
Pour chercher mon repos, je veux bien me bannir;
Mais s'il me bannissait, je saurais l'en punir;
Ou si je succombais sous sa troupe mutine,
Je saurais l'accabler du moins sous ma ruine.

DYMAS

Seigneur, jusques ici ses plus grands déplaisirs
Pour armes contre vous n'ont pris que des soupirs;
Et cet abattement que lui cause la peste
Ne souffre à son murmure aucun dessein funeste.
Mais il faut redouter que Thésée et Dircé
N'osent pousser plus loin ce qu'il a commencé.
Phorbas même est à craindre, et pourrait le réduire
Jusqu'à se vouloir mettre en état de vous nuire.

ŒDIPE

Thésée a trop de cœur pour une trahison;
Et d'ailleurs j'ai promis de lui faire raison.
Pour Dircé, son orgueil dédaignera sans doute
L'appui tumultueux que ton zèle redoute.
Phorbas est plus à craindre, étant moins généreux;
Mais il nous est aisé de nous assurer d'eux.
Fais-les venir tous trois, que je lise en leur âme
S'ils prêteraient la main à quelque sourde trame.
Commence par Phorbas : je saurai démêler
Quels desseins...

PAGE

Un vieillard demande à vous parler.
Il se dit de Corinthe, et presse.

ŒDIPE

Il vient me faire
Le funeste rapport du trépas de mon père :
Préparons nos soupirs à ce triste récit.
Qu'il entre... Cependant fais ce que je t'ai dit.

SCÈNE II

ŒDIPE, IPHICRATE, SUITE

ŒDIPE

Eh bien ! Polybe est mort?

IPHICRATE

Oui, Seigneur.

ŒDIPE

Mais vous-même
Venir me consoler de ce malheur suprême !
Vous qui, chef du conseil, devriez maintenant,
Attendant mon retour, être mon lieutenant !
Vous, à qui tant de soins d'élever mon enfance
Ont acquis justement toute ma confiance !
Ce voyage me trouble autant qu'il me surprend.

IPHICRATE

Le roi Polybe est mort; ce malheur est bien grand;
Mais comme enfin, Seigneur, il est suivi d'un pire,
Pour l'apprendre de moi faites qu'on se retire.

Œdipe fait un signe de tête à sa suite, qui l'oblige à se retirer.

ŒDIPE

Ce jour est donc pour moi le grand jour des malheurs,
Puisque vous apportez un comble à mes douleurs.
J'ai tué le feu Roi jadis sans le connaître;
Son fils, qu'on croyait mort, vient ici de renaître;
Son peuple mutiné me voit avec horreur;
Sa veuve mon épouse en est dans la fureur.
Le chagrin accablant qui me dévore l'âme
Me fait abandonner et peuple, et sceptre, et femme,
Pour remettre à Corinthe un esprit éperdu;
Et par d'autres malheurs je m'y vois attendu !

IPHICRATE

Seigneur, il faut ici faire tête à l'orage;
Il faut faire ici ferme et montrer du courage.

Le repos à Corinthe en effet serait doux;
Mais il n'est plus de sceptre à Corinthe pour vous.

ŒDIPE

Quoi? l'on s'est emparé de celui de mon père?

IPHICRATE

Seigneur, on n'a rien fait que ce qu'on a dû faire;
Et votre amour en moi ne voit plus qu'un banni,
De son amour pour vous trop doucement puni.

ŒDIPE

Quelle énigme[12] !

IPHICRATE

Apprenez avec quelle justice
Ce roi vous a dû rendre un si mauvais office :
Vous n'étiez point son fils.

ŒDIPE

Dieu ! qu'entends-je?

IPHICRATE

A regret
Ses remords en mourant ont rompu le secret.
Il vous gardait encore une amitié fort tendre;
Mais le compte qu'aux Dieux la mort force de rendre
A porté dans son cœur un si pressant effroi,
Qu'il a remis Corinthe aux mains de son vrai roi.

ŒDIPE

Je ne suis point son fils ! et qui suis-je, Iphicrate?

IPHICRATE

Un enfant exposé, dont le mérite éclate,
Et de qui par pitié j'ai dérobé les jours
Aux ongles des lions, aux griffes des vautours.

ŒDIPE

Et qui m'a fait passer pour le fils de ce prince?

IPHICRATE

Le manque d'héritiers ébranlait sa province.
Les trois que lui donna le conjugal amour

Perdirent en naissant la lumière du jour;
Et la mort du dernier me fit prendre l'audace
De vous offrir au Roi, qui vous mit en sa place.
Ce que l'on se promit de ce fils supposé
Réunit sous ses lois son État divisé;
Mais, comme cet abus finit avec sa vie,
Sa mort de mon supplice aurait été suivie,
S'il n'eût donné cet ordre à son dernier moment,
Qu'un juste et prompt exil fût mon seul châtiment.

ŒDIPE

Ce revers serait dur pour quelque âme commune;
Mais je me fis toujours maître de ma fortune;
Et puisqu'elle a repris l'avantage du sang,
Je ne dois plus qu'à moi tout ce que j'eus de rang.
Mais n'as-tu point appris de qui j'ai reçu l'être?

IPHICRATE

Seigneur, je ne puis seul vous le faire connaître.
Vous fûtes exposé jadis par un Thébain,
Dont la compassion vous remit en ma main,
Et qui, sans m'éclaircir touchant votre naissance,
Me chargea seulement d'éloigner votre enfance.
J'en connais le visage et l'ai revu souvent,
Sans nous être tous deux expliqués plus avant :
Je lui dis qu'en éclat j'avais mis votre vie,
Et lui cachai toujours mon nom et ma patrie,
De crainte, en les sachant, que son zèle indiscret
Ne vînt mal à propos troubler notre secret.
Mais comme de sa part il connaît mon visage,
Si je le trouve ici, nous saurons davantage.

ŒDIPE

Je serais donc Thébain à ce compte?

IPHICRATE

Oui, Seigneur.

ŒDIPE

Je ne sais si je dois le tenir à bonheur :
Mon cœur, qui se soulève, en forme un noir augure
Sur l'éclaircissement de ma triste aventure.
Où me reçûtes-vous?

IPHICRATE

Sur le mont Cithéron.

ŒDIPE

Ah ! que vous me frappez par ce funeste nom !
Le temps, le lieu, l'oracle, et l'âge de la Reine,
Tout semble concerté pour me mettre à la gêne.
Dieux ! serait-il possible? Approchez-vous, Phorbas.

SCÈNE III

ŒDIPE, IPHICRATE, PHORBAS

IPHICRATE

Seigneur, voilà celui qui vous mit en mes bras;
Permettez qu'à vos yeux je montre un peu de joie.
Se peut-il faire, ami, qu'encor je te revoie !

PHORBAS

Que j'ai lieu de bénir ton retour fortuné !

IPHICRATE

Qu'as-tu fait de l'enfant que je t'avais donné[13]?
Le généreux Thésée a fait gloire de l'être;
Mais sa preuve est obscure, et tu dois le connaître.
Parle.

PHORBAS

Ce n'est point lui, mais il vit en ces lieux.

IPHICRATE

Nomme-le donc, de grâce.

PHORBAS

Il est devant tes yeux.

IPHICRATE

Je ne vois que le Roi.

PHORBAS

C'est lui-même.

IPHICRATE

Lui-même !

IPHICRATE

Oui : le secret n'est plus d'une importance extrême;
Tout Corinthe le sait. Nomme-lui ses parents.

PHORBAS

En fussions-nous tous trois à jamais ignorants !

IPHICRATE

Seigneur, lui seul enfin peut dire qui vous êtes.

ŒDIPE

Hélas ! je le vois trop; et vos craintes secrètes,
Qui vous ont empêchés de vous entr'éclaircir,
Loin de tromper l'oracle, ont fait tout réussir.
Voyez où m'a plongé votre fausse prudence :
Vous cachiez ma retraite, il cachait ma naissance;
Vos dangereux secrets, par un commun accord,
M'ont livré tout entier aux rigueurs de mon sort :
Ce sont eux qui m'ont fait l'assassin de mon père;
Ce sont eux qui m'ont fait le mari de ma mère.
D'une indigne pitié le fatal contre-temps
Confond dans mes vertus ces forfaits éclatants :
Elle fait voir en moi, par un mélange infâme,
Le frère de mes fils et le fils de ma femme.
Le ciel l'avait prédit : vous avez achevé;
Et vous avez tout fait quand vous m'avez sauvé.

PHORBAS

Oui, Seigneur, j'ai tout fait, sauvant votre personne :
M'en punissent les Dieux si je me le pardonne !

SCÈNE IV

ŒDIPE, IPHICRATE

ŒDIPE

Que n'obéissais-tu, perfide, à mes parents,
Qui se faisaient pour moi d'équitables tyrans?
Que ne lui disais-tu ma naissance et l'oracle,
Afin qu'à mes destins il pût mettre un obstacle?

Car, Iphicrate, en vain j'accuserais ta foi :
Tu fus dans ces destins aveugle comme moi;
Et tu ne m'abusais que pour ceindre ma tête
D'un bandeau dont par là tu faisais ma conquête.

IPHICRATE

Seigneur, comme Phorbas avait mal obéi,
Que l'ordre de son roi par là se vit trahi,
Il avait lieu de craindre, en me disant le reste,
Que son crime par moi devenu manifeste...

ŒDIPE

Cesse de l'excuser. Que m'importe, en effet,
S'il est coupable ou non de tout ce que j'ai fait?
En ai-je moins de trouble, ou moins d'horreur en l'âme?

SCÈNE V

ŒDIPE, DIRCÉ, IPHICRATE

ŒDIPE

Votre frère est connu; le savez-vous, Madame?

DIRCÉ

Oui, Seigneur, et Phorbas m'a tout dit en deux mots.

ŒDIPE

Votre amour pour Thésée est dans un plein repos.
Vous n'appréhendez plus que le titre de frère
S'oppose à cette ardeur qui vous était si chère :
Cette assurance entière a de quoi vous ravir,
Ou plutôt votre haine a de quoi s'assouvir.
Quand le ciel de mon sort l'aurait faite l'arbitre,
Elle ne m'eût choisi rien de pis que ce titre.

DIRCÉ

Ah ! Seigneur, pour Æmon j'ai su mal obéir;
Mais je n'ai point été jusques à vous haïr.
La fierté de mon cœur, qui me traitait de reine,
Vous cédait en ces lieux la couronne sans peine;
Et cette ambition que me prêtait l'amour

Ne cherchait qu'à régner dans un autre séjour.
Cent fois de mon orgueil l'éclat le plus farouche
Aux termes odieux a refusé ma bouche :
Pour vous nommer tyran il fallait cent efforts;
Ce mot ne m'a jamais échappé sans remords.
D'un sang respectueux la puissance inconnue
A mes soulèvements mêlait la retenue;
Et cet usurpateur dont j'abhorrais la loi,
S'il m'eût donné Thésée, eût eu le nom de roi.

ŒDIPE

C'était ce même sang dont la pitié secrète
De l'ombre de Laïus me faisait l'interprète.
Il ne pouvait souffrir qu'un mot mal entendu
Détournât sur ma sœur un sort qui m'était dû,
Et que votre innocence immolée à mon crime
Se fît de nos malheurs l'inutile victime.

DIRCÉ

Quel crime avez-vous fait que d'être malheureux?

ŒDIPE

Mon souvenir n'est plein que d'exploits généreux;
Cependant je me trouve inceste et parricide,
Sans avoir fait un pas que sur les pas d'Alcide,
Ni recherché partout que lois à maintenir,
Que monstres à détruire et méchants à punir.
Aux crimes malgré moi l'ordre du ciel m'attache :
Pour m'y faire tomber à moi-même il me cache;
Il offre, en m'aveuglant sur ce qu'il a prédit,
Mon père à mon épée, et ma mère à mon lit.
Hélas ! qu'il est bien vrai qu'en vain on s'imagine
Dérober notre vie à ce qu'il nous destine !
Les soins de l'éviter font courir au-devant,
Et l'adresse à le fuir y plonge plus avant.
Mais si les Dieux m'ont fait la vie abominable,
Ils m'en font par pitié la sortie honorable,
Puisque enfin leur faveur mêlée à leur courroux
Me condamne à mourir pour le salut de tous,
Et qu'en ce même temps qu'il faudrait que ma vie
Des crimes qu'ils m'ont faits traînât l'ignominie,
L'éclat de ces vertus que je ne tiens pas d'eux
Reçoit pour récompense un trépas glorieux.

DIRCÉ

Ce trépas glorieux comme vous me regarde :
Le juste choix du ciel peut-être me le garde;
Il fit tout votre crime; et le malheur du Roi
Ne vous rend pas, Seigneur, plus coupable que moi.
D'un voyage fatal qui seul causa sa perte
Je fus l'occasion; elle vous fut offerte :
Votre bras contre trois disputa le chemin;
Mais ce n'était qu'un bras qu'empruntait le destin,
Puisque votre vertu qui servit sa colère,
Ne put voir en Laïus ni de roi ni de père.
Ainsi j'espère encor que demain, par son choix,
Le ciel épargnera le plus grand de nos rois.
L'intérêt des Thébains et de votre famille
Tournera son courroux sur l'orgueil d'une fille
Qui n'a rien que l'État doive considérer,
Et qui contre son roi n'a fait que murmurer.

ŒDIPE

Vous voulez que le ciel, pour montrer à la terre
Qu'on peut innocemment mériter le tonnerre,
Me laisse de sa haine étaler en ces lieux
L'exemple le plus noir et le plus odieux !
Non, non : vous le verrez demain au sacrifice
Par le choix que j'attends couvrir son injustice,
Et par la peine due à son propre forfait,
Désavouer ma main de tout ce qu'elle a fait.

SCÈNE VI

ŒDIPE, THÉSÉE, DIRCÉ, IPHICRATE

ŒDIPE

Est-ce encor votre bras qui doit venger son père?
Son amant en a-t-il plus de droit que son frère,
Prince?

THÉSÉE

Je vous en plains, et ne puis concevoir,
Seigneur...

ŒDIPE

La vérité ne se fait que trop voir.
Mais nous pourrons demain être tous deux à plaindre,
Si le ciel fait le choix qu'il nous faut tous deux craindre.
S'il me choisit, ma sœur, donnez-lui votre foi :
Je vous en prie en frère, et vous l'ordonne en roi.
Vous, Seigneur, si Dircé garde encor sur votre âme
L'empire que lui fit une si belle flamme,
Prenez soin d'apaiser les discords de mes fils,
Qui par les nœuds du sang vous deviendront unis.
Vous voyez où des Dieux nous a réduits la haine.
Adieu : laissez-moi seul en consoler la Reine;
Et ne m'enviez pas un secret entretien,
Pour affermir son cœur sur l'exemple du mien.

SCÈNE VII

THÉSÉE, DIRCÉ

DIRCÉ

Parmi de tels malheurs que sa constance est rare !
Il ne s'emporte point contre un sort si barbare;
La surprenante horreur de cet accablement
Ne coûte à sa grande âme aucun égarement;
Et sa haute vertu, toujours inébranlable,
Le soutient au-dessus de tout ce qui l'accable.

THÉSÉE

Souvent, avant le coup qui doit nous accabler,
La nuit qui l'enveloppe a de quoi nous troubler :
L'obscur pressentiment d'une injuste disgrâce
Combat avec effroi sa confuse menace;
Mais quand ce coup tombé vient d'épuiser le sort
Jusqu'à n'en pouvoir craindre un plus barbare effort,
Ce trouble se dissipe, et cette âme innocente,
Qui brave impunément la fortune impuissante,
Regarde avec dédain ce qu'elle a combattu,
Et se rend tout entière à toute sa vertu.

SCÈNE VIII

THÉSÉE, DIRCÉ, NÉRINE

NÉRINE

Madame...

DIRCÉ

Que veux-tu, Nérine?

NÉRINE

Hélas ! la Reine...

DIRCÉ

Que fait-elle?

NÉRINE

Elle est morte; et l'excès de sa peine,
Par un prompt désespoir...

DIRCÉ

Jusques où portez-vous,
Impitoyables Dieux, votre injuste courroux !

THÉSÉE

Quoi? même aux yeux du Roi son désespoir la tue?
Ce monarque n'a pu...

NÉRINE

Le Roi ne l'a point vue,
Et quant à son trépas, ses pressantes douleurs
L'ont cru devoir sur l'heure à de si grands malheurs.
Phorbas l'a commencé, sa main a fait le reste.

DIRCÉ

Quoi ! Phorbas...

NÉRINE

Oui, Phorbas, par son récit funeste,
Et par son propre exemple, a su l'assassiner.
Ce malheureux vieillard n'a pu se pardonner;
Il s'est jeté d'abord aux genoux de la Reine,

Où, détestant l'effet de sa prudence vaine :
« Si j'ai sauvé ce fils pour être votre époux,
Et voir le Roi son père expirer sous ses coups,
A-t-il dit, la pitié qui me fit le ministre
De tout ce que le ciel eut pour vous de sinistre,
Fait place au désespoir d'avoir si mal servi,
Pour venger sur mon sang votre ordre mal suivi.
L'inceste où malgré vous tous deux je vous abîme
Recevra de ma main sa première victime :
J'en dois le sacrifice à l'innocente erreur
Qui vous rend l'un pour l'autre un objet plein d'horreur.»
   Cet arrêt qu'à nos yeux lui-même il se prononce
Est suivi d'un poignard qu'en ses flancs il enfonce.
La Reine, à ce malheur si peu prémédité,
Semble le recevoir avec stupidité.
L'excès de sa douleur la fait croire insensible;
Rien n'échappe au dehors qui la rende visible;
Et tous ses sentiments, enfermés dans son cœur,
Ramassent en secret leur dernière vigueur.
Nous autres cependant, autour d'elle rangées,
Stupides ainsi qu'elle, ainsi qu'elle affligées,
Nous n'osons rien permettre à nos fiers déplaisirs,
Et nos pleurs par respect attendent ses soupirs.
   Mais enfin tout à coup, sans changer de visage,
Du mort qu'elle contemple elle imite la rage,
Se saisit du poignard, et de sa propre main
A nos yeux comme lui s'en traverse le sein.
On dirait que du ciel l'implacable colère
Nous arrête les bras pour lui laisser tout faire.
Elle tombe, elle expire avec ces derniers mots :
« Allez dire à Dircé qu'elle vive en repos,
Que de ces lieux maudits en hâte elle s'exile;
Athènes a pour elle un glorieux asile,
Si toutefois Thésée est assez généreux
Pour n'avoir point d'horreur d'un sang si malheureux. »

THÉSÉE

Ah ! ce doute m'outrage; et si jamais vos charmes...

DIRCÉ

Seigneur, il n'est saison que de verser des larmes.
La Reine, en expirant, a donc pris soin de moi !
Mais tu ne me dis point ce qu'elle a dit du Roi?

NÉRINE

Son âme en s'envolant, jalouse de sa gloire,
Craignait d'en emporter la honteuse mémoire;
Et n'osant le nommer son fils ni son époux,
Sa dernière tendresse a tout été pour vous.

DIRCÉ

Et je puis vivre encore après l'avoir perdue !

SCÈNE IX

THÉSÉE, DIRCÉ, CLÉANTE, DYMAS, NÉRINE

Cléante sort d'un côté et Dymas de l'autre, environ quatre vers après Cléante.

CLÉANTE

La santé dans ces murs tout d'un coup répandue
Fait crier au miracle et bénir hautement
La bonté de nos dieux d'un si prompt changement.
Tous ces mourants, Madame, à qui déjà la peste
Ne laissait qu'un soupir, qu'un seul moment de reste,
En cet heureux moment rappelés des abois,
Rendent grâces au ciel d'une commune voix;
Et l'on ne comprend point quel remède il applique
A rétablir sitôt l'allégresse publique.

DIRCÉ

Que m'importe qu'il montre un visage plus doux,
Quand il fait des malheurs qui ne sont que pour nous?
Avez-vous vu le Roi, Dymas?

DYMAS

Hélas ! Princesse !
On ne doit qu'à son sang la publique allégresse.
Ce n'est plus que pour lui qu'il faut verser des pleurs :
Ses crimes inconnus avaient fait nos malheurs;
Et sa vertu souillée à peine s'est punie,
Qu'aussitôt de ces lieux, la peste s'est bannie.

THÉSÉE

L'effort de son courage a su nous éblouir :
D'un si grand désespoir il cherchait à jouir,
Et de sa fermeté n'empruntait les miracles
Que pour mieux éviter toutes sortes d'obstacles.

DIRCÉ

Il s'est rendu par là maître de tout son sort.
Mais achève, Dymas, le récit de sa mort;
Achève d'accabler une âme désolée.

DYMAS

Il n'est point mort, Madame; et la sienne, ébranlée
Par les confus remords d'un innocent forfait,
Attend l'ordre des Dieux pour sortir tout à fait.

DIRCÉ

Que nous disais-tu donc?

DYMAS

Ce que j'ose encor dire,
Qu'il vit et ne vit plus, qu'il est mort et respire;
Et que son sort douteux, qui seul reste à pleurer,
Des morts et des vivants semble le séparer.
J'étais auprès de lui sans aucunes alarmes;
Son cœur semblait calmé, je le voyais sans armes,
Quand soudain, attachant ses deux mains sur ses yeux
« Prévenons, a-t-il dit, l'injustice des Dieux;
Commençons à mourir avant qu'ils nous l'ordonnent;
Qu'ainsi que mes forfaits mes supplices étonnent.
Ne voyons plus le ciel après sa cruauté :
Pour nous venger de lui dédaignons sa clarté;
Refusons-lui nos yeux, et gardons quelque vie
Qui montre encore à tous quelle est sa tyrannie. »
Là, ses yeux arrachés par ses barbares mains,
Font distiller un sang qui rend l'âme aux Thébains.
Ce sang si précieux touche à peine la terre,
Que le courroux du ciel ne leur fait plus la guerre;
Et trois mourants guéris au milieu du palais
De sa part tout d'un coup nous annoncent la paix.
Cléante vous a dit que par toute la ville...

THÉSÉE

Cessons de nous gêner d'une crainte inutile.
A force de malheurs le ciel fait assez voir
Que le sang de Laïus a rempli son devoir :
Son ombre est satisfaite; et ce malheureux crime
Ne laisse plus douter du choix de sa victime.

DIRCÉ

Un autre ordre demain peut nous être donné.
Allons voir cependant ce prince infortuné,
Pleurer auprès de lui notre destin funeste,
Et remettons aux Dieux à disposer du reste.

LA CONQUÊTE
DE
LA TOISON D'OR

TRAGÉDIE

EXAMEN

L'antiquité n'a rien fait passer jusqu'à nous qui soit si généralement connu que le voyage des Argonautes; mais comme les historiens qui en ont voulu démêler la vérité d'avec la fable qui l'enveloppe, ne s'accordent pas en tout, et que les poëtes qui l'ont embelli de leurs fictions n'ont pas pris la même route, j'ai cru que pour en faciliter l'intelligence entière, il était à propos d'avertir le lecteur de quelques particularités où je me suis attaché, qui peut-être ne sont pas connues de tout le monde. Elles sont pour la plupart tirées de Valérius Flaccus, qui en a fait un poëme épique en latin, et de qui, entre autres choses, j'ai emprunté la métamorphose de Junon en Chalciope.

Phryxus était fils d'Athamas, roi de Thèbes, et de Néphélé, qu'il répudia pour épouser Ino. Cette seconde femme persécuta si bien ce jeune prince, qu'il fut obligé de s'enfuir sur un mouton dont la laine était d'or, que sa mère lui donna après l'avoir reçu de Mercure. Il le sacrifia à Mars, sitôt qu'il fut abordé à Colchos, et lui en appendit la dépouille dans une forêt qui lui était consacrée. Aætes, fils du Soleil, et roi de cette province, lui donna pour femme Chalciope, sa fille aînée, dont il eut quatre fils, et mourut quelque temps après. Son ombre apparut ensuite à ce monarque, et lui révéla que le destin de son État dépendait de cette toison; qu'en même temps qu'il la perdrait, il perdrait aussi son royaume; et qu'il était résolu dans le ciel que Médée, son autre fille, aurait un époux étranger. Cette prédiction fit deux effets. D'un côté, Aætes, pour conserver cette toison, qu'il voyait si nécessaire à sa propre conservation, voulut en rendre la conquête impossible par le moyen des charmes de Circé sa sœur et de Médée sa fille. Ces deux savantes magiciennes firent en sorte qu'on ne pouvait s'en rendre maître qu'après avoir dompté deux taureaux dont l'haleine était toute de feu, et leur avoir fait labourer le champ de Mars, où ensuite, il fallait semer des dents de serpents, dont naissaient aussitôt autant de gens d'armes, qui tous ensemble attaquaient le téméraire qui se hasardait à une si dangereuse entreprise; et pour dernier péril, il fallait combattre un dragon qui ne dormait jamais, et qui était le plus fidèle et le plus redoutable gardien de ce trésor. D'autre côté, les rois voisins, jaloux de la grandeur d'Aætes, s'armèrent pour cette conquête, et entre autres, Persès, son frère, roi de la Chersonèse Taurique, et fils du Soleil, comme lui. Comme il s'appuya du secours des Scythes, Aætes emprunta celui de Styrus, roi d'Albanie, à qui il promit Médée, pour satisfaire à l'ordre qu'il croyait en avoir reçu du ciel par cette ombre de Phryxus. Ils donnaient bataille, et la victoire penchait du côté de Persès, lorsque

Jason arriva suivi de ses Argonautes, dont la valeur la fit tourner du parti contraire; et en moins d'un mois, ces héros firent emporter tant d'avantages au roi de Colchos sur ses ennemis, qu'ils furent contraints de prendre la fuite et d'abandonner leur camp. C'est ici que commence la pièce; mais avant que d'en venir au détail, il faut dire un mot de Jason, et du dessein qui l'amenait à Colchos.

Il était fils d'Æson, roi de Thessalie, sur qui Pélias, son frère, avait usurpé ce royaume. Ce tyran était fils de Neptune et de Tyro, fille de Salmonée, qui épousa ensuite Créthéus, père d'Æson, que je viens de nommer. Cette usurpation, lui donnant la défiance ordinaire à ceux de sa sorte, lui rendit suspect le courage de Jason, son neveu, et légitime héritier de ce royaume. Un oracle qu'il reçut le confirma dans ses soupçons, si bien que pour l'éloigner, ou plutôt pour le perdre, il lui commanda d'aller conquérir la Toison d'or, dans la croyance que ce prince y périrait et le laisserait, par sa mort, paisible possesseur de l'État dont il s'était emparé. Jason, par le conseil de Pallas, fit bâtir pour ce fameux voyage le navire Argo, où s'embarquèrent avec lui quarante des plus vaillants de toute la Grèce. Orphée fut du nombre, avec Zéthès et Calaïs, fils du vent Borée et d'Orithye, princesse de Thrace, qui étaient nés avec des ailes, comme leur père, et qui par ce moyen délivrèrent Phinée, en passant, des Harpies qui fondaient sur ses viandes sitôt que sa table était servie, et leur donnèrent la chasse par le milieu de l'air. Ces héros, durant leur voyage, reçurent beaucoup de faveurs de Junon et de Pallas, et prirent terre à Lemnos, dont était reine Hypsipyle, où ils tardèrent deux ans, pendant lesquels Jason fit l'amour à cette reine, et lui donna parole de l'épouser à son retour : ce qui ne l'empêcha pas de s'attacher auprès de Médée, et de lui faire les mêmes protestations, sitôt qu'il fut arrivé à Colchos, et qu'il eut vu le besoin qu'il en avait. Ce nouvel amour lui réussit si heureusement, qu'il eut d'elle des charmes pour surmonter tous ces périls, et enlever la Toison d'or, malgré le dragon qui la gardait, et qu'elle assoupit. Un auteur que cite le mythologiste Noël le Comte, et qu'il appelle Denys le Milésien, dit qu'elle lui porta la Toison jusque dans son navire; et c'est sur son rapport que je me suis autorisé à changer la fin ordinaire de cette fable, pour la rendre plus surprenante et plus merveilleuse. Je l'aurais été assez par la liberté qu'en donne la poésie en de pareilles rencontres; mais j'ai cru en avoir encore plus de droit en marchant sur les pas d'un autre, que si j'avais inventé ce changement.

C'est avec un fondement semblable que j'ai introduit Absyrte en âge d'homme, bien que la commune opinion n'en fasse qu'un enfant, que Médée déchira par morceaux. Ovide et Sénèque le disent; mais Apollonius Rhodius le fait son aîné; et si nous voulons l'en croire, Aætes l'avait eu d'Astérodie avant qu'il épousât la mère de cette princesse, qu'il nomme Idye, fille de l'Océan. Il dit de plus qu'après la fuite des Argonautes, la vieillesse d'Aætes ne lui permettant pas de les poursuivre, ce prince monta sur mer, et les joignit autour d'une île située à l'embouchure du Danube et qu'il appelle Peucé. Ce fut là que Médée, se voyant perdue avec tous ces Grecs, qu'elle voyait trop faibles pour lui résister, feignit de les vouloir trahir; et ayant attiré ce frère trop crédule à conférer avec elle de nuit dans le temple de Diane, elle le fit tomber dans une embuscade de Jason, où il fut tué. Valérius Flaccus dit les mêmes choses d'Absyrte que cet auteur grec; et c'est sur l'autorité de l'un et de l'autre que je me suis enhardi à quitter l'opinion commune après l'avoir suivie quand j'ai mis Médée sur le théâtre. C'est me contredire moi-même en quelque sorte; mais Sénèque, dont je l'ai tirée, m'en donne l'exemple, lorsque, après avoir fait mourir Jocaste dans l'*Œdipe*, il la fait revivre dans la *Thébaïde*, pour se trouver au milieu de ses deux fils, comme ils sont près de commencer le funeste duel où ils s'entre-tuent; si toutefois ces deux pièces sont véritablement d'un même auteur.

ACTEURS DU PROLOGUE

LA FRANCE.
LA VICTOIRE.
MARS.
LA PAIX.
L'HYMÉNÉE.
LA DISCORDE.
L'ENVIE.
QUATRE AMOURS.

ACTEURS DE LA TRAGÉDIE

JUPITER.
JUNON.
PALLAS.
IRIS.
L'AMOUR.
LE SOLEIL.
AÆTE, *Roi de Colchos, fils du Soleil.*
ABSYRTE, *Fils d'Aæte.*
CHALCIOPE, *Fille d'Aæte, veuve de Phryxus.*
MÉDÉE, *Fille d'Aæte, amante de Jason.*
HYPSIPYLE, *Reine de Lemnos.*
JASON, *Prince de Thessalie, chef des Argonautes.*
PÉLÉE, IPHITE, ORPHÉE, *Argonautes.*
ZÉTHÈS, CALAIS, *Argonautes ailés, Fils de Borée et d'Orithye.*
GLAUQUE, *Dieu marin.*
DEUX TRITONS.
DEUX SIRÈNES.
QUATRE VENTS.

La scène est à Colchos.

PROLOGUE

DÉCORATION DU PROLOGUE

L'heureux mariage de Sa Majesté, et la paix qu'il lui a plu donner à ses peuples, ayant été les motifs de la réjouissance publique pour laquelle cette tragédie a été préparée, non-seulement il était juste qu'ils servissent de sujet au prologue qui la précède, mais il était même absolument impossible d'en choisir une plus illustre matière.

L'ouverture du théâtre fait voir un pays ruiné par les guerres, et terminé dans son enfoncement par une ville qui n'en est pas mieux traitée ; ce qui marque le pitoyable état où la France était réduite avant cette faveur du ciel, qu'elle a si longtemps souhaitée, et dont la bonté de son généreux monarque la fait jouir à présent.

SCÈNE PREMIÈRE

LA FRANCE, LA VICTOIRE

LA FRANCE

Doux charme des héros, immortelle Victoire,
Ame de leur vaillance, et source de leur gloire,
Vous qu'on fait si volage, et qu'on voit toutefois
Si constante à me suivre, et si ferme en ce choix,
Ne vous offensez pas si j'arrose de larmes
Cette illustre union qu'ont avec vous mes armes,
Et si vos faveurs même obstinent mes soupirs
A pousser vers la Paix mes plus ardents désirs.
Vous faites qu'on m'estime aux deux bouts de la terre,
Vous faites qu'on m'y craint; mais il vous faut la guerre;
Et quand je vois quel prix me coûtent vos lauriers,
J'en vois avec chagrin couronner mes guerriers.

LA VICTOIRE

Je ne me repens point, incomparable France,
De vous avoir suivie avec tant de constance :
Je vous prépare encor mêmes attachements;
Mais j'attendais de vous d'autres remercîments.
Vous lassez-vous de moi qui vous comble de gloire,
De moi qui de vos fils assure la mémoire,
Qui fais marcher partout l'effroi devant leurs pas?

LA FRANCE

Ah ! Victoire, pour fils n'ai-je que des soldats?
La gloire qui les couvre, à moi-même funeste,
Sous mes plus beaux succès fait trembler tout le reste;
Ils ne vont aux combats que pour me protéger,
Et n'en sortent vainqueurs que pour me ravager.
S'ils renversent des murs, s'ils gagnent des batailles,
Ils prennent droit par là de ronger mes entrailles :
Leur retour me punit de mon trop de bonheur,
Et mes bras triomphants me déchirent le cœur.
A vaincre tant de fois mes forces s'affaiblissent :
L'État est florissant, mais les peuples gémissent;
Leurs membres décharnés courbent sous mes hauts faits,
Et la gloire du trône accable les sujets[1].
   Voyez autour de moi que de tristes spectacles !
Voilà ce qu'en mon sein enfantent vos miracles.
   Quelque encens que je doive à cette fermeté,
Qui vous fait en tous lieux marcher à mon côté,
Je me lasse de voir mes villes désolées,
Mes habitants pillés, mes campagnes brûlées.
Mon roi, que vous rendez le plus puissant des rois,
En goûte moins le fruit de ses propres exploits :
Du même œil dont il voit ses plus nobles conquêtes,
Il voit ce qu'il leur faut sacrifier de têtes;
De ce glorieux trône où brille sa vertu,
Il tend sa main auguste à son peuple abattu;
Et comme à tous moments la commune misère
Rappelle en son grand cœur les tendresses de père,
Ce cœur se laisse vaincre aux vœux que j'ai formés,
Pour faire respirer ce que vous opprimez.

LA VICTOIRE

France, j'opprime donc ce que je favorise !
A ce nouveau reproche excusez ma surprise :

J'avais cru jusqu'ici qu'à vos seuls ennemis
Ces termes odieux pouvaient être permis,
Qu'eux seuls de ma conduite avaient droit de se plaindre.

LA FRANCE

Vos dons sont à chérir, mais leur suite est à craindre :
Pour faire deux héros ils font cent malheureux;
Et ce dehors brillant que mon nom reçoit d'eux
M'éclaire à voir les maux qu'à ma gloire il attache,
Le sang dont il m'épuise, et les nerfs qu'il m'arrache.

LA VICTOIRE

Je n'ose condamner de si justes ennuis,
Quand je vois quels malheurs malgré moi je produis;
Mais ce dieu dont la main m'a chez vous affermie
Vous pardonnera-t-il d'aimer son ennemie?
Le voilà qui paraît, c'est lui-même, c'est Mars,
Qui vous lance du ciel de farouches regards;
Il menace, il descend : apaisez sa colère
Par le prompt désaveu d'un souhait téméraire.

Le ciel s'ouvre et fait voir Mars en posture menaçante, un pied en l'air, et l'autre porté sur son étoile. Il descend ainsi à un des côtés du théâtre, qu'il traverse en parlant; et sitôt qu'il a parlé, il remonte au même lieu dont il est parti.

SCÈNE II

MARS, LA FRANCE, LA VICTOIRE

MARS

France ingrate, tu veux la paix !
Et pour toute reconnaissance
D'avoir en tant de lieux étendu ta puissance,
Tu murmures de mes bienfaits !
Encore un lustre ou deux, et sous tes destinées
J'aurais rangé le sort des têtes couronnées;
Ton État n'aurait eu pour bornes que ton choix;
Et tu devais tenir pour assuré présage,

Voyant toute l'Europe apprendre ton langage,
Que toute cette Europe allait prendre tes lois.
Tu renonces à cette gloire;
La Paix a pour toi plus d'appas,
Et tu dédaignes la Victoire
Que j'ai de ma main propre attachée à tes pas !
Vois dans quels fers sous moi la Discorde et l'Envie
Tiennent cette Paix asservie.
La Victoire t'a dit comme on peut m'apaiser;
J'en veux bien faire encor ta compagne éternelle;
Mais sache que je la rappelle,
Si tu manques d'en bien user.

Avant que de disparaître, ce dieu, en colère contre la France, lui fait voir la Paix, qu'elle demande avec tant d'ardeur, prisonnière dans son palais, entre les mains de la Discorde et de l'Envie, qu'il lui a données pour gardes. Ce palais a pour colonnes des canons, qui ont pour bases des mortiers, et des boulets pour chapiteaux; le tout accompagné, pour ornement, de trompettes, de tambours, et autres instruments de guerre entrelacés ensemble et découpés à jour, qui font comme un second rang de colonnes. Le lambris est composé de trophées d'armes, et de tout ce qui peut désigner et embellir la demeure de ce dieu des batailles.

SCÈNE III

LA PAIX, LA DISCORDE, L'ENVIE, LA FRANCE, LA VICTOIRE

LA PAIX

En vain à tes soupirs il est inexorable :
Un dieu plus fort que lui me va rejoindre à toi;
Et tu devras bientôt ce succès adorable
A cette reine incomparable[2]
Dont les soins et l'exemple ont formé ton grand roi.
Ses tendresses de sœur, ses tendresses de mère,
Peuvent tout sur un fils, peuvent tout sur un frère.
Bénis, France, bénis ce pouvoir fortuné;

Bénis le choix qu'il fait d'une reine comme elle[3] :
Cent rois en sortiront, dont la gloire immortelle
Fera trembler sous toi l'univers étonné,
Et dans tout l'avenir sur leur front couronné
Portera l'image fidèle
De celui qu'elle t'a donné.

Ce dieu dont le pouvoir suprême
Étouffe d'un coup d'œil les plus vieux différends,
Ce dieu par qui l'amour plaît à la vertu même,
Et qui borne souvent l'espoir des conquérants,
Le blond et pompeux Hyménée
Prépare en ta faveur l'éclatante journée
Où sa main doit briser mes fers.
Ces monstres insolents dont je suis prisonnière,
Prisonniers à leur tour au fond de leurs enfers,
Ne pourront mêler d'ombre à sa vive lumière.
A tes cantons les plus déserts
Je rendrai leur beauté première;
Et dans les doux torrents d'une allégresse entière
Tu verras s'abîmer tes maux les plus amers.

Tu vois comme déjà ces deux autres puissances
Que Mars semblait plonger en d'immortels discords
Ont malgré ses fureurs assemblé sur tes bords
Les sublimes intelligences
Qui de leurs grands États meuvent les vastes corps.
Les surprenantes harmonies
De ces miraculeux génies
Savent tout balancer, savent tout soutenir.
Leur prudence était due à cet illustre ouvrage,
Et jamais on n'eût pu fournir
Aux intérêts divers de la Seine et du Tage[4],
Ni zèle plus savant en l'art de réunir,
Ni savoir mieux instruit du commun avantage.

Par ces organes seuls ces dignes potentats
Se font eux-mêmes leurs arbitres;
Aux conquêtes par eux ils donnent d'autres titres,
Et de bornes à leurs États.
Ce dieu même qu'attend ma longue impatience
N'a droit de m'affranchir que par leur conférence :
Sans elle son pouvoir serait mal reconnu.

Mais enfin je le vois, leur accord me l'envoie.
France, ouvre ton cœur à la joie;
Et vous, monstres, fuyez; ce grand jour est venu.

L'Hyménée paraît, couronné de fleurs, portant en sa main droite un dard semé de lis et de roses, et en la gauche le portrait de la Reine peint sur son bouclier.

SCÈNE IV

L'HYMÉNÉE, LA PAIX, LA DISCORDE,
L'ENVIE, LA FRANCE,
LA VICTOIRE, CHŒUR DE MUSIQUE

LA DISCORDE

En vain tu le veux croire, orgueilleuse captive :
Pourrions-nous fuir le secours qui t'arrive?

L'ENVIE

Pourrions-nous craindre un dieu qui contre nos fureurs
Ne prend pour armes que des fleurs?

L'HYMÉNÉE

Oui, monstres, oui, craignez cette main vengeresse;
Mais craignez encor plus cette grande princesse
Pour qui je viens allumer mon flambeau :
Pourriez-vous soutenir les traits de son visage?
Fuyez, monstres, à son image;
Fuyez, et que l'enfer, qui fut votre berceau,
Vous serve à jamais de tombeau.
Et vous, noirs instruments d'un indigne esclavage,
Tombez, fers odieux, à ce divin aspect,
Et pour lui rendre un prompt hommage,
Anéantissez-vous de honte ou de respect.

Il présente ce portrait aux yeux de la Discorde et de l'Envie, qui trébuchent aussitôt aux enfers, et ensuite il le présente aux chaînes qui tiennent la Paix prisonnière, lesquelles tombent et se brisent tout à l'heure.

LA PAIX

Dieu des sacrés plaisirs, vous venez de me rendre
Un bien dont les Dieux même ont lieu d'être jaloux;

Mais ce n'est pas assez, il est temps de descendre,
Et de remplir les vœux qu'en terre on fait pour nous.

L'HYMÉNÉE

Il en est temps, Déesse, et c'est trop faire attendre
Les effets d'un espoir si doux.
Vous donc, mes ministres fidèles,
Venez, Amours, et prêtez-nous vos ailes.

Quatre Amours descendent du ciel, deux de chaque côté, et s'attachent à l'Hyménée et à la Paix pour les apporter en terre.

LA FRANCE

Peuple, fais voir ta joie à ces divinités
Qui vont tarir le cours de tes calamités.

CHŒUR DE MUSIQUE

(L'Hyménée, la Paix, et les quatre Amours descendent cependant qu'il chante.)

Descends, Hymen, et ramène sur terre
Les délices avec la paix;
Descends, objet divin de nos plus doux souhaits,
Et par tes feux éteins ceux de la guerre.

Après que l'Hyménée et la Paix sont descendus, les quatre Amours remontent au ciel, premièrement de droit fil tous quatre ensemble, et puis se séparant deux à deux et croisant leur vol, en sorte que ceux qui sont au côté droit se retirent à gauche dans les nues, et ceux qui sont à gauche se perdent dans celles du côté droit.

SCÈNE V

L'HYMÉNÉE, LA PAIX, LA FRANCE,
LA VICTOIRE

LA FRANCE, *à la Paix.*

Adorable souhait des peuples gémissants,
Féconde sûreté des travaux innocents,
Infatigable appui du pouvoir légitime,
Qui dissipez le trouble et détruisez le crime,

Protectrice des arts, mère des beaux loisirs,
Est-ce une illusion qui flatte mes désirs?
Puis-je en croire mes yeux, et dans chaque province
De votre heureux retour faire bénir mon prince?

LA PAIX

France, apprends que lui-même il aime à le devoir
A ces yeux dont tu vois le souverain pouvoir.
Par un effort d'amour réponds à leurs miracles;
Fais éclater ta joie en de pompeux spectacles :
Ton théâtre a souvent d'assez riches couleurs
Pour n'avoir pas besoin d'emprunter rien ailleurs.
Ose donc, et fais voir que ta reconnaissance...

LA FRANCE

De grâce, voyez mieux quelle est mon impuissance.
Est-il effort humain qui jamais ait tiré
Des spectacles pompeux d'un sein si déchiré?
Il faudrait que vos soins par le cours des années...

L'HYMÉNÉE

Ces traits divins n'ont pas de forces si bornées.
Mes roses et mes lis par eux en un moment
A ces lieux désolés vont servir d'ornement.
Promets, et tu verras l'effet de ma parole.

LA FRANCE

J'entreprendrai beaucoup; mais ce qui m'en console,
C'est que sous votre aveu...

L'HYMÉNÉE

Va, n'appréhende rien :
Nous serons à l'envi nous-mêmes ton soutien.
Porte sur ton théâtre une chaleur si belle,
Que des plus heureux temps l'éclat s'y renouvelle :
Nous en partagerons la gloire et le souci.

LA VICTOIRE

Cependant la Victoire est inutile ici :
Puisque la paix y règne, il faut qu'elle s'exile.

LA PAIX

Non, Victoire : avec moi tu n'es pas inutile,

Si la France en repos n'a plus où t'employer,
Du moins à ses amis elle peut t'envoyer.
D'ailleurs mon plus grand calme aime l'inquiétude
Des combats de prudence, et des combats d'étude;
Il ouvre un champ plus large à ces guerres d'esprits;
Tous les peuples sans cesse en disputent le prix;
Et comme il fait monter à la plus haute gloire,
Il est bon que la France ait toujours la Victoire.
Fais-lui donc cette grâce, et prends part comme nous
A ce qu'auront d'heureux des spectacles si doux.

LA VICTOIRE

J'y consens, et m'arrête aux rives de la Seine,
Pour rendre un long hommage à l'une et l'autre reine,
Pour y prendre à jamais les ordres de son roi.
Puissé-je en obtenir, pour mon premier emploi,
Ceux d'aller jusqu'aux bouts de ce vaste hémisphère
Arborer les drapeaux de son généreux frère[5],
D'aller d'un si grand prince, en mille et mille lieux,
Égaler le grand nom au nom de ses aïeux,
Le conduire au delà de leurs fameuses traces,
Faire un appui de Mars du favori des Grâces,
Et sous d'autres climats couronner ses hauts faits
Des lauriers qu'en ceux-ci lui dérobe la Paix !

L'HYMÉNÉE

Tu vas voir davantage, et les Dieux, qui m'ordonnent
Qu'attendant tes lauriers mes myrtes le couronnent,
Lui vont donner un prix de toute autre valeur
Que ceux que tu promets avec tant de chaleur.
Cette illustre conquête a pour lui plus de charmes
Que celles que tu veux assurer à ses armes;
Et son œil, éclairé par mon sacré flambeau,
Ne voit point de trophée ou si noble ou si beau.
Ainsi, France, à l'envi l'Espagne et l'Angleterre[6]
Aiment à t'enrichir quand tu finis la guerre
Et la Paix, qui succède à ses tristes efforts,
Te livre par ma main leurs plus rares trésors.

LA PAIX

Allons sans plus tarder mettre ordre à tes spectacles;
Et pour les commencer par de nouveaux miracles,

Toi que rend tout-puissant ce chef-d'œuvre des cieux,
Hymen, fais-lui changer la face de ces lieux.

L'HYMÉNÉE, *seul.*

Naissez à cet aspect, fontaines, fleurs, bocages;
Chassez de ces débris les funestes images,
Et formez des jardins tels qu'avec quatre mots
Le grand art de Médée en fit naître à Colchos.

Tout le théâtre se change en un jardin magnifique à la vue du portrait de la reine, que l'Hyménée lui présente.

ACTE PREMIER

DÉCORATION DU PREMIER ACTE

Ce grand jardin, qui en fait la scène, est composé de trois rangs de cyprès, à côté desquels on voit alternativement en chaque châssis des statues de marbre blanc à l'antique, qui versent de gros jets d'eau dans de grands bassins, soutenus par des tritons, qui leur servent de piédestal, ou trois vases qui portent, l'un des orangers et les deux autres diverses fleurs en confusion, chantournées et découpées à jour. Les ornements de ces vases et de ces bassins sont rehaussés d'or, et ces statues portent sur leurs têtes des corbeilles d'or treillissées et remplies de pareilles fleurs. Le théâtre est fermé par une grande arcade de verdure, ornée de festons de fleurs avec une grande corbeille d'or sur le milieu, qui en est remplie comme les autres. Quatre autres arcades qui la suivent composent avec elle un berceau qui laisse voir plus loin un autre jardin de cyprès, entremêlés avec quantité d'autres statues à l'antique; et la perspective du fond borne la vue par un parterre encore plus éloigné, au milieu duquel s'élève une fontaine avec divers autres jets d'eau, qui ne font pas le moindre agrément de ce spectacle.

SCÈNE PREMIÈRE

CHALCIOPE, MÉDÉE

MÉDÉE

PARMI ces grands sujets d'allégresse publique,
Vous portez sur le front un air mélancolique :
Votre humeur paraît sombre; et vous semblez, ma sœur,
Murmurer en secret contre notre bonheur.
La veuve de Phryxus et la fille d'Aæte
Plaint-elle de Persès la honte et la défaite?
Vous faut-il consoler de ces illustres coups
Qui partent d'un héros parent de votre époux?

Et le vaillant Jason pourrait-il vous déplaire
Alors que dans son trône il rétablit mon père?

CHALCIOPE

Vous m'offensez, ma sœur : celles de notre rang
Ne savent point trahir leur pays ni leur sang;
Et j'ai vu les combats de Persès et d'Aæte
Toujours avec des yeux de fille et de sujette.
Si mon front porte empreints quelques troubles secrets,
Sachez que je n'en ai que pour vos intérêts.
J'aime autant que je dois cette haute victoire :
Je veux bien que Jason en ait toute la gloire;
Mais à tout dire enfin, je crains que ce vainqueur
N'en étende les droits jusque sur votre cœur.
  Je sais que sa brigade, à peine descendue,
Rétablit à nos yeux la bataille perdue,
Que Persès triomphait, que Styrus était mort,
Styrus que pour époux vous envoyait le sort.
Jason de tant de maux borna soudain la course :
Il en dompta la force, il en tarit la source;
Mais avouez aussi qu'un héros si charmant
Vous console bientôt de la mort d'un amant.
L'éclat qu'a répandu le bonheur de ses armes
A vos yeux éblouis ne permet plus de larmes :
Il sait les détourner des horreurs d'un cercueil;
Et la peur d'être ingrate étouffe votre deuil.
  Non que je blâme en vous quelques soins de lui plaire,
Tant que la guerre ici l'a rendu nécessaire;
Mais je ne voudrais pas que cet empressement
D'un soin étudié fît un attachement;
Car enfin, aujourd'hui que la guerre est finie,
Votre facilité se trouverait punie;
Et son départ subit ne vous laisserait plus
Qu'un cœur embarrassé de soucis superflus.

MÉDÉE

La remontrance est douce, obligeante, civile;
Mais à parler sans feinte elle est fort inutile :
Si je n'ai point d'amour, je n'y prends point de part;
Et si j'aime Jason, l'avis vient un peu tard.
  Quoi qu'il en soit, ma sœur, nommeriez-vous un crime
Un vertueux amour qui suivrait tant d'estime?

Alors que ses hauts faits lui gagnent tous les cœurs,
Faut-il que ses soupirs excitent mes rigueurs,
Que contre ses exploits moi seule je m'irrite,
Et fonde mes dédains sur son trop de mérite?
Mais, s'il m'en doit bientôt coûter un repentir,
D'où pouvez-vous savoir qu'il soit prêt à partir?

CHALCIOPE

Je le sais de mes fils, qu'une ardeur de jeunesse
Emporte malgré moi jusqu'à le suivre en Grèce,
Pour voir en ces beaux lieux la source de leur sang,
Et de Phryxus leur père y reprendre le rang.
Déjà tous ces héros au départ se disposent :
Ils ont peine à souffrir que leurs bras se reposent;
Comme la gloire à tous fait leur plus cher souci,
N'ayant plus à combattre, ils n'en ont plus ici;
Ils brûlent d'en chercher dessus quelque autre rive,
Tant leur valeur rougit sitôt qu'elle est oisive.
Jason veut seulement une grâce du Roi.

MÉDÉE

Cette grâce, ma sœur, n'est sans doute que moi.
Ce n'est plus avec vous qu'il faut que je déguise.
Du chef de ces héros j'asservis la franchise;
De tout ce qu'il a fait de grand, de glorieux,
Il rend un plein hommage au pouvoir de mes yeux.
Il a vaincu Persès, il a servi mon père,
Il a sauvé l'État, sans chercher qu'à me plaire.
Vous l'avez vu peut-être, et vos yeux sont témoins
De combien chaque jour il y donne de soins,
Avec combien d'ardeur...

CHALCIOPE

Oui, je l'ai vu moi-même,
Que pour plaire à vos yeux il prend un soin extrême;
Mais je n'ai pas moins vu combien il vous est doux
De vous montrer sensible aux soins qu'il prend pour vous,
Je vous vois chaque jour avec inquiétude
Chercher ou sa présence ou quelque solitude,
Et dans ces grands jardins sans cesse repasser
Le souvenir des traits qui vous ont su blesser.
En un mot, vous l'aimez, et ce que j'appréhende...

MÉDÉE

Je suis prête à l'aimer, si le Roi le commande;
Mais jusque-là, ma sœur, je ne fais que souffrir
Les soupirs et les vœux qu'il prend soin de m'offrir.

CHALCIOPE

Quittez ce faux devoir dont l'ombre vous amuse.
Vous irez plus avant si le Roi le refuse;
Et quoi que votre erreur vous fasse présumer,
Vous obéirez mal s'il vous défend d'aimer.
Je sais... Mais le voici, que le Prince accompagne.

SCÈNE II

AÆTE, ABSYRTE, CHALCIOPE, MÉDÉE

AÆTE

Enfin nos ennemis nous cèdent la campagne,
Et des Scythes défaits le camp abandonné
Nous est de leur déroute un gage fortuné,
Un fidèle témoin d'une victoire entière;
Mais comme la fortune est souvent journalière,
Il en faut redouter de funestes retours,
Ou se mettre en état de triompher toujours.
Vous savez de quel poids et de quelle importance
De ce peu d'étrangers s'est fait voir l'assistance.
Quarante, qui l'eût cru? quarante à leur abord
D'une armée abattue ont relevé le sort,
Du côté des vaincus rappelé la victoire,
Et fait d'un jour fatal un jour brillant de gloire.
Depuis cet heureux jour que n'ont point fait leurs bras?
Leur chef nous a paru le démon des combats;
Et trois fois sa valeur, d'un noble effet suivie,
Au péril de son sang a dégagé ma vie.
Que ne lui dois-je point? et que ne dois-je à tous?
Ah! si nous les pouvions arrêter parmi nous,
Que ma couronne alors se verrait assurée!
Qu'il faudrait craindre peu pour la toison dorée,
Ce trésor où les Dieux attachent nos destins,
Et que veulent ravir tant de jaloux voisins!

N'y peux-tu rien, Médée, et n'as-tu point de charmes
Qui fixent en ces lieux le bonheur de leurs armes?
N'est-il herbes, parfums, ni chants mystérieux,
Qui puissent nous unir ces bras victorieux?

ABSYRTE

Seigneur, il est en vous d'avoir cet avantage :
Le charme qu'il y faut est tout sur son visage,
Jason l'aime, et je crois que l'offre de son cœur
N'en serait pas reçue avec trop de rigueur.
Un favorable aveu pour ce digne hyménée
Rendrait ici sa course heureusement bornée;
Son exemple aurait force, et ferait qu'à l'envi
Tous voudraient imiter le chef qu'ils ont suivi.
Tous sauraient comme lui, pour faire une maîtresse,
Perdre le souvenir des beautés de leur Grèce;
Et tous ainsi que lui permettraient à l'amour
D'obstiner des héros à grossir votre cour.

AÆTE

Le refus d'un tel heur aurait trop d'injustice.
Puis-je d'un moindre prix payer un tel service?
Le ciel, qui veut pour elle un époux étranger,
Sous un plus digne joug ne saurait l'engager.
Oui, j'y consens, Absyrte, et tiendrai même à grâce
Que du roi d'Albanie il remplisse la place,
Que la mort de Styrus permette à votre sœur
L'incomparable choix d'un si grand successeur.
Ma fille, si jamais les droits de la naissance...

CHALCIOPE

Seigneur, je vous réponds de son obéissance;
Mais je ne réponds pas que vous trouviez les Grecs
Dans la même pensée et les mêmes respects.
Je les connais un peu, veuve d'un de leurs princes :
Ils ont aversion pour toutes nos provinces;
Et leur pays natal leur imprime un amour
Qui partout les rappelle et presse leur retour.
Ainsi n'espérez pas qu'il soit des hyménées
Qui puissent à la vôtre unir leurs destinées.
Ils les accepteront, si leur sort rigoureux
A fait de leur patrie un lieu mal sûr pour eux;
Mais le péril passé, leur soudaine retraite

Vous fera bientôt voir que rien ne les arrête,
Et qu'il n'est point de nœud qui les puisse obliger
A vivre sous les lois d'un monarque étranger.
Bien que Phryxus m'aimât avec quelque tendresse,
Je l'ai vu mille fois soupirer pour sa Grèce,
Et quelque illustre rang qu'il tînt dans vos États,
S'il eût eu l'accès libre en ces heureux climats,
Malgré ces beaux dehors d'une ardeur empressée,
Il m'eût fallu l'y suivre, ou m'en voir délaissée.
Il semble après sa mort qu'il revive en ses fils;
Comme ils ont même sang, ils ont mêmes esprits :
La Grèce en leur idée est un séjour céleste,
Un lieu seul digne d'eux. Par là jugez du reste.

AÆTE

Faites-les-moi venir : que de leur propre voix
J'apprenne les raisons de cet injuste choix.
Et quant à ces guerriers que nos Dieux tutélaires
Au salut de l'État rendent si nécessaires,
Si pour les obliger à vivre mes sujets
Il n'est point dans ma cour d'assez dignes objets,
Si ce nom sur leur front jette tant d'infamie
Que leur gloire en devienne implacable ennemie,
Subornons cette gloire, et voyons dès demain
Ce que pourra sur eux le nom de souverain.
Le trône a ses liens ainsi que l'hyménée,
Et quand ce double nœud tient une âme enchaînée,
Quand l'ambition marche au secours de l'amour,
Elle étouffe aisément tous ces soins du retour.
Elle triomphera de cette idolâtrie
Que tous ces grands guerriers gardent pour leur patrie.
Leur Grèce a des climats et plus doux et meilleurs;
Mais commander ici vaut bien servir ailleurs.
Partageons avec eux l'éclat d'une couronne
Que la bonté du ciel par leurs mains nous redonne :
D'un bien qu'ils ont sauvé je leur dois quelque part;
Je le perdais sans eux, sans eux il court hasard;
Et c'est toujours prudence, en un péril funeste,
D'offrir une moitié pour conserver le reste.

ABSYRTE

Vous les connaissez mal : ils sont trop généreux
Pour vous rendre à ce prix le besoin qu'on a d'eux.

Après ce grand secours, ce serait pour salaire
Prendre une part du vol qu'on tâchait à vous faire,
Vous piller un peu moins sous couleur d'amitié,
Et vous laisser enfin ce reste par pitié.
C'est là, Seigneur, c'est là cette haute infamie
Dont vous verriez leur gloire implacable ennemie.
Le trône a des splendeurs dont les yeux éblouis
Peuvent réduire une âme à l'oubli du pays ;
Mais aussi la Scythie, ouverte à nos conquêtes,
Offre assez de matière à couronner leurs têtes.
Qu'ils règnent, mais par nous, et sur nos ennemis :
C'est là qu'il faut trouver un sceptre à nos amis ;
Et lors d'un sacré nœud l'inviolable étreinte
Tirera notre appui d'où partait notre crainte ;
Et l'hymen unira par des liens plus doux
Des rois sauvés par eux à des rois faits par nous.

AÆTE

Vous regardez trop tôt comme votre héritage
Un trône dont en vain vous craignez le partage.
J'ai d'autres yeux, Absyrte, et vois un peu plus loin.
Je veux bien réserver ce remède au besoin,
Ne faire point cette offre à moins que nécessaire ;
Mais s'il y faut venir, rien ne m'en peut distraire.
Les voici : parlons-leur ; et pour les arrêter,
Ne leur refusons rien qu'ils daignent souhaiter.

SCÈNE III

AÆTE, ABSYRTE, MÉDÉE, JASON, PÉLÉE, IPHITE, ORPHÉE, ARGONAUTES

AÆTE

Guerriers par qui mon sort devient digne d'envie,
Héros à qui je dois et le sceptre et la vie,
Après tant de bienfaits et d'un si haut éclat,
Voulez-vous me laisser la honte d'être ingrat ?
Je ne vous fais point d'offre ; et dans ces lieux sauvages
Je ne découvre rien digne de vos courages :
Mais si dans mes États, mais si dans mon palais
Quelque chose avait pu mériter vos souhaits,

Le choix qu'en aurait fait cette valeur extrême
Lui donnerait un prix qu'il n'a pas de lui-même;
Et je croirais devoir à ce précieux choix
L'heur de vous rendre un peu de ce que je vous dois.

JASON

Si nos bras, animés par vos destins propices,
Vous ont rendu, Seigneur, quelques faibles services,
Et s'il en est encore, après un sort si doux,
Que vos commandements puissent vouloir de nous,
Vous avez en vos mains un trop digne salaire,
Et pour ce qu'on a fait et pour ce qu'on peut faire;
Et s'il nous est permis de vous le demander...

AÆTE

Attendez tout d'un roi qui veut tout accorder :
J'en jure le dieu Mars, et le Soleil mon père;
Et me puisse à vos yeux accabler leur colère,
Si mes serments pour vous n'ont de si prompts effets,
Que vos vœux dès ce jour se verront satisfaits !

JASON

Seigneur, j'ose vous dire, après cette promesse,
Que vous voyez la fleur des princes de la Grèce,
Qui vous demandent tous d'une commune voix
Un trésor qui jadis fut celui de ses rois :
La toison d'or, Seigneur, que Phryxus, votre gendre,
Phryxus, notre parent...

AÆTE

Ah ! que viens-je d'entendre !

MÉDÉE

Ah ! perfide.

JASON

A ce mot vous paraissez surpris !
Notre peu de secours se met à trop haut prix;
Mais enfin, je l'avoue, un si précieux gage
Est l'unique motif de tout notre voyage.
Telle est la dure loi que nous font nos tyrans,
Que lui seul nous peut rendre au sein de nos parents;
Et telle est leur rigueur, que, sans cette conquête,
Le retour au pays nous coûterait la tête.

AÆTE

Ah ! si vous ne pouvez y rentrer autrement,
Dure, dure à jamais votre bannissement !
Princes, tel est mon sort, que la toison ravie
Me doit coûter le sceptre, et peut-être la vie.
De sa perte dépend celle de tout l'État;
En former un désir, c'est faire un attentat;
Et si jusqu'à l'effet vous pouvez le réduire,
Vous ne m'avez sauvé que pour mieux me détruire.

JASON

Qui vous l'a dit, Seigneur? quel tyrannique effroi
Fait cette illusion aux destins d'un grand roi?

AÆTE

Votre Phryxus lui-même a servi d'interprète
A ces ordres des Dieux dont l'effet m'inquiète :
Son ombre en mots exprès nous les a fait savoir.

JASON

A des fantômes vains donnez moins de pouvoir.
Une ombre est toujours ombre, et des nuits éternelles
Il ne sort point de jours qui ne soient infidèles.
Ce n'est point à l'enfer à disposer des rois,
Et les ordres du ciel n'empruntent point sa voix.
Mais vos bontés par là cherchent à faire grâce
Au trop d'ambition dont vous voyez l'audace;
Et c'est pour colorer un trop juste refus
Que vous faites parler cette ombre de Phryxus.

AÆTE

Quoi? de mon noir destin la triste certitude
Ne serait qu'un prétexte à mon ingratitude?
Et quand je vous dois tout, je voudrais essayer
Un mauvais artifice à ne vous rien payer?
Quoi que vous en croyiez, quoi que vous puissiez dire,
Pour vous désabuser partageons mon empire.
Cette offre peut-elle être un refus coloré,
Et répond-elle mal à ce que j'ai juré?

JASON

D'autres l'accepteraient avec pleine allégresse;
Mais elle n'ouvre pas les chemins de la Grèce;

Et ces héros, sortis ou des Dieux ou des rois,
Ne sont pas mes sujets pour vivre sous mes lois.
C'eſt à l'heur du retour que leur courage aspire,
Et non pas à l'honneur de me faire un empire.

AÆTE

Rien ne peut donc changer ce rigoureux désir?

JASON

Seigneur, nous n'avons pas le pouvoir de choisir.
Ce n'eſt que perdre temps qu'en parler davantage;
Et vous savez à quoi le serment vous engage.

AÆTE

Téméraire serment qui me fait une loi
Dangereuse pour vous, ou funeſte pour moi!
La toison eſt à vous si vous pouvez la prendre,
Car ce n'eſt pas de moi qu'il vous la faut attendre.
Comme votre Phryxus l'a consacrée à Mars,
Ce dieu même lui fait d'effroyables remparts,
Contre qui tout l'effort de la valeur humaine
Ne peut être suivi que d'une mort certaine :
Il faut pour l'emporter quelque chose au-dessus.
J'ouvrirai la carrière, et ne puis rien de plus :
Il y va de ma vie ou de mon diadème;
Mais je tremble pour vous autant que pour moi-même.
Je croirais faire un crime à vous le déguiser;
Il eſt en votre choix d'en bien ou mal user.
Ma parole eſt donnée, il faut que je la tienne;
Mais votre perte eſt sûre à moins que de la mienne.
Adieu : pensez-y bien. Toi, ma fille, dis-lui
A quels affreux périls il se livre aujourd'hui.

SCÈNE IV

MÉDÉE, JASON, ARGONAUTES

MÉDÉE

Ces périls sont légers.

JASON

Ah! divine princesse!

MÉDÉE

Il n'y faut que du cœur, des forces, de l'adresse.
Vous en avez Jason; mais peut-être, après tout,
Ce que vous en avez n'en viendra pas à bout.

JASON

Madame, si jamais...

MÉDÉE

Ne dis rien, téméraire.
Tu ne savais que trop quel choix pouvait me plaire.
Celui de la toison m'a fait voir tes mépris :
Tu la veux, tu l'auras; mais apprends à quel prix.
Pour voir cette dépouille au dieu Mars consacrée,
A tous dans sa forêt il permet libre entrée;
Mais pour la conquérir qui s'ose hasarder
Trouve un affreux dragon commis à la garder.
Rien n'échappe à sa vue, et le sommeil sans force
Fait avec sa paupière un éternel divorce.
Le combat contre lui ne te sera permis
Qu'après deux fiers taureaux par ta valeur soumis;
Leurs yeux sont tout de flamme, et leur brûlante haleine
D'un long embrasement couvre toute la plaine.
Va leur faire souffrir le joug et l'aiguillon,
Ouvrir du champ de Mars le funeste sillon :
C'est ce qu'il te faut faire, et dans ce champ horrible
Jeter une semence encore plus terrible,
Qui soudain produira des escadrons armés
Contre la même main qui les aura semés.
Tous, sitôt qu'ils naîtront, en voudront à ta vie
Je vais moi-même à tous redoubler leur furie.
Juge par là, Jason, de la gloire où tu cours,
Et cherche où tu pourras des bras et du secours.

SCÈNE V

JASON, PÉLÉE, IPHITE, ORPHÉE, ARGONAUTES

JASON

Amis, voilà l'effet de votre impatience.
Si j'avais eu sur vous un peu plus de croyance,

L'amour m'aurait livré ce précieux dépôt,
Et vous l'avez perdu pour le vouloir trop tôt.

PÉLÉE

L'amour vous eﬅ bien doux, et votre espoir tranquille,
Qui vous fit consumer deux ans chez Hypsipyle,
En consumerait quatre avec plus de raison
A cajoler Médée et gagner la toison.
Après que nos exploits l'ont si bien méritée,
Un mot seul, un souhait dût l'avoir emportée;
Mais puisqu'on la refuse au service rendu,
Il faut avoir de force un bien qui nous eﬅ dû.

JASON

De Médée en courroux dissipez donc les charmes;
Combattez ce dragon, ces taureaux, ces gensdarmes.

IPHITE

Les Dieux nous ont sauvés de mille autres dangers,
Et sont les mêmes dieux en ces bords étrangers.
Pallas nous a conduits, et Junon de nos têtes
A parmi tant de mers écarté les tempêtes.
Ces grands secours unis auront leur plein effet,
Et ne laisseront point leur ouvrage imparfait.
Voyez si je m'abuse, amis, quand je l'espère :
Regardez de Junon briller la messagère;
Iris nous vient du ciel dire ses volontés.
En attendant son ordre, adorons ses bontés.
Prends ton luth, cher Orphée, et montre à la Déesse
Combien ce doux espoir charme notre triﬅesse.

SCÈNE VI

IRIS *eﬅ sur l'arc-en-ciel;* JUNON ET PALLAS, *chacune dans son char;* JASON, ORPHÉE, ARGONAUTES

ORPHÉE *chante.*

Femme et sœur du maître des Dieux,
De qui le seul regard fait nos deﬅins propices,

Nous as-tu jusqu'ici guidés sous tes auspices,
Pour nous voir périr en ces lieux?
Contre des bras mortels tout ce qu'ont pu nos armes,
Nous l'avons fait dans les combats :
Contre les monstres et les charmes
C'est à toi maintenant de nous prêter ton bras.

IRIS

Princes, ne perdez pas courage;
Les deux mêmes divinités
Qui vous ont garantis sur les flots irrités
Prennent votre défense en ce climat sauvage.

(Ici Junon et Pallas se montrent dans leurs chars.)

Les voici toutes deux, qui de leur propre voix
Vous apprendront sous quelles lois
Le destin vous promet cette illustre conquête;
Elles sauront vous la faciliter :
Écoutez leurs conseils, et tenez l'âme prête
A les exécuter.

JUNON

Tous vos bras et toutes vos armes
Ne peuvent rien contre les charmes
Que Médée en fureur verse sur la toison :
L'amour seul aujourd'hui peut faire ce miracle;
Et dragon ni taureaux ne vous feront obstacle,
Pourvu qu'elle s'apaise en faveur de Jason.
Prête à descendre en terre afin de l'y réduire,
J'ai pris et le visage et l'habit de sa sœur.
Rien ne vous peut servir si vous n'avez son cœur;
Et si vous le gagnez, rien ne vous saurait nuire.

PALLAS

Pour vous secourir en ces lieux
Junon change de forme et va descendre en terre;
Et pour vous protéger Pallas remonte aux cieux,
Où Mars et quelques autres dieux
Vont presser contre vous le maître du tonnerre.
Le Soleil, de son fils embrassant l'intérêt,
Voudra faire changer l'arrêt

Qui vous laisse espérer la toison demandée;
Mais quoi qu'il puisse faire, assurez-vous qu'enfin
L'amour fera votre destin,
Et vous donnera tout, s'il vous donne Médée.

Ici, tout d'un temps, Iris disparaît; Pallas remonte au ciel, et Junon descend en terre, en traversant toutes deux le théâtre, et faisant croiser leurs chars.

JASON

Eh bien! de mes conseils...

PÉLÉE

N'en parlons plus, Jason;
Cet oracle l'emporte, et vous aviez raison.
Aimez, le ciel l'ordonne, et c'est l'unique voie
Qu'après tant de travaux il ouvre à notre joie.
N'y perdons point de temps, et sans plus de séjour
Allons sacrifier au tout-puissant Amour.

ACTE II

DÉCORATION DU SECOND ACTE

La rivière du Phase et le paysage qu'elle traverse succèdent à ce grand jardin, qui disparaît tout d'un coup. On voit tomber de gros torrents des rochers qui servent de rivage à ce fleuve ; et l'éloignement qui borne la vue présente aux yeux divers coteaux dont cette campagne est fermée.

SCÈNE PREMIÈRE

JASON, JUNON, *sous le visage de Chalciope.*

JUNON

Nous pouvons à l'écart, sur ces rives du Phase,
Parler en sûreté du feu qui vous embrase.
Souvent votre Médée y vient prendre le frais,
Et pour y mieux rêver s'échappe du palais.
Il faut venir à bout de cette humeur altière :
De sa sœur tout exprès j'ai pris l'image entière,
Mon visage a même air, ma voix a même ton;
Vous m'en voyez la taille, et l'habit et le nom;
Et je la cache à tous sous un épais nuage,
De peur que son abord ne trouble mon ouvrage.
Sous ces déguisements j'ai déjà rétabli
Presque en toute sa force un amour affaibli.
L'horreur de vos périls, que redoublent les charmes,
Dans cette âme inquiète excite mille alarmes :
Elle blâme déjà son trop d'emportement.
C'est à vous d'achever un si doux changement.
Un soupir poussé juste, en suite d'une excuse,
Perce un cœur bien avant quand lui-même il s'accuse,
Et qu'un secret retour le force à ressentir
De sa fureur trop prompte un tendre repentir.

JASON

Déesse, quels encens...

JUNON

Traitez-moi de princesse,
Jason, et laissez là l'encens et la Déesse.
Quand vous serez en Grèce il y faudra penser;
Mais ici vos devoirs s'en doivent dispenser :
Par ce respect suprême ils m'y feraient connaître.
Laissez-y-moi passer pour ce que je feins d'être,
Jusqu'à ce que le cœur de Médée adouci...

JASON

Madame, puisqu'il faut ne vous nommer qu'ainsi,
Vos ordres me seront des lois inviolables :
J'aurai pour les remplir des soins infatigables;
Et mon amour plus fort...

JUNON

Je sais que vous aimez,
Que Médée a des traits dont vos sens sont charmés.
Mais cette passion est-elle en vous si forte
Qu'à tous autres objets elle ferme la porte?
Ne souffre-t-elle plus l'image du passé?
Le portrait d'Hypsipyle est-il tout effacé?

JASON

Ah!

JUNON

Vous en soupirez!

JASON

Un reste de tendresse
M'échappe encore au nom d'une belle princesse;
Mais comme assez souvent la distance des lieux
Affaiblit dans le cœur ce qu'elle cache aux yeux,
Les charmes de Médée ont aisément la gloire
D'abattre dans le mien l'effet de sa mémoire.

JUNON

Peut-être elle n'est pas si loin que vous pensez.
Ses vœux de vous attendre enfin se sont lassés,
Et n'ont pu résister à cette impatience
Dont tous les vrais amants ont trop d'expérience.

L'ardeur de vous revoir l'a hasardée aux flots;
Elle a pris après vous la route de Colchos;
Et moi, pour empêcher que sa flamme importune
Ne rompît sur ces bords toute votre fortune,
J'ai soulevé les vents, qui brisant son vaisseau,
Dans les flots mutinés ont ouvert son tombeau.

JASON

Hélas !

JUNON

N'en craignez point une funeste issue :
Dans son propre palais Neptune l'a reçue.
Comme il craint pour Pélie, à qui votre retour
Doit coûter la couronne, et peut-être le jour,
Il va tâcher d'y mettre un obstacle par elle,
Et vous la renvoira, plus pompeuse et plus belle,
Rattacher votre cœur à des liens si doux,
Ou du moins exciter des sentiments jaloux
Qui vous rendent Médée à tel point inflexible,
Que le pouvoir du charme en demeure invincible,
Et que vous périssiez en le voulant forcer,
Ou qu'à votre conquête il faille renoncer.
Dès son premier abord une soudaine flamme
D'Absyrte à ses beautés livrera toute l'âme;
L'Amour me l'a promis : vous l'en verrez charmé;
Mais vous serez sans doute encor le plus aimé.
Il faut donc prévenir ce dieu qui l'a sauvée,
Emporter la toison avant son arrivée.
Votre amante paraît : agissez en amant
Qui veut en effet vaincre, et vaincre promptement.

SCÈNE II

JASON, JUNON, MÉDÉE

MÉDÉE

Que faites-vous, ma sœur, avec ce téméraire?
Quand son orgueil m'outrage, a-t-il de quoi vous plaire
Et vous a-t-il réduite à lui servir d'appui,
Vous qui parliez tantôt, et si haut, contre lui?

JUNON

Je suis toujours sincère; et dans l'idolâtrie
Qu'en tous ces héros grecs je vois pour leur patrie,
Si votre cœur était encore à se donner,
Je ferais mes efforts à vous en détourner :
Je vous dirais encor ce que j'ai su vous dire;
Mais l'amour sur tous deux a déjà trop d'empire :
Il vous aime, et je vois qu'avec les mêmes traits...

MÉDÉE

Que dites-vous, ma sœur? il ne m'aima jamais.
A quelque complaisance il a pu se contraindre;
Mais s'il feignit d'aimer, il a cessé de feindre,
Et me l'a bien fait voir en demandant au Roi,
En ma présence même, un autre prix que moi.

JUNON

Ne condamnons personne avant que de l'entendre.
Savez-vous les raisons dont il se peut défendre?
Il m'en a dit quelqu'une, et je ne puis nier,
Non pas qu'elle suffise à le justifier,
Il est trop criminel, mais que du moins son crime
N'est pas du tout si noir qu'il l'est dans votre estime;
Et si vous la saviez, peut-être à votre tour
Vous trouveriez moins lieu d'accuser son amour.

MÉDÉE

Quoi? ce lâche tantôt ne m'a pas regardée;
Il n'a montré qu'orgueil, que mépris pour Médée,
Et je pourrais encor l'entendre discourir!

JASON

Le discours siérait mal à qui cherche à mourir.
J'ai mérité la mort si j'ai pu vous déplaire;
Mais cessez contre moi d'armer votre colère :
Vos taureaux, vos dragons sont ici superflus;
Dites-moi seulement que vous ne m'aimez plus :
Ces deux mots suffiront pour réduire en poussière...

MÉDÉE

Va, quand il me plaira, j'en sais bien la manière;
Et si ma bouche encor n'en fulmine l'arrêt,

Rends grâces à ma sœur qui prend ton intérêt.
Par quel art, par quel charme as-tu pu la séduire,
Elle qui ne cherchait tantôt qu'à te détruire?
D'où vient que mon cœur même à demi révolté
Semble vouloir s'entendre avec ta lâcheté,
Et de tes actions favorable interprète,
Ne te peint à mes yeux que tel qu'il te souhaite?
Par quelle illusion lui fais-tu cette loi?
Serais-tu dans mon art plus grand maître que moi?
Tu mets dans tous mes sens le trouble et le divorce :
Je veux ne t'aimer plus, et n'en ai pas la force.
Achève d'éblouir un si juste courroux,
Qu'offusquent malgré moi des sentiments trop doux;
Car enfin, et ma sœur l'a bien pu reconnaître,
Tout violent qu'il est, l'amour seul l'a fait naître;
Il va jusqu'à la haine, et toutefois, hélas !
Je te haïrais peu, si je ne t'aimais pas.
Mais parle, et si tu peux, montre quelque innocence.

JASON

Je renonce, Madame, à toute autre défense.
Si vous m'aimez encore, et si l'amour en vous
Fait naître cette haine, anime ce courroux,
Puisque de tous les deux sa flamme est triomphante,
Le courroux est propice et la haine obligeante.
Oui, puisque cet amour vous parle encor pour moi,
Il ne vous permet pas de douter de ma foi;
Et pour vous faire voir mon innocence entière,
Il éclaire vos yeux de toute sa lumière :
De ses rayons divins le vif discernement
Du chef de ces héros sépare votre amant.
Ces princes, qui pour vous ont exposé leur vie,
Sans qui votre province allait être asservie,
Eux qui de vos destins rompant le cours fatal,
Tous mes égaux qu'ils sont, m'ont fait leur général;
Eux qui de leurs exploits, eux qui de leur victoire,
Ont répandu sur moi la plus brillante gloire;
Eux tous ont par ma voix demandé la toison :
C'étaient eux qui parlaient, ce n'était pas Jason.
Il ne voulait que vous; mais pouvait-il dédire
Ces guerriers dont le bras a sauvé votre empire,
Et par une bassesse indigne de son rang,
Demander pour lui seul tout le prix de leur sang?

Pouvais-je les trahir, moi qui de leurs suffrages
De ce rang où je suis tiens tous les avantages?
Pouvais-je avec honneur à ce qu'il a d'éclat
Joindre le nom de lâche et le titre d'ingrat?
Auriez-vous pu m'aimer couvert de cette honte?

JUNON

Ma sœur, dites le vrai, n'étiez-vous point trop prompte?
Qu'a-t-il fait qu'un cœur noble et vraiment généreux...

MÉDÉE

Ma sœur, je le voulais seulement amoureux.
En qui saurait aimer serait-ce donc un crime,
Pour montrer plus d'amour, de perdre un peu d'estime?
Et malgré les douceurs d'un espoir si charmant,
Faut-il que le héros fasse taire l'amant?
Quel que soit ce devoir, ou ce noble caprice,
Tu me devais, Jason, en faire un sacrifice.
Peut-être j'aurais pu t'en entendre blâmer,
Mais non pas t'en haïr, non pas t'en moins aimer.
Tout oblige en amour, quand l'amour en est cause.

JUNON

Voyez à quoi pour vous cet amour la dispose.
N'abusez point, Jason, des bontés de ma sœur,
Qui semble se résoudre à vous rendre son cœur;
Et laissez à vos Grecs, au péril de leur vie,
Chercher cette toison si chère à leur envie.

JASON

Quoi? les abandonner en ce pas dangereux?

MÉDÉE

N'as-tu point assez fait d'avoir parlé pour eux?

JASON

Je suis leur chef, Madame; et pour cette conquête
Mon honneur me condamne à marcher à leur tête :
J'y dois périr comme eux, s'il leur faut y périr;
Et bientôt à leur tête on m'y verrait courir,
Si j'aimais assez mal pour essayer mes armes
A forcer des périls qu'ont préparés vos charmes,
Et si le moindre espoir de vaincre malgré vous

N'était un attentat contre votre courroux.
Oui, ce que nos destins m'ordonnent que j'obtienne,
Je le veux de vos mains, et non pas de la mienne.
Si ce trésor par vous ne m'est point accordé
Mon bras me punira d'avoir trop demandé;
Et mon sang à vos yeux, sur ce triste rivage,
De vos justes refus étalera l'ouvrage.
Vous m'en verrez, Madame, accepter la rigueur,
Votre nom en la bouche et votre image au cœur,
Et mon dernier soupir, par un pur sacrifice,
Sauver toute ma gloire et vous rendre justice.
Quel heur de pouvoir dire en terminant mon sort :
« Un respect amoureux a seul causé ma mort ! »
Quel heur de voir ma mort charger la renommée
De tout ce digne excès dont vous êtes aimée,
Et dans tout l'avenir...

MÉDÉE

Va, ne me dis plus rien;
Je ferai mon devoir, comme tu fais le tien.
L'honneur doit m'être cher, si la gloire t'est chère :
Je ne trahirai point mon pays et mon père;
Le destin de l'État dépend de la toison,
Et je commence enfin à connaître Jason.
Ces paniques terreurs pour ta gloire flétrie
Nous déguisent en vain l'amour de ta patrie;
L'impatiente ardeur d'en voir le doux climat
Sous ces fausses couleurs ne fait que trop d'éclat;
Mais, s'il faut la toison pour t'en ouvrir l'entrée,
Va traîner ton exil de contrée en contrée;
Et ne présume pas, pour te voir trop aimé,
Abuser en tyran de mon cœur enflammé.
Puisque le tien s'obstine à braver ma colère,
Que tu me fais des lois, à moi qui t'en dois faire,
Je reprends cette foi que tu crains d'accepter,
Et préviens un ingrat qui cherche à me quitter.

JASON

Moi, vous quitter, Madame ! ah ! que c'est mal connaître
Le pouvoir du beau feu que vos yeux ont fait naître !
Que nos héros en Grèce emportent leur butin,
Jason auprès de vous attache son destin.
Donnez-leur la toison qu'ils ont presque achetée;

Ou si leur sang versé l'a trop peu méritée,
Joignez-y tout le mien, et laissez-moi l'honneur
De leur voir de ma main tenir tout leur bonheur.
Que si le souvenir de vous avoir servie
Me réserve pour vous quelque reste de vie,
Soit qu'il faille à Colchos borner notre séjour,
Soit qu'il vous plaise ailleurs éprouver mon amour,
Sous les climats brûlants, sous les zones glacées,
Les routes me plairont que vous m'aurez tracées :
J'y baiserai partout les marques de vos pas.
Point pour moi de patrie où vous ne serez pas;
Point pour moi...

MÉDÉE

Quoi? Jason, tu pourrais pour Médée
Étouffer de ta Grèce et l'amour et l'idée?

JASON

Je le pourrai, Madame, et de plus...

SCÈNE III

ABSYRTE, JUNON, JASON, MÉDÉE

ABSYRTE

Ah ! mes sœurs,
Quel miracle nouveau va ravir tous nos cœurs !
Sur ce fleuve mes yeux ont vu de cette roche
Comme un trône flottant qui de nos bords s'approche.
Quatre monstres marins courbent sous ce fardeau :
Quatre nains emplumés le soutiennent sur l'eau;
Et découpant les airs par un battement d'ailes,
Lui servent de rameurs et de guides fidèles.
Sur cet amas brillant de nacre et de coral,
Qui sillonne les flots de ce mouvant cristal,
L'opale étincelante à la perle mêlée
Renvoie un jour pompeux vers la voûte étoilée.
Les nymphes de la mer, les tritons, tout autour,
Semblent au dieu caché faire à l'envi leur cour;
Et sur ces flots heureux, qui tressaillent de joie,
Par mille bonds divers ils lui tracent la voie.

Voyez du fond des eaux s'élever à nos yeux,
Par un commun accord, ces moites demi-dieux.
Puissent-ils sur ces bords arrêter ce miracle !
Admirez avec moi ce merveilleux spectacle.
Le voilà qui les suit. Voyez-le s'avancer.

JASON, *à Junon.*

Ah ! Madame !

JUNON

Voyez sans vous embarrasser.

Ici l'on voit sortir du milieu du Phase le dieu Glauque avec deux tritons et deux sirènes qui chantent, cependant qu'une grande conque de nacre, semée de branches de corail et de pierres précieuses, portée par quatre dauphins, et soutenue par quatre vents en l'air, vient insensiblement s'arrêter au milieu de ce même fleuve. Tandis qu'elles chantent, le devant de cette conque merveilleuse fond dans l'eau, et laisse voir la reine Hypsipyle assise comme dans un trône ; et soudain Glauque commande aux vents de s'envoler, aux tritons et aux sirènes de disparaître, et au fleuve de retirer une partie de ses eaux pour laisser prendre terre à Hypsipyle. Les tritons, le fleuve, les vents et les sirènes obéissent, et Glauque se perd lui-même au fond de l'eau, sitôt qu'il a parlé ; de quoi Absyrte donne la main à Hypsipyle pour sortir de cette conque, qui s'abîme aussitôt dans le fleuve.

SCÈNE IV

ABSYRTE, JUNON, MÉDÉE, JASON, GLAUQUE, SIRÈNES, TRITONS, HYPSIPYLE

CHANT DES SIRÈNES

Telle Vénus sortit du sein de l'onde,
Pour faire régner dans le monde
Les jeux et les plaisirs, les grâces et l'amour ;
Telle tous les matins l'Aurore
Sur le sein émaillé de Flore
Verse la rosée et le jour.
Objet divin, qui vas de ce rivage
Bannir ce qu'il a de sauvage,

Pour y faire régner les grâces et l'amour;
Telle et plus adorable encore
Que n'est Vénus, que n'est l'Aurore,
Tu vas y faire un nouveau jour.

ABSYRTE

Quelle beauté, mes sœurs, dans ce trône enfermée,
De son premier coup d'œil a mon âme charmée?
Quel cœur pourrait tenir contre de tels appas?

HYPSIPYLE

Juste ciel, il me voit et ne s'avance pas !

GLAUQUE

Allez, Tritons, allez, Sirènes;
Allez, Vents, et rompez vos chaînes;
Neptune est satisfait,
Et l'ordre qu'il vous donne a son entier effet.
Jason, vois les bontés de ce même Neptune,
Qui pour achever ta fortune,
A sauvé du naufrage, et renvoie à tes vœux
La princesse qui seule est digne de ta flamme.
A son aspect rallume tous tes feux;
Et pour répondre aux siens, rends-lui toute ton âme.
Et toi, qui jusques à Colchos
Dois à tant de beautés un assuré passage,
Fleuve, pour un moment retire un peu tes flots,
Et laisse approcher ton rivage.

ABSYRTE

Princesse, en qui du ciel les merveilleux efforts
Se sont plu d'animer ses plus rares trésors,
Souffrez qu'au nom du Roi dont je tiens la naissance,
Je vous offre en ces lieux une entière puissance :
Régnez dans ses États, régnez dans son palais;
Et pour premier hommage à vos divins attraits...

HYPSIPYLE

Faites moins d'honneur, Prince, à mon peu de mérite :
Je ne cherche en ces lieux qu'un ingrat qui m'évite.
Au lieu de m'aborder, Jason, vous pâlissez !
Dites-moi pour le moins si vous me connaissez.

JASON

Je sais bien qu'à Lemnos vous étiez Hypsipyle;
Mais ici...

HYPSIPYLE

Qui vous rend de la sorte immobile?
Ne suis-je plus la même arrivant à Colchos?

JASON

Oui; mais je n'y suis pas le même qu'à Lemnos.

HYPSIPYLE

Dieux! que viens-je d'ouïr?

JASON

J'ai d'autres yeux, Madame:
Voyez cette princesse, elle a toute mon âme;
Et pour vous épargner les discours superflus,
Ici je ne connais et ne vois rien de plus.

HYPSIPYLE

O faveurs de Neptune, où m'avez-vous conduite?
Et s'il commence ainsi, quelle sera la suite?

MÉDÉE

Non, non, Madame, non, je ne veux rien d'autrui :
Reprenez votre amant, je vous laisse avec lui.
Ne m'offre plus un cœur dont une autre est maîtresse,
Volage, et reçois mieux cette grande princesse.
Adieu : des yeux si beaux valent bien la toison.

JASON, *à Junon.*

Ah! Madame, voyez qu'avec peu de raison...

JUNON

Sauvez sans perdre temps, je saurai vous rejoindre.
Madame, on vous trahit; mais votre heur n'est pas moin-
Mon frère, qui s'apprête à vous conduire au Roi, [dre.
N'a pas moins de mérite, et tiendra mieux sa foi.
Si je le connais bien, vous avez qui vous venge;
Et si vous m'en croyez, vous gagnerez au change.
Je vous laisse en résoudre, et prends quelques moments
Pour rétablir le calme entre ces deux amants.

SCÈNE V

ABSYRTE, HYPSIPYLE

ABSYRTE

Madame, si j'osais, dans le trouble où vous êtes,
Montrer à vos beaux yeux des peines plus secrètes,
Si j'osais faire voir à ces divins tyrans
Ce qu'ont déjà soumis de si doux conquérants,
Je mettrais à vos pieds le trône et la couronne
Où le ciel me destine et que le sang me donne.
Mais puisque vos douleurs font taire mes désirs,
Ne vous offensez pas du moins de mes soupirs;
Et tant que le respect m'imposera silence,
Expliquez-vous par eux toute leur violence.

HYPSIPYLE

Prince, que voulez-vous d'un cœur préoccupé
Sur qui domine encor l'ingrat qui l'a trompé?
Si c'est à mon amour une peine cruelle
Où je cherche un amant de voir un infidèle,
C'est un nouveau supplice à mes tristes appas
De faire une conquête où je n'en cherche pas.
Non que je vous méprise, et que votre personne
N'eût de quoi me toucher plus que votre couronne :
Le ciel me donne un sceptre en des climats plus doux,
Et de tous vos États je ne voudrais que vous.
Mais ne vous flattez point sur ces marques d'estime
Qu'en mon cœur, tel qu'il est, votre présence imprime :
Quand l'univers entier vous connaîtrait pour roi,
Que pourrai-je pour vous, si je ne suis à moi?

ABSYRTE

Vous y serez, Madame, et pourrez toute chose :
Le change de Jason déjà vous y dispose;
Et, pour peu qu'il soutienne encor cette rigueur,
Le dépit, malgré vous, vous rendra votre cœur.
D'un si volage amant que pourriez-vous attendre?

HYPSIPYLE

L'inconstance me l'ôte, elle peut me le rendre.

ABSYRTE

Quoi? vous pourriez l'aimer, s'il rentrait sous vos lois
En devenant perfide une seconde fois?

HYPSIPYLE

Prince, vous savez mal combien charme un courage
Le plus frivole espoir de reprendre un volage,
De le voir malgré lui dans nos fers retombé,
Échapper à l'objet qui nous l'a dérobé,
Et sur une rivale et confuse et trompée
Ressaisir avec gloire une place usurpée.
Si le ciel en courroux m'en refuse l'honneur,
Du moins je servirai d'obstacle à son bonheur.
Cependant éteignez une flamme inutile :
Aimez en d'autres lieux, et plaignez Hypsipyle;
Et s'il vous reste encor quelque bonté pour moi,
Aidez contre un ingrat ma plainte auprès du Roi.

ABSYRTE

Votre plainte, Madame, aurait pour toute issue
Un nouveau déplaisir de la voir mal reçue.
Le Roi le veut pour gendre, et ma sœur pour époux.

HYPSIPYLE

Il me rendra justice, un roi la doit à tous;
Et qui la sacrifie aux tendresses de père
Est d'un pouvoir si saint mauvais dépositaire.

ABSYRTE

A quelle rude épreuve engagez-vous ma foi,
De me forcer d'agir contre ma sœur et moi !
Mais n'importe, le temps et quelque heureux service
Pourront à mon amour vous rendre plus propice.
Tandis, souvenez-vous que jusqu'à se trahir
Ce prince malheureux cherche à vous obéir.

ACTE III

DÉCORATION DU TROISIÈME ACTE

Nos théâtres n'ont encore rien fait paraître de si brillant que le palais du roi Aæte qui sert de décoration à cet acte. On y voit de chaque côté deux rangs de colonnes de jaspe torses, et environnées de pampres d'or à grands feuillages, chantournées, et découpées à jour, au milieu desquelles sont des statues d'or à l'antique, de grandeur naturelle. Les frises, les festons, les corniches et les chapiteaux sont pareillement d'or, et portent pour finissement des vases de porcelaine d'où sortent de gros bouquets de fleurs aussi au naturel. Les bases et les piédestaux sont enrichis de basses-tailles, où sont peintes diverses fables de l'antiquité. Un grand portique doré, soutenu par quatre autres colonnes dans le même ordre, fait la face du théâtre, et est suivi de cinq ou six autres de même manière, qui forment, par le moyen de ces colonnes, comme cinq galeries, où la vue s'enfonçant découvre ce même jardin de cyprès qui a paru au premier acte.

SCÈNE PREMIÈRE

AÆTE, JASON

AÆTE

Je vous devais assez pour vous donner Médée,
Jason; et si tantôt vous l'aviez demandée,
Si vous m'aviez parlé comme vous me parlez,
Vous auriez obtenu le bien que vous voulez.
Mais en est-il saison au jour d'une conquête
Qui doit faire tomber mon trône ou votre tête?
Et vous puis-je accepter pour gendre, et vous chérir,
S'il vous faut dans une heure ou me perdre ou périr?
Prétendre à la toison par l'hymen de ma fille,
C'est pour m'assassiner s'unir à ma famille;

Et si vous abusez de ce que j'ai promis,
Vous êtes le plus grand de tous mes ennemis.
Je ne m'en puis dédire, et le serment me lie.
Mais si tant de périls vous laissent quelque vie,
Après avoir perdu ce roi que vous bravez,
Allez porter vos vœux à qui vous les devez :
Hypsipyle vous aime, elle eſt reine, elle eſt belle;
Fuyez notre vengeance, et régnez avec elle.

JASON

Quoi? parler de vengeance, et d'un œil de courroux
Voir l'immuable ardeur de m'attacher à vous !
Vous présumer perdu sur la foi d'un scrupule
Qu'embrasse aveuglément votre âme trop crédule,
Comme si sur la peau d'un chétif animal
Le ciel avait écrit tout votre sort fatal !
Ce que l'ombre a prédit, si vous daignez l'entendre,
Ne met aucun obſtacle aux prières d'un gendre.
Me donner la Princesse, et pour dot la toison,
Ce n'eſt que l'assurer dedans votre maison,
Puisque par les doux nœuds de ce bonheur suprême
Je deviendrai soudain une part de vous-même,
Et que ce même bras qui vous a pu sauver
Sera toujours armé pour vous la conserver.

AÆTE

Vous prenez un peu tard une mauvaise adresse :
Nos esprits sont plus lourds que ceux de votre Grèce;
Mais j'ai d'assez bons yeux, dans un si juſte effroi,
Pour démêler sans peine un gendre d'avec moi.
Je sais que l'union d'un époux à ma fille
De mon sang et du sien forme une autre famille,
Et que si de moi-même elle fait quelque part,
Cette part de moi-même a ses deſtins à part.
  Ce que l'ombre a prédit se fait assez entendre.
Cessez de vous forcer à devenir mon gendre;
Ce serait un honneur qui ne vous plairait pas,
Puisque la toison seule a pour vous des appas,
Et que si mon malheur vous l'avait accordée,
Vous n'auriez jamais fait aucun vœu pour Médée.

JASON

C'eſt faire trop d'outrage à mon cœur enflammé.
Dès l'abord je la vis, dès l'abord je l'aimai;

Et mon amour n'est pas un amour politique
Que le besoin colore, et que la crainte explique.
Mais n'ayant que moi-même à vous parler pour moi,
Je n'osais espérer d'être écouté d'un roi,
Ni que sur ma parole il me crût de naissance
A porter mes désirs jusqu'à son alliance.
Maintenant qu'une reine a fait voir que mon sang
N'est pas fort au-dessous de cet illustre rang,
Qu'un refus de son sceptre après votre victoire
Montre qu'on peut m'aimer sans hasarder sa gloire,
J'ose, un peu moins timide, offrir, avec ma foi,
Ce que veut une reine à la fille d'un roi.

AÆTE

Et cette même reine est un exemple illustre
Qui met tous vos hauts faits en leur plus digne lustre.
L'état où la réduit votre fidélité
Nous instruit hautement de cette vérité,
Que ma fille avec vous serait fort assurée
Sur les gages douteux d'une foi parjurée.
Ce trône refusé, dont vous faites le vain,
Nous doit donner à tous horreur de votre main.
Il ne faut pas ainsi se jouer des couronnes :
On doit toujours respect au sceptre, à nos personnes.
Mépriser cette reine en présence d'un roi,
C'est manquer de prudence aussi bien que de foi.
Le ciel nous unit tous en ce grand caractère :
Je ne puis être roi sans être aussi son frère;
Et si vous étiez né mon sujet ou mon fils,
J'aurais déjà puni l'orgueil d'un tel mépris;
Mais l'unique pouvoir que sur vous je puis prendre,
C'est de vous ordonner de la voir, de l'entendre.
La voilà : pensez bien que tel est votre sort,
Que vous n'avez qu'un choix, Hypsipyle ou la mort;
Car à vous en parler avec pleine franchise,
Ma perte dépend bien de la toison conquise;
Mais je ne dois pas craindre en ces périls nouveaux
Que votre vie échappe aux feux de nos taureaux.

SCÈNE II

AÆTE, HYPSIPYLE, JASON

AÆTE

Madame, j'ai parlé; mais toutes mes paroles
Ne sont auprès de lui que des discours frivoles.
C'est à vous d'essayer ce que pourront vos yeux :
Comme ils ont plus de force, ils réussiront mieux.
Arrachez-lui du sein cette funeste envie
Qui dans ce même jour lui va coûter la vie.
Je vous devrai beaucoup, si vous touchez son cœur
Jusques à le sauver de sa propre fureur :
Devant ce que je dois au secours de ses armes,
Rompre son mauvais sort, c'est épargner nos larmes.

SCÈNE III

HYPSIPYLE, JASON

HYPSIPYLE

Eh bien ! Jason, la mort a-t-elle de tels biens
Qu'elle soit plus aimable à vos yeux que les miens?
Et sa douceur pour vous serait-elle moins pure
Si vous n'y joigniez l'heur de mourir en parjure?
Oui, ce glorieux titre est si doux à porter,
Que de tout votre sang il le faut acheter.
Le mépris qui succède à l'amitié passée
D'une seule douleur m'aurait trop peu blessée :
Pour mieux punir ce cœur d'avoir su vous chérir,
Il faut vous voir ensemble et changer et périr;
Il faut que le tourment d'être trop tôt vengée
Se mêle au déplaisir de me voir outragée;
Que l'amour, au dépit ne cédant qu'à moitié,
Sitôt qu'il est banni, rentre par la pitié;
Et que ce même feu, que je devrais éteindre,
M'oblige à vous haïr, et me force à vous plaindre.
Je ne t'empêche pas, volage, de changer;

Mais du moins, en changeant, laisse-moi me venger.
C'est être trop cruel, c'est trop croître l'offense
Que m'ôter à la fois ton cœur et ma vengeance.
Le supplice où tu cours la va trop tôt finir.
Ce n'est pas me venger, ce n'est que te punir;
Et toute sa rigueur n'a rien qui me soulage,
S'il n'est de mon souhait et le choix et l'ouvrage.
Hélas ! si tu pouvais le laisser à mon choix,
Ton supplice, il serait de rentrer sous mes lois,
De m'attacher à toi d'une chaîne plus forte,
Et de prendre en ta main le sceptre que je porte.
Tu n'as qu'à dire un mot, ton crime est effacé :
J'ai déjà, si tu veux, oublié le passé.
Mais qu'inutilement je me montre si bonne
Quand tu cours à la mort de peur qu'on te pardonne !
Quoi? tu ne réponds rien, et mes plaintes en l'air
N'ont rien d'assez puissant pour te faire parler?

JASON

Que voulez-vous, Madame, ici que je vous die?
Je ne connais que trop quelle est ma perfidie;
Et l'état où je suis ne saurait consentir
Que j'en fasse une excuse, ou montre un repentir :
Après ce que j'ai fait, après ce qui se passe,
Tout ce que je dirais aurait mauvaise grâce.
Laissez dans le silence un coupable obstiné,
Qui se plaît dans son crime, et n'en est point gêné.

HYPSIPYLE

Parle toutefois, parle, et non plus pour me plaire,
Mais pour rendre la force à ma juste colère;
Parle, pour m'arracher ces tendres sentiments
Que l'amour enracine au cœur des vrais amants;
Repasse mes bontés et tes ingratitudes;
Joins-y, si tu le peux, des coups encor plus rudes :
Ce sera m'obliger, ce sera m'obéir.
Je te devrai beaucoup, si je te puis haïr,
Et si de tes forfaits la peinture étendue
Ne laisse plus flotter ma haine suspendue.

JASON

Que dirai-je, après tout, que ce que vous savez?
Madame, rendez-vous ce que vous vous devez.

Il n'est pas glorieux pour une grande reine
De montrer de l'amour, et de voir de la haine;
Et le sexe et le rang se doivent souvenir
Qu'il leur sied bien d'attendre, et non de prévenir;
Et que c'est profaner la dignité suprême
Que de lui laisser dire : « On me trahit, et j'aime. »

HYPSIPYLE

Je le puis dire, ingrat, sans blesser mon devoir :
C'est mon époux en toi que le ciel me fait voir,
Du moins si la parole et reçue et donnée
A des nœuds assez forts pour faire un hyménée.
Ressouviens-t'en, volage, et des chastes douceurs
Qu'un mutuel amour répandit dans nos cœurs.
Je te laissai partir afin que ta conquête
Remît sous mon empire une plus digne tête,
Et qu'une reine eût droit d'honorer de son choix
Un héros que son bras eût fait égal aux rois.
J'attendais ton retour pour pouvoir avec gloire
Récompenser ta flamme et payer ta victoire;
Et quand jusques ici je t'apporte ma foi,
Je trouve en arrivant que tu n'es plus à moi!
Hélas! je ne craignais que les beautés de Grèce;
Et je vois qu'une Scythe a rompu ta promesse,
Et qu'un climat barbare a des traits assez doux
Pour m'avoir de mes bras enlevé mon époux!
Mais, dis-moi, ta Médée est-elle si parfaite?
Ce que cherche Jason vaut-il ce qu'il rejette?
Malgré ton cœur changé, j'en fais juge tes yeux.
Tu soupires en vain, il faut t'expliquer mieux :
Ce soupir échappé me dit bien quelque chose,
Toute autre l'entendrait; mais sans toi je ne l'ose.
Parle donc et sans feinte : où porte-t-il ta foi?
Va-t-il vers ma rivale, ou revient-il vers moi?

JASON

Osez autant qu'une autre; entendez-le, Madame,
Ce soupir qui vers vous pousse toute mon âme;
Et concevez par là jusqu'où vont mes malheurs,
De soupirer pour vous, et de prétendre ailleurs.
Il me faut la toison : il y va de la vie
De tous ces demi-dieux que brûle même envie;
Il y va de ma gloire, et j'ai beau soupirer,

Sous cette tyrannie il me faut expirer.
J'en perds tout mon bonheur, j'en perds toute ma joie;
Mais pour sortir d'ici je n'ai que cette voie;
Et le même intérêt qui vous fit consentir,
Malgré tout votre amour, à me laisser partir,
Le même me dérobe ici votre couronne.
Pour faire ma conquête, il faut que je me donne,
Que pour l'objet aimé, j'affecte des mépris,
Que je m'offre en esclave, et me vende à ce prix :
Voilà ce que mon cœur vous dit quand il soupire.
Ne me condamnez plus, Madame, à le redire :
Si vous m'aimez encor, de pareils entretiens
Peuvent aigrir vos maux et redoublent les miens;
Et cet aveu d'un crime où le destin m'attache
Grossit l'indignité des remords que je cache.
Pour me les épargner, vous voyez qu'en ces lieux
Je fuis votre présence, et j'évite vos yeux.
L'amour vous montre aux miens toujours charmante et [belle;
Chaque moment allume une flamme nouvelle;
Mais ce qui de mon cœur fait les plus chers désirs,
De mon change forcé fait tous les déplaisirs;
Et dans l'affreux supplice où me tient votre vue,
Chaque coup d'œil me perce, et chaque instant me tue.
Vos bontés n'ont pour moi que des traits rigoureux :
Plus je me vois aimé, plus je suis malheureux;
Plus vous me faites voir d'amour et de mérite,
Plus vous haussez le prix des trésors que je quitte ;
Et l'excès de ma perte allume une fureur
Qui me donne moi-même à moi-même en horreur.
Laissez-moi m'affranchir de la secrète rage
D'être en dépit de moi déloyal et volage;
Et puisqu'ici le ciel vous offre un autre époux
D'un rang pareil au vôtre, et plus digne de vous,
Ne vous obstinez point à gêner une vie
Que de tant de malheurs vous voyez poursuivie.
Oubliez un ingrat qui jusques au trépas,
Tout ingrat qu'il paraît, ne vous oubliera pas :
Apprenez à quitter un lâche qui vous quitte.

HYPSIPYLE

Tu te confesses lâche, et veux que je t'imite;
Et quand tu fais effort pour te justifier,
Tu veux que je t'oublie, et ne peux m'oublier !

Je vois ton artifice et ce que tu médites;
Tu veux me conserver alors que tu me quittes;
Et par les attentats d'un flatteur entretien
Me dérober ton cœur, et retenir le mien :
Tu veux que je te perde, et que je te regrette,
Que j'approuve en pleurant la perte que j'ai faite,
Que je t'eﬆime et t'aime avec ta lâcheté,
Et me prenne de tout à la fatalité.
Le ciel l'ordonne ainsi : ton change eﬆ légitime;
Ton innocence eﬆ sûre au milieu de ton crime;
Et quand tes trahisons pressent leur noir effet,
Ta gloire, ton devoir, ton deﬆin a tout fait.
Reprends, reprends, Jason, tes premières rudesses;
Leur coup m'eﬆ bien plus doux que tes fausses tendresses;
Tes remords impuissants aigrissent mes douleurs :
Ne me rends point ton cœur, quand tu te vends ailleurs.
D'un cœur qu'on ne voit pas l'offre eﬆ lâche et barbare,
Quand de tout ce qu'on voit un autre objet s'empare;
Et c'eﬆ faire un hommage et ridicule et vain
De présenter le cœur et retirer la main.

JASON

L'un et l'autre eﬆ à vous, si...

HYPSIPYLE

N'achève pas, traître;
Ce que tu veux cacher se ferait trop paraître :
Un véritable amour ne parle point ainsi.

JASON

Trouvez donc les moyens de nous tirer d'ici.
La toison emportée, il agira, Madame,
Ce véritable amour qui vous donne mon âme;
Sinon... Mais, Dieux ! que vois-je? O ciel ! je suis perdu,
Si j'ai tant de malheur qu'elle m'aye entendu.

SCÈNE IV

MÉDÉE, HYPSIPYLE

MÉDÉE

Vous l'avez vu, Madame, êtes-vous satisfaite?

HYPSIPYLE

Vous en pouvez juger par sa prompte retraite.

MÉDÉE

Elle marque le trouble où son cœur est réduit;
Mais j'ignore, après tout, s'il vous quitte, ou me fuit.

HYPSIPYLE

Vous pouvez donc, Madame, ignorer quelque chose?

MÉDÉE

Je sais que, s'il me fuit, vous en êtes la cause.

HYPSIPYLE

Moi, je n'en sais pas tant; mais j'avoue entre nous
Que s'il faut qu'il me quitte, il a besoin de vous.

MÉDÉE

Ce que vous en pensez me donne peu d'alarmes.

HYPSIPYLE

Je n'ai que des attraits, et vous avez des charmes.

MÉDÉE

C'est beaucoup en amour que de savoir charmer.

HYPSIPYLE

Et c'est beaucoup aussi que de se faire aimer.

MÉDÉE

Si vous en avez l'art, j'ai celui d'y contraindre.

HYPSIPYLE

A faute d'être aimée, on peut se faire craindre.

MÉDÉE

Il vous aima jadis?

HYPSIPYLE

Peut-être il m'aime encor,
Moins que vous toutefois, ou que la toison d'or.

MÉDÉE

Du moins, quand je voudrai flatter son espérance,
Il saura de nous deux faire la différence.

HYPSIPYLE

J'en vois la différence assez grande à Colchos;
Mais elle serait autre et plus grande à Lemnos.
Les lieux aident au choix; et peut-être qu'en Grèce
Quelque troisième objet surprendrait sa tendresse.

MÉDÉE

J'appréhende assez peu qu'il me manque de foi.

HYPSIPYLE

Vous êtes plus adroite et plus belle que moi :
Tant qu'il aura des yeux vous n'avez rien à craindre.

MÉDÉE

J'allume peu de feux qu'un autre puisse éteindre;
Et puisqu'il me promet un cœur ferme et constant...

HYPSIPYLE

Autrefois à Lemnos il m'en promit autant.

MÉDÉE

D'un amant qui s'en va de quoi sert la parole?

HYPSIPYLE

A montrer qu'on vous peut voler ce qu'on me vole.
Ces beaux feux qu'en mon île il n'osait démentir...

MÉDÉE

Eurent un peu de tort de le laisser partir.

HYPSIPYLE

Comme vous en aurez, si jamais ce volage
Porte à quelque autre objet ce qu'il vous rend d'hommage.

MÉDÉE

Les captifs mal gardés ont droit de nous quitter.

HYPSIPYLE

J'avais quelque mérite, et n'ai pu l'arrêter.

MÉDÉE

J'en ai peu, mais enfin s'il fait plus que le vôtre?

HYPSIPYLE

Vous aurez lieu de croire en valoir bien un autre;
Mais prenez moins d'appui sur un cœur usurpé :
Il peut vous échapper, puisqu'il m'est échappé.

MÉDÉE

Votre esprit n'est rempli que de mauvais augures.

HYPSIPYLE

On peut sur le passé former ses conjectures.

MÉDÉE

Le passé mal conduit n'est qu'un miroir trompeur,
Où l'œil bien éclairé ne fonde espoir ni peur.

HYPSIPYLE

Si j'ai conçu pour vous des craintes mal fondées...

MÉDÉE

Laissons faire Jason, et gardons nos idées.

HYPSIPYLE

Avec sincérité je dois vous avouer
Que j'ai quelque sujet encor de m'en louer.

MÉDÉE

Avec sincérité je dois aussi vous dire
Qu'assez malaisément on sort de mon empire,
Et que quand jusqu'à moi j'ai permis d'aspirer,
On ne s'abaisse plus à vous considérer.
Profitez des avis que ma pitié vous donne.

HYPSIPYLE

A vous dire le vrai, cette hauteur m'étonne.
Je suis reine, Madame, et les fronts couronnés...

MÉDÉE

Et moi je suis Médée, et vous m'importunez.

HYPSIPYLE

Cet indigne mépris que de mon rang vous faites...

MÉDÉE

Connaissez-moi, Madame, et voyez où vous êtes.
Si Jason pour vos yeux ose encor soupirer,

Il peut chercher des bras à vous en retirer.
Adieu : souvenez-vous, au lieu de vous en plaindre,
Qu'à défaut d'être aimée, on peut se faire craindre.

Ce palais doré se change en un palais d'horreur sitôt que Médée a dit le premier de ces cinq derniers vers, et qu'elle a donné un coup de baguette. Tout ce qu'il y a d'épouvantable en la nature y sert de Termes. L'éléphant, le rhinocéros, le lion, l'once, les tigres, les léopards, les panthères, les dragons, les serpents, tous avec leurs antipathies à leurs pieds, y lancent des regards menaçants. Une grotte obscure borne la vue, au travers de laquelle l'œil ne laisse pas de découvrir un éloignement merveilleux que fait la perspective. Quatre monstres ailés et quatre rampants enferment Hypsipyle, et semblent prêts à la dévorer.

SCÈNE V

HYPSIPYLE

Que vois-je? où suis-je? ô Dieux ! quels abîmes ouverts
Exhalent jusqu'à moi les vapeurs des enfers !
Que d'yeux étincelants sous d'horribles paupières
Mêlent au jour qui fuit d'effroyables lumières !
O toi, qui crois par là te faire redouter,
Si tu l'as espéré, cesse de t'en flatter.
Tu perds de ton grand art la force ou l'imposture,
A t'armer contre moi de toute la nature.
L'amour au désespoir ne peut craindre la mort :
Dans un pareil naufrage elle ouvre un heureux port.
Hâtez, monstres, hâtez votre approche fatale.
Mais immoler ainsi ma vie à ma rivale !
Cette honte est pour moi pire que le trépas.
Je ne veux plus mourir; monstres, n'avancez pas.

UNE VOIX, *derrière le théâtre.*

Monstres, n'avancez pas, une reine l'ordonne;
Respectez ses appas;
Suivez les lois qu'elle vous donne :
Monstres, n'avancez pas.

Les monstres s'arrêtent sitôt que cette voix chante.

HYPSIPYLE

Quel favorable écho, pendant que je soupire,
Répète mes frayeurs avec un tel empire?
Et d'où vient que frappés par ces divins accents,
Ces monstres tout à coup deviennent impuissants?

LA VOIX

C'est l'amour qui fait ce miracle,
Et veut plus faire en ta faveur.
N'y mets donc point d'obstacle :
Aime qui t'aime, et donne cœur pour cœur.

HYPSIPYLE

Quel prodige nouveau! Cet amas de nuages
Vient-il dessus ma tête éclater en orages?
Vous qui nous gouvernez, Dieux, quel est votre but?
M'annoncez-vous par là ma perte ou mon salut?
Le nuage descend, il s'arrête, il s'entr'ouvre;
Et je vois... Mais, ô Dieux, qu'est-ce que j'y découvre?
Serait-ce bien le Prince?

Un nuage descend jusqu'à terre, et, s'y séparant en deux moitiés, qui se perdent chacune de son côté, il laisse sur le théâtre le prince Absyrte.

SCÈNE VI

ABSYRTE, HYPSIPYLE

ABSYRTE

Oui, Madame, c'est lui
Dont l'amour vous apporte un ferme et sûr appui :
Le même qui pour vous courant à son supplice,
Contre un ingrat trop cher a demandé justice,
Le même vient encor dissiper votre peur.
J'ai parlé contre moi, j'agis contre ma sœur;
Et sitôt que je vois quelque espoir de vous plaire,
Je ne me connais plus, je cesse d'être frère.
Monstres, disparaissez; fuyez de ces beaux yeux
Que vous avez en vain obsédés en ces lieux.

Tous les monstres s'envolent ou fondent sous terre, et Absyrte continue.

Et vous, divin objet, n'en ayez plus d'alarmes.
Pour détruire le reste, il faudrait d'autres charmes.
Contre ceux qu'on pressait de vous faire périr,
Je n'avais que les airs par où vous secourir;
Et d'un art tout-puissant les forces inconnues
Ne me laissaient ouvert que le milieu des nues;
Mais le mien, quoique moindre, a pleine autorité
De nous faire sortir d'un séjour enchanté.
Allons, Madame.

HYPSIPYLE

Allons, prince trop magnanime,
Prince digne en effet de toute mon estime.

ABSYRTE

N'aurez-vous rien de plus pour des vœux si constants?
Et ne pourrai-je…

HYPSIPYLE

Allons, et laissez faire au temps.

ACTE IV

DÉCORATION DU QUATRIÈME ACTE

Ce théâtre horrible fait place à un plus agréable : c'est le désert où Médée a coutume de se retirer pour faire ses enchantements. Il est tout de rochers qui laissent sortir de leurs fentes quelques filaments d'herbes rampantes et quelques arbres moitié verts et moitié secs : ces rochers sont d'une pierre blanche et luisante, de sorte que comme l'autre théâtre était fort chargé d'ombres, le changement subit de l'un à l'autre fait qu'il semble qu'on passe de la nuit au jour.

SCÈNE PREMIÈRE

ABSYRTE, MÉDÉE

MÉDÉE

QUI donne cette audace à votre inquiétude,
Prince, de me troubler jusqu'en ma solitude?
Avez-vous oublié que dans ces tristes lieux
Je ne souffre que moi, les ombres, et les Dieux;
Et qu'étant par mon art consacrés au silence,
Aucun ne peut sans crime y mêler sa présence?

ABSYRTE

De vos bontés, ma sœur, c'est sans doute abuser;
Mais l'ardeur d'un amant a droit de tout oser.
C'est elle qui m'amène en ces lieux solitaires,
Où votre art fait agir ses plus secrets mystères,
Vous demander un charme à détacher un cœur,
A dérober une âme à son premier vainqueur.

MÉDÉE

Hélas ! cet art, mon frère, impuissant sur les âmes,
Ne sait que c'est d'éteindre ou d'allumer des flammes

Et s'il a sur le reste un absolu pouvoir,
Loin de charmer les cœurs, il n'y saurait rien voir.
Mais n'avancez-vous rien sur celui d'Hypsipyle?
Son péril, son effroi vous est-il inutile?
Après ce stratagème entre nous concerté,
Elle vous croit devoir et vie et liberté;
Et son ingratitude au dernier point éclate,
Si d'une ombre d'espoir cet effroi ne vous flatte.

ABSYRTE

Elle croit qu'en votre art aussi savant que vous,
Je prends plaisir pour elle à rabattre vos coups;
Et sans rien soupçonner de tout notre artifice,
Elle doit tout, dit-elle, à ce rare service;
Mais à moins toutefois que de perdre l'espoir,
Du côté de l'amour rien ne peut l'émouvoir.

MÉDÉE

L'espoir qu'elle conserve aura peu de durée,
Puisque Jason en veut à la toison dorée,
Et qu'à la conquérir faire le moindre effort,
C'est se livrer soi-même et courir à la mort.
Oui, mon frère, prenez un esprit plus tranquille,
Si la mort d'un rival vous assure Hypsipyle;
Et croyez...

ABSYRTE

Ah! ma sœur, ce serait me trahir
Que de perdre Jason sans le faire haïr.
L'âme de cette reine, à la douleur ouverte,
A toute la famille imputerait sa perte,
Et m'envelopperait dans le juste courroux
Qu'elle aurait pour le Roi, qu'elle prendrait pour vous.
Faites donc qu'il vous aime, afin qu'on le haïsse;
Qu'on regarde sa mort comme un digne supplice.
Non que je la souhaite : il s'est vu trop aimé
Pour n'en présumer pas votre esprit alarmé;
Je ne veux pas non plus chercher jusqu'en votre âme
Les sentiments qu'y laisse une si belle flamme :
Arrêtez seulement ce héros sous vos lois,
Et disposez sans moi du reste, à votre choix.
S'il doit mourir, qu'il meure en amant infidèle;

S'il doit vivre, qu'il vive en esclave rebelle,
Et qu'on n'aye aucun lieu, dans l'un ni l'autre sort,
Ni de l'aimer vivant, ni de le plaindre mort.
C'est ce que je demande à cette amitié pure
Qu'avec le jour pour moi vous donna la nature.

MÉDÉE

Puis-je m'en faire aimer sans l'aimer à mon tour,
Et pour un cœur sans foi me souffrir de l'amour?
Puis-je l'aimer, mon frère, au moment qu'il n'aspire
Qu'à ce trésor fatal dont dépend votre empire?
Ou si par nos taureaux il se fait déchirer,
Voulez-vous que je l'aime, afin de le pleurer?

ABSYRTE

Aimez, ou n'aimez pas, il suffit qu'il vous aime :
Et quant à ces périls pour notre diadème,
Je ne suis pas de ceux dont le crédule esprit
S'attache avec scrupule à ce qu'on leur prédit.
Je sais qu'on n'entend point de telles prophéties
Qu'après que par l'effet elles sont éclaircies;
Et que quoi qu'il en soit, le sceptre de Lemnos
A de quoi réparer la perte de Colchos.
Ces climats désolés où même la nature
Ne tient que de votre art ce qu'elle a de verdure,
Où nos plus beaux jardins n'ont ni roses ni lis
Dont par votre savoir ils ne soient embellis,
Sont-ils à comparer à ces charmantes îles
Où nos maux trouveraient de glorieux asiles?
Tomber à bas d'un trône est un sort rigoureux;
Mais quitter l'un pour l'autre est un échange heureux.

MÉDÉE

Un amant tel que vous, pour gagner ce qu'il aime,
Changerait sans remords d'air et de diadème...
Comme j'ai d'autres yeux, j'ai d'autres sentiments,
Et ne me règle pas sur vos attachements.
Envoyez-moi ma sœur, que je puisse avec elle
Pourvoir au doux succès d'une flamme si belle.
Ménagez cependant un si cher intérêt :
Faites effort à plaire autant comme on vous plaît.
Pour Jason, je saurai de sorte m'y conduire,

Que soit qu'il vive ou meure, il ne pourra vous nuire.
Allez sans perdre temps, et laissez-moi rêver
Aux beaux commencements que je veux achever.

SCÈNE II

MÉDÉE

Tranquille et vaste solitude,
Qu'à votre calme heureux j'ose en vain recourir !
Et que la rêverie est mal propre à guérir
D'une peine qui plaît la flatteuse habitude !
J'en viens soupirer seule au pied de vos rochers;
Et j'y porte avec moi dans mes vœux les plus chers
Mes ennemis les plus à craindre :
Plus je crois les dompter, plus je leur obéis;
Ma flamme s'en redouble; et plus je veux l'éteindre,
Plus moi-même je m'y trahis.

C'est en vain que toute alarmée
J'envisage à quels maux expose un inconstant :
L'amour tremble à regret dans mon esprit flottant;
Et timide à l'aimer, je meurs d'en être aimée.
Ainsi j'adore et crains son manquement de foi;
Je m'offre et me refuse à ce que je prévoi :
Son change me plaît et m'étonne.
Dans l'espoir le plus doux j'ai tout à soupçonner;
Et bien que tout mon cœur obstinément se donne,
Ma raison n'ose me donner.

Silence, raison importune;
Est-il temps de parler quand mon cœur s'est donné?
Du bien que tu lui veux ce lâche est si gêné,
Que ton meilleur avis lui tient lieu d'infortune.
Ce que tu mets d'obstacle à ses désirs mutins
Anime leur révolte et le livre aux destins,
Contre qui tu prends sa défense :
Ton effort odieux ne sert qu'à les hâter;
Et ton cruel secours lui porte par avance
Tous les maux qu'il doit redouter.

Parle toutefois pour sa gloire;
Donne encor quelques lois à qui te fait la loi;
Tyrannise un tyran qui triomphe de toi,
Et par un faux trophée usurpe sa victoire.
S'il est vrai que l'amour te vole tout mon cœur,
Exile de mes yeux cet insolent vainqueur,
Dérobe-lui tout mon visage;
Et si mon âme cède à mes feux trop ardents,
Sauve tout le dehors du honteux esclavage
Qui t'enlève tout le dedans.

SCÈNE III

JUNON, MÉDÉE

MÉDÉE

L'avez-vous vu, ma sœur, cet amant infidèle?
Que répond-il aux pleurs d'une reine si belle?
Souffre-t-il par pitié qu'ils en fassent un roi?
A-t-il encor le front de vous parler de moi?
Croit-il qu'un tel exemple ait su si peu m'instruire,
Qu'il lui laisse encor lieu de me pouvoir séduire?

JUNON

Modérez ces chaleurs de votre esprit jaloux;
Prenez des sentiments plus justes et plus doux;
Et sans vous emporter souffrez que je vous die…

MÉDÉE

Qu'il pense m'acquérir par cette perfidie?
Et que ce qu'il fait voir de tendresse et d'amour,
Si j'ose l'accepter, m'en garde une à mon tour?
Un volage, ma sœur, a beau faire et beau dire,
On peut toujours douter pour qui son cœur soupire :
Sa flamme à tous moments peut prendre un autre cours,
Et qui change une fois peut changer tous les jours.
Vous, qui vous préparez à prendre sa défense,
Savez-vous, après tout, s'il m'aime ou s'il m'offense?
Lisez-vous dans son cœur pour voir ce qui s'y fait,
Et si j'ai de ses feux l'apparence ou l'effet?

JUNON

Quoi? vous vous offensez d'Hypsipyle quittée !
D'Hypsipyle pour vous à vos yeux maltraitée !
Vous, son plus cher objet ! vous de qui hautement
En sa présence même il s'est nommé l'amant !
C'est mal vous acquitter de la reconnaissance
Qu'une autre croirait due à cette préférence.
Voyez mieux qu'un héros si grand, si renommé,
Aurait peu fait pour vous, s'il n'avait rien aimé.
En ces tristes climats qui n'ont que vous d'aimable,
Où rien ne s'offre aux yeux qui vous soit comparable,
Un cœur qu'un autre objet ne peut vous disputer
Vous porte peu de gloire à se laisser dompter.
Mais Hypsipyle est belle, et joint au diadème
Un amour assez fort pour mériter qu'on l'aime;
Et quand, malgré son trône, et malgré sa beauté,
Et malgré son amour, vous l'avez emporté,
Que ne devez-vous point à l'illustre victoire
Dont ce choix obligeant vous assure la gloire?
Peut-il de vos attraits faire mieux voir le prix,
Que par le don d'un cœur qu'Hypsipyle avait pris?
Pouvez-vous sans chagrin refuser un hommage
Qu'un autre lui demande avec tant d'avantage?
Pouvez-vous d'un tel don faire si peu d'état,
Sans vouloir être ingrate, et l'être avec éclat?
Si c'est votre dessein, en faisant la cruelle,
D'obliger ce héros à retourner vers elle,
Vous en pourrez avoir un succès assez prompt;
Sinon...

MÉDÉE

Plutôt la mort qu'un si honteux affront.
Je ne souffrirai point qu'Hypsipyle me brave,
Et m'enlève ce cœur que j'ai vu mon esclave.
Je voudrais avec vous en vain le déguiser;
Quand je l'ai vu pour moi tantôt la mépriser,
Qu'à ses yeux, sans nous mettre un moment en balance,
Il m'a si hautement donné la préférence,
J'ai senti des transports que mon esprit discret
Par un soudain adieu n'a cachés qu'à regret.
Je ne croirai jamais qu'il soit douceur égale
A celle de se voir immoler sa rivale,

Qu'il soit pareille joie; et je mourrais, ma sœur,
S'il fallait qu'à son tour elle eût même douceur.

JUNON

Quoi? pour vous cette honte est un malheur extrême?
Ah ! vous l'aimez encor.

MÉDÉE

Non; mais je veux qu'il m'aime.
Je veux, pour éviter un si mortel ennui
Le conserver à moi, sans me donner à lui,
L'arrêter sous mes lois, jusqu'à ce qu'Hypsipyle
Lui rende de son cœur la conquête inutile,
Et que le prince Absyrte, ayant reçu sa foi,
L'ait mise hors d'état de triompher de moi.
Lors, par un juste exil punissant l'infidèle,
Je n'aurai plus de peur qu'il me traite comme elle;
Et je saurai sur lui nous venger toutes deux,
Sitôt qu'il n'aura plus à qui porter ses vœux.

JUNON

Vous vous promettez plus que vous ne voudrez faire,
Et vous n'en croirez pas toute cette colère.

MÉDÉE

Je ferai plus encor que je ne me promets,
Si vous pouvez, ma sœur, quitter ses intérêts.

JUNON [dre,

Quelque chers qu'ils me soient, je veux bien m'y contrain-
Et pour mieux vous ôter tout sujet de me craindre,
Le voilà qui paraît, je vous laisse avec lui.
Vous me rappellerez s'il a besoin d'appui.

SCÈNE IV

JASON, MÉDÉE

MÉDÉE

Êtes-vous prêt, Jason, d'entrer dans la carrière?
Faut-il du champ de Mars vous ouvrir la barrière,
Vous donner nos taureaux pour tracer des sillons
D'où naîtront contre vous de soudains bataillons?

Pour dompter ces taureaux et vaincre ces gensdarmes,
Avez-vous d'Hypsipyle emprunté quelques charmes?
Je ne demande point quel eſt votre souci;
Mais si vous la cherchez, elle n'eſt pas ici;
Et tandis qu'en ces lieux vous perdez votre peine,
Mon frère vous pourrait enlever cette reine.
Jason, prenez-y garde, il faut moins s'éloigner
D'un objet qu'un rival s'efforce de gagner,
Et prêter un peu moins les faveurs de l'absence
A ce qui peut entre eux naître d'intelligence.
Mais j'ai tort, je l'avoue, et je raisonne mal;
Vous êtes trop aimé pour craindre un tel rival;
Vous n'avez qu'à paraître, et sans autre artifice,
Un coup d'œil détruira ce qu'il rend de service.

JASON

Qu'un si cruel reproche à mon cœur serait doux
S'il avait pu partir d'un sentiment jaloux,
Et si par cette injuſte et douteuse colère
Je pouvais m'assurer de ne vous pas déplaire!
Sans raison toutefois j'ose m'en défier;
Il ne me faut que vous pour me juſtifier.
Vous avez trop bien vu l'effet de vos mérites
Pour garder un soupçon de ce que vous me dites;
Et du change nouveau que vous me supposez
Vous me défendez mieux que vous ne m'accusez.
Si vous avez pour moi vu l'amour d'Hypsipyle,
Vous n'avez pas moins vu sa conſtance inutile :
Que ses plus doux attraits, pour qui j'avais brûlé,
N'ont rien que mon amour ne vous aye immolé;
Que toute sa beauté rehausse votre gloire,
Et que son sceptre même enfle votre victoire :
Ce sont des vérités que vous vous dites mieux,
Et j'ai tort de parler où vous avez des yeux.

MÉDÉE

Oui, j'ai des yeux, ingrat, meilleurs que tu ne penses,
Et vois jusqu'en ton cœur tes fausses préférences.
Hypsipyle à ma vue a reçu des mépris;
Mais quand je n'y suis plus, qu'eſt-ce que tu lui dis?
Explique, explique encor ce soupir tout de flamme
Qui vers ce cher objet poussait toute ton âme,
Et fais-moi concevoir jusqu'où vont tes malheurs

De soupirer pour elle et de prétendre ailleurs.
Redis-moi les raisons dont tu l'as apaisée,
Dont jusqu'à me braver tu l'as autorisée :
Qu'il te faut la toison pour revoir tes parents,
Qu'à ce prix je te plais, qu'à ce prix tu te vends.
Je tenais cher le don d'une amour si parfaite;
Mais puisque tu te vends, va chercher qui t'achète,
Perfide, et porte ailleurs cette vénale foi
Qu'obtiendrait ma rivale à même prix que moi.
Il est, il est encor des âmes toutes prêtes
A recevoir mes lois et grossir mes conquêtes;
Il est encor des rois dont je fais le désir;
Et si parmi tes Grecs il me plaît de choisir,
Il en est d'attachés à ma seule personne,
Qui n'ont jamais su l'art d'être à qui plus leur donne,
Qui trop contents d'un cœur dont tu fais peu de cas,
Méritent la toison qu'ils ne demandent pas,
Et que pour toi mon âme, hélas ! trop enflammée,
Aurait pu te donner, si tu m'avais aimée.

JASON

Ah ! si le pur amour peut mériter ce don,
A qui peut-il, Madame, être dû qu'à Jason?
Ce refus surprenant que vous m'avez vu faire,
D'une vénale ardeur n'est pas le caractère.
Le trône qu'à vos yeux j'ai traité de mépris
En serait pour tout autre un assez digne prix;
Et rejeter pour vous l'offre d'un diadème,
Si ce n'est vous aimer, j'ignore comme on aime.
Je ne me défends point d'une civilité
Que du bandeau royal voulait la majesté.
Abandonnant pour vous une reine si belle,
J'ai poussé par pitié quelques soupirs vers elle :
J'ai voulu qu'elle eût lieu de se dire en secret
Que je change par force et la quitte à regret;
Que satisfaite ainsi de son propre mérite,
Elle se consolât de tout ce qui l'irrite;
Et que l'appas flatteur de cette illusion
La vengeât un moment de sa confusion.
Mais quel crime ont commis ces compliments frivoles?
Des paroles enfin ne sont que des paroles;
Et quiconque possède un cœur comme le mien
Doit se mettre au-dessus d'un pareil entretien.

Je n'examine point, après votre menace,
Quelle foule d'amants brigue chez vous ma place.
Cent rois, si vous voulez, vous consacrent leurs vœux;
Je le crois; mais aussi je suis roi si je veux;
Et je n'avance rien touchant le diadème
Dont il faille chercher de témoins que vous-même.
Si par le choix d'un roi vous pouvez me punir,
Je puis vous imiter, je puis vous prévenir;
Et si je me bannis par là de ma patrie,
Un exil couronné peut faire aimer la vie.
Mille autres en ma place, au lieu de s'alarmer...

MÉDÉE

Eh bien ! je t'aimerai, s'il ne faut que t'aimer :
Malgré tous ces héros, malgré tous ces monarques,
Qui m'ont de leur amour donné d'illustres marques,
Malgré tout ce qu'ils ont et de cœur et de foi,
Je te préfère à tous, si tu ne veux que moi.
Fais voir, en renonçant à ta chère patrie,
Qu'un exil avec moi peut faire aimer la vie,
Ose prendre à ce prix le nom de mon époux.

JASON

Oui, Madame, à ce prix tout exil m'est trop doux,
Mais je veux être aimé, je veux pouvoir le croire;
Et vous ne m'aimez pas, si vous n'aimez ma gloire.
L'ordre de mon destin l'attache à la toison :
C'est d'elle que dépend tout l'honneur de Jason.
Ah ! si le ciel l'eût mise au pouvoir d'Hypsipyle,
Que j'en aurais trouvé la conquête facile !
Ma passion pour vous a beau l'abandonner,
Elle m'offre encor tout ce qu'elle peut donner;
Malgré mon inconstance, elle aime sans réserve.

MÉDÉE

Et moi, je n'aime point, à moins que je te serve?
Cherche un autre prétexte à lui rendre ta foi;
J'aurai soin de ta gloire aussi bien que de toi.
Si ce noble intérêt te donne tant d'alarmes,
Tiens, voilà de quoi vaincre et taureaux et gensdarmes;
Laisse à tes compagnons combattre le dragon :
Ils veulent comme toi leur part à la toison;
Et comme ainsi qu'à toi la gloire leur est chère,

Ils ne sont pas ici pour te regarder faire.
Zéthès et Calaïs, ces héros emplumés,
Qu'aux routes des oiseaux leur naissance a formés,
Y préparent déjà leurs ailes enhardies
D'avoir pour coup d'essai triomphé des Harpies;
Orphée avec ses chants se promet le bonheur
D'assoupir...

JASON

Ah ! Madame, ils auront tout l'honneur,
Ou du moins j'aurais part moi-même à leur défaite,
Si je laisse comme eux la conquête imparfaite :
Il me la faut entière; et je veux vous devoir...

MÉDÉE

Va, laisse quelque chose, ingrat, en mon pouvoir;
J'en ai déjà trop fait pour une âme infidèle.
Adieu. Je vois ma sœur : délibère avec elle;
Et songe qu'après tout ce cœur que je te rends,
S'il accepte un vainqueur, ne veut point de tyrans;
Que s'il aime ses fers, il hait tout esclavage;
Qu'on perd souvent l'acquis à vouloir davantage;
Qu'il faut subir la loi de qui peut obliger;
Et que qui veut un don ne doit pas l'exiger.
Je ne te dis plus rien : va rejoindre Hypsipyle,
Va reprendre auprès d'elle un destin plus tranquille;
Ou si tu peux, volage, encor la dédaigner,
Choisis en d'autres lieux qui te fasse régner.
Je n'ai pour t'acheter sceptres ni diadèmes;
Mais telle que je suis, crains-moi, si tu ne m'aimes.

SCÈNE V

JUNON, JASON, L'AMOUR
L'Amour est dans le ciel de Vénus.

JUNON

A bien l'examiner l'éclat de ce grand bruit,
Hypsipyle vous sert plus qu'elle ne vous nuit.
Ce n'est pas qu'après tout ce courroux ne m'étonne :
Médée à sa fureur un peu trop s'abandonne.

L'Amour tient assez mal ce qu'il m'avait promis,
Et peut-être avez-vous trop de dieux ennemis.
Tous veulent à l'envi faire la destinée
Dont se doit signaler cette grande journée :
Tous se sont assemblés exprès chez Jupiter,
Pour en résoudre l'ordre, ou pour le contester;
Et je vous plains, si ceux qui daignaient vous défendre,
Au plus nombreux parti sont forcés de se rendre.
Le ciel s'ouvre, et pourra nous donner quelque jour :
C'est celui de Vénus, j'y vois encor l'Amour;
Et puisqu'il n'en est pas, toute cette assemblée
Par sa rébellion pourra se voir troublée.
Il veut parler à nous : écoutez quel appui
Le trouble où je vous vois peut espérer de lui.

Le ciel s'ouvre et fait voir le palais de Vénus, composé de Termes à face humaine et revêtus de gazes d'or, qui lui servent de colonnes; le lambris n'en est pas moins riche. L'Amour y paraît seul; et sitôt qu'il a parlé, il s'élance en l'air, et traverse le théâtre en volant, non pas d'un côté à l'autre, comme se font les vols ordinaires, mais d'un bout à l'autre, en tirant vers les spectateurs; ce qui n'a point encore été pratiqué en France de cette manière.

L'AMOUR

Cessez de m'accuser, soupçonneuse déesse;
Je sais tenir promesse :
C'est en vain que les Dieux s'assemblent chez leur roi;
Je vais bien leur faire connaître
Que je suis, quand je veux, leur véritable maître,
Et que de ce grand jour le destin est à moi.
Toi, si tu sais aimer, ne crains rien de funeste;
Obéis à Médée, et j'aurai soin du reste.

JUNON

Ces favorables mots vous ont rendu le cœur.

JASON

Mon espoir abattu reprend d'eux sa vigueur.
Allons, Déesse, allons, et sûrs de l'entreprise,
Reportons à Médée une âme plus soumise.

JUNON

Allons, je veux encor seconder vos projets,
Sans remonter au ciel qu'après leurs pleins effets.

ACTE V

DÉCORATION DU CINQUIÈME ACTE

Ce dernier spectacle présente à la vue une forêt épaisse, composée de divers arbres entrelacés ensemble, et si touffus, qu'il est aisé de juger que le respect qu'on porte au dieu Mars, à qui elle est consacrée, fait qu'on n'ose en couper aucune branche, ni même brosser[7] au travers : les trophées d'armes appendus au haut de la plupart de ces arbres marquent encore plus particulièrement qu'elle appartient à ce dieu. La toison d'or est sur le plus élevé, qu'on voit seul de son rang, au milieu de cette forêt ; et la perspective du fond fait paraître en éloignement la rivière du Phase, avec le navire Argo, qui semble n'attendre plus que Jason et sa conquête pour partir.

SCÈNE PREMIÈRE

ABSYRTE, HYPSIPYLE

ABSYRTE

VOILA ce prix fameux où votre ingrat aspire,
Ce gage où les destins attachent notre empire,
Cette toison enfin, dont Mars est si jaloux :
Chacun impunément la peut voir comme nous;
Ce monstrueux dragon, dont les fureurs la gardent,
Semble exprès se cacher aux yeux qui la regardent;
Il laisse agir sans crainte un curieux désir,
Et ne fond que sur ceux qui s'en veulent saisir.
Lors, d'un cri qui suffit à punir tout leur crime,
Sous leur pied téméraire il ouvre un noir abîme,
A moins qu'on n'ait déjà mis au joug nos taureaux,
Et fait mordre la terre aux escadrons nouveaux
Que des dents d'un serpent la semence animée
Doit opposer sur l'heure à qui l'aura semée :
Sa voix perdant alors cet effroyable éclat,

Contre les ravisseurs le réduit au combat.
Telles furent les lois que Circé par ses charmes
Sut faire à ce dragon, aux taureaux, aux gensdarmes.
Circé, sœur de mon père, et fille du Soleil,
Circé, de qui ma sœur tient cet art sans pareil
Dont tantôt à vous perdre eût abusé sa rage,
Si ce peu que du ciel j'en eus pour mon partage,
Et que je vous consacre aussi bien que mes jours,
Par le milieu des airs n'eût porté du secours.

HYPSIPYLE

Je n'oublierai jamais que sa jalouse envie
Se fût sans vos bontés sacrifié ma vie;
Et pour dire encor plus, ce penser m'est si doux,
Que si j'étais à moi, je voudrais être à vous.
Mais un reste d'amour retient dans l'impuissance
Ces sentiments d'estime et de reconnaissance.
J'ai peine, je l'avoue, à me le pardonner;
Mais enfin je dois tout, et n'ai rien à donner.
Ce qu'à vos yeux surpris Jason m'a fait d'outrage
N'a pas encor rompu cette foi qui m'engage;
Et malgré les mépris qu'il en montre aujourd'hui,
Tant qu'il peut être à moi, je suis encore à lui.
Mon espoir chancelant dans mon âme inquiète
Ne veut pas lui prêter l'exemple qu'il souhaite,
Ni que cet infidèle ait de quoi se vanter
Qu'il ne se donne ailleurs qu'afin de m'imiter.
Pour changer avec gloire il faut qu'il me prévienne,
Que sa foi violée ait dégagé la mienne,
Et que l'hymen ait joint aux mépris qu'il en fait
D'un entier changement l'irrévocable effet.
Alors par son parjure à moi-même rendue,
Mes sentiments d'estime auront plus d'étendue;
Et dans la liberté de faire un second choix,
Je saurai mieux penser à ce que je vous dois.

ABSYRTE

Je ne sais si ma sœur voudra prendre assurance
Sur des serments trompeurs que rompt son inconstance;
Mais je suis sûr qu'à moins qu'elle rompe son sort,
Ce que ferait l'hymen vous l'aurez par sa mort.
Il combat nos taureaux, et telle est leur furie,
Qu'il faut qu'il y périsse, ou lui doive la vie.

HYPSIPYLE

Il combat vos taureaux ! Ah ! que me dites-vous?

ABSYRTE

Qu'il n'en peut plus sortir que mort, ou son époux.

HYPSIPYLE

Ah ! Prince, votre sœur peut croire encor qu'il m'aime,
Et sur ce faux soupçon se venger elle-même.
Pour bien rompre le coup d'un malheur si pressant,
Peut-être que son art n'est pas assez puissant :
De grâce en ma faveur joignez-y tout le vôtre;
Et si...

ABSYRTE

Quoi? vous voulez qu'il vive pour une autre?

HYPSIPYLE

Oui, qu'il vive, et laissons tout le reste au hasard.

ABSYRTE

Ah ! Reine, en votre cœur il garde trop de part;
Et s'il faut vous parler avec une âme ouverte,
Vous montrez trop d'amour pour empêcher sa perte.
Votre rivale et moi nous en sommes d'accord;
A moins que vous m'aimiez, votre Jason est mort.
Ma sœur n'a pas pour vous un sentiment si tendre,
Qu'elle aime à le sauver afin de vous le rendre;
Et je ne suis pas homme à servir mon rival,
Quand vous rendez pour moi mon secours si fatal.
Je ne le vois que trop, pour prix de mes services
Vous destinez mon âme à de nouveaux supplices.
C'est m'immoler à lui que de le secourir;
Et lui sauver le jour, c'est me faire périr.
Puisqu'il faut qu'un des deux cesse aujourd'hui de vivre,
Je vais hâter sa perte, où lui-même il se livre;
Je veux bien qu'on l'impute à mon dépit jaloux;
Mais vous, qui m'y forcez, ne l'imputez qu'à vous.

HYPSIPYLE

Ce reste d'intérêt que je prends à sa vie
Donne trop d'aigreur, Prince, à votre jalousie.
Ce qu'on a bien aimé l'on ne peut le haïr

Jusqu'à le vouloir perdre, ou jusqu'à le trahir.
Ce vif ressentiment qu'excite l'inconstance
N'emporte pas toujours jusques à la vengeance;
Et quand même on la cherche, il arrive souvent
Qu'on plaint mort un ingrat qu'on détestait vivant.
Quand je me défendais sur la foi qui m'engage,
Je voulais à vos feux épargner cet ombrage;
Mais puisque le péril a fait parler l'amour,
Je veux bien qu'il éclate et se montre en plein jour.
Oui, j'aime encor Jason, et l'aimerai sans doute
Jusqu'à l'hymen fatal que ma flamme redoute,
Je regarde son cœur encor comme mon bien,
Et donnerais encor tout mon sang pour le sien.
Vous m'aimez, et j'en suis assez persuadée,
Pour me donner à vous, s'il se donne à Médée;
Mais si par jalousie ou par raison d'État,
Vous le laissez tous deux périr dans ce combat,
N'attendez rien de moi que ce qu'ose la rage
Quand elle est une fois maîtresse d'un courage,
Que les pleines fureurs d'un désespoir d'amour.
Vous me faites trembler, tremblez à votre tour :
Prenez soin de sa vie, ou perdez cette reine;
Et si je crains sa mort, craignez aussi ma haine.

SCÈNE II

AÆTE, ABSYRTE, HYPSIPYLE

AÆTE

Ah ! Madame, est-ce là cette fidélité
Que vous gardez aux droits de l'hospitalité?
Quand pour vous je m'oppose aux destins de ma fille,
A l'espoir de mon fils, aux vœux de ma famille,
Quand je presse un héros de vous rendre sa foi,
Vous prêtez à son bras des charmes contre moi;
De sa témérité vous vous faites complice
Pour renverser un trône où je vous fais justice :
Comme si c'était peu de posséder Jason,
Si pour don nuptial il n'avait la toison;
Et que sa foi vous fût indignement offerte,
A moins que son destin éclatât par ma perte !

HYPSIPYLE

Je ne sais pas, Seigneur, à quel point vous réduit
Cette témérité de l'ingrat qui me fuit;
Mais je sais que mon cœur ne joint à son envie
Qu'un timide souhait en faveur de sa vie;
Et que si je savais ce grand art de charmer,
Je ne m'en servirais que pour m'en faire aimer.

AÆTE

Ah ! je n'ai que trop cru vos plaintes ajustées
A des illusions entre vous concertées;
Et les dehors trompeurs d'un dédain préparé
N'ont que trop ébloui mon œil mal éclairé.
Oui, trop d'ardeur pour vous et trop peu de lumière
M'ont conduit en aveugle à ma ruine entière.
Ce pompeux appareil que soutenaient les vents,
Ces tritons tout autour rangés comme suivants,
Montraient bien qu'en ces lieux vous n'étiez abordée
Que par un art plus fort que celui de Médée.
D'un naufrage affecté l'histoire sans raison
Déguisait le secours amené pour Jason;
Et vos pleurs ne semblaient m'en demander vengeance
Que pour mieux faire place à votre intelligence.

HYPSIPYLE

Que ne sont vos soupçons autant de vérités,
Et que ne puis-je ici ce que vous m'imputez !

ABSYRTE

Qu'a fait Jason, Seigneur, et quel mal vous menace,
Quand nous voyons encor la toison en sa place?

AÆTE

Nos taureaux sont domptés, nos gensdarmes défaits,
Absyrte : après cela crains les derniers effets.

ABSYRTE

Quoi? son bras...

AÆTE

Oui, son bras, secondé par ses charmes,
A dompté nos taureaux et défait nos gensdarmes :

Juge si le dragon pourra faire plus qu'eux !
Ils ont poussé d'abord de gros torrents de feux;
Ils l'ont enveloppé d'une épaisse fumée,
Dont sur toute la plaine une nuit s'est formée;
Mais après ce nuage en l'air évaporé,
On les a vus au joug et le champ labouré :
Lui, sans aucun effroi, comme maître paisible,
Jetait dans les sillons cette semence horrible,
D'où s'élève aussitôt un escadron armé,
Par qui de tous côtés il se trouve enfermé.
Tous n'en veulent qu'à lui; mais son âme plus fière
Ne daigne contre eux tous s'armer que de poussière.
A peine il la répand, qu'une commune erreur
D'eux tous, l'un contre l'autre anime la fureur;
Ils s'entr'immolent tous au commun adversaire :
Tous pensent le percer, quand ils percent leurs frères;
Leur sang partout regorge, et Jason au milieu
Reçoit ce sacrifice en posture d'un dieu;
Et la terre, en courroux de n'avoir pu lui nuire,
Rengloutit l'escadron qu'elle vient de produire.
On va bientôt, Madame, achever à vos yeux
Ce qu'ébauche par là votre abord en ces lieux.
Soit Jason, soit Orphée, ou les fils de Borée,
Ou par eux ou par lui ma perte est assurée;
Et l'on va faire hommage à votre heureux secours
Du destin de mon sceptre et de mes tristes jours.

HYPSIPYLE

Connaissez mieux, Seigneur, la main qui vous offense;
Et lorsque je perds tout, laissez-moi l'innocence.
L'ingrat qui me trahit est secouru d'ailleurs.
Ce n'est que de chez vous que partent vos malheurs,
Chez vous en est la source; et Médée elle-même
Rompt son art par son art, pour plaire à ce qu'elle aime.

ABSYRTE

Ne l'en accusez point, elle hait trop Jason.
De sa haine, Seigneur, vous savez la raison :
La toison préférée aigrit trop son courage
Pour craindre qu'il en tienne un si grand avantage;
Et si contre son art ce prince a réussi,
C'est qu'on le sait en Grèce autant ou plus qu'ici.

AÆTE

Ah ! que tu connais mal jusqu'à quelle manie
D'un amour déréglé passe la tyrannie !
Il n'est rang, ni pays, ni père, ni pudeur,
Qu'épargne de ses feux l'impérieuse ardeur.
Jason plut à Médée, et peut encor lui plaire;
Peut-être es-tu toi-même ennemi de ton père,
Et consens que ta sœur, par ce présent fatal,
S'assure d'un amant qui serait ton rival.
Tout mon sang révolté trahit mon espérance :
Je trouve ma ruine où fut mon assurance;
Le destin ne me perd que par l'ordre des miens,
Et mon trône est brisé par ses propres soutiens.

ABSYRTE

Quoi? Seigneur, vous croiriez qu'une action si noire...

AÆTE

Je sais ce qu'il faut craindre, et non ce qu'il faut croire.
Dans cette obscurité tout me devient suspect :
L'amour aux droits du sang garde peu de respect.
Ce même amour d'ailleurs peut forcer cette reine
A répondre à nos soins par des effets de haine;
Et Jason peut avoir lui-même en ce grand art
Des secrets dont le ciel ne nous fit point de part.
Ainsi, dans les rigueurs de mon sort déplorable,
Tout peut être innocent, tout peut être coupable :
Je ne cherche qu'en vain à qui les imputer;
Et, ne discernant rien, j'ai tout à redouter.

HYPSIPYLE

La vérité, Seigneur, se va faire connaître :
A travers ces rameaux je vois venir mon traître.

SCÈNE III

AÆTE, ABSYRTE, HYPSIPYLE, JASON, ORPHÉE, ZÉTHÈS, CALAÏS

HYPSIPYLE

Parlez, parlez, Jason; dites sans feinte au Roi

Qui vous seconde ici de Médée ou de moi :
Dites, est-ce elle ou moi qui contre lui conspire?
Est-ce pour elle ou moi que votre cœur soupire?

JASON

La demande est, Madame, un peu hors de saison :
Je vous y répondrai quand j'aurai la toison.
Seigneur, sans différer permettez que j'achève;
La gloire où je prétends ne souffre point de trêve;
Elle veut que du ciel je presse le secours,
Et ce qu'il m'en promet ne descend pas toujours.

AÆTE

Hâtez à votre gré ce secours de descendre;
Mais encore une fois gardez de vous méprendre.

JASON

Par ce qu'ont vu vos yeux jugez ce que je puis :
Tout me paraît facile en l'état où je suis;
Et si la force enfin répond mal au courage,
Il en est parmi nous qui peuvent davantage.
Souffrez donc que l'ardeur dont je me sens brûler…

SCÈNE IV

AÆTE, ABSYRTE, HYPSIPYLE, MÉDÉE, JASON,
ORPHÉE, ZÉTHÈS, CALAÏS

MÉDÉE, *sur le dragon, élevée en l'air à la hauteur d'un homme.*

Arrête, déloyal, et laisse-moi parler :
Que je rende un plein lustre à ma gloire ternie
Par l'outrageux éclat que fait la calomnie.
Qui vous l'a dit, Madame, et sur quoi fondez-vous
Ces dignes visions de votre esprit jaloux?
Si Jason entre nous met quelque différence
Qui flatte malgré moi sa crédule espérance,
Faut-il sur votre exemple aussitôt présumer
Qu'on n'en peut être aimée et ne le pas aimer?
Connaissez mieux Médée, et croyez-la trop vaine

Pour vouloir d'un captif marqué d'une autre chaîne.
Je ne puis empêcher qu'il vous manque de foi,
Mais je vaux bien un cœur qui n'ait aimé que moi;
Et j'aurai soutenu des revers bien funestes
Avant que je me daigne enrichir de vos restes.

HYPSIPYLE

Puissiez-vous conserver ces nobles sentiments !

MÉDÉE

N'en croyez plus, Seigneur, que les événements.
Ce ne sont plus ici ces taureaux, ces gensdarmes
Contre qui son audace a pu trouver des charmes :
Ce n'est point le dragon dont il est menacé;
C'est Médée elle-même, et tout l'art de Circé.
Fidèle gardien des destins de ton maître,
Arbre, que tout exprès mon charme avait fait naître,
Tu nous défendrais mal contre ceux de Jason;
Retourne en ton néant, et rends-moi la toison.
(Elle prend la toison en sa main, et la met sur le col du dragon. L'arbre où elle était suspendue disparaît, et se retire derrière le théâtre, après quoi Médée continue en parlant à Jason.)
Ce n'est qu'avec le jour qu'elle peut m'être ôtée.
Viens donc, viens, téméraire, elle est à ta portée;
Viens teindre de mon sang cet or qui t'est si cher,
Qu'à travers tant de mers on te force à chercher.
Approche, il n'est plus temps que l'amour te retienne :
Viens m'arracher la vie, ou m'apporter la tienne;
Et sans perdre un moment en de vains entretiens,
Voyons qui peut le plus de tes dieux ou des miens.

AÆTE

A ce digne courroux je reconnais ma fille[8] :
C'est mon sang dans ses yeux, c'est son aïeul qui brille;
C'est le Soleil mon père. Avancez donc, Jason,
Et sur cette ennemie emportez la toison.

JASON

Seigneur, contre ses yeux qui voudrait se défendre?
Il ne faut point combattre où l'on aime à se rendre.
Oui, Madame, à vos pieds je mets les armes bas,
J'en fais un prompt hommage à vos divins appas,

Et renonce avec joie à ma plus haute gloire.
S'il faut par ce combat acheter la victoire,
Je l'abandonne. Orphée, aux charmes de ta voix,
Qui traîne les rochers, qui fait marcher les bois,
Assoupis le dragon, enchante la Princesse.
Et vous, héros ailés, ménagez votre adresse :
Si pour cette conquête il vous reste du cœur,
Tournez sur le dragon toute votre vigueur.
Je vais dans le navire attendre une défaite,
Qui vous fera bientôt imiter ma retraite.

ZÉTHÈS

Montrez plus d'espérance, et souvenez-vous mieux
Que nous avons dompté des monstres à vos yeux.

SCÈNE V

AÆTE, ABSYRTE, HYPSIPYLE, MÉDÉE,
ZÉTHÈS, CALAÏS, ORPHÉE

CALAÏS

Élevons-nous, mon frère, au-dessus des nuages :
Du sang dont nous sortons prenons les avantages;
Surtout obéissons aux ordres de Jason :
Respectons la Princesse, et donnons au dragon.

Ici Zéthès et Calaïs s'élèvent au plus haut des nuages en croisant leur vol.

MÉDÉE, *en s'élevant aussi.*

Donnez où vous pourrez; ce vain respect m'outrage :
Du sang dont vous sortez prenez tout l'avantage.
Je vais voler moi-même au-devant de vos coups,
Et n'avais que Jason à craindre parmi vous.
Et toi, de qui la voix inspire l'âme aux arbres,
Enchaîne les lions, et déplace les marbres,
D'un pouvoir si divin fais un meilleur emploi :
N'en détruis point la force à l'essayer sur moi.
Mais je n'en parle ainsi que de peur que ses charmes
Ne prêtent un miracle à l'effort de leurs armes.
Ne m'en crois pas, Orphée, et prends l'occasion
De partager leur gloire ou leur confusion.

ORPHÉE, *chante.*

Hâtez-vous, enfants de Borée,
Demi-dieux, hâtez-vous,
Et faites voir qu'en tous lieux, contre tous,
A vos exploits la victoire assurée
Suit l'effort de vos moindres coups.

MÉDÉE, *voyant qu'aucun des deux ne descend pour la combattre.*

Vos demi-dieux, Orphée, ont peine à vous entendre :
Ils ont volé si haut qu'ils n'en peuvent descendre;
De ce nuage épais sachez les dégager,
Et pratiquez mieux l'art de les encourager.

ORPHÉE

(Il chante le second couplet cependant que Zéthès et Calaïs fondent l'un après l'autre sur le dragon, et le combattent au milieu de l'air. Ils se relèvent aussitôt qu'ils ont tâché de lui donner une atteinte, et tournent face en même temps pour revenir à la charge. Médée est au milieu des deux, qui pare leurs coups, et fait tourner le dragon vers l'un et vers l'autre, suivant qu'ils se présentent.)

Combattez, race d'Orythie,
Demi-dieux, combattez,
Et faites voir que vos bras indomptés
Se font partout une heureuse sortie
Des périls les plus redoutés.

ZÉTHÈS

Fuyons, sans plus tarder, la vapeur infernale
Que ce dragon affreux de son gosier exhale :
La valeur ne peut rien contre un air empesté.
Fais comme nous, Orphée, et fuis de ton côté.

Zéthès, Calaïs et Orphée s'enfuient.

MÉDÉE

Allez, vaillants guerriers, envoyez-moi Pélée,
Mopse, Iphite, Échion, Eurydamas, Oilée,
Et tout ce reste enfin pour qui votre Jason
Avec tant de chaleur demandait la toison.
Aucun d'eux ne paraît ! ces âmes intrépides
Règlent sur mes vaincus leurs démarches timides;
Et malgré leur ardeur pour un exploit si beau,

Leur effroi les renferme au fond de leur vaisseau.
Ne laissons pas ainsi la victoire imparfaite :
Par le milieu des airs, courons à leur défaite;
Et nous-même portons à leur témérité
Jusque dans ce vaisseau ce qu'elle a mérité.

Médée s'élève encore plus haut sur le dragon.

AÆTE

Que fais-tu? la toison ainsi que toi s'envole!
Ah! perfide, est-ce ainsi que tu me tiens parole,
Toi qui me promettais, même aux yeux de Jason,
Qu'on t'ôterait le jour avant que la toison?

MÉDÉE, *en s'envolant.*

Encor tout de nouveau je vous en fais promesse,
Et vais vous la garder au milieu de la Grèce.
Du pays et du sang l'amour rompt les liens,
Et les dieux de Jason sont plus forts que les miens.
Ma sœur avec ses fils m'attend dans le navire;
Je la suis, et ne fais que ce qu'elle m'inspire;
De toutes deux, Madame ici vous tiendra lieu.
Consolez-vous, Seigneur, et pour jamais adieu.

Elle s'envole avec la toison.

SCÈNE VI

AÆTE, ABSYRTE, HYPSIPYLE, JUNON

AÆTE

Ah! Madame; ah! mon fils; ah! sort inexorable.
Est-il sur terre un père, un roi plus déplorable?
Mes filles toutes deux contre moi se ranger!
Toutes deux à ma perte à l'envi s'engager!

JUNON, *dans son char.*

On vous abuse, Aæte; et Médée elle-même,
Dans l'amour qui la force à suivre ce qu'elle aime,
S'abuse comme vous.
Chalciope n'a point de part en cet ouvrage:

Dans un coin du jardin sous un épais nuage,
Je l'enveloppe encor d'un sommeil assez doux,
Cependant qu'en sa place ayant pris son visage,
Dans l'esprit de sa sœur j'ai porté les grands coups
Qui donnent à Jason ce dernier avantage.
Junon a tout fait seule; et je remonte aux cieux
Presser le souverain des Dieux
D'approuver ce qu'il m'a plu faire.
Mettez votre esprit en repos;
Si le destin vous est contraire
Lemnos peut réparer la perte de Colchos.

Junon remonte au ciel dans ce même char.

AÆTE

Qu'ai-je fait, que le ciel contre moi s'intéresse
Jusqu'à faire descendre en terre une déesse?

ABSYRTE

La désavouerez-vous, Madame, et votre cœur
Dédira-t-il sa voix qui parle en ma faveur?

AÆTE

Absyrte, il n'est plus temps de parler de ta flamme.
Qu'as-tu pour mériter quelque part en son âme?
Et que lui peut offrir ton ridicule espoir,
Qu'un sceptre qui m'échappe, un trône prêt à choir?
Ne songeons qu'à punir le traître et sa complice.
Nous aurons dieux pour dieux à nous faire justice;
Et déjà le Soleil, pour nous prêter secours,
Fait ouvrir son palais, et détourne son cours.

Le ciel s'ouvre, et fait paraître le palais du Soleil, où l'on le voit dans son char tout brillant de lumière s'avancer vers les spectateurs, et sortant de ce palais, s'élever en haut pour parler à Jupiter, dont le palais s'ouvre aussi quelques moments après. Ce maître des Dieux y paraît sur son trône, avec Junon à son côté. Ces trois théâtres, qu'on voit tout à la fois, font un spectacle tout à fait agréable et majestueux. La sombre verdure de la forêt épaisse, qui occupe le premier, relève d'autant plus la clarté des deux autres, par l'opposition de ses ombres. Le palais du Soleil, qui fait le second, a ses colonnes toutes d'oripeau, et son lambris doré, avec divers grands feuillages à l'arabesque. Le rejaillissement des lumières qui portent sur ces dorures produit un jour merveilleux, qu'augmente celui qui sort du trône de Jupiter, qui n'a pas moins d'ornement. Ses marches ont aux deux bouts et au milieu des aigles d'or, entre lesquelles on voit peintes en basse-taille toutes les amours de ce dieu. Les deux côtés font voir chacun un rang de piliers enrichis de diverses pierres précieuses, environnées chacune d'un cercle ou d'un carré d'or. Au haut de ces piliers sont d'autres grandes aigles d'or qui soutiennent de leur bec le plafond de ce palais, composé de riches étoffes de diverses couleurs, qui font comme autant de courtines, dont les aigles laissent pendre les bouts en forme d'écharpe. Jupiter a un autre grand aigle à ses pieds, qui porte son foudre; et Junon est à sa gauche, avec un paon aussi à ses pieds, de grandeur et de couleur naturelles.

SCÈNE VII

LE SOLEIL, JUPITER, JUNON, AÆTE,
HYPSIPYLE, ABSYRTE

AÆTE

Ame de l'univers, auteur de ma naissance,
Dont nous voyons partout éclater la puissance,
Souffriras-tu qu'un roi qui tient de toi le jour
Soit lâchement trahi par un indigne amour?
A ces Grecs vagabonds refuse ta lumière,
De leurs climats chéris détourne ta carrière,
N'éclaire point leur fuite après qu'ils m'ont détruit,
Et répands sur leur route une éternelle nuit.
Fais plus, montre-toi père; et pour venger ta race,
Donne-moi tes chevaux à conduire en ta place;
Prête-moi de tes feux l'éclat étincelant,
Que j'embrase leur Grèce avec ton char brûlant;
Que d'un de tes rayons lançant sur eux le foudre,
Je les réduise en cendre, et leur butin en poudre;
Et que par mon courroux leur pays désolé
Ait horreur à jamais du bras qui m'a volé.
Je vois que tu m'entends, et ce coup d'œil m'annonce
Que ta bonté m'apprête une heureuse réponse.

Parle donc, et fais voir aux destins ennemis
De quelle ardeur tu prends les intérêts d'un fils.

LE SOLEIL

Je plains ton infortune, et ne puis davantage :
Un noir destin s'oppose à tes justes desseins,
Et, depuis Phaéton, ce brillant attelage
Ne peut passer en d'autres mains :
Sous un ordre éternel qui gouverne ma route,
Je dispense en esclave et les nuits et les jours.
Mais enfin ton père t'écoute,
Et joint ses vœux aux tiens pour un plus fort secours.

(Ici s'ouvre le ciel de Jupiter, et le Soleil continue en lui adressant sa parole.)

Maître absolu des destinées,
Change leurs dures lois en faveur de mon sang,
Et laisse-lui garder son rang
Parmi les têtes couronnées.
C'est toi qui règles les États,
C'est toi qui dépars les couronnes;
Et quand le sort jaloux met un monarque à bas,
Il détruit ton ouvrage, et fait des attentats
Qui dérobent ce que tu donnes.

JUNON

Je ne mets point d'obstacle à de si justes vœux;
Mais laissez ma puissance entière;
Et si l'ordre du sort se rompt à sa prière,
D'un hymen que j'ai fait ne rompez pas les nœuds.
Comme je ne veux point détruire son Aæte,
Ne détruisez pas mes héros :
Assurez à ses jours gloire, sceptre, repos;
Assurez-lui tous les biens qu'il souhaite;
Mais de la même main assurez à Jason
Médée et la toison.

JUPITER

Des arrêts du destin l'ordre est invariable,
Rien ne saurait le rompre en faveur de ton fils,
Soleil; et ce trésor surpris
Lui rend de ses États la perte inévitable.

Mais la même légèreté
Qui donne Jason à Médée
Servira de supplice à l'infidélité
Où pour lui contre un père elle s'est hasardée.
Persès dans la Scythie arme un bras souverain;
Sitôt qu'il paraîtra, quittez ces lieux, Aæte,
Et par une prompte retraite,
Épargnez tout le sang qui coulerait en vain.
De Lemnos faites votre asile;
Le ciel veut qu'Hypsipyle
Réponde aux vœux d'Absyrte, et qu'un sceptre dotal
Adoucisse le cours d'un peu de temps fatal.
Car enfin de votre perfide
Doit sortir un Médus qui vous doit rétablir :
A rentrer dans Colchos il sera votre guide;
Et mille grands exploits qui doivent l'ennoblir,
Feront de tous vos maux les assurés remèdes,
Et donneront naissance à l'empire des Mèdes.

Le palais de Jupiter et celui du Soleil se referment.

LE SOLEIL

Ne vous permettez plus d'inutiles soupirs,
Puisque le ciel répare et venge votre perte,
Et qu'une autre couronne offerte
Ne peut plus vous souffrir de justes déplaisirs.
Adieu. J'ai trop longtemps détourné ma carrière,
Et trop perdu pour vous en ces lieux de moments
Qui devaient ailleurs ma lumière.
Allez, heureux amants,
Pour qui Jupiter montre une faveur entière,
Hâtez-vous d'obéir à ses commandements.

Il disparaît en baissant, comme pour fondre dans la mer.

HYPSIPYLE

J'obéis avec joie à tout ce qu'il m'ordonne :
Un prince si bien né vaut mieux qu'une couronne.
Sitôt que je le vis, il en eut mon aveu,
Et ma foi pour Jason nuisait seule à son feu;
Mais à présent, Seigneur, cette foi dégagée...

Aæte

Ah ! Madame, ma perte est déjà trop vengée,
Et vous faites trop voir comme un cœur généreux
Se plaît à relever un destin malheureux.
Allons ensemble, allons sous de si doux auspices
Préparer à demain de pompeux sacrifices,
Et par nos vœux unis répondre au doux espoir
Que daigne un Dieu si grand nous faire concevoir.

SERTORIUS

TRAGÉDIE

AU LECTEUR[1]

Ne cherchez point dans cette tragédie les agréments qui sont en possession de faire réussir au théâtre les poëmes de cette nature : vous n'y trouverez ni tendresses d'amour, ni emportements de passions, ni descriptions pompeuses, ni narrations pathétiques. Je puis dire toutefois qu'elle n'a point déplu, et que la dignité des noms illustres, la grandeur de leurs intérêts, et la nouveauté de quelques caractères, ont suppléé au manque de ces grâces. Le sujet est simple et du nombre de ces événements connus, où il ne nous est pas permis de rien changer, qu'autant que la nécessité indispensable de les réduire dans la règle nous force d'en resserrer les temps et les lieux. Comme il ne m'a fourni aucune femme, j'ai été obligé de recourir à l'invention pour en introduire deux, assez compatibles l'une et l'autre avec les vérités historiques à qui je me suis attaché. L'une a vécu de ce temps-là; c'est la première femme de Pompée, qu'il répudia pour entrer dans l'alliance de Sylla par le mariage d'Emilie, fille de sa femme. Ce divorce est constant par le rapport de tous ceux qui ont écrit la vie de Pompée, mais aucun d'eux ne nous apprend ce que devint cette malheureuse, qu'ils appellent tous Antistie, à la réserve d'un Espagnol, évêque de Gironne qui lui donne le nom d'Aristie, que j'ai préféré, comme plus doux à l'oreille. Leur silence m'ayant laissé liberté entière de lui faire un refuge, j'ai cru ne lui en pouvoir choisir un avec plus de vraisemblance que chez les ennemis de ceux qui l'avaient outragée : cette retraite en a d'autant plus, qu'elle produit un effet véritable par les lettres des principaux de Rome que je lui fais porter à Sertorius, et que Perpenna remit entre les mains de Pompée, qui en usa comme je le marque. L'autre femme est une pure idée de mon esprit, mais qui ne laisse pas d'avoir aussi quelque fondement dans l'histoire. Elle nous apprend que les Lusitaniens appelèrent Sertorius d'Afrique pour être leur chef contre le parti de Sylla; mais elle ne nous dit point s'ils étaient en république, ou sous une monarchie. Il n'y a donc rien qui répugne à leur donner une reine; et je ne la pouvais faire sortir d'un sang plus considérable que celui de Viriatus, dont je lui fais porter le nom, le plus grand homme que l'Espagne ait opposé aux Romains, et le dernier qui leur ait fait tête dans ces provinces avant Sertorius. Il n'était pas roi en effet, mais il en avait toute l'autorité; et les préteurs et consuls que Rome envoya pour le combattre, et qu'il défit souvent, l'estimèrent assez pour faire des traités de paix avec lui, comme avec un souverain et juste ennemi. Sa mort arriva soixante et huit ans avant celle que je traite; de sorte qu'il aurait pu être aïeul ou bisaïeul de cette reine que je fais parler ici.

Il fut défait par le consul Q. Servilius, et non par Brutus, comme je l'ai fait dire à cette princesse, sur la foi de cet évêque espagnol que je viens de citer, et qui m'a jeté dans l'erreur après lui. Elle eſt aisée à corriger par le changement d'un mot dans ce vers unique qui en parle, et qu'il faut rétablir ainsi :

Et de Servilius l'aſtre prédominant.

Je sais bien que Sylla, dont je parle tant dans ce poëme, était mort six ans avant Sertorius; mais à le prendre à la rigueur, il eſt permis de presser les temps pour faire l'unité de jour, et pourvu qu'il n'y aye point d'impossibilité formelle, je puis faire arriver en six jours, voire en six heures, ce qui s'eſt passé en six ans. Cela posé, rien n'empêche que Sylla ne meure avant Sertorius, sans rien détruire de ce que je dis ici, puisqu'il a pu mourir depuis qu'Arcas eſt parti de Rome pour apporter la nouvelle de la démission de sa dictature : ce qu'il fait en même temps que Sertorius eſt assassiné. Je dis de plus que bien que nous devions être assez scrupuleux observateurs de l'ordre des temps, néanmoins, pourvu que ceux que nous faisons parler se soient connus, et ayent eu ensemble quelques intérêts à démêler, nous ne sommes pas obligés à nous attacher si précisément à la durée de leur vie. Sylla était mort quand Sertorius fut tué, mais il pouvait vivre encore sans miracle; et l'auditeur qui communément n'a qu'une teinture superficielle de l'hiſtoire, s'offense rarement d'une pareille prolongation qui ne sort point de la vraisemblance. Je ne voudrais pas toutefois faire une règle générale de cette licence, sans y mettre quelque diſtinction. La mort de Sylla n'apporta aucun changement aux affaires de Sertorius en Espagne, et lui fut de si peu d'importance, qu'il eſt malaisé, en lisant la vie de ce héros chez Plutarque, de remarquer lequel des deux eſt mort le premier, si l'on n'en eſt inſtruit d'ailleurs. Autre chose eſt de celles qui renversent les États, détruisent les partis, et donnent une autre face aux affaires, comme a été celle de Pompée, qui ferait révolter tout l'auditoire contre un auteur, s'il avait l'impudence de la mettre après celle de César. D'ailleurs, il fallait colorer et excuser en quelque sorte la guerre que Pompée et les autres chefs romains continuaient contre Sertorius; car il eſt assez malaisé de comprendre pourquoi l'on s'y obſtinait, après que la république semblait être rétablie par la démission volontaire et la mort de son tyran. Sans doute que son esprit de souveraineté, qu'il avait fait revivre dans Rome, n'y était pas mort avec lui, et que Pompée et beaucoup d'autres, aspirant dans l'âme à prendre sa place, craignaient que Sertorius ne leur y fût un puissant obſtacle, ou par l'amour qu'il avait toujours pour sa patrie, ou par la grandeur de sa réputation et le mérite de ses actions, qui lui eussent fait donner la préférence, si ce grand ébranlement de la république l'eût mise en état de ne se pouvoir passer de maître. Pour ne pas déshonorer Pompée par cette jalousie secrète de son ambition, qui semait dès lors ce qu'on a vu depuis éclater si hautement, et qui peut-être était le véritable motif de cette guerre, je me suis persuadé qu'il était plus à propos de faire vivre Sylla, afin d'en attribuer l'injustice à la violence de sa domination. Cela m'a servi de plus à arrêter l'effet de ce puissant amour que je lui fais conserver pour son Aristie, avec qui il n'eût pu se défendre de renouer, s'il n'eût eu rien à craindre du côté de Sylla, dont le nom odieux, mais illustre, donne un grand poids aux raisonnements de la politique, qui fait l'âme de toute cette tragédie[2].

Le même Pompée semble s'écarter un peu de la prudence d'un général d'armée, lorsque, sur la foi de Sertorius, il vient conférer avec lui dans une ville dont ce chef du parti contraire est maître absolu; mais c'est une confiance de généreux à généreux, et de Romain à Romain, qui lui donne quelque droit de ne craindre aucune supercherie de la part d'un si grand homme. Ce n'est pas que je ne veuille bien accorder aux critiques qu'il n'a pas assez pourvu à sa propre sûreté; mais il m'était impossible de garder l'unité de lieu sans lui faire faire cette échappée, qu'il faut imputer à l'incommodité de la règle, plus qu'à moi, qui l'ai bien vue. Si vous ne voulez la pardonner à l'impatience qu'il avait de voir sa femme, dont je le fais encore si passionné, et à la peur qu'elle ne prît un autre mari, faute de savoir ses intentions pour elle, vous la pardonnerez au plaisir qu'on a pris à cette conférence, que quelques-uns des premiers dans la cour et pour la naissance et pour l'esprit ont estimée autant qu'une pièce entière. Vous n'en serez pas désavoué par Aristote, qui souffre qu'on mette quelquefois des choses sans raison sur le théâtre, quand il y a apparence qu'elles seront bien reçues, et qu'on a lieu d'espérer que les avantages que le poëme en tirera pourront mériter cette grâce.

ACTEURS

SERTORIUS, *Général du parti de Marius en Espagne.*
PERPENNA, *Lieutenant de Sertorius.*
AUFIDE, *Tribun de l'armée de Sertorius.*
POMPÉE, *Général du parti de Sylla.*
ARISTIE, *Femme de Pompée.*
VIRIATE, *Reine de Lusitanie, à présent Portugal.*
THAMIRE, *Dame d'honneur de Viriate.*
CELSUS, *Tribun du parti de Pompée.*
ARCAS, *Affranchi d'Aristius, frère d'Aristie.*

La scène est à Nertobrige, ville d'Aragon, conquise par Sertorius à présent Catalayud.

ACTE PREMIER

SCÈNE PREMIÈRE

PERPENNA, AUFIDE

PERPENNA

D'où me vient ce désordre, Aufide, et que veut dire
Que mon cœur sur mes vœux garde si peu d'empire?
L'horreur que malgré moi me fait la trahison
Contre tout mon espoir révolte ma raison;
Et de cette grandeur sur le crime fondée,
Dont jusqu'à ce moment m'a trop flatté l'idée,
L'image toute affreuse, au point d'exécuter,
Ne trouve plus en moi de bras à lui prêter.
En vain l'ambition qui presse mon courage,
D'un faux brillant d'honneur pare son noir ouvrage;
En vain pour me soumettre à ses lâches efforts,
Mon âme a secoué le joug de cent remords :
Cette âme, d'avec soi tout à coup divisée,
Reprend de ces remords la chaîne mal brisée;
Et de Sertorius le surprenant bonheur
Arrête une main prête à lui percer le cœur.

AUFIDE

Quel honteux contre-temps de vertu délicate
S'oppose au beau succès de l'espoir qui vous flatte?
Et depuis quand, Seigneur, la soif du premier rang
Craint-elle de répandre un peu de mauvais sang?
Avez-vous oublié cette grande maxime,
Que la guerre civile est le règne du crime;
Et qu'aux lieux où le crime a plein droit de régner,
L'innocence timide est seule à dédaigner?
L'honneur et la vertu sont des noms ridicules :
Marius ni Carbon n'eurent point de scrupules;
Jamais Sylla, jamais...

PERPENNA

Sylla ni Marius
N'ont jamais épargné le sang de leurs vaincus :
Tour à tour, la victoire, autour d'eux en furie,
A poussé leur courroux jusqu'à la barbarie;
Tour à tour le carnage et les proscriptions
Ont sacrifié Rome à leurs dissensions;
Mais leurs sanglants discords qui nous donnent des maî- [tres
Ont fait des meurtriers, et n'ont point fait de traîtres :
Leurs plus vastes fureurs jamais n'ont consenti
Qu'aucun versât le sang de son propre parti;
Et dans l'un ni dans l'autre aucun n'a pris l'audace
D'assassiner son chef pour monter en sa place.

AUFIDE

Vous y renoncez donc, et n'êtes plus jaloux
De suivre les drapeaux d'un chef moindre que vous?
Ah ! s'il faut obéir, ne faisons plus la guerre :
Prenons le même joug qu'a pris toute la terre.
Pourquoi tant de périls? pourquoi tant de combats?
Si nous voulons servir, Sylla nous tend les bras.
C'est mal vivre en Romain que prendre loi d'un homme;
Mais, tyran pour tyran, il vaut mieux vivre à Rome.

PERPENNA

Vois mieux ce que tu dis quand tu parles ainsi.
Du moins la liberté respire encore ici :
De notre république à Rome anéantie,
On y voit refleurir la plus noble partie;
Et cet asile ouvert aux illustres proscrits,
Réunit du sénat le précieux débris.
Par lui Sertorius gouverne ces provinces,
Leur impose tribut, fait des lois à leurs princes,
Maintient de nos Romains le reste indépendant;
Mais comme tout parti demande un commandant,
Ce bonheur imprévu qui partout l'accompagne,
Ce nom qu'il s'est acquis chez les peuples d'Espagne...

AUFIDE

Ah ! c'est ce nom acquis, avec trop de bonheur
Qui rompt votre fortune, et vous ravit l'honneur :

Vous n'en sauriez douter, pour peu qu'il vous souvienne
Du jour que votre armée alla joindre la sienne,
Lors...

PERPENNA

N'envenime point le cuisant souvenir
Que le commandement devait m'appartenir.
Je le passais en nombre aussi bien qu'en noblesse;
Il succombait sans moi sous sa propre faiblesse :
Mais sitôt qu'il parut, je vis en moins de rien
Tout mon camp déserté pour repeupler le sien;
Je vis par mes soldats mes aigles arrachées
Pour se ranger sous lui voler vers ses tranchées;
Et pour en colorer l'emportement honteux,
Je les suivis de rage, et m'y rangeai comme eux.
L'impérieuse aigreur de l'âpre jalousie
Dont en secret dès lors mon âme fut saisie,
Grossit de jour en jour sous une passion
Qui tyrannise encor plus que l'ambition :
J'adore Viriate; et cette grande reine,
Des Lusitaniens l'illustre souveraine,
Pourrait par son hymen me rendre sur les siens
Ce pouvoir absolu qu'il m'ôte sur les miens.
Mais elle-même, hélas ! de ce grand nom charmée,
S'attache au bruit heureux que fait sa renommée,
Cependant qu'insensible à ce qu'elle a d'appas
Il me dérobe un cœur qu'il ne demande pas.
De son astre opposé telle est la violence,
Qu'il me vole partout même sans qu'il y pense,
Et que toutes les fois qu'il m'enlève mon bien,
Son nom fait tout pour lui sans qu'il en sache rien.
Je sais qu'il peut aimer et nous cacher sa flamme,
Mais je veux sur ce point lui découvrir mon âme;
Et s'il peut me céder ce trône où je prétends,
J'immolerai ma haine à mes désirs contents;
Et je n'envierai plus le rang dont il s'empare,
S'il m'en assure autant chez ce peuple barbare,
Qui formé par nos soins, instruit de notre main,
Sous notre discipline est devenu romain.

AUFIDE

Lorsqu'on fait des projets d'une telle importance,
Les intérêts d'amour entrent-ils en balance?

Et si ces intérêts vous sont enfin si doux,
Viriate, lui mort, n'eﬆ-elle pas à vous?

PERPENNA

Oui; mais de cette mort la suite m'embarrasse.
Aurais-je sa fortune aussi bien que sa place?
Ceux dont il a gagné la croyance et l'appui
Prendront-ils même joie à m'obéir qu'à lui?
Et pour venger sa trame indignement coupée,
N'arboreront-ils point l'étendard de Pompée?

AUFIDE

C'eﬆ trop craindre, et trop tard : c'eﬆ dans votre feﬆin
Que ce soir par votre ordre on tranche son deﬆin.
La trêve a dispersé l'armée à la campagne,
Et vous en commandez ce qui nous accompagne.
L'occasion nous rit dans un si grand dessein;
Mais tel bras n'eﬆ à nous que jusques à demain :
Si vous rompez le coup, prévenez les indices;
Perdez Sertorius ou perdez vos complices.
Craignez ce qu'il faut craindre : il en eﬆ parmi nous
Qui pourraient bien avoir mêmes remords que vous;
Et si vous différez... Mais le tyran arrive.
Tâchez d'en obtenir l'objet qui vous captive;
Et je prierai les dieux que dans cet entretien
Vous ayez assez d'heur pour n'en obtenir rien.

SCÈNE II

SERTORIUS, PERPENNA

SERTORIUS

Apprenez un dessein qui me vient de surprendre.
Dans deux heures Pompée en ce lieu se doit rendre :
Il veut sur nos débats conférer avec moi,
Et pour toute assurance il ne prend que ma foi.

PERPENNA

La parole suffit entre les grands courages;
D'un homme tel que vous la foi vaut cent otages;

Je n'en suis point surpris; mais ce qui me surprend,
C'eſt de voir que Pompée ait pris le nom de Grand,
Pour faire encore au vôtre entière déférence,
Sans vouloir de lieu neutre à cette conférence.
C'eſt avoir beaucoup fait que d'avoir jusque-là
Fait descendre l'orgueil des héros de Sylla.

SERTORIUS

S'il eſt plus fort que nous, ce n'eſt plus en Espagne,
Où nous forçons les siens de quitter la campagne,
Et de se retrancher dans l'empire douteux
Que lui souffre à regret une province ou deux,
Qu'à sa fortune lasse il craint que je n'enlève,
Sitôt que le printemps aura fini la trêve.
C'eſt l'heureuse union de vos drapeaux aux miens
Qui fait ces beaux succès qu'à toute heure j'obtiens;
C'eſt à vous que je dois ce que j'ai de puissance :
Attendez tout aussi de ma reconnaissance.
Je reviens à Pompée, et pense deviner
Quels motifs jusqu'ici peuvent nous l'amener.
Comme il trouve avec nous peu de gloire à prétendre,
Et qu'au lieu d'attaquer il a peine à défendre,
Il voudrait qu'un accord avantageux ou non
L'affranchît d'un emploi qui ternit ce grand nom;
Et chatouillé d'ailleurs par l'espoir qui le flatte,
De faire avec plus d'heur la guerre à Mithridate,
Il brûle d'être à Rome, afin d'en recevoir
Du maître qu'il s'y donne et l'ordre et le pouvoir.

PERPENNA

J'aurais cru qu'Ariſtie ici réfugiée,
Que forcé par ce maître il a répudiée,
Par un reſte d'amour l'attirât en ces lieux
Sous une autre couleur lui faire ses adieux;
Car de son cher tyran l'injuſtice fut telle,
Qu'il ne lui permit pas de prendre congé d'elle.

SERTORIUS

Cela peut être encore : ils s'aimaient chèrement;
Mais il pourrait ici trouver du changement.
L'affront pique à tel point le grand cœur d'Ariſtie,
Que sa première flamme en haine convertie,
Elle cherche bien moins un asile chez nous

Que la gloire d'y prendre un plus illustre époux.
C'est ainsi qu'elle parle, et m'offre l'assistance
De ce que Rome encore a de gens d'importance,
Dont les uns ses parents, les autres ses amis,
Si je veux l'épouser, ont pour moi tout promis.
Leurs lettres en font foi, qu'elle me vient de rendre.
Voyez avec loisir ce que j'en dois attendre :
Je veux bien m'en remettre à votre sentiment.

PERPENNA

Pourriez-vous bien, Seigneur, balancer un moment,
A moins d'une secrète et forte antipathie
Qui vous montre un supplice en l'hymen d'Aristie?
Voyant ce que pour dot Rome lui veut donner,
Vous n'avez aucun lieu de rien examiner.

SERTORIUS

Il faut donc, Perpenna, vous faire confidence
Et de ce que je crains, et de ce que je pense.
J'aime ailleurs. A mon âge il sied si mal d'aimer[3],
Que je le cache même à qui m'a su charmer;
Mais tel que je puis être, on m'aime, ou pour mieux dire,
La reine Viriate à mon hymen aspire :
Elle veut que ce choix de son ambition
De son peuple avec nous commence l'union,
Et qu'ensuite à l'envi mille autres hyménées
De nos deux nations l'une à l'autre enchaînées
Mêlent si bien le sang et l'intérêt commun,
Qu'ils réduisent bientôt les deux peuples en un.
C'est ce qu'elle prétend pour digne récompense
De nous avoir servis avec cette constance
Qui n'épargne ni biens ni sang de ses sujets
Pour affermir ici nos généreux projets :
Non qu'elle me l'ait dit, ou quelque autre pour elle;
Mais j'en vois chaque jour quelque marque fidèle;
Et comme ce dessein n'est plus pour moi douteux,
Je ne puis l'ignorer qu'autant que je le veux.
Je crains donc de l'aigrir si j'épouse Aristie,
Et que de ses sujets la meilleure partie,
Pour venger ce mépris et servir son courroux,
Ne tourne obstinément ses armes contre nous.
Auprès d'un tel malheur, pour nous irréparable,
Ce qu'on promet pour l'autre est peu considérable;

Et sous un faux espoir de nous mieux établir,
Ce renfort accepté pourrait nous affaiblir.
Voilà ce qui retient mon esprit en balance.
Je n'ai pour Aristie aucune répugnance;
Et la Reine à tel point n'asservit pas mon cœur,
Qu'il ne fasse encor tout pour le commun bonheur.

PERPENNA

Cette crainte, Seigneur, dont votre âme est gênée,
Ne doit pas d'un moment retarder l'hyménée.
Viriate, il est vrai, pourra s'en émouvoir;
Mais que sert sa colère où manque le pouvoir?
Malgré sa jalousie et ses vaines menaces,
N'êtes-vous pas toujours le maître de ses places?
Les siens, dont vous craignez le vif ressentiment,
Ont-ils dans votre armée aucun commandement?
Des plus nobles d'entre eux, et des plus grands courages
N'avez-vous pas les fils dans Osca pour otages?
Tous leurs chefs sont romains; et leurs propres soldats
Dispersés dans nos rangs ont fait tant de combats,
Que la vieille amitié qui les attache aux nôtres
Leur fait aimer nos lois et n'en vouloir point d'autres.
Pourquoi donc tant les craindre, et pourquoi refuser?...

SERTORIUS

Vous-même, Perpenna, pourquoi tant déguiser?
Je vois ce qu'on m'a dit : vous aimez Viriate;
Et votre amour caché dans vos raisons éclate.
Mais les raisonnements sont ici superflus;
Dites que vous l'aimez, et je ne l'aime plus.
Parlez : je vous dois tant, que ma reconnaissance
Ne peut être sans honte un moment en balance.

PERPENNA

L'aveu que vous voulez à mon cœur est si doux,
Que j'ose...

SERTORIUS

C'est assez : je parlerai pour vous.

PERPENNA

Ah ! Seigneur, c'en est trop; et...

SERTORIUS

Point de repartie :
Tous mes vœux sont déjà du côté d'Aristie;
Et je l'épouserai, pourvu qu'en même jour
La Reine se résolve à payer votre amour;
Car quoi que vous disiez, je dois craindre sa haine,
Et fuirais à ce prix cette illustre Romaine.
La voici : laissez-moi ménager son esprit;
Et voyez cependant de quel air on m'écrit.

SCÈNE III

SERTORIUS, ARISTIE

ARISTIE

Ne vous offensez pas si dans mon infortune
Ma faiblesse me force à vous être importune :
Non pas pour mon hymen : les suites d'un tel choix
Méritent qu'on y pense un peu plus d'une fois;
Mais vous pouvez, Seigneur, joindre à mes espérances
Contre un péril nouveau nouvelles assurances.
J'apprends qu'un infidèle, autrefois mon époux,
Vient jusque dans ces murs conférer avec vous.
L'ordre de son tyran et sa flamme inquiète
Me pourront envier l'honneur de ma retraite :
L'un en prévoit la suite, et l'autre en craint l'éclat;
Et tous les deux contre elle ont leur raison d'État.
Je vous demande donc sûreté tout entière
Contre la violence et contre la prière,
Si par l'une ou par l'autre il veut se ressaisir
De ce qu'il ne peut voir ailleurs sans déplaisir.

SERTORIUS

Il en a lieu, Madame : un si rare mérite
Semble croître de prix quand par force on le quitte;
Mais vous avez ici sûreté contre tous,
Pourvu que vous puissiez en trouver contre vous,
Et que contre un ingrat dont l'amour fut si tendre,
Lorsqu'il vous parlera, vous sachiez vous défendre.

On a peine à haïr ce qu'on a bien aimé,
Et le feu mal éteint est bientôt rallumé.

ARISTIE

L'ingrat, par son divorce en faveur d'Émilie,
M'a livrée aux mépris de toute l'Italie.
Vous savez à quel point mon courage est blessé;
Mais s'il se dédisait d'un outrage forcé,
S'il chassait Émilie et me rendait ma place,
J'aurais peine, Seigneur, à lui refuser grâce;
Et tant que je serai maîtresse de ma foi,
Je me dois toute à lui, s'il revient tout à moi.

SERTORIUS

En vain donc je me flatte; en vain j'ose, Madame,
Promettre à mon esprit quelque part en votre âme :
Pompée en est encor l'unique souverain.
Tous vos ressentiments n'offrent que votre main;
Et quand par ses refus j'aurai droit d'y prétendre,
Le cœur, toujours à lui, ne voudra pas se rendre.

ARISTIE

Qu'importe de mon cœur, si je sais mon devoir,
Et si mon hyménée enfle votre pouvoir?
Vous ravaleriez-vous jusques à la bassesse
D'exiger de ce cœur des marques de tendresse,
Et de les préférer à ce qu'il fait d'effort
Pour braver mon tyran et relever mon sort?
Laissons, Seigneur, laissons pour les petites âmes
Ce commerce rampant de soupirs et de flammes;
Et ne nous unissons que pour mieux soutenir
La liberté que Rome est prête à voir finir.
Unissons ma vengeance à votre politique,
Pour sauver des abois toute la République :
L'hymen seul peut unir des intérêts si grands.
Je sais que c'est beaucoup que ce que je prétends;
Mais, dans ce dur exil que mon tyran m'impose,
Le rebut de Pompée est encor quelque chose;
Et j'ai des sentiments trop nobles ou trop vains
Pour le porter ailleurs qu'au plus grand des Romains.

SERTORIUS

Ce nom ne m'est pas dû, je suis...

ARISTIE

Ce que vous faites
Montre à tout l'univers, Seigneur, ce que vous êtes;
Mais quand même ce nom semblerait trop pour vous,
Du moins mon infidèle eſt d'un rang au-dessous :
Il sert dans son parti, vous commandez au vôtre;
Vous êtes chef de l'un, et lui sujet dans l'autre;
Et son divorce enfin, qui m'arrache sa foi,
L'y laisse par Sylla plus opprimé que moi,
Si votre hymen m'élève à la grandeur sublime,
Tandis qu'en l'esclavage un autre hymen l'abîme.
Mais, Seigneur, je m'emporte, et l'excès d'un tel heur
Me fait vous en parler avec trop de chaleur.
Tout mon bien eſt encor dedans l'incertitude :
Je n'en conçois l'espoir qu'avec inquiétude;
Et je craindrai toujours d'avoir trop prétendu,
Tant que de cet espoir vous m'ayez répondu.
Vous me pouvez d'un mot assurer ou confondre.

SERTORIUS

Mais, Madame, après tout, que puis-je vous répondre?
De quoi vous assurer, si vous-même parlez
Sans être sûre encor de ce que vous voulez?
De votre illuſtre hymen je sais les avantages;
J'adore les grands noms que j'en ai pour otages,
Et vois que leur secours, nous rehaussant le bras,
Aurait bientôt jeté la tyrannie à bas;
Mais cette attente aussi pourrait se voir trompée
Dans l'offre d'une main qui se garde à Pompée,
Et qui n'étale ici la grandeur d'un tel bien
Que pour me tout promettre et ne me donner rien.

ARISTIE

Si vous vouliez ma main par choix de ma personne,
Je vous dirais, Seigneur : « Prenez, je vous la donne;
Quoi que veuille Pompée, il le voudra trop tard. »
Mais comme en cet hymen l'amour n'a point de part,
Qu'il n'eſt qu'un pur effet de noble politique,
Souffrez que je vous die, afin que je m'explique,
Que quand j'aurais pour dot un million de bras,
Je vous donne encor plus en ne l'achevant pas.
Si je réduis Pompée à chasser Émilie,
Peut-il, Sylla régnant, regarder l'Italie?

Ira-t-il se livrer à son juste courroux?
Non, non : si je le gagne, il faut qu'il vienne à vous.
Ainsi par mon hymen vous avez assurance
Que mille vrais Romains prendront votre défense;
Mais si j'en romps l'accord pour lui rendre mes vœux,
Vous aurez ces Romains et Pompée avec eux;
Vous aurez ses amis par ce nouveau divorce;
Vous aurez du tyran la principale force,
Son armée, ou du moins ses plus braves soldats,
Qui de leur général voudront suivre les pas;
Vous marcherez vers Rome à communes enseignes.
Il sera temps alors, Sylla, que tu me craignes.
Tremble, et crois voir bientôt trébucher ta fierté,
Si je puis t'enlever ce que tu m'as ôté.
Pour faire de Pompée un gendre de ta femme,
Tu l'as fait un parjure, un méchant, un infâme;
Mais s'il me laisse encor quelques droits sur son cœur,
Il reprendra sa foi, sa vertu, son honneur :
Pour rentrer dans mes fers il brisera tes chaînes,
Et nous t'accablerons sous nos communes haines.
J'abuse trop, Seigneur, d'un précieux loisir;
Voilà vos intérêts : c'est à vous de choisir.
Si votre amour trop prompt veut borner sa conquête,
Je vous le dis encor, ma main est toute prête.
Je vous laisse y penser : surtout souvenez-vous
Que ma gloire en ces lieux me demande un époux;
Qu'elle ne peut souffrir que ma fuite m'y range
En captive de guerre, au péril d'un échange,
Qu'elle veut un grand homme à recevoir ma foi,
Qu'après vous et Pompée il n'en est point pour moi,
Et que...

SERTORIUS

Vous le verrez, et saurez sa pensée.

ARISTIE

Adieu, Seigneur : j'y suis la plus intéressée,
Et j'y vais préparer mon reste de pouvoir.

SERTORIUS

Moi, je vais donner ordre à le bien recevoir.
Dieux, souffrez qu'à mon tour avec vous je m'explique.
Que c'est un sort cruel d'aimer par politique !
Et que ses intérêts sont d'étranges malheurs,
S'ils font donner la main quand le cœur est ailleurs !

ACTE II

SCÈNE PREMIÈRE

Viriate, Thamire

Viriate

Thamire, il faut parler, l'occasion nous presse :
Rome jusqu'en ces murs m'envoie une maîtresse;
Et l'exil d'Aristie, enveloppé d'ennuis,
Est prêt à l'emporter sur tout ce que je suis.
En vain de mes regards l'ingénieux langage
Pour découvrir mon cœur a tout mis en usage;
En vain par le mépris des vœux de tous nos rois
J'ai cru faire éclater l'orgueil d'un autre choix :
Le seul pour qui je tâche à le rendre visible,
Ou n'ose en rien connaître, ou demeure insensible,
Et laisse à ma pudeur des sentiments confus,
Que l'amour-propre obstine à douter du refus.
Epargne-m'en la honte, et prends soin de lui dire,
A ce héros si cher... Tu le connais, Thamire;
Car d'où pourrait mon trône attendre un ferme appui?
Et pour qui mépriser tous nos rois, que pour lui?
Sertorius, lui seul digne de Viriate,
Mérite que pour lui tout mon amour éclate.
Fais-lui, fais-lui savoir le glorieux dessein
De m'affermir au trône en lui donnant la main :
Dis-lui... Mais j'aurais tort d'instruire ton adresse,
Moi qui connais ton zèle à servir ta princesse.

Thamire

Madame, en ce héros tout est illustre et grand;
Mais à parler sans fard, votre amour me surprend.
Il est assez nouveau qu'un homme de son âge
Ait des charmes si forts pour un jeune courage,
Et que d'un front ridé les replis jaunissants
Trouvent l'heureux secret de captiver les sens.

VIRIATE

Ce ne sont pas les sens que mon amour consulte;
Il hait des passions l'impétueux tumulte;
Et son feu, que j'attache aux soins de ma grandeur
Dédaigne tout mélange avec leur folle ardeur.
J'aime en Sertorius ce grand art de la guerre
Qui soutient un banni contre toute la terre;
J'aime en lui ces cheveux tout couverts de lauriers,
Ce front qui fait trembler les plus braves guerriers,
Ce bras qui semble avoir la victoire en partage.
L'amour de la vertu n'a jamais d'yeux pour l'âge :
Le mérite a toujours des charmes éclatants;
Et quiconque peut tout est aimable en tout temps.

THAMIRE

Mais, Madame, nos rois, dont l'amour vous irrite,
N'ont-ils tous ni vertu, ni pouvoir, ni mérite?
Et dans votre parti se peut-il qu'aucun d'eux
N'ait signalé son nom par des exploits fameux?
Celui des Turdétans, celui des Celtibères,
Soutiendraient-ils si mal le sceptre de vos pères?

VIRIATE

Contre des rois comme eux j'aimerais leur soutien;
Mais contre des Romains tout leur pouvoir n'est rien.
Rome seule aujourd'hui peut résister à Rome :
Il faut pour la braver qu'elle nous prête un homme,
Et que son propre sang en faveur de ces lieux
Balance les destins et partage les Dieux.
Depuis qu'elle a daigné protéger nos provinces,
Et de son amitié faire honneur à leurs princes,
Sous un si haut appui nos rois humiliés
N'ont été que sujets sous le nom d'alliés;
Et ce qu'ils ont osé contre leur servitude
N'en a rendu le joug que plus fort et plus rude.
Qu'a fait Mandonius, qu'a fait Indibilis,
Qu'y plonger plus avant leurs trônes avilis,
Et voir leur fier amas de puissance et de gloire
Brisé contre l'écueil d'une seule victoire?
Le grand Viriatus, de qui je tiens le jour,
D'un sort plus favorable eut un pareil retour.
Il défit trois préteurs, il gagna dix batailles,
Il repoussa l'assaut de plus de cent murailles,

Et de Servilius l'astre prédominant
Dissipa tout d'un coup ce bonheur étonnant.
Ce grand roi fut défait, il en perdit la vie,
Et laissait sa couronne à jamais asservie,
Si pour briser les fers de son peuple captif,
Rome n'eût envoyé ce noble fugitif.
  Depuis que son courage à nos destins préside,
Un bonheur si constant de nos armes décide,
Que deux lustres de guerre assurent nos climats
Contre ces souverains de tant de potentats,
Et leur laissent à peine, au bout de dix années,
Pour se couvrir de nous, l'ombre des Pyrénées.
  Nos rois, sans ce héros, l'un de l'autre jaloux,
Du plus heureux sans cesse auraient rompu les coups;
Jamais ils n'auraient pu choisir entre eux un maître.

THAMIRE

Mais consentiront-ils qu'un Romain puisse l'être?

VIRIATE

Il n'en prend pas le titre, et les traite d'égal;
Mais, Thamire, après tout, il est leur général :
Ils combattent sous lui, sous son ordre ils s'unissent;
Et tous ces rois de nom en effet obéissent,
Tandis que de leur rang l'inutile fierté
S'applaudit d'une vaine et fausse égalité.

THAMIRE

Je n'ose rien vous dire après cet avantage,
Et voudrais comme vous faire grâce à son âge;
Mais enfin ce héros, sujet au cours des ans,
A trop longtemps vaincu pour vaincre encor longtemps,
Et sa mort...

VIRIATE

Jouissons, en dépit de l'envie,
Des restes glorieux de son illustre vie :
Sa mort me laissera pour ma protection
La splendeur de son ombre et l'éclat de son nom.
Sur ces deux grands appuis ma couronne affermie
Ne redoutera point de puissance ennemie :
Ils feront plus pour moi que ne feraient cent rois.
Mais nous en parlerons encor quelque autre fois :
Je l'aperçois qui vient.

SCÈNE II

SERTORIUS, VIRIATE, THAMIRE

SERTORIUS

Que direz-vous, Madame,
Du dessein téméraire où s'échappe mon âme?
N'est-ce point oublier ce qu'on vous doit d'honneur,
Que demander à voir le fond de votre cœur?

VIRIATE

Il est si peu fermé, que chacun y peut lire,
Seigneur, peut-être plus que je ne puis vous dire :
Pour voir ce qui s'y passe, il ne faut que des yeux.

SERTORIUS

J'ai besoin toutefois qu'il s'explique un peu mieux.
Tous vos rois à l'envi briguent votre hyménée,
Et comme vos bontés font notre destinée,
Par ces mêmes bontés j'ose vous conjurer,
En faisant ce grand choix, de nous considérer.
Si vous prenez un prince inconstant, infidèle,
Ou qui pour le parti n'ait pas assez de zèle,
Jugez en quel état nous nous verrons réduits,
Si je pourrai longtemps encor ce que je puis,
Si mon bras...

VIRIATE

Vous formez des craintes que j'admire.
J'ai mis tous mes États si bien sous votre empire,
Que quand il me plaira faire choix d'un époux,
Quelque projet qu'il fasse, il dépendra de vous.
Mais pour vous mieux ôter cette frivole crainte,
Choisissez-le vous-même, et parlez-moi sans feinte :
Pour qui de tous ces rois êtes-vous sans soupçon?
A qui d'eux pouvez-vous confier ce grand nom?

SERTORIUS

Je voudrais faire un choix qui pût aussi vous plaire;
Mais à ce froid accueil que je vous vois leur faire,
Il semble que pour tous sans aucun intérêt...

VIRIATE

C'eſt peut-être, Seigneur, qu'aucun d'eux ne me plaît,
Et que de leur haut rang la pompe la plus vaine
S'efface au seul aspect de la grandeur romaine.

SERTORIUS

Si donc je vous offrais pour époux un Romain...?

VIRIATE

Pourrais-je refuser un don de votre main?

SERTORIUS

J'ose après cet aveu vous faire offre d'un homme
Digne d'être avoué de l'ancienne Rome.
Il en a la naissance, il en a le grand cœur,
Il eſt couvert de gloire, il eſt plein de valeur;
De toute votre Espagne il a gagné l'eſtime,
Libéral, intrépide, affable, magnanime,
Enfin, c'eſt Perpenna sur qui vous emportez...

VIRIATE

J'attendais votre nom après ces qualités :
Les éloges brillants que vous daignez y joindre
Ne me permettaient pas d'espérer rien de moindre;
Mais certes le détour eſt un peu surprenant.
Vous donnez une reine à votre lieutenant!
Si vos Romains ainsi choisissent des maîtresses,
A vos derniers tribuns il faudra des princesses.

SERTORIUS

Madame...

VIRIATE

Parlons net sur ce choix d'un époux.
Êtes-vous trop pour moi? suis-je trop peu pour vous?
C'eſt m'offrir, et ce mot peut blesser les oreilles;
Mais un pareil amour sied bien à mes pareilles;
Et je veux bien, Seigneur, qu'on sache désormais
Que j'ai d'assez bons yeux pour voir ce que je fais.
Je le dis donc tout haut, afin que l'on m'entende :
Je veux bien un Romain, mais je veux qu'il commande;
Et ne trouverais pas vos rois à dédaigner,
N'était qu'ils savent mieux obéir que régner.

Mais si de leur puissance ils vous laissent l'arbitre,
Leur faiblesse du moins en conserve le titre :
Ainsi ce noble orgueil qui vous préfère à tous
En préfère le moindre à tout autre qu'à vous;
Car enfin, pour remplir l'honneur de ma naissance,
Il me faudrait un roi de titre et de puissance;
Mais comme il n'en est plus, je pense m'en devoir
Ou le pouvoir sans nom, ou le nom sans pouvoir.

SERTORIUS

J'adore ce grand cœur qui rend ce qu'il doit rendre
Aux illustres aïeux dont on vous voit descendre.
A de moindres pensers son orgueil abaissé
Ne soutiendrait pas bien ce qu'ils vous ont laissé.
Mais puisque pour remplir la dignité royale
Votre haute naissance en demande une égale,
Perpenna parmi nous est le seul dont le sang
Ne mêlerait point d'ombre à la splendeur du rang :
Il descend de nos rois et de ceux d'Étrurie.
Pour moi qu'un sang moins noble a transmis à la vie,
Je n'ose m'éblouir d'un peu de nom fameux
Jusqu'à déshonorer le trône par mes vœux.
Cessez de m'estimer jusqu'à lui faire injure;
Je ne veux que le nom de votre créature :
Un si glorieux titre a de quoi me ravir;
Il m'a fait triompher en voulant vous servir;
Et malgré tout le peu que le ciel m'a fait naître...

VIRIATE

Si vous prenez ce titre, agissez moins en maître,
Ou m'apprenez du moins, Seigneur, par quelle loi
Vous n'osez m'accepter, et disposez de moi.
Accordez le respect que mon trône vous donne
Avec cet attentat sur ma propre personne.
Voir toute mon estime, et n'en pas mieux user,
C'en est un qu'aucun art ne saurait déguiser.
Ne m'honorez donc plus jusqu'à me faire injure;
Puisque vous le voulez, soyez ma créature;
Et me laissant en reine ordonner de vos vœux,
Portez-les jusqu'à moi, parce que je le veux.
  Pour votre Perpenna, que sa haute naissance
N'affranchit point encor de votre obéissance,
Fût-il du sang des Dieux aussi bien que des rois,

Ne lui promettez plus la gloire de mon choix.
Rome n'attache point le grade à la noblesse.
Votre grand Marius naquit dans la bassesse;
Et c'eſt pourtant le seul que le peuple romain
Ait jusques à sept fois choisi pour souverain.
Ainsi pour eſtimer chacun à sa manière,
Au sang d'un Espagnol je ferais grâce entière;
Mais parmi vos Romains je prends peu garde au sang,
Quand j'y vois la vertu prendre le plus haut rang.
Vous, si vous haïssez comme eux le nom de reine,
Regardez-moi, Seigneur, comme dame romaine :
Le droit de bourgeoisie à nos peuples donné
Ne perd rien de son prix sur un front couronné.
Sous ce titre adoptif, étant ce que vous êtes,
Je pense bien valoir une de mes sujettes;
Et si quelque Romaine a causé vos refus,
Je suis tout ce qu'elle eſt, et reine encor de plus.
Peut-être la pitié d'une illuſtre misère...

SERTORIUS

Je vous entends, Madame, et pour ne vous rien taire,
J'avouerai qu'Ariſtie...

VIRIATE

Elle nous a tout dit :
Je sais ce qu'elle espère et ce qu'on vous écrit.
Sans y perdre de temps, ouvrez votre pensée.

SERTORIUS

Au seul bien de la cause elle eſt intéressée;
Mais puisque pour ôter l'Espagne à nos tyrans,
Nous prenons, vous et moi, des chemins différents,
De grâce, examinez le commun avantage,
Et jugez ce que doit un généreux courage.
Je trahirais, Madame, et vous et vos États,
De voir un tel secours, et ne l'accepter pas;
Mais ce même secours deviendrait notre perte
S'il nous ôtait la main que vous m'avez offerte,
Et qu'un deſtin jaloux de nos communs desseins
Jetât ce grand dépôt en de mauvaises mains.
Je tiens Sylla perdu, si vous laissiez unie
A ce puissant renfort votre Lusitanie.
Mais vous pouvez enfin dépendre d'un époux,

Et le seul Perpenna peut m'assurer de vous.
Voyez ce qu'il a fait : je lui dois tant, Madame,
Qu'une juste prière en faveur de sa flamme...

VIRIATE

Si vous lui devez tant, ne me devez-vous rien?
Et lui faut-il payer vos dettes de mon bien?
Après que ma couronne a garanti vos têtes,
Ne mérité-je point de part en vos conquêtes?
Ne vous ai-je servi que pour servir toujours,
Et m'assurer des fers par mon propre secours?
Ne vous y trompez pas : si Perpenna m'épouse,
Du pouvoir souverain je deviendrai jalouse,
Et le rendrai moi-même assez entreprenant
Pour ne vous pas laisser un roi pour lieutenant.
Je vous avouerai plus : à qui que je me donne,
Je voudrai hautement soutenir ma couronne;
Et c'est ce qui me force à vous considérer,
De peur de perdre tout, s'il nous faut séparer.
Je ne vois que vous seul qui des mers aux montagnes
Sous un même étendard puisse unir nos Espagnes;
Mais ce que je propose en est le seul moyen;
Et quoi qu'ait fait pour vous ce cher concitoyen,
S'il vous a secouru contre la tyrannie,
Il en est bien payé d'avoir sauvé sa vie.
Les malheurs du parti l'accablaient à tel point,
Qu'il se voyait perdu, s'il ne vous eût pas joint;
Et même, si j'en veux croire la renommée,
Ses troupes, malgré lui, grossirent votre armée.
Rome offre un grand secours, du moins on vous l'écrit;
Mais s'armât-elle toute en faveur d'un proscrit,
Quand nous sommes aux bords d'une pleine victoire,
Quel besoin avons-nous d'en partager la gloire?
Encore une campagne, et nos seuls escadrons
Aux aigles de Sylla font repasser les monts.
Et ces derniers venus auront droit de nous dire
Qu'ils auront en ces lieux établi notre empire !
Soyons d'un tel honneur l'un et l'autre jaloux;
Et quand nous pouvons tout, ne devons rien qu'à nous...

SERTORIUS

L'espoir le mieux fondé n'a jamais trop de forces;
Le plus heureux destin surprend par les divorces;

Du trop de confiance il aime à se venger;
Et dans ce grand dessein rien n'est à négliger.
Devons-nous exposer à tant d'incertitude
L'esclavage de Rome et notre servitude,
De peur de partager avec d'autres Romains
Un honneur où le ciel veut peut-être leurs mains?
Notre gloire, il est vrai, deviendra sans seconde,
Si nous faisons sans eux la liberté du monde;
Mais si quelque malheur suit tant d'heureux combats,
Quels reproches cruels ne nous ferons-nous pas!
D'ailleurs, considérez que Perpenna vous aime,
Qu'il est ou qu'il se croit digne du diadème,
Qu'il peut ici beaucoup; qu'il s'est vu de tout temps
Qu'en gouvernant le mieux on fait des mécontents,
Que piqué du mépris, il osera peut-être...

VIRIATE

Tranchez le mot, Seigneur : je vous ai fait mon maître.
Et je dois obéir malgré mon sentiment;
C'est à quoi se réduit tout ce raisonnement.
Faites, faites entrer ce héros d'importance,
Que je fasse un essai de mon obéissance;
Et si vous le craignez, craignez autant du moins
Un long et vain regret d'avoir prêté vos soins.

SERTORIUS

Madame, croiriez-vous...

VIRIATE

Ce mot doit vous suffire.
J'entends ce qu'on me dit, et ce qu'on me veut dire.
Allez, faites-lui place, et ne présumez pas...

SERTORIUS

Je parle pour un autre, et toutefois, hélas!
Si vous saviez...

VIRIATE

Seigneur, que faut-il que je sache?
Et quel est le secret que ce soupir me cache?

SERTORIUS

Ce soupir redoublé...

VIRIATE

N'achevez point; allez :
Je vous obéirai plus que vous ne voulez.

SCÈNE III

VIRIATE, THAMIRE

THAMIRE

Sa dureté m'étonne, et je ne puis, Madame...

VIRIATE

L'apparence t'abuse : il m'aime au fond de l'âme.

THAMIRE

Quoi? quand pour un rival il s'obstine au refus...

VIRIATE

Il veut que je l'amuse, et ne veut rien de plus.

THAMIRE

Vous avez des clartés que mon insuffisance...

VIRIATE

Parlons à ce rival : le voilà qui s'avance.

SCÈNE IV

VIRIATE, PERPENNA, AUFIDE, THAMIRE

VIRIATE

Vous m'aimez, Perpenna; Sertorius le dit :
Je crois sur sa parole, et lui dois tout crédit.
Je sais donc votre amour; mais tirez-moi de peine :
Par où prétendez-vous mériter une reine?
A quel titre lui plaire, et par quel charme un jour
Obliger sa couronne à payer votre amour?

PERPENNA

Par de sincères vœux, par d'assidus services,
Par de profonds respects, par d'humbles sacrifices;
Et si quelques effets peuvent justifier…

VIRIATE

Eh bien ! qu'êtes-vous prêt de lui sacrifier?

PERPENNA

Tous mes soins, tout mon sang, mon courage, ma vie.

VIRIATE

Pourriez-vous la servir dans une jalousie?

PERPENNA

Ah ! Madame…

VIRIATE

A ce mot en vain le cœur vous bat :
Elle n'est pas d'amour, elle n'est que d'État.
J'ai de l'ambition, et mon orgueil de reine
Ne peut voir sans chagrin une autre souveraine,
Qui sur mon propre trône à mes yeux s'élevant,
Jusque dans mes États prenne le pas devant.
Sertorius y règne, et dans tout notre empire
Il dispense des lois où j'ai voulu souscrire :
Je ne m'en repens point, il en a bien usé;
Je rends grâces au ciel qui l'a favorisé.
Mais pour vous dire enfin de quoi je suis jalouse,
Quel rang puis-je garder auprès de son épouse?
Aristie y prétend, et l'offre qu'elle fait,
Ou que l'on fait pour elle, en assure l'effet.
Délivrez nos climats de cette vagabonde,
Qui vient par son exil troubler un autre monde;
Et forcez-la sans bruit d'honorer d'autres lieux
De cet illustre objet qui me blesse les yeux.
Assez d'autres États lui prêteront asile.

PERPENNA

Quoi que vous m'ordonniez, tout me sera facile;
Mais quand Sertorius ne l'épousera pas,
Un autre hymen vous met dans le même embarras,
Et qu'importe, après tout, d'une autre ou d'Aristie,
Si…

VIRIATE

Rompons, Perpenna, rompons cette partie;
Donnons ordre au présent; et quant à l'avenir,
Suivant l'occasion nous saurons y fournir.
Le temps est un grand maître, il règle bien des choses.
Enfin je suis jalouse, et vous en dis les causes.
Voulez-vous me servir?

PERPENNA

Si je le veux? J'y cours,
Madame, et meurs déjà d'y consacrer mes jours.
Mais pourrai-je espérer que ce faible service
Attirera sur moi quelque regard propice,
Que le cœur attendri fera suivre...

VIRIATE

Arrêtez !
Vous porteriez trop loin des vœux précipités.
Sans doute un tel service aura droit de me plaire;
Mais laissez-moi, de grâce, arbitre du salaire :
Je ne suis point ingrate, et sais ce que je dois;
Et c'est vous dire assez pour la première fois.
Adieu.

SCÈNE V

PERPENNA, AUFIDE

AUFIDE

Vous le voyez, Seigneur, comme on vous joue.
Tout son cœur est ailleurs; Sertorius l'avoue
Et fait auprès de vous l'officieux rival,
Cependant que la Reine...

PERPENNA

Ah ! n'en juge point mal.
A lui rendre service elle m'ouvre une voie
Que tout mon cœur embrasse avec excès de joie.

AUFIDE

Vous ne voyez donc pas que son esprit jaloux
Ne cherche à se servir de vous que contre vous,

Et que rompant le cours d'une flamme nouvelle,
Vous forcez ce rival à retourner vers elle?

PERPENNA

N'importe, servons-la, méritons son amour :
La force et la vengeance agiront à leur tour.
Hasardons quelques jours sur l'espoir qui nous flatte,
Dussions-nous pour tout fruit ne faire qu'une ingrate.

AUFIDE

Mais, Seigneur...

PERPENNA

Épargnons les discours superflus,
Songeons à la servir, et ne contestons plus :
Cet unique souci tient mon âme occupée.
Cependant de nos murs on découvre Pompée;
Tu sais qu'on me l'a dit : allons le recevoir,
Puisque Sertorius m'impose ce devoir.

ACTE III

SCÈNE PREMIÈRE[1]

SERTORIUS, POMPÉE, SUITE

SERTORIUS

Seigneur, qui des mortels eût jamais osé croire
Que la trêve à tel point dût rehausser ma gloire;
Qu'un nom à qui la guerre a fait trop applaudir
Dans l'ombre de la paix trouvât à s'agrandir?
Certes, je doute encor si ma vue est trompée,
Alors que dans ces murs je vois le grand Pompée;
Et quand il lui plaira, je saurai quel bonheur
Comble Sertorius d'un tel excès d'honneur.

POMPÉE

Deux raisons; mais, Seigneur, faites qu'on se retire,
Afin qu'en liberté je puisse vous les dire.
L'inimitié qui règne entre nos deux partis
N'y rend pas de l'honneur tous les droits amortis.
Comme le vrai mérite a ses prérogatives,
Qui prennent le dessus des haines les plus vives,
L'estime et le respect sont de justes tributs
Qu'aux plus fiers ennemis arrachent les vertus;
Et c'est ce que vient rendre à la haute vaillance,
Dont je ne fais ici que trop d'expérience,
L'ardeur de voir de près un si fameux héros,
Sans lui voir en la main piques ni javelots,
Et le front désarmé de ce regard terrible
Qui dans nos escadrons guide un bras invincible.
Je suis jeune et guerrier, et tant de fois vainqueur,
Que mon trop de fortune a pu m'enfler le cœur;
Mais (et ce franc aveu sied bien aux grands courages)
J'apprends plus contre vous par mes désavantages,
Que les plus beaux succès qu'ailleurs j'aye emportés,

Ne m'ont encore appris par mes prospérités.
Je vois ce qu'il faut faire, à voir ce que vous faites :
Les sièges, les assauts, les savantes retraites,
Bien camper, bien choisir à chacun son emploi,
Votre exemple est partout une étude pour moi.
Ah ! si je vous pouvais rendre à la République,
Que je croirais lui faire un présent magnifique !
Et que j'irais, Seigneur, à Rome avec plaisir,
Puisque la trêve enfin m'en donne le loisir,
Si j'y pouvais porter quelque faible espérance
D'y conclure un accord d'une telle importance !
Près de l'heureux Sylla ne puis-je rien pour vous?
Et près de vous, Seigneur, ne puis-je rien pour tous?

SERTORIUS

Vous me pourriez sans doute épargner quelque peine,
Si vous vouliez avoir l'âme toute romaine;
Mais avant que d'entrer en ces difficultés,
Souffrez que je réponde à vos civilités.
Vous ne me donnez rien par cette haute estime
Que vous n'ayez déjà dans le degré sublime.
La victoire attachée à vos premiers exploits,
Un triomphe avant l'âge où le souffrent nos lois[5],
Avant la dignité qui permet d'y prétendre,
Font trop voir quels respects l'univers vous doit rendre.
Si dans l'occasion je ménage un peu mieux
L'assiette du pays et la faveur des lieux,
Si mon expérience en prend quelque avantage,
Le grand art de la guerre attend quelquefois l'âge,
Le temps y fait beaucoup; et de mes actions
S'il vous a plu tirer quelques instructions,
Mes exemples un jour ayant fait place aux vôtres,
Ce que je vous apprends, vous l'apprendrez à d'autres;
Et ceux qu'aura ma mort saisis de mon emploi,
S'instruiront contre vous, comme vous contre moi.
Quant à l'heureux Sylla, je n'ai rien à vous dire.
Je vous ai montré l'art d'affaiblir son empire;
Et si je puis jamais y joindre des leçons
Dignes de vous apprendre à repasser les monts,
Je suivrai d'assez près votre illustre retraite
Pour traiter avec lui sans besoin d'interprète,
Et sur les bords du Tibre, une pique à la main,
Lui demander raison pour le peuple romain.

POMPÉE

De si hautes leçons, Seigneur, sont difficiles,
Et pourraient vous donner quelques soins inutiles,
Si vous faisiez dessein de me les expliquer
Jusqu'à m'avoir appris à les bien pratiquer.

SERTORIUS

Aussi me pourriez-vous épargner quelque peine,
Si vous vouliez avoir l'âme toute romaine :
Je vous l'ai déjà dit.

POMPÉE

Ce discours rebattu
Lasserait une austère et farouche vertu.
Pour moi, qui vous honore assez pour me contraindre
A fuir obstinément tout sujet de m'en plaindre,
Je ne veux rien comprendre en ses obscurités.

SERTORIUS

Je sais qu'on n'aime point de telles vérités;
Mais, Seigneur, étant seuls, je parle avec franchise :
Bannissant les témoins, vous me l'avez permise;
Et je garde avec vous la même liberté
Que si votre Sylla n'avait jamais été.
Est-ce être tout Romain qu'être chef d'une guerre
Qui veut tenir aux fers les maîtres de la terre?
Ce nom, sans vous et lui, nous serait encor dû :
C'est par lui, c'est par vous que nous l'avons perdu.
C'est vous qui sous le joug traînez des cœurs si braves;
Ils étaient plus que rois, ils sont moindres qu'esclaves;
Et la gloire qui suit vos plus nobles travaux
Ne fait qu'approfondir l'abîme de leurs maux :
Leur misère est le fruit de votre illustre peine;
Et vous pensez avoir l'âme toute romaine !
Vous avez hérité ce nom de vos aïeux;
Mais s'il vous était cher, vous le rempliriez mieux.

POMPÉE

Je crois le bien remplir quand tout mon cœur s'applique
Aux soins de rétablir un jour la République;
Mais vous jugez, Seigneur, de l'âme par le bras;
Et souvent l'un paraît ce que l'autre n'est pas.
Lorsque deux factions divisent un empire,
Chacun suit au hasard la meilleure ou la pire,

Suivant l'occasion ou la nécessité
Qui l'emporte vers l'un ou vers l'autre côté.
Le plus juste parti, difficile à connaître,
Nous laisse en liberté de nous choisir un maître;
Mais quand ce choix est fait, on ne s'en dédit plus.
J'ai servi sous Sylla du temps de Marius,
Et servirai sous lui tant qu'un destin funeste
De nos divisions soutiendra quelque reste.
Comme je ne vois pas dans le fond de son cœur,
J'ignore quels projets peut former son bonheur :
S'il les pousse trop loin, moi-même je l'en blâme;
Je lui prête mon bras sans engager mon âme;
Je m'abandonne au cours de sa félicité,
Tandis que tous mes vœux sont pour la liberté;
Et c'est ce qui me force à garder une place
Qu'usurperaient sans moi l'injustice et l'audace,
Afin que, Sylla mort, ce dangereux pouvoir
Ne tombe qu'en des mains qui sachent leur devoir.
Enfin je sais mon but, et vous savez le vôtre.

SERTORIUS

Mais cependant, Seigneur, vous servez comme un autre;
Et nous, qui jugeons tout sur la foi de nos yeux,
Et laissons le dedans à pénétrer aux Dieux,
Nous craignons votre exemple, et doutons si dans Rome
Il n'instruit point le peuple à prendre loi d'un homme;
Et si votre valeur, sous le pouvoir d'autrui,
Ne sème point pour vous lorsqu'elle agit pour lui.
Comme je vous estime, il m'est aisé de croire
Que de la liberté vous feriez votre gloire,
Que votre âme en secret lui donne tous ses vœux;
Mais si je m'en rapporte aux esprits soupçonneux,
Vous aidez aux Romains à faire essai d'un maître,
Sous ce flatteur espoir qu'un jour vous pourrez l'être.
La main qui les opprime, et que vous soutenez,
Les accoutume au joug que vous leur destinez;
Et doutant s'ils voudront se faire à l'esclavage,
Aux périls de Sylla vous tâtez leur courage.

POMPÉE

Le temps détrompera ceux qui parlent ainsi;
Mais justifiera-t-il ce que l'on voit ici?
Permettez qu'à mon tour je parle avec franchise;

Votre exemple à la fois m'instruit et m'autorise :
Je juge, comme vous, sur la foi de mes yeux,
Et laisse le dedans à pénétrer aux Dieux.
  Ne vit-on pas ici sous les ordres d'un homme?
N'y commandez-vous pas comme Sylla dans Rome?
Du nom de dictateur, du nom de général,
Qu'importe, si des deux le pouvoir est égal?
Les titres différents ne font rien à la chose :
Vous imposez des lois ainsi qu'il en impose;
Et s'il est périlleux de s'en faire haïr,
Il ne serait pas sûr de vous désobéir.
  Pour moi, si quelque jour je suis ce que vous êtes,
J'en userai peut-être alors comme vous faites :
Jusque-là...

SERTORIUS

Vous pourriez en douter jusque-là,
Et me faire un peu moins ressembler à Sylla.
Si je commande ici, le sénat me l'ordonne,
Mes ordres n'ont encore assassiné personne.
Je n'ai pour ennemis que ceux du bien commun;
Je leur fais bonne guerre, et n'en proscris pas un.
C'est un asile ouvert que mon pouvoir suprême;
Et si l'on m'obéit, ce n'est qu'autant qu'on m'aime.

POMPÉE

Et votre empire en est d'autant plus dangereux,
Qu'il rend de vos vertus les peuples amoureux,
Qu'en assujettissant vous avez l'art de plaire,
Qu'on croit n'être en vos fers qu'esclave volontaire,
Et que la liberté trouvera peu de jour
A détruire un pouvoir que fait régner l'amour.
  Ainsi parlent, Seigneur, les âmes soupçonneuses;
Mais n'examinons point ces questions fâcheuses,
Ni si c'est un sénat qu'un amas de bannis
Que cet asile ouvert sous vous a réunis.
Une seconde fois, n'est-il aucune voie
Par où je puisse à Rome emporter quelque joie?
Elle serait extrême à trouver les moyens
De rendre un si grand homme à ses concitoyens.
Il est doux de revoir les murs de la patrie[6] :
C'est elle par ma voix, Seigneur, qui vous en prie;
C'est Rome...

SERTORIUS

Le séjour de votre potentat,
Qui n'a que ses fureurs pour maximes d'État?
Je n'appelle plus Rome un enclos de murailles
Que ses proscriptions comblent de funérailles :
Ces murs, dont le destin fut autrefois si beau,
N'en sont que la prison, ou plutôt le tombeau;
Mais pour revivre ailleurs dans sa première force,
Avec les faux Romains elle a fait plein divorce;
Et comme autour de moi j'ai tous ses vrais appuis,
Rome n'est plus dans Rome, elle est toute où je suis.
Parlons pourtant d'accord. Je ne sais qu'une voie
Qui puisse avec honneur nous donner cette joie.
Unissons-nous ensemble, et le tyran est bas :
Rome à ce grand dessein ouvrira tous ses bras.
Ainsi nous ferons voir l'amour de la patrie,
Pour qui vont les grands cœurs jusqu'à l'idolâtrie;
Et nous épargnerons ces flots de sang romain
Que versent tous les ans votre bras et ma main.

POMPÉE

Ce projet, qui pour vous est tout brillant de gloire,
N'aurait-il rien pour moi d'une action trop noire?
Moi qui commande ailleurs, puis-je servir sous vous?

SERTORIUS

Du droit de commander je ne suis point jaloux;
Je ne l'ai qu'en dépôt, et je vous l'abandonne,
Non jusqu'à vous servir de ma seule personne :
Je prétends un peu plus; mais dans cette union
De votre lieutenant m'envierez-vous le nom?

POMPÉE

De pareils lieutenants n'ont des chefs qu'en idée :
Leur nom retient pour eux l'autorité cédée;
Ils n'en quittent que l'ombre; et l'on ne sait que c'est
De suivre ou d'obéir que suivant qu'il leur plaît.
Je sais une autre voie, et plus noble et plus sûre.
Sylla, si vous voulez, quitte sa dictature;
Et déjà de lui-même il s'en serait démis,
S'il voyait qu'en ces lieux il n'eût plus d'ennemis.
Mettez les armes bas, je réponds de l'issue :

J'en donne ma parole après l'avoir reçue.
Si vous êtes Romain, prenez l'occasion.

SERTORIUS

Je ne m'éblouis point de cette illusion.
Je connais le tyran, j'en vois le stratagème :
Quoi qu'il semble promettre, il est toujours lui-même.
Vous qu'à sa défiance il a sacrifié,
Jusques à vous forcer d'être son allié...

POMPÉE

Hélas ! ce mot me tue, et je le dis sans feinte,
C'est l'unique sujet qu'il m'a donné de plainte.
J'aimais mon Aristie, il m'en vient d'arracher;
Mon cœur frémit encore à me le reprocher;
Vers tant de biens perdus sans cesse il me rappelle;
Et je vous rends, Seigneur, mille grâces pour elle,
A vous, à ce grand cœur dont la compassion
Daigne ici l'honorer de sa protection.

SERTORIUS

Protéger hautement les vertus malheureuses,
C'est le moindre devoir des âmes généreuses :
Aussi fais-je encor plus, je lui donne un époux.

POMPÉE

Un époux ! Dieux ! qu'entends-je? Et qui, Seigneur?

SERTORIUS

Moi.

POMPÉE

Vous !
Seigneur, toute son âme est à moi dès l'enfance :
N'imitez point Sylla par cette violence;
Mes maux sont assez grands, sans y joindre celui
De voir tout ce que j'aime entre les bras d'autrui.

SERTORIUS

Tout est encore à vous. Venez, venez, Madame,
Faire voir quel pouvoir j'usurpe sur votre âme,
Et montrer, s'il se peut, à tout le genre humain
La force qu'on vous fait pour me donner la main.

POMPÉE

C'est elle-même, ô ciel !

SERTORIUS

Je vous laisse avec elle,
Et sais que tout son cœur vous eſt encor fidèle.
Reprenez votre bien, ou ne vous plaignez plus
Si j'ose m'enrichir, Seigneur, de vos refus.

SCÈNE II

POMPÉE, ARISTIE

POMPÉE

Me dit-on vrai, Madame, et serait-il possible...

ARISTIE

Oui, Seigneur, il eſt vrai que j'ai le cœur sensible;
Suivant qu'on m'aime ou hait, j'aime ou hais à mon tour,
Et ma gloire soutient ma haine et mon amour.
Mais si de mon amour elle eſt la souveraine,
Elle n'eſt pas toujours maîtresse de ma haine;
Je ne la suis pas même, et je hais quelquefois
Et moins que je ne veux et moins que je ne dois.

POMPÉE

Cette haine a pour moi toute son étendue,
Madame, et la pitié ne l'a point suspendue;
La générosité n'a pu la modérer.

ARISTIE

Vous ne voyez donc pas qu'elle a peine à durer?
Mon feu, qui n'eſt éteint que parce qu'il doit l'être,
Cherche en dépit de moi le vôtre pour renaître;
Et je sens qu'à vos yeux mon courroux chancelant
Trébuche, perd sa force, et meurt en vous parlant.
M'aimeriez-vous encor, Seigneur?

POMPÉE

Si je vous aime!
Demandez si je vis, ou si je suis moi-même :
Votre amour eſt ma vie, et ma vie eſt à vous.

ARISTIE

Sortez de mon esprit, ressentiments jaloux;
Noirs enfants du dépit, ennemis de ma gloire,
Tristes ressentiments, je ne veux plus vous croire.
Quoi qu'on m'ait fait d'outrage, il ne m'en souvient plus.
Plus de nouvel hymen, plus de Sertorius;
Je suis au grand Pompée; et puisqu'il m'aime encore,
Puisqu'il me rend son cœur, de nouveau je l'adore :
Plus de Sertorius. Mais, Seigneur, répondez;
Faites parler ce cœur qu'enfin vous me rendez.
Plus de Sertorius. Hélas ! quoi que je die,
Vous ne me dites point, Seigneur : « Plus d'Émilie. »
Rentrez dans mon esprit, jaloux ressentiments,
Fiers enfants de l'honneur, nobles emportements;
C'est vous que je veux croire; et Pompée infidèle
Ne saurait plus souffrir que ma haine chancelle :
Il l'affermit pour moi. Venez, Sertorius;
Il me rend toute à vous par ce muet refus.
Donnons ce grand témoin à ce grand hyménée;
Son âme, toute ailleurs, n'en sera point gênée :
Il le verra sans peine, et cette dureté
Passera chez Sylla pour magnanimité.

POMPÉE

Ce qu'il vous fait d'injure également m'outrage;
Mais enfin je vous aime, et ne puis davantage.
Vous, si jamais ma flamme eut pour vous quelque appas,
Plaignez-vous, haïssez, mais ne vous donnez pas;
Demeurez en état d'être toujours ma femme,
Gardez jusqu'au tombeau l'empire de mon âme.
Sylla n'a que son temps, il est vieil et cassé :
Son règne passera, s'il n'est déjà passé;
Ce grand pouvoir lui pèse, il s'apprête à le rendre;
Comme à Sertorius, je veux bien vous l'apprendre.
Ne vous jetez donc point, Madame, en d'autres bras;
Plaignez-vous, haïssez, mais ne vous donnez pas.
Si vous voulez ma main, n'engagez point la vôtre.

ARISTIE

Mais quoi? n'êtes-vous pas entre les bras d'une autre?

POMPÉE

Non : puisqu'il vous en faut confier le secret,

Émilie à Sylla n'obéit qu'à regret.
Des bras d'un autre époux ce tyran qui l'arrache
Ne rompt point dans son cœur le saint nœud qui l'attache,
Elle porte en ses flancs un fruit de cet amour,
Que bientôt chez moi-même elle va mettre au jour;
Et dans ce triste état, sa main qu'il m'a donnée
N'a fait que l'éblouir par un feint hyménée,
Tandis que tout entière à son cher Glabrion,
Elle paraît ma femme, et n'en a que le nom.

ARISTIE

Et ce nom seul est tout pour celles de ma sorte.
Rendez-le-moi, Seigneur, ce grand nom qu'elle porte.
J'aimais votre tendresse et vos empressements;
Mais je suis au-dessus de ces attachements;
Et tout me sera doux, si ma trame coupée
Me rend à mes aïeux en femme de Pompée,
Et que sur mon tombeau ce grand titre gravé
Montre à tout l'avenir que je l'ai conservé.
J'en fais toute ma gloire et toutes mes délices;
Un moment de sa perte a pour moi des supplices.
Vengez-moi de Sylla, qui me l'ôte aujourd'hui,
Ou souffrez qu'on me venge et de vous et de lui;
Qu'un autre hymen me rende un titre qui l'égale;
Qu'il me relève autant que Sylla me ravale :
Non que je puisse aimer aucun autre que vous :
Mais pour venger ma gloire il me faut un époux :
Il m'en faut un illustre, et dont la renommée...

POMPÉE

Ah ! ne vous lassez point d'aimer et d'être aimée.
Peut-être touchons-nous au moment désiré
Qui saura réunir ce qu'on a séparé.
Ayez plus de courage et moins d'impatience :
Souffrez que Sylla meure, ou quitte sa puissance...

ARISTIE

J'attendrai de sa mort ou de son repentir
Qu'à me rendre l'honneur vous daigniez consentir?
Et je verrai toujours votre cœur plein de glace,
Mon tyran impuni, ma rivale en ma place,
Jusqu'à ce qu'il renonce au pouvoir absolu,
Après l'avoir gardé tant qu'il l'aura voulu?

POMPÉE

Mais tant qu'il pourra tout, que pourrai-je, Madame?

ARISTIE

Suivre en tous lieux, Seigneur, l'exil de votre femme,
La ramener chez vous avec vos légions,
Et rendre un heureux calme à nos divisions.
Que ne pourrez-vous point en tête d'une armée,
Partout, hors de l'Espagne, à vaincre accoutumée?
Et quand Sertorius sera joint avec vous,
Que pourra le tyran? qu'osera son courroux?

POMPÉE

Ce n'est pas s'affranchir qu'un moment le paraître,
Ni secouer le joug que de changer de maître.
Sertorius pour vous est un illustre appui;
Mais en faire le mien, c'est me ranger sous lui;
Joindre nos étendards, c'est grossir son empire.
Perpenna, qui l'a joint, saura que vous en dire.
Je sers; mais jusqu'ici l'ordre vient de si loin,
Qu'avant qu'on le reçoive il n'en est plus besoin;
Et ce peu que j'y rends de vaine déférence,
Jaloux du vrai pouvoir, ne sert qu'en apparence.
Je crois n'avoir plus même à servir qu'un moment;
Et quand Sylla prépare un si doux changement,
Pouvez-vous m'ordonner de me bannir de Rome,
Pour la remettre au joug sous les lois d'un autre homme;
Moi qui ne suis jaloux de mon autorité
Que pour lui rendre un jour toute sa liberté?
Non, non : si vous m'aimez comme j'aime à le croire,
Vous saurez accorder votre amour et ma gloire,
Céder avec prudence au temps prêt à changer,
Et ne me perdre pas au lieu de vous venger.

ARISTIE

Si vous m'avez aimée, et qu'il vous en souvienne,
Vous mettrez votre gloire à me rendre la mienne;
Mais il est temps qu'un mot termine ces débats.
Me voulez-vous, Seigneur? ne me voulez-vous pas?
Parlez : que votre choix règle ma destinée.
Suis-je encore à l'époux à qui l'on m'a donnée?
Suis-je à Sertorius? C'est assez consulté :
Rendez-moi mes liens, ou pleine liberté...

POMPÉE

Je le vois bien, Madame, il faut rompre la trêve,
Pour briser en vainqueur cet hymen, s'il s'achève;
Et vous savez si peu l'art de vous secourir,
Que pour vous en instruire, il faut vous conquérir.

ARISTIE

Sertorius sait vaincre et garder ses conquêtes.

POMPÉE

La vôtre, à la garder, coûtera bien des têtes.
Comme elle fermera la porte à tout accord,
Rien ne la peut jamais assurer que ma mort.
Oui, j'en jure les Dieux, s'il faut qu'il vous obtienne,
Rien ne peut empêcher sa perte que la mienne;
Et peut-être tous deux, l'un par l'autre percés,
Nous vous ferons connaître à quoi vous nous forcez.

ARISTIE

Je ne suis pas, Seigneur, d'une telle importance.
D'autres soins éteindront cette ardeur de vengeance;
Ceux de vous agrandir vous porteront ailleurs,
Où vous pourrez trouver quelques destins meilleurs;
Ceux de servir Sylla, d'aimer son Émilie,
D'imprimer du respect à toute l'Italie,
De rendre à votre Rome un jour sa liberté,
Sauront tourner vos pas de quelque autre côté.
Surtout ce privilège acquis aux grandes âmes,
De changer à leur gré de maris et de femmes,
Mérite qu'on l'étale au bout de l'univers,
Pour en donner l'exemple à cent climats divers.

POMPÉE

Ah ! c'en est trop, Madame, et de nouveau je jure...

ARISTIE

Seigneur, les vérités font-elles quelque injure?

POMPÉE

Vous oubliez trop tôt que je suis votre époux.

ARISTIE

Ah ! si ce nom vous plaît, je suis encore à vous :
Voilà ma main, Seigneur.

POMPÉE

Gardez-la-moi, Madame.

ARISTIE

Tandis que vous avez à Rome une autre femme?
Que par un autre hymen vous me déshonorez?
Me punissent les Dieux que vous avez jurés,
Si, passé ce moment, et hors de votre vue,
Je vous garde une foi que vous avez rompue !

POMPÉE

Qu'allez-vous faire? hélas !

ARISTIE

Ce que vous m'enseignez.

POMPÉE

Éteindre un tel amour !

ARISTIE

Vous-même l'éteignez.

POMPÉE

La victoire aura droit de le faire renaître.

ARISTIE

Si ma haine est trop faible, elle la fera croître.

POMPÉE

Pourrez-vous me haïr?

ARISTIE

J'en fais tous mes souhaits.

POMPÉE

Adieu donc pour deux jours.

ARISTIE

Adieu pour tout jamais.

ACTE IV

SCÈNE PREMIÈRE

SERTORIUS, THAMIRE

SERTORIUS

POURRAI-JE voir la Reine?

THAMIRE

Attendant qu'elle vienne,
Elle m'a commandé que je vous entretienne,
Et veut demeurer seule encor quelques moments.

SERTORIUS

Ne m'apprendrez-vous point où vont ses sentiments,
Ce que doit Perpenna concevoir d'espérance?

THAMIRE

Elle ne m'en fait pas beaucoup de confidence;
Mais j'ose présumer qu'offert de votre main
Il aura peu de peine à fléchir son dédain :
Vous pouvez tout sur elle.

SERTORIUS

Ah ! j'y puis peu de chose,
Si jusqu'à l'accepter mon malheur la dispose;
Ou pour en parler mieux, j'y puis trop, et trop peu.

THAMIRE

Elle croit fort vous plaire en secondant son feu.

SERTORIUS

Me plaire?

THAMIRE

Oui; mais, Seigneur, d'où vient cette surprise?
Et de quoi s'inquiète un cœur qui la méprise?

SERTORIUS

N'appelez point mépris un violent respect
Que sur mes plus doux vœux fait régner son aspect.

THAMIRE

Il est peu de respects qui ressemblent au vôtre,
S'il ne sait que trouver des raisons pour un autre;
Et je préférerais un peu d'emportement
Aux plus humbles devoirs d'un tel accablement.

SERTORIUS

Il n'en est rien parti capable de me nuire,
Qu'un soupir échappé ne dût soudain détruire;
Mais la Reine, sensible à de nouveaux désirs,
Entendait mes raisons, et non pas mes soupirs.

THAMIRE

Seigneur, quand un Romain, quand un héros soupire,
Nous n'entendons pas bien ce qu'un soupir veut dire;
Et je vous servirais de meilleur truchement,
Si vous vous expliquiez un peu plus clairement.
Je sais qu'en ce climat, que vous nommez barbare,
L'amour, par un soupir quelquefois se déclare;
Mais la gloire, qui fait toutes vos passions,
Vous met trop au-dessus de ces impressions :
De tels désirs trop bas pour les grands cœurs de Rome...

SERTORIUS

Ah ! pour être Romain, je n'en suis pas moins homme[7] :
J'aime, et peut-être plus qu'on n'a jamais aimé;
Malgré mon âge et moi, mon cœur s'est enflammé.
J'ai cru pouvoir me vaincre, et toute mon adresse
Dans mes plus grands efforts m'a fait voir ma faiblesse.
Ceux de la politique et ceux de l'amitié
M'ont mis en un état à me faire pitié.
Le souvenir m'en tue, et ma vie incertaine
Dépend d'un peu d'espoir que j'attends de la Reine,
Si toutefois...

THAMIRE

Seigneur, elle a de la bonté;
Mais je vois son esprit fortement irrité;

Et si vous m'ordonnez de vous parler sans feindre,
Vous pouvez espérer, mais vous avez à craindre.
N'y perdez point de temps, et ne négligez rien;
C'eſt peut-être un dessein mal ferme que le sien.
La voici. Profitez des avis qu'on vous donne,
Et gardez bien surtout qu'elle ne m'en soupçonne.

SCÈNE II

SERTORIUS, VIRIATE, THAMIRE

VIRIATE

On m'a dit qu'Ariſtie a manqué son projet,
Et que Pompée échappe à cet illuſtre objet.
Serait-il vrai, Seigneur?

SERTORIUS

Il eſt trop vrai, Madame;
Mais bien qu'il l'abandonne, il l'adore dans l'âme,
Et rompra, m'a-t-il dit, la trêve dès demain,
S'il voit qu'elle s'apprête à me donner la main.

VIRIATE

Vous vous alarmez peu d'une telle menace?

SERTORIUS

Ce n'eſt pas en effet ce qui plus m'embarrasse.
Mais vous, pour Perpenna qu'avez-vous résolu?

VIRIATE

D'obéir sans remise au pouvoir absolu;
Et si d'une offre en l'air votre âme encor frappée
Veut bien s'embarrasser du rebut de Pompée,
Il ne tiendra qu'à vous que dès demain tous deux
De l'un et l'autre hymen nous n'assurions les nœuds,
Dût se rompre la trêve, et dût la jalousie
Jusqu'au dernier éclat pousser sa frénésie.

SERTORIUS

Vous pourrez dès demain...

VIRIATE

Dès ce même moment.
Ce n'est pas obéir qu'obéir lentement;
Et quand l'obéissance a de l'exactitude,
Elle voit que sa gloire est dans la promptitude.

SERTORIUS

Mes prières pouvaient souffrir quelques refus.

VIRIATE

Je les prendrai toujours pour ordres absolus :
Qui peut ce qui lui plaît commande alors qu'il prie.
D'ailleurs Perpenna m'aime avec idolâtrie;
Tant d'amour, tant de rois d'où son sang est venu,
Le pouvoir souverain dont il est soutenu,
Valent bien tous ensemble un trône imaginaire
Qui ne peut subsister que par l'heur de vous plaire.

SERTORIUS

Je n'ai donc qu'à mourir en faveur de ce choix.
J'en ai reçu la loi de votre propre voix;
C'est un ordre absolu qu'il est temps que j'entende.
Pour aimer un Romain, vous voulez qu'il commande;
Et comme Perpenna ne le peut sans ma mort,
Pour remplir votre trône, il lui faut tout mon sort.
Lui donner votre main, c'est m'ordonner, Madame,
De lui céder ma place au camp et dans votre âme.
Il est, il est trop juste, après un tel bonheur,
Qu'il l'ait dans notre armée, ainsi qu'en votre cœur :
J'obéis sans murmure, et veux bien que ma vie...

VIRIATE

Avant que par cet ordre elle vous soit ravie,
Puis-je me plaindre à vous d'un retour inégal
Qui tient moins d'un ami qu'il ne fait d'un rival?
Vous trouvez ma faveur et trop prompte et trop pleine !
L'hymen où je m'apprête est pour vous une gêne !
Vous m'en parlez enfin comme si vous m'aimiez !

SERTORIUS

Souffrez, après ce mot, que je meure à vos pieds.
J'y veux bien immoler tout mon bonheur au vôtre;
Mais je ne vous puis voir entre les bras d'un autre.

Et c'est assez vous dire à quelle extrémité
Me réduit mon amour que j'ai mal écouté.
Bien qu'un si digne objet le rendît excusable,
J'ai cru honteux d'aimer quand on n'est plus aimable :
J'ai voulu m'en défendre à voir mes cheveux gris,
Et me suis répondu longtemps de vos mépris;
Mais j'ai vu dans votre âme ensuite une autre idée,
Sur qui mon espérance aussitôt s'est fondée;
Et je me suis promis bien plus qu'à tous vos rois,
Quand j'ai vu que l'amour n'en ferait point le choix.
J'allais me déclarer sans l'offre d'Aristie :
Non que ma passion s'en soit vue alentie;
Mais je n'ai point douté qu'il ne fût d'un grand cœur
De tout sacrifier pour le commun bonheur.
L'amour de Perpenna s'est joint à ces pensées;
Vous avez vu le reste, et mes raisons forcées.
Je m'étais figuré que de tels déplaisirs
Pourraient ne me coûter que deux ou trois soupirs;
Et pour m'en consoler j'envisageais l'estime
Et d'ami généreux et de chef magnanime;
Mais près d'un coup fatal, je sens par mes ennuis
Que je me promettais bien plus que je ne puis.
Je me rends donc, Madame; ordonnez de ma vie;
Encor tout de nouveau je vous la sacrifie.
Aimez-vous Perpenna?

VIRIATE

Je sais vous obéir,
Mais je ne sais que c'est d'aimer ni de haïr;
Et la part que tantôt vous aviez dans mon âme
Fut un don de ma gloire, et non pas de ma flamme.
Je n'en ai point pour lui, je n'en ai point pour vous :
Je ne veux point d'amant, mais je veux un époux;
Mais je veux un héros, qui par son hyménée
Sache élever si haut le trône où je suis née,
Qu'il puisse de l'Espagne être l'heureux soutien,
Et laisser de vrais rois de mon sang et du sien.
Je le trouvais en vous, n'eût été la bassesse
Qui pour ce cher rival contre moi s'intéresse,
Et dont, quand je vous mets au-dessus de cent rois,
Une répudiée a mérité le choix.
Je l'oublierai pourtant, et veux vous faire grâce.
M'aimez-vous?

SERTORIUS

Oserai-je en prendre encor l'audace?

VIRIATE

Prenez-la, j'y consens, Seigneur; et dès demain,
Au lieu de Perpenna, donnez-moi votre main.

SERTORIUS

Que se tiendrait heureux un amour moins sincère
Qui n'aurait d'autre but que de se satisfaire,
Et qui se remplirait de sa félicité
Sans prendre aucun souci de votre dignité !
Mais quand vous oubliez ce que j'ai pu vous dire,
Puis-je oublier les soins d'agrandir votre empire;
Que votre grand projet est celui de régner?

VIRIATE

Seigneur, vous faire grâce, est-ce m'en éloigner?

SERTORIUS

Ah ! Madame, est-il temps que cette grâce éclate?

VIRIATE

C'est cet éclat, Seigneur, que cherche Viriate.

SERTORIUS

Nous perdons tout, Madame, à le précipiter :
L'amour de Perpenna le fera révolter.
Souffrez qu'un peu de temps doucement le ménage,
Qu'auprès d'un autre objet un autre amour l'engage.
Des amis d'Aristie assurons le secours
A force de promettre, en différant toujours.
Détruire tout l'espoir qui les tient en haleine,
C'est les perdre, c'est mettre un jaloux hors de peine,
Dont l'esprit ébranlé ne se doit pas guérir
De cette impression qui peut nous l'acquérir.
Pourrions-nous venger Rome après de telles pertes?
Pourrions-nous l'affranchir des misères souffertes?
Et de ses intérêts un si haut abandon...

VIRIATE

Et que m'importe à moi si Rome souffre ou non?
Quand j'aurai de ses maux effacé l'infamie,

J'en obtiendrai pour fruit le nom de son amie !
Je vous verrai consul m'en apporter les lois,
Et m'abaisser vous-même au rang des autres rois !
Si vous m'aimez, Seigneur, nos mers et nos montagnes
Doivent borner vos vœux, ainsi que nos Espagnes :
Nous pouvons nous y faire un assez beau destin,
Sans chercher d'autre gloire au pied de l'Aventin.
Affranchissons le Tage, et laissons faire au Tibre.
La liberté n'est rien quand tout le monde est libre;
Mais il est beau de l'être, et voir tout l'univers
Soupirer sous le joug et gémir dans les fers;
Il est beau d'étaler cette prérogative
Aux yeux du Rhône esclave et de Rome captive;
Et de voir envier aux peuples abattus
Ce respect que le sort garde pour les vertus.
Quant au grand Perpenna, s'il est si redoutable,
Remettez-moi le soin de le rendre traitable :
Je sais l'art d'empêcher les grands cœurs de faillir.

SERTORIUS

Mais quel fruit pensez-vous en pouvoir recueillir?
Je le sais comme vous, et vois quelles tempêtes
Cet ordre surprenant formera sur nos têtes.
Ne cherchons point, Madame, à faire des mutins,
Et ne nous brouillons point avec nos bons destins.
Rome nous donnera sans eux assez de peine,
Avant que de souscrire à l'hymen d'une reine;
Et nous n'en fléchirons jamais la dureté,
A moins qu'elle nous doive et gloire et liberté.

VIRIATE

Je vous avouerai plus, Seigneur : loin d'y souscrire,
Elle en prendra pour vous une haine où j'aspire,
Un courroux implacable, un orgueil endurci;
Et c'est par où je veux vous arrêter ici.
Qu'ai-je à faire dans Rome? et pourquoi, je vous prie...

SERTORIUS

Mais nos Romains, Madame, aiment tous leur patrie;
Et de tous leurs travaux l'unique et doux espoir,
C'est de vaincre bientôt assez pour la revoir.

VIRIATE

Pour les enchaîner tous sur les rives du Tage,

Nous n'avons qu'à laisser Rome dans l'esclavage :
Ils aimeront à vivre et sous vous et sous moi,
Tant qu'ils n'auront qu'un choix d'un tyran ou d'un roi.

SERTORIUS

Ils ont pour l'un et l'autre une pareille haine,
Et n'obéiront point au mari d'une reine.

VIRIATE

Qu'ils aillent donc chercher des climats à leur choix,
Où le gouvernement n'ait ni tyrans ni rois.
Nos Espagnols, formés à votre art militaire,
Achèveront sans eux ce qui nous reste à faire.
La perte de Sylla n'est pas ce que je veux;
Rome attire encor moins la fierté de mes vœux :
L'hymen où je prétends ne peut trouver d'amorces
Au milieu d'une ville où règnent les divorces,
Et du haut de mon trône on ne voit point d'attraits
Où l'on n'est roi qu'un an, pour n'être rien après.
Enfin pour achever, j'ai fait pour vous plus qu'elle :
Elle vous a banni, j'ai pris votre querelle;
Je conserve des jours qu'elle veut vous ravir.
Prenez le diadème, et laissez-la servir.
Il est beau de tenter des choses inouïes,
Dût-on voir par l'effet ses volontés trahies.
Pour moi, d'un grand Romain je veux faire un grand roi;
Vous, s'il y faut périr, périssez avec moi :
C'est gloire de se perdre en servant ce qu'on aime.

SERTORIUS

Mais porter dès l'abord les choses à l'extrême,
Madame, et sans besoin faire des mécontents !
Soyons heureux plus tard pour l'être plus longtemps.
Une victoire ou deux jointes à quelque adresse...

VIRIATE

Vous savez que l'amour n'est pas ce qui me presse,
Seigneur; mais, après tout, il faut le confesser,
Tant de précaution commence à me lasser.
Je suis reine; et qui sait porter une couronne,
Quand il a prononcé, n'aime point qu'on raisonne.
Je vais penser à moi, vous penserez à vous.

SERTORIUS

Ah ! si vous écoutez cet injuste courroux...

VIRIATE

Je n'en ai point, Seigneur; mais mon inquiétude
Ne veut plus dans mon sort aucune incertitude :
Vous me direz demain où je dois l'arrêter.
Cependant je vous laisse avec qui consulter.

SCÈNE III

SERTORIUS, PERPENNA, AUFIDE

PERPENNA, *à Aufide.*

Dieux ! qui peut faire ainsi disparaître la Reine?

AUFIDE, *à Perpenna.*

Lui-même a quelque chose en l'âme qui le gêne,
Seigneur; et notre abord le rend tout interdit.

SERTORIUS

De Pompée en ces lieux savez-vous ce qu'on dit?
L'avez-vous mis fort loin au delà de la porte?

PERPENNA

Comme assez près des murs il avait son escorte,
Je me suis dispensé de le mettre plus loin.
Mais de votre secours, Seigneur, j'ai grand besoin.
Tout son visage montre une fierté si haute...

SERTORIUS

Nous n'avons rien conclu, mais ce n'est pas ma faute;
Et vous savez...

PERPENNA

Je sais qu'en de pareils débats...

SERTORIUS

Je n'ai point cru devoir mettre les armes bas :
Il n'est pas encor temps.

PERPENNA

Continuez, de grâce;
Il n'est pas encor temps que l'amitié se lasse.

SERTORIUS

Votre intérêt m'arrête autant comme le mien :
Si je m'en trouvais mal, vous ne seriez pas bien.

PERPENNA

De vrai, sans votre appui je serais fort à plaindre;
Mais je ne vois pour vous aucun sujet de craindre.

SERTORIUS

Je serais le premier dont on serait jaloux;
Mais ensuite le sort pourrait tomber sur vous.
Le tyran après moi vous craint plus qu'aucun autre,
Et ma tête abattue ébranlerait la vôtre.
Nous ferons bien tous deux d'attendre plus d'un an.

PERPENNA

Que parlez-vous, Seigneur, de tête, et de tyran?

SERTORIUS

Je parle de Sylla, vous le devez connaître.

PERPENNA

Et je parlais des feux que la Reine a fait naître.

SERTORIUS

Nos esprits étaient donc également distraits.
Tout le mien s'attachait aux périls de la paix;
Et je vous demandais quel bruit fait par la ville
De Pompée et de moi l'entretien inutile.
Vous le saurez, Aufide?

AUFIDE

A ne rien déguiser,
Seigneur, ceux de sa suite en ont su mal user;
J'en crains parmi le peuple un insolent murmure.
Ils ont dit que Sylla quitte sa dictature,
Que vous seul refusez les douceurs de la paix,
Et voulez une guerre à ne finir jamais.

Déjà de nos soldats l'âme préoccupée
Montre un peu trop de joie à parler de Pompée,
Et si l'erreur s'épand jusqu'en nos garnisons,
Elle y pourra semer de dangereux poisons.

SERTORIUS

Nous en romprons le coup avant qu'elle grossisse,
Et ferons par nos soins avorter l'artifice.
D'autres plus grands périls le ciel m'a garanti.

PERPENNA

Ne ferions-nous point mieux d'accepter le parti,
Seigneur? Trouvez-vous l'offre ou honteuse ou mal sûre?

SERTORIUS

Sylla peut en effet quitter sa dictature;
Mais il peut faire aussi des consuls à son choix,
De qui la pourpre esclave agira sous ses lois;
Et quand nous n'en craindrons aucuns ordres sinistres,
Nous périrons par ceux de ses lâches ministres.
Croyez-moi, pour des gens comme vous deux et moi,
Rien n'est si dangereux que trop de bonne foi.
Sylla par politique a pris cette mesure
De montrer aux soldats l'impunité fort sûre :
Mais pour Cinna, Carbon, le jeune Marius,
Il a voulu leur tête, et les a tous perdus.
Pour moi, que tout mon camp sur ce bruit m'abandonne,
Qu'il ne reste pour moi que ma seule personne,
Je me perdrai plutôt dans quelque affreux climat,
Qu'aller, tant qu'il vivra, briguer le consulat.
Vous...

PERPENNA

Ce n'est pas, Seigneur, ce qui me tient en peine.
Exclu du consulat par l'hymen d'une reine,
Du moins si vos bontés m'obtiennent ce bonheur,
Je n'attends plus de Rome aucun degré d'honneur;
Et banni pour jamais dans la Lusitanie,
J'y crois en sûreté les restes de ma vie.

SERTORIUS

Oui; mais je ne vois pas encor de sûreté
A ce que vous et moi nous avions concerté.

Vous savez que la Reine eſt d'une humeur si fière...
Mais peut-être le temps la rendra moins altière.
Adieu : dispensez-moi de parler là-dessus.

PERPENNA

Parlez, Seigneur : mes vœux sont-ils si mal reçus?
Eſt-ce en vain que je l'aime, en vain que je soupire?

SERTORIUS

Sa retraite a plus dit que je ne puis vous dire.

PERPENNA

Elle m'a dit beaucoup; mais, Seigneur, achevez,
Et ne me cachez point ce que vous en savez.
Ne m'auriez-vous rempli que d'un espoir frivole ?

SERTORIUS

Non, je vous l'ai cédée, et vous tiendrai parole.
Je l'aime, et vous la donne encor malgré mon feu;
Mais je crains que ce don n'ait jamais son aveu,
Qu'il n'attire sur nous d'impitoyables haines.
Que vous dirai-je enfin? L'Espagne a d'autres reines;
Et vous pourriez vous faire un deſtin bien plus doux,
Si vous faisiez pour moi ce que je fais pour vous.
Celle des Vacéens, celle des Ilergètes,
Rendraient vos volontés bien plus tôt satisfaites;
La Reine avec chaleur saurait vous y servir.

PERPENNA

Vous me l'avez promise, et me l'allez ravir !

SERTORIUS

Que sert que je promette et que je vous la donne,
Quand son ambition l'attache à ma personne?
Vous savez les raisons de cet attachement,
Je vous en ai tantôt parlé confidemment;
Je vous en fais encor la même confidence.
Faites à votre amour un peu de violence;
J'ai triomphé du mien : j'y suis encor tout prêt;
Mais s'il faut du parti ménager l'intérêt,
Faut-il pousser à bout une reine obſtinée,
Qui veut faire à son choix toute sa deſtinée,
Et de qui le secours, depuis plus de dix ans,
Nous a mieux soutenus que tous nos partisans?

PERPENNA

La trouvez-vous, Seigneur, en état de vous nuire?

SERTORIUS

Non, elle ne peut pas tout à fait nous détruire;
Mais si vous m'enchaînez à ce que j'ai promis,
Dès demain elle traite avec nos ennemis.
Leur camp n'est que trop proche; ici chacun murmure :
Jugez ce qu'il faut craindre en cette conjoncture.
Voyez quel prompt remède on y peut apporter,
Et quel fruit nous aurons de la violenter.

PERPENNA

C'est à moi de me vaincre, et la raison l'ordonne;
Mais d'un si grand dessein tout mon cœur qui frissonne...

SERTORIUS

Ne vous contraignez point : dût m'en coûter le jour,
Je tiendrai ma promesse en dépit de l'amour.

PERPENNA

Si vos promesses n'ont l'aveu de Viriate...

SERTORIUS

Je ne puis de sa part rien dire qui vous flatte.

PERPENNA

Je dois donc me contraindre, et j'y suis résolu.
Oui, sur tous mes désirs, je me rends absolu :
J'en veux, à votre exemple, être aujourd'hui le maître;
Et malgré cet amour que j'ai laissé trop croître,
Vous direz à la Reine...

SERTORIUS

Eh bien! je lui dirai?

PERPENNA

Rien, Seigneur, rien encor; demain j'y penserai.
Toutefois la colère où s'emporte son âme
Pourrait dès cette nuit commencer quelque trame.
Vous lui direz, Seigneur, tout ce que vous voudrez;
Et je suivrai l'avis que pour moi vous prendrez.

SERTORIUS

Je vous admire et plains.

PERPENNA

Que j'ai l'âme accablée !

SERTORIUS

Je partage les maux dont je la vois comblée.
Adieu : j'entre un moment pour calmer son chagrin,
Et me rendrai chez vous à l'heure du festin.

SCÈNE IV

PERPENNA, AUFIDE

AUFIDE

Ce maître si chéri fait pour vous des merveilles :
Votre flamme en reçoit des faveurs sans pareilles !
Son nom seul, malgré lui, vous avait tout volé,
Et la Reine se rend sitôt qu'il a parlé.
Quels services faut-il que votre espoir hasarde,
Afin de mériter l'amour qu'elle vous garde?
Et dans quel temps, Seigneur, purgerez-vous ces lieux
De cet illustre objet qui lui blesse les yeux?
Elle n'est point ingrate; et les lois qu'elle impose,
Pour se faire obéir, promettent peu de chose;
Mais on n'a qu'à laisser le salaire à son choix,
Et courir sans scrupule exécuter ses lois.
Vous ne me dites rien? Apprenez-moi, de grâce,
Comment vous résolvez que le festin se passe?
Dissimulerez-vous ce manquement de foi?
Et voulez-vous...

PERPENNA

Allons en résoudre chez moi.

ACTE V

SCÈNE PREMIÈRE

ARISTIE, VIRIATE

ARISTIE

Oui, Madame, j'en suis comme vous ennemie.
Vous aimez les grandeurs, et je hais l'infamie.
Je cherche à me venger, vous à vous établir;
Mais vous pourrez me perdre et moi, vous affaiblir,
Si le cœur mieux ouvert ne met d'intelligence
Votre établissement avecque ma vengeance.
On m'a volé Pompée; et moi pour le braver,
Cet ingrat que sa foi n'ose me conserver,
Je cherche un autre époux qui le passe, ou l'égale;
Mais je n'ai pas dessein d'être votre rivale,
Et n'ai point dû prévoir, ni que vers un Romain
Une reine jamais daignât pencher sa main,
Ni qu'un héros, dont l'âme a paru si romaine,
Démentît ce grand nom par l'hymen d'une reine.
J'ai cru dans sa naissance et votre dignité
Pareille aversion et contraire fierté.
Cependant on me dit qu'il consent l'hyménée,
Et qu'en vain il s'oppose au choix de la journée,
Puisque si dès demain il n'a tout son éclat,
Vous allez du parti séparer votre État.
Comme je n'ai pour but que d'en grossir les forces,
J'aurais grand déplaisir d'y causer des divorces,
Et de servir Sylla mieux que tous ses amis
Quand je lui veux partout faire des ennemis.
Parlez donc : quelque espoir que vous m'ayez vu prendre,
Si vous y prétendez, je cesse d'y prétendre.
Un reste d'autre espoir, et plus juste et plus doux,
Saura voir sans chagrin Sertorius à vous.
Mon cœur veut à toute heure immoler à Pompée
Tous les ressentiments de ma place usurpée;

Et comme son amour eut peine à me trahir,
J'ai voulu me venger, et n'ai pu le haïr.
Ne me déguisez rien, non plus que je déguise.

VIRIATE

Viriate à son tour vous doit même franchise,
Madame; et d'ailleurs même on vous en a trop dit,
Pour vous dissimuler ce que j'ai dans l'esprit.
J'ai fait venir exprès Sertorius d'Afrique
Pour sauver mes États d'un pouvoir tyrannique;
Et mes voisins domptés m'apprenaient que sans lui
Nos rois contre Sylla n'étaient qu'un vain appui.
Avec un seul vaisseau ce grand héros prit terre;
Avec mes sujets seuls il commença la guerre :
Je mis entre ses mains mes places et mes ports,
Et je lui confiai mon sceptre et mes trésors.
Dès l'abord il sut vaincre, et j'ai vu la victoire
Enfler de jour en jour sa puissance et sa gloire.
Nos rois, lassés du joug, et vos persécutés,
Avec tant de chaleur l'ont joint de tous côtés,
Qu'enfin il a poussé nos armes fortunées
Jusques à vous réduire au pied des Pyrénées.
Mais après l'avoir mis au point où je le voi,
Je ne puis voir que lui qui soit digne de moi;
Et regardant sa gloire ainsi que mon ouvrage,
Je périrai plutôt qu'une autre la partage.
Mes sujets valent bien que j'aime à leur donner
Des monarques d'un sang qui sache gouverner,
Qui sache faire tête à vos tyrans du monde,
Et rendre notre Espagne en lauriers si féconde,
Qu'on voie un jour le Pô redouter ses efforts,
Et le Tibre lui-même en trembler pour ses bords.

ARISTIE

Votre dessein est grand; mais à quoi qu'il aspire...

VIRIATE

Il m'a dit les raisons que vous me voulez dire.
Je sais qu'il serait bon de taire et différer
Ce glorieux hymen qu'il me fait espérer :
Mais la paix qu'aujourd'hui l'on offre à ce grand homme
Ouvre trop les chemins et les portes de Rome.
Je vois que s'il y rentre, il est perdu pour moi,

Et je l'en veux bannir par le don de ma foi.
Si je hasarde trop de m'être déclarée,
J'aime mieux ce péril que ma perte assurée;
Et si tous vos proscrits osent s'en désunir,
Nos bons destins sans eux pourront nous soutenir.
Mes peuples aguerris sous votre discipline
N'auront jamais au cœur de Rome qui domine;
Et ce sont des Romains dont l'unique souci
Est de combattre, vaincre, et triompher ici.
Tant qu'ils verront marcher ce héros à leur tête,
Ils iront sans frayeur de conquête en conquête.
Un exemple si grand dignement soutenu
Saura... Mais que nous veut ce Romain inconnu?

SCÈNE II

ARISTIE, VIRIATE, ARCAS

ARISTIE

Madame, c'est Arcas, l'affranchi de mon frère;
Sa venue en ces lieux cache quelque mystère.
Parle, Arcas, et dis-nous...

ARCAS

Ces lettres mieux que moi
Vous diront un succès qu'à peine encor je croi.

ARISTIE, *lit.*

Chère sœur, pour ta joie il est temps que tu saches
Que nos maux et les tiens vont finir en effet.
Sylla marche en public sans faisceaux et sans haches,
Prêt à rendre raison de tout ce qu'il a fait.
Il s'est en plein sénat démis de sa puissance;
Et si vers toi Pompée a le moindre penchant,
Le ciel vient de briser sa nouvelle alliance,
Et la triste Émilie est morte en accouchant.
Sylla même consent, pour calmer tant de haines,
Qu'un feu qui fut si beau rentre en sa dignité,
Et que l'hymen te rende à tes premières chaînes,
En même temps qu'à Rome il rend sa liberté.

QUINTUS ARISTIUS.

Le ciel s'est donc lassé de m'être impitoyable !
Ce bonheur, comme à toi, me paraît incroyable.
Cours au camp de Pompée, et dis-lui, cher Arcas...

ARCAS

Il a cette nouvelle, et revient sur ses pas.
De la part de Sylla chargé de lui remettre
Sur ce grand changement une pareille lettre,
A deux milles d'ici j'ai su le rencontrer.

ARISTIE

Quel amour, quelle joie a-t-il daigné montrer?
Que dit-il? que fait-il?

ARCAS

Par votre expérience
Vous pouvez bien juger de son impatience;
Mais rappelé vers vous par un transport d'amour
Qui ne lui permet pas d'achever son retour,
L'ordre que pour son camp ce grand effet demande
L'arrête à le donner, attendant qu'il s'y rende.
Il me suivra de près, et m'a fait avancer
Pour vous dire un miracle où vous n'osiez penser.

ARISTIE

Vous avez lieu d'en prendre une allégresse égale,
Madame; vous voilà sans crainte et sans rivale.

VIRIATE

Je n'en ai plus en vous, et je n'en puis douter;
Mais il m'en reste une autre et plus à redouter,
Rome, que ce héros aime plus que lui-même,
Et qu'il préférerait sans doute au diadème,
Si contre cet amour...

SCÈNE III

VIRIATE, ARISTIE, THAMIRE, ARCAS

THAMIRE

Ah ! Madame.

VIRIATE

Qu'as-tu,
Thamire? et d'où te vient ce visage abattu?
Que nous disent tes pleurs?

THAMIRE

Que vous êtes perdue,
Que cet illustre bras qui vous a défendue...

VIRIATE

Sertorius?

THAMIRE

Hélas ! ce grand Sertorius...

VIRIATE

N'achèveras-tu point?

THAMIRE

Madame, il ne vit plus.

VIRIATE

Il ne vit plus? ô ciel ! Qui te l'a dit, Thamire?

THAMIRE

Ses assassins font gloire eux-mêmes de le dire.
Ces tigres, dont la rage, au milieu du festin,
Par l'ordre d'un perfide a tranché son destin,
Tout couverts de son sang, courent parmi la ville
Émouvoir les soldats et le peuple imbécile;
Et Perpenna par eux proclamé général
Ne vous fait que trop voir d'où part ce coup fatal.

VIRIATE

Il m'en fait voir ensemble et l'auteur et la cause.
Par cet assassinat, c'est de moi qu'on dispose :
C'est mon trône, c'est moi qu'on prétend conquérir,
Et c'est mon juste choix qui seul l'a fait périr.
Madame, après sa perte, et parmi ces alarmes,
N'attendez point de moi de soupirs ni de larmes;
Ce sont amusements que dédaigne aisément
Le prompt et noble orgueil d'un vif ressentiment :
Qui pleure l'affaiblit, qui soupire l'exhale.
Il faut plus de fierté dans une âme royale;
Et ma douleur, soumise aux soins de le venger...

ARISTIE

Mais vous vous aveuglez au milieu du danger :
Songez à fuir, Madame.

THAMIRE

Il n'eSt plus temps : Aufide,
Des portes du palais saisi pour ce perfide,
En fait votre prison, et lui répond de vous.
Il vient; dissimulez un si juSte courroux;
Et jusqu'à ce qu'un temps plus favorable arrive,
Daignez vous souvenir que vous êtes captive.

VIRIATE

Je sais ce que je suis, et le serai toujours,
N'eussé-je que le ciel et moi pour mon secours.

SCÈNE IV

PERPENNA, ARISTIE, VIRIATE, THAMIRE, ARCAS

PERPENNA

Sertorius eSt mort; cessez d'être jalouse,
Madame, du haut rang qu'aurait pris son épouse,
Et n'appréhendez plus, comme de son vivant,
Qu'en vos propres États elle ait le pas devant.
Si l'espoir d'AriStie a fait ombrage au vôtre,
Je puis vous assurer et d'elle et de toute autre,
Et que ce coup heureux saura vous maintenir
Et contre le présent et contre l'avenir.
C'était un grand guerrier, mais dont le sang ni l'âge
Ne pouvaient avec vous faire un digne assemblage;
Et malgré ces défauts, ce qui vous en plaisait,
C'était sa dignité qui vous tyrannisait.
Le nom de général vous le rendait aimable;
A vos rois, à moi-même il était préférable;
Vous vous éblouissiez du titre et de l'emploi;
Et je viens vous offrir et l'un et l'autre en moi,
Avec des qualités où votre âme hautaine
Trouvera mieux de quoi mériter une reine.

Un Romain qui commande et sort du sang des rois
(Je laisse l'âge à part) peut espérer son choix,
Surtout quand d'un affront son amour l'a vengée,
Et que d'un choix abjet son bras l'a dégagée.

ARISTIE

Après t'être immolé chez toi ton général,
Toi, que faisait trembler l'ombre d'un tel rival,
Lâche, tu viens ici braver encor des femmes,
Vanter insolemment tes détestables flammes,
T'emparer d'une reine en son propre palais,
Et demander sa main pour prix de tes forfaits !
Crains les Dieux, scélérat; crains les Dieux, ou Pompée;
Crains leur haine, ou son bras, leur foudre, ou son épée;
Et quelque noir orgueil qui te puisse aveugler,
Apprends qu'il m'aime encore, et commence à trembler.
Tu le verras, méchant, plus tôt que tu ne penses :
Attends, attends de lui tes dignes récompenses.

PERPENNA

S'il en croit votre ardeur, je suis sûr du trépas;
Mais peut-être, Madame, il ne l'en croira pas;
Et quand il me verra commander une armée,
Contre lui tant de fois à vaincre accoutumée,
Il se rendra facile à conclure une paix
Qui faisait dès tantôt ses plus ardents souhaits.
J'ai même entre mes mains un assez bon otage,
Pour faire mes traités avec quelque avantage.
Cependant vous pourriez, pour votre heur et le mien,
Ne parler pas si haut à qui ne vous dit rien.
Ces menaces en l'air vous donnent trop de peine.
Après ce que j'ai fait, laissez faire la Reine;
Et sans blâmer des vœux qui ne vont point à vous,
Songez à regagner le cœur de votre époux.

VIRIATE

Oui, Madame, en effet, c'est à moi de répondre,
Et mon silence ingrat a droit de me confondre.
Ce généreux exploit, ces nobles sentiments
Méritent de ma part de hauts remercîments :
Les différer encor, c'est lui faire injustice.
Il m'a rendu sans doute un signalé service;

Mais il n'en sait encor la grandeur qu'à demi :
Le grand Sertorius fut son parfait ami.
Apprenez-le, Seigneur (car je me persuade
Que nous devons ce titre à votre nouveau grade;
Et pour le peu de temps qu'il pourra vous durer,
Il me coûtera peu de vous le déférer) :
Sachez donc que pour vous il osa me déplaire,
Ce héros; qu'il osa mériter ma colère;
Que malgré son amour, que malgré mon courroux,
Il a fait tous efforts pour me donner à vous;
Et qu'à moins qu'il vous plût lui rendre sa parole,
Tout mon dessein n'était qu'une attente frivole;
Qu'il s'obstinait pour vous au refus de ma main.

ARISTIE

Et tu peux lui plonger un poignard dans le sein !
Et ton bras...

VIRIATE

Permettez, Madame, que j'estime
La grandeur de l'amour par la grandeur du crime.
Chez lui-même, à sa table, au milieu d'un festin,
D'un si parfait ami devenir l'assassin,
Et de son général se faire un sacrifice,
Lorsque son amitié lui rend un tel service;
Renoncer à la gloire, accepter pour jamais
L'infamie et l'horreur qui suit les grands forfaits;
Jusqu'en mon cabinet porter sa violence,
Pour obtenir ma main m'y tenir sans défense :
Tout cela d'autant plus fait voir ce que je doi
A cet excès d'amour qu'il daigne avoir pour moi;
Tout cela montre une âme au dernier point charmée.
Il serait moins coupable à m'avoir moins aimée;
Et comme je n'ai point les sentiments ingrats,
Je lui veux conseiller de ne m'épouser pas.
Ce serait en son lit mettre son ennemie,
Pour être à tous moments maîtresse de sa vie;
Et je me résoudrais à cet excès d'honneur,
Pour mieux choisir la place à lui percer le cœur.
Seigneur, voilà l'effet de ma reconnaissance.
Du reste, ma personne est en votre puissance :
Vous êtes maître ici; commandez, disposez,
Et recevez enfin ma main, si vous l'osez.

PERPENNA

Moi ! si je l'oserai? Vos conseils magnanimes
Pouvaient perdre moins d'art à m'étaler mes crimes :
J'en connais mieux que vous toute l'énormité,
Et pour la bien connaître, ils m'ont assez coûté.
On ne s'attache point, sans un remords bien rude,
A tant de perfidie et tant d'ingratitude :
Pour vous je l'ai dompté, pour vous je l'ai détruit;
J'en ai l'ignominie, et j'en aurai le fruit.
Menacez mes forfaits et proscrivez ma tête :
De ces mêmes forfaits vous serez la conquête;
Et n'eût tout mon bonheur que deux jours à durer,
Vous n'avez dès demain qu'à vous y préparer.
J'accepte votre haine, et l'ai bien méritée;
J'en ai prévu la suite, et j'en sais la portée.
Mon triomphe...

SCÈNE V

PERPENNA, ARISTIE, VIRIATE, AUFIDE,
ARCAS, THAMIRE

AUFIDE

Seigneur, Pompée est arrivé,
Nos soldats mutinés, le peuple soulevé.
La porte s'est ouverte à son nom, à son ombre.
Nous n'avons point d'amis qui ne cèdent au nombre :
Antoine et Manlius, déchirés par morceaux,
Tous morts et tous sanglants ont encor des bourreaux.
On cherche avec chaleur le reste des complices,
Que lui-même il destine à de pareils supplices.
Je défendais mon poste : il l'a soudain forcé,
Et de sa propre main vous me voyez percé;
Maître absolu de tout, il change ici la garde.
Pensez à vous, je meurs; la suite vous regarde.

ARISTIE

Pour quelle heure, Seigneur, faut-il se préparer
A ce rare bonheur qu'il vient vous assurer?

Avez-vous en vos mains un assez bon otage
Pour faire vos traités avec grand avantage?

PERPENNA

C'est prendre en ma faveur un peu trop de souci,
Madame; et j'ai de quoi le satisfaire ici.

SCÈNE VI

POMPÉE, PERPENNA, VIRIATE, ARISTIE,
CELSUS, ARCAS, THAMIRE

PERPENNA

Seigneur, vous aurez su ce que je viens de faire.
Je vous ai de la paix immolé l'adversaire,
L'amant de votre femme, et ce rival fameux
Qui s'opposait partout au succès de vos vœux.
Je vous rends Aristie, et finis cette crainte
Dont votre âme tantôt se montrait trop atteinte;
Et je vous affranchis de ce jaloux ennui
Qui ne pouvait la voir entre les bras d'autrui.
  Je fais plus : je vous livre une fière ennemie,
Avec tout son orgueil et sa Lusitanie;
Je vous en ai fait maître, et de tous ces Romains
Que déjà leur bonheur a remis en vos mains.
Comme en un grand dessein, et qui veut promptitude,
On ne s'explique pas avec la multitude,
Je n'ai point cru, Seigneur, devoir apprendre à tous
Celui d'aller demain me rendre auprès de vous;
Mais j'en porte sur moi d'assurés témoignages.
Ces lettres de ma foi vous seront de bons gages;
Et vous reconnaîtrez, par leurs perfides traits,
Combien Rome pour vous a d'ennemis secrets,
Qui tous, pour Aristie enflammés de vengeance,
Avec Sertorius étaient d'intelligence.
Lisez...

Il lui donne les lettres qu'Aristie avait apportées de Rome à Sertorius.

ARISTIE

Quoi? scélérat! quoi? lâche! oses-tu bien...

PERPENNA

Madame, il eſt ici votre maître et le mien;
Il faut en sa présence un peu de modeſtie,
Et si je vous oblige à quelque repartie,
La faire sans aigreur, sans outrages mêlés,
Et ne point oublier devant qui vous parlez.
Vous voyez là, Seigneur, deux illuſtres rivales,
Que cette perte anime à des haines égales.
Jusques au dernier point elles m'ont outragé;
Mais puisque je vous vois, je suis assez vengé.
Je vous regarde aussi comme un dieu tutélaire;
Et ne puis... Mais, ô Dieux! Seigneur, qu'allez-vous faire?

POMPÉE, *après avoir brûlé les lettres sans les lire.*

Montrer d'un tel secret ce que je veux savoir.
Si vous m'aviez connu, vous l'auriez su prévoir.
Rome en deux factions trop longtemps partagée
N'y sera point pour moi de nouveau replongée;
Et quand Sylla lui rend sa gloire et son bonheur,
Je n'y remettrai point le carnage et l'horreur.
Oyez, Celsus.

(Il lui parle à l'oreille.)

Surtout empêchez qu'il ne nomme
Aucun des ennemis qu'elle m'a faits à Rome.

(A Perpenna.)

Vous, suivez ce tribun; j'ai quelques intérêts
Qui demandent ici des entretiens secrets.

PERPENNA

Seigneur, se pourrait-il qu'après un tel service...

POMPÉE

J'en connais l'importance, et lui rendrai juſtice.
Allez.

PERPENNA

Mais cependant leur haine..

POMPÉE

C'eſt assez.
Je suis maître; je parle; allez, obéissez.

SCÈNE VII

POMPÉE, VIRIATE, ARISTIE, THAMIRE, ARCAS

POMPÉE

Ne vous offensez pas d'ouïr parler en maître,
Grande reine; ce n'eſt que pour punir un traître.
Criminel envers vous d'avoir trop écouté
L'insolence où montait sa noire lâcheté,
J'ai cru devoir sur lui prendre ce haut empire,
Pour me juſtifier avant que vous rien dire;
Mais je n'abuse point d'un si facile accès,
Et je n'ai jamais su dérober mes succès.
Quelque appui que son crime aujourd'hui vous enlève,
Je vous offre la paix, et ne romps point la trêve;
Et ceux de nos Romains qui sont auprès de vous
Peuvent y demeurer sans craindre mon courroux.
Si de quelque péril je vous ai garantie,
Je ne veux pour tout prix enlever qu'Ariſtie,
A qui devant vos yeux, enfin maître de moi,
Je rapporte avec joie et ma main et ma foi.
Je ne dis rien du cœur, il tint toujours pour elle.

ARISTIE

Le mien savait vous rendre une ardeur mutuelle;
Et pour mieux recevoir ce don renouvelé,
Il oubliera, Seigneur, qu'on me l'avait volé.

VIRIATE

Moi, j'accepte la paix que vous m'avez offerte;
C'eſt tout ce que je puis, Seigneur, après ma perte :
Elle eſt irréparable; et comme je ne voi
Ni chefs dignes de vous, ni rois dignes de moi,
Je renonce à la guerre ainsi qu'à l'hyménée;
Mais j'aime encor l'honneur du trône où je suis née.
D'une juſte amitié je sais garder les lois,
Et ne sais point régner comme règnent nos rois.
S'il faut que sous votre ordre ainsi qu'eux je domine,
Je m'ensevelirai sous ma propre ruine :
Mais si je puis régner sans honte et sans époux,

Je ne veux d'héritiers que votre Rome, ou vous.
Vous choisirez, Seigneur; ou si votre alliance
Ne peut voir mes États sous ma seule puissance,
Vous n'avez qu'à garder cette place en vos mains,
Et je m'y tiens déjà captive des Romains.

POMPÉE

Madame, vous avez l'âme trop généreuse
Pour n'en pas obtenir une paix glorieuse,
Et l'on verra chez eux mon pouvoir abattu,
Ou j'y ferai toujours honorer la vertu.

SCÈNE VIII

POMPÉE, ARISTIE, VIRIATE, CELSUS, ARCAS, THAMIRE

POMPÉE

En est-ce fait, Celsus?

CELSUS

Oui, Seigneur : le perfide
A vu plus de cent bras punir son parricide;
Et livré par votre ordre à ce peuple irrité,
Sans rien dire...

POMPÉE

Il suffit; Rome est en sûreté;
Et ceux qu'à me haïr j'avais trop su contraindre,
N'y craignant rien de moi, n'y donnent rien à craindre.
Vous, Madame, agréez pour notre grand héros
Que ses mânes vengés goûtent un plein repos.
Allons donner votre ordre à des pompes funèbres,
A l'égal de son nom illustres et célèbres,
Et dresser un tombeau, témoin de son malheur,
Qui le soit de sa gloire et de notre douleur.

SOPHONISBE

TRAGÉDIE

AU LECTEUR

Cette pièce m'a fait connaître qu'il n'y a rien de si pénible que de mettre sur le théâtre un sujet qu'un autre y a déjà fait réussir : mais aussi j'ose dire qu'il n'y a rien de si glorieux quand on s'en acquitte dignement. C'est un double travail d'avoir tout ensemble à éviter les ornements dont s'est saisi celui qui nous a prévenus, et à faire effort pour en trouver d'autres qui puissent tenir leur place. Depuis trente ans que M. Mairet a fait admirer sa *Sophonisbe* sur notre théâtre, elle y dure encore; et il ne faut point de marque plus convaincante de son mérite que cette durée, qu'on peut nommer une ébauche ou plutôt des arrhes de l'immortalité qu'elle assure à son illustre auteur; et certainement il faut avouer qu'elle a des endroits inimitables et qu'il serait dangereux de retâter après lui. Le démêlé de Scipion avec Massinisse, et les désespoirs de ce prince, sont de ce nombre : il est impossible de penser rien de plus juste, et très-difficile de l'exprimer plus heureusement. L'un et l'autre sont de son invention : je n'y pouvais toucher sans lui faire un larcin; et si j'avais été d'humeur à me le permettre, le peu d'espérance de l'égaler me l'aurait défendu. J'ai cru plus à propos de respecter sa gloire et ménager la mienne, par une scrupuleuse exactitude à m'écarter de sa route, pour ne laisser aucun lieu de dire, ni que je sois demeuré au-dessous de lui, ni que j'aye prétendu m'élever au-dessus, puisqu'on ne peut faire aucune comparaison entre des choses où l'on ne voit aucune concurrence. Si j'ai conservé les circonstances qu'il a changées, et changé celles qu'il a conservées, ç'a été par le seul dessein de faire autrement, sans ambition de faire mieux. C'est ainsi qu'en usaient nos anciens, qui traitaient d'ordinaire les mêmes sujets. La mort de Clytemnestre en peut servir d'exemple; nous la voyons encore chez Eschyle, chez Sophocle, et chez Euripide, tuée par son fils Oreste; mais chacun d'eux a choisi de diverses manières pour arriver à cet événement, qu'aucun des trois n'a voulu changer, quelque cruel et dénaturé qu'il fût; et c'est sur quoi notre Aristote en a établi le précepte. Cette noble et laborieuse émulation a passé de leur siècle jusqu'au nôtre, au travers de plus de deux mille ans qui les séparent. Feu M. Tristan a renouvelé *Mariane* et *Panthée* sur les pas du défunt sieur Hardy. Le grand éclat que M. de Scudéry a donné à sa *Didon* n'a point empêché que M. de Boisrobert n'en ait fait voir une autre trois ou quatre ans après, sur une disposition qui lui en avait été donnée, à ce qu'il disait, par M. l'abbé d'Aubignac. A peine la *Cléopâtre* de M. de Benserade a paru, qu'elle a été suivie du *Marc-Antoine* de M. Mairet qui n'est que le même sujet sous un autre titre. Sa *Sophonisbe* même n'a pas été la première qui aye ennobli les théâtres des derniers temps : celle du Tricin l'avait précédée en Italie, et celle du sieur de Mont-Chreſtien en France; et je voudrais que quelqu'un se voulût divertir à retoucher le *Cid* ou *les Horaces*, avec autant de retenue pour ma conduite et pour mes pensées que j'en ai eu pour celles de M. Mairet.

Vous trouverez en cette tragédie les caractères tels que chez Tite-Live; vous y verrez Sophonisbe avec le même attachement aux intérêts de son pays, et la même haine pour Rome qu'il lui attribue. Je lui prête un peu d'amour; mais elle règne sur lui, et ne daigne l'écouter qu'autant qu'il peut servir à ces passions dominantes qui règnent sur elle, et à qui elle sacrifie toutes les tendresses de son cœur, Massinisse, Syphax, sa propre vie. Elle en fait son unique bonheur, et en soutient la gloire avec une fierté si noble et si élevée, que Lélius est contraint d'avouer lui-même qu'elle méritait d'être née Romaine. Elle n'avait point abandonné Syphax après deux défaites; elle était prête de s'ensevelir avec lui sous les ruines de sa capitale, s'il y fût revenu s'enfermer avec elle après la perte d'une troisième bataille; mais elle voulait qu'il mourût plutôt que d'accepter l'ignominie des fers et du triomphe où le réservaient les Romains; et elle avait d'autant plus le droit d'attendre de lui cet effort de magnanimité, qu'elle s'était résolue à prendre ce parti pour elle, et qu'en Afrique c'était la coutume des rois de porter toujours sur eux du poison très-violent, pour s'épargner la honte de tomber vivants entre les mains de leurs ennemis. Je ne sais si ceux qui l'ont blâmée de traiter avec trop de hauteur ce malheureux prince après sa disgrâce ont assez conçu la mortelle horreur qu'a dû exciter en cette grande âme la vue de ces fers qu'il lui apporte à partager; mais du moins ceux qui ont eu peine à souffrir qu'elle eût deux maris vivants ne se sont pas souvenus que les lois de Rome voulaient que le mariage se rompît par la captivité. Celles de Carthage nous sont fort peu connues; mais il y a lieu de présumer, par l'exemple même de Sophonisbe, qu'elles étaient encore plus faciles à ces ruptures. Asdrubal, son père, l'avait mariée à Massinisse avant que d'emmener ce jeune prince en Espagne, où il commandait les armées de cette république; et néanmoins, durant le séjour qu'ils y firent, les Carthaginois la marièrent de nouveau à Syphax, sans user d'autre formalité ni envers ce premier mari, ni envers ce père, qui demeura extrêmement surpris et irrité de l'outrage qu'ils avaient fait à sa fille et à son gendre. C'est ainsi que mon auteur appelle Massinisse, et c'est là-dessus que je le fais se fonder ici pour se ressaisir de Sophonisbe sans l'autorité des Romains, comme d'une femme qui était déjà à lui, et qu'il avait épousée avant qu'elle fût à Syphax.

On s'est mutiné toutefois contre ces deux maris; et je m'en suis étonné d'autant plus que l'année dernière je ne m'aperçus point qu'on se scandalisât de voir, dans le *Sertorius*, Pompée mari de deux femmes vivantes, dont l'une venait chercher un second mari aux yeux mêmes de ce premier. Je ne vois aucune apparence d'imputer cette inégalité de sentiments à l'ignorance du siècle, qui ne peut avoir oublié en moins d'un an cette facilité que les anciens avaient donnée aux divorces, dont il était si bien instruit alors; mais il y aurait quelque lieu de s'en prendre à ceux qui, sachant mieux la *Sophonisbe* de M. Mairet que celle de Tive-Live, se sont hâtés de condamner en la mienne tout ce qui n'était pas de leur connaissance, et n'ont pu faire cette réflexion, que la mort de Syphax était une fiction de M. Mairet, dont je ne pouvais me servir sans faire un pillage sur lui, et comme un attentat sur sa gloire. Sa *Sophonisbe* est à lui; c'est son bien, qu'il ne faut pas lui envier; mais celle de Tive-Live est à tout le monde. Le Tricin et Mont-Chrestien, qui l'ont fait revivre avant nous, n'ont assassiné aucun des deux rois : j'ai cru qu'il m'était permis de n'être pas plus cruel, et de garder la même fidélité à une histoire assez connue parmi ceux qui ont quelque teinture des livres, pour nous convier à ne la démentir pas.

J'accorde qu'au lieu d'envoyer du poison à Sophonisbe, Massinisse devait soulever les troupes qu'il commandait dans l'armée, s'attaquer à la personne de Scipion, se faire blesser par ses gardes, et tout percé de leurs coups, venir rendre les derniers soupirs aux pieds de cette princesse : c'eût été un amant parfait, mais ce n'eût pas été Massinisse. Que sait-on même si la prudence de Scipion n'avait point donné de si bons ordres qu'aucun de ces emportements ne fût en son pouvoir? Je le marque assez pour en faire naître quelque pensée en l'esprit de l'auditeur judicieux et désintéressé, dont je laisse l'imagination libre sur cet article. S'il aime les héros fabuleux, il croira que Lélius et Éryxe, entrant dans le camp, y trouveront celui-ci mort de douleur, ou de sa main. Si les vérités lui plaisent davantage, il ne fera aucun doute qu'il ne s'y soit consolé aussi aisément que l'histoire nous en assure. Ce que je fais dire de son désespoir à Mézétule s'accommode avec l'une et l'autre de ces idées; et je n'ai peut-être encore fait rien de plus adroit pour le théâtre, que de tirer le rideau sur des déplaisirs qui devaient être si grands, et eurent si peu de durée.

Quoi qu'il en soit, comme je ne sais que les règles d'Aristote et d'Horace, et ne les sais pas même trop bien, je ne hasarde pas volontiers en dépit d'elles, ces agréments surnaturels et miraculeux qui défigurent quelquefois nos personnages autant qu'ils les embellissent, et détruisent l'histoire au lieu de la corriger. Ces grands coups de maître passent ma portée; je les laisse à ceux qui en savent plus que moi; et j'aime mieux qu'on me reproche d'avoir fait mes femmes trop héroïnes, par une ignorante et basse affectation de les faire ressembler aux originaux qui en sont venus jusqu'à nous, que de m'entendre louer d'avoir efféminé mes héros par une docte et sublime complaisance au goût de nos délicats, qui veulent de l'amour partout, et ne permettent qu'à lui de faire auprès d'eux la bonne ou mauvaise fortune de nos ouvrages.

Éryxe n'a point ici l'avantage de cette ressemblance qui fait la principale perfection des portraits : c'est une reine de ma façon, de qui ce poëme reçoit un grand ornement, et qui pourrait toutefois y passer en quelque sorte pour inutile, n'était qu'elle ajoute des motifs vraisemblables aux historiques, et sert tout ensemble d'aiguillon à Sophonisbe pour précipiter son mariage, et de prétexte aux Romains pour n'y point consentir. Les protestations d'amour que semble lui faire Massinisse au commencement de leur premier entretien ne sont qu'un équivoque, dont le sens caché regarde cette autre reine. Ce qu'elle y répond fait voir qu'elle s'y méprend la première; et tant d'autres ont voulu s'y méprendre après elle, que je me suis cru obligé de vous en avertir.

Quand je ferai joindre cette tragédie à mes recueils, je pourrai l'examiner plus au long, comme j'ai fait les autres : cependant je vous demande pour sa lecture un peu de cette faveur qui doit toujours pencher du côté de ceux qui travaillent pour le public, avec une attention sincère qui vous empêche d'y voir ce qui n'y est pas, et vous y laisse voir tout ce que j'y fais dire.

ACTEURS

SYPHAX, *Roi de Numidie.*
MASSINISSE, *Autre Roi de Numidie.*
LÉLIUS, *Lieutenant de Scipion, consul de Rome.*
LÉPIDE, *Tribun romain.*
BOCCHAR, *Lieutenant de Syphax.*
MÉZÉTULLE, *Lieutenant de Massinisse.*
ALBIN, *Centenier romain.*
SOPHONISBE, *Fille d'Asdrubal, général des Carthaginois, et reine de Numidie.*
ÉRYXE, *Reine de Gétulie.*
HERMINIE, *Dame d'honneur de Sophonisbe.*
BARCÉE, *Dame d'honneur d'Éryxe.*
PAGE *de Sophonisbe.*
GARDES.

La scène est à Cyrthe, capitale du royaume de Syphax, dans le palais du Roi.

ACTE PREMIER

SCÈNE PREMIÈRE

Sophonisbe, Bocchar, Herminie

Bocchar

Madame, il était temps qu'il nous vînt du secours :
Le siège était formé, s'il eût tardé deux jours;
Les travaux commencés allaient à force ouverte
Tracer autour des murs l'ordre de votre perte;
Et l'orgueil des Romains se promettait l'éclat
D'asservir par leur prise et vous et tout l'État.
Syphax a dissipé, par sa seule présence,
De leur ambition la plus fière espérance.
Ses troupes, se montrant au lever du soleil,
Ont de votre ruine arrêté l'appareil.
A peine une heure ou deux elles ont pris haleine,
Qu'il les range en bataille au milieu de la plaine.
L'ennemi fait de même, et l'on voit des deux parts
Nos sillons hérissés de piques et de dards,
Et l'une et l'autre armée étaler même audace,
Égale ardeur de vaincre, et pareille menace.
L'avantage du nombre est dans notre parti :
Ce grand feu des Romains en paraît ralenti;
Du moins de Lélius la prudence inquiète
Sur le point du combat nous envoie un trompette.
On le mène à Syphax, à qui sans différer
De sa part il demande une heure à conférer.
Les otages reçus pour cette conférence,
Au milieu des deux camps l'un et l'autre s'avance;
Et si le ciel répond à nos communs souhaits,
Le champ de la bataille enfantera la paix.
  Voilà ce que le Roi m'a chargé de vous dire,
Et que de tout son cœur à la paix il aspire,
Pour ne plus perdre aucun de ces moments si doux
Que la guerre lui vole en l'éloignant de vous.

SOPHONISBE

Le roi m'honore trop d'une amour si parfaite.
Dites-lui que j'aspire à la paix qu'il souhaite,
Mais que je le conjure, en cet illustre jour,
De penser à sa gloire encor plus qu'à l'amour.

SCÈNE II

SOPHONISBE, HERMINIE

HERMINIE

Madame, ou j'entends mal une telle prière,
Ou vos vœux pour la paix n'ont pas votre âme entière;
Vous devez pourtant craindre un vainqueur irrité.

SOPHONISBE

J'ai fait à Massinisse une infidélité.
Accepté par mon père, et nourri dans Carthage,
Tu vis en tous les deux l'amour croître avec l'âge.
Il porta dans l'Espagne et mon cœur et ma foi;
Mais durant cette absence on disposa de moi.
J'immolai ma tendresse au bien de ma patrie :
Pour lui gagner Syphax, j'eusse immolé ma vie.
Il était aux Romains, et je l'en détachai;
J'étais à Massinisse, et je m'en arrachai.
J'en eus de la douleur, j'en sentis de la gêne;
Mais je servais Carthage, et m'en revoyais reine;
Car afin que le change eût pour moi quelque appas,
Syphax de Massinisse envahit les États,
Et mettait à mes pieds l'une et l'autre couronne,
Quand l'autre était réduit à sa seule personne.
Ainsi contre Carthage et contre ma grandeur
Tu me vis n'écouter ni ma foi ni mon cœur.

HERMINIE

Et vous ne craignez point qu'un amant ne se venge,
S'il faut qu'en son pouvoir sa victoire vous range?

SOPHONISBE

Nous vaincrons, Herminie; et nos destins jaloux
Voudront faire à leur tour quelque chose pour nous;

Mais si de ce héros je tombe en la puissance,
Peut-être aura-t-il peine à suivre sa vengeance,
Et que ce même amour qu'il m'a plu de trahir
Ne se trahira pas jusques à me haïr.
Jamais à ce qu'on aime on n'impute d'offense :
Quelque doux souvenir prend toujours sa défense.
L'amant excuse, oublie; et son ressentiment
A toujours, malgré lui, quelque chose d'amant.
Je sais qu'il peut s'aigrir, quand il voit qu'on le quitte
Par l'estime qu'on prend pour un autre mérite;
Mais lorsqu'on lui préfère un prince à cheveux gris,
Ce choix fait sans amour est pour lui sans mépris;
Et l'ordre ambitieux d'un hymen politique
N'a rien que ne pardonne un courage héroïque :
Lui-même il s'en console, et trompe sa douleur
A croire que la main n'a point donné le cœur.
J'ai donc peu de sujet de craindre Massinisse;
J'en ai peu de vouloir que la guerre finisse :
J'espère en la victoire, ou du moins en l'appui
Que son reste d'amour me saura faire en lui;
Mais le reste du mien, plus fort qu'on ne présume,
Trouvera dans la paix une prompte amertume;
Et d'un chagrin secret la sombre et dure loi
M'y fait voir des malheurs qui ne sont que pour moi.

HERMINIE

J'ai peine à concevoir que le ciel vous envoie
Des sujets de chagrin dans la commune joie,
Et par quel intérêt un tel reste d'amour
Vous fera des malheurs en ce bienheureux jour.

SOPHONISBE

Ce reste ne va point à regretter sa perte,
Dont je prendrais encor l'occasion offerte;
Mais il est assez fort pour devenir jaloux
De celle dont la paix le doit faire l'époux.
Éryxe, ma captive, Éryxe, cette reine
Qui des Gétuliens naquit la souveraine,
Eut aussi bien que moi des yeux pour ses vertus,
Et trouva de la gloire à choisir mon refus.
Ce fut pour empêcher ce fâcheux hyménée
Que Syphax fit la guerre à cette infortunée,
La surprit dans sa ville, et fit en ma faveur

Ce qu'il n'entreprenait que pour venger sa sœur;
Car tu sais qu'il l'offrit à ce généreux prince,
Et lui voulut pour dot remettre sa province.

HERMINIE

Je comprends encor moins que vous peut importer
A laquelle des deux il daigne s'arrêter.
Ce fut, s'il m'en souvient, votre prière expresse
Qui lui fit par Syphax offrir cette princesse;
Et je ne puis trouver matière à vos douleurs
Dans la perte d'un cœur que vous donniez ailleurs.

SOPHONISBE

Je le donnais, ce cœur où ma rivale aspire :
Ce don, s'il l'eût souffert, eût marqué mon empire,
Eût montré qu'un amant si maltraité par moi
Prenait encor plaisir à recevoir ma loi.
Après m'avoir perdue, il aurait fait connaître
Qu'il voulait m'être encor tout ce qu'il pouvait m'être,
Se rattacher à moi par les liens du sang,
Et tenir de ma main la splendeur de son rang;
Mais s'il épouse Éryxe, il montre un cœur rebelle
Qui me néglige autant qu'il veut brûler pour elle,
Qui brise tous mes fers, et brave hautement
L'éclat de sa disgrâce et de mon changement.

HERMINIE

Certes, si je l'osais, je nommerais caprice
Ce trouble ingénieux à vous faire un supplice,
Et l'obstination des soucis superflus
Dont vous gêne ce cœur quand vous n'en voulez plus.

SOPHONISBE

Ah ! que de notre orgueil tu sais mal la faiblesse,
Quand tu veux que son choix n'ait rien qui m'intéresse !
Des cœurs que la vertu renonce à posséder,
La conquête toujours semble douce à garder :
Sa rigueur n'a jamais le dehors si sévère,
Que leur perte au dedans ne lui devienne amère;
Et de quelque façon qu'elle nous fasse agir,
Un esclave échappé nous fait toujours rougir.
Qui rejette un beau feu n'aime point qu'on l'éteigne;

On se plaît à régner sur ce que l'on dédaigne;
Et l'on ne s'applaudit d'un illustre refus
Qu'alors qu'on est aimée après qu'on n'aime plus.
Je veux donc, s'il se peut, que l'heureux Massinisse
Prenne tout autre hymen pour un affreux supplice,
Qu'il m'adore en secret, qu'aucune nouveauté
N'ose le consoler de ma déloyauté;
Ne pouvant être à moi, qu'il ne soit à personne,
Ou qu'il souffre du moins que mon seul choix le donne.
Je veux penser encor que j'en puis disposer,
Et c'est de quoi la paix me va désabuser.
Juge si j'aurai lieu d'en être satisfaite,
Et par ce que je crains vois ce que je souhaite.
Mais Éryxe déjà commence mon malheur,
Et me vient par sa joie avancer ma douleur.

SCÈNE III

SOPHONISBE, ÉRYXE, HERMINIE, BARCÉE

ÉRYXE

Madame, une captive oserait-elle prendre
Quelque part au bonheur que l'on nous vient d'apprendre?

SOPHONISBE

Le bonheur n'est pas grand tant qu'il est incertain.

ÉRYXE

On me dit que le Roi tient la paix en sa main;
Et je n'ose douter qu'il ne l'ait résolue.

SOPHONISBE

Pour être proposée, elle n'est pas conclue;
Et les grands intérêts qu'il y faut ajuster
Demandent plus d'une heure à les bien concerter.

ÉRYXE

Alors que des deux chefs la volonté conspire...

SOPHONISBE

Que sert la volonté d'un chef qu'on peut dédire !

Il faut l'aveu de Rome, et que d'autre côté
Le sénat de Carthage accepte le traité.

ÉRYXE

Lélius le propose; et l'on ne doit pas croire
Qu'au désaveu de Rome il hasarde sa gloire.
Quant à votre sénat, le Roi n'en dépend point.

SOPHONISBE

Le Roi n'a pas une âme infidèle à ce point :
Il sait à quoi l'honneur, à quoi sa foi l'engage;
Et je l'en dédirais, s'il traitait sans Carthage.

ÉRYXE

On ne m'avait pas dit qu'il fallût votre aveu.

SOPHONISBE

Qu'on vous l'ait dit ou non, il m'importe assez peu.

ÉRYXE

Je le crois; mais enfin donnez votre suffrage,
Et je vous répondrai de celui de Carthage.

SOPHONISBE

Avez-vous en ces lieux quelque commerce?

ÉRYXE

Aucun.

SOPHONISBE

D'où le savez-vous donc?

ÉRYXE

D'un peu de sens commun :
On y doit être las de perdre des batailles,
Et d'avoir à trembler pour ses propres murailles.

SOPHONISBE

Rome nous aurait donc appris l'art de trembler.
Annibal...

ÉRYXE

Annibal a pensé l'accabler;
Mais ce temps-là n'est plus, et la valeur d'un homme...

SOPHONISBE

On ne voit point d'ici ce qui se passe à Rome.
En ce même moment peut-être qu'Annibal
Lui fait tout de nouveau craindre un assaut fatal,
Et que c'eſt pour sortir enfin de ces alarmes
Qu'elle nous fait parler de mettre bas les armes.

ÉRYXE

Ce serait pour Carthage un bonheur signalé;
Mais, Madame, les Dieux vous l'ont-ils révélé?
A moins que de leur voix, l'âme la plus crédule
D'un miracle pareil ferait quelque scrupule.

SOPHONISBE

Des miracles pareils arrivent quelquefois :
J'ai vu Rome en état de tomber sous nos lois;
La guerre eſt journalière, et sa vicissitude,
Laisse tout l'avenir dedans l'incertitude.

ÉRYXE

Le passé le prépare, et le soldat vainqueur
Porte aux nouveaux combats plus de force et de cœur.

SOPHONISBE

Et si j'en étais crue, on aurait le courage
De ne rien écouter sur ce désavantage,
Et d'attendre un succès hautement emporté
Qui remît notre gloire en plus d'égalité.

ÉRYXE

On pourrait fort attendre.

SOPHONISBE

Et durant cette attente
Vous pourriez n'avoir pas l'âme la plus contente.

ÉRYXE

J'ai déjà grand chagrin de voir que de vos mains
Mon sceptre a su passer en celles des Romains;
Et qu'aujourd'hui, de l'air dont s'y prend Massinisse,
Le vôtre a grand besoin que la paix l'affermisse.

SOPHONISBE

Quand de pareils chagrins voudront paraître au jour,
Si l'honneur vous est cher, cachez tout votre amour;
Et voyez à quel point votre gloire est flétrie
D'aimer un ennemi de sa propre patrie,
Qui sert des étrangers dont par un juste accord
Il pouvait nous aider à repousser l'effort.

ÉRYXE

Dépouillé par votre ordre, ou par votre artifice,
Il sert vos ennemis pour s'en faire justice;
Mais si de les servir il doit être honteux,
Syphax sert, comme lui, des étrangers comme eux.
Si nous les voulions tous bannir de notre Afrique,
Il faudrait commencer par votre république,
Et renvoyer à Tyr, d'où vous êtes sortis,
Ceux par qui nos climats sont presque assujettis.
Nous avons lieu d'avoir pareille jalousie
Des peuples de l'Europe et de ceux de l'Asie;
Ou si le temps a pu vous naturaliser,
Le même cours du temps les peut favoriser.
J'ose vous dire plus : si le destin s'obstine
A vouloir qu'en ces lieux leur victoire domine,
Comme vos Tyriens passent pour Africains,
Au milieu de l'Afrique il naîtra des Romains;
Et si de ce qu'on voit nous croyons le présage,
Il en pourra bien naître au milieu de Carthage
Pour qui notre amitié n'aura rien de honteux,
Et qui sauront passer pour Africains comme eux.

SOPHONISBE

Vous parlez un peu haut.

ÉRYXE

Je suis amante et reine.

SOPHONISBE

Et captive, de plus.

ÉRYXE

On va briser ma chaîne;
Et la captivité ne peut abattre un cœur

Qui se voit assuré de celui du vainqueur :
Il eſt tel dans vos fers que sous mon diadème.
N'outragez plus ce prince, il a ma foi, je l'aime;
J'ai la sienne, et j'en sais soutenir l'intérêt.
Du reſte, si la paix vous plaît, ou vous déplaît,
Ce n'eſt pas mon dessein d'en pénétrer la cause :
La bataille et la paix sont pour moi même chose.
L'une ou l'autre aujourd'hui finira mes ennuis;
Mais l'une vous peut mettre en l'état où je suis.

SOPHONISBE

Je pardonne au chagrin d'un si long esclavage,
Qui peut avec raison vous aigrir le courage,
Et voudrais vous servir malgré ce grand courroux.

ÉRYXE

Craignez que je ne puisse en dire autant de vous.
Mais le Roi vient : adieu; je n'ai pas l'imprudence
De m'offrir pour troisième à votre conférence;
Et d'ailleurs, s'il vous vient demander votre aveu,
Soit qu'il l'obtienne ou non, il m'importe fort peu.

SCÈNE IV

SYPHAX, SOPHONISBE, HERMINIE, BOCCHAR

SOPHONISBE

Eh bien ! Seigneur, la paix, l'avez-vous résolue?

SYPHAX

Vous en êtes encor la maîtresse absolue,
Madame; et je n'ai pris trêve pour un moment,
Qu'afin de tout remettre à votre sentiment.
On m'offre le plein calme, on m'offre de me rendre
Ce que dans mes États la guerre a fait surprendre,
L'amitié des Romains, que pour vous j'ai trahis.

SOPHONISBE

Et que vous offre-t-on, Seigneur, pour mon pays?

SYPHAX

Loin d'exiger de moi que j'y porte mes armes,
On me laisse aujourd'hui tout entier à vos charmes
On demande que neutre en ces dissensions,
Je laisse aller le sort de vos deux nations.

SOPHONISBE

Et ne pourrait-on point vous en faire l'arbitre?

SYPHAX

Le ciel semblait m'offrir un si glorieux titre,
Alors qu'on vit dans Cyrthe entrer d'un pas égal,
D'un côté Scipion, et de l'autre Asdrubal.
Je vis ces deux héros, jaloux de mon suffrage,
Le briguer, l'un pour Rome, et l'autre pour Carthage;
Je les vis à ma table, et sur un même lit[1];
Et comme ami commun, j'aurais eu tout crédit.
Votre beauté, Madame, emporta la balance :
De Carthage pour vous j'embrassai l'alliance;
Et comme on ne veut point d'arbitre intéressé,
C'est beaucoup aux vainqueurs d'oublier le passé.
En l'état où je suis, deux batailles perdues,
Mes villes, la plupart surprises ou rendues,
Mon royaume d'argent et d'hommes affaibli,
C'est beaucoup de me voir tout d'un coup rétabli.
Je reçois sans combat le prix de la victoire;
Je rentre sans péril en ma première gloire;
Et ce qui plus que tout a lieu de m'être doux,
Il m'est permis enfin de vivre auprès de vous.

SOPHONISBE

Quoi que vous résolviez, c'est à moi d'y souscrire;
J'oserai toutefois m'enhardir à vous dire
Qu'avec plus de plaisir je verrais ce traité,
Si j'y voyais pour vous ou gloire ou sûreté.
Mais, Seigneur, m'aimez-vous encor?

SYPHAX

Si je vous aime?

SOPHONISBE

Oui, m'aimez-vous encor, Seigneur?

SYPHAX

Plus que moi-même.

SOPHONISBE

Si mon amour égal rend vos jours fortunés,
Vous souvient-il encor de qui vous le tenez?

SYPHAX

De vos bontés, Madame.

SOPHONISBE

Ah ! cessez, je vous prie,
De faire en ma faveur outrage à ma patrie.
Un autre avait le choix de mon père et le mien;
Elle seule pour vous rompit ce doux lien.
Je brûlais d'un beau feu, je promis de l'éteindre;
J'ai tenu ma parole, et j'ai su m'y contraindre.
Mais vous ne tenez pas, Seigneur, à vos amis
Ce qu'acceptant leur don vous leur avez promis;
Et pour ne pas user vers vous d'un mot trop rude,
Vous montrez pour Carthage un peu d'ingratitude.
Quoi? vous qui lui devez ce bonheur de vos jours,
Vous que mon hyménée engage à son secours,
Vous que votre serment attache à sa défense,
Vous manquez de parole et de reconnaissance,
Et pour remercîment de me voir en vos mains,
Vous la livrez vous-même en celles des Romains !
Vous brisez le pouvoir dont vous m'avez reçue,
Et je serai le prix d'une amitié rompue,
Moi qui pour en étreindre à jamais les grands nœuds,
Ai d'un amour si juste éteint les plus beaux feux !
Moi que vous protestez d'aimer plus que vous-même !
Ah ! Seigneur, le dirai-je? est-ce ainsi que l'on m'aime?

SYPHAX

Si vous m'aimiez, Madame, il vous serait bien doux
De voir comme je veux ne vous devoir qu'à vous :
Vous ne vous plairiez pas à montrer dans votre âme
Les restes odieux d'une première flamme,
D'un amour dont l'hymen qu'on a vu nous unir
Devrait avoir éteint jusques au souvenir.
Vantez-moi vos appas, montrez avec courage
Ce prix impérieux dont m'achète Carthage;

Avec tant de hauteur prenez son intérêt,
Qu'il me faille en esclave agir comme il lui plaît;
Au moindre soin des miens traitez-moi d'infidèle,
Et ne me permettez de régner que sous elle;
Mais épargnez ce comble aux malheurs que je crains,
D'entendre aussi vanter ces beaux feux mal éteints,
Et de vous en voir l'âme encor toute obsédée
En ma présence même en caresser l'idée.

SOPHONISBE

Je m'en souviens, Seigneur, lorsque vous oubliez
Quels vœux mon changement vous a sacrifiés,
Et saurai l'oublier, quand vous ferez justice
A ceux qui vous ont fait un si grand sacrifice.
Au reste, pour ouvrir tout mon cœur avec vous,
Je n'aime point Carthage à l'égal d'un époux;
Mais bien que moins soumise à son destin qu'au vôtre
Je crains également et pour l'un et pour l'autre,
Et ce que je vous suis ne saurait empêcher
Que le plus malheureux ne me soit le plus cher.
Jouissez de la paix qui vous vient d'être offerte,
Tandis que j'irai plaindre et partager sa perte :
J'y mourrai sans regret, si mon dernier moment
Vous laisse en quelque état de régner sûrement;
Mais, Carthage détruite, avec quelle apparence
Oserez-vous garder cette fausse espérance?
Rome, qui vous redoute et vous flatte aujourd'hui,
Vous craindra-t-elle encor, vous voyant sans appui,
Elle qui de la paix ne jette les amorces
Que par le seul besoin de séparer vos forces,
Et qui dans Massinisse, et voisin, et jaloux,
Aura toujours de quoi se brouiller avec vous?
Tous deux vous devront tout. Carthage abandonnée
Vaut pour l'un et pour l'autre une grande journée.
Mais un esprit aigri n'est jamais satisfait
Qu'il n'ait vengé l'injure en dépit du bienfait.
Pensez-y : votre armée est la plus forte en nombre;
Les Romains ont tremblé dès qu'ils en ont vu l'ombre;
Utique à l'assiéger retient leur Scipion;
Un temps bien pris peut tout : pressez l'occasion.
De ce chef éloigné la valeur peu commune
Peut-être à sa personne attache leur fortune;
Il tient auprès de lui la fleur de leurs soldats.

En tout événement Cyrthe vous tend les bras;
Vous tiendrez, et longtemps, dedans cette retraite.
Mon père cependant répare sa défaite;
Hannon a de l'Espagne amené du secours;
Annibal vient lui-même ici dans peu de jours.
Si tout cela vous semble un léger avantage,
Renvoyez-moi, Seigneur, me perdre avec Carthage :
J'y périrai sans vous; vous régnerez sans moi.
Vous préserve le ciel de ce que je prévoi,
Et daigne son courroux, me prenant seule en butte,
M'exempter par ma mort de pleurer votre chute !

SYPHAX

A des charmes si forts joindre celui des pleurs !
Soulever contre moi ma gloire et vos douleurs !
C'est trop, c'est trop, Madame; il faut vous satisfaire :
Le plus grand des malheurs serait de vous déplaire,
Et tous mes sentiments veulent bien se trahir
A la douceur de vaincre ou de vous obéir.
La paix eût sur ma tête assuré ma couronne :
Il faut la refuser, Sophonisbe l'ordonne;
Il faut servir Carthage et hasarder l'État.
Mais que deviendrez-vous, si je meurs au combat?
Qui sera votre appui, si le sort des batailles
Vous rend un corps sans vie au pied de nos murailles?

SOPHONISBE

Je vous répondrais bien qu'après votre trépas
Ce que je deviendrai ne vous regarde pas;
Mais j'aime mieux, Seigneur, pour vous tirer de peine,
Vous dire que je sais vivre et mourir en reine[2].

SYPHAX

N'en parlons plus, Madame. Adieu : pensez à moi;
Et je saurai, pour vous, vaincre ou mourir en roi.

ACTE II

SCÈNE PREMIÈRE

ÉRYXE, BARCÉE

ÉRYXE

QUEL désordre, Barcée, ou plutôt quel supplice,
M'apprêtait la victoire à revoir Massinisse !
Et que de mon destin l'obscure trahison
Sur mes souhaits remplis a versé de poison !
Syphax est prisonnier; Cyrthe toute éperdue
A ce triste spectacle aussitôt s'est rendue.
Sophonisbe, en dépit de toute sa fierté,
Va gémir à son tour dans la captivité :
Le ciel finit la mienne, et je n'ai plus de chaînes
Que celles qu'avec gloire on voit porter aux reines;
Et lorsqu'aux mêmes fers je crois voir mon vainqueur,
Je doute, en le voyant, si j'ai part en son cœur.
En vain l'impatience à le chercher m'emporte,
En vain de ce palais je cours jusqu'à la porte,
Et m'ose figurer, en cet heureux moment,
Sa flamme impatiente et forte également :
Je l'ai vu, mais surpris, mais troublé de ma vue;
Il n'était point lui-même alors qu'il m'a reçue,
Et ses yeux égarés marquaient un embarras
A faire assez juger qu'il ne me cherchait pas.
J'ai vanté sa victoire, et je me suis flattée
Jusqu'à m'imaginer que j'étais écoutée;
Mais quand pour me répondre il s'est fait un effort,
Son compliment au mien n'a point eu de rapport;
Et j'ai trop vu par là qu'un si profond silence
Attachait sa pensée ailleurs qu'à ma présence,
Et que l'emportement d'un entretien secret
Sous un front attentif cachait l'esprit distrait.

BARCÉE

Les soins d'un conquérant vous donnent trop d'alarmes.
C'est peu que devant lui Cyrthe ait mis bas les armes,

Qu'elle se soit rendue, et qu'un commun effroi
L'ait fait à tout son peuple accepter pour son roi;
Il lui faut s'assurer des places et des portes,
Pour en demeurer maître y poster ses cohortes :
Ce devoir se préfère aux soucis les plus doux;
Et s'il en était quitte, il serait tout à vous.

ÉRYXE

Il me l'a dit lui-même alors qu'il m'a quittée;
Mais j'ai trop vu d'ailleurs son âme inquiétée;
Et de quelque couleur que tu couvres ses soins,
Sa nouvelle conquête en occupe le moins.
Sophonisbe, en un mot, et captive et pleurante,
L'emporte sur Éryxe et reine et triomphante;
Et si je m'en rapporte à l'accueil différent,
Sa disgrâce peut plus qu'un sceptre qu'on me rend.
Tu l'as pu remarquer. Du moment qu'il l'a vue,
Ses troubles ont cessé, sa joie est revenue :
Ces charmes à Carthage autrefois adorés
Ont soudain réuni ses regards égarés.
Tu l'as vue étonnée, et tout ensemble altière,
Lui demander l'honneur d'être sa prisonnière,
Le prier fièrement qu'elle pût en ses mains
Éviter le triomphe et les fers des Romains.
Son orgueil, que ses pleurs semblaient vouloir dédire,
Trouvait l'art en pleurant d'augmenter son empire;
Et sûre du succès, dont cet art répondait,
Elle priait bien moins qu'elle ne commandait.
Aussi sans balancer il a donné parole
Qu'elle ne serait point traînée au Capitole,
Qu'il en saurait trouver un moyen assuré;
En lui tendant la main sur l'heure il l'a juré,
Et n'eût pas borné là son ardeur renaissante,
Mais il s'est souvenu qu'enfin j'étais présente;
Et les ordres qu'aux siens il avait à donner
Ont servi de prétexte à nous abandonner.
Que dis-je? pour moi seule affectant cette fuite,
Jusqu'au fond du palais des yeux il l'a conduite;
Et si tu t'en souviens, j'ai toujours soupçonné
Que cet amour jamais ne fut déraciné.
Chez moi, dans Hyarbée, où le mien trop facile
Prêtait à sa déroute un favorable asile,
Détrôné, vagabond, et sans appui que moi,

Quand j'ai voulu parler contre ce cœur sans foi,
Et qu'à cette infidèle imputant sa misère,
J'ai cru surprendre un mot de haine ou de colère,
Jamais son feu secret n'a manqué de détours
Pour me forcer moi-même à changer de discours;
Ou si je m'obstinais à le faire répondre,
J'en tirais pour tout fruit de quoi mieux me confondre,
Et je n'en arrachais que de profonds hélas,
Et qu'enfin son amour ne la méritait pas.
Juge, par ces soupirs que produisait l'absence,
Ce qu'à leur entrevue a produit la présence.

BARCÉE

Elle a produit sans doute un effet de pitié,
Où se mêle peut-être une ombre d'amitié.
Vous savez qu'un cœur noble et vraiment magnanime,
Quand il bannit l'amour, aime à garder l'estime;
Et que bien qu'offensé par le choix d'un mari,
Il n'insulte jamais à ce qu'il a chéri.
Mais quand bien vous auriez tout lieu de vous en plaindre,
Sophonisbe, après tout, n'est point pour vous à craindre :
Eût-elle tout son cœur, elle l'aurait en vain,
Puisqu'elle est hors d'état de recevoir sa main,
Il vous la doit, Madame.

ÉRYXE

Il me la doit, Barcée;
Mais que sert une main par le devoir forcée?
Et qu'en aurait le don pour moi de précieux,
S'il faut que son esclave ait son cœur à mes yeux?
Je sais bien que des rois la fière destinée
Souffre peu que l'amour règle leur hyménée,
Et que leur union souvent, pour leur malheur,
N'est que du sceptre au sceptre, et non du cœur au cœur;
Mais je suis au-dessus de cette erreur commune :
J'aime en lui sa personne autant que sa fortune;
Et je n'en exigeai qu'il reprît ses États
Que de peur que mon peuple en fît trop peu de cas.
Des actions des rois ce téméraire arbitre
Dédaigne insolemment ceux qui n'ont que le titre.
Jamais d'un roi sans trône il n'eût souffert la loi,
Et ce mépris peut-être eût passé jusqu'à moi.
Il fallait qu'il lui vît sa couronne à la tête,

Et que ma main devînt sa dernière conquête,
Si nous voulions régner avec l'autorité
Que le juste respect doit à la dignité.
J'aime donc Massinisse, et je prétends qu'il m'aime :
Je l'adore, et je veux qu'il m'adore de même;
Et pour moi son hymen serait un long ennui,
S'il n'était tout à moi, comme moi toute à lui.
Ne t'étonne donc point de cette jalousie
Dont, à ce froid abord, mon âme s'est saisie;
Laisse-la-moi souffrir, sans me la reprocher;
Sers-la, si tu le peux, et m'aide à la cacher.
Pour juste aux yeux de tous qu'en puisse être la cause,
Une femme jalouse à cent mépris s'expose;
Plus elle fait de bruit, moins on en fait d'état,
Et jamais ses soupçons n'ont qu'un honteux éclat.
Je veux donner aux miens une route diverse,
A ces amants suspects laisser libre commerce,
D'un œil indifférent en regarder le cours,
Fuir toute occasion de troubler leur discours,
Et d'un hymen douteux éviter le supplice,
Tant que je douterai du cœur de Massinisse.
Le voici : nous verrons, par son empressement,
Si je me suis trompée en ce pressentiment.

SCÈNE II

MASSINISSE, ÉRYXE, BARCÉE, MÉZÉTULLE

MASSINISSE

Enfin, maître absolu des murs et de la ville,
Je puis vous apporter un esprit plus tranquille,
Madame, et voir céder en ce reste du jour
Les soins de la victoire aux douceurs de l'amour.
Je n'aurais plus de lieu d'aucune inquiétude,
N'était que je ne puis sortir d'ingratitude,
Et que dans mon bonheur il n'est pas bien en moi
De m'acquitter jamais de ce que je vous doi.
Les forces qu'en mes mains vos bontés ont remises
Vous ont laissée en proie à de lâches surprises,
Et me rendaient ailleurs ce qu'on m'avait ôté,

Tandis qu'on vous ôtait et sceptre et liberté.
Ma première victoire a fait votre esclavage;
Celle-ci, qui le brise, est encor votre ouvrage;
Mes bons destins par vous ont eu tout leur effet,
Et je suis seulement ce que vous m'avez fait.
Que peut donc tout l'effort de ma reconnaissance,
Lorsque je tiens de vous ma gloire et ma puissance?
Et que vous puis-je offrir que votre propre bien,
Quand je vous offrirai votre sceptre et le mien?

ÉRYXE

Quoi qu'on puisse devoir, aisément on s'acquitte,
Seigneur, quand on se donne avec tant de mérite :
C'est un rare présent qu'un véritable roi,
Qu'a rendu sa victoire enfin digne de moi.
Si dans quelques malheurs pour vous je suis tombée,
Nous pourrons en parler un jour dans Hyarbée,
Lorsqu'on nous y verra dans un rang souverain,
La couronne à la tête, et le sceptre à la main.
Ici nous ne savons encor ce que nous sommes :
Je tiens tout fort douteux tant qu'il dépend des hommes,
Et n'ose m'assurer que nos amis jaloux
Consentent l'union des deux trônes en nous.
Ce qu'avec leurs héros vous avez de pratique
Vous a dû mieux qu'à moi montrer leur politique.
Je ne vous en dis rien : un souci plus pressant,
Et si je l'ose dire, assez embarrassant,
Où même ainsi que vous la pitié m'intéresse,
Vous doit inquiéter touchant votre promesse :
Dérober Sophonisbe au pouvoir des Romains,
C'est un pénible ouvrage, et digne de vos mains;
Vous devez y penser.

MASSINISSE

Un peu trop téméraire,
Peut-être ai-je promis plus que je ne puis faire.
Les pleurs de Sophonisbe ont surpris ma raison.
L'opprobre du triomphe est pour elle un poison;
Et j'ai cru que le ciel l'avait assez punie,
Sans la livrer moi-même à tant d'ignominie.
Madame, il est bien dur de voir déshonorer
L'autel où tant de fois on s'est plu d'adorer,
Et l'âme ouverte aux biens que le ciel lui renvoie

Ne peut rien refuser dans ce comble de joie.
Mais quoi que ma promesse ait de difficultés,
L'effet en eśt aisé, si vous y consentez.

ÉRYXE

Si j'y consens ! bien plus, Seigneur, je vous en prie.
Voyez s'il faut agir de force ou d'induśtrie;
Et concertez ensemble en toute liberté
Ce que dans votre esprit vous avez projeté.
Elle vous cherche exprès.

SCÈNE III

MASSINISSE, ÉRYXE, SOPHONISBE, BARCÉE, HERMINIE, MÉZÉTULLE

ÉRYXE

Tout a changé de face,
Madame, et les deśtins vous ont mise en ma place.
Vous me deviez servir malgré tout mon courroux,
Et je fais à présent même chose pour vous :
Je vous l'avais promis, et je vous tiens parole.

SOPHONISBE

Je vous suis obligée; et ce qui m'en console,
C'eśt que tout peut changer une seconde fois;
Et je vous rendrai lors tout ce que je vous dois.

ÉRYXE

Si le ciel jusque-là vous en laisse incapable,
Vous pourrez quelque temps être ma redevable,
Non tant d'avoir parlé, d'avoir prié pour vous,
Comme de vous céder un entretien si doux.
Voyez si c'eśt vous rendre un fort méchant office
Que vous abandonner le prince Massinisse.

SOPHONISBE

Ce n'eśt pas mon dessein de vous le dérober.

ÉRYXE

Peut-être en ce dessein pourriez-vous succomber; [cles :
Mais, Seigneur, quel qu'il soit je n'y mets point d'obśta-

Un héros, comme un dieu, peut faire des miracles;
Et s'il faut mon aveu pour en venir à bout,
Soyez sûr de nouveau que je consens à tout.
Adieu.

SCÈNE IV

MASSINISSE, SOPHONISBE, HERMINIE, MÉZÉTULLE

SOPHONISBE

Pardonnez-vous à cette inquiétude
Que fait de mon destin la triste incertitude,
Seigneur? et cet espoir que vous m'avez donné
Vous fera-t-il aimer d'en être importuné ?
Je suis Carthaginoise, et d'un sang que vous-même
N'avez que trop jugé digne du diadème :
Jugez par là l'excès de ma confusion
A me voir attachée au char de Scipion;
Et si ce qu'entre nous on vit d'intelligence
Ne vous convaincra point d'une indigne vengeance,
Si vous écoutez plus de vieux ressentiments,
Que le sacré respect de vos derniers serments.
Je fus ambitieuse, inconstante et parjure :
Plus votre amour fut grand, plus grande en est l'injure;
Mais plus il a paru, plus il vous fait de lois
Pour défendre l'honneur de votre premier choix;
Et plus l'injure est grande, et d'autant mieux éclate
La générosité de servir une ingrate
Que votre bras lui-même a mise hors d'état
D'en pouvoir dignement reconnaître l'éclat.

MASSINISSE

Ah ! si vous m'en devez quelque reconnaissance,
Cessez de vous en faire une fausse impuissance :
De quelque dur revers que vous sentiez les coups,
Vous pouvez plus pour moi que je ne puis pour vous.
Je dis plus : je ne puis pour vous aucune chose,
A moins qu'à m'y servir ce revers vous dispose.
J'ai promis, mais sans vous j'aurai promis en vain;
J'ai juré, mais l'effet dépend de votre main;
Autre qu'elle en ces lieux ne peut briser vos chaînes :

En un mot le triomphe est un supplice aux reines;
La femme du vaincu ne le peut éviter,
Mais celle du vainqueur n'a rien à redouter.
De l'une il est aisé que vous deveniez l'autre;
Votre main par mon sort peut relever le vôtre;
Mais vous n'avez qu'une heure, ou plutôt qu'un moment,
Pour résoudre votre âme à ce grand changement.
Demain Lélius entre, et je ne suis plus maître;
Et quelque amour en moi que vous voyiez renaître,
Quelques charmes en vous qui puissent me ravir,
Je ne puis que vous plaindre, et non pas vous servir.
C'est vous parler sans doute avec trop de franchise;
Mais le péril...

SOPHONISBE

De grâce, excusez ma surprise.
Syphax encor vivant, voulez-vous qu'aujourd'hui...

MASSINISSE

Vous me fûtes promise auparavant qu'à lui;
Et cette foi donnée et reçue à Carthage,
Quand vous voudrez m'aimer, d'avec lui vous dégage.
Si de votre personne il s'est vu possesseur,
Il en fut moins l'époux que l'heureux ravisseur;
Et sa captivité qui rompt cet hyménée
Laisse votre main libre et la sienne enchaînée.
Rendez-vous à vous-même; et s'il vous peut venir
De notre amour passé quelque doux souvenir,
Si ce doux souvenir peut avoir quelque force...

SOPHONISBE

Quoi? vous pourriez m'aimer après un tel divorce,
Seigneur, et recevoir de ma légèreté
Ce que vous déroba tant d'infidélité?

MASSINISSE

N'attendez point, Madame, ici que je vous die
Que je ne vous impute aucune perfidie;
Que mon peu de mérite et mon trop de malheur
Ont seuls forcé Carthage à forcer votre cœur;
Que votre changement n'éteignit point ma flamme,
Qu'il ne vous ôta point l'empire de mon âme;
Et que si j'ai porté la guerre en vos États,
Vous étiez la conquête où prétendait mon bras.

Quand le temps eſt trop cher pour le perdre en paroles,
Toutes ces vérités sont des discours frivoles :
Il faut ménager mieux ce moment de pouvoir.
Demain Lélius entre; il le peut dès ce soir :
Avant son arrivée assurez votre empire.
Je vous aime, Madame, et c'eſt assez vous dire.
Je n'examine point quels sentiments pour moi
Me rendront les effets d'une première foi :
Que votre ambition, que votre amour choisisse;
L'opprobre eſt d'un côté, de l'autre Massinisse.
Il faut aller à Rome ou me donner la main :
Ce grand choix ne se peut différer à demain,
Le péril presse autant que mon impatience;
Et quoi que mes succès m'offrent de confiance,
Avec tout mon amour, je ne puis rien pour vous,
Si demain Rome en moi ne trouve votre époux.

SOPHONISBE

Il faut donc qu'à mon tour je parle avec franchise,
Puisqu'un péril si grand ne veut point de remise.
L'hymen que vous m'offrez peut rallumer mes feux,
Et pour briser mes fers rompre tous autres nœuds;
Mais, avant qu'il vous rende à votre prisonnière,
Je veux que vous voyiez son âme tout entière,
Et ne puissiez un jour vous plaindre avec sujet
De n'avoir pas bien vu ce que vous aurez fait.
Quand j'épousai Syphax, je n'y fus point forcée :
De quelques traits pour vous que l'amour m'eût blessée,
Je vous quittai sans peine, et tous mes vœux trahis
Cédèrent avec joie au bien de mon pays.
En un mot, j'ai reçu du ciel pour mon partage
L'aversion de Rome et l'amour de Carthage.
Vous aimez Lélius, vous aimez Scipion,
Vous avez lieu d'aimer toute leur nation;
Aimez-la, j'y consens, mais laissez-moi ma haine.
Tant que vous serez roi, souffrez que je sois reine,
Avec la liberté d'aimer et de haïr,
Et sans nécessité de craindre ou d'obéir.
Voilà quelle je suis, et quelle je veux être.
J'accepte votre hymen, mais pour vivre sans maître,
Et ne quitterais point l'époux que j'avais pris,
Si Rome se pouvait éviter qu'à ce prix.
A ces conditions me voulez-vous pour femme?

MASSINISSE

A ces conditions prenez toute mon âme;
Et s'il vous faut encor quelques nouveaux serments...

SOPHONISBE

Ne perdez point, Seigneur, ces précieux moments;
Et puisque sans contrainte il m'eſt permis de vivre,
Faites tout préparer; je m'apprête à vous suivre.

MASSINISSE

J'y vais; mais de nouveau gardez que Lélius...

SOPHONISBE

Cessez de vous gêner par des soins superflus;
J'en connais l'importance, et vous rejoins au temple.

SCÈNE V

SOPHONISBE, HERMINIE

SOPHONISBE

Tu vois, mon bonheur passe et l'espoir et l'exemple;
Et c'eſt, pour peu qu'on aime, une extrême douceur
De pouvoir accorder sa gloire avec son cœur;
Mais c'en eſt une ici bien autre, et sans égale,
D'enlever, et si tôt, ce prince à ma rivale,
De lui faire tomber le triomphe des mains,
Et prendre sa conquête aux yeux de ses Romains.
Peut-être avec le temps j'en aurai l'avantage
De l'arracher à Rome, et le rendre à Carthage;
Je m'en réponds déjà sur le don de sa foi :
Il eſt à mon pays puisqu'il eſt tout à moi.
A ce nouvel hymen c'eſt ce qui me convie,
Non l'amour, non la peur de me voir asservie :
L'esclavage aux grands cœurs n'eſt point à redouter;
Alors qu'on sait mourir, on sait tout éviter;
Mais comme enfin la vie eſt bonne à quelque chose,
Ma patrie elle-même à ce trépas s'oppose,
Et m'en désavouerait, si j'osais me ravir
Les moyens que l'amour m'offre de la servir.

Le bonheur surprenant de cette préférence
M'en donne une assez juste et flatteuse espérance.
Que ne pourrai-je point si, dès qu'il m'a pu voir,
Mes yeux d'une autre reine ont détruit le pouvoir !
Tu l'as vu comme moi, qu'aucun retour vers elle
N'a montré qu'avec peine il lui fût infidèle :
Il ne l'a point nommée, et pas même un soupir
N'en a fait soupçonner le moindre souvenir.

HERMINIE

Ce sont grandes douceurs que le ciel vous renvoie;
Mais il manque le comble à cet excès de joie,
Dont vous vous sentiriez encor bien mieux saisir,
Si vous voyiez qu'Éryxe en eût du déplaisir.
Elle est indifférente, ou plutôt insensible :
A vous servir contre elle elle fait son possible,
Quand vous prenez plaisir à troubler son discours,
Elle en prend à laisser au vôtre un libre cours;
Et ce héros enfin que votre soin obsède
Semble ne vous offrir que ce qu'elle vous cède.
Je voudrais qu'elle vît un peu plus son malheur,
Qu'elle en fît hautement éclater la douleur;
Que l'espoir inquiet de se voir son épouse
Jetât un plein désordre en son âme jalouse;
Que son amour pour lui fût sans bonté pour vous.

SOPHONISBE

Que tu te connais mal en sentiments jaloux !
Alors qu'on l'est si peu qu'on ne pense pas l'être,
On n'y réfléchit point, on laisse tout paraître;
Mais quand on l'est assez pour s'en apercevoir,
On met tout son possible à n'en laisser rien voir.
Éryxe, qui connaît et qui hait sa faiblesse,
La renferme au dedans, et s'en rend la maîtresse;
Mais cette indifférence où tant d'orgueil se joint
Ne part que d'un dépit jaloux au dernier point;
Et sa fausse bonté se trahit elle-même
Par l'effort qu'elle fait à se montrer extrême :
Elle est étudiée, et ne l'est pas assez
Pour échapper entière aux yeux intéressés.
Allons, sans perdre temps, l'empêcher de nous nuire,
Et prévenir l'effet qu'elle pourrait produire.

ACTE III

SCÈNE PREMIÈRE

MASSINISSE, MÉZÉTULLE

MÉZÉTULLE

Oui, Seigneur, j'ai donné vos ordres à la porte,
Que jusques à demain aucun n'entre, ne sorte,
A moins que Lélius vous dépêche quelqu'un.
Au reste, votre hymen fait le bonheur commun :
Cette illustre conquête est une autre victoire,
Que prennent les vainqueurs pour un surcroît de gloire,
Et qui fait aux vaincus bannir tout leur effroi,
Voyant régner leur reine avec leur nouveau roi.
Cette union à tous promet des biens solides,
Et réunit sous vous tous les cœurs des Numides.

MASSINISSE

Mais Éryxe...?

MÉZÉTULLE

J'ai mis des gens à l'observer,
Et suis allé moi-même après eux la trouver,
De peur qu'un contre-temps de jalouse colère
Allât jusqu'aux autels en troubler le mystère.
D'abord qu'elle a tout su, son visage étonné
Aux troubles du dedans sans doute a trop donné :
Du moins à ce grand coup elle a paru surprise;
Mais un moment après, entièrement remise,
Elle a voulu sourire, et m'a dit froidement :
« Le Roi n'use pas mal de mon consentement;
Allez, et dites-lui que pour reconnaissance... »
Mais, Seigneur, devers vous elle-même s'avance,
Et vous expliquera mieux que je n'aurais fait
Ce qu'elle ne m'a pas expliqué tout à fait.

MASSINISSE

Cependant cours au temple, et presse un peu la Reine
D'y terminer des vœux dont la longueur me gêne;
Et dis-lui que c'est trop importuner les Dieux,
En un temps où sa vue est si chère à mes yeux.

SCÈNE II

MASSINISSE, ÉRYXE, BARCÉE

ÉRYXE

Comme avec vous, Seigneur, je ne sus jamais feindre,
Souffrez pour un moment que j'ose ici m'en plaindre,
Non d'un amour éteint, ni d'un espoir déçu,
L'un fut mal allumé, l'autre fut mal conçu;
Mais d'avoir cru mon âme et si faible et si basse,
Qu'elle pût m'imputer votre hymen à disgrâce,
Et d'avoir envié cette joie à mes yeux
D'en être les témoins, aussi bien que les Dieux.
Ce plein aveu promis avec tant de franchise
Me préparait assez à voir tout sans surprise;
Et sûr que vous étiez de mon consentement,
Vous me deviez ma part en cet heureux moment.
J'aurais un peu plus tôt été désabusée;
Et près du précipice où j'étais exposée,
Il m'eût été, Seigneur, et m'est encor bien doux
D'avoir pu vous connaître avant que d'être à vous.
Aussi n'attendez point de reproche ou d'injure :
Je ne vous nommerai ni lâche, ni parjure.
Quel outrage m'a fait votre manque de foi,
De me voler un cœur qui n'était pas à moi?
J'en connais le haut prix, j'en vois tout le mérite;
Mais jamais un tel vol n'aura rien qui m'irrite,
Et vous vivrez sans trouble en vos contentements,
S'ils n'ont à redouter que mes ressentiments.

MASSINISSE

J'avais assez prévu qu'il vous serait facile
De garder dans ma perte un esprit si tranquille :
Le peu d'ardeur pour moi que vos désirs ont eu

Doit s'accorder sans peine avec cette vertu.
Vous avez feint d'aimer, et permis l'espérance;
Mais cet amour traînant n'avait que l'apparence;
Et quand par votre hymen vous pouviez m'acquérir,
Vous m'avez renvoyé pour vaincre ou pour périr.
J'ai vaincu par votre ordre, et vois avec surprise
Que je n'en ai pour fruit qu'une froide remise,
Et quelque espoir douteux d'obtenir votre choix
Quand nous serons chez vous l'un et l'autre en vrais rois.
Dites-moi donc, Madame, aimiez-vous ma personne
Ou le pompeux éclat d'une double couronne?
Et lorsque vous prêtiez des forces à mon bras,
Était-ce pour unir nos mains ou nos États?
Je vous l'ai déjà dit, que toute ma vaillance
Tient d'un si grand secours sa gloire et sa puissance.
Je saurai m'acquitter de ce qui vous est dû,
Et je vous rendrai plus que vous n'avez perdu;
Mais comme en mon malheur ce favorable office
En voulait à mon sceptre, et non à Massinisse,
Vous pouvez sans chagrin, dans mes destins meilleurs,
Voir mon sceptre en vos mains, et Massinisse ailleurs.
Prenez ce sceptre aimé pour l'attacher au vôtre;
Ma main tant refusée est bonne pour une autre;
Et son ambition a de quoi s'arrêter
En celui de Syphax qu'elle vient d'emporter.
Si vous m'aviez aimé, vous n'auriez pas eu honte
D'en montrer une estime et plus haute et plus prompte,
Ni craint de ravaler l'honneur de votre rang
Pour trop considérer le mérite et le sang.
La naissance suffit quand la personne est chère :
Un prince détrôné garde son caractère;
Mais à vos yeux charmés par de plus forts appas,
Ce n'est point être roi que de ne régner pas.
Vous en vouliez en moi l'effet comme le titre;
Et quand de votre amour la fortune est l'arbitre,
Le mien, au-dessus d'elle et de tous ses revers,
Reconnaît son objet dans les pleurs, dans les fers.
Après m'être fait roi pour plaire à votre envie,
Aux dépens de mon sang, aux périls de ma vie,
Mon sceptre reconquis me met en liberté
De vous laisser un bien que j'ai trop acheté;
Et ce serait trahir les droits du diadème,
Que sur le haut d'un trône être esclave moi-même.

Un roi doit pouvoir tout; et je ne suis pas roi,
S'il ne m'est pas permis de disposer de moi.

ÉRYXE

Il est beau de trancher du roi comme vous faites;
Mais n'a-t-on aucun lieu de douter si vous l'êtes?
Et n'est-ce point, Seigneur, vous y prendre un peu mal,
Que d'en faire l'épreuve en gendre d'Asdrubal?
Je sais que les Romains vous rendront la couronne,
Vous en avez parole, et leur parole est bonne :
Ils vous nommeront roi; mais vous devez savoir
Qu'ils sont plus libéraux du nom que du pouvoir;
Et que sans leur appui ce plein droit de tout faire
N'est que pour qui ne veut que ce qui doit leur plaire.
Vous verrez qu'ils auront pour vous trop d'amitié
Pour vous laisser méprendre au choix d'une moitié.
Ils ont pris trop de part en votre destinée
Pour ne pas l'affranchir d'un pareil hyménée;
Et ne se croiraient pas assez de vos amis,
S'ils n'en désavouaient les Dieux qui l'ont permis.

MASSINISSE

Je m'en dédis, Madame; et s'il vous est facile
De garder dans ma perte un cœur vraiment tranquille,
Du moins votre grande âme avec tous ses efforts,
N'en conserve pas bien les fastueux dehors.
Lorsque vous étouffez l'injure et la menace,
Vos illustres froideurs laissent rompre leur glace;
Et cette fermeté de sentiments contraints
S'échappe adroitement du côté des Romains.
Si tant de retenue a pour vous quelque gêne,
Allez jusqu'en leur camp solliciter leur haine;
Traitez-y mon hymen de lâche et noir forfait;
N'épargnez point les pleurs pour en rompre l'effet;
Nommez-y-moi cent fois ingrat, parjure, traître :
J'ai mes raisons pour eux, et je les dois connaître.

ÉRYXE

Je les connais, Seigneur, sans doute moins que vous,
Et les connais assez pour craindre leur courroux.
Ce grand titre de roi, que seul je considère,
Étend sur moi l'affront qu'en vous ils vont lui faire;
Et rien ici n'échappe à ma tranquillité

Que par les intérêts de notre dignité :
Dans votre peu de foi c'est tout ce qui me blesse.
Vous allez hautement montrer notre faiblesse,
Dévoiler notre honte, et faire voir à tous
Quels fantômes d'État on fait régner en nous.
Oui, vous allez forcer nos peuples de connaître
Qu'ils n'ont que le sénat pour véritable maître;
Et que ceux qu'avec pompe ils ont vu couronner
En reçoivent les lois qu'ils semblent leur donner.
C'est là mon déplaisir. Si je n'étais pas reine,
Ce que je perds en vous me ferait peu de peine;
Mais je ne puis souffrir qu'un si dangereux choix
Détruise en un moment ce peu qui reste aux rois,
Et qu'en un si grand cœur l'impuissance de l'être
Ait ménagé si mal l'honneur de le paraître.
  Mais voici cet objet si charmant à vos yeux,
Dont le cher entretien vous divertira mieux.

SCÈNE III

MASSINISSE, SOPHONISBE,
ÉRYXE, MÉZÉTULLE, HERMINIE, BARCÉE

ÉRYXE

Une seconde fois tout a changé de face,
Madame, et c'est à moi de vous quitter la place.
Vous n'aviez pas dessein de me le dérober?

SOPHONISBE

L'occasion qui plaît souvent fait succomber.
Vous puis-je en cet état rendre quelque service?

ÉRYXE

L'occasion qui plaît semble toujours propice;
Mais ce qui vous et moi nous doit mettre en souci,
C'est que ni vous ni moi ne commandons ici.

SOPHONISBE

Si vous y commandiez, je pourrais être à plaindre.

ÉRYXE

Peut-être en auriez-vous quelque peu moins à craindre.
Ceux dont avant deux jours nous y prendrons des lois
Regardent d'un autre œil la majesté des rois.
Étant ce que je suis, je redoute un exemple;
Et reine, c'est mon sort en vous que je contemple.

SOPHONISBE

Vous avez du crédit, le Roi n'en manque point;
Et si chez les Romains l'un à l'autre se joint...

ÉRYXE

Votre félicité sera longtemps parfaite,
S'ils la laissent durer autant que je souhaite.
Seigneur, en cet adieu recevez-en ma foi,
Ou me donnez quelqu'un qui réponde de moi.
La gloire de mon rang, qu'en vous deux je respecte,
Ne saurait consentir que je vous sois suspecte.
Faites-moi donc justice, et ne m'imputez rien
Si le ciel à mes vœux ne s'accorde pas bien.

SCÈNE IV

MASSINISSE, SOPHONISBE, MÉZÉTULLE, HERMINIE

MASSINISSE

Comme elle voit ma perte aisément réparable,
Sa jalousie est faible, et son dépit traitable.
Aucun ressentiment n'éclate en ses discours.

SOPHONISBE

Non; mais le fond du cœur n'éclate pas toujours.
Qui n'est point irritée, ayant trop de quoi l'être,
L'est souvent d'autant plus qu'on le voit moins paraître,
Et cachant son dessein pour le mieux assurer,
Cherche à prendre ce temps qu'on perd à murmurer.
Ce grand calme prépare un dangereux orage.
Prévenez les effets de sa secrète rage;
Prévenez de Syphax l'emportement jaloux,

Avant qu'il ait aigri vos Romains contre vous;
Et portez dans leur camp la première nouvelle
De ce que vient de faire un amour si fidèle.
Vous n'y hasardez rien, s'ils respectent en vous,
Comme nous l'espérons, le nom de mon époux;
Mais je m'attirerais la dernière infamie,
S'ils brisaient malgré vous le saint nœud qui nous lie,
Et qu'ils pussent noircir de quelque indignité
Mon trop de confiance en votre autorité.
Si dès qu'ils paraîtront, vous n'êtes plus le maître,
C'est d'eux qu'il faut savoir ce que je vous puis être;
Et puisque Lélius doit entrer dès demain...

MASSINISSE

Ah ! je n'ai pas reçu le cœur avec la main.
Si votre amour...

SOPHONISBE

Seigneur, je parle avec franchise.
Vous m'avez épousée, et je vous suis acquise :
Voyons si vous pourrez me garder plus d'un jour.
Je me rends au pouvoir, et non pas à l'amour;
Et de quelque façon qu'à présent je vous nomme,
Je ne suis point à vous, s'il faut aller à Rome.

MASSINISSE

A qui donc? à Syphax, Madame?

SOPHONISBE

D'aujourd'hui,
Puisqu'il porte des fers, je ne suis plus à lui.
En dépit des Romains on voit que je vous aime;
Mais jusqu'à leur aveu je suis toute à moi-même;
Et pour obtenir plus que mon cœur et ma foi,
Il faut m'obtenir d'eux aussi bien que de moi.
Le nom d'époux suffit pour me tenir parole,
Pour me faire éviter l'aspect du Capitole.
N'exigez rien de plus; perdez quelques moments
Pour mettre en sûreté l'effet de vos serments;
Afin que vos lauriers me sauvent du tonnerre,
Allez aux dieux du ciel joindre ceux de la terre.
Mais que nous veut Syphax que ce Romain conduit?

SCÈNE V

SYPHAX, MASSINISSE, SOPHONISBE, LÉPIDE,
HERMINIE, MÉZÉTULLE, GARDES

LÉPIDE

Touché de cet excès du malheur qui le suit,
Madame, par pitié Lélius vous l'envoie,
Et donne à ses douleurs ce mélange de joie
Avant qu'on le conduise au camp de Scipion.

MASSINISSE

J'aurai pour ses malheurs même compassion.
Adieu : cet entretien ne veut point ma présence;
J'en attendrai l'issue avec impatience;
Et j'ose en espérer quelques plus douces lois
Quand vous aurez mieux vu le destin de deux rois.

SOPHONISBE

Je sais ce que je suis et ce que je dois faire,
Et prends pour seul objet ma gloire à satisfaire.

SCÈNE VI

SYPHAX, SOPHONISBE, LÉPIDE,
HERMINIE, GARDES

SYPHAX

Madame, à cet excès de générosité,
Je n'ai presque plus d'yeux pour ma captivité;
Et malgré de mon sort la disgrâce éclatante,
Je suis encore heureux quand je vous vois constante.
Un rival triomphant veut place en votre cœur,
Et vous osez pour moi dédaigner ce vainqueur!
Vous préférez mes fers à toute sa victoire,
Et savez hautement soutenir votre gloire!
Je ne vous dirai point aussi que vos conseils

M'ont fait choir de ce rang si cher à nos pareils,
Ni que pour les Romains votre haine implacable
A rendu ma déroute à jamais déplorable :
Puisqu'en vain Massinisse attaque votre foi,
Je règne dans votre âme, et c'est assez pour moi.

SOPHONISBE

Qui vous dit qu'à ses yeux vous y régniez encore?
Que pour vous je dédaigne un vainqueur qui m'adore?
Et quelle indigne loi m'y pourrait obliger,
Lorsque vous m'apportez des fers à partager?

SYPHAX

Ce soin de votre gloire, et de lui satisfaire...

SOPHONISBE

Quand vous l'entendrez bien, vous dira le contraire.
Ma gloire est d'éviter les fers que vous portez,
D'éviter le triomphe où vous vous soumettez :
Ma naissance ne voit que cette honte à craindre.
Enfin détrompez-vous, il siérait mal de feindre :
Je suis à Massinisse, et le peuple en ces lieux
Vient de voir notre hymen à la face des Dieux;
Nous sortons de leur temple.

SYPHAX

Ah ! que m'osez-vous dire?

SOPHONISBE

Que Rome sur mes jours n'aura jamais d'empire.
J'ai su m'en affranchir par une autre union;
Et vous suivrez sans moi le char de Scipion.

SYPHAX

Le croirai-je, grands Dieux ! et le voudra-t-on croire,
Alors que l'avenir en apprendra l'histoire?
Sophonisbe servie avec tant de respect,
Elle que j'adorai dès le premier aspect,
Qui s'est vue à toute heure et partout obéie,
Insulte lâchement à ma gloire trahie,
Met le comble à mes maux par sa déloyauté,
Et d'un crime si noir fait encor vanité !

SOPHONISBE

Le crime n'eﬆ pas grand d'avoir l'âme assez haute
Pour conserver un rang que le deﬆin vous ôte :
Ce n'eﬆ point un honneur qui rebute en deux jours;
Et qui règne un moment aime à régner toujours :
Mais si l'essai du trône en fait durer l'envie
Dans l'âme la plus haute à l'égal de la vie,
Un roi né pour la gloire, et digne de son sort,
A la honte des fers sait préférer la mort;
Et vous m'aviez promis en partant...

SYPHAX

Ah ! Madame,
Qu'une telle promesse était douce à votre âme !
Ma mort faisait dès lors vos plus ardents souhaits.

SOPHONISBE

Non; mais je vous tiens mieux ce que je vous promets :
Je vis encore en reine, et je mourrai de même.

SYPHAX

Dites que votre foi tient toute au diadème,
Que les plus saintes lois ne peuvent rien sur vous.

SOPHONISBE

Ne m'attachez point tant au deﬆin d'un époux,
Seigneur; les lois de Rome et celles de Carthage
Vous diront que l'hymen se rompt par l'esclavage,
Que vos chaînes du nôtre ont brisé le lien,
Et qu'étant dans les fers, vous ne m'êtes plus rien.
Ainsi par les lois même en mon pouvoir remise,
Je me donne au monarque à qui je fus promise,
Et m'acquitte envers lui d'une première foi
Qu'il reçut avant vous de mon père et de moi.
Ainsi mon changement n'a point de perfidie :
J'étais et suis encore au roi de Numidie,
Et laisse à votre sort son flux et son reflux,
Pour régner malgré lui quand vous ne régnez plus.

SYPHAX

Ah ! s'il eﬆ quelques lois qui souffrent qu'on étale
Cet illuﬆre mépris de la foi conjugale,
Cette hauteur, Madame, a d'étranges effets.

Après m'avoir forcé de refuser la paix.
Me les promettiez-vous, alors qu'à ma défaite
Vous montriez dans Cyrthe une sûre retraite,
Et qu'outre le secours de votre général
Vous me vantiez celui d'Hannon et d'Annibal?
Pour vous avoir trop crue, hélas ! et trop aimée,
Je me vois sans États, je me vois sans armée;
Et par l'indignité d'un soudain changement,
La cause de ma chute en fait l'accablement.

SOPHONISBE

Puisque je vous montrais dans Cyrthe une retraite,
Vous deviez vous y rendre après votre défaite :
S'il eût fallu périr sous un fameux débris,
Je l'eusse appris de vous, ou je vous l'eusse appris,
Moi qui, sans m'ébranler du sort de deux batailles,
Venais de m'enfermer exprès dans ces murailles,
Prête à souffrir un siège, et soutenir pour vous
Quoi que du ciel injuste eût osé le courroux.
Pour mettre en sûreté quelques restes de vie,
Vous avez du triomphe accepté l'infamie;
Et ce peuple déçu qui vous tendait les mains
N'a revu dans son roi qu'un captif des Romains.
Vos fers, en leur faveur plus forts que leurs cohortes,
Ont abattu les cœurs, ont fait ouvrir les portes,
Et réduit votre femme à la nécessité
De chercher tous moyens d'en fuir l'indignité,
Quand vos sujets ont cru que sans devenir traîtres
Ils pouvaient après vous se livrer à vos maîtres.
Votre exemple est ma loi, vous vivez et je vi;
Et si vous fussiez mort, je vous aurais suivi :
Mais si je vis encor, ce n'est pas pour vous suivre :
Je vis pour vous punir de trop aimer à vivre;
Je vis peut-être encor pour quelque autre raison
Qui se justifiera dans une autre saison.
Un Romain nous écoute; et quoi qu'on veuille en croire,
Quand il en sera temps je mourrai pour ma gloire.
Cependant, bien qu'un autre ait le titre d'époux,
Sauvez-moi des Romains, je suis encore à vous;
Et je croirai régner malgré votre esclavage,
Si vous pouvez m'ouvrir les chemins de Carthage.
Obtenez de vos dieux ce miracle pour moi,
Et je romps avec lui pour vous rendre ma foi.

Je l'aimai; mais ce feu, dont je fus la maîtresse,
Ne met point dans mon cœur de honteuse tendresse :
Toute ma passion eſt pour ma liberté,
Et toute mon horreur pour la captivité.
Seigneur, après cela je n'ai rien à vous dire :
Par ce nouvel hymen vous voyez où j'aspire;
Vous savez les moyens d'en rompre le lien :
Réglez-vous là-dessus sans vous plaindre de rien.

SCÈNE VII

SYPHAX, LÉPIDE, GARDES

SYPHAX

A-t-on vu sous le ciel plus infâme injuſtice?
Ma déroute la jette au lit de Massinisse;
Et pour juſtifier ses lâches trahisons,
Les maux qu'elle a causés lui servent de raisons !

LÉPIDE

Si c'eſt avec chagrin que vous souffrez sa perte,
Seigneur, quelque espérance encor vous eſt offerte :
Si je l'ai bien compris, cet hymen imparfait
N'eſt encor qu'en parole, et n'a point eu d'effet;
Et comme nos Romains le verront avec peine,
Ils pourront mal répondre aux souhaits de la Reine.
Je vais m'assurer d'elle, et vous dirai de plus
Que j'en viens d'envoyer avis à Lélius :
J'en attends nouvel ordre, et dans peu je l'espère.

SYPHAX

Quoi? prendre tant de soin d'adoucir ma misère !
Lépide, il n'appartient qu'à de vrais généreux
D'avoir cette pitié des princes malheureux;
Autres que les Romains n'en chercheraient la gloire.

LÉPIDE

Lélius fera voir ce qu'il vous en faut croire.
Vous autres, attendant quel eſt son sentiment,
Allez garder le Roi dans cet appartement.

ACTE IV

SCÈNE PREMIÈRE

SYPHAX, LÉPIDE

LÉPIDE

LÉLIUS eſt dans Cyrthe, et s'en eſt rendu maître :
Bientôt dans ce palais vous le verrez paraître;
Et si vous espérez que parmi vos malheurs
Sa présence ait de quoi soulager vos douleurs,
Vous n'avez avec moi qu'à l'attendre au passage.

SYPHAX

Lépide, que dit-il touchant ce mariage?
En rompra-t-il les nœuds? en sera-t-il d'accord?
Fera-t-il mon rival arbitre de mon sort?

LÉPIDE

Je ne vous réponds point que sur cette matière
Il veuille vous ouvrir son âme tout entière;
Mais vous pouvez juger que puisqu'il vient ici,
Cet hymen comme à vous lui donne du souci.
Sachez-le de lui-même : il entre, et vous regarde.

SCÈNE II

LÉLIUS, SYPHAX, LÉPIDE

LÉLIUS

Détachez-lui ces fers, il suffit qu'on le garde.
Prince, je vous ai vu tantôt comme ennemi,
Et vous vois maintenant comme ancien ami[3].
Le fameux Scipion, de qui vous fûtes l'hôte,

Ne s'offensera point des fers que je vous ôte,
Et ferait encor plus, s'il nous était permis
De vous remettre au rang de nos plus chers amis.

SYPHAX

Ah ! ne rejetez point dans ma triste mémoire
Le cuisant souvenir de l'excès de ma gloire;
Et ne reprochez point à mon cœur désolé,
A force de bontés, ce qu'il a violé.
Je fus l'ami de Rome, et de ce grand courage
Qu'opposent nos destins aux destins de Carthage :
Toutes deux, et ce fut le plus beau de mes jours,
Par leurs plus grands héros briguèrent mon secours.
J'eus des yeux assez bons pour remplir votre attente;
Mais que sert un bon choix dans une âme inconstante?
Et que peuvent les droits de l'hospitalité
Sur un cœur si facile à l'infidélité?
J'en suis assez puni par un revers si rude,
Seigneur, sans m'accabler de mon ingratitude.
Il suffit des malheurs qu'on voit fondre sur moi,
Sans me convaincre encor d'avoir manqué de foi,
Et me faire avouer que le sort qui m'opprime,
Pour cruel qu'il me soit, rend justice à mon crime.

LÉLIUS

Je ne vous parle aussi qu'avec cette pitié
Que nous laisse pour vous un reste d'amitié :
Elle n'est pas éteinte, et toutes vos défaites
Ont rempli nos succès d'amertumes secrètes.
Nous ne saurions voir même aujourd'hui qu'à regret
Ce gouffre de malheurs que vous vous êtes fait.
Le ciel m'en est témoin, et vos propres murailles,
Qui nous voyaient enflés du gain de deux batailles,
Ont vu cette amitié porter tous nos souhaits
A regagner la vôtre, et vous rendre la paix.
Par quel motif de haine obstinée à vous nuire
Nous avez-vous forcés vous-même à vous détruire?
Quel astre, de votre heur et du nôtre jaloux,
Vous a précipité jusqu'à rompre avec nous?

SYPHAX

Pourrez-vous pardonner, Seigneur, à ma vieillesse,

Si je vous fais l'aveu de toute sa faiblesse?
Lorsque je vous aimai, j'étais maître de moi;
Et tant que je le fus, je vous gardai ma foi;
Mais dès que Sophonisbe avec son hyménée,
S'empara de mon âme et de ma destinée,
Je suivis de ses yeux le pouvoir absolu,
Et n'ai voulu depuis que ce qu'elle a voulu.
Que c'est un imbécile et sévère esclavage
Que celui d'un époux sur le penchant de l'âge,
Quand sous un front ridé, qu'on a droit de haïr,
Il croit se faire aimer à force d'obéir !
De ce mourant amour les ardeurs ramassées
Jettent un feu plus vif dans nos veines glacées,
Et pensent racheter l'horreur des cheveux gris
Par le présent d'un cœur au dernier point soumis[4].
Sophonisbe par là devint ma souveraine,
Régla mes amitiés, disposa de ma haine,
M'anima de sa rage, et versa dans mon sein
De toutes ses fureurs l'implacable dessein.
Sous ces dehors charmants qui paraient son visage,
C'était une Alecton que déchaînait Carthage :
Elle avait tout mon cœur, Carthage tout le sien;
Hors de ses intérêts, elle n'écoutait rien;
Et malgré cette paix que vous m'avez offerte,
Elle a voulu pour eux me livrer à ma perte.
Vous voyez son ouvrage en ma captivité,
Voyez-en un plus rare en sa déloyauté.
Vous trouverez, Seigneur, cette même furie
Qui seule m'a perdu pour l'avoir trop chérie;
Vous la trouverez, dis-je, au lit d'un autre roi,
Qu'elle saura séduire et perdre comme moi.
Si vous ne le savez, c'est votre Massinisse,
Qui croit par cet hymen se bien faire justice,
Et que l'infâme vol d'une telle moitié
Le venge pleinement de notre inimitié;
Mais pour peu de pouvoir qu'elle ait sur son courage,
Ce vainqueur avec elle épousera Carthage;
L'air qu'un si cher objet se plaît à respirer
A des charmes trop forts pour n'y pas attirer :
Dans ce dernier malheur, c'est ce qui me console.
Je lui cède avec joie un poison qu'il me vole[5],
Et ne vois point de don si propre à m'acquitter
De tout ce que ma haine ose lui souhaiter.

LÉLIUS

Je connais Massinisse, et ne vois rien à craindre
D'un amour que lui-même il prendra soin d'éteindre :
Il en sait l'importance; et quoi qu'il ait osé,
Si l'hymen fut trop prompt, le divorce eſt aisé.
Sophonisbe envers vous l'ayant mis en usage,
Le recevra de lui sans changer de visage,
Et ne se promet pas de ce nouvel époux
Plus d'amour ou de foi qu'elle n'en eut pour vous.
Vous, puisque cet hymen satisfait votre haine,
De ce qui le suivra ne soyez point en peine,
Et, sans en augurer pour nous ni bien ni mal,
Attendez sans souci la perte d'un rival,
Et laissez-nous celui de voir quel avantage
Pourrait avec le temps en recevoir Carthage.

SYPHAX

Seigneur, s'il eſt permis de parler aux vaincus,
Souffrez encore un mot, et je ne parle plus.
Massinisse de soi pourrait fort peu de chose :
Il n'a qu'un camp volant dont le hasard dispose;
Mais joint à vos Romains, joint aux Carthaginois,
Il met dans la balance un redoutable poids,
Et par ma chute enfin sa fortune enhardie
Va traîner après lui toute la Numidie.
Je le hais fortement, mais non pas à l'égal
Des murs que ma perfide eut pour séjour natal.
Le déplaisir de voir que ma ruine en vienne,
Craint qu'ils ne durent trop, s'il faut qu'il les soutienne.
Puisse-t-il, ce rival, périr dès aujourd'hui !
Mais puissé-je les voir trébucher avant lui !
Prévenez donc, Seigneur, l'appui qu'on leur prépare;
Vengez-moi de Carthage avant qu'il se déclare;
Pressez en ma faveur votre propre courroux,
Et gardez jusque-là Massinisse pour vous.
Je n'ai plus rien à dire, et vous en laisse faire.

LÉLIUS

Nous saurons profiter d'un avis salutaire.
Allez m'attendre au camp : je vous suivrai de près.
Je dois ici l'oreille à d'autres intérêts;
Et ceux de Massinisse...

SYPHAX

Il osera vous dire...

LÉLIUS

Ce que vous m'avez dit, Seigneur, vous doit suffire.
Encore un coup, allez, sans vous inquiéter;
Ce n'eſt pas devant vous que je dois l'écouter.

SCÈNE III

LÉLIUS, MASSINISSE, MÉZÉTULLE

MASSINISSE

L'avez-vous commandé, Seigneur, qu'en ma présence
Vos tribuns vers la Reine usent de violence?

LÉLIUS

Leur ordre eſt d'emmener au camp les prisonniers;
Et comme elle et Syphax s'en trouvent les premiers,
Ils ont suivi cet ordre en commençant par elle.
Mais par quel intérêt prenez-vous sa querelle?

MASSINISSE

Syphax vous l'aura dit, puisqu'il sort d'avec vous.
Seigneur, elle a reçu son véritable époux;
Et j'ai repris sa foi par force violée
Sur un usurpateur qui me l'avait volée.
Son père et son amour m'en avaient fait le don.

LÉLIUS

Ce don pour tout effet n'eut qu'un lâche abandon.
Dès que Syphax parut, cet amour sans puissance...

MASSINISSE

J'étais lors en Espagne, et durant mon absence
Carthage la força d'accepter ce parti;
Mais à présent Carthage en a le démenti.
En reprenant mon bien j'ai détruit son ouvrage,
Et vous fais dès ici triompher de Carthage.

LÉLIUS

Commencer avant nous un triomphe si haut,
Seigneur, c'est la braver un peu plus qu'il ne faut,
Et mettre entre elle et Rome une étrange balance,
Que de confondre ainsi l'une et l'autre alliance.
Notre ami tout ensemble et gendre d'Asdrubal,
Croyez-moi, ces deux noms s'accordent assez mal;
Et quelque grand dessein que puisse être le vôtre,
Vous ne pourrez longtemps conserver l'un et l'autre.
Ne vous figurez point qu'une telle moitié
Soit jamais compatible avec notre amitié,
Ni que nous attendions que le même artifice
Qui nous ôta Syphax nous vole Massinisse.
Nous aimons nos amis, et même en dépit d'eux[6]
Nous savons les tirer de ces pas dangereux.
Ne nous forcez à rien qui vous puisse déplaire.

MASSINISSE

Ne m'ordonnez donc rien que je ne puisse faire;
Et montrez cette ardeur de servir vos amis,
A tenir hautement ce qu'on leur a promis.
Du consul et de vous j'ai la parole expresse;
Et ce grand jour a fait que tout obstacle cesse.
Tout ce qui m'appartint me doit être rendu.

LÉLIUS

Et par où cet espoir vous est-il défendu?

MASSINISSE

Quel ridicule espoir en garderait mon âme,
Si votre dureté me refuse ma femme?
Est-il rien plus à moi, rien moins à balancer?
Et du reste par là que me faut-il penser?
Puis-je faire aucun fonds sur la foi qu'on me donne,
Et traité comme esclave, attendre ma couronne?

LÉLIUS

Nous en avons ici les ordres du sénat,
Et même de Syphax il y joint tout l'État;
Mais nous n'en avons point touchant cette captive :
Syphax est son époux, il faut qu'elle le suive.

MASSINISSE

Syphax est son époux ! et que suis-je, Seigneur?

LÉLIUS

Consultez la raison plutôt que votre cœur;
Et voyant mon devoir, souffrez que je le fasse.

MASSINISSE

Chargez, chargez-moi donc de vos fers en sa place :
Au lieu d'un conquérant par vos mains couronné,
Traînez à votre Rome un vainqueur enchaîné.
Je suis à Sophonisbe, et mon amour fidèle
Dédaigne et diadème et liberté sans elle;
Je ne veux ni régner, ni vivre qu'en ses bras :
Non, je ne veux...

LÉLIUS

Seigneur, ne vous emportez pas.

MASSINISSE

Résolus à ma perte, hélas ! que vous importe
Si ma juste douleur se retient ou s'emporte?
Mes pleurs et mes soupirs vous fléchiront-ils mieux?
Et faut-il à genoux vous parler comme aux Dieux?
Que j'ai mal employé mon sang et mes services,
Quand je les ai prêtés à vos astres propices,
Si j'ai pu tant de fois hâter votre destin,
Sans pouvoir mériter cette part au butin !

LÉLIUS

Si vous avez, Seigneur, hâté notre fortune,
Je veux bien que la proie entre nous soit commune;
Mais pour la partager, est-ce à vous de choisir?
Est-ce avant notre aveu qu'il vous en faut saisir?

MASSINISSE

Ah ! si vous aviez fait la moindre expérience
De ce qu'un digne amour donne d'impatience,
Vous sauriez... Mais pourquoi n'en auriez-vous pas fait?
Pour aimer à notre âge en est-on moins parfait?
Les héros des Romains ne sont-ils jamais hommes?

Leur Mars a tant de fois été ce que nous sommes,
Et le maître des Dieux, des rois et des amants,
En ma place aurait eu mêmes empressements.
J'aimais, on l'agréait, j'étais ici le maître;
Vous m'aimiez, ou du moins vous le faisiez paraître.
L'amour en cet état daigne-t-il hésiter,
Faute d'un mot d'aveu dont il n'ose douter?
Voir son bien en sa main et ne le point reprendre,
Seigneur, c'est un respect bien difficile à rendre.
Un roi se souvient-il, en des moments si doux,
Qu'il a dans votre camp des maîtres parmi vous?
Je l'ai dû toutefois, et je m'en tiens coupable.
Ce crime est-il si grand qu'il soit irréparable?
Et sans considérer mes services passés,
Sans excuser l'amour par qui nos cœurs forcés...

LÉLIUS

Vous parlez tant d'amour, qu'il faut que je confesse
Que j'ai honte pour vous de voir tant de faiblesse.
N'alléguez point les Dieux : si l'on voit quelquefois
Leur flamme s'emporter en faveur de leur choix,
Ce n'est qu'à leurs pareils à suivre leurs exemples;
Et vous ferez comme eux quand vous aurez des temples :
Comme ils sont dans leur ciel au-dessus du danger,
Ils n'ont là rien à craindre et rien à ménager.
Du reste je sais bien que souvent il arrive
Qu'un vainqueur s'adoucit auprès de sa captive[7].
Les droits de la victoire ont quelque liberté
Qui ne saurait déplaire à notre âge indompté;
Mais quand à cette ardeur un monarque défère,
Il s'en fait un plaisir et non pas une affaire;
Il repousse l'amour comme un lâche attentat,
Dès qu'il veut prévaloir sur la raison d'État;
Et son cœur, au-dessus de ces basses amorces,
Laisse à cette raison toujours toutes ses forces.
Quand l'amour avec elle a de quoi s'accorder,
Tout est beau, tout succède, on n'a qu'à demander;
Mais pour peu qu'elle en soit ou doive être alarmée,
Son feu qu'elle dédit doit tourner en fumée.
Je vous en parle en vain : cet amour décevant
Dans votre cœur surpris a passé trop avant;
Vos feux vous plaisent trop pour les vouloir éteindre;
Et tout ce que je puis, Seigneur, c'est de vous plaindre.

MASSINISSE

Me plaindre tout ensemble et me tyranniser !

LÉLIUS

Vous l'avouerez un jour, c'est vous favoriser.

MASSINISSE

Quelle faveur, grands Dieux ! qui tient lieu de supplice !

LÉLIUS

Quand vous serez à vous, vous lui ferez justice.

MASSINISSE

Ah ! que cette justice est dure à concevoir !

LÉLIUS

Je la conçois assez pour suivre mon devoir.

SCÈNE IV

LÉLIUS, MASSINISSE, MÉZÉTULLE, ALBIN

ALBIN

Scipion vient, Seigneur, d'arriver dans vos tentes,
Ravi du grand succès qui prévient ses attentes;
Et ne vous croyant pas maître en si peu de jours,
Il vous venait lui-même amener du secours,
Tandis que le blocus laissé devant Utique
Répond de cette place à notre république.
Il me donne ordre exprès de vous en avertir.

LÉLIUS

Allez à votre hymen le faire consentir;
Allez le voir sans moi : je l'en laisse seul juge.

MASSINISSE

Oui, contre vos rigueurs il sera mon refuge,
Et j'en rapporterai d'autres ordres pour vous.

LÉLIUS

Je les suivrai, Seigneur, sans en être jaloux.

MASSINISSE

Mais avant mon retour, si l'on saisit la Reine...

LÉLIUS

J'en réponds jusque-là, n'en soyez point en peine.
Qu'on la fasse venir. Vous pouvez lui parler,
Pour prendre ses conseils, et pour la consoler.
  Gardes, que sans témoins on le laisse avec elle.
Vous, pour dernier avis d'une amitié fidèle,
Perdez fort peu de temps en ce doux entretien,
Et jusques au retour ne vous vantez de rien.

SCÈNE V

MASSINISSE, SOPHONISBE, MÉZÉTULLE,
HERMINIE

MASSINISSE

Voyez-la donc, Seigneur, voyez tout son mérite,
Voyez s'il est aisé qu'un héros... Il me quitte,
Et d'un premier éclat le barbare alarmé
N'ose exposer son cœur aux yeux qui m'ont charmé.
Il veut être inflexible, et craint de ne plus l'être,
Pour peu qu'il se permît de voir et de connaître.
  Allons, allons, Madame, essayer aujourd'hui
Sur le grand Scipion ce qu'il a craint pour lui.
Il vient d'entrer au camp ; venez-y par vos charmes
Appuyer mes soupirs et secourir mes larmes ;
Et que ces mêmes yeux qui m'ont fait tout oser,
Si j'en suis criminel, servent à m'excuser.
Puissent-ils, et sur l'heure, avoir là tant de force,
Que pour prendre ma place il m'ordonne un divorce,
Qu'il veuille conserver mon bien en me l'ôtant !
J'en mourrai de douleur, mais je mourrai content.
Mon amour, pour vous faire un destin si propice,

Se prépare avec joie à ce grand sacrifice.
Si c'est vous bien servir, l'honneur m'en suffira;
Et si c'est mal aimer, mon bras m'en punira.

SOPHONISBE

Le trouble de vos sens, dont vous n'êtes plus maître,
Vous a fait oublier, Seigneur, à me connaître.
Quoi? j'irais mendier jusqu'au camp des Romains
La pitié de leur chef qui m'aurait en ses mains?
J'irais déshonorer, par un honteux hommage,
Le trône où j'ai pris place, et le sang de Carthage;
Et l'on verrait gémir la fille d'Asdrubal
Aux pieds de l'ennemi pour eux le plus fatal?
Je ne sais si mes yeux auraient là tant de force,
Qu'en sa faveur sur l'heure il pressât un divorce;
Mais je ne me vois pas en état d'obéir,
S'il osait jusque là cesser de me haïr.
La vieille antipathie entre Rome et Carthage
N'est pas prête à finir par un tel assemblage.
Ne vous préparez point à rien sacrifier
A l'honneur qu'il aurait de vous justifier.
Pour effet de vos feux et de votre parole,
Je ne veux qu'éviter l'aspect du Capitole;
Que ce soit par l'hymen ou par d'autres moyens,
Que je vive avec vous ou chez nos citoyens,
La chose m'est égale, et je vous tiendrai quitte,
Qu'on nous sépare ou non, pourvu que je l'évite.
Mon amour voudrait plus; mais je règne sur lui,
Et n'ai changé d'époux que pour prendre un appui.
Vous m'avez demandé la faveur de ce titre
Pour soustraire mon sort à son injuste arbitre;
Et puisqu'à m'affranchir il faut que j'aide un roi,
C'est là tout le secours que vous aurez de moi.
Ajoutez-y des pleurs, mêlez-y des bassesses,
Mais laissez-moi, de grâce, ignorer vos faiblesses;
Et si vous souhaitez que l'effet m'en soit doux,
Ne me donnez point lieu d'en rougir après vous.
Je ne vous cèle point que je serais ravie
D'unir à vos destins les restes de ma vie;
Mais si Rome en vous-même ose braver les rois,
S'il faut d'autres secours, laissez-les à mon choix;
J'en trouverai, Seigneur, et j'en sais qui peut-être
N'auront à redouter ni maîtresse ni maître;

Mais mon amour préfère à cette sûreté
Le bien de vous devoir toute ma liberté.

MASSINISSE

Ah ! si je vous pouvais offrir même assurance,
Que je serais heureux de cette préférence !

SOPHONISBE

Syphax et Lélius pourront vous prévenir,
Si vous perdez ici le temps de l'obtenir.
Partez.

MASSINISSE

M'enviez-vous le seul bien qu'à ma flamme
A souffert jusqu'ici la grandeur de votre âme?
Madame, je vous laisse aux mains de Lélius.
Vous avez pu vous-même entendre ses refus;
Et mon amour ne sait ce qu'il peut se promettre
De celles du consul, où je vais me remettre.
L'un et l'autre est Romain; et peut-être en ce lieu
Ce peu que je vous dis est le dernier adieu.
Je ne vois rien de sûr que cette triste joie;
Ne me l'enviez plus, souffrez que je vous voie;
Souffrez que je vous parle, et vous puisse exprimer
Quelque part des malheurs où l'on peut m'abîmer,
Quelques informes traits de la secrète rage
Que déjà dans mon cœur forme leur sombre image;
Non que je désespère : on m'aime; mais, hélas !
On m'estime, on m'honore, et l'on ne me craint pas.
M'éloigner de vos yeux en cette incertitude,
Pour un cœur tout à vous c'est un tourment bien rude;
Et si j'en ose croire un noir pressentiment,
C'est vous perdre à jamais que vous perdre un moment.
Madame, au nom des Dieux, rassurez mon courage :
Dites que vous m'aimez, j'en pourrai davantage;
J'en deviendrai plus fort auprès de Scipion.
Montrez pour mon bonheur un peu de passion,
Montrez que votre flamme au même bien aspire :
Ne régnez plus sur elle, et laissez-lui me dire...

SOPHONISBE

Allez, Seigneur, allez; je vous aime en époux,
Et serais à mon tour aussi faible que vous.

MASSINISSE

Faites, faites-moi voir cette illustre faiblesse :
Que ses douceurs...

SOPHONISBE

Ma gloire en est encor maîtresse.
Adieu. Ce qui m'échappe en faveur de vos feux
Est moins que je ne sens, et plus que je ne veux.
Elle rentre.

MÉZÉTULLE

Douterez-vous encor, Seigneur, qu'elle vous aime?

MASSINISSE

Mézétulle, il est vrai, son amour est extrême;
Mais cet extrême amour, au lieu de me flatter,
Ne saurait me servir qu'à mieux me tourmenter.
Ce qu'elle m'en fait voir redouble ma souffrance.
Reprenons toutefois un moment de constance;
En faveur de sa flamme espérons jusqu'au bout,
Et pour tout obtenir allons hasarder tout.

ACTE V

SCÈNE PREMIÈRE

SOPHONISBE, HERMINIE

SOPHONISBE

CESSE de me flatter d'une espérance vaine :
Auprès de Scipion ce prince perd sa peine.
S'il l'avait pu toucher, il serait revenu;
Et puisqu'il tarde tant, il n'a rien obtenu.

HERMINIE

Si tant d'amour pour vous s'impute à trop d'audace,
Il faut un peu de temps pour en obtenir grâce :
Moins on la rend facile, et plus elle a de poids.
Scipion s'en fera prier plus d'une fois;
Et peut-être son âme encore irrésolue...

SOPHONISBE

Sur moi, quoi qu'il en soit, je me rends absolue;
Contre sa dureté j'ai du secours tout prêt,
Et ferai malgré lui moi seule mon arrêt.
Cependant de mon feu l'importune tendresse
Aussi bien que ma gloire en mon sort s'intéresse,
Veut régner en mon cœur comme ma liberté,
Et n'ose l'avouer de toute sa fierté.
Quelle bassesse d'âme ! ô ma gloire ! ô Carthage !
Faut-il qu'avec vous deux un homme la partage?
Et l'amour de la vie en faveur d'un époux
Doit-il être en ce cœur aussi puissant que vous?
Ce héros a trop fait de m'avoir épousée;
De sa seule pitié s'il m'eût favorisée,
Cette pitié peut-être en ce triste et grand jour
Aurait plus fait pour moi que cet excès d'amour.
Il devait voir que Rome en juste défiance...

HERMINIE

Mais vous lui témoigniez pareille impatience;
Et vos feux rallumés montraient de leur côté
Pour ce nouvel hymen égale avidité.

SOPHONISBE

Ce n'était point l'amour qui la rendait égale :
C'était la folle ardeur de braver ma rivale;
J'en faisais mon suprême et mon unique bien.
Tous les cœurs ont leur faible, et c'était là le mien.
La présence d'Éryxe aujourd'hui m'a perdue;
Je me serais sans elle un peu mieux défendue;
J'aurais su mieux choisir et les temps et les lieux.
Mais ce vainqueur vers elle eût pu tourner les yeux :
Tout mon orgueil disait à mon âme jalouse
Qu'une heure de remise en eût fait son épouse,
Et que pour me braver à son tour hautement,
Son feu se fût saisi de ce retardement.
Cet orgueil dure encore, et c'est lui qui l'invite
Par un message exprès à me rendre visite,
Pour reprendre à ses yeux un si cher conquérant,
Ou, s'il me faut mourir, la braver en mourant.
Mais je vois Mézétulle; en cette conjoncture,
Son retour sans ce prince est d'un mauvais augure.
Raffermis-toi, mon âme, et prends des sentiments
A te mettre au-dessus de tous événements.

SCÈNE II

SOPHONISBE, MÉZÉTULLE, HERMINIE

SOPHONISBE

Quand reviendra le Roi?

MÉZÉTULLE

Pourrai-je bien vous dire
A quelle extrémité le porte un dur empire?
Et si je vous le dis, pourrez-vous concevoir
Quel est son déplaisir, quel est son désespoir?
Scipion ne veut pas même qu'il vous revoie.

SOPHONISBE

J'ai donc peu de raison d'attendre cette joie;
Quand son maître a parlé, c'est à lui d'obéir.
Il lui commandera bientôt de me haïr;
Et dès qu'il recevra cette loi souveraine,
Je ne dois pas douter un moment de sa haine.

MÉZÉTULLE

Si vous pouviez douter encor de son ardeur,
Si vous n'aviez pas vu jusqu'au fond de son cœur,
Je vous dirais...

SOPHONISBE

Que Rome à présent l'intimide?

MÉZÉTULLE

Madame, vous savez...

SOPHONISBE

Je sais qu'il est Numide.
Toute sa nation est sujette à l'amour;
Mais cet amour s'allume et s'éteint en un jour :
J'aurais tort de vouloir qu'il en eût davantage.

MÉZÉTULLE

Que peut en cet état le plus ferme courage?
Scipion ou l'obsède ou le fait observer;
Dès demain vers Utique il le veut enlever...

SOPHONISBE

N'avez-vous de sa part autre chose à me dire?

MÉZÉTULLE

Par grâce on a souffert qu'il ait pu vous écrire,
Qu'il l'ait fait sans témoins; et par ce peu de mots,
Qu'ont arrosé ses pleurs, qu'ont suivi ses sanglots,
Il vous fera juger...

SOPHONISBE

Donnez.

MÉZÉTULLE

Avec sa lettre,
Voilà ce qu'en vos mains j'ai charge de remettre.

BILLET DE MASSINISSE A SOPHONISBE

SOPHONISBE *lit.*

Il ne m'eſt pas permis de vivre votre époux;
Mais enfin je vous tiens parole,
Et vous éviterez l'aſpect du Capitole,
Si vous êtes digne de vous.
Ce poison que je vous envoie
En eſt la seule et triſte voie;
Et c'eſt tout ce que peut un déplorable roi
Pour dégager sa foi.

Voilà de son amour une preuve assez ample;
Mais s'il m'aimait encore, il me devait l'exemple :
Plus esclave en son camp que je ne suis ici,
Il devait de son sort prendre même souci.
Quel présent nuptial d'un époux à sa femme !
Qu'au jour d'un hyménée il lui marque de flamme !
Reportez, Mézétulle, à votre illuſtre roi
Un secours dont lui-même a plus besoin que moi :
Il ne manquera pas d'en faire un digne usage,
Dès qu'il aura des yeux à voir son esclavage.
Si tous les rois d'Afrique en sont toujours pourvus
Pour dérober leur gloire aux malheurs imprévus,
Comme eux et comme lui j'en dois être munie;
Et quand il me plaira de sortir de la vie,
De montrer qu'une femme a plus de cœur que lui,
On ne me verra point emprunter rien d'autrui.

SCÈNE III

SOPHONISBE, ÉRYXE, PAGE, HERMINIE,
BARCÉE, MÉZÉTULLE

SOPHONISBE, *au page.*

Éryxe viendra-t-elle? As-tu vu cette reine?

LE PAGE

Madame, elle eſt déjà dans la chambre prochaine,
Surprise d'avoir su que vous la vouliez voir.
Vous la voyez; elle entre.

SOPHONISBE

Elle va plus savoir.
Si vous avez connu le prince Massinisse...

ÉRYXE

N'en parlons point, Madame; il vous a fait justice.

SOPHONISBE

Vous n'avez pas connu tout à fait son esprit;
Pour le connaître mieux, lisez ce qu'il m'écrit.

ÉRYXE *(elle lit bas.)*

Du côté des Romains, je ne suis point surprise;
Mais ce qui me surprend, c'est qu'il les autorise,
Qu'il passe plus avant qu'ils ne voudraient aller.

SOPHONISBE

Que voulez-vous, Madame? il faut s'en consoler.
Allez, et dites-lui que je m'apprête à vivre,
En faveur du triomphe, en dessein de le suivre;
Que puisque son amour ne sait pas mieux agir,
Je m'y réserve exprès pour l'en faire rougir.
Je lui dois cette honte; et Rome, son amie,
En verra sur son front rejaillir l'infamie :
Elle y verra marcher, ce qu'on n'a jamais vu,
La femme du vainqueur à côté du vaincu,
Et mes pas chancelants sous ces pompes cruelles
Couvrir ses plus hauts faits de taches éternelles.
Portez-lui ma réponse; allez.

MÉZÉTULLE

Dans ses ennuis...

SOPHONISBE

C'est trop m'importuner en l'état où je suis.
Ne vous a-t-il chargé de rien dire à la Reine?

MÉZÉTULLE

Non, Madame.

SOPHONISBE

Allez donc; et sans vous mettre en peine
De ce qu'il me plaira croire ou ne croire pas,
Laissez en mon pouvoir ma vie et mon trépas.

SCÈNE IV

SOPHONISBE, ÉRYXE, HERMINIE, BARCÉE

SOPHONISBE

Une troisième fois mon sort change de face,
Madame, et c'eſt mon tour de vous quitter la place.
Je ne m'en défends point, et quel que soit le prix
De ce rare trésor que je vous avais pris,
Quelques marques d'amour que ce héros m'envoie,
Ce que j'en eus pour lui vous le rend avec joie.
Vous le conserverez plus dignement que moi.

ÉRYXE

Madame, pour le moins j'ai su garder ma foi;
Et ce que mon espoir en a reçu d'outrage
N'a pu jusqu'à la plainte emporter mon courage.
Aucun de nos Romains sur mes ressentiments...

SOPHONISBE

Je ne demande point ces éclaircissements,
Et m'en rapporte aux Dieux qui savent toutes choses.
Quand l'effet eſt certain, il n'importe des causes :
Que ce soit mon malheur, que ce soient nos tyrans,
Que ce soit vous, ou lui, je l'ai pris, je le rends.
Il eſt vrai que l'état où j'ai su vous le prendre
N'eſt pas du tout le même où je vais vous le rendre :
Je vous l'ai pris vaillant, généreux, plein d'honneur,
Et je vous le rends lâche, ingrat, empoisonneur;
Je l'ai pris magnanime, et vous le rends perfide;
Je vous le rends sans cœur, et l'ai pris intrépide;
Je l'ai pris le plus grand des princes africains,
Et le rends, pour tout dire, esclave des Romains.

ÉRYXE

Qui me le rend ainsi n'a pas beaucoup d'envie
Que j'attache à l'aimer le bonheur de ma vie.

SOPHONISBE

Ce n'eſt pas là, Madame, où je prends intérêt.
Acceptez, refusez, aimez-le tel qu'il eſt,

Dédaignez son mérite, estimez sa faiblesse;
De tout votre destin vous êtes la maîtresse :
Je la serai du mien, et j'ai cru vous devoir
Ce mot d'avis sincère avant que d'y pourvoir.
S'il part d'un sentiment qui flatte mal les vôtres,
Lélius, que je vois, vous en peut donner d'autres;
Souffrez que je l'évite, et que dans mon malheur
Je m'ose de sa vue épargner la douleur.

SCÈNE V

LÉLIUS, ÉRYXE, LÉPIDE, BARCÉE

LÉLIUS

Lépide, ma présence est pour elle un supplice.

ÉRYXE

Vous a-t-on dit, Seigneur, ce qu'a fait Massinisse?

LÉLIUS

J'ai su que pour sortir d'une témérité
Dans une autre plus grande il s'est précipité.
Au bas de l'escalier j'ai trouvé Mézétulle;
Sur ce qu'a dit la Reine il est un peu crédule;
Pour braver Massinisse elle a quelque raison
De refuser de lui le secours du poison;
Mais ce refus pourrait n'être qu'un stratagème,
Pour faire, malgré nous, son destin elle-même.
Allez l'en empêcher, Lépide; et dites-lui
Que le grand Scipion veut lui servir d'appui,
Que Rome en sa faveur voudra lui faire grâce,
Qu'un si prompt désespoir sentirait l'âme basse,
Que le temps fait souvent plus qu'on ne s'est promis,
Que nous ferons pour elle agir tous nos amis :
Enfin avec douceur tâchez de la réduire
A venir dans le camp, à s'y laisser conduire,
A se rendre à Syphax, qui même en ce moment
L'aime et l'adore encor malgré son changement.
Nous attendrons ici l'effet de votre adresse;
N'y perdez point de temps.

SCÈNE VI

LÉLIUS, ÉRYXE, BARCÉE

LÉLIUS

Et vous, grande princesse,
Si des restes d'amour ont surpris un vainqueur,
Quand il devait au vôtre et son trône et son cœur,
Nous vous en avons fait assez prompte justice,
Pour obtenir de vous que ce trouble finisse,
Et que vous fassiez grâce à ce prince inconstant,
Qui se voulait trahir lui-même en vous quittant.

ÉRYXE

Vous aurait-il prié, Seigneur, de me le dire?

LÉLIUS

De l'effort qu'il s'est fait, il gémit, il soupire;
Et je crois que son cœur, encore outré d'ennui,
Pour retourner à vous n'est pas assez à lui.
Mais si cette bonté qu'eut pour lui votre flamme
Aidait à sa raison à rentrer dans son âme,
Nous aurions peu de peine à rallumer des feux
Que n'a pas bien éteints cette erreur de ses vœux.

ÉRYXE

Quand d'une telle erreur vous punissez l'audace,
Il vous sied mal pour lui de me demander grâce :
Non que je la refuse à ce perfide tour;
L'hymen des rois doit être au-dessus de l'amour;
Et je sais qu'en un prince heureux et magnanime
Mille infidélités ne sauraient faire un crime;
Mais si tout inconstant il est digne de moi,
Il a cessé de l'être en cessant d'être roi.

LÉLIUS

Ne l'est-il plus, Madame? et si la Gétulie
Par votre illustre hymen à son trône s'allie,
Si celui de Syphax s'y joint dès aujourd'hui,
En est-il sur la terre un plus puissant que lui?

ÉRYXE

Et de quel front, Seigneur, prend-il une couronne,
S'il ne peut disposer de sa propre personne,
S'il lui faut pour aimer attendre votre choix,
Et que jusqu'en son lit vous lui fassiez des lois?
Un sceptre compatible avec un joug si rude
N'a rien à me donner que de la servitude;
Et si votre prudence ose en faire un vrai roi,
Il est à Sophonisbe, et ne peut être à moi.
Jalouse seulement de la grandeur royale,
Je la regarde en reine, et non pas en rivale;
Je vois dans son destin le mien enveloppé,
Et du coup qui la perd tout mon cœur est frappé.
Par votre ordre on la quitte; et cet ami fidèle
Me pourrait, au même ordre, abandonner comme elle.
Disposez de mon sceptre, il est entre vos mains :
Je veux bien le porter au gré de vos Romains.
Je suis femme; et mon sexe accablé d'impuissance
Ne reçoit point d'affront par cette dépendance;
Mais je n'aurai jamais à rougir d'un époux
Qu'on voie ainsi que moi ne régner que sous vous.

LÉLIUS

Détrompez-vous, Madame; et voyez dans l'Asie
Nos dignes alliés régner sans jalousie,
Avec l'indépendance, avec l'autorité
Qu'exige de leur rang toute la majesté.
Regardez Prusias, considérez Attale,
Et ce que souffre en eux la dignité royale.
Massinisse avec vous, et toute autre moitié,
Recevra même honneur et pareille amitié.
Mais quant à Sophonisbe, il m'est permis de dire
Qu'elle est Carthaginoise; et ce mot doit suffire.
Je dirais qu'à la prendre ainsi sans notre aveu,
Tout notre ami qu'il est, il nous bravait un peu;
Mais comme je lui veux conserver notre estime,
Autant que je le puis je déguise son crime,
Et nomme seulement imprudence d'État
Ce que nous aurions droit de nommer attentat.

SCÈNE VII

LÉLIUS, ÉRYXE, LÉPIDE, BARCÉE

LÉLIUS

Mais Lépide déjà revient de chez la Reine.
Qu'avez-vous obtenu de cette âme hautaine?

LÉPIDE

Elle avait trop d'orgueil pour en rien obtenir :
De sa haine pour nous elle a su se punir.

LÉLIUS

Je l'avais bien prévu, je vous l'ai dit moi-même,
Que ce dessein de vivre était un stratagème,
Qu'elle voudrait mourir; mais ne pouviez-vous pas...

LÉPIDE

Ma présence n'a fait que hâter son trépas.
  A peine elle m'a vu, que d'un regard farouche,
Portant je ne sais quoi de sa main à sa bouche :
« Parlez, m'a-t-elle dit, je suis en sûreté,
Et recevrai votre ordre avec tranquillité. »
Surpris d'un tel discours, je l'ai pourtant flattée :
J'ai dit qu'en grande reine elle serait traitée,
Que Scipion et vous en prendriez souci;
Et j'en voyais déjà son regard adouci,
Quand d'un souris amer me coupant la parole :
« Qu'aisément, reprend-elle, une âme se console !
Je sens vers cet espoir tout mon cœur s'échapper;
Mais il est hors d'état de se laisser tromper,
Et d'un poison ami le secourable office
Vient de fermer la porte à tout votre artifice.
  Dites à Scipion qu'il peut dès ce moment
Chercher à son triomphe un plus rare ornement.
Pour voir de deux grands rois la lâcheté punie,
J'ai dû livrer leur femme à cette ignominie :
C'est ce que méritait leur amour conjugal;
Mais j'en ai dû sauver la fille d'Asdrubal.
Leur bassesse aujourd'hui de tous deux me dégage;
Et n'étant plus qu'à moi, je meurs toute à Carthage,

Digne sang d'un tel père, et digne de régner,
Si la rigueur du sort eût voulu m'épargner ! »
A ces mots, la sueur lui montant au visage,
Les sanglots de sa voix saisissent le passage;
Une morte pâleur s'empare de son front;
Son orgueil s'applaudit d'un remède si prompt :
De sa haine aux abois la fierté se redouble;
Elle meurt à mes yeux, mais elle meurt sans trouble,
Et soutient en mourant la pompe d'un courroux
Qui semble moins mourir que triompher de nous.

ÉRYXE

Le dirai-je, Seigneur? je la plains et l'admire :
Une telle fierté méritait un empire;
Et j'aurais en sa place eu même aversion
De me voir attachée au char de Scipion.
La fortune jalouse et l'amour infidèle
Ne lui laissaient ici que son grand cœur pour elle :
Il a pris le dessus de toutes leurs rigueurs,
Et son dernier soupir fait honte à ses vainqueurs.

LÉLIUS

Je dirai plus, Madame, en dépit de sa haine,
Une telle fierté devait naître romaine[8].
Mais allons consoler un prince généreux,
Que sa seule imprudence a rendu malheureux.
Allons voir Scipion, allons voir Massinisse;
Souffrez qu'en sa faveur le temps vous adoucisse;
Et préparez votre âme à le moins dédaigner,
Lorsque vous aurez vu comme il saura régner.

ÉRYXE

En l'état où je suis, je fais ce qu'on m'ordonne;
Mais ne disposez point, Seigneur, de ma personne;
Et si de ce héros les désirs inconstants...

LÉLIUS

Madame, encore un coup, laissons-en faire au temps.

OTHON

TRAGÉDIE

AU LECTEUR

Si mes amis ne me trompent, cette pièce égale ou passe la meilleure des miennes. Quantité de suffrages illustres et solides se sont déclarés pour elle ; et si j'ose y mêler le mien, je vous dirai que vous y trouverez quelque justesse dans la conduite, et un peu de bon sens dans le raisonnement. Quant aux vers, on n'en a point vu de moi que j'aye travaillé avec plus de soin. Le sujet est tiré de Tacite, qui commence ses *Histoires* par celle-ci ; et je n'en ai encore mis aucune sur le théâtre à qui j'aye gardé plus de fidélité, et prêté plus d'invention. Les caractères de ceux que j'y fais parler y sont les mêmes que chez cet incomparable auteur, que j'ai traduit tant qu'il m'a été possible. J'ai tâché de faire paraître les vertus de mon héros en tout leur éclat, sans en dissimuler les vices, non plus que lui ; et je me suis contenté de les attribuer à une politique de cour, où, quand le souverain se plonge dans les débauches, et que sa faveur n'est qu'à ce prix, il y a presse à qui sera de la partie. J'y ai conservé les événements, et pris la liberté de changer la manière dont ils arrivent, pour en jeter tout le crime sur un méchant homme, qu'on soupçonna dès lors d'avoir donné des ordres secrets pour la mort de Vinius, tant leur inimitié était forte et déclarée. Othon avait promis à ce consul d'épouser sa fille, s'il le pouvait faire choisir à Galba pour successeur ; et comme il se vit empereur sans son ministère, il se crut dégagé de cette promesse, et ne l'épousa point. Je n'ai pas voulu aller plus loin que l'histoire ; et je puis dire qu'on n'a point encore vu de pièce où il se propose tant de mariages pour n'en conclure aucun. Ce sont intrigues de cabinet qui se détruisent les unes les autres. J'en dirai davantage quand mes libraires joindront celle-ci aux recueils qu'ils ont faits de celles de ma façon qui l'ont précédée.

ACTEURS

GALBA, *Empereur de Rome.*
VINIUS, *Consul.*
OTHON, *Sénateur romain, amant de Plautine.*
LACUS, *Préfet du prétoire.*
CAMILLE, *Nièce de Galba.*
PLAUTINE, *Fille de Vinius, amante d'Othon.*
MARTIAN, *Affranchi de Galba.*
ALBIN, *Ami d'Othon.*
ALBIANE, *Sœur d'Albin, et dame d'honneur de Camille.*
FLAVIE, *Amie de Plautine.*
ATTICUS, } *Soldats romains.*
RUTILE, }

La scène est à Rome, dans le palais impérial.

ACTE PREMIER

SCÈNE PREMIÈRE

OTHON, ALBIN

ALBIN

VOTRE amitié, Seigneur, me rendra téméraire :
J'en abuse, et je sais que je vais vous déplaire,
Que vous condamnerez ma curiosité;
Mais je croirais vous faire une infidélité,
Si je vous cachais rien de ce que j'entends dire
De votre amour nouveau sous ce nouvel empire.
On s'étonne de voir qu'un homme tel qu'Othon,
Othon, dont les hauts faits soutiennent le grand nom,
Daigne d'un Vinius se réduire à la fille,
S'attache à ce consul, qui ravage, qui pille,
Qui peut tout, je l'avoue, auprès de l'empereur,
Mais dont tout le pouvoir ne sert qu'à faire horreur,
Et détruit d'autant plus, que plus on le voit croître,
Ce que l'on doit d'amour aux vertus de son maître.

OTHON

Ceux qu'on voit s'étonner de ce nouvel amour
N'ont jamais bien conçu ce que c'est que la cour.
Un homme tel que moi jamais ne s'en détache;
Il n'est point de retraite ou d'ombre qui le cache;
Et si du souverain la faveur n'est pour lui,
Il faut, ou qu'il périsse, ou qu'il prenne un appui.
Quand le monarque agit par sa propre conduite,
Mes pareils sans péril se rangent à sa suite :
Le mérite et le sang nous y font discerner;
Mais quand le potentat se laisse gouverner[1],
Et que de son pouvoir les grands dépositaires
N'ont pour raison d'État que leurs propres affaires,
Ces lâches ennemis de tous les gens de cœur

Cherchent à nous pousser avec toute rigueur,
A moins que notre adroite et prompte servitude
Nous dérobe aux fureurs de leur inquiétude.
Sitôt que de Galba le sénat eut fait choix,
Dans mon gouvernement j'en établis les lois,
Et je fus le premier qu'on vit au nouveau prince
Donner toute une armée et toute une province :
Ainsi je me comptais de ses premiers suivants.
Mais déjà Vinius avait pris les devants;
Martian l'affranchi, dont tu vois les pillages,
Avait avec Lacus fermé tous les passages :
On n'approchait de lui que sous leur bon plaisir.
J'eus donc pour m'y produire un des trois à choisir.
Je les voyais tous trois se hâter sous un maître
Qui, chargé d'un long âge, a peu de temps à l'être,
Et tous trois à l'envi s'empresser ardemment
A qui dévorerait ce règne d'un moment[2].
J'eus horreur des appuis qui restaient seuls à prendre,
J'espérai quelque temps de m'en pouvoir défendre;
Mais quand Nymphidius, dans Rome assassiné,
Fit place au favori qui l'avait condamné,
Que Lacus, par sa mort fut préfet du prétoire,
Que pour couronnement d'une action si noire
Les mêmes assassins furent encor percer
Varron, Turpilian, Capiton, et Macer,
Je vis qu'il était temps de prendre mes mesures,
Qu'on perdait de Néron toutes les créatures,
Et que demeuré seul de toute cette cour,
A moins d'un protecteur j'aurais bientôt mon tour.
Je choisis Vinius dans cette défiance;
Pour plus de sûreté j'en cherchai l'alliance.
Les autres n'ont ni sœur ni fille à me donner;
Et d'eux sans ce grand nœud tout est à soupçonner.

ALBIN

Vos vœux furent reçus?

OTHON

Oui : déjà l'hyménée
Aurait avec Plautine uni ma destinée,
Si ces rivaux d'État n'en savaient divertir
Un maître qui sans eux n'ose rien consentir.

ALBIN

Ainsi tout votre amour n'eſt qu'une politique,
Et le cœur ne sent point ce que la bouche explique?

OTHON

Il ne le sentit pas, Albin, du premier jour;
Mais cette politique eſt devenue amour :
Tout m'en plaît, tout m'en charme, et mes premiers scru-
Près d'un si cher objet passent pour ridicules. [pules
Vinius eſt consul, Vinius eſt puissant;
Il a de la naissance; et s'il eſt agissant,
S'il suit des favoris la pente trop commune,
Plautine hait en lui ces soins de sa fortune :
Son cœur eſt noble et grand.

ALBIN

Quoi qu'elle ait de vertu,
Vous devriez dans l'âme être un peu combattu.
La nièce de Galba pour dot aura l'empire,
Et vaut bien que pour elle à ce prix on soupire :
Son oncle doit bientôt lui choisir un époux.
Le mérite et le sang font un éclat en vous,
Qui pour y joindre encor celui du diadème...

OTHON

Quand mon cœur se pourrait souſtraire à ce que j'aime
Et que pour moi Camille aurait tant de bonté
Que je dusse espérer de m'en voir écouté,
Si, comme tu le dis, sa main doit faire un maître,
Aucun de nos tyrans n'eſt encor las de l'être;
Et ce serait tous trois les attirer sur moi,
Qu'aspirer sans leur ordre à recevoir sa foi.
Surtout de Vinius le sensible courage
Ferait tout pour me perdre après un tel outrage,
Et se vengerait même à la face des Dieux,
Si j'avais sur Camille osé tourner les yeux.

ALBIN

Pensez-y toutefois : ma sœur eſt auprès d'elle;
Je puis vous y servir; l'occasion eſt belle;
Tout autre amant que vous s'en laisserait charmer;
Et je vous dirais plus, si vous osiez l'aimer.

OTHON

Porte à d'autres qu'à moi cette amorce inutile;
Mon cœur, tout à Plautine, est fermé pour Camille.
La beauté de l'objet, la honte de changer,
Le succès incertain, l'infaillible danger,
Tout fait à tes projets d'invincibles obstacles.

ALBIN

Seigneur, en moins de rien il se fait des miracles :
A ces deux grands rivaux peut-être il serait doux
D'ôter à Vinius un gendre tel que vous;
Et si l'un par bonheur à Galba vous propose...
Ce n'est pas qu'après tout j'en sache aucune chose :
Je leur suis trop suspect pour s'en ouvrir à moi;
Mais si je vous puis dire enfin ce que j'en croi,
Je vous proposerais, si j'étais en leur place.

OTHON

Aucun d'eux ne fera ce que tu veux qu'il fasse;
Et s'ils peuvent jamais trouver quelque douceur
A faire que Galba choisisse un successeur,
Ils voudront par ce choix se mettre en assurance,
Et n'en proposeront que de leur dépendance.
Je sais... Mais Vinius que j'aperçois venir...

SCÈNE II

VINIUS, OTHON

VINIUS

Laissez-nous seuls, Albin : je veux l'entretenir.
Je crois que vous m'aimez, Seigneur, et que ma fille
Vous fait prendre intérêt en toute la famille.
Il en faut une preuve, et non pas seulement
Qui consiste aux devoirs dont s'empresse un amant :
Il la faut plus solide, il la faut d'un grand homme,
D'un cœur digne en effet de commander à Rome.
Il faut ne plus l'aimer.

OTHON

Quoi? pour preuve d'amour...

VINIUS

Il faut faire encor plus, Seigneur, en ce grand jour :
Il faut aimer ailleurs.

OTHON

Ah ! que m'osez-vous dire?

VINIUS

Je sais qu'à son hymen tout votre cœur aspire;
Mais elle, et vous, et moi, nous allons tous périr;
Et votre change seul nous peut tous secourir.
Vous me devez, Seigneur, peut-être quelque chose :
Sans moi, sans mon crédit qu'à leurs desseins j'oppose,
Lacus et Martian vous auraient peu souffert;
Il faut à votre tour rompre un coup qui me perd,
Et qui, si votre cœur ne s'arrache à Plautine,
Vous enveloppera tous deux en ma ruine.

OTHON

Dans le plus doux espoir de mes vœux acceptés,
M'ordonner que je change ! et vous-même !

VINIUS

Écoutez.

L'honneur que nous ferait votre illustre hyménée
Des deux que j'ai nommés tient l'âme si gênée,
Que jusqu'ici Galba, qu'ils obsèdent tous deux,
A refusé son ordre à l'effet de nos vœux.
L'obstacle qu'ils y font vous peut montrer sans peine
Quelle est pour vous et moi leur envie et leur haine;
Et qu'aujourd'hui, de l'air dont nous nous regardons,
Ils nous perdront bientôt si nous ne les perdons.
C'est une vérité qu'on voit trop manifeste;
Et sur ce fondement, Seigneur, je passe au reste.
Galba, vieil et cassé, qui se voit sans enfants,
Croit qu'on méprise en lui la faiblesse des ans,
Et qu'on ne peut aimer à servir sous un maître
Qui n'aura pas loisir de le bien reconnaître.
Il voit de toutes parts du tumulte excité :
Le soldat en Syrie est presque révolté;
Vitellius avance avec la force unie
Des troupes de la Gaule et de la Germanie;

Ce qu'il a de vieux corps le souffre avec ennui;
Tous les prétoriens murmurent contre lui.
De leur Nymphidius l'indigne sacrifice
De qui se l'immola leur demande justice :
Il le sait, et prétend par un jeune empereur
Ramener les esprits, et calmer leur fureur.
Il espère un pouvoir ferme, plein, et tranquille,
S'il nomme pour César un époux de Camille;
Mais il balance encor sur ce choix d'un époux,
Et je ne puis, Seigneur, m'assurer que sur vous.
J'ai donc pour ce grand choix vanté votre courage,
Et Lacus à Pison a donné son suffrage.
Martian n'a parlé qu'en termes ambigus,
Mais sans doute il ira du côté de Lacus,
Et l'unique remède est de gagner Camille :
Si sa voix est pour nous, la leur est inutile.
Nous serons pareil nombre, et dans l'égalité
Galba pour cette nièce aura de la bonté.
Il a remis exprès à tantôt d'en résoudre.
De nos têtes sur eux détournez cette foudre :
Je vous le dis encor, contre ces grands jaloux
Je ne me puis, Seigneur, assurer que sur vous.
De votre premier choix quoi que je doive attendre,
Je vous aime encor mieux pour maître que pour gendre;
Et je ne vois pour nous qu'un naufrage certain,
S'il nous faut recevoir un prince de leur main.

OTHON

Ah ! Seigneur, sur ce point c'est trop de confiance;
C'est vous tenir trop sûr de mon obéissance.
Je ne prends plus de lois que de ma passion :
Plautine est l'objet seul de mon ambition;
Et si votre amitié me veut détacher d'elle,
La haine de Lacus me serait moins cruelle.
Que m'importe après tout, si tel est mon malheur,
De mourir par son ordre, ou mourir de douleur?

VINIUS

Seigneur, un grand courage, à quelque point qu'il aime,
Sait toujours au besoin se posséder soi-même.
Poppée avait pour vous du moins autant d'appas;
Et quand on vous l'ôta vous n'en mourûtes pas.

OTHON

Non, Seigneur; mais Poppée était une infidèle,
Qui n'en voulait qu'au trône, et qui m'aimait moins qu'elle.
Ce peu qu'elle eut d'amour ne fit du lit d'Othon
Qu'un degré pour monter à celui de Néron :
Elle ne m'épousa qu'afin de s'y produire,
D'y ménager sa place au hasard de me nuire :
Aussi j'en fus banni sous un titre d'honneur;
Et pour ne plus me voir on me fit gouverneur.
Mais j'adore Plautine, et je règne en son âme :
Nous ordonner d'éteindre une si belle flamme,
C'est... je ne l'ose dire. Il est d'autres Romains,
Seigneur, qui sauront mieux appuyer vos desseins;
Il en est dont le cœur pour Camille soupire,
Et qui seront ravis de vous devoir l'empire.

VINIUS

Je veux que cet espoir à d'autres soit permis,
Mais êtes-vous fort sûr qu'ils soient de nos amis?
Savez-vous mieux que moi s'ils plairont à Camille?

OTHON

Et croyez-vous pour moi qu'elle soit plus facile?
Pour moi, que d'autres vœux...

VINIUS

A ne vous rien celer,
Sortant d'avec Galba, j'ai voulu lui parler :
J'ai voulu sur ce point pressentir sa pensée;
J'en ai nommé plusieurs pour qui je l'ai pressée.
A leurs noms, un grand froid, un front triste, un œil bas,
M'ont fait voir aussitôt qu'ils ne lui plaisaient pas;
Au vôtre elle a rougi, puis s'est mise à sourire,
Et m'a soudain quitté sans me vouloir rien dire.
C'est à vous, qui savez ce que c'est que d'aimer,
A juger de son cœur ce qu'on doit présumer.

OTHON

Je n'en veux rien juger, Seigneur; et sans Plautine
L'amour m'est un poison, le bonheur m'assassine;
Et toutes les douceurs du pouvoir souverain
Me sont d'affreux tourments, s'il m'en coûte sa main.

VINIUS

De tant de fermeté j'aurais l'âme ravie,
Si cet excès d'amour nous assurait la vie;
Mais il nous faut le trône ou renoncer au jour;
Et quand nous périrons que servira l'amour?

OTHON

A de vaines frayeurs un noir soupçon vous livre;
Pison n'est point cruel et nous laissera vivre.

VINIUS

Il nous laissera vivre, et je vous ai nommé !
Si de nous voir dans Rome il n'est point alarmé,
Nos communs ennemis, qui prendront sa conduite,
En préviendront pour lui la dangereuse suite.
Seigneur, quand pour l'empire on s'est vu désigner,
Il faut, quoi qu'il arrive, ou périr ou régner.
Le posthume Agrippa vécut peu sous Tibère;
Néron n'épargna point le sang de son beau-frère;
Et Pison vous perdra par la même raison,
Si vous ne vous hâtez de prévenir Pison.
Il n'est point de milieu qu'en saine politique...

OTHON

Et l'amour est la seule où tout mon cœur s'applique.
Rien ne vous a servi, Seigneur, de me nommer :
Vous voulez que je règne, et je ne sais qu'aimer.
Je pourrais savoir plus, si l'astre qui domine
Me voulait faire un jour régner avec Plautine;
Mais dérober son âme à de si doux appas,
Pour attacher sa vie à ce qu'on n'aime pas !

VINIUS

Eh bien ! si cet amour a sur vous tant de force,
Régnez : qui fait des lois peut bien faire un divorce.
Du trône on considère enfin ses vrais amis,
Et quand vous pourrez tout, tout vous sera permis.

SCÈNE III

VINIUS, OTHON, PLAUTINE

PLAUTINE

Non pas, Seigneur, non pas : quoi que le ciel m'envoie,
Je ne veux rien tenir d'une honteuse voie;
Et cette lâcheté qui me rendrait son cœur,
Sentirait le tyran, et non pas l'empereur.
A votre sûreté, puisque le péril presse,
J'immolerai ma flamme et toute ma tendresse;
Et je vaincrai l'horreur d'un si cruel devoir
Pour conserver le jour à qui me l'a fait voir;
Mais ce qu'à mes désirs je fais de violence
Fuit les honteux appas d'une indigne espérance;
Et la vertu qui dompte et bannit mon amour
N'en souffrira jamais qu'un vertueux retour.

OTHON

Ah ! que cette vertu m'apprête un dur supplice,
Seigneur ! et le moyen que je vous obéisse?
Voyez, et s'il se peut, pour voir tout mon tourment,
Quittez vos yeux de père, et prenez-en d'amant.

VINIUS

L'estime de mon sang ne m'est pas interdite :
Je lui vois des attraits, je lui vois du mérite;
Je crois qu'elle en a même assez pour engager,
Si quelqu'un nous perdait, quelque autre à nous venger.
Par là nos ennemis la tiendront redoutable;
Et sa perte par là devient inévitable.
Je vois de plus, Seigneur, que je n'obtiendrai rien,
Tant que votre œil blessé rencontrera le sien,
Que le temps se va perdre en répliques frivoles;
Et pour les éviter j'achève en trois paroles :
Si vous manquez le trône, il faut périr tous trois.
Prévenez, attendez cet ordre à votre choix :
Je me remets à vous de ce qui vous regarde;
Mais en ma fille et moi ma gloire se hasarde,
De ses jours et des miens je suis maître absolu,
Et j'en disposerai comme j'ai résolu.

Je ne crains point la mort, mais je hais l'infamie
D'en recevoir la loi d'une main ennemie;
Et je saurai verser tout mon sang en Romain,
Si le choix que j'attends ne me retient la main.
C'est dans une heure ou deux que Galba se déclare.
Vous savez l'un et l'autre à quoi je me prépare :
Résolvez-en ensemble.

SCÈNE IV

OTHON, PLAUTINE

OTHON

Arrêtez donc, Seigneur;
Et s'il faut prévenir ce mortel déshonneur,
Recevez-en l'exemple, et jugez si la honte...

PLAUTINE

Quoi? Seigneur, à mes yeux une fureur si prompte!
Ce noble désespoir, si digne des Romains,
Tant qu'ils ont du courage est toujours en leurs mains;
Et pour vous et pour moi, fût-il digne d'un temple,
Il n'est pas encor temps de m'en donner l'exemple.
Il faut vivre, et l'amour nous y doit obliger,
Pour me sauver un père, et pour me protéger.
Quand vous voyez ma vie à la vôtre attachée,
Faut-il que malgré moi votre âme effarouchée,
Pour m'ouvrir le tombeau hâte votre trépas,
Et m'avance un destin où je ne consens pas?

OTHON

Quand il faut m'arracher tout cet amour de l'âme,
Puis-je que dans mon sang en éteindre la flamme?
Puis-je sans le trépas...

PLAUTINE

Et vous ai-je ordonné
D'éteindre tout l'amour que je vous ai donné?
Si l'injuste rigueur de notre destinée
Ne permet plus l'espoir d'un heureux hyménée,

Il eſt un autre amour dont les vœux innocents
S'élèvent au-dessus du commerce des sens.
Plus la flamme en eſt pure et plus elle eſt durable;
Il rend de son objet le cœur inséparable;
Il a de vrais plaisirs dont ce cœur eſt charmé,
Et n'aspire qu'au bien d'aimer et d'être aimé[3].

OTHON

Qu'un tel épurement demande un grand courage !
Qu'il eſt même aux plus grands d'un difficile usage !
Madame, permettez que je dise à mon tour
Que tout ce que l'honneur peut souffrir à l'amour,
Un amant le souhaite, il en veut l'espérance,
Et se croit mal aimé s'il n'en a l'assurance.

PLAUTINE

Aimez-moi toutefois sans l'attendre de moi,
Et ne m'enviez point l'honneur que j'en reçoi.
Quelle gloire à Plautine, ô ciel, de pouvoir dire
Que le choix de son cœur fut digne de l'empire;
Qu'un héros deſtiné pour maître à l'univers
Voulut borner ses vœux à vivre dans ses fers;
Et qu'à moins que d'un ordre absolu d'elle-même
Il aurait renoncé pour elle au diadème !

OTHON

Ah ! qu'il faut aimer peu pour faire son bonheur,
Pour tirer vanité d'un si fatal honneur !
Si vous m'aimiez, Madame, il vous serait sensible
De voir qu'à d'autres vœux mon cœur fût accessible,
Et la nécessité de le porter ailleurs
Vous aurait fait déjà partager mes douleurs.
Mais tout mon désespoir n'a rien qui vous alarme :
Vous pouvez perdre Othon sans verser une larme;
Vous en témoignez joie, et vous-même aspirez
A tout l'excès des maux qui me sont préparés.

PLAUTINE

Que votre aveuglement a pour moi d'injuſtice !
Pour épargner vos maux j'augmente mon supplice,
Je souffre, et c'eſt pour vous que j'ose m'imposer
La gêne de souffrir et de le déguiser.
Tout ce que vous sentez, je le sens dans mon âme;

J'ai même déplaisir, comme j'ai même flamme;
J'ai même désespoir; mais je sais les cacher,
Et paraître insensible afin de moins toucher.
Faites à vos désirs pareille violence,
Retenez-en l'éclat, sauvez-en l'apparence :
Au péril qui nous presse immolez le dehors,
Et pour vous faire aimer montrez d'autres transports.
Je ne vous défends point une douleur muette,
Pourvu que votre front n'en soit point l'interprète,
Et que de votre cœur vos yeux indépendants
Triomphent comme moi des troubles du dedans.
Suivez, passez l'exemple, et portez à Camille
Un visage content, un visage tranquille,
Qui lui laisse accepter ce que vous offrirez,
Et ne démente rien de ce que vous direz.

OTHON

Hélas, Madame, hélas ! que pourrai-je lui dire?

PLAUTINE

Il y va de ma vie, il y va de l'empire;
Réglez-vous là-dessus. Le temps se perd, Seigneur.
Adieu : donnez la main, mais gardez-moi le cœur;
Ou si c'est trop pour moi, donnez et l'un et l'autre,
Emportez mon amour et retirez le vôtre;
Mais dans ce triste état si je vous fais pitié,
Conservez-moi toujours l'estime et l'amitié;
Et n'oubliez jamais, quand vous serez le maître,
Que c'est moi qui vous force et qui vous aide à l'être.

OTHON, *seul.*

Que ne m'est-il permis d'éviter par ma mort
Les barbares rigueurs d'un si cruel effort !

ACTE II

SCÈNE PREMIÈRE

PLAUTINE, FLAVIE

PLAUTINE

Dis-moi donc, lorsque Othon s'est offert à Camille,
A-t-il paru contraint? a-t-elle été facile?
Son hommage auprès d'elle a-t-il eu plein effet?
Comment l'a-t-elle pris, et comment l'a-t-il fait?

FLAVIE

J'ai tout vu; mais enfin votre humeur curieuse
A vous faire un supplice est trop ingénieuse.
Quelque reste d'amour qui vous parle d'Othon,
Madame, oubliez-en, s'il se peut, jusqu'au nom.
Vous vous êtes vaincue en faveur de sa gloire,
Goûtez un plein triomphe après votre victoire :
Le dangereux récit que vous me commandez
Est un nouveau combat où vous vous hasardez.
Votre âme n'en est pas encor si détachée
Qu'il puisse aimer ailleurs sans qu'elle en soit touchée.
Prenez moins d'intérêt à l'y voir réussir,
Et fuyez le chagrin de vous en éclaircir.

PLAUTINE

Je le force moi-même à se montrer volage;
Et regardant son change ainsi que mon ouvrage,
J'y prends un intérêt qui n'a rien de jaloux :
Qu'on l'accepte, qu'il règne, et tout m'en sera doux.

FLAVIE

J'en doute; et rarement une flamme si forte
Souffre qu'à notre gré ses ardeurs...

PLAUTINE

Que t'importe?
Laisse-m'en le hasard; et sans dissimuler,
Dis de quelle manière il a su lui parler.

FLAVIE

N'imputez donc qu'à vous si votre âme inquiète
En ressent malgré moi quelque gêne secrète.
Othon à la Princesse a fait un compliment,
Plus en homme de cour qu'en véritable amant.
Son éloquence accorte, enchaînant avec grâce
L'excuse du silence à celle de l'audace,
En termes trop choisis accusait le respect
D'avoir tant retardé cet hommage suspect.
Ses gestes concertés, ses regards de mesure
N'y laissaient aucun mot aller à l'aventure :
On ne voyait que pompe en tout ce qu'il peignait;
Jusque dans ses soupirs la justesse régnait,
Et suivait pas à pas un effort de mémoire
Qu'il était plus aisé d'admirer que de croire.
Camille semblait même assez de cet avis;
Elle aurait mieux goûté des discours moins suivis :
Je l'ai vu dans ses yeux; mais cette défiance
Avait avec son cœur trop peu d'intelligence.
De ses justes soupçons ses souhaits indignés
Les ont tout aussitôt détruits ou dédaignés :
Elle a voulu tout croire; et quelque retenue
Qu'ait su garder l'amour dont elle est prévenue,
On a vu, par ce peu qu'il laissait échapper,
Qu'elle prenait plaisir à se laisser tromper;
Et que si quelquefois l'horreur de la contrainte
Forçait le triste Othon à soupirer sans feinte,
Soudain l'avidité de régner sur son cœur
Imputait à l'amour ces soupirs de douleur.

PLAUTINE

Et sa réponse enfin?

FLAVIE

Elle a paru civile;
Mais la civilité n'est qu'amour en Camille,
Comme en Othon l'amour n'est que civilité.

PLAUTINE

Et n'a-t-elle rien dit de sa légèreté,
Rien de la foi qu'il semble avoir si mal gardée?

FLAVIE

Elle a su rejeter cette fâcheuse idée,
Et n'a pas témoigné qu'elle sût seulement
Qu'on l'eût vu pour vos yeux soupirer un moment.

PLAUTINE

Mais qu'a-t-elle promis?

FLAVIE

Que son devoir fidèle
Suivrait ce que Galba voudrait ordonner d'elle;
Et de peur d'en trop dire et d'ouvrir trop son cœur,
Elle l'a renvoyé soudain vers l'Empereur.
Il lui parle à présent. Qu'en dites-vous, Madame,
Et de cet entretien que souhaite votre âme?
Voulez-vous qu'on l'accepte ou qu'il n'obtienne rien?

PLAUTINE

Moi-même, à dire vrai, je ne le sais pas bien.
Comme des deux côtés le coup me sera rude,
J'aimerais à jouir de cette inquiétude,
Et tiendrais à bonheur le reste de mes jours
De n'en sortir jamais et de douter toujours.

FLAVIE

Mais il faut se résoudre, et vouloir quelque chose.

PLAUTINE

Souffre sans m'alarmer que le ciel en dispose :
Quand son ordre une fois en aura résolu,
Il nous faudra vouloir ce qu'il aura voulu.
Ma raison cependant cède Othon à l'empire :
Il est de mon honneur de ne m'en pas dédire;
Et soit ce grand souhait volontaire ou forcé,
Il est beau d'achever comme on a commencé[4].
Mais je vois Martian.

SCÈNE II

MARTIAN, FLAVIE, PLAUTINE

PLAUTINE

Que venez-vous m'apprendre?

MARTIAN

Que de votre seul choix l'empire va dépendre,
Madame.

PLAUTINE

Quoi? Galba voudrait suivre mon choix !

MARTIAN

Non; mais de son conseil nous ne sommes que trois,
Et si pour votre Othon vous voulez mon suffrage,
Je vous le viens offrir avec un humble hommage.

PLAUTINE

Avec...?

MARTIAN

Avec des vœux sincères et soumis,
Qui feront encor plus si l'espoir m'eſt permis.

PLAUTINE

Quels vœux et quel espoir?

MARTIAN

Cet important service,
Qu'un si profond respect vous offre en sacrifice...

PLAUTINE

Eh bien ! il remplira mes désirs les plus doux;
Mais pour reconnaissance enfin que voulez-vous?

MARTIAN

La gloire d'être aimé.

PLAUTINE

De qui?

MARTIAN

De vous, Madame.

PLAUTINE

De moi-même?

MARTIAN

De vous : j'ai des yeux, et mon âme...

PLAUTINE

Votre âme, en me faisant cette civilité,
Devrait l'accompagner de plus de vérité :
On n'a pas grande foi pour tant de déférence,
Lorsqu'on voit que la suite a si peu d'apparence.
L'offre sans doute est belle, et bien digne d'un prix,
Mais en le choisissant vous vous êtes mépris :
Si vous me connaissiez, vous feriez mieux paraître...

MARTIAN

Hélas ! mon mal ne vient que de vous trop connaître.
Mais vous-même, après tout, ne vous connaissez pas,
Quand vous croyez si peu l'effet de vos appas.
Si vous daigniez savoir quel est votre mérite,
Vous ne douteriez point de l'amour qu'il excite.
Othon m'en sert de preuve : il n'avait rien aimé,
Depuis que de Poppée il s'était vu charmé;
Bien que d'entre ses bras Néron l'eût enlevée,
L'image dans son cœur s'en était conservée;
La mort même, la mort n'avait pu l'en chasser :
A vous seule était dû l'honneur de l'effacer.
Vous seule d'un coup d'œil emportâtes la gloire
D'en faire évanouir la plus douce mémoire,
Et d'avoir su réduire à de nouveaux souhaits
Ce cœur impénétrable aux plus charmants objets;
Et vous vous étonnez que pour vous je soupire !

PLAUTINE

Je m'étonne bien plus que vous me l'osiez dire;
Je m'étonne de voir qu'il ne vous souvient plus
Que l'heureux Martian fut l'esclave Icélus,
Qu'il a changé de nom sans changer de visage.

MARTIAN

C'eſt ce crime du sort qui m'enfle le courage;
Lorsqu'en dépit de lui je suis ce que je suis,
On voit ce que je vaux, voyant ce que je puis.
Un pur hasard sans nous règle notre naissance;
Mais comme le mérite eſt en notre puissance,
La honte d'un deſtin qu'on vit mal assorti
Fait d'autant plus d'honneur quand on en eſt sorti.
Quelque tache en mon sang que laissent mes ancêtres,
Depuis que nos Romains ont accepté des maîtres,
Ces maîtres ont toujours fait choix de mes pareils
Pour les premiers emplois et les secrets conseils :
Ils ont mis en nos mains la fortune publique,
Ils ont soumis la terre à notre politique;
Patrobe, Polyclète, et Narcisse, et Pallas,
Ont déposé des rois, et donné des États.
On nous élève au trône au sortir de nos chaînes;
Sous Claude on vit Félix le mari de trois reines;
Et quand l'amour en moi vous présente un époux,
Vous me traitez d'esclave, et d'indigne de vous !
Madame, en quelque rang que vous ayez pu naître,
C'eſt beaucoup que d'avoir l'oreille du grand maître.
Vinius eſt consul, et Lacus eſt préfet;
Je ne suis l'un ni l'autre, et suis plus en effet;
Et de ces consulats, et de ces préfeɗtures,
Je puis, quand il me plaît, faire des créatures.
Galba m'écoute enfin; et c'eſt être aujourd'hui,
Quoique sans ces grands noms, le premier d'après lui.

PLAUTINE

Pardonnez donc, Seigneur, si je me suis méprise :
Mon orgueil dans vos fers n'a rien qui l'autorise.
Je viens de me connaître, et me vois à mon tour
Indigne des honneurs qui suivent votre amour.
Avoir brisé ces fers fait un degré de gloire
Au-dessus des consuls, des préfets du prétoire;
Et si de cet amour je n'ose être le prix,
Le respeɗt m'en empêche et non plus le mépris.
On m'avait dit pourtant que souvent la nature
Gardait en vos pareils sa première teinture,
Que ceux de nos Césars qui les ont écoutés
Ont tous souillé leurs noms par quelques lâchetés,

Et que pour dérober l'empire à cette honte
L'univers a besoin qu'un vrai héros y monte.
C'est ce qui me faisait y souhaiter Othon;
Mais à ce que j'apprends ce souhait n'est pas bon.
Laissons-en faire aux Dieux, et faites-vous justice;
D'un cœur vraiment romain dédaignez le caprice.
Cent reines à l'envi vous prendront pour époux :
Félix en eut bien trois, et valait moins que vous.

MARTIAN

Madame, encore un coup, souffrez que je vous aime,
Songez que dans ma main j'ai le pouvoir suprême,
Qu'entre Othon et Pison mon suffrage incertain,
Suivant qu'il penchera, va faire un souverain.
Je n'ai fait jusqu'ici qu'empêcher l'hyménée
Qui d'Othon avec vous eût joint la destinée :
J'aurais pu hasarder quelque chose de plus;
Ne m'y contraignez point à force de refus.
Quand vous cédez Othon, me souffrir en sa place,
Peut-être ce sera faire plus d'une grâce;
Car de vous voir à lui ne l'espérez jamais.

SCÈNE III

PLAUTINE, LACUS, MARTIAN, FLAVIE

LACUS

Madame, enfin Galba s'accorde à vos souhaits;
Et j'ai tant fait sur lui, que dès cette journée,
De vous avec Othon il consent l'hyménée.

PLAUTINE

Qu'en dites-vous, Seigneur? Pourrez-vous bien souffrir
Cet hymen que Lacus de sa part vient m'offrir?
Le grand maître a parlé, voudrez-vous l'en dédire,
Vous qu'on voit après lui le premier de l'empire?
Dois-je me ravaler jusques à cet époux?
Ou dois-je par votre ordre aspirer jusqu'à vous?

LACUS

Quel énigme est-ce-ci, Madame?

PLAUTINE

Sa grande âme
Me faisait tout à l'heure un présent de sa flamme;
Il m'assurait qu'Othon jamais ne m'obtiendrait,
Et disait à demi qu'un refus nous perdrait.
Vous m'osez cependant assurer du contraire;
Et je ne sais pas bien quelle réponse y faire.
Comme en de certains temps il fait bon s'expliquer,
En d'autres il vaut mieux ne s'y point embarquer.
Grands ministres d'État, accordez-vous ensemble,
Et je pourrai vous dire après ce qui m'en semble.

SCÈNE IV

LACUS, MARTIAN

LACUS

Vous aimez donc Plautine, et c'est là cette foi
Qui contre Vinius vous attachait à moi?

MARTIAN

Si les yeux de Plautine ont pour moi quelque charme,
Y trouvez-vous, Seigneur, quelque sujet d'alarme?
Le moment bienheureux qui m'en ferait l'époux
Réunirait par moi Vinius avec vous.
Par là de nos trois cœurs l'amitié ressaisie,
En déracinerait et haine et jalousie.
Le pouvoir de tous trois, par tous trois affermi,
Aurait pour nœud commun son gendre en votre ami :
Et quoi que contre vous il osât entreprendre...

LACUS

Vous seriez mon ami, mais vous seriez son gendre;
Et c'est un faible appui des intérêts de cour
Qu'une vieille amitié contre un nouvel amour.
Quoi que veuille exiger une femme adorée,
La résistance est vaine ou de peu de durée;
Elle choisit ses temps, et les choisit si bien,
Qu'on se voit hors d'état de lui refuser rien.
Vous-même êtes-vous sûr que ce nœud la retienne

D'ajouter, s'il le faut, votre perte à la mienne?
Apprenez que des cœurs séparés à regret
Trouvent de se rejoindre aisément le secret.
Othon n'a pas pour elle éteint toutes ses flammes;
Il sait comme aux maris on arrache les femmes;
Cet art sur son exemple est commun aujourd'hui,
Et son maître Néron l'avait appris de lui.
Après tout, je me trompe, ou près de cette belle...

MARTIAN

J'espère en Vinius, si je n'espère en elle;
Et l'offre pour Othon de lui donner ma voix
Soudain en ma faveur emportera son choix.

LACUS

Quoi? vous nous donneriez vous-même Othon pour [maître?

MARTIAN

Et quel autre dans Rome est plus digne de l'être?

LACUS

Ah! pour en être digne, il l'est, et plus que tous;
Mais aussi, pour tout dire, il en sait trop pour nous.
Il sait trop ménager ses vertus et ses vices.
Il était sous Néron de toutes ses délices;
Et la Lusitanie a vu ce même Othon
Gouverner en César et juger en Caton.
Tout favori dans Rome, et tout maître en province,
De lâche courtisan il s'y montra grand prince;
Et son âme ployant, attendant l'avenir,
Sait faire également sa cour, et la tenir.
Sous un tel souverain nous sommes peu de chose;
Son soin jamais sur nous tout à fait ne repose :
Sa main seule départ ses libéralités;
Son choix seul distribue États et dignités.
Du timon qu'il embrasse il se fait le seul guide,
Consulte et résout seul, écoute et seul décide,
Et quoi que nos emplois puissent faire du bruit
Sitôt qu'il nous veut perdre, un coup d'œil nous détruit.
Voyez d'ailleurs Galba, quel pouvoir il nous laisse,
En quel poste sous lui nous a mis sa faiblesse,
Nos ordres règlent tout, nous donnons, retranchons;

Rien n'eſt exécuté dès que nous l'empêchons :
Comme par un de nous il faut que tout s'obtienne,
Nous voyons notre cour plus grosse que la sienne;
Et notre indépendance irait au dernier point,
Si l'heureux Vinius ne la partageait point :
Notre unique chagrin eſt qu'il nous la dispute.
L'âge met cependant Galba près de sa chute;
De peur qu'il nous entraîne, il faut un autre appui;
Mais il le faut pour nous aussi faible que lui.
Il nous en faut prendre un qui satisfait des titres,
Nous laisse du pouvoir les suprêmes arbitres.
Pison a l'âme simple et l'esprit abattu;
S'il a grande naissance, il a peu de vertu :
Non de cette vertu qui déteſte le crime;
Sa probité sévère eſt digne qu'on l'eſtime;
Elle a tout ce qui fait un grand homme de bien;
Mais en un souverain c'eſt peu de chose, ou rien.
Il faut de la prudence, il faut de la lumière,
Il faut de la vigueur adroite autant que fière,
Qui pénètre, éblouisse, et sème des appas...
Il faut mille vertus enfin qu'il n'aura pas.
Lui-même il nous priera d'avoir soin de l'empire,
En saura seulement ce qu'il nous plaira dire :
Plus nous l'y tiendrons bas, plus il nous mettra haut;
Et c'eſt là juſtement le maître qu'il nous faut[5].

MARTIAN

Mais, Seigneur, sur le trône élever un tel homme,
C'eſt mal servir l'État, et faire opprobre à Rome.

LACUS

Et qu'importe à tous deux de Rome et de l'État?
Qu'importe qu'on leur voie ou plus ou moins d'éclat?
Faisons nos sûretés, et moquons-nous du reſte.
Point, point de bien public s'il nous devient funeſte.
De notre grandeur seule ayons des cœurs jaloux;
Ne vivons que pour nous, et ne pensons qu'à nous[6].
Je vous le dis encor : mettre Othon sur nos têtes,
C'eſt nous livrer tous deux à d'horribles tempêtes.
Si nous l'en voulons croire, il nous devra le tout;
Mais de ce grand projet s'il vient par nous à bout,
Vinius en aura lui seul tout l'avantage :
Comme il l'a proposé, ce sera son ouvrage;

Et la mort, ou l'exil, ou les abaissements,
Seront pour vous et moi ses vrais remercîments.

MARTIAN

Oui, notre sûreté veut que Pison domine :
Obtenez-en pour moi qu'il m'assure Plautine;
Je vous promets pour lui mon suffrage à ce prix.
La violence est juste après de tels mépris.
Commençons à jouir par là de son empire,
Et voyons s'il est homme à nous oser dédire.

LACUS

Quoi? votre amour toujours fera son capital
Des attraits de Plautine et du nœud conjugal !
Eh bien ! il faudra voir qui sera plus utile
D'en croire... Mais voici la princesse Camille.

SCÈNE V

CAMILLE, LACUS, MARTIAN, ALBIANE

CAMILLE

Je vous rencontre ensemble ici fort à propos,
Et voulais à tous deux vous dire quatre mots.
Si j'en crois certain bruit que je ne puis vous taire,
Vous poussez un peu loin l'orgueil du ministère :
On dit que sur mon rang vous étendez sa loi,
Et que vous vous mêlez de disposer de moi.

MARTIAN

Nous, Madame?

CAMILLE

Faut-il que je vous obéisse,
Moi, dont Galba prétend faire une impératrice?

LACUS

L'un et l'autre sait trop quel respect vous est dû.

CAMILLE

Le crime en est plus grand, si vous l'avez perdu.
Parlez, qu'avez-vous dit à Galba l'un et l'autre?

MARTIAN

Sa pensée a voulu s'assurer sur la nôtre;
Et s'étant proposé le choix d'un successeur,
Pour laisser à l'empire un digne possesseur,
Sur ce don imprévu qu'il fait du diadème,
Vinius a parlé, Lacus a fait de même.

CAMILLE

Et ne savez-vous point, et Vinius, et vous,
Que ce grand successeur doit être mon époux?
Que le don de ma main suit ce don de l'empire?
Galba, par vos conseils, voudrait-il s'en dédire?

LACUS

Il est toujours le même, et nous avons parlé
Suivant ce qu'à tous deux le ciel a révélé :
En ces occasions, lui qui tient les couronnes
Inspire les avis sur le choix des personnes.
Nous avons cru d'ailleurs pouvoir sans attentat
Faire vos intérêts de ceux de tout l'État :
Vous ne voudriez pas en avoir de contraires.

CAMILLE

Vous n'avez, vous ni lui, pensé qu'à vos affaires;
Et nous offrir Pison, c'est assez témoigner...

LACUS

Le trouvez-vous, Madame, indigne de régner?
Il a de la vertu, de l'esprit, du courage;
Il a de plus...

CAMILLE

De plus, il a votre suffrage,
Et c'est assez de quoi mériter mes refus.
Par respect de son sang, je ne dis rien de plus.

MARTIAN

Aimeriez-vous Othon, que Vinius propose,
Othon, dont vous savez que Plautine dispose,
Et qui n'aspire ici qu'à lui donner sa foi?

CAMILLE

Qu'il brûle encor pour elle, ou la quitte pour moi,

Ce n'est pas votre affaire; et votre exactitude
Se charge en ma faveur de trop d'inquiétude.

LACUS

Mais l'Empereur consent qu'il l'épouse aujourd'hui;
Et moi-même je viens de l'obtenir pour lui.

CAMILLE

Vous en a-t-il prié? dites, ou si l'envie...

LACUS

Un véritable ami n'attend point qu'on le prie.

CAMILLE

Cette amitié me charme, et je dois avouer
Qu'Othon a jusqu'ici tout lieu de s'en louer,
Que l'heureux contre-temps d'un si rare service...

LACUS

Madame...

CAMILLE

Croyez-moi, mettez bas l'artifice.
Ne vous hasardez point à faire un empereur.
Galba connaît l'empire, et je connais mon cœur :
Je sais ce qui m'est propre; il voit ce qu'il doit faire,
Et quel prince à l'État est le plus salutaire.
Si le ciel vous inspire, il aura soin de nous,
Et saura sur ce point nous accorder sans vous.

LACUS

Si Pison vous déplaît, il en est quelques autres...

CAMILLE

N'attachez point ici mes intérêts aux vôtres.
Vous avez de l'esprit, mais j'ai des yeux perçants :
Je vois qu'il vous est doux d'être les tout-puissants;
Et je n'empêche point qu'on ne vous continue
Votre toute-puissance au point qu'elle est venue;
Mais quant à cet époux, vous me ferez plaisir
De trouver bon qu'enfin je puisse le choisir.
Je m'aime un peu moi-même, et n'ai pas grande envie
De vous sacrifier le repos de ma vie.

MARTIAN

Puisqu'il doit avec vous régir tout l'univers...

CAMILLE

Faut-il vous dire encor que j'ai des yeux ouverts?
Je vois jusqu'en vos cœurs, et m'obstine à me taire;
Mais je pourrais enfin dévoiler le mystère.

MARTIAN

Si l'Empereur nous croit...

CAMILLE

Sans doute il vous croira;
Sans doute je prendrai l'époux qu'il m'offrira :
Soit qu'il plaise à mes yeux, soit qu'il me choque en l'âme,
Il sera votre maître, et je serai sa femme;
Le temps me donnera sur lui quelque pouvoir,
Et vous pourrez alors vous en apercevoir.
Voilà les quatre mots que j'avais à vous dire :
Pensez-y.

SCÈNE VI

LACUS, MARTIAN

MARTIAN

Ce courroux, que Pison nous attire...

LACUS

Vous vous en alarmez? Laissons-la discourir,
Et ne nous perdons pas de crainte de périr.

MARTIAN

Vous voyez quel orgueil contre nous l'intéresse.

LACUS

Plus elle m'en fait voir, plus je vois sa faiblesse.
Faisons régner Pison; et malgré ce courroux,
Vous verrez qu'elle-même aura besoin de nous.

ACTE III

SCÈNE PREMIÈRE

CAMILLE, ALBIANE

CAMILLE

TON frère te l'a dit, Albiane?

ALBIANE

Oui, Madame :
Galba choisit Pison, et vous êtes sa femme,
Ou pour en mieux parler, l'esclave de Lacus,
A moins d'un éclatant et généreux refus.

CAMILLE

Et que devient Othon?

ALBIANE

Vous allez voir sa tête
De vos trois ennemis affermir la conquête :
Je veux dire assurer votre main à Pison,
Et l'empire aux tyrans qui font régner son nom.
Car comme il n'a pour lui qu'une suite d'ancêtres,
Lacus et Martian vont être nos vrais maîtres;
Et Pison ne sera qu'un idole sacré[7]
Qu'ils tiendront sur l'autel pour répondre à leur gré.
Sa probité stupide autant comme farouche
A prononcer leurs lois asservira sa bouche;
Et le premier arrêt qu'ils lui feront donner
Les défera d'Othon, qui les peut détrôner.

CAMILLE

O Dieux! que je le plains!

ALBIANE

Il est sans doute à plaindre,
Si vous l'abandonnez à tout ce qu'il doit craindre;
Mais comme enfin la mort finira son ennui,
Je crains fort de vous voir plus à plaindre que lui.

CAMILLE

L'hymen sur un époux donne quelque puissance.

ALBIANE

Octavie a péri sur cette confiance.
Son sang qui fume encor vous montre à quel destin
Peut exposer vos jours un nouveau Tigellin.
Ce grand choix vous en donne à craindre deux ensemble;
Et pour moi, plus j'y songe, et plus pour vous je tremble.

CAMILLE

Quel remède, Albiane?

ALBIANE

Aimer, et faire voir...

CAMILLE

Que l'amour est sur moi plus fort que le devoir?

ALBIANE

Songez moins à Galba qu'à Lacus, qui vous brave,
Et qui vous fait encor braver par un esclave.
Songez à vos périls, et peut-être à son tour
Ce devoir passera du côté de l'amour.
Bien que nous devions tout aux puissances suprêmes,
Madame, nous devons quelque chose à nous-mêmes;
Surtout quand nous voyons des ordres dangereux,
Sous ces grands souverains, partir d'autres que d'eux.

CAMILLE

Mais Othon m'aime-t-il?

ALBIANE

S'il vous aime? ah! Madame.

CAMILLE

On a cru que Plautine avait toute son âme.

ALBIANE

On l'a dû croire aussi, mais on s'est abusé :
Autrement Vinius l'aurait-il proposé?
Aurait-il pu trahir l'espoir d'en faire un gendre?

CAMILLE

En feignant de l'aimer que pouvait-il prétendre?

ALBIANE

De s'approcher de vous, et se faire en la cour
Un accès libre et sûr pour un plus digne amour.
De Vinius par là gagnant la bienveillance,
Il a su le jeter dans une autre espérance,
Et le flatter d'un rang plus haut et plus certain,
S'il devenait par vous empereur de sa main.
Vous voyez à ces soins que Vinius s'applique,
En même temps qu'Othon auprès de vous s'explique.

CAMILLE

Mais à se déclarer il a bien attendu.

ALBIANE

Mon frère jusque-là vous en a répondu.

CAMILLE

Tandis, tu m'as réduite à faire un peu d'avance,
A consentir qu'Albin combattît son silence,
Et même Vinius, dès qu'il me l'a nommé,
A pu voir aisément qu'il pourrait être aimé.

ALBIANE

C'est la gêne où réduit celles de votre sorte
La scrupuleuse loi du respect qu'on leur porte :
Il arrête les vœux, captive les désirs,
Abaisse les regards, étouffe les soupirs,
Dans le milieu du cœur enchaîne la tendresse;
Et tel est en aimant le sort d'une princesse,
Que quelque amour qu'elle ait et qu'elle ait pu donner,
Il faut qu'elle devine, et force à deviner;
Quelque peu qu'on lui die, on craint de lui trop dire :
A peine on se hasarde à jurer qu'on l'admire;
Et pour apprivoiser ce respect ennemi,

Il faut qu'en dépit d'elle elle s'offre à demi.
Voyez-vous comme Othon saurait encor se taire,
Si je ne l'avais fait enhardir par mon frère?

CAMILLE

Tu le crois donc, qu'il m'aime?

ALBIANE

Et qu'il lui serait doux
Que vous eussiez pour lui l'amour qu'il a pour vous.

CAMILLE

Hélas ! que cet amour croit tôt ce qu'il souhaite !
En vain la raison parle, en vain elle inquiète,
En vain la défiance ose ce qu'elle peut,
Il veut croire, et ne croit que parce qu'il le veut.
Pour Plautine ou pour moi je vois du stratagème,
Et m'obstine avec joie à m'aveugler moi-même.
Je plains cette abusée, et c'est moi qui la suis
Peut-être, et qui me livre à d'éternels ennuis;
Peut-être, en ce moment qu'il m'est doux de te croire,
De ses vœux à Plautine il assure la gloire :
Peut-être...

SCÈNE II

CAMILLE, ALBIN, ALBIANE

ALBIN

L'Empereur vient ici vous trouver,
Pour vous dire son choix, et le faire approuver.
S'il vous déplaît, Madame, il faut de la constance;
Il faut une fidèle et noble résistance;
Il faut...

CAMILLE

De mon devoir je saurai prendre soin.
Allez chercher Othon pour en être témoin.

SCÈNE III

GALBA, CAMILLE, ALBIANE

GALBA

Quand la mort de mes fils désola ma famille,
Ma nièce, mon amour vous prit dès lors pour fille;
Et regardant en vous les restes de mon sang,
Je flattai ma douleur en vous donnant leur rang.
Rome, qui m'a depuis chargé de son empire,
Quand sous le poids de l'âge à peine je respire,
A vu ce même amour me le faire accepter,
Moins pour me seoir si haut que pour vous y porter.
Non que si jusque-là Rome pouvait renaître,
Qu'elle fût en état de se passer de maître,
Je ne me crusse digne, en cet heureux moment,
De commencer par moi son rétablissement;
Mais cet empire immense est trop vaste pour elle :
A moins que d'une tête un si grand corps chancelle;
Et pour le nom des rois son invincible horreur
S'est d'ailleurs si bien faite aux lois d'un empereur,
Qu'elle ne peut souffrir, après cette habitude,
Ni pleine liberté, ni pleine servitude.
Elle veut donc un maître, et Néron condamné
Fait voir ce qu'elle veut en un front couronné.
Vindex, Rufus, ni moi, n'avons causé sa perte;
Ses crimes seuls l'ont faite, et le ciel l'a soufferte,
Pour marque aux souverains, qu'ils doivent par l'effet
Répondre dignement au grand choix qu'il en fait.
Jusques à ce grand coup, un honteux esclavage
D'une seule maison nous faisait l'héritage.
Rome n'en a repris, au lieu de liberté,
Qu'un droit de mettre ailleurs la souveraineté;
Et laisser après moi dans le trône un grand homme,
C'est tout ce qu'aujourd'hui je puis faire pour Rome.
Prendre un si noble soin, c'est en prendre de vous :
Ce maître qu'il lui faut vous est dû pour époux;
Et mon zèle s'unit à l'amour paternelle
Pour vous en donner un digne de vous et d'elle.
Jule et le grand Auguste ont choisi dans leur sang,
Ou dans leur alliance, à qui laisser ce rang.

Moi, sans considérer aucun nœud domestique,
J'ai fait ce choix comme eux, mais dans la République :
Je l'ai fait de Pison; c'est le sang de Crassus,
C'est celui de Pompée, il en a les vertus,
Et ces fameux héros dont il suivra la trace
Joindront de si grands noms aux grands noms de ma race,
Qu'il n'est point d'hyménée en qui l'égalité
Puisse élever l'empire à plus de dignité.

CAMILLE

J'ai tâché de répondre à cet amour de père
Par un tendre respect qui chérit et révère,
Seigneur; et je vois mieux encor par ce grand choix,
Et combien vous m'aimez, et combien je vous dois.
Je sais ce qu'est Pison et quelle est sa noblesse;
Mais si j'ose à vos yeux montrer quelque faiblesse,
Quelque digne qu'il soit et de Rome et de moi,
Je tremble à lui promettre et mon cœur et ma foi;
Et j'avouerai, Seigneur, que pour mon hyménée
Je crois tenir un peu de Rome où je suis née.
Je ne demande point la pleine liberté,
Puisqu'elle en a mis bas l'intrépide fierté;
Mais si vous m'imposez la pleine servitude,
J'y trouverai, comme elle, un joug un peu bien rude.
Je suis trop ignorante en matière d'État
Pour savoir quel doit être un si grand potentat;
Mais Rome dans ses murs n'a-t-elle qu'un seul homme,
N'a-t-elle que Pison qui soit digne de Rome?
Et dans tous ses États n'en saurait-on voir deux
Que puissent vos bontés hasarder à mes vœux?
Néron fit aux vertus une cruelle guerre,
S'il en a dépeuplé les trois parts de la terre,
Et si, pour nous donner de dignes empereurs,
Pison seul avec vous échappe à ses fureurs.
Il est d'autres héros dans un si vaste empire;
Il en est qu'après vous on se plairait d'élire,
Et qui sauraient mêler, sans vous faire rougir,
L'art de gagner les cœurs au grand art de régir.
D'une vertu sauvage on craint un dur empire,
Souvent on s'en dégoûte au moment qu'on l'admire;
Et puisque ce grand choix me doit faire un époux,
Il serait bon qu'il eût quelque chose de doux,
Qu'on vît en sa personne également paraître

Les grâces d'un amant et les hauteurs d'un maître,
Et qu'il fût aussi propre à donner de l'amour
Qu'à faire ici trembler sous lui toute sa cour.
Souvent un peu d'amour dans les cœurs des monarques
Accompagne assez bien leurs plus illustres marques.
Ce n'est pas qu'après tout je pense à résister :
J'aime à vous obéir, Seigneur, sans contester.
Pour prix d'un sacrifice où mon cœur se dispose,
Permettez qu'un époux me doive quelque chose.
Dans cette servitude où se plaît mon désir,
C'est quelque liberté qu'un ou deux à choisir.
Votre Pison peut-être aura de quoi me plaire,
Quand il ne sera plus un mari nécessaire;
Et son amour pour moi sera plus assuré,
S'il voit à quels rivaux je l'aurai préféré.

GALBA

Ce long raisonnement dans sa délicatesse
A vos tendres respects mêle beaucoup d'adresse.
Si le refus n'est juste, il est doux et civil.
Parlez donc, et sans feinte, Othon vous plairait-il?
On me l'a proposé, qu'y trouvez-vous à dire?

CAMILLE

L'avez-vous cru d'abord indigne de l'empire,
Seigneur?

GALBA

Non; mais depuis, consultant ma raison,
J'ai trouvé qu'il fallait lui préférer Pison.
Sa vertu, plus solide et tout inébranlable,
Nous fera, comme Auguste, un siècle incomparable,
Où l'autre, par Néron dans le vice abîmé,
Ramènera ce luxe où sa main l'a formé,
Et tous les attentats de l'infâme licence
Dont il osa souiller la suprême puissance.

CAMILLE

Othon près d'un tel maître a su se ménager,
Jusqu'à ce que le temps ait pu l'en dégager.
Qui sait faire sa cour se fait aux mœurs du prince;
Mais il fut tout à soi quand il fut en province;
Et sa haute vertu par d'illustres effets

Y dissipa soudain ces vices contrefaits.
Chaque jour a sous vous grossi sa renommée;
Mais Pison n'eut jamais de charge ni d'armée;
Et comme il a vécu jusqu'ici sans emploi,
On ne sait ce qu'il vaut que sur sa bonne foi.
Je veux croire, en faveur des héros de sa race,
Qu'il en a les vertus, qu'il en suivra la trace,
Qu'il en égalera les plus illustres noms;
Mais j'en croirais bien mieux de grandes actions.
Si dans un long exil il a paru sans vice,
La vertu des bannis souvent n'est qu'artifice.
Sans vous avoir servi, vous l'avez ramené;
Mais l'autre est le premier qui vous ait couronné;
Dès qu'il vit deux partis, il se rangea du vôtre :
Ainsi l'un vous doit tout, et vous devez à l'autre.

GALBA

Vous prendrez donc le soin de m'acquitter vers lui;
Et comme pour l'empire il faut un autre appui,
Vous croirez que Pison est plus digne de Rome :
Pour ne plus en douter suffit que je le nomme.

CAMILLE

Pour Rome et son empire, après vous je le croi;
Mais je doute si l'autre est moins digne de moi.

GALBA

Doutez-en : un tel doute est bien digne d'une âme
Qui voudrait de Néron revoir le siècle infâme,
Et qui voyant qu'Othon lui ressemble le mieux...

CAMILLE

Choisissez de vous-même, et je ferme les yeux.
Que vos seules bontés de tout mon sort ordonnent :
Je me donne en aveugle à qui qu'elles me donnent.
Mais quand vous consultez Lacus et Martian,
Un époux de leur main me paraît un tyran;
Et si j'ose tout dire en cette conjoncture,
Je regarde Pison comme leur créature,
Qui régnant par leur ordre et leur prêtant sa voix,
Me forcera moi-même à recevoir leurs lois.
Je ne veux point d'un trône où je sois leur captive,
Où leur pouvoir m'enchaîne, et quoi qu'il en arrive,

J'aime mieux un mari qui sache être empereur,
Qu'un mari qui le soit et souffre un gouverneur.

GALBA

Ce n'est pas mon dessein de contraindre les âmes.
N'en parlons plus : dans Rome il sera d'autres femmes
A qui Pison en vain n'offrira pas sa foi.
Votre main est à vous, mais l'empire est à moi.

SCÈNE IV

GALBA, OTHON, CAMILLE, ALBIN, ALBIANE

GALBA

Othon, est-il bien vrai que vous aimiez Camille?

OTHON

Cette témérité m'est sans doute inutile;
Mais si j'osais, Seigneur, dans mon sort adouci...

GALBA

Non, non : si vous l'aimez, elle vous aime aussi.
Son amour près de moi vous rend de tels offices,
Que je vous en fais don pour prix de vos services.
Ainsi, bien qu'à Lacus j'aye accordé pour vous
Qu'aujourd'hui de Plautine on vous verra l'époux,
L'illustre et digne ardeur d'une flamme si belle
M'en fait révoquer l'ordre, et vous obtient pour elle.

OTHON

Vous m'en voyez de joie interdit et confus.
Quand je me prononçais moi-même un prompt refus,
Que j'attendais l'effet d'une juste colère,
Je suis assez heureux pour ne vous pas déplaire !
Et loin de condamner des vœux trop élevés...

GALBA

Vous savez mal encor combien vous lui devez :
Son cœur de telle force à votre hymen aspire,
Que pour mieux être à vous, il renonce à l'empire.

Choisissez donc ensemble, à communs sentiments,
Des charges dans ma cour, ou des gouvernements;
Vous n'avez qu'à parler.

OTHON

Seigneur, si la Princesse...

GALBA

Pison n'en voudra pas dédire ma promesse.
Je l'ai nommé César, pour le faire empereur :
Vous savez ses vertus, je réponds de son cœur.
Adieu. Pour observer la forme accoutumée,
Je le vais de ma main présenter à l'armée.
Pour Camille, en faveur de cet heureux lien,
Tenez-vous assuré qu'elle aura tout mon bien :
Je la fais dès ce jour mon unique héritière.

SCÈNE V

OTHON, CAMILLE, ALBIN, ALBIANE

CAMILLE

Vous pouvez voir par là mon âme tout entière,
Seigneur; et je voudrais en vain la déguiser,
Après ce que pour vous l'amour me fait oser.
Ce que Galba pour moi prend le soin de vous dire...

OTHON

Quoi donc, Madame? Othon vous coûterait l'empire?
Il sait mieux ce qu'il vaut, et n'est pas d'un tel prix
Qu'il le faille acheter par ce noble mépris.
Il se doit opposer à cet effort d'estime
Où s'abaisse pour lui ce cœur trop magnanime,
Et par un même effort de magnanimité,
Rendre une âme si haute au trône mérité.
D'un si parfait amour quelles que soient les causes...

CAMILLE

Je ne sais point, Seigneur, faire valoir les choses :
Et dans ce prompt succès dont nos cœurs sont charmés,
Vous me devez bien moins que vous ne présumez.
Il semble que pour vous je renonce à l'empire,

Et qu'un amour aveugle ait su me le prescrire.
Je vous aime, il eſt vrai ; mais si l'empire eſt doux,
Je crois m'en assurer quand je me donne à vous.
Tant que vivra Galba, le respect de son âge,
Du moins apparemment, soutiendra son suffrage :
Pison croira régner; mais peut-être qu'un jour
Rome se permettra de choisir à son tour.
A faire un empereur alors quoi qui l'excite,
Qu'elle en veuille la race, ou cherche le mérite,
Notre union aura des voix de tous côtés,
Puisque j'en ai le sang, et vous les qualités.
Sous un nom si fameux qui vous rend préférable,
L'héritier de Galba sera considérable :
On aimera ce titre en un si digne époux,
Et l'empire eſt à moi, si l'on me voit à vous.

OTHON

Ah ! Madame, quittez cette vaine espérance
De nous voir quelque jour remettre en la balance :
S'il faut que de Pison on accepte la loi,
Rome, tant qu'il vivra, n'aura plus d'yeux pour moi;
Elle a beau murmurer contre un indigne maître,
Elle en souffre, pour lâche ou méchant qu'il puisse être.
Tibère était cruel, Caligule brutal,
Claude faible, Néron en forfaits sans égal :
Il se perdit lui-même à force de grands crimes;
Mais le reſte a passé pour princes légitimes.
Claude même, ce Claude et sans cœur et sans yeux,
A peine les ouvrit qu'il devint furieux;
Et Narcisse et Pallas, l'ayant mis en furie,
Firent sous son aveu régner la barbarie.
Il régna toutefois, bien qu'il se fît haïr,
Jusqu'à ce que Néron se fâchât d'obéir;
Et ce monſtre ennemi de la vertu romaine
N'a succombé que tard sous la commune haine.
Par ce qu'ils ont osé, jugez sur vos refus
Ce qu'osera Pison gouverné par Lacus.
Il aura peine à voir, lui qui pour vous soupire,
Que votre hymen chez moi laisse un droit à l'empire.
Chacun sur ce penchant voudra faire sa cour;
Et le pouvoir suprême enhardit bien l'amour.
Si Néron, qui m'aimait, osa m'ôter Poppée,
Jugez, pour ressaisir votre main usurpée,

Quel scrupule on aura du plus noir attentat
Contre un rival ensemble et d'amour et d'État.
Il n'eﬆ point ni d'exil, ni de Lusitanie,
Qui dérobe à Pison le reﬆe de ma vie;
Et je sais trop la cour pour douter un moment,
Ou des soins de sa haine, ou de l'événement.

CAMILLE

Et c'eﬆ là ce grand cœur qu'on croyait intrépide !
Le péril, comme un autre, à mes yeux l'intimide !
Et pour monter au trône, et pour me posséder,
Son espoir le plus beau n'ose rien hasarder !
Il redoute Pison ! Dites-moi donc, de grâce,
Si d'aimer en lieu même on vous a vu l'audace,
Si pour vous et pour lui le trône eut même appas,
Êtes-vous moins rivaux pour ne m'épouser pas?
A quel droit voulez-vous que cette haine cesse
Pour qui lui disputa ce trône et sa maîtresse,
Et qu'il veuille oublier, se voyant souverain,
Que vous pouvez dans l'âme en garder le dessein?
Ne vous y trompez plus : il a vu dans cette âme
Et votre ambition et toute votre flamme,
Et peut tout contre vous, à moins que contre lui
Mon hymen chez Galba vous assure un appui.

OTHON

Eh bien ! il me perdra pour vous avoir aimée;
Sa haine sera douce à mon âme enflammée;
Et tout mon sang n'a rien que je veuille épargner,
Si ce n'eﬆ que par là que vous pouvez régner.
Permettez cependant à cet amour sincère
De vous redire encor ce qu'il n'ose vous taire :
En l'état qu'eﬆ Pison, il vous faut aujourd'hui
Renoncer à l'empire, ou le prendre avec lui.
Avant qu'en décider, pensez-y bien, Madame;
C'eﬆ votre intérêt seul qui fait parler ma flamme.
Il eﬆ mille douceurs dans un grade si haut
Où peut-être avez-vous moins pensé qu'il ne faut.
Peut-être en un moment serez-vous détrompée;
Et si j'osais encor vous parler de Poppée,
Je dirais que sans doute elle m'aimait un peu,
Et qu'un trône alluma bientôt un autre feu.
Le ciel vous a fait l'âme et plus grande et plus belle;

Mais vous êtes princesse, et femme enfin comme elle.
L'horreur de voir une autre au rang qui vous est dû,
Et le juste chagrin d'avoir trop descendu,
Presseront en secret cette âme de se rendre
Même au plus faible espoir de le pouvoir reprendre.
Les yeux ne veulent pas en tout temps se fermer;
Mais l'empire en tout temps a de quoi les charmer.
L'amour passe, ou languit; et pour fort qu'il puisse être,
De la soif de régner, il n'est pas toujours maître.

CAMILLE

Je ne sais quel amour je vous ai pu donner,
Seigneur; mais sur l'empire il aime à raisonner :
Je l'y trouve assez fort, et même d'une force
A montrer qu'il connaît tout ce qu'il a d'amorce,
Et qu'à ce qu'il me dit touchant un si grand choix,
Il a daigné penser un peu plus d'une fois.
Je veux croire avec vous qu'il est ferme et sincère,
Qu'il me dit seulement ce qu'il n'ose me taire;
Mais à parler sans feinte...

OTHON

Ah, Madame, croyez...

CAMILLE

Oui, j'en croirai Pison à qui vous m'envoyez;
Et vous, pour vous donner quelque peu plus de joie,
Vous en croirez Plautine à qui je vous renvoie.
Je n'en suis point jalouse, et le dis sans courroux :
Vous n'aimez que l'empire, et je n'aimais que vous.
N'en appréhendez rien, je suis femme, et princesse,
Sans en avoir pourtant l'orgueil ni la faiblesse;
Et votre aveuglement me fait trop de pitié
Pour l'accabler encor de mon inimitié.

OTHON

Que je vois d'appareils, Albin, pour ma ruine !

ALBIN

Seigneur, tout est perdu, si vous voyez Plautine.

OTHON

Allons-y toutefois : le trouble où je me voi
Ne peut souffrir d'avis que d'un cœur tout à moi.

ACTE IV

SCÈNE PREMIÈRE

OTHON, PLAUTINE

PLAUTINE

QUE voulez-vous, Seigneur, qu'enfin je vous conseille?
Je sens un trouble égal d'une douleur pareille;
Et mon cœur tout à vous n'est pas assez à soi
Pour trouver un remède aux maux que je prévoi :
Je ne sais que pleurer, je ne sais que vous plaindre.
Le seul choix de Pison nous donne tout à craindre :
Mon père vous a dit qu'il ne laisse à tous trois
Que l'espoir de mourir ensemble à notre choix;
Et nous craignons de plus une amante irritée
D'une offre en moins d'un jour reçue et rétractée,
D'un hommage où la suite a si peu répondu,
Et d'un trône qu'en vain pour vous elle a perdu.
Pour vous avec ce trône elle était adorable,
Pour vous elle y renonce, et n'a plus rien d'aimable.
Où ne portera point un si juste courroux
La honte de se voir sans l'empire et sans vous?
Honte d'autant plus grande et d'autant plus sensible,
Qu'elle s'y promettait un retour infaillible,
Et que sa main par vous croyait tôt regagner
Ce que son cœur pour vous paraissait dédaigner.

OTHON

Je n'ai donc qu'à mourir. Je l'ai voulu, Madame,
Quand je l'ai pu sans crime, en faveur de ma flamme;
Et je le dois vouloir, quand votre arrêt cruel
Pour mourir justement m'a rendu criminel.
Vous m'avez commandé de m'offrir à Camille;
Grâces à nos malheurs ce crime est inutile.
Je mourrai tout à vous; et si pour obéir
J'ai paru mal aimer, j'ai semblé vous trahir,

Ma main, par ce même ordre à vos yeux enhardie,
Lavera dans mon sang ma fausse perfidie.
N'enviez pas, Madame, à mon sort inhumain
La gloire de finir du moins en vrai Romain,
Après qu'il vous a plu de me rendre incapable
Des douceurs de mourir en amant véritable.

PLAUTINE

Bien loin d'en condamner la noble passion,
J'y veux borner ma joie et mon ambition.
Pour de moindres malheurs on renonce à la vie.
Soyez sûr de ma part de l'exemple d'Arrie :
J'ai la main aussi ferme et le cœur aussi grand,
Et quand il le faudra, je sais comme on s'y prend.
Si vous daigniez, Seigneur, jusque-là vous contraindre,
Peut-être espérerais-je en voyant tout à craindre.
Camille est irritée et se peut apaiser.

OTHON

Me condamneriez-vous, Madame, à l'épouser?

PLAUTINE

Que n'y puis-je moi-même opposer ma défense !
Mais si vos jours enfin n'ont point d'autre assurance,
S'il n'est point d'autre asile...

OTHON

Ah ! courons à la mort;
Ou, si pour l'éviter il nous faut faire effort,
Subissons de Lacus toute la tyrannie,
Avant que me soumettre à cette ignominie.
J'en saurai préférer les plus barbares coups
A l'affront de me voir sans l'empire et sans vous,
Aux hontes d'un hymen qui me rendrait infâme,
Puisqu'on fait pour Camille un crime de sa flamme,
Et qu'on lui vole un trône en haine d'une foi
Qu'a voulu son amour ne promettre qu'à moi.
Non que pour moi sans vous ce trône eût aucuns charmes :
Pour vous je le cherchais, mais non pas sans alarmes;
Et si tantôt Galba ne m'eût point dédaigné,
J'aurais porté le sceptre, et vous auriez régné;
Vos seules volontés, mes dignes souveraines,
D'un empire si vaste auraient tenu les rênes.
Vos lois...

PLAUTINE

C'eſt donc à moi de vous faire empereur.
Je l'ai pu : les moyens d'abord m'ont fait horreur;
Mais je saurai la vaincre, et me donnant moi-même,
Vous assurer ensemble et vie et diadème,
Et réparer par là le crime d'un orgueil
Qui vous dérobe un trône, et vous ouvre un cercueil.
De Martian pour vous j'aurais eu le suffrage,
Si j'avais pu souffrir son insolent hommage.
Son amour...

OTHON

Martian se connaîtrait si peu
Que d'oser...

PLAUTINE

Il n'a pas encore éteint son feu;
Et du choix de Pison quelles que soient les causes,
Je n'ai qu'à dire un mot pour brouiller bien des choses.

OTHON

Vous vous ravaleriez jusques à l'écouter?

PLAUTINE

Pour vous j'irai, Seigneur, jusques à l'accepter.

OTHON

Consultez votre gloire, elle saura vous dire...

PLAUTINE

Qu'il eſt de mon devoir de vous rendre l'empire.

OTHON

Qu'un front encor marqué des fers qu'il a portés...

PLAUTINE

A droit de me charmer, s'il fait vos sûretés.

OTHON

En concevez-vous bien toute l'ignominie?

PLAUTINE

Je n'en puis voir, Seigneur, à vous sauver la vie.

OTHON

L'épouser à ma vue ! et pour comble d'ennui...

PLAUTINE

Donnez-vous à Camille, ou je me donne à lui.

OTHON

Périssons, périssons, Madame, l'un pour l'autre,
Avec toute ma gloire, avec toute la vôtre.
Pour nous faire un trépas dont les Dieux soient jaloux,
Rendez-vous toute à moi, comme moi tout à vous ;
Ou si pour conserver en vous tout ce que j'aime,
Mon malheur vous obstine à vous donner vous-même,
Du moins de votre gloire ayez un soin égal,
Et ne me préférez qu'un illustre rival.
J'en mourrai de douleur, mais je mourrais de rage,
Si vous me préfériez un reste d'esclavage.

SCÈNE II

VINIUS, OTHON, PLAUTINE

OTHON

Ah ! Seigneur, empêchez que Plautine...

VINIUS

Seigneur,
Vous empêcherez tout, si vous avez du cœur.
Malgré de nos destins la rigueur importune,
Le ciel met en vos mains toute notre fortune.

PLAUTINE

Seigneur, que dites-vous ?

VINIUS

Ce que je viens de voir,
Que pour être empereur il n'a qu'à le vouloir.

OTHON

Ah ! Seigneur, plus d'empire, à moins qu'avec Plautine.

VINIUS

Saisissez-vous d'un trône où le ciel vous destine;
Et pour choisir vous-même avec qui le remplir,
A vos heureux destins aidez à s'accomplir.
L'armée a vu Pison, mais avec un murmure
Qui semblait mal goûter ce qu'on vous fait d'injure.
Galba ne l'a produit qu'avec sévérité,
Sans faire aucun espoir de libéralité.
Il pouvait, sous l'appas d'une feinte promesse,
Jeter dans les soldats un moment d'allégresse;
Mais il a mieux aimé hautement protester
Qu'il savait les choisir, et non les acheter.
Ces hautes duretés, à contre-temps poussées,
Ont rappelé l'horreur des cruautés passées,
Lorsque d'Espagne à Rome il sema son chemin
De Romains immolés à son nouveau destin,
Et qu'ayant de leur sang souillé chaque contrée,
Par un nouveau carnage il y fit son entrée.
Aussi, durant le temps qu'a harangué Pison,
Ils ont de rang en rang fait courir votre nom.
Quatre des plus zélés sont venus me le dire,
Et m'ont promis pour vous les troupes et l'empire.
Courez donc à la place, où vous les trouverez;
Suivez-les dans leur camp, et vous en assurez :
Un temps bien pris peut tout.

OTHON

Si cet astre contraire
Qui m'a...

VINIUS

Sans discourir faites ce qu'il faut faire;
Un moment de séjour peut tout déconcerter,
Et le moindre soupçon vous va faire arrêter.

OTHON

Avant que de partir souffrez que je proteste...

VINIUS

Partez; en empereur vous nous direz le reste.

SCÈNE III

VINIUS, PLAUTINE

VINIUS

Ce n'eſt pas tout, ma fille, un bonheur plus certain,
Quoi qu'il puisse arriver, met l'empire en ta main.

PLAUTINE

Flatteriez-vous Othon d'une vaine chimère?

VINIUS

Non : tout ce que j'ai dit n'eſt qu'un rapport sincère.
Je crois te voir régner avec ce cher Othon;
Mais n'espère pas moins du côté de Pison :
Galba te donne à lui. Piqué contre Camille,
Dont l'amour a rendu son projet inutile,
Il veut que cet hymen, punissant ses refus,
Réunisse avec moi Martian et Lacus,
Et trompe heureusement les présage siniſtres
De la division qu'il voit en ses miniſtres.
Ainsi des deux côtés on combattra pour toi.
Le plus heureux des chefs t'apportera sa foi.
Sans part à ses périls, tu l'auras à sa gloire,
Et verras à tes pieds l'une ou l'autre victoire.

PLAUTINE

Quoi? mon cœur, par vous-même à ce héros donné,
Pourrait ne l'aimer plus s'il n'eſt point couronné?
Et s'il faut qu'à Pison son mauvais sort nous livre,
Pour ce même Pison je pourrais vouloir vivre?

VINIUS

Si nos communs souhaits ont un contraire effet,
Tu te peux faire encor l'effort que tu t'es fait;
Et qui vient de donner Othon au diadème,
Pour régner à son tour peut se donner soi-même.

PLAUTINE

Si pour le couronner j'ai fait un noble effort,
Dois-je en faire un honteux pour jouir de sa mort?

Je me privais de lui sans me vendre à personne,
Et vous voulez, Seigneur, que son trépas me donne,
Que mon cœur, entraîné par la splendeur du rang,
Vole après une main fumante de son sang;
Et que de ses malheurs triomphante et ravie,
Je sois l'infâme prix d'avoir tranché sa vie !
Non, Seigneur : nous aurons même sort aujourd'hui;
Vous me verrez régner ou périr avec lui :
Ce n'eſt qu'à l'un des deux que tout ce cœur aspire.

VINIUS

Que tu vois mal encor ce que c'eſt que l'empire !
Si deux jours seulement tu pouvais l'essayer,
Tu ne croirais jamais le pouvoir trop payer;
Et tu verrais périr mille amants avec joie,
S'il fallait tout leur sang pour t'y faire une voie.
Aime Othon, si tu peux t'en faire un sûr appui;
Mais s'il en eſt besoin, aime-toi plus que lui,
Et sans t'inquiéter où fondra la tempête
Laisse aux Dieux à leur choix écraser une tête :
Prends le sceptre aux dépens de qui succombera,
Et règne sans scrupule avec qui régnera.

PLAUTINE

Que votre politique a d'étranges maximes !
Mon amour, s'il l'osait, y trouverait des crimes.
Je sais aimer, Seigneur, je sais garder ma foi,
Je sais pour un amant faire ce que je doi,
Je sais à son bonheur m'offrir en sacrifice,
Et je saurai mourir si je vois qu'il périsse;
Mais je ne sais point l'art de forcer ma douleur
A pouvoir recueillir les fruits de son malheur.

VINIUS

Tiens pourtant l'âme prête à le mettre en usage;
Change de sentiments, ou du moins de langage;
Et pour mettre d'accord ta fortune et ton cœur,
Souhaite pour l'amant, et te garde au vainqueur.
Adieu : je vois entrer la princesse Camille.
Quelque trouble où tu sois, montre une âme tranquille,
Profite de sa faute, et tiens l'œil mieux ouvert
Au vif et doux éclat du trône qu'elle perd.

SCÈNE IV

CAMILLE, PLAUTINE, ALBIANE

CAMILLE

Agréerez-vous, Madame, un fidèle service
Dont je viens faire hommage à mon impératrice?

PLAUTINE

Je crois n'avoir pas droit de vous en empêcher;
Mais ce n'est pas ici qu'il vous la faut chercher.

CAMILLE

Lorsque Galba vous donne à Pison pour épouse...

PLAUTINE

Il n'est pas encor temps de vous en voir jalouse.

CAMILLE

Si j'aimais toutefois ou l'empire ou Pison,
Je pourrais déjà l'être avec quelque raison.

PLAUTINE

Et si j'aimais, Madame, ou Pison ou l'empire,
J'aurais quelque raison de ne m'en pas dédire;
Mais votre exemple apprend aux cœurs comme le mien
Qu'un généreux mépris quelquefois leur sied bien.

CAMILLE

Quoi? l'empire et Pison n'ont rien pour vous d'aimable?

PLAUTINE

Ce que vous dédaignez, je le tiens méprisable;
Ce qui plaît à vos yeux aux miens semble aussi doux :
Tant je trouve de gloire à me régler sur vous !

CAMILLE

Donc si j'aimais Othon...

PLAUTINE

Je l'aimerais de même,
Si ma main avec moi donnait le diadème.

CAMILLE

Ne peut-on sans le trône être digne de lui?

PLAUTINE

Je m'en rapporte à vous, qu'il aime d'aujourd'hui.

CAMILLE

Vous pouvez mieux qu'une autre en dire des nouvelles,
Et comme vos ardeurs ont été mutuelles,
Votre exemple ne laisse à personne à douter
Qu'à moins de la couronne on peut le mériter.

PLAUTINE

Mon exemple ne laisse à douter à personne
Qu'il pourra vous quitter à moins de la couronne.

CAMILLE

Il a trouvé sans elle en vos yeux tant d'appas...

PLAUTINE

Toutes les passions ne se ressemblent pas.

CAMILLE

En effet, vous avez un mérite si rare...

PLAUTINE

Mérite à part, l'amour est quelquefois bizarre;
Selon l'objet divers le goût est différent :
Aux unes on se donne, aux autres on se vend.

CAMILLE

Qui connaissait Othon pouvait à la pareille
M'en donner en amie un avis à l'oreille.

PLAUTINE

Et qui l'estime assez pour l'élever si haut
Peut, quand il lui plaira, m'apprendre ce qu'il vaut;
Afin que si mes feux ont ordre de renaître...

CAMILLE

J'en ai fait quelque estime avant que le connaître.
Et vous l'ai renvoyé dès que je l'ai connu.

PLAUTINE

Qui vient de votre part eſt toujours bien venu :
J'accepte le présent, et crois pouvoir sans honte,
L'ayant de votre main, en tenir quelque conte.

CAMILLE

Pour vous rendre son âme il vous eſt venu voir?

PLAUTINE

Pour négliger votre ordre il sait trop son devoir.

CAMILLE

Il vous a tôt quittée, et son ingratitude...

PLAUTINE

Vous met-elle, Madame, en quelque inquiétude?

CAMILLE

Non; mais j'aime à savoir comment on m'obéit.

PLAUTINE

La curiosité quelquefois nous trahit;
Et par un demi-mot que du cœur elle tire,
Souvent elle dit plus qu'elle ne pense dire.

CAMILLE

La mienne ne dit pas tout ce que vous pensez.

PLAUTINE

Sur tout ce que je pense elle s'explique assez.

CAMILLE

Souvent trop d'intérêt que l'amour force à prendre
Entend plus qu'on ne dit et qu'on ne doit entendre.
Si vous saviez quel eſt mon plus ardent désir...

PLAUTINE

D'Othon et de Pison je vous donne à choisir :
Mon peu d'ambition vous rend l'un avec joie;
Et pour l'autre, s'il faut que je vous le renvoie,
Mon amour, je l'avoue, en pourra murmurer;
Mais vous savez qu'au vôtre il aime à déférer.

CAMILLE

Je pourrai me passer de cette déférence.

PLAUTINE

Sans doute; et toutefois, si j'en crois l'apparence...

CAMILLE

Brisons là : ce discours deviendrait ennuyeux.

PLAUTINE

Martian, que je vois vous entretiendra mieux.
Agréez ma retraite, et souffrez que j'évite
Un esclave insolent de qui l'amour m'irrite.

SCÈNE V

CAMILLE, MARTIAN, ALBIANE

CAMILLE

A ce qu'elle me dit, Martian, vous l'aimez?

MARTIAN

Malgré ses fiers mépris mes yeux en sont charmés.
Cependant pour l'empire, il eſt à vous encore :
Galba s'eſt laissé vaincre, et Pison vous adore.

CAMILLE

De votre haut crédit, c'eſt donc un pur effet?

MARTIAN

Ne désavouez point ce que mon zèle a fait.
Mes soins de l'Empereur ont fléchi la colère,
Et renvoyé Plautine obéir chez son père.
Notre nouveau César la voulait épouser;
Mais j'ai su le résoudre à s'en désabuser;
Et Galba, que le sang presse pour sa famille,
Permet à Vinius de mettre ailleurs sa fille.
L'un vous rend la couronne, et l'autre tout son cœur.
Voyez mieux quelle en eſt la gloire et la douceur,
Quelle félicité vous vous étiez ôtée
Par une aversion un peu précipitée;
Et pour vos intérêts daignez considérer...

CAMILLE

Je vois quelle eſt ma faute, et puis la réparer;
Mais je veux, car jamais on ne m'a vue ingrate,
Que ma reconnaissance auparavant éclate,
Et n'accorderai rien qu'on ne vous fasse heureux.
Vous aimez, dites-vous, cet objet rigoureux,
Et Pison dans sa main ne verra point la mienne
Qu'il n'ait réduit Plautine à vous donner la sienne,
Si pourtant le mépris qu'elle fait de vos feux
Ne vous a pu contraindre à former d'autres vœux.

MARTIAN

Ah ! Madame, l'hymen a de si douces chaînes,
Qu'il lui faut peu de temps pour calmer bien des haines;
Et du moins mon bonheur saurait avec éclat
Vous venger de Plautine et punir un ingrat.

CAMILLE

Je l'avais préféré, cet ingrat, à l'empire;
Je l'ai dit, et trop haut pour m'en pouvoir dédire;
Et l'amour, qui m'apprend le faible des amants,
Unit vos plus doux vœux à mes ressentiments,
Pour me faire ébaucher ma vengeance en Plautine,
Et l'achever bientôt par sa propre ruine.

MARTIAN

Ah ! si vous la voulez, je sais des bras tout prêts;
Et j'ai tant de chaleur pour tous vos intérêts...

CAMILLE

Ah ! que c'eſt me donner une sensible joie !
Ces bras que vous m'offrez, faites que je les voie,
Que je leur donne l'ordre et prescrive le temps.
Je veux qu'aux yeux d'Othon vos désirs soient contents,
Que lui-même il ait vu l'hymen de sa maîtresse
Livrer entre vos bras l'objet de sa tendresse,
Qu'il ait ce désespoir avant que de mourir :
Après, à son trépas vous me verrez courir.
Jusque-là gardez-vous de rien faire entreprendre.
Du pouvoir qu'on me rend vous devez tout attendre.
Allez vous préparer à ces heureux moments;
Mais n'exécutez rien sans mes commandements.

SCÈNE VI

CAMILLE, ALBIANE

ALBIANE

Vous voulez perdre Othon ! vous le pouvez, Madame !

CAMILLE

Que tu pénètres mal dans le fond de mon âme !
De son lâche rival voyant le noir projet,
J'ai su par cette adresse en arrêter l'effet,
M'en rendre la maîtresse; et je serai ravie
S'il peut savoir les soins que je prends de sa vie.
Va me chercher ton frère, et fais que de ma part
Il apprenne par lui ce qu'il court de hasard,
A quoi va l'exposer son aveugle conduite,
Et qu'il n'est plus pour lui de salut qu'en la fuite.
C'est tout ce qu'à l'amour peut souffrir mon courroux.

ALBIANE

Du courroux à l'amour le retour serait doux.

SCÈNE VII

CAMILLE, RUTILE, ALBIANE

RUTILE

Ah ! Madame, apprenez quel malheur nous menace.
Quinze ou vingt révoltés au milieu de la place
Viennent de proclamer Othon pour empereur.

CAMILLE

Et de leur insolence Othon n'a point d'horreur,
Lui qui sait qu'aussitôt ces tumultes avortent?

RUTILE

Ils le mènent au camp, ou plutôt ils l'y portent :
Et ce qu'on voit de peuple autour d'eux s'amasser
Frémit de leur audace, et les laisse passer.

CAMILLE

L'Empereur le sait-il?

RUTILE

Oui, Madame : il vous mande;
Et pour un prompt remède à ce qu'on appréhende,
Pison de ces mutins va courir sur les pas,
Avec ce qu'on pourra lui trouver de soldats.

CAMILLE

Puisque Othon veut périr, consentons qu'il périsse;
Allons presser Galba pour son juste supplice.
Du courroux à l'amour si le retour est doux,
On repasse aisément de l'amour au courroux.

ACTE V

SCÈNE PREMIÈRE

GALBA, CAMILLE, RUTILE, ALBIANE

GALBA

Je vous le dis encor, redoutez ma vengeance,
Pour peu que vous soyez de son intelligence.
On ne pardonne point en matière d'État :
Plus on chérit la main, plus on hait l'attentat;
Et lorsque la fureur va jusqu'au sacrilège,
Le sexe ni le sang n'ont point de privilège.

CAMILLE

Cet indigne soupçon serait bientôt détruit,
Si vous voyiez du crime où doit aller le fruit.
Othon, qui pour Plautine au fond du cœur soupire,
Othon, qui me dédaigne à moins que de l'empire,
S'il en fait sa conquête, et vous peut détrôner,
Laquelle de nous deux voudra-t-il couronner?
Pourrais-je de Pison conspirer la ruine,
Qui, m'arrachant du trône y porterait Plautine?
Croyez mes intérêts, si vous doutez de moi;
Et sur de tels garants, assuré de ma foi,
Tournez sur Vinius toute la défiance
Dont veut ternir ma gloire une injuste croyance.

GALBA

Vinius par son zèle est trop justifié.
Voyez ce qu'en un jour il m'a sacrifié :
Il m'offre Othon pour vous, qu'il souhaitait pour gendre;
Je le rends à sa fille, il aime à le reprendre;
Je la veux pour Pison, mon vouloir est suivi;
Je vous mets en sa place, et l'en trouve ravi;
Son ami se révolte, il presse ma colère;
Il donne à Martian Plautine à ma prière :

Et je soupçonnerais un crime dans les vœux
D'un homme qui s'attache à tout ce que je veux?

CAMILLE

Qui veut également tout ce qu'on lui propose,
Dans le secret du cœur souvent veut autre chose;
Et maître de son âme, il n'a point d'autre foi
Que celle qu'en soi-même il ne donne qu'à soi.

GALBA

Cet hymen toutefois est l'épreuve dernière
D'une foi toujours pure, inviolable, entière.

CAMILLE

Vous verrez à l'effet comment elle agira,
Seigneur, et comme enfin Plautine obéira.
Sûr de sa résistance, et se flattant peut-être
De voir bientôt ici son cher Othon le maître,
Dans l'état où pour vous il a mis l'avenir,
Il promet aisément plus qu'il ne veut tenir.

GALBA

Le devoir désunit l'amitié la plus forte,
Mais l'amour aisément sur ce devoir l'emporte;
Et son feu, qui jamais ne s'éteint qu'à demi,
Intéresse une amante autrement qu'un ami.
J'aperçois Vinius. Qu'on m'amène sa fille :
J'en punirai le crime en toute la famille,
Si jamais je puis voir par où n'en point douter;
Mais aussi jusque-là j'aurais tort d'éclater.

SCÈNE II

GALBA, CAMILLE, VINIUS, LACUS, ALBIANE

GALBA

Je vois d'ailleurs Lacus. En bien ! quelles nouvelles?
Qu'apprenez-vous tous deux du camp de nos rebelles?

VINIUS

Que ceux de la marine et les Illyriens
Se sont avec chaleur joints aux prétoriens,

Et que des bords du Nil les troupes rappelées
Seules par leurs fureurs ne sont point ébranlées.

LACUS

Tous ces mutins ne sont que de simples soldats;
Aucun des chefs ne trempe en leurs vains attentats :
Ainsi ne craignez rien d'une masse d'armée
Où déjà la discorde est peut-être allumée.
Sitôt qu'on y saura que le peuple à grands cris
Veut que de ces complots les auteurs soient proscrits,
Que du perfide Othon il demande la tête,
La consternation calmera la tempête;
Et vous n'avez, Seigneur, qu'à vous y faire voir
Pour rendre d'un coup d'œil chacun à son devoir.

GALBA

Irons-nous, Vinius, hâter par ma présence
L'effet d'une si douce et si juste espérance?

VINIUS

Ne hasardez, Seigneur, que dans l'extrémité,
Le redoutable effet de votre autorité.
Alors qu'il réussit, tout fait jour, tout lui cède;
Mais aussi quand il manque, il n'est plus de remède.
Il faut, pour déployer le souverain pouvoir,
Sûreté tout entière, ou profond désespoir;
Et nous ne sommes pas, Seigneur, à ne rien feindre,
En état d'oser tout, non plus que de tout craindre.
Si l'on court au grand crime avec avidité,
Laissez-en ralentir l'impétuosité :
D'elle-même elle avorte, et la peur des supplices
Arme contre le chef ses plus zélés complices.
Un salutaire avis agit avec lenteur.

LACUS

Un véritable prince agit avec hauteur :
Et je ne conçois point cet avis salutaire,
Quand on couronne Othon, de le regarder faire.
Si l'on court au grand crime avec avidité,
Il en faut réprimer l'impétuosité
Avant que les esprits, qu'un juste effroi balance,
S'y puissent enhardir sur notre nonchalance,

Et prennent le dessus de ces conseils prudents,
Dont on cherche l'effet quand il n'en eſt plus temps.

VINIUS

Vous détruirez toujours mes conseils par les vôtres :
Le seul ton de ma voix vous en inspire d'autres;
Et tant que vous aurez ce rare et haut crédit,
Je n'aurai qu'à parler pour être contredit.
Pison, dont l'heureux choix eſt votre digne ouvrage,
Ne serait que Pison s'il eût eu mon suffrage.
Vous n'avez soulevé Martian contre Othon
Que parce que ma bouche a proféré son nom;
Et verriez comme un autre une preuve assez claire
De combien votre avis eſt le plus salutaire,
Si vous n'aviez fait vœu d'être jusqu'au trépas
L'ennemi des conseils que vous ne donnez pas.

LACUS

Et vous l'ami d'Othon, c'eſt tout dire; et peut-être
Qui le voulait pour gendre et l'a choisi pour maître,
Ne fait encor de vœux qu'en faveur de ce choix,
Pour l'avoir et pour maître et pour gendre à la fois.

VINIUS

J'étais l'ami d'Othon, et le tenais à gloire
Jusqu'à l'indignité d'une aćtion si noire,
Que d'autres nommeront l'effet du désespoir
Où l'a, malgré mes soins, plongé votre pouvoir.
Je l'ai voulu pour gendre, et choisi pour l'empire;
A l'un ni l'autre choix vous n'avez pu souscrire.
Par là de tout l'État le bonheur s'agrandit;
Et vous voyez aussi comme il vous applaudit.

GALBA

Qu'un prince eſt malheureux quand de ceux qu'il écoute
Le zèle cherche à prendre une diverse route,
Et que l'attachement qu'ils ont au propre sens
Pousse jusqu'à l'aigreur des conseils différents !
Ne me trompé-je point? et puis-je nommer zèle
Cette haine à tous deux obſtinément fidèle,
Qui peut-être, en dépit des maux qu'elle prévoit,
Seule en mes intérêts se consulte et se croit?
Faites mieux; et croyez, en ce péril extrême,

Vous, que Lacus me sert, vous, que Vinius m'aime :
Ne haïssez qu'Othon, et songez qu'aujourd'hui
Vous n'avez à parler tous deux que contre lui.

VINIUS

J'ose donc vous redire, en serviteur sincère,
Qu'il fait mauvais pousser tant de gens en colère,
Qu'il faut donner aux bons, pour s'entre-soutenir,
Le temps de se remettre et de se réunir,
Et laisser aux méchants celui de reconnaître
Quelle eſt l'impiété de se prendre à son maître.
Pison peut cependant amuser leur fureur,
De vos ressentiments leur donner la terreur,
Y joindre avec adresse un espoir de clémence
Au moindre repentir d'une telle insolence;
Et s'il vous faut enfin aller à son secours,
Ce qu'on veut à présent on le pourra toujours.

LACUS

J'en doute, et crois parler en serviteur sincère,
Moi qui n'ai point d'amis dans le parti contraire.
Attendrons-nous, Seigneur, que Pison repoussé
Nous vienne ensevelir sous l'État renversé,
Qu'on descende en la place en bataille rangée,
Qu'on tienne en ce palais votre cour assiégée,
Que jusqu'au Capitole Othon aille à vos yeux
De l'empire usurpé rendre grâces aux Dieux,
Et que le front paré de votre diadème,
Ce traître trop heureux ordonne de vous-même?
Allons, allons, Seigneur, les armes à la main,
Soutenir le sénat et le peuple romain;
Cherchons aux yeux d'Othon un trépas à leur tête,
Pour lui plus odieux, et pour nous plus honnête;
Et par un noble effort allons lui témoigner...

GALBA

Eh bien ! ma nièce, eh bien ! eſt-il doux de régner?
Eſt-il doux de tenir le timon d'un empire,
Pour en voir les soutiens toujours se contredire?

CAMILLE

Plus on voit aux avis de contrariétés,
Plus à faire un bon choix on reçoit de clartés.

C'eſt ce que je dirais si je n'étais suspeĉte;
Mais je suis à Pison, Seigneur, et vous respeĉte,
Et ne puis toutefois retenir ces deux mots,
Que si l'on m'avait crue on serait en repos.
Plautine qu'on amène aura même pensée :
D'une vive douleur elle paraît blessée...

SCÈNE III

GALBA, CAMILLE, VINIUS, LACUS, PLAUTINE,
RUTILE, ALBIANE

PLAUTINE

Je ne m'en défends point, Madame. Othon eſt mort;
De quiconque entre ici c'eſt le commun rapport;
Et son trépas pour vous n'aura pas tant de charmes,
Qu'à vos yeux comme aux miens il n'en coûte des larmes.

GALBA

Dit-elle vrai, Rutile, ou m'en flatté-je en vain?

RUTILE

Seigneur, le bruit eſt grand, et l'auteur incertain.
Tous veulent qu'il soit mort, et c'eſt la voix publique;
Mais comment et par qui, c'eſt ce qu'aucun n'explique.

GALBA

Allez, allez, Lacus, vous-même prendre soin
De nous en faire voir un assuré témoin,
Et si de ce grand coup l'auteur se peut connaître...

SCÈNE IV

GALBA, VINIUS, LACUS, CAMILLE, PLAUTINE,
MARTIAN, ATTICUS, RUTILE, ALBIANE

MARTIAN

Qu'on ne le cherche plus, vous le voyez paraître,
Seigneur, c'eſt par sa main qu'un rebelle puni...

GALBA

Par celle d'Atticus ce grand trouble a fini !

ATTICUS

Mon zèle l'a poussée, et les Dieux l'ont conduite;
Et c'est à vous, Seigneur, d'en arrêter la suite,
D'empêcher le désordre, et borner les rigueurs
Où contre des vaincus s'emportent des vainqueurs.

GALBA

Courons-y. Cependant consolez-vous, Plautine;
Ne pensez qu'à l'époux que mon choix vous destine :
Vinius vous le donne, et vous l'accepterez,
Quand vos premiers soupirs seront évaporés.
C'est à vous, Martian, que je la laisse en garde,
Comme c'est votre main que son hymen regarde,
Ménagez son esprit, et ne l'aigrissez pas.
Vous pouvez, Vinius, ne suivre point mes pas;
Et la vieille amitié, pour peu qu'il vous en reste...

VINIUS

Ah ! c'est une amitié, Seigneur, que je déteste.
Mon cœur est tout à vous, et n'a point eu d'amis
Qu'autant qu'on les a vus à vos ordres soumis.

GALBA

Suivez; mais gardez-vous de trop de complaisance.

CAMILLE

L'entretien des amants hait toute autre présence,
Madame; et je retourne en mon appartement
Rendre grâces aux dieux d'un tel événement.

SCÈNE V

MARTIAN, PLAUTINE, ATTICUS, SOLDATS

PLAUTINE

Allez-y renfermer des pleurs qui vous échappent :
Les désastres d'Othon ainsi que moi vous frappent;

Et si l'on avait cru vos souhaits les plus doux,
Ce grand jour le verrait couronner avec vous.
Voilà, voilà le fruit de m'avoir trop aimée;
Voilà quel est l'effet...

MARTIAN

Si votre âme enflammée...

PLAUTINE

Vil esclave, est-ce à toi de troubler ma douleur?
Est-ce à toi de vouloir adoucir mon malheur,
A toi, de qui l'amour m'ose en offrir un pire?

MARTIAN

Il est juste d'abord qu'un si grand cœur soupire;
Mais il est juste aussi de ne pas trop pleurer
Une perte facile et prête à réparer.
Il est temps qu'un sujet à son prince fidèle
Remplisse heureusement la place d'un rebelle :
Un monarque le veut; un père en est d'accord.
Vous devez pour tous deux vous faire un peu d'effort,
Et bannir de ce cœur la honteuse mémoire
D'un amour criminel qui souille votre gloire.

PLAUTINE

Lâche ! tu ne vaux pas que pour te démentir
Je daigne m'abaisser jusqu'à te repartir.
Tais-toi, laisse en repos une âme possédée
D'une plus agréable encor que triste idée :
N'interromps plus mes pleurs.

MARTIAN

Tournez vers moi les yeux :
Après la mort d'Othon, que pouvez-vous de mieux?

PLAUTINE, *cependant que deux soldats entrent et parlent à Atticus à l'oreille.*

Quelque insolent espoir qu'ait ta folle arrogance,
Apprends que j'en saurai punir l'extravagance,
Et percer de ma main ou ton cœur ou le mien,
Plutôt que de souffrir cet infâme lien.
Connais-toi, si tu peux, ou connais-moi.

ATTICUS

De grâce,
Souffrez...

PLAUTINE

De me parler tu prends aussi l'audace,
Assassin d'un héros que je verrais sans toi
Donner des lois au monde, et les prendre de moi?
Toi, dont la main sanglante au désespoir me livre?

ATTICUS

Si vous aimez Othon, Madame, il va revivre;
Et vous verrez longtemps sa vie en sûreté,
S'il ne meurt que des coups dont je me suis vanté.

PLAUTINE

Othon vivrait encore?

ATTICUS

Il triomphe, Madame;
Et maître de l'État, comme vous de son âme,
Vous l'allez bientôt voir lui-même à vos genoux
Vous faire offre d'un sort qu'il n'aime que pour vous,
Et dont sa passion dédaignerait la gloire,
Si vous ne vous faisiez le prix de sa victoire.
L'armée à son mérite enfin a fait raison;
On porte devant lui la tête de Pison;
Et Camille tient mal ce qu'elle vient de dire,
Ou rend grâces pour vous aux Dieux d'un autre empire,
Et fatigue le ciel par des vœux superflus
En faveur d'un parti qu'il ne regarde plus.

MARTIAN

Exécrable ! ainsi donc ta promesse frivole...

ATTICUS

Qui promet de trahir peut manquer de parole.
Si je n'eusse promis ce lâche assassinat,
Un autre par ton ordre eût commis l'attentat;
Et tout ce que j'ai dit n'était qu'un stratagème
Pour livrer en ses mains Lacus et Galba même.
Galba n'a rien à craindre : on respecte son nom,
Et ce n'est que sous lui que veut régner Othon.

Quant à Lacus et toi, je vois peu d'apparence
Que vos jours à tous deux soient en même assurance,
Si ce n'eſt que Madame ait assez de bonté
Pour fléchir un vainqueur juſtement irrité.
Autour de ce palais nous avions deux cohortes,
Qui déjà pour Othon en ont saisi les portes;
J'y commande, Madame; et mon ordre aujourd'hui
Eſt de vous obéir, et m'assurer de lui.
Qu'on l'emmène, soldats ! il blesse ici la vue.

MARTIAN

Fut-il jamais disgrâce, ô Dieux ! plus imprévue?

PLAUTINE, *seule.*

Je me trouble, et ne sais par quel pressentiment
Mon cœur n'ose goûter ce bonheur pleinement :
Il semble avec chagrin se livrer à la joie;
Et bien qu'en ses douceurs mon déplaisir se noie,
Je ne passe de l'une à l'autre extrémité
Qu'avec un reſte obscur d'esprit inquiété.
Je sens... Mais que me veut Flavie épouvantée?

SCÈNE VI

PLAUTINE, FLAVIE

FLAVIE

Vous dire que du ciel la colère irritée,
Ou plutôt du deſtin la jalouse fureur...

PLAUTINE

Auraient-ils mis Othon aux fers de l'Empereur?
Et dans ce grand succès la fortune inconſtante
Aurait-elle trompé notre plus douce attente?

FLAVIE

Othon eſt libre, il règne; et toutefois, hélas !...

PLAUTINE

Serait-il si blessé qu'on craignît son trépas?

FLAVIE

Non, partout à sa vue on a mis bas les armes;
Mais enfin son bonheur vous va coûter des larmes.

PLAUTINE

Explique, explique donc ce que je dois pleurer.

FLAVIE

Vous voyez que je tremble à vous le déclarer.

PLAUTINE

Le mal est-il si grand?

FLAVIE

D'un balcon, chez mon frère,
J'ai vu... Que ne peut-on, Madame, vous le taire?
Ou qu'à voir ma douleur n'avez-vous deviné
Que Vinius...

PLAUTINE

Eh bien?

FLAVIE

Vient d'être assassiné!

PLAUTINE

Juste ciel!

FLAVIE

De Lacus l'inimitié cruelle...

PLAUTINE

O d'un trouble inconnu présage trop fidèle!
Lacus...

FLAVIE

C'est de sa main que part ce coup fatal.
Tous deux près de Galba marchaient d'un pas égal,
Lorsque tournant ensemble à la première rue,
Ils découvrent Othon maître de l'avenue.
Cet effroi ne les fait reculer quelques pas
Que pour voir ce palais saisi par vos soldats;
Et Lacus aussitôt étincelant de rage
De voir qu'Othon partout leur ferme le passage,

Lance sur Vinius un furieux regard,
L'approche sans parler, et tirant un poignard...

PLAUTINE

Le traître ! Hélas ! Flavie, où me vois-je réduite !

FLAVIE

Vous m'entendez, Madame, et je passe à la suite.
Ce lâche sur Galba portant même fureur :
« Mourez, Seigneur, dit-il, mais mourez empereur;
Et recevez ce coup comme un dernier hommage
Que doit à votre gloire un généreux courage. »
Galba tombe; et ce monstre, enfin s'ouvrant le flanc,
Mêle un sang détestable à leur illustre sang.
En vain le triste Othon, à cet affreux spectacle,
Précipite ses pas pour y mettre un obstacle :
Tout ce que peut l'effort de ce cher conquérant,
C'est de verser des pleurs sur Vinius mourant,
De l'embrasser tout mort. Mais le voilà, Madame,
Qui vous fera mieux voir les troubles de son âme.

SCÈNE VII

OTHON, PLAUTINE, FLAVIE

OTHON

Madame, savez-vous les crimes de Lacus?

PLAUTINE

J'apprends en ce moment que mon père n'est plus.
Fuyez, Seigneur, fuyez un objet de tristesse;
D'un jour si beau pour vous goûtez mieux l'allégresse.
Vous êtes empereur, épargnez-vous l'ennui
De voir qu'un père...

OTHON

Hélas ! je suis plus mort que lui;
Et si votre bonté ne me rend une vie
Qu'en lui perçant le cœur un traître m'a ravie,
Je ne reviens ici qu'en malheureux amant,
Faire hommage à vos yeux de mon dernier moment.

Mon amour pour vous seule a cherché la victoire;
Ce même amour sans vous n'en peut souffrir la gloire,
Et n'accepte le nom de maître des Romains,
Que pour mettre avec moi l'univers en vos mains.
C'est à vous d'ordonner ce qui lui reste à faire.

PLAUTINE

C'est à moi de gémir, et de pleurer mon père :
Non que je vous impute, en ma vive douleur,
Les crimes de Lacus et de notre malheur;
Mais enfin...

OTHON

Achevez, s'il se peut, en amante :
Nos feux...

PLAUTINE

Ne pressez point un trouble qui s'augmente.
Vous voyez mon devoir, et connaissez ma foi :
En ce funeste état répondez-vous pour moi.
Adieu, Seigneur.

OTHON

De grâce, encore une parole,
Madame.

SCÈNE VIII

OTHON, ALBIN

ALBIN

On vous attend, Seigneur, au Capitole;
Et le sénat en corps vient exprès d'y monter
Pour jurer sur vos lois aux yeux de Jupiter.

OTHON

J'y cours; mais quelque honneur, Albin, qu'on m'y destine,
Comme il n'aurait pour moi rien de doux sans Plautine,
Souffre du moins que j'aille, en faveur de mon feu,
Prendre pour y courir son ordre ou son aveu,
Afin qu'à mon retour, l'âme un peu plus tranquille,
Je puisse faire effort à consoler Camille,
Et lui jurer moi-même, en ce malheureux jour,
Une amitié fidèle au défaut de l'amour.

AGÉSILAS

TRAGÉDIE[1]

AU LECTEUR

Il ne faut que parcourir les *Vies d'Agésilas* et *de Lysander* chez Plutarque, pour démêler ce qu'il y a d'historique dans cette tragédie. La manière dont je l'ai traitée n'a point d'exemple parmi nos Français, ni dans ces précieux restes de l'antiquité qui sont venus jusqu'à nous; et c'est ce qui me l'a fait choisir. Les premiers qui ont travaillé pour le théâtre, ont travaillé sans exemple, et ceux qui les ont suivis y ont fait voir quelques nouveautés de temps en temps. Nous n'avons pas moins de privilège. Aussi notre Horace, qui nous recommande tant la lecture des poëtes grecs par ces paroles :

Vos exemplaria graeca
Nocturna versate manu, versate diurna,

ne laisse pas de louer hautement les Romains d'avoir osé quitter les traces de ces mêmes Grecs, et pris d'autres routes :

Nil intentatum nostri liquere poetae;
Nec minimum meruere decus, vestigia graeca
Ausi deserere.

Leurs règles sont bonnes; mais leur méthode n'est pas de notre siècle; et qui s'attacherait à ne marcher que sur leurs pas, ferait sans doute peu de progrès, et divertirait mal son auditoire. On court, à la vérité, quelque risque de s'égarer, et même on s'égare assez souvent, quand on s'écarte du chemin battu; mais on ne s'égare pas toutes les fois qu'on s'en écarte : quelques-uns en arrivent plus tôt où ils prétendent, et chacun peut hasarder à ses périls.

ACTEURS

AGÉSILAS, *Roi de Sparte.*
LYSANDER, *Fameux Capitaine de Sparte.*
COTYS, *Roi de Paphlagonie.*
SPITRIDATE, *Grand seigneur persan.*
MANDANE, *Sœur de Spitridate.*
ELPINICE, AGLATIDE, } *Filles de Lysander.*
XÉNOCLÈS, *Lieutenant d'Agésilas.*
CLÉON, *Orateur grec, natif d'Halicarnasse.*

La scène est à Éphèse.

ACTE PREMIER

SCÈNE PREMIÈRE

ELPINICE, AGLATIDE

AGLATIDE

MA sœur, depuis un mois nous voilà dans Éphèse[2],
Prêtes à recevoir ces illustres époux
Que Lysander, mon père, a su choisir pour nous;
Et ce choix bienheureux n'a rien qui ne vous plaise.
Dites-moi toutefois, et parlons librement,
Vous semble-t-il que votre amant
Cherche avec grande ardeur votre chère présence?
Et trouvez-vous qu'il montre, attendant ce grand jour,
Cette obligeante impatience
Que donne, à ce qu'on dit, le véritable amour?

ELPINICE

Cotys est roi, ma sœur; et comme sa couronne
Parle suffisamment pour lui,
Assuré de mon cœur, que son trône lui donne,
De le trop demander il s'épargne l'ennui.
Ce me doit être assez qu'en secret il soupire,
Que je puis deviner ce qu'il craint de trop dire,
Et que moins son amour a d'importunité,
Plus il a de sincérité.
Mais vous ne dites rien de votre Spitridate :
Prend-il autant de peine à mériter vos feux
Que l'autre à retenir mes vœux?

AGLATIDE

C'est environ ainsi que son amour éclate :
Il m'obsède à peu près comme l'autre vous sert.
On dirait que tous deux agissent de concert,
Qu'ils ont juré de n'être importuns l'un ni l'autre :

Ils en font grand scrupule; et la sincérité
Dont mon amant se pique, à l'exemple du vôtre,
Ne met pas son bonheur en l'assiduité.
Ce n'est pas qu'à vrai dire, il ne soit excusable :
Je préparai pour lui, dès Sparte, une froideur
Qui, dès l'abord, était capable
D'éteindre la plus vive ardeur;
Et j'avoue entre nous qu'alors qu'il me néglige,
Qu'il se montre à son tour si froid, si retenu,
Loin de m'offenser, il m'oblige,
Et me remet un cœur qu'il n'eût pas obtenu.

ELPINICE

J'admire cette antipathie
Qui vous l'a fait haïr avant que de le voir,
Et croirais que sa vue aurait eu le pouvoir
D'en dissiper une partie;
Car enfin Spitridate a l'entretien charmant,
L'œil vif, l'esprit aisé, le cœur bon, l'âme belle.
A tant de qualités s'il joignait un vrai zèle...

AGLATIDE

Ma sœur, il n'est pas roi, comme l'est votre amant.

ELPINICE

Mais au parti des Grecs il unit deux provinces;
Et ce Perse vaut bien la plupart de nos princes.

AGLATIDE

Il n'est pas roi, vous dis-je, et c'est un grand défaut.
Ce n'est point avec vous que je le dissimule,
J'ai peut-être le cœur trop haut;
Mais aussi bien que vous je sors du sang d'Hercule;
Et lorsqu'on vous destine un roi pour votre époux,
J'en veux un aussi bien que vous.
J'aurais quelque chagrin à vous traiter de reine,
A vous voir dans un trône assise en souveraine,
S'il me fallait ramper dans un degré plus bas;
Et je porte une âme assez vaine
Pour vouloir jusque-là vous suivre pas à pas.
Vous êtes mon aînée, et c'est un avantage
Qui me fait vous devoir grande civilité;

Aussi veux-je céder le pas devant à l'âge,
Mais je ne puis souffrir autre inégalité.

ELPINICE

Vous êtes donc jalouse, et ce trône vous gêne
Où la main de Cotys a droit de me placer !
Mais si je renonçais au rang de souveraine,
Voudriez-vous y renoncer?

AGLATIDE

Non, pas si tôt : j'ai quelque vue
Qui me peut encore amuser.
Mariez-vous, ma sœur; quand vous serez pourvue,
On trouvera peut-être un roi pour m'épouser.
J'en aurais un déjà, n'était ce rang d'aînée
Qui demandait pour vous ce qu'il voulait m'offrir,
Ou s'il eût reconnu qu'un père eût pu souffrir
Qu'à l'hymen avant vous on me vît destinée.
Si ce roi jusqu'ici ne s'est point déclaré,
Peut-être qu'après tout il n'a que différé,
Qu'il attend votre hymen pour rompre son silence.
Je pense avoir encor ce qui le sut charmer;
Et s'il faut vous en faire entière confidence,
Agésilas m'aimait, et peut encor m'aimer.

ELPINICE

Que dites-vous, ma sœur? Agésilas vous aime !

AGLATIDE

Je vous dis qu'il m'aimait, et que sa passion
Pourrait bien être encor la même;
Mais cet amusement de mon ambition
Peut n'être qu'une illusion.
Ce prince tient son trône et sa haute puissance
De ce même héros dont nous tenons le jour;
Et si ce n'était lors que par reconnaissance
Qu'il me témoignait de l'amour,
Puis-je être sans inquiétude
Quand il n'a plus pour lui que de l'ingratitude,
Qu'il n'écoute plus rien qui vienne de sa part?
Je ne sais si sa flamme est pour moi faible ou forte;
Mais la reconnaissance morte,
L'amour doit courir grand hasard.

ELPINICE

Ah ! s'il n'avait voulu que par reconnaissance
Être gendre de Lysander,
Son choix aurait suivi l'ordre de la naissance,
Et Sparte, au lieu de vous, l'eût vu me demander;
Mais pour mettre chez nous l'éclat de sa couronne
Attendre que l'hymen m'ait engagée ailleurs,
C'est montrer que le cœur s'attache à la personne.
Ayez, ayez pour lui des sentiments meilleurs.
Ce cœur qu'il vous donna, ce choix qui considère
Autant et plus encor la fille que le père,
Feront que le devoir aura bientôt son tour;
Et pour vous faire seoir où vos désirs aspirent,
Vous verrez, et dans peu, comme pour vous conspirent
La reconnaissance et l'amour.

AGLATIDE

Vous voyez cependant qu'à peine il me regarde :
Depuis notre arrivée il ne m'a point parlé;
Et quand ses yeux vers moi se tournent par mégarde...

ELPINICE

Comme avec lui mon père a quelque démêlé,
Cette petite négligence,
Qui vous fait douter de sa foi,
Vient de leur mésintelligence,
Et dans le fond de l'âme il vit sous votre loi.

AGLATIDE

A tous hasards, ma sœur, comme j'en suis mal sûre,
Si vous me pouviez faire un don de votre amant,
Je crois que je pourrais l'accepter sans murmure.
Vous venez de parler du mien si dignement...

ELPINICE

Aimeriez-vous Cotys, ma sœur?

AGLATIDE

Moi? nullement.

ELPINICE

Pourquoi donc vouloir qu'il vous aime?

AGLATIDE

Les hommages qu'Agésilas
Daigna rendre en secret au peu que j'ai d'appas,
M'ont si bien imprimé l'amour du diadème,
Que pourvu qu'un amant soit roi,
Il eſt trop aimable pour moi.
Mais sans trône on perd temps : c'eſt la première idée
Qu'à l'amour en mon cœur il ait plu de tracer;
Il l'a fidèlement gardée,
Et rien ne peut plus l'effacer.

ELPINICE

Chacune a son humeur : la grandeur souveraine,
Quelque main qui vous l'offre, eſt digne de vos feux;
Et vous ne ferez point d'heureux
Qui de vous ne fasse une reine.
Moi, je m'éblouis moins de la splendeur du rang;
Son éclat au respect plus qu'à l'amour m'invite :
Cet heureux avantage ou du sort ou du sang
Ne tombe pas toujours sur le plus de mérite.
Si mon cœur, si mes yeux, en étaient consultés,
Leur choix irait à la personne,
Et les hautes vertus, les rares qualités
L'emporteraient sur la couronne.

AGLATIDE

Avouez tout, ma sœur : Spitridate vous plaît.

ELPINICE

Un peu plus que Cotys; et si votre intérêt
Vous pouvait résoudre à l'échange...

AGLATIDE

Qu'en pouvons-nous ici résoudre vous et moi?
En l'état où le ciel nous range,
Il faut l'ordre d'un père, il faut l'aveu d'un roi,
Que je plaise à Cotys, et vous à Spitridate.

ELPINICE

Pour l'un je ne sais quoi m'en flatte,
Pour l'autre je n'en réponds pas;
Et je craindrais fort que Mandane,

Cette incomparable Persane,
N'eût pour lui des attraits plus forts que vos appas.

AGLATIDE

Ma sœur, Spitridate est son frère,
Et si jamais sur lui vous aviez du pouvoir...

ELPINICE

Le voilà qui nous considère.

AGLATIDE

Est-ce vous ou moi qu'il vient voir?
Voulez-vous que je vous le laisse?

ELPINICE

Ma sœur, auparavant, engagez l'entretien;
Et s'il s'en offre lieu, jouez d'un peu d'adresse,
Pour votre intérêt et le mien.

AGLATIDE

Il est juste en effet, puisqu'il n'a su me plaire,
Que je vous aide à m'en défaire.

SCÈNE II

SPITRIDATE, ELPINICE, AGLATIDE

ELPINICE

Seigneur, je me retire : entre les vrais amants
Leur amour seul a droit d'être de confidence,
Et l'on ne peut mêler d'agréable présence
A de si précieux moments.

SPITRIDATE

Un vertueux amour n'a rien d'incompatible
Avec les regards d'une sœur.
Ne m'enviez point la douceur
De pouvoir à vos yeux convaincre une insensible :
Soyez juge et témoin de l'indigne succès
Qui se prépare pour ma flamme;
Voyez jusqu'au fond de mon âme

D'une si pure ardeur où va le digne excès;
Voyez tout mon espoir au bord du précipice;
Voyez des maux sans nombre et hors de guérison;
Et quand vous aurez vu toute cette injustice,
Faites-m'en un peu de raison.

AGLATIDE

Si vous me permettez, Seigneur, de vous entendre,
De l'air dont votre amour commence à m'accuser,
Je crains que pour en bien user
Je ne me doive mal défendre.
Je sais bien que j'ai tort, j'avoue et hautement
Que ma froideur doit vous déplaire;
Mais en cette froideur un heureux changement
Pourrait-il fort vous satisfaire?

SPITRIDATE

En doutez-vous, Madame, et peut-on concevoir...?

AGLATIDE

Je vous entends, Seigneur, et vois ce qu'il faut voir :
Un aveu plus précis est d'une conséquence
Qui pourrait vous embarrasser;
Et même à notre sexe il est de bienséance
De ne pas trop vous en presser.
A Lysander mon père il vous plut de promettre
D'unir par notre hymen votre sang et le sien;
La raison, à peu près, Seigneur, je la pénètre,
Bien qu'aux raisons d'État je ne connaisse rien.
Vous ne m'aviez point vue, et facile ou cruelle,
Petite ou grande, laide ou belle,
Qu'à votre humeur ou non je pusse m'accorder,
La chose était égale à votre ardeur nouvelle,
Pourvu que vous fussiez gendre de Lysander.
Ma sœur vous aurait plu s'il vous l'eût proposée;
J'eusse agréé Cotys s'il me l'eût proposé.
Vous trouvâtes tous deux la politique aisée;
Nous crûmes toutes deux notre devoir aisé[3].
Comme à traiter cette alliance
Les tendresses des cœurs n'eurent aucune part,
Le vôtre avec le mien a peu d'intelligence,
Et l'amour en tous deux pourra naître un peu tard.

Quand il faudra que je vous aime,
Que je l'aurai promis à la face des Dieux,
Vous deviendrez cher à mes yeux;
Et j'espère de vous le même.
Jusque-là votre amour assez mal se fait voir;
Celui que je vous garde encor plus mal s'explique :
Vous attendez le temps de votre politique,
Et moi celui de mon devoir.
Voilà, Seigneur, quel eſt mon crime;
Vous m'en vouliez convaincre, il n'en eſt plus besoin;
J'en ai fait, comme vous, ma sœur juge et témoin :
Que ma froideur lui semble injuſte ou légitime,
La raison que vous peut en faire sa bonté
Je consens qu'elle vous la fasse;
Et pour vous en laisser tous deux en liberté,
Je veux bien lui quitter la place.

SCÈNE III

SPITRIDATE, ELPINICE

SPITRIDATE

Elle ne s'y fait pas, Madame, un grand effort,
Et ferait grâce entière à mon peu de mérite,
Si votre âme avec elle était assez d'accord
Pour se vouloir saisir de ce qu'elle vous quitte.
Pour peu que vous daigniez écouter la raison,
Vous me devez cette juſtice,
Et prendre autant de part à voir ma guérison,
Qu'en ont eu vos attraits à faire mon supplice.

ELPINICE

Quoi? Seigneur, j'aurais part...

SPITRIDATE

C'eſt trop dissimuler
La cause et la grandeur du mal qui me possède;
Et je me dois, Madame, au défaut du remède,
La vaine douceur d'en parler.
Oui, vos yeux ont part à ma peine,

Ils en font plus de la moitié;
Et s'il n'est point d'amour pour en finir la gêne,
Il est pour l'adoucir des regards de pitié.
Quand je quittai la Perse, et brisai l'esclavage
Où, m'envoyant au jour, le ciel m'avait soumis,
Je crus qu'il me fallait parmi ses ennemis
D'un protecteur puissant assurer l'avantage.
Cotys eut, comme moi, besoin de Lysander;
Et quand pour l'attacher lui-même à nos familles,
Nous demandâmes ses deux filles,
Ce fut les obtenir que de les demander.
Par déférence au trône, il lui promit l'aînée;
La jeune me fut destinée.
Comme nous ne cherchions tous deux que son appui,
Nous acceptâmes tout sans regarder que lui.
J'avais su qu'Aglatide était des plus aimables,
On m'avait dit qu'à Sparte elle savait charmer;
Et sur des bruits si favorables
Je me répondais de l'aimer.
Que l'amour aime peu ces folles confiances !
Et que pour affermir son empire en tous lieux,
Il laisse choir souvent de cruelles vengeances
Sur qui promet son cœur sans l'aveu de ses yeux !
Ce sont les conseillers fidèles
Dont il prend les avis pour ajuster ses coups;
Leur rapport inégal vous fait plus ou moins belles,
Et les plus beaux objets ne le sont pas pour tous.
A ce moment fatal qui nous permit la vue
Et de vous et de cette sœur,
Mon âme devint toute émue,
Et le trouble aussitôt s'empara de mon cœur;
Je le sentis pour elle tout de glace,
Je le sentis tout de flamme pour vous;
Vous y régnâtes en sa place,
Et ses regards aux miens n'offrirent rien de doux.
Il faut pourtant l'aimer, du moins il faut le feindre;
Il faut vous voir aimer ailleurs :
Voyez s'il fut jamais un amant plus à plaindre,
Un cœur plus accablé de mortelles douleurs.
C'est un malheur sans doute égal au trépas même
Que d'attacher sa vie à ce qu'on n'aime pas;
Et voir en d'autres mains passer tout ce qu'on aime,
C'est un malheur encor plus grand que le trépas.

ELPINICE

Je vous en plains, Seigneur, et ne puis davantage,
Je ne sais aimer ni haïr;
Mais dès qu'un père parle, il porte en mon courage
Toute l'impression qu'il faut pour obéir.
Voyez avec Cotys si ses vœux les plus tendres
Voudraient rendre à ma sœur l'hommage qu'il me rend.
Tout doit être à mon père assez indifférent,
Pourvu que vous et lui vous demeuriez ses gendres.
Mais à vous dire tout, je crains qu'Agésilas
N'y refuse l'aveu qui vous est nécessaire :
C'est notre souverain.

SPITRIDATE

S'il en dédit un père,
Peut-être ai-je une sœur qu'il n'en dédira pas.
Ce grand prince pour elle a tant de complaisance,
Qu'à sa moindre prière il ne refuse rien;
Et si son cœur voulait s'entendre avec le mien...

ELPINICE

Reposez-vous, Seigneur, sur mon obéissance,
Et contentez-vous de savoir
Qu'aussi bien que ma sœur j'écoute mon devoir.
Allez trouver Cotys, et sans aucun scrupule...

SPITRIDATE

Perdriez-vous pour moi son trône sans ennui?

ELPINICE

Le voilà qui paraît. Quelque ardeur qui vous brûle,
Mettez d'accord mon père, Agésilas et lui.

SCÈNE IV

COTYS, SPITRIDATE

COTYS

Vous voyez de quel air Elpinice me traite,
Comme elle disparaît, Seigneur, à mon abord.

SPITRIDATE

Si votre âme, Seigneur, en est mal satisfaite,
Mon sort est bien à plaindre autant que votre sort.

COTYS

Ah ! s'il n'était honteux de manquer de promesse !

SPITRIDATE

Si la foi sans rougir pouvait se dégager !

COTYS

Qu'une autre de mon cœur serait bientôt maîtresse !

SPITRIDATE

Que je serais ravi, comme vous, de changer !

COTYS

Elpinice pour moi montre une telle glace,
Que je me tiendrais sûr de son consentement.

SPITRIDATE

Aglatide verrait qu'une autre prît sa place
Sans en murmurer un moment.

COTYS

Que nous sert qu'en secret l'une et l'autre engagée
Peut-être ainsi que nous porte son cœur ailleurs?
Pour voir notre infortune entre elles partagée,
Nos destins n'en sont pas meilleurs.

SPITRIDATE

Elles aiment ailleurs, ces belles dédaigneuses;
Et peut-être, en dépit du sort,
Il serait un moyen et de les rendre heureuses,
Et de nous rendre heureux par un commun accord.

COTYS

Souffrez donc qu'avec vous tout mon cœur se déploie.
Ah ! si vous le vouliez, que mon sort serait doux !
Vous seul me pouvez mettre au comble de ma joie.

SPITRIDATE

Et ma félicité dépend toute de vous.

COTYS

Vous me pouvez donner l'objet qui me possède.

SPITRIDATE

Vous me pouvez donner celui de tous mes vœux :
Elpinice me charme.

COTYS

Et si je vous la cède?

SPITRIDATE

Je céderai de même Aglatide à vos feux.

COTYS

Aglatide, Seigneur ! Ce n'est pas là m'entendre,
Et vous ne feriez rien pour moi.

SPITRIDATE

Ne vous devez-vous pas à Lysander pour gendre?

COTYS

Oui; mais l'amour ici me fait une autre loi.

SPITRIDATE

L'amour ! il n'en faut point écouter qui le blesse,
Et qui nous ôte son appui.
L'échange des deux sœurs n'a rien qui l'intéresse,
Nous n'en serons pas moins à lui;
Mais de porter ailleurs sa main qui leur est due,
Seigneur, au dernier point ce sera l'irriter,
Et sa protection perdue,
N'avons-nous rien à redouter?

COTYS

Si je n'en juge mal, sa faveur n'est pas grande,
Seigneur, auprès d'Agésilas;
Il n'obtient presque rien de quoi qu'il lui demande.

SPITRIDATE

Je vois qu'assez souvent il ne l'écoute pas;
Mais pour un différend frivole,
Dont nous ignorons le secret,
Ce prince avouerait-il un amour indiscret,

D'un tel manquement de parole?
Lui qui lui doit son trône, et cet illustre rang
D'unique général des troupes de la Grèce,
Pourrait-il le haïr avec tant de bassesse,
Qu'il pût autoriser ce mépris de son sang?
Si nous manquons de foi, qu'aura-t-il lieu de croire?
En aurions-nous pour lui plus que pour Lysander?
Pensez-y bien, Seigneur, avant qu'y hasarder
Nos sûretés et votre gloire.

COTYS

Et si ce différend, que vous craignez si peu,
Lui fait pour notre hymen refuser un aveu?

SPITRIDATE

Ma sœur n'a qu'à parler, je m'en tiens sûr par elle.

COTYS

Seigneur, l'aimerait-il?

SPITRIDATE

Il la trouve assez belle,
Il en parle avec joie, et se plaît à la voir.
Je tâche d'affermir ces douces apparences;
Et si vous voulez tout savoir,
Je pense avoir de quoi flatter mes espérances.
Prenez-y part, Seigneur, pour l'intérêt commun.
Quand nous aurons tous deux Lysander pour beau-père,
Ce roi s'allie à vous, s'il devient mon beau-frère;
Et nous aurons ainsi deux appuis au lieu d'un.

COTYS

Et Mandane y consent?

SPITRIDATE

Mandane est trop bien née
Pour dédire un devoir qui la met sous ma loi.

COTYS

Et vous avez donné pour elle votre foi?

SPITRIDATE

Non; mais à dire vrai, je la tiens pour donnée.

COTYS

Ah ! ne la donnez point, Seigneur, si vous m'aimez,
Ou si vous aimez Elpinice.
Mandane a tout mon cœur, mes yeux en sont charmés ;
Et ce n'eſt qu'à ce prix que je vous rends juſtice.

SPITRIDATE

Elpinice ne rend votre foi qu'à sa sœur,
Et ce n'eſt qu'à ce prix qu'elle-même se donne.

COTYS

Hélas ! et si l'amour autrement en ordonne,
Le moyen d'y forcer mon cœur?

SPITRIDATE

Rendez-vous-en le maître.

COTYS

Et l'êtes-vous du vôtre?

SPITRIDATE

J'y ferai mon effort, si je vous parle en vain ;
Et du moins, si ma sœur vous dérobe à toute autre,
Je serai maître de ma main.

COTYS

Je ne le puis celer, qui que l'on me propose,
Toute autre que Mandane eſt pour moi même chose.

SPITRIDATE

Il vous eſt donc facile, et doit même être doux,
Puisqu'enfin Elpinice aime un autre que vous,
De lui préférer qui vous aime ;
Et du moins vous auriez l'honneur,
Par un peu d'effort sur vous-même,
De faire le commun bonheur.

COTYS

Je ferais trois heureux qui m'empêchent de l'être !
J'ose, j'ose vous faire une plus juſte loi :
Ou faites mon bonheur dont vous êtes le maître,
Ou demeurez tous trois malheureux comme moi.

SPITRIDATE

Eh bien ! épousez Elpinice :
Je renonce à tout mon bonheur,
Plutôt que de me voir complice
D'un manquement de foi qui vous perdrait d'honneur.

COTYS

Rendez-vous à votre Aglatide,
Puisque votre cœur endurci
Veut suivre obstinément un faux devoir pour guide :
Je serai malheureux, vous le serez aussi.

ACTE II

SCÈNE PREMIÈRE

SPITRIDATE, MANDANE

SPITRIDATE

QUE nous avons, ma sœur, brisé de rudes chaînes !
En Perse il n'est point de sujets;
Ce ne sont qu'esclaves abjets,
Qu'écrasent d'un coup d'œil les têtes souveraines :
Le monarque, ou plutôt le tyran général,
N'y suit pour loi que son caprice,
N'y veut point d'autre règle et point d'autre justice,
Et souvent même impute à crime capital
Le plus rare mérite et le plus grand service;
Il abat à ses pieds les plus hautes vertus,
S'immole insolemment les plus illustres vies,
Et ne laisse aujourd'hui que les cœurs abattus
A couvert de ses tyrannies.
Vous autres, s'il vous daigne honorer de son lit,
Ce sont indignités égales :
La gloire s'en partage entre tant de rivales,
Qu'elle est moins un honneur qu'un sujet de dépit.
Toutes n'ont pas le nom de reines,
Mais toutes portent mêmes chaînes,
Et toutes, à parler sans fard,
Servent à ses plaisirs sans part à son empire;
Et même en ses plaisirs elles n'ont autre part,
Que celle qu'à son cœur brutalement inspire
Ou ce caprice, ou le hasard.
Voilà, ma sœur, à quoi vous avait destinée,
A quel infâme honneur vous avait condamnée
Pharnabaze, son lieutenant :
Il aurait fait de vous un présent à son prince,
Si pour nous affranchir mon soin le prévenant
N'eût à sa tyrannie arraché ma province.

La Grèce a de plus saintes lois,
Elle a des peuples et des rois
Qui gouvernent avec justice :
La raison y préside, et la sage équité;
Le pouvoir souverain par elles limité,
N'y laisse aucun droit de caprice.
L'hymen de ses rois même y donne cœur pour cœur;
Et si vous aviez le bonheur
Que l'un d'eux vous offrît son trône avec son âme,
Vous seriez, par ce nœud charmant,
Et reine véritablement,
Et véritablement sa femme.

MANDANE

Je veux bien l'espérer : tout est facile aux dieux;
Et peut-être que de bons yeux
En auraient déjà vu quelque flatteuse marque;
Mais il en faut de bons pour faire un si grand choix.
Si le roi dans la Perse est un peu trop monarque,
En Grèce il est des rois qui ne sont pas trop rois :
Il en est dont le peuple est le suprême arbitre;
Il en est d'attachés aux ordres d'un sénat;
Il en est qui ne sont enfin, sous ce grand titre,
Que premiers sujets de l'État.
Je ne sais si le ciel pour régner m'a fait naître,
Et quoi qu'en ma faveur j'aye encor vu paraître,
Je doute si l'on m'aime ou non;
Mais je pourrais être assez vaine
Pour dédaigner le nom de reine
Que m'offrirait un roi qui n'en eût que le nom.

SPITRIDATE

Vous en savez beaucoup, ma sœur, et vos mérites
Vous ouvrent fort les yeux sur ce que vous valez.

MANDANE

Je réponds simplement à ce que vous me dites,
Et parle en général comme vous me parlez.

SPITRIDATE

Cependant et des rois et de leur différence
Je vous trouve en effet plus instruite que moi.

MANDANE

Puisque vous m'ordonnez qu'ici j'espère un roi,
Il eſt juſte, Seigneur, que quelquefois j'y pense.

SPITRIDATE

N'y pensez-vous point trop?

MANDANE

Je sais que c'eſt à vous
A régler mes désirs sur le choix d'un époux :
Mon devoir n'en fera point d'autre;
Mais quand vous daignerez choisir pour une sœur,
Daignez songer, de grâce, à faire son bonheur
Mieux que vous n'avez fait le vôtre.
D'un choix que vous m'aviez vous-même tant loué,
Votre cœur et vos yeux vous ont désavoué;
Et si j'ai, comme vous, quelques pentes secrètes,
Seigneur, si c'eſt ainsi que vous les rencontrez,
Jugez, par le trouble où vous êtes,
De l'état où vous me mettrez.

SPITRIDATE

Je le vois bien, ma sœur, il faut vous laisser faire;
Qui choisit mal pour soi choisit mal pour autrui;
Et votre cœur, inſtruit par le malheur d'un frère,
A déjà fait son choix sans lui.

MANDANE

Peut-être; mais enfin vous suis-je nécessaire?
Parlez : il n'eſt désirs ni tendres sentiments
Que je ne sacrifie à vos contentements.
Faut-il donner ma main pour celle d'Elpinice?

SPITRIDATE

Que sert de m'en offrir un entier sacrifice,
Si je n'ose et ne puis même déterminer
A qui pour mon bonheur vous devez la donner?
Cotys me la demande, Agésilas l'espère.

MANDANE

Agésilas, Seigneur! Et le savez-vous bien?

SPITRIDATE

Parler de vous sans cesse, aimer votre entretien,
Vous donner tout crédit, ne chercher qu'à vous plaire...

MANDANE

Ce sont civilités envers une étrangère,
Qui font beaucoup d'éclat, et ne produisent rien.
Il jette par là des amorces
A ceux qui, comme nous, voudront grossir ses forces;
Mais quelque haut crédit qu'il me donne en sa cour,
De toute sa conduite il eſt si bien le maître,
Qu'au simple nom d'hymen vous verriez disparaître
Tout ce qu'en ses faveurs vous prenez pour amour.

SPITRIDATE

Vous penchez vers Cotys, et savez qu'Elpinice
Ne veut point être à moi qu'il ne soit à sa sœur !

MANDANE

Je vous réponds de tout, si vous avez son cœur.

SPITRIDATE

Et Lysander pourra souffrir cette injuſtice?

MANDANE

Lysander eſt si mal auprès d'Agésilas,
Que ce sera beaucoup s'il en obtient un gendre;
Et peut-être sans moi ne l'obtiendra-t-il pas :
Pour deux, il aurait tort, s'il osait y prétendre.
Mais, Seigneur, le voici; tâchez de pressentir
Ce qu'en votre faveur il pourrait consentir.

SPITRIDATE

Ma sœur, vous êtes plus adroite;
Souffrez que je ménage un moment de retraite :
J'aurais trop à rougir, pour peu que devant moi
Vous fissiez deviner de ce manque de foi.

SCÈNE II

LYSANDER, SPITRIDATE, MANDANE, CLÉON

LYSANDER

Quoique en matière d'hyménées
L'importune langueur des affaires traînées
Attire assez souvent de fâcheux embarras,
J'ai voulu qu'à loisir vous puissiez voir mes filles,
Avant que demander l'aveu d'Agésilas
Sur l'union de nos familles.
Dites-moi donc, Seigneur, ce qu'en jugent vos yeux,
S'ils laissent votre cœur d'accord de vos promesses,
Et si vous y sentez plus d'aimables tendresses
Que de justes désirs de pouvoir choisir mieux.
Parlez avec franchise avant que je m'expose
A des refus presque assurés,
Que j'estimerai peu de chose
Quand vous serez plus déclarés;
Et n'appréhendez point l'emportement d'un père :
Je sais trop que l'amour de ses droits est jaloux,
Qu'il dispose de nous sans nous,
Que les plus beaux objets ne sont pas sûrs de plaire.
L'aveugle sympathie est ce qui fait agir
La plupart des feux qu'il excite;
Il ne l'attache pas toujours au vrai mérite :
Et quand il la dénie, on n'a point à rougir.

SPITRIDATE

Puisque vous le voulez, je ne puis me défendre,
Seigneur, de vous parler avec sincérité :
Ma seule ambition est d'être votre gendre;
Mais apprenez, de grâce, une autre vérité :
Ce bonheur que j'attends, cette gloire où j'aspire,
Et qui rendrait mon sort égal au sort des Dieux,
N'a pour objet... Seigneur, je tremble à vous le dire;
Ma sœur vous l'expliquera mieux.

SCÈNE III

LYSANDER, MANDANE, CLÉON

LYSANDER

Que veut dire, Madame, une telle retraite?
Se plaint-il d'Aglatide, et la jeune indiscrète
Répondrait-elle mal aux honneurs qu'il lui fait?

MANDANE

Elle y répond, Seigneur, ainsi qu'il le souhaite,
Et je l'en vois fort satisfait;
Mais je ne vois pas bien que par les sympathies
Dont vous venez de nous parler,
Leurs âmes soient fort assorties,
Ni que l'amour encore ait daigné s'en mêler.
Ce n'est pas qu'il n'aspire à se voir votre gendre,
Qu'il n'y mette sa gloire, et borne ses plaisirs;
Mais puisque par son ordre il me faut vous l'apprendre,
Elpinice est l'objet de ses plus chers désirs.

LYSANDER

Elpinice ! Et sa main n'est plus en ma puissance !

MANDANE

Je sais qu'il n'est plus temps de vous la demander;
Mais je vous répondrais de son obéissance,
Si Cotys la voulait céder.
Que sait-on si l'amour, dont la bizarrerie
Se joue assez souvent du fond de notre cœur,
N'aura point fait au sien même supercherie?
S'il n'y préfère point Aglatide à sa sœur?
Cet échange, Seigneur, pourrait-il vous déplaire,
S'il les rendait tous quatre heureux?

LYSANDER

Madame, doutez-vous de la bonté d'un père?

MANDANE

Voyez donc si Cotys sera plus rigoureux :
Je vous laisse avec lui, de peur que ma présence
N'empêche une sincère et pleine confiance.

(A Cotys.)

Seigneur, ne cachez plus le véritable amour
Dont l'idée en secret vous flatte.
J'ai dit à Lysander celui de Spitridate;
Dites le vôtre à votre tour.

SCÈNE IV

LYSANDER, COTYS, CLÉON

COTYS

Puisqu'elle vous l'a dit, pourrais-je vous le taire?
Jugez, Seigneur, de mes ennuis :
Une autre qu'Elpinice à mes yeux a su plaire;
Et l'aimer est un crime en l'état où je suis.

LYSANDER

Ne traitez point, Seigneur, ce nouveau feu de crime :
Le choix que font les yeux est le plus légitime;
Et comme un beau désir ne peut bien s'allumer
S'ils n'instruisent le cœur de ce qu'il doit aimer,
C'est ôter à l'amour tout ce qu'il a d'aimable,
Que les tenir captifs sous une aveugle foi;
Et le don le plus favorable
Que ce cœur sans leur ordre ose faire de soi
Ne fut jamais irrévocable.

COTYS

Seigneur, ce n'est point par mépris,
Ce n'est point qu'Elpinice aux miens n'ait paru belle;
Mais enfin (le dirai-je?), oui, Seigneur, on m'a pris,
On m'a volé ce cœur que j'apportais pour elle :
D'autres yeux, malgré moi, s'en sont faits les tyrans,
Et ma foi s'est armée en vain pour ma défense;
Ce lâche, qui s'est mis de leur intelligence,
Les a soudain reçus en justes conquérants.

LYSANDER

Laissez-leur garder leur conquête.
Peut-être qu'Elpinice avec plaisir s'apprête
A vous laisser ailleurs trouver un sort plus doux,
Quand un autre pour elle a d'autres yeux que vous,

Qu'elle cède ce cœur à celle qui le vole,
Et qu'en ce même instant qu'on vous le surprenait,
Un pareil attentat sur sa propre parole
Lui dérobait celui qu'elle vous destinait.
Surtout ne craignez rien du côté d'Aglatide :
Je puis répondre d'elle, et quand j'aurai parlé,
Vous verrez tout son cœur, où mon vouloir préside,
Vous payer de celui qu'elle vous a volé.

COTYS

Ah ! Seigneur, pour ce vol je ne me plains pas d'elle.

LYSANDER

Et de qui donc?

COTYS

L'amour s'y sert d'une autre main.

LYSANDER

L'amour !

COTYS

Oui, cet amour qui me rend infidèle...

LYSANDER

Seigneur, du nom d'amour n'abusez point en vain,
Dites d'Agésilas la haine insatiable :
C'est elle dont l'aigreur auprès de vous m'accable,
Et qui de jour en jour s'animant contre moi,
Pour me perdre d'honneur m'enlève votre foi.

COTYS

Ah ! s'il y a va de votre gloire,
Ma parole est donnée, et dussé-je en mourir,
Je la tiendrai, Seigneur, jusqu'au dernier soupir;
Mais quoi que la surprise ait pu vous faire croire,
N'accusez point Agésilas
D'un crime de mon cœur, que même il ne sait pas.
Mandane, qui m'ordonne à vos yeux de le dire,
Vous montre assez par là quel souverain empire
L'amour lui donne sur ce cœur.
Ne considérez point si j'aime ou si l'on m'aime;
En matière d'honneur ne voyez que vous-même,
Et disposez de moi comme veut cet honneur.

LYSANDER

L'amour le fera mieux; ce que j'en viens d'apprendre
M'offre un sujet de joie où j'en voyais d'ennui :
Épousez la sœur de mon gendre,
C'est le devenir comme lui.
Aglatide d'ailleurs n'est pas si délaissée
Que votre exemple n'aide à lui trouver un roi;
Et pour peu que le ciel réponde à ma pensée,
Ce sera plus de gloire et plus d'appui pour moi.
Aussi ferai-je plus : je veux que de moi-même
Vous teniez cet objet qui vous fait soupirer;
Et Spitridate, à moins que de m'en assurer,
N'obtiendra jamais ce qu'il aime.
Je veux dès aujourd'hui savoir d'Agésilas
S'il pourra consentir à ce double hyménée,
Dont ma parole était donnée.
Sa haine apparemment ne m'en avouera pas :
Si pourtant par bonheur il m'en laisse le maître,
J'en userai, Seigneur, comme je le promets;
Sinon, vous lui ferez connaître
Vous-même quels sont vos souhaits.

COTYS

Ah ! que Mandane et moi n'avons-nous mille vies,
Seigneur, pour vous les immoler !
Car je ne saurais plus vous le dissimuler,
Nos âmes en seront également ravies.
Souffrez-lui donc sa part en ces ravissements;
Et pardonnez, de grâce, à mon impatience...

LYSANDER

Allez : on m'a vu jeune, et par expérience
Je sais ce qui se passe au cœur des vrais amants.

SCÈNE V

LYSANDER, CLÉON

CLÉON

Seigneur, n'êtes-vous point d'une humeur bien facile
D'applaudir à Cotys sur son manque de foi?

LYSANDER

Je prends pour l'attacher à moi
Ce qui s'offre de plus utile.
D'un emportement indiscret
Je ne voyais rien à prétendre :
Vouloir par force en faire un gendre,
Ce n'est qu'en vouloir faire un ennemi secret.
Je veux me l'acquérir; je veux, s'il m'est possible,
A force d'amitiés si bien le ménager,
Que quand je voudrai me venger,
J'en tire un secours infaillible.
Ainsi, je flatte ses désirs,
J'applaudis, je défère à ses nouveaux soupirs,
Je me fais l'auteur de sa joie,
Je sers sa passion, et sous cette couleur
Je m'ouvre dans son âme une infaillible voie
A m'en faire à mon tour servir avec chaleur.

CLÉON

Oui, mais Agésilas, Seigneur, aime Mandane :
Du moins toute sa cour ose le deviner;
Et promettre à Cotys cette illustre Persane,
C'est lui promettre tout pour ne lui rien donner.

LYSANDER

Qu'à ses vœux mon tyran l'accorde ou la refuse,
De la manière dont j'en use,
Il ne peut m'ôter son appui;
Et de quelque façon que la chose se passe,
Ou je fais la première grâce,
Ou j'aigris puissamment ce rival contre lui.
J'ai même à souhaiter que son feu se déclare.
Comme de notre Sparte il choquera les lois,
C'est une occasion que lui-même il prépare,
Et qui peut la résoudre à mieux choisir ses rois.
Nous avons trop longtemps asservi sa couronne
A la vaine splendeur du sang;
Il est juste à son tour que la vertu la donne,
Et que le seul mérite ait droit à ce haut rang.
Ma ligue est déjà forte, et ta harangue est prête
A faire éclater la tempête,
Sitôt qu'il aura mis ma patience à bout.
Si pourtant je voyais sa haine enfin bornée

Ne mettre aucun obstacle à ce double hyménée,
Je crois que je pourrais encore oublier tout.
En perdant cet ingrat, je détruis mon ouvrage;
Je vois dans sa grandeur le prix de mon courage,
Le fruit de mes travaux, l'effet de mon crédit.
Un reste d'amitié tient mon âme en balance :
Quand je veux le haïr je me fais violence,
Et me force à regret à ce que je t'ai dit.
Il faut, il faut enfin qu'avec lui je m'explique,
Que j'en sache qui peut causer
Cette haine si lâche, et qu'il rend si publique,
Et fasse un digne effort à le désabuser.

CLÉON

Il n'appartient qu'à vous de former ces pensées;
Mais vous ne songez point avec quels sentiments
Vos deux filles intéressées
Apprendront de tels changements.

LYSANDER

Aglatide est d'humeur à rire de sa perte :
Son esprit enjoué ne s'ébranle de rien.
Pour l'autre, elle a, de vrai, l'âme un peu moins ouverte,
Mais elle n'eut jamais de vouloir que le mien.
Ainsi je me tiens sûr de leur obéissance.

CLÉON

Quand cette obéissance a fait un digne choix,
Le cœur, tombé par là sous une autre puissance,
N'obéit pas toujours une seconde fois.

LYSANDER

Les voici : laisse-nous, afin qu'avec franchise
Leurs âmes s'en ouvrent à moi.

SCÈNE VI

LYSANDER, ELPINICE, AGLATIDE

LYSANDER

J'apprends avec quelque surprise,
Mes filles, qu'on vous manque à toutes deux de foi.

Cotys aime en secret une autre qu'Elpinice,
Spitridate n'en fait pas moins.

ELPINICE

Si l'on nous fait quelque injustice,
Seigneur, notre devoir s'en remet à vos soins.
Je ne sais qu'obéir.

AGLATIDE

J'en sais donc davantage :
Je sais que Spitridate adore d'autres yeux;
Je sais que c'est ma sœur à qui va cet hommage,
Et quelque chose encor qu'elle vous dirait mieux.

ELPINICE

Ma sœur, qu'aurais-je à dire?

AGLATIDE

A quoi bon ce mystère?
Dites ce qu'à ce nom le cœur vous dit tout bas,
Ou je dirai tout haut qu'il ne vous déplaît pas.

ELPINICE

Moi, je pourrais l'aimer, et sans l'ordre d'un père !

AGLATIDE

Vous ne savez que c'est d'aimer ou de haïr,
Mais vous seriez pour lui fort aise d'obéir.

ELPINICE

Qu'il faut souffrir de vous, ma sœur !

AGLATIDE

Le grand supplice
De voir qu'en dépit d'elle on lui rend du service !

LYSANDER

Rendez-lui la pareille. Aime-t-elle Cotys?
Et s'il fallait changer entre vous de partis…

AGLATIDE

Je n'ai pas besoin d'interprète,
Et vous en dirai plus, Seigneur, qu'elle n'en sait.

Cotys pourrait me plaire, et plairait en effet,
Si pour toucher son cœur j'étais assez bien faite;
Mais je suis fort trompée, ou cet illustre cœur
N'est pas plus à moi qu'à ma sœur.

LYSANDER

Peut-être ce malheur d'assez près te menace.

AGLATIDE

J'en connais plus de vingt qui mourraient en ma place,
Ou qui sauraient du moins hautement quereller
L'injustice de la fortune;
Mais pour moi, qui n'ai pas une âme si commune,
Je sais l'art de m'en consoler.
Il est d'autres rois dans l'Asie
Qui seront trop heureux de prendre votre appui;
Et déjà je ne sais par quelle fantaisie,
J'en crois voir à mes pieds de plus puissants que lui.

LYSANDER

Donc à moins que d'un roi tu ne veux plus te rendre?

AGLATIDE

Je crois pour Spitridate avoir déjà fait voir
Que ma sœur n'a rien à m'apprendre
Sur le chapitre du devoir.
Elle sait obéir, et je le sais comme elle :
C'est l'ordre; et je lui garde un cœur assez fidèle
Pour en subir toutes les lois;
Mais pour régler ma destinée,
Si vous vous abaissiez jusqu'à prendre ma voix,
Vous arrêteriez votre choix
Sur une tête couronnée,
Et ne m'offririez que des rois.

LYSANDER

C'est mettre un peu haut ta conquête.

AGLATIDE

La couronne, Seigneur, orne bien une tête.
Je me la figurais sur celle de ma sœur,
Lorsque Cotys devait l'y mettre;
Et quand j'en contemplais la gloire et la douceur,

Que je ne pouvais me promettre,
Un peu de jalousie et de confusion
Mutinait mes désirs et me soulevait l'âme;
Et comme en cette occasion
Mon devoir pour agir n'attendait point ma flamme...

ELPINICE

La gloire d'obéir à votre grand regret
Vous faisait pester en secret :
C'est l'ordre; et du devoir la scrupuleuse idée...

AGLATIDE

Que dites-vous, ma sœur? qu'osez-vous hasarder,
Vous qui tantôt...?

ELPINICE

Ma sœur, laissez-moi vous aider,
Ainsi que vous m'avez aidée.

AGLATIDE

Pour bien m'aider à dire ici mes sentiments,
Vous vous prenez trop mal aux vôtres;
Et si je suis jamais réduite aux truchements,
Il m'en faudra bien chercher d'autres.
Seigneur, quoi qu'il en soit, voilà quelle je suis.
J'acceptais Spitridate avec quelques ennuis;
De ce petit chagrin le ciel m'a dégagée,
Sans que mon âme soit changée.
Mon devoir règne encor sur mon ambition :
Quoi que vous m'ordonniez, j'obéirai sans peine;
Mais de mon inclination,
Je mourrai fille, ou vivrai reine.

ELPINICE

Achevez donc, ma sœur : dites qu'Agésilas...

AGLATIDE

Ah! Seigneur, ne l'écoutez pas :
Ce qu'elle vous veut dire est une bagatelle;
Et même, s'il le faut, je le dirai mieux qu'elle.

LYSANDER

Dis donc. Agésilas...

AGLATIDE

M'aimait jadis un peu.
Du moins lui-même à Sparte il m'en fit confidence;
Et s'il me disait vrai, sa noble impatience
De vous en demander l'aveu
N'attendait qu'après l'hyménée
De cette aimable et chère aînée.
Mais s'il attendait là que mon tour arrivé
Autorisât à ma conquête
La flamme qu'en réserve il tenait toute prête,
Son amour est encore ici plus réservé;
Et soit que dans Éphèse un autre objet me passe,
Soit que par complaisance il cède à son rival,
Il me fait à présent la grâce
De ne m'en dire bien ni mal.

LYSANDER

D'un pareil changement ne cherche point la cause :
Sa haine pour ton père à cet amour s'oppose;
Mais n'importe, il est bon que j'en sois averti.
J'agirai d'autre sorte avec cette lumière;
Et suivant qu'aujourd'hui nous l'aurons plus entière,
Nous verrons à prendre parti.

SCÈNE VII

ELPINICE, AGLATIDE

ELPINICE

Ma sœur, je vous admire, et ne saurais comprendre
Cet inépuisable enjouement,
Qui d'un chagrin trop juste a de quoi vous défendre,
Quand vous êtes si près de vous voir sans amant.

AGLATIDE

Il est aisé pourtant d'en deviner les causes.
Je sais comme il faut vivre, et m'en trouve fort bien.
La joie est bonne à mille choses,
Mais le chagrin n'est bon à rien.
Ne perds-je pas assez, sans doubler l'infortune,

Et perdre encor le bien d'avoir l'esprit égal?
Perte sur perte eſt importune,
Et je m'aime un peu trop pour me traiter si mal.
Soupirer quand le sort nous rend une injuſtice,
C'eſt lui prêter une aide à nous faire un supplice.
Pour moi, qui ne lui puis souffrir tant de pouvoir,
Le bien que je me veux met sa haine à pis faire.
Mais allons rejoindre mon père :
J'ai quelque chose encore à lui faire savoir.

ACTE III

SCÈNE PREMIÈRE

AGÉSILAS, LYSANDER, XÉNOCLÈS

LYSANDER

JE ne suis point surpris qu'à ces deux hyménées
Vous refusiez, Seigneur, votre consentement :
J'aurais eu tort d'attendre un meilleur traitement
Pour le sang odieux dont mes filles sont nées.
Il eſt le sang d'Hercule en elles comme en vous,
Et méritait par là quelque deſtin plus doux;
Mais s'il vous peut donner un titre légitime
Pour être leur maître et leur roi,
C'eſt pour l'une et pour l'autre une espèce de crime
Que de l'avoir reçu de moi.
J'avais cru toutefois que l'exil volontaire
Où l'amour paternel près d'elles m'eût réduit,
Moi qui de mes travaux ne vois plus d'autre fruit
Que le malheur de vous déplaire,
Comme il délivrerait vos yeux
D'une insupportable présence,
A mes jours presque usés obtiendrait la licence
D'aller finir sous d'autres cieux.
C'était là mon dessein; mais cette même envie,
Qui me fait près de vous un si malheureux sort,
Ne saurait endurer ni l'éclat de ma vie,
Ni l'obscurité de ma mort.

AGÉSILAS

Ce n'eſt pas d'aujourd'hui que l'envie et la haine,
Ont persécuté les héros.
Hercule en sert d'exemple, et l'hiſtoire en eſt pleine,
Nous ne pouvons souffrir qu'ils meurent en repos.
Cependant cet exil, ces retraites paisibles,

Cet unique souhait d'y terminer leurs jours,
Sont des mots bien choisis à remplir leurs discours :
Ils ont toujours leur grâce, ils sont toujours plausibles;
Mais ils ne sont pas vrais toujours;
Et souvent des périls, ou cachés ou visibles,
Forcent notre prudence à nous mieux assurer
Qu'ils ne veulent se figurer.
Je ne m'étonne point qu'avec tant de lumières
Vous ayez prévu mes refus;
Mais je m'étonne fort que les ayant prévus,
Vous n'en ayez pu voir les raisons bien entières.
Vous êtes un grand homme, et de plus mécontent :
J'avouerai plus encor, vous avez lieu de l'être.
Ainsi de ce repos où votre ennui prétend
Je dois prévoir en roi quel désordre peut naître,
Et regarde en quels lieux il vous plaît de porter
Des chagrins qu'en leur temps on peut voir éclater.
Ceux que prend pour exil ou choisit pour asile
Ce dessein d'une mort tranquille,
Des Perses et des Grecs séparent les États.
L'assiette en est heureuse, et l'accès difficile;
Leurs maîtres ont du cœur, leurs peuples ont des bras;
Ils viennent de nous joindre avec une puissance
A beaucoup espérer, à craindre beaucoup d'eux;
Et c'est mettre en leurs mains une étrange balance,
Que de mettre à leur tête un guerrier si fameux.
C'est vous qui les donnez l'un et l'autre à la Grèce :
L'un fut ami du Perse, et l'autre son sujet.
Le service est bien grand, mais aussi je confesse
Qu'on peut ne pas bien voir tout le fond du projet.
Votre intérêt s'y mêle en les prenant pour gendres;
Et si par des liens et si forts et si tendres
Vous pouvez aujourd'hui les attacher à vous,
Vous vous les donnez plus qu'à nous.
Si malgré le secours, si malgré les services
Qu'un ami doit à l'autre, un sujet à son roi,
Vous les avez tous deux arrachés à leur foi,
Sans aucun droit sur eux, sans aucuns bons offices,
Avec quelle facilité
N'immoleront-ils point une amitié nouvelle
A votre courage irrité,
Quand vous ferez agir toute l'autorité
De l'amour conjugale et de la paternelle,

Et que l'occasion aura d'heureux moments
Qui flattent vos ressentiments?
Vous ne nous laissez aucun gage :
Votre sang tout entier passe avec vous chez eux.
Voyez donc ce projet comme je l'envisage,
Et dites si pour nous il n'a rien de douteux.
Vous avez jusqu'ici fait paraître un vrai zèle,
Un cœur si généreux, une âme si fidèle,
Que par toute la Grèce on vous loue à l'envi;
Mais le temps quelquefois inspire une autre envie.
Comme vous, Thémistocle avait fort bien servi,
Et dans la cour de Perse il a fini sa vie.

LYSANDER

Si c'est avec raison que je suis mécontent,
Si vous-même avouez que j'ai lieu de me plaindre,
Et si jusqu'à ce point on me croit important
Que mes ressentiments puissent vous être à craindre,
Oserais-je vous demander
Ce que vous a fait Lysander
Pour leur donner ici chaque jour de quoi naître,
Seigneur? et s'il est vrai qu'un homme tel que moi,
Quand il est mécontent, peut desservir son roi,
Pourquoi me forcez-vous à l'être?
Quelque avis que je donne, il n'est point écouté;
Quelque emploi que j'embrasse, il m'est soudain ôté :
Me choisir pour appui, c'est courir à sa perte.
Vous changez en tous lieux les ordres que j'ai mis;
Et comme s'il fallait agir à guerre ouverte,
Vous détruisez tous mes amis,
Ces amis dont pour vous je gagnai les suffrages
Quand il fallut aux Grecs élire un général,
Eux qui vous ont soumis les plus nobles courages,
Et fait ce haut pouvoir qui leur est si fatal :
Leur seul amour pour moi les livre à leur ruine;
Il leur coûte l'honneur, l'autorité, le bien;
Cependant plus j'y songe, et plus je m'examine,
Moins je trouve, Seigneur, à me reprocher rien.

AGÉSILAS

Dites tout : vous avez la mémoire trop bonne
Pour avoir oublié que vous me fîtes roi,
Lorsqu'on balança ma couronne

Entre Léotychide et moi.
Peut-être n'osez-vous me vanter un service
Qui ne me rendit que justice,
Puisque nos lois voulaient ce qu'il sut maintenir;
Mais moi qui l'ai reçu, je veux m'en souvenir.
Vous m'avez donc fait roi, vous m'avez de la Grèce
Contre celui de Perse établi général;
Et quand je sens dans l'âme une ardeur qui me presse
De ne m'en revancher pas mal,
A peine sommes-nous arrivés dans Éphèse,
Où de nos alliés j'ai mis le rendez-vous,
Que sans considérer si j'en serai jaloux,
Ou s'il se peut que je m'en taise,
Vous vous saisissez par vos mains
De plus que votre récompense;
Et tirant toute à vous la suprême puissance,
Vous me laissez des titres vains.
On s'empresse à vous voir, on s'efforce à vous plaire;
On croit lire en vos yeux ce qu'il faut qu'on espère;
On pense avoir tout fait quand on vous a parlé.
Mon palais près du vôtre est un lieu désolé;
Et le généralat comme le diadème
M'érige sous votre ordre en fantôme éclatant,
En colosse d'État qui de vous seul attend
L'âme qu'il n'a pas de lui-même,
Et que vous seul faites aller
Où pour vos intérêts il le faut étaler.
Général en idée, et monarque en peinture,
De ces illustres noms pourrais-je faire cas
S'il les fallait porter moins comme Agésilas
Que comme votre créature,
Et montrer avec pompe au reste des humains
En ma propre grandeur l'ouvrage de vos mains?
Si vous m'avez fait roi, Lysander, je veux l'être.
Soyez-moi bon sujet, je vous serai bon maître;
Mais ne prétendez plus partager avec moi
Ni la puissance ni l'emploi.
Si vous croyez qu'un sceptre accable qui le porte,
A moins qu'il prenne un aide à soutenir son poids,
Laissez discerner à mon choix
Quelle main à m'aider pourrait être assez forte.
Vous aurez bonne part à des emplois si doux,
Quand vous pourrez m'en laisser faire;

Mais soyez sûr aussi d'un succès tout contraire,
Tant que vous ne voudrez les tenir que de vous.
 Je passe à vos amis qu'il m'a fallu détruire.
Si dans votre vrai rang je voulais vous réduire,
Et d'un pouvoir surpris saper les fondements,
Ils étaient tout à vous; et par reconnaissance
  D'en avoir reçu leur puissance,
Ils ne considéraient que vos commandements.
Vous seul les aviez faits souverains dans leurs villes,
Et j'y verrais encor mes ordres inutiles,
A moins que d'avoir mis leur tyrannie à bas,
Et changé comme vous la face des États.
  Chez tous nos Grecs asiatiques
Votre pouvoir naissant trouva des républiques,
Que sous votre cabale il vous plut asservir :
La vieille liberté, si chère à leurs ancêtres,
Y fut partout forcée à recevoir dix maîtres;
Et dès qu'on murmurait de se la voir ravir,
On voyait par votre ordre immoler les plus braves
  A l'empire de vos esclaves.
J'ai tiré de ce joug les peuples opprimés :
En leur premier état j'ai remis toutes choses;
Et la gloire d'agir par de plus justes causes
A produit des effets plus doux et plus aimés.
J'ai fait, à votre exemple, ici des créatures,
Mais sans verser de sang, sans causer de murmures;
Et comme vos tyrans prenaient de vous la loi,
Comme ils étaient à vous, les peuples sont à moi.
Voilà quelles raisons ôtent à vos services
  Ce qu'ils vous semblent mériter,
  Et colorent ces injustices
Dont vous avez raison de vous mécontenter.
Si d'abord elles ont quelque chose d'étrange,
Repassez-les deux fois au fond de votre cœur;
Changez, si vous pouvez, de conduite et d'humeur,
  Mais n'espérez pas que je change.

LYSANDER

S'il ne m'est pas permis d'espérer rien de tel,
Du moins, grâces aux Dieux, je ne vois dans vos plaintes
Que des raisons d'État et de jalouses craintes,
Qui me font malheureux, et non pas criminel.
Non, Seigneur, que je veuille être assez téméraire

Pour oser d'injustice accuser mes malheurs :
L'action la plus belle a diverses couleurs;
Et lorsqu'un roi prononce, un sujet doit se taire.
Je voudrais seulement vous faire souvenir
Que j'ai près de trente ans commandé nos armées
Sans avoir amassé que ces nobles fumées
Qui gardent les noms de finir[4].
Sparte, pour qui j'allais de victoire en victoire,
M'a toujours vu pour fruit n'en vouloir que la gloire,
Et faire en son épargne entrer tous les trésors
Des peuples subjugués par mes heureux efforts.
Vous-même le savez, que quoi qu'on m'ait vu faire,
Mes filles n'ont pour dot que le nom de leur père;
Tant il est vrai, Seigneur, qu'en un si long emploi
J'ai fait tout pour l'État, et n'ai rien fait pour moi.
Dans ce manque de bien Cotys et Spitridate,
L'un roi, l'autre en pouvoir égal peut-être aux rois,
M'ont assez estimé pour y borner leur choix;
Et quand de les pourvoir un doux espoir me flatte,
Vous semblez m'envier un bien
Qui fait ma récompense, et ne vous coûte rien.

AGÉSILAS

Il nous serait honteux que des mains étrangères
Vous payassent pour nous de ce qui vous est dû.
Tôt ou tard le mérite a ses justes salaires,
Et son prix croît souvent, plus il est attendu.
D'ailleurs n'aurait-on pas quelque lieu de vous dire,
Si je vous permettais d'accepter ces partis,
Qu'amenant avec nous Spitridate et Cotys,
Vous auriez fait pour vous plus que pour notre empire?
Que vos seuls intérêts vous auraient fait agir?
Et pourriez-vous enfin l'entendre sans rougir?
Vos filles sont d'un sang que Sparte aime et révère
Assez pour les payer des services d'un père.
Je veux bien en répondre, et moi-même au besoin
J'en ferai mon affaire, et prendrai tout le soin.

LYSANDER

Je n'attendais, Seigneur, qu'un mot si favorable
Pour finir envers vous mes importunités;
Et je ne craindrai plus qu'aucun malheur m'accable,
Puisque vous avez ces bontés.

Aglatide surtout aura l'âme ravie
De perdre un époux à ce prix;
Et moi, pour me venger de vos plus durs mépris,
Je veux tout de nouveau vous consacrer ma vie.

SCÈNE II

AGÉSILAS, XÉNOCLÈS

AGÉSILAS

D'un peu d'amour que j'eus Aglatide a parlé :
Son père qui l'a su dans son âme s'en flatte;
Et sur ce vain espoir il part tout consolé
Du refus que j'en fais aux vœux de Spitridate :
Tu l'as vu, Xénoclès, tout d'un coup s'adoucir.

XÉNOCLÈS

Oui; mais enfin, Seigneur, il est temps de le dire,
Tout soumis qu'il paraît, apprenez qu'il conspire,
Et par où sa vengeance espère y réussir.
Ce confident choisi, Cléon d'Halicarnasse,
Dont l'éloquence a tant d'éclat,
Lui vend une harangue à renverser l'État,
Et le mettre bientôt lui-même en votre place.
En voici la copie, et je la viens d'avoir
D'un des siens sur qui l'or me donne tout pouvoir,
De l'esclave Damis, qui sert de secrétaire
A cet orateur mercenaire,
Et plus mercenaire que lui,
Pour être mieux payé vous les[5] livre aujourd'hui.
On y soutient, Seigneur, que notre république
Va bientôt voir ses rois devenir ses tyrans,
A moins que d'en choisir de trois ans en trois ans,
Et non plus suivant l'ordre antique
Qui règle ce choix par le sang;
Mais qu'indifféremment elle doit à ce rang
Élever le mérite et les rares services.
J'ignore quels sont les complices;
Mais il pourra d'Éphèse écrire à ses amis;
Et soudain le paquet entre vos mains remis

Vous instruira de toutes choses.
Cependant j'ai fait mon devoir.
Vous voyez le dessein, vous en savez les causes;
Votre perte en dépend : c'est à vous d'y pourvoir.

AGÉSILAS

A te dire le vrai, l'affaire m'embarrasse;
J'ai peine à démêler ce qu'il faut que je fasse,
Tant la confusion de mes raisonnements
Étonne mes ressentiments.
Lysander m'a servi : j'aurais une âme ingrate
Si je méconnaissais ce que je tiens de lui;
Il a servi l'État, et si son crime éclate,
Il y trouvera de l'appui.
Je sens que ma reconnaissance
Ne cherche qu'un moyen de le mettre à couvert;
Mais enfin il y va de toute ma puissance :
Si je ne le perds, il me perd.
Ce que veut l'intérêt, la prudence ne l'ose;
Tu peux juger par là du désordre où je suis.
Je vois qu'il faut le perdre, et plus je m'y dispose,
Plus je doute si je le puis.
Sparte est un État populaire,
Qui ne donne à ses rois qu'un pouvoir limité :
On peut y tout dire et tout faire
Sous ce grand nom de liberté.
Si je suis souverain en tête d'une armée,
Je n'ai que ma voix au sénat,
Il faut y rendre compte; et tant de renommée
Y peut avoir déjà quelque ligue formée
Pour autoriser l'attentat.
Ce prétexte flatteur de la cause publique,
Dont il le couvrira, si je le mets au jour,
Tournera bien des yeux vers cette politique
Qui met chacun en droit de régner à son tour.
Cet espoir y pourra toucher plus d'un courage;
Et quand sur Lysander j'aurai fait choir l'orage,
Mille autres, comme lui jaloux ou mécontents,
Se promettront plus d'heur à mieux choisir leur temps.
Ainsi de toutes parts le péril m'environne :
Si je veux le punir, j'expose ma couronne;
Et si je lui fais grâce, ou veux dissimuler,
Je dois craindre...

XÉNOCLÈS

Cotys, Seigneur, vous veut parler.

AGÉSILAS

Voyons quelle est sa flamme, avant que de résoudre
S'il nous faudra lancer ou retenir la foudre.

SCÈNE III

AGÉSILAS, COTYS, XÉNOCLÈS

AGÉSILAS

Si vous n'êtes, Seigneur, plus mon ami qu'amant,
Vous me voudrez du mal avec quelque justice;
Mais vous m'êtes trop cher, pour souffrir aisément
Que vous vous attachiez au père d'Elpinice :
Non qu'entre un si grand homme et moi
Ce qu'on voit de froideur prépare aucune haine;
Mais c'est assez pour voir cet hymen avec peine
Qu'un sujet déplaise à son roi.
D'ailleurs je n'ai pas cru votre âme fort éprise :
Sans l'avoir jamais vue, elle vous fut promise;
Et la foi qui ne tient qu'à la raison d'État
Souvent n'est qu'un devoir qui gêne, tyrannise,
Et fait sur tout le cœur un secret attentat.

COTYS

Seigneur, la personne est aimable :
Je promis de l'aimer avant que de la voir,
Et sentis à sa vue un accord agréable
Entre mon cœur et mon devoir.
La froideur toutefois que vous montrez au père
M'en donne un peu pour elle, et me la rend moins chère :
Non que j'ose après vos refus
Vous assurer encor que je ne l'aime plus.
Comme avec ma parole il nous fallait la vôtre,
Vous dégagez ma foi, mon devoir, mon honneur;
Mais si vous en voulez dégager tout mon cœur,
Il faut l'engager à quelque autre.

AGÉSILAS

Choisissez, choisissez, et s'il est quelque objet
À Sparte, ou dans toute la Grèce,
Qui puisse de ce cœur mériter la tendresse,
Tenez-vous sûr d'un prompt effet.
En est-il qui vous touche? en est-il qui vous plaise?

COTYS

Il en est, oui, Seigneur, il en est dans Éphèse;
Et pour faire en ce cœur naître un nouvel amour,
Il ne faut point aller plus loin que votre cour :
L'éclat et les vertus de l'illustre Mandane...

AGÉSILAS

Que dites-vous, Seigneur? et quel est ce désir?
Quand par toute la Grèce on vous donne à choisir,
Vous choisissez une Persane !
Pensez-y bien, de grâce, et ne nous forcez pas,
Nous qui vous aimons, à connaître
Que pressé d'un amour, qui ne vient pas de naître,
Vous ne venez à moi que pour suivre ses pas.

COTYS

Mon amour en ces lieux ne cherchait qu'Elpinice;
Mes yeux ont rencontré Mandane par hasard;
Et quand ce même amour, de vos froideurs complice,
S'est voulu pour vous plaire attacher autre part,
Les siens ont attiré toute la déférence
Que j'ai cru devoir rendre à votre aversion;
Et je l'ai regardée, après votre alliance,
Bien moins Persane de naissance
Que Grecque par adoption.

AGÉSILAS

Ce sont subtilités que l'amour vous suggère,
Dont nous voyons pour nous les succès incertains.
Ne pourriez-vous, Seigneur, d'une amitié si chère
Mettre le grand dépôt en de plus sûres mains?
Pausanias et moi nous avons des parentes;
Et jamais un vrai roi ne fait un digne choix
S'il ne s'allie au sang des rois.

COTYS

Quand on aime, on se fait des règles différentes.
Spitridate a du nom et de la qualité;
Sans trône, il a d'un roi le pouvoir en partage;
Votre Grèce en reçoit un pareil avantage;
Et le sang n'y met pas tant d'inégalité,
Que l'amour où sa sœur m'engage
Ravale fort ma dignité.
Se peut-il qu'en l'aimant ma gloire se hasarde
Après l'exemple d'un grand roi,
Qui, tout grand roi qu'il est, l'estime et la regarde
Avec les mêmes yeux que moi?
Si ce bruit n'est point faux, mon mal est sans remède;
Car enfin c'est un roi dont il me faut l'appui.
Adieu, Seigneur : je la lui cède,
Mais je ne la cède qu'à lui.

SCÈNE IV

AGÉSILAS, XÉNOCLÈS

AGÉSILAS

D'où sait-il, Xénoclès, d'où sait-il que je l'aime?
Je ne l'ai dit qu'à toi : m'aurais-tu découvert?

XÉNOCLÈS

Si j'ose vous parler, Seigneur, à cœur ouvert,
Il ne le sait que de vous-même.
L'éclat de ces faveurs dont vous enveloppez
De votre faux secret le chatouilleux mystère,
Dit si haut, malgré vous, ce que vous pensez taire,
Que vous êtes ici le seul que vous trompez.
De si brillants dehors font un grand jour dans l'âme;
Et quelque illusion qui puisse vous flatter,
Plus ils déguisent votre flamme,
Plus au travers du voile ils la font éclater.

AGÉSILAS

Quoi? la civilité, l'accueil, la déférence,
Ce que pour le beau sexe on a de complaisance,
Ce qu'on lui rend d'honneur, tout passe pour amour?

XÉNOCLÈS

Il est bien malaisé qu'aux yeux de votre cour
Il passe pour indifférence;
Et c'est l'en avouer assez ouvertement
Que refuser Mandane aux vœux d'un autre amant.
Mais qu'importe après tout? Si du plus grand courage
Le vrai mérite a droit d'attendre un plein hommage,
Serait-il honteux de l'aimer?

AGÉSILAS

Non, et même avec gloire on s'en laisse charmer;
Mais un roi, que son trône à d'autres soins engage,
Doit n'aimer qu'autant qu'il lui plaît
Et que de sa grandeur y consent l'intérêt.
Vois donc si ma peine est légère :
Sparte ne permet point aux fils d'une étrangère
De porter son sceptre en leur main;
Cependant à mes yeux Mandane a su trop plaire;
Je veux cacher ma flamme, et je le veux en vain.
Empêcher son hymen, c'est lui faire injustice;
L'épouser, c'est blesser nos lois;
Et même il n'est pas sûr que j'emporte son choix.
La donner à Cotys, c'est me faire un supplice;
M'opposer à ses vœux, c'est le joindre au parti
Que déjà contre moi Lysander a pu faire;
Et s'il a le bonheur de ne pas lui déplaire,
J'en recevrai peut-être un honteux démenti.
Que ma confusion, que mon trouble est extrême !
Je me défends d'aimer, et j'aime;
Et je sens tout mon cœur balancé nuit et jour
Entre l'orgueil du diadème
Et les doux espoirs de l'amour.
En qualité de roi, j'ai pour ma gloire à craindre;
En qualité d'amant je vois mon sort à plaindre :
Mon trône avec mes vœux ne souffre aucun accord,
Et ce que je me dois me reproche sans cesse
Que je ne suis pas assez fort
Pour triompher de ma faiblesse.

XÉNOCLÈS

Toutefois il est temps ou de vous déclarer,
Ou de céder l'objet qui vous fait soupirer.

AGÉSILAS

Le plus sûr, Xénoclès, n'est pas le plus facile.
Cherche-moi Spitridate, et l'amène en ce lieu;
Et nous verrons après s'il n'est point de milieu
Entre le charmant et l'utile.

ACTE IV

SCÈNE PREMIÈRE

SPITRIDATE, ELPINICE

SPITRIDATE

AGÉSILAS me mande; il est temps d'éclater.
Que me permettez-vous, Madame, de lui dire?
M'en désavouerez-vous si j'ose me vanter
Que c'est pour vous que je soupire,
Que je crois mes soupirs assez bien écoutés
Pour vous fermer le cœur et l'oreille à tous autres,
Et que dans vos regards je vois quelques bontés
Qui semblent m'assurer des vôtres?

ELPINICE

Que servirait, Seigneur, de vous y hasarder?
Suis-je moins que ma sœur fille de Lysander?
Et la raison d'État qui rompt votre hyménée
Regarde-t-elle plus la jeune que l'aînée?
S'il n'eût point à Cotys refusé votre sœur,
J'eusse osé présumer qu'il eût aimé la mienne;
Et m'aurais dit moi-même, avec quelque douceur :
« Il se l'est réservée, et veut bien qu'on m'obtienne. »
Mais il aime Mandane; et ce prince, jaloux
De ce que peut ici le grand nom de mon père,
N'a pour lui qu'une haine obstinée et sévère
Qui ne lui peut souffrir de gendres tels que vous.

SPITRIDATE

Puisqu'il aime ma sœur, cet amour est un gage
Qui me répond de son suffrage :
Ses désirs prendront loi de mes propres désirs;
Et son feu pour les satisfaire
N'a pas moins besoin de me plaire,
Que j'en ai de lui voir approuver mes soupirs.

Madame, on est bien fort quand on parle soi-même;
Et qu'on peut dire au souverain :
« J'aime et je suis aimé, vous aimez comme j'aime,
Achevez mon bonheur, j'ai le vôtre en ma main. »

ELPINICE

Vous ne songez qu'à vous, et dans votre âme éprise
Vos vœux se tiennent sûrs d'un prompt et plein effet.
Mais que fera Cotys, à qui je suis promise?
Me rendra-t-il ma foi s'il n'est point satisfait?

SPITRIDATE

La perte de ma sœur lui servira de guide
A tourner ses désirs du côté d'Aglatide.
D'ailleurs que pourra-t-il, si contre Agésilas
Ce grand homme ni moi nous ne le servons pas?

ELPINICE

Il a parole de mon père
Que vous n'obtiendrez rien à moins qu'il soit content;
Et mon père n'est pas un esprit inconstant
Qui donne une parole incertaine et légère.
Je vous le dis encor, Seigneur, pensez-y bien :
Cotys aura Mandane, ou vous n'obtiendrez rien.

SPITRIDATE

Dites, dites un mot, et ma flamme enhardie...

ELPINICE

Que voulez-vous que je vous die?
Je suis sujette et fille, et j'ai promis ma foi;
Je dépends d'un amant, et d'un père, et d'un roi.

SPITRIDATE

N'importe, ce grand mot produirait des miracles.
Un amant avoué renverse tous obstacles :
Tout lui devient possible, il fléchit les parents,
Triomphe des rivaux, et brave les tyrans,
Dites donc, m'aimez-vous?

ELPINICE

Que ma sœur est heureuse.

SPITRIDATE

Quand mon amour pour vous la laisse sans amant,
Son destin est-il si charmant
Que vous en soyez envieuse?

ELPINICE

Elle est indifférente et ne s'attache à rien.

SPITRIDATE

Et vous?

ELPINICE

Que n'ai-je un cœur qui soit comme le sien!

SPITRIDATE

Le vôtre est-il moins insensible?

ELPINICE

S'il ne tenait qu'à lui que tout vous fût possible,
Le devoir et l'amour...

SPITRIDATE

Ah ! Madame, achevez :
Le devoir et l'amour, que vous feraient-ils faire?

ELPINICE

Voyez le Roi, voyez Cotys, voyez mon père :
Fléchissez, triomphez, bravez,
Seigneur, mais laissez-moi me taire.

SPITRIDATE

Venez, ma sœur, venez aider mes tristes feux
A combattre un injuste et rigoureux silence.

ELPINICE

Hélas ! il est si bien de leur intelligence,
Qu'il vous dit plus que je ne veux.
J'en dois rougir. Adieu : voyez avec Madame
Le moyen le plus propre à servir votre flamme.
Des trois dont je dépends elle peut tout sur deux :
L'un hautement l'adore, et l'autre au fond de l'âme;
Et son destin lui-même, ainsi que notre sort,
Dépend de les mettre d'accord.

SCÈNE II

SPITRIDATE, MANDANE

SPITRIDATE

Il eſt temps de résoudre avec quel artifice
Vous pourrez en venir à bout,
Vous, ma sœur, qui tantôt me répondiez de tout,
Si j'avais le cœur d'Elpinice.
Il eſt à moi, ce cœur, son silence le dit,
Son adieu le fait voir, sa fuite le proteſte;
Et si je n'obtiens pas le reſte,
Vous manquez de parole, ou du moins de crédit.

MANDANE

Si le don de ma main vous peut donner la sienne,
Je vous sacrifierai tout ce que j'ai promis;
Mais vous, répondez-vous que ce don vous l'obtienne,
Et qu'il mette d'accord de si fiers ennemis?
Le Roi qui vous refuse à Lysander pour gendre,
Y consentira-t-il si vous m'offrez à lui?
Et s'il peut à ce prix le permettre aujourd'hui,
Lysander voudra-t-il se rendre?
Lui qui ne vous remet votre première foi
Qu'en faveur de l'amour que Cotys fait paraître,
Ne vous fait-il pas cette loi
Que sans le rendre heureux vous ne le sauriez être?

SPITRIDATE

Cotys de cet espoir ose en vain se flatter :
L'amour d'Agésilas à son amour s'oppose.

MANDANE

Et si vous ne pensez à le mieux écouter,
Lysander d'Elpinice en sa faveur dispose.

SPITRIDATE

Ne me cachez rien, vous l'aimez.

MANDANE

Comme vous aimez Elpinice.

SPITRIDATE

Mais vous m'avez promis un entier sacrifice.

MANDANE

Oui, s'il peut être utile aux vœux que vous formez.

SPITRIDATE

Que ne peut point un Roi?

MANDANE

Quels droits n'a point un père?

SPITRIDATE

Inexorable sœur !

MANDANE

Impitoyable frère,
Qui voulez que j'éteigne un feu digne de moi,
Et ne sauriez vous faire une pareille loi !

SPITRIDATE

Hélas ! considérez...

MANDANE

Considérez vous-même...

SPITRIDATE

Que j'aime, et que je suis aimé.

MANDANE

Que je suis aimée, et que j'aime.

SPITRIDATE

N'égalez point au mien un feu mal allumé :
Le sexe vous apprend à régner sur vos âmes.

MANDANE

Dites qu'il nous apprend à renfermer nos flammes;
Dites que votre ardeur, à force d'éclater,
S'exhale, se dissipe ou du moins s'exténue,
Quand la nôtre grossit sous cette retenue,
Dont le joug odieux ne sert qu'à l'irriter.
Je vous parle, Seigneur, avec une âme ouverte;

Et si je vous voyais capable de raison,
Si quand l'amour domine elle était de saison…

SPITRIDATE

Ah ! si quelque lumière enfin vous eſt offerte,
Expliquez-vous, de grâce, et pour le commun bien,
Vous ni moi ne négligeons rien.

MANDANE

Notre amour à tous deux ne rencontre qu'obſtacles
Presque impossibles à forcer;
Et si pour nous le ciel n'eſt prodigue en miracles,
Nous espérons en vain nous en débarrasser.
Tirons-nous une fois de cette servitude
Qui nous fait un deſtin si rude.
Bravons Agésilas, Cotys et Lysander :
Qu'ils s'accordent sans nous s'ils peuvent s'accorder.
Dirai-je tout? cessons d'aimer et de prétendre,
Et nous cesserons d'en dépendre.

SPITRIDATE

N'aimer plus ! Ah ! ma sœur !

MANDANE

J'en soupire à mon tour;
Mais un grand cœur doit être au-dessus de l'amour.
Quel qu'en soit le pouvoir, quelle qu'en soit l'atteinte,
Deux ou trois soupirs étouffés,
Un moment de murmure, une heure de contrainte,
Un orgueil noble et ferme, et vous en triomphez.
N'avons-nous secoué le joug de notre prince
Que pour choisir des fers dans une autre province?
Ne cherchons-nous ici que d'illuſtres tyrans,
Dont les chaînes plus glorieuses
Soumettent nos deſtins aux obscurs différends
De leurs haines myſtérieuses?
Ne cherchons-nous ici que les occasions
De fournir de matière à leurs divisions,
Et de nous imposer un plus rude esclavage
Par la nécessité d'obtenir leur suffrage?
Puisque nous y cherchons tous deux la liberté,
Tâchons de la goûter, Seigneur, en sûreté :

Réduisons nos souhaits à la cause publique,
N'aimons plus que par politique,
Et dans la conjoncture où le ciel nous a mis,
Faisons des protecteurs, sans faire d'ennemis.
A quel propos aimer, quand ce n'est que déplaire
A qui nous peut nuire ou servir?
S'il nous en faut l'appui, pourquoi nous le ravir?
Pourquoi nous attirer sa haine et sa colère?

SPITRIDATE

Oui, ma sœur, et j'en suis d'accord;
Agésilas, ici maître de notre sort,
Peut nous abandonner à la Perse irritée,
Et nous laisser rentrer, malgré tout notre effort,
Sous la captivité que nous avons quittée.
Cotys ni Lysander ne nous soutiendront pas,
S'il faut que sa colère à nous perdre s'applique.
Aimez, aimez-le donc, du moins par politique,
Ce redoutable Agésilas.

MANDANE

Voulez-vous que je le prévienne,
Et qu'en dépit de la pudeur
D'un amour commandé l'obéissante ardeur
Fasse éclater ma flamme auparavant la sienne?
On dit que je lui plais, qu'il soupire en secret,
Qu'il retient, qu'il combat ses désirs à regret;
Et cette vanité qui nous est naturelle
Veut croire ainsi que vous qu'on en juge assez bien;
Mais enfin c'est un feu sans aucune étincelle;
J'en crois ce qu'on en dit, et n'en sais encor rien.
S'il m'aime, un tel silence est la marque certaine
Qu'il craint Sparte et ses dures lois;
Qu'il voit qu'en m'épousant, s'il peut m'y faire reine,
Il ne peut lui donner des rois;
Que sa gloire...

SPITRIDATE

Ma sœur, l'amour vaincra sans doute.
Ce héros est à vous, quelques lois qu'il redoute :
Et si par la prière il ne les peut fléchir,
Ses victoires auront de quoi l'en affranchir.
Ces lois, ces mêmes lois s'imposeront silence

A l'aspect de tant de vertus;
Ou Sparte l'avouera d'un peu de violence,
Après tant d'ennemis à ses pieds abattus.

MANDANE

C'est vous flatter beaucoup en faveur d'Elpinice,
Que ce prince après tout ne vous peut accorder
Sans une éclatante injustice,
A moins que vous ayez l'aveu de Lysander.
D'ailleurs en exiger un hymen qui le gêne,
Et lui faire des lois au milieu de sa cour,
N'est-ce point hautement lui demander sa haine,
Quand vous lui promettez l'objet de son amour?

SPITRIDATE

Si vous saviez, ma sœur, aimer autant que j'aime...

MANDANE

Si vous saviez, mon frère, aimer comme je fais,
Vous sauriez ce que c'est que s'immoler soi-même,
Et faire violence à de si doux souhaits.
Je vous en parle en vain. Allez, frère barbare,
Voir à quoi Lysander se résoudra pour vous;
Et si d'Agésilas la flamme se déclare,
J'en mourrai, mais je m'y résous.

SCÈNE III

SPITRIDATE, MANDANE, AGLATIDE

AGLATIDE

Vous me quittez, Seigneur; mais vous croyez-vous quitte
Et que ce soit assez que de me rendre à moi?

SPITRIDATE

Après tant de froideurs pour mon peu de mérite,
Est-ce vous mal servir que reprendre ma foi?

AGLATIDE

Non; mais le pouvez-vous, à moins que je la rende?
Et si je vous la rends, savez-vous à quel prix?

SPITRIDATE

Je ne crois pas pour vous cette perte si grande,
Que vous en souhaitiez d'autres que vos mépris.

AGLATIDE

Moi, des mépris pour vous !

SPITRIDATE

C'est ainsi que j'appelle
Un feu si bien promis, et si mal allumé.

AGLATIDE

Si je ne vous aimais, je vous aurais aimé,
Mon devoir m'en était un garant trop fidèle.

SPITRIDATE

Il ne vous répondait que d'agir un peu tard,
Et laissait beaucoup au hasard.
Votre ordre cependant vers une autre me chasse,
Et vous avez quitté la place à votre sœur.

AGLATIDE

Si je vous ai donné de quoi remplir la place,
Ne me devez-vous point de quoi remplir mon cœur?

SPITRIDATE

J'en suis au désespoir; mais je n'ai point de frère
Que je puisse à mon tour vous prier d'accepter.

AGLATIDE

Si vous n'en avez point par qui me satisfaire,
Vous avez une sœur qui vous peut acquitter :
Elle a trop d'un amant et si sa flamme heureuse
Me renvoyait celui dont elle ne veut plus,
Je ne suis point d'humeur fâcheuse,
Et m'accommoderais bientôt de ses refus.

SPITRIDATE

De tout mon cœur je l'en conjure :
Envoyez-lui Cotys, et même Agésilas,
Ma sœur, et prenez soin d'apaiser ce murmure,
Qui cherche à m'imputer des sentiments ingrats.

Je vous laisse entre vous faire ce grand partage,
Et vais chez Lysander voir quel sera le mien.
Madame, vous voyez, je ne puis davantage;
Et qui fait ce qu'il peut n'est plus garant de rien.

SCÈNE IV

AGLATIDE, MANDANE

AGLATIDE

Vous pourrez-vous résoudre à payer pour ce frère,
Madame, et de deux rois daignant en choisir un,
Me donner en sa place, ou le plus importun,
Ou le moins digne de vous plaire?

MANDANE

Hélas !

AGLATIDE

Je n'entends pas des mieux
Comme il faut qu'un hélas s'explique;
Et lorsqu'on se retranche au langage des yeux,
Je suis muette à la réplique.

MANDANE

Pourquoi mieux expliquer quel est mon déplaisir?
Il ne se fait que trop entendre.

AGLATIDE

Si j'avais comme vous de deux rois à choisir,
Mes déplaisirs auraient peu de chose à prétendre.
Parlez donc, et de bonne foi :
Acquittez par ce choix Spitridate envers moi.
Ils sont tous deux à vous.

MANDANE

Je n'y suis pas moi-même.

AGLATIDE

Qui des deux est l'aimé?

MANDANE

Qu'importe lequel j'aime,
Si le plus digne amour, de quoi qu'il soit d'accord,
Ne peut décider de mon sort?

AGLATIDE

Ainsi je dois perdre espérance
D'obtenir de vous aucun d'eux?

MANDANE

Donnez-moi votre indifférence,
Et je vous les donne tous deux.

AGLATIDE

C'en serait un peu trop : leur mérite est si rare,
Qu'il en faut être plus avare.

MANDANE

Il est grand, mais bien moins que la félicité
De votre insensibilité.

AGLATIDE

Ne me prenez point tant pour une âme insensible :
Je l'ai tendre, et qui souffre aisément de beaux feux;
Mais je sais ne vouloir que ce qui m'est possible,
Quand je ne puis ce que je veux.

MANDANE

Laissez donc faire au ciel, au temps, à la fortune :
Ne voulez que ce qu'ils voudront;
Et sans prendre d'attache, ou d'idée importune,
Attendez en repos les cœurs qui se rendront.

AGLATIDE

Il m'en pourrait coûter mes plus belles années
Avant qu'ainsi deux rois en devinssent le prix;
Et j'aime mieux borner mes bonnes destinées
Au plus digne de vos mépris.

MANDANE

Donnez-moi donc, Madame, un cœur comme le vôtre,
Et je vous les redonne une seconde fois;
Ou si c'est trop de l'un et l'autre,
Laissez-m'en le rebut, et prenez-en le choix.

AGLATIDE

Si vous leur ordonniez à tous deux de m'en croire,
Et que l'obéissance eût pour eux quelque appas,
Peut-être que mon choix satisferait ma gloire,
Et qu'enfin mon rebut ne vous déplairait pas.

MANDANE

Qui peut vous assurer de cette obéissance?
Les rois, même en amour savent mal obéir;
Et les plus enflammés s'efforcent de haïr,
Sitôt qu'on prend sur eux un peu trop de puissance.

AGLATIDE

Je vois bien ce que c'est, vous voulez tout garder :
Il est honteux de rendre une de vos conquêtes,
Et quoi qu'au plus heureux le cœur veuille accorder,
L'œil règne avec plaisir sur deux si grandes têtes;
Mais craignez que je n'use aussi de tous mes droits.
Peut-être en ai-je encor de garder quelque empire
    Sur l'un et l'autre de ces rois,
Bien qu'à l'envi pour vous l'un et l'autre soupire,
Et si j'en laisse faire à mon esprit jaloux,
Quoique la jalousie assez peu m'inquiète,
Je ne sais s'ils pourront l'un ni l'autre pour vous
    Tout ce que votre cœur souhaite.

(A Cotys.)

Seigneur, vous le savez, ma sœur a votre foi,
    Et ne vous la rend que pour moi.
    Usez-en comme bon vous semble;
    Mais sachez que je me promets
    De ne vous la rendre jamais,
    A moins d'un roi qui vous ressemble.

SCÈNE V

COTYS, MANDANE

MANDANE

L'étrange contre-temps que prend sa belle humeur !
    Et la froide galanterie

D'affecter par bravade à tourner son malheur
En importune raillerie !
Son cœur l'en désavoue, et murmurant tout bas...

COTYS

Que cette belle humeur soit véritable ou feinte,
Tout ce qu'elle en prétend ne m'alarmerait pas,
Si le pouvoir d'Agésilas
Ne me portait dans l'âme une plus juste crainte.
Pourrez-vous l'aimer?

MANDANE

Non.

COTYS

Pourrez-vous l'épouser?

MANDANE

Vous-même, dites-moi, puis-je m'en excuser?
Et quel bras, quel secours appeler à mon aide,
Lorsqu'un frère me donne, et qu'un amant me cède?

COTYS

N'imputez point à crime une civilité
Qu'ici de général voulait l'autorité.

MANDANE

Souffrez-moi donc, Seigneur, la même déférence
Qu'ici de nos destins demande l'assurance.

COTYS

Vous céder par dépit, et d'un ton menaçant,
Faire voir qu'on pénètre au cœur du plus puissant,
Qu'on sait de ses refus la plus secrète cause,
Ce n'est pas tant céder l'objet de son amour,
Que presser un rival de paraître en plein jour,
Et montrer qu'à ses vœux hautement on s'oppose.

MANDANE

Que sert de s'opposer aux vœux d'un tel rival,
Qui n'a qu'à nous protéger mal
Pour nous livrer à notre perte?
Serait-il d'un grand cœur de chercher à périr,

Quand il voit une porte ouverte
A régner avec gloire aux dépens d'un soupir?

COTYS

Ah! le change vous plaît.

MANDANE

Non, Seigneur, je vous aime;
Mais je dois à mon frère, à ma gloire, à vous-même.
D'un rival si puissant si nous perdons l'appui,
Pourrons-nous du Persan nous défendre sans lui?
L'espoir d'un renouement de la vieille alliance
Flatte en vain votre amour et vos nouveaux desseins.
Si vous ne remettez sa proie entre ses mains,
Oserez-vous y prendre aucune confiance?
Quant à mon frère et moi, si les Dieux irrités
Nous font jamais rentrer dessous sa tyrannie,
Comme il nous traitera d'esclaves révoltés,
Le supplice l'attend, et moi l'ignominie.
C'est ce que je saurai prévenir par ma mort;
Mais jusque-là, Seigneur, permettez-moi de vivre,
Et que par un illustre et rigoureux effort,
Acceptant les malheurs où mon destin me livre,
Un sacrifice entier de mes vœux les plus doux
Fasse la sûreté de mon frère et de vous.

COTYS

Cette sûreté malheureuse
A qui vous immolez votre amour et le mien
Peut-elle être si précieuse
Qu'il faille l'acheter de mon unique bien?
Et faut-il que l'amour garde tant de mesure
Avec des intérêts qui lui font tant d'injure?
Laissez, laissez périr ce déplorable roi,
A qui ces intérêts dérobent votre foi.
Que sert que vous l'aimiez? et que fait votre flamme
Qu'augmenter son ardeur pour croître ses malheurs,
Si malgré le don de votre âme
Votre raison vous livre ailleurs?
Armez-vous de dédains; rendez, s'il est possible,
Votre perte pour lui moins grande ou moins sensible;
Et par pitié d'un cœur trop ardemment épris,
Éteignez-en la flamme à force de mépris.

MANDANE

L'éteindre ! Ah ! se peut-il que vous m'ayez aimée?

COTYS

Jamais si digne flamme en un cœur allumée...

MANDANE

Non, non; vous m'en feriez des serments superflus :
Vouloir ne plus aimer, c'est déjà n'aimer plus;
Et qui peut n'aimer plus ne fut jamais capable
D'une passion véritable.

COTYS

L'amour au désespoir peut-il encor charmer?

MANDANE

L'amour au désespoir fait gloire encor d'aimer;
Il en fait de souffrir et souffre avec constance,
Voyant l'objet aimé partager la souffrance;
Il regarde ses maux comme un doux souvenir
De l'union des cœurs qui ne saurait finir;
Et comme n'aimer plus quand l'espoir abandonne,
C'est aimer ses plaisirs et non pas la personne,
Il fuit cette bassesse, et s'affermit si bien,
Que toute sa douleur ne se reproche rien.

COTYS

Quel indigne tourment, quel injuste supplice
Succède au doux espoir qui m'osait tout offrir !

MANDANE

Et moi, Seigneur, et moi, n'ai-je rien à souffrir?
Ou m'y condamne-t-on avec plus de justice?
Si vous perdez l'objet de votre passion,
Épousez-vous celui de votre aversion?
Attache-t-on vos jours à d'aussi rudes chaînes?
Et souffrez-vous enfin la moitié de mes peines?
Cependant mon amour aura tout son éclat
En dépit du supplice où je suis condamnée;
Et si notre tyran par maxime d'État
Ne s'interdit mon hyménée,
Je veux qu'il ait la joie, en recevant ma main,
D'entendre que du cœur vous êtes souverain,

Et que les déplaisirs dont ma flamme eſt suivie
Ne cesseront qu'avec ma vie.
Allez, Seigneur, défendre aux vôtres de durer :
Ennuyez-vous de soupirer,
Craignez de trop souffrir, et trouvez en vous-même
L'art de ne plus aimer dès qu'on perd ce qu'on aime.
Je souffrirai pour vous, et ce nouveau malheur,
De tous mes maux le plus funeſte,
D'un trait assez perçant armera ma douleur
Pour trancher de mes jours le déplorable reſte.

COTYS

Que dites-vous, Madame? et par quel sentiment...

CLÉON

Spitridate, Seigneur, et Lysander vous prient
De vouloir avec eux conférer un moment.

MANDANE

Allez, Seigneur, allez, puisqu'ils vous en convient.
Aimez, cédez, souffrez, ou voyez si les Dieux
Voudront vous inspirer quelque chose de mieux.

ACTE V

SCÈNE PREMIÈRE

AGÉSILAS, XÉNOCLÈS

XÉNOCLÈS

Je remets en vos mains et l'une et l'autre lettre
Que l'esclave Damis aux miennes vient de mettre.
Vous y verrez, Seigneur, quels sont les attentats...

Il lui donne deux lettres, dont il lit l'inscription.

AGÉSILAS

Au sénateur Cratès, a l'éphore Arsidas.
Spitridate et Cotys sont de l'intelligence?

XÉNOCLÈS

Non; il s'est caché d'eux en cette conférence;
Il a plaint leur malheur, et de tout son pouvoir;
Mais sa prudence enfin tous deux vous les renvoie,
Sans leur donner aucun espoir
D'obtenir que de vous ce qui ferait leur joie.

AGÉSILAS

Par cette déférence il croit les mieux aigrir;
Et rejetant sur moi ce qu'ils ont à souffrir...

XÉNOCLÈS

Vous avez mandé Spitridate,
Il entre ici.

AGÉSILAS

Gardons qu'à ses yeux rien n'éclate.

SCÈNE II

AGÉSILAS, SPITRIDATE, XÉNOCLÈS

AGÉSILAS

Aglatide, Seigneur, a-t-elle encor vos vœux?

SPITRIDATE

Non, Seigneur : mais enfin ils ne vont pas loin d'elle,
Et sa sœur a fait naître une flamme nouvelle
En la place des premiers feux.

AGÉSILAS

Elpinice?

SPITRIDATE

Elle-même.

AGÉSILAS

Ainsi toujours pour gendre
Vous vous donnez à Lysander?

SPITRIDATE

Seigneur, contre l'amour peut-on bien se défendre?
A peine attaque-t-il qu'on brûle de se rendre :
Le plus ferme courage eſt ravi de céder;
Et j'ai trouvé ma foi plus facile à reprendre
Que mon cœur à redemander.

AGÉSILAS

Si vous considériez...

SPITRIDATE

Seigneur, que considère
Un cœur d'un vrai mérite heureusement charmé?
L'amour n'eſt plus amour sitôt qu'il délibère,
Et vous le sauriez trop si vous aviez aimé.

AGÉSILAS

Seigneur, j'aimais à Sparte et j'aime dans Éphèse.
L'un et l'autre objet eſt charmant;

Mais bien que l'un m'ait plu, bien que l'autre me plaise,
Ma raison m'en a su défendre également.

SPITRIDATE

La mienne suivrait mieux un plus commun exemple.
Si vous aimez, Seigneur, ne vous refusez rien,
Ou souffrez que je vous contemple
Comme un cœur au-dessus du mien.
Des climats différents la nature est diverse :
La Grèce a des vertus qu'on ne voit point en Perse.
Permettez qu'un Persan n'ose vous imiter,
Que sur votre partage il craigne d'attenter,
Qu'il se contente à moins de gloire,
Et trouve en sa faiblesse un destin assez doux
Pour ne point envier cette haute victoire,
Que vous seul avez droit de remporter sur vous.

AGÉSILAS

Mais de mon ennemi rechercher l'alliance !

SPITRIDATE

De votre ennemi !

AGÉSILAS

Non, Lysander ne l'est pas;
Mais il faut vous le dire, il y court à grands pas.

SPITRIDATE

C'en est assez : je dois me faire violence
Et renonce à plus croire ou mes yeux, ou mon cœur.
Ne m'ordonnez-vous rien sur l'hymen de ma sœur?
Cotys l'aime.

AGÉSILAS

Il est roi, je ne suis pas son maître;
Et Mandane ni vous n'êtes pas mes sujets.
L'aime-t-elle?

SPITRIDATE

Il se peut. Lui ferai-je connaître
Que vous auriez d'autres projets?

AGÉSILAS

C'est me connaître mal; je ne contrains personne.

SPITRIDATE

Peut-être qu'elle n'aime encor que sa couronne;
Et je ne sais pas bien où pencherait son choix,
Si le ciel lui donnait à choisir de deux rois.
Vous l'avez jusqu'ici de tant d'honneurs comblée,
De tant de faveurs accablée,
Qu'à vos ordres ses vœux sans peine assujettis...

AGÉSILAS

L'ingrate !

SPITRIDATE

Je réponds de sa reconnaissance,
Et qu'elle ne consent à l'espoir de Cotys,
Que pour le maintenir dans votre dépendance.
Pourrait-elle, Seigneur, davantage pour vous?

AGÉSILAS

Non; mais qui la pressait de choisir un époux?

SPITRIDATE

L'occasion d'un roi, Seigneur, est bien pressante.
Les plus dignes objets ne l'ont pas chaque jour;
Elle échappe à la moindre attente
Dont on veut éprouver l'amour.
A moins que de la prendre au moment qu'elle arrive,
On s'expose au péril de l'accepter trop tard,
Et l'asile est si beau pour une fugitive,
Qu'elle ne peut sans crime en rien mettre au hasard.

AGÉSILAS

Elle eût peu hasardé peut-être pour attendre.

SPITRIDATE

Voyait-elle en ces lieux un plus illustre espoir?

AGÉSILAS

Comme l'amour n'entend que ce qu'il veut entendre,
Il ne voit que ce qu'il veut voir.
Si je l'ai jusqu'ici de tant d'honneurs comblée,
De tant de faveurs accablée,
Ces faveurs, ces honneurs ne lui disaient-ils rien?

Elle les entendait trop bien en dépit d'elle :
Mais l'ingrate ! mais la cruelle !...
Seigneur, à votre tour vous m'entendez trop bien.
Qu'elle aille chez Cotys partager sa couronne;
Je n'y mets point d'obstacle, et n'en veux rien savoir;
Soit que l'ambition, soit que l'amour la donne,
Vous avez tous deux tout pouvoir.
Si pourtant vous m'aimiez...

SPITRIDATE

Soyez sûr de mon zèle.
Ma parole à Cotys est encore à donner.
Mais si cet hyménée a de quoi vous gêner,
Mandane que deviendra-t-elle?

AGÉSILAS

Allez, encore un coup, allez en d'autres lieux;
Épargnez par pitié cette gêne à mes yeux;
Sauvez-moi du chagrin de montrer que je l'aime.

SPITRIDATE

Elle vient recevoir vos ordres elle-même.

SCÈNE III

AGÉSILAS, SPITRIDATE, MANDANE,
XÉNOCLÈS

AGÉSILAS

O vue ! ô sur mon cœur regards trop absolus !
Que vous allez troubler mes vœux irrésolus !
Ne partez pas, Madame. O ciel ! j'en vais trop dire.

MANDANE

Je conçois mal, Seigneur, de quoi vous me parlez.
Moi partir?

AGÉSILAS

Oui, partez, encor que j'en soupire.
Que ce mot ne peut-il suffire !

MANDANE

Je conçois encor moins pourquoi vous m'exilez.

AGÉSILAS

J'aime trop à vous voir et je vous ai trop vue :
C'est, Madame, ce qui me tue.
Partez, partez, de grâce.

MANDANE

Où me bannissez-vous?

AGÉSILAS

Nommez-vous un exil le trône d'un époux?

MANDANE

Quel trône, et quel époux?

AGÉSILAS

Cotys...

MANDANE

Je crois qu'il m'aime;
Mais si je vous regarde ici comme mon roi
Et comme un protecteur que j'ai choisi moi-même,
Puis-je sans votre aveu l'assurer de ma foi?
Après tant de bontés et de marques d'estime,
A vous moins déférer je croirais faire un crime;
Et mon âme...

AGÉSILAS

Ah ! c'est trop déférer, et trop peu.
Quoi? pour cet hyménée exiger mon aveu !

MANDANE

Jusque-là mon bonheur n'aura qu'incertitude;
Et bien qu'une couronne éblouisse aisément...

SPITRIDATE

Ma sœur, il faut parler un peu plus clairement :
Le Roi s'est plaint à moi de votre ingratitude.

MANDANE

Et je me plains à lui des inégalités
Qu'il me force de voir lui-même en ses bontés.

Tout ce que pour un autre a voulu ma prière,
Vous me l'avez, Seigneur, et sur l'heure accordé;
Et pour mes intérêts ce qu'on a demandé
Prête à de prompts refus une digne matière !

AGÉSILAS

Si vous vouliez avoir des yeux
Pour voir de ces refus la véritable cause...

SPITRIDATE

N'eſt-ce pas assez dire, et faut-il autre chose?
Voyez mieux sa pensée, ou répondez-y mieux.
Ces refus obligeants veulent qu'on les entende :
Ils sont de ses faveurs le comble, et la plus grande.
Tout roi qu'eſt votre amant, perdez-le sans ennui,
Lorsqu'on vous en deſtine un plus puissant que lui.
M'en désavouerez-vous, Seigneur?

AGÉSILAS

Non, Spitridate.
C'eſt inutilement que ma raison me flatte :
Comme vous j'ai mon faible; et j'avoue à mon tour
Qu'un si triſte secours défend mal de l'amour.
Je vois par mon épreuve avec quelle injuſtice
Je vous refusais Elpinice :
Je cesse de vous faire une si dure loi.
Allez; elle eſt à vous, si Mandane eſt à moi.
Ce que pour Lysander je semble avoir de haine,
Fera place aux douceurs de cette double chaîne,
Dont vous serez le nœud commun;
Et cet heureux hymen, accompagné du vôtre,
Nous rendant entre nous garant de l'un vers l'autre,
Réduira nos trois cœurs en un.
Madame, parlez donc.

SPITRIDATE

Seigneur, l'obéissance
S'exprime assez par le silence,
Trouvez bon que je puisse apprendre à Lysander
La grâce qu'à ma flamme il vous plaît d'accorder.

SCÈNE IV

AGÉSILAS, MANDANE, XÉNOCLÈS

AGÉSILAS

En puis-je pour la mienne espérer une égale,
Madame? ou ne sera-ce en effet qu'obéir?

MANDANE

Seigneur, je croirais vous trahir
Et n'avoir pas pour vous une âme assez royale,
Si je vous cachais rien des justes sentiments
Que m'inspire le ciel pour deux rois mes amants.
J'ai vu que vous m'aimiez; et sans autre interprète
J'en ai cru vos faveurs qui m'ont si peu coûté;
J'en ai cru vos bontés, et l'assiduité
Qu'apporte à me chercher votre ardeur inquiète.
Ma gloire y voulait consentir;
Mais ma reconnaissance a pris soin de la vôtre.
Vos feux la hasardaient, et pour les amortir
J'ai réduit mes désirs à pencher vers un autre.
Pour m'épouser, vous le pouvez.
Je ne saurais former de vœux plus élevés;
Mais avant que juger ma conquête assez haute,
De l'œil dont il faut voir ce que vous vous devez,
Voyez ce qu'elle donne, ou plutôt ce qu'elle ôte.
Votre Sparte si haut porte sa royauté,
Que tout sang étranger la souille et la profane :
Jalouse de ce trône où vous êtes monté,
Y faire seoir une Persane,
C'est pour elle une étrange et dure nouveauté;
Et tout votre pouvoir ne peut m'y donner place,
Que vous n'y renonciez pour toute votre race.
Vos éphores peut-être oseront encor plus;
Et si votre sénat avec eux se soulève,
Si de me voir leur reine indignés et confus,
Ils m'arrachent d'un trône où votre choix m'élève...
Pensez bien à la suite avant que d'achever,
Et si ce sont périls que vous deviez braver,
Vous les voyez si bien que j'ai mauvaise grâce

De vous en faire souvenir;
Mais mon zèle a voulu cette indiscrète audace,
Et moi je n'ai pas cru devoir la retenir.
Que la suite, après tout, vous flatte ou vous traverse,
Ma gloire est sans pareille aux yeux de l'univers,
S'il voit qu'une Persane au vainqueur de la Perse
Donne à son tour des lois, et l'arrête en ses fers.
Comme votre intérêt m'est plus considérable,
Je tâche de vous rendre à des destins meilleurs.
Mon amour peut vous perdre, et je m'attache ailleurs,
Pour être pour vous moins aimable.
Voilà ce que devait un cœur reconnaissant.
Quant au reste, parlez en maître,
Vous êtes ici tout-puissant.

AGÉSILAS

Quand peut-on être ingrat, si c'est là reconnaître?
Et que puis-je sur vous si le cœur n'y consent?

MANDANE

Seigneur, il est donné; la main n'est pas donnée;
Et l'inclination ne fait pas l'hyménée.
Au défaut de ce cœur, je vous offre une foi
Sincère, inviolable, et digne enfin de moi.
Voyez si ce partage aura pour vous des charmes.
Contre l'amour d'un roi c'est assez raisonner.
J'aime, et vais toutefois attendre sans alarmes
Ce qu'il lui plaira m'ordonner.
Je fais un sacrifice assez noble, assez ample,
S'il en veut un en ce grand jour;
Et s'il peut se résoudre à vaincre son amour,
J'en donne à son grand cœur un assez haut exemple.
Qu'il écoute sa gloire ou suive son désir,
Qu'il se fasse grâce ou justice,
Je me tiens prête à tout, et lui laisse à choisir
De l'exemple ou du sacrifice.

SCÈNE V

AGÉSILAS, XÉNOCLÈS

AGÉSILAS

Qu'une Persane m'ose offrir un si grand choix !
Parmi nous qui traitons la Perse de barbare,
Et méprisons jusqu'à ses rois,
Est-il plus haut mérite? est-il vertu plus rare?
Cependant mon destin à ce point est amer,
Que plus elle mérite, et moins je dois l'aimer;
Et que plus ses vertus sont dignes de l'hommage
Que rend toute mon âme à cet illustre objet,
Plus je la dois fermer à tout autre projet
Qu'à celui d'égaler sa grandeur de courage.

XÉNOCLÈS

Du moins vous rendre heureux, ce n'est plus hasarder.
Puisqu'un si digne amour fait grâce à Lysander,
Il n'a plus lieu de se contraindre :
Vous devenez par là maître de tout l'État;
Et ce grand homme à vous, vous n'avez plus à craindre
Ni d'éphores ni de sénat.

AGÉSILAS

Je n'en suis pas encor d'accord avec moi-même.
J'aime; mais, après tout, je hais autant que j'aime;
Et ces deux passions qui règnent tour à tour
Ont au fond de mon cœur si peu d'intelligence,
Qu'à peine immole-t-il la vengeance à l'amour,
Qu'il voudrait immoler l'amour à la vengeance.
Entre ce digne objet et ce digne ennemi,
Mon âme incertaine et flottante,
Quoi que l'un me promette et quoi que l'autre attente,
Ne se peut ni dompter, ni croire qu'à demi :
Et plus des deux côtés je la sens balancée,
Plus je vois clairement que si je veux régner,
Moi qui de Lysander vois toute la pensée,
Il le faut tout à fait ou perdre ou regagner;
Qu'il est temps de choisir.

XÉNOCLÈS

Qu'il serait magnanime
De vaincre et la vengeance et l'amour à la fois !

AGÉSILAS

Il faudrait, Xénoclès, une âme plus sublime.

XÉNOCLÈS

Il ne faut que vouloir : tout eſt possible aux rois.

AGÉSILAS

Ah ! si je pouvais tout, dans l'ardeur qui me presse
Pour ces deux passions qui partagent mes vœux,
Peut-être aurais-je la faiblesse
D'obéir à toutes les deux.

SCÈNE VI

AGÉSILAS, LYSANDER, XÉNOCLÈS

LYSANDER

Seigneur, il vous a plu disposer d'Elpinice;
Nous devons, elle et moi, beaucoup à vos bontés;
Et je serai ravi qu'elle vous obéisse,
Pourvu que de Cotys les vœux soient acceptés.
J'en ai donné parole, il y va de ma gloire.
Spitridate, sans lui, ne saurait être heureux;
Et donner mon aveu, s'ils ne le sont tous deux,
C'eſt faire à mon honneur une tache trop noire.
Vous pouvez nous parler en roi.
Ma fille vous doit plus qu'à moi :
Commandez, elle eſt prête, et je saurai me taire.
N'exigez rien de plus d'un père.
Il a tenu toujours vos ordres à bonheur;
Mais rendez-lui cette juſtice
De souffrir qu'il emporte au tombeau cet honneur,
Qui fait l'unique prix de trente ans de service.

AGÉSILAS

Oui, vous l'y porterez, et du moins de ma part
Ce précieux honneur ne court aucun hasard.

On a votre parole, et j'ai donné la mienne;
Et pour faire aujourd'hui que l'une et l'autre tienne,
Il faut vaincre un amour qui m'était aussi doux
Que votre gloire l'est pour vous,
Un amour dont l'espoir ne voyait plus d'obstacle.
Mais enfin il est beau de triompher de soi,
Et de s'accorder ce miracle,
Quand on peut hautement donner à tous la loi,
Et que le juste soin de combler notre gloire
Demande notre cœur pour dernière victoire.
Un roi né pour l'éclat des grandes actions
Dompte jusqu'à ses passions,
Et ne se croit point roi, s'il ne fait sur lui-même
Le plus illustre essai de son pouvoir suprême[6].

(A Xénoclès.)

Allez dire à Cotys que Mandane est à lui;
Que si mes feux aux siens ne l'ont pas accordée,
Pour venger son amour de ce moment d'ennui,
Je veux la lui céder comme il me l'a cédée.
Oyez de plus.

Il parle à l'oreille à Xénoclès qui s'en va.

SCÈNE VII

AGÉSILAS, LYSANDER

AGÉSILAS

Eh bien! vos mécontentements
Me seront-ils encore à craindre?
Et vous souviendrez-vous des mauvais traitements
Qui vous avaient donné tant de lieu de vous plaindre?

LYSANDER

Je vous ai dit, Seigneur, que j'étais tout à vous;
Et j'y suis d'autant plus, que malgré l'apparence,
Je trouve des bontés qui passent l'espérance
Où je n'avais cru voir que des soupçons jaloux.

AGÉSILAS

Et que va devenir cette docte harangue
Qui du fameux Cléon doit ennoblir la langue?

LYSANDER

Seigneur...

AGÉSILAS

Nous sommes seuls, j'ai chassé Xénoclès :
Parlons confidemment. Que venez-vous d'écrire
A l'éphore Arsidas, au sénateur Cratès?
Je vous défère assez pour n'en vouloir rien lire;
Tout eſt encor fermé. Voyez.

LYSANDER

Je suis coupable,
Parce qu'on me trahit, que l'on vous sert trop bien,
Et que par un effort de prudence admirable,
Vous avez su prévoir de quoi serait capable,
Après tant de mépris, un cœur comme le mien.
Ce dessein toutefois ne passera pour crime
Que parce qu'il eſt sans effet;
Et ce qu'on va nommer forfait
N'a rien qu'un plein succès n'eût rendu légitime.
Tout devient glorieux pour qui peut l'obtenir,
Et qui le manque eſt à punir.

AGÉSILAS

Non, non; j'aurais plus fait peut-être en votre place :
Il eſt naturel aux grands cœurs
De sentir vivement de pareilles rigueurs;
Et vous m'offenseriez de douter de ma grâce.
Comme roi, je la donne, et comme ami discret
Je vous assure du secret.
Je remets en vos mains tout ce qui vous peut nuire.
Vous m'avez trop servi pour m'en trouver ingrat;
Et d'un trop grand soutien je priverais l'État
Pour des ressentiments où j'ai su vous réduire.
Ma puissance établie et mes droits conservés
Ne me laissent point d'yeux pour voir votre entreprise.
Dites-moi seulement avec même franchise,
Vous dois-je encor bien plus que vous ne me devez?

LYSANDER

Avez-vous pu, Seigneur, me devoir quelque chose?
Qui sert le mieux son roi ne fait que son devoir.

En vous de tout l'État j'ai défendu la cause,
Quand je l'ai fait tomber dessous votre pouvoir.
Le zèle est tout de feu quand ce grand devoir presse;
Et comme à le moins suivre on s'en acquitte mal,
Le mien vous servit moins qu'il ne servit la Grèce,
Quand j'en sus ménager les cœurs avec adresse
Pour vous en faire général.
Je vous dois cependant et la vie et ma gloire;
Et lorsqu'un dessein malheureux
Peut me coûter le jour et souiller ma mémoire,
La magnanimité de ce cœur généreux...

AGÉSILAS

Reprochez-moi plutôt toutes mes injustices,
Que de plus ravaler de si rares services.
Elles ont fait le crime, et j'en tire ce bien,
Que j'ai pu m'acquitter et ne vous dois plus rien.
A présent que la gratitude
Ne peut passer pour dette en qui s'est acquitté,
Vos services, payés d'un traitement si rude,
Vont recevoir de moi ce qu'ils ont mérité.
S'ils ont su conserver un trône en ma famille,
J'y veux par mon hymen faire seoir votre fille :
C'est ainsi qu'avec vous je puis le partager.

LYSANDER

Seigneur, à ces bontés, que je n'osais attendre,
Que puis-je...

AGÉSILAS

Jugez-en comme il faut en juger,
Et surtout commencez d'apprendre
Que les rois sont jaloux du souverain pouvoir,
Qu'ils aiment qu'on leur doive, et ne peuvent devoir,
Que rien à leurs sujets n'acquiert l'indépendance,
Qu'ils règlent à leur choix l'emploi des plus grands cœurs;
Qu'ils ont pour qui les sert des grâces, des faveurs,
Et qu'on n'a jamais droit sur leur reconnaissance.
Prenons dorénavant, vous et moi, pour objet,
Les devoirs qu'il faudra l'un et l'autre nous rendre :
N'oubliez pas ceux d'un sujet,
Et j'aurai soin de ceux d'un gendre.

SCÈNE VIII

AGÉSILAS, LYSANDER, AGLATIDE,
conduite par XÉNOCLÈS

AGLATIDE

Sur un ordre, Seigneur, reçu de votre part,
Je viens, étonnée et surprise
De voir que tout d'un coup un roi m'en favorise,
Qui me daignait à peine honorer d'un regard.

AGÉSILAS

Sortez d'étonnement. Les temps changent, Madame,
Et l'on n'a pas toujours mêmes yeux ni même âme.
Pourriez-vous de ma main accepter un époux?

AGLATIDE

Si mon père y consent, mon devoir me l'ordonne;
Ce me sera trop d'heur de le tenir de vous.
Mais avant que savoir quelle en est la personne,
Pourrais-je vous parler avec la liberté
Que me souffrait à Sparte un feu trop écouté,
Alors qu'il vous plaisait, ou m'aimer ou me dire
Qu'en votre cœur mes yeux s'étaient fait un empire?
Non que j'y pense encor; j'apprends de vous, Seigneur,
Qu'on change avec le temps, d'âme, d'yeux et de cœur.

AGÉSILAS

Rappelez ces beaux jours pour me parler sans feindre;
Mais si vous le pouvez, Madame, épargnez-moi.

AGLATIDE

Ce serait sans raison que j'oserais m'en plaindre :
L'amour doit être libre, et vous êtes mon roi.
Mais puisque jusqu'à vous vous m'avez fait prétendre,
N'obligez point, Seigneur, cet espoir à descendre,
Et ne me faites point de lois
Qui profanent l'honneur de votre premier choix.
J'y trouvais pour moi tant de gloire,
J'en chéris à tel point la flatteuse mémoire,
Que je regarderais comme un indigne époux
Quiconque m'offrirait un moindre rang que vous.

Si cet orgueil a quelque crime,
Il n'en faut accuser que votre trop d'estime :
Ce sont des sentiments que je ne puis trahir.
Après cela, parlez, c'est à moi d'obéir.

AGÉSILAS

Je parlerai, Madame, avec même franchise.
J'aime à voir cet orgueil que mon choix autorise
A dédaigner les vœux de tout autre qu'un roi :
J'aime cette hauteur en un jeune courage;
Et vous n'aurez point lieu de vous plaindre de moi,
Si votre heureux destin dépend de mon suffrage.

SCÈNE IX

AGÉSILAS, LYSANDER, COTYS, SPITRIDATE,
MANDANE, ELPINICE, AGLATIDE, XÉNOCLÈS

COTYS

Seigneur, à vos bontés nous venons consacrer,
Et Mandane et moi, notre vie.

SPITRIDATE

De pareilles faveurs, Seigneur, nous font rentrer
Pour vous faire voir même envie.

AGÉSILAS

Je vous ai fait justice à tous,
Et je crois que ce jour vous doit être assez doux,
Qui de tous vos souhaits à votre gré décide;
Mais pour le rendre encor plus doux et plus charmant
Sachez que Sparte voit sa reine en Aglatide,
A qui le ciel en moi rend son premier amant.

AGLATIDE

C'est me faire, Seigneur, des surprises nouvelles.

AGÉSILAS

Rendons nos cœurs, Madame, à des flammes si belles;
Et tous ensemble allons préparer ce beau jour
Qui, par un triple hymen, couronnera l'amour !

ATTILA
ROI DES HUNS
TRAGÉDIE

AU LECTEUR

Le nom d'Attila est assez connu; mais tout le monde n'en connaît pas tout le caractère. Il était plus homme de tête que de main, tâchait de diviser ses ennemis, ravageait les peuples indéfendus, pour donner de la terreur aux autres, et tirer tribut de leur épouvante, et s'était fait un tel empire sur les rois qui l'accompagnaient, que quand même il leur eût commandé des parricides, ils n'eussent osé lui désobéir. Il est malaisé de savoir quelle était sa religion : le surnom de *Fléau de Dieu,* qu'il prenait lui-même, montre qu'il n'en croyait pas plusieurs. Je l'estimerais arien, comme les Ostrogoths et les Gépides de son armée, n'était la pluralité des femmes que je lui ai retranchée ici. Il croyait fort aux devins, et c'était peut-être tout ce qu'il croyait. Il envoya demander par deux fois à l'empereur Valentinian sa sœur Honorie avec grandes menaces; et en l'attendant, il épousa Ildione, dont tous les historiens marquent la beauté, sans parler de sa naissance. C'est ce qui m'a enhardi à la faire sœur d'un de nos premiers rois, afin d'opposer la France naissante au déclin de l'empire. Il est constant qu'il mourut la première nuit de son mariage avec elle. Marcellin dit qu'elle le tua elle-même, et je lui en ai voulu donner l'idée, quoique sans effet. Tous les autres rapportent qu'il avait accoutumé de saigner du nez, et que les vapeurs du vin et des viandes dont il se chargea fermèrent le passage à ce sang, qui, après l'avoir étouffé, sortit avec violence par tous les conduits. Je les ai suivis sur la manière de sa mort; mais j'ai cru plus à propos d'en attribuer la cause à un excès de colère qu'à un excès d'intempérance.

Au reste, on m'a pressé de répondre ici par occasion aux invectives qu'on a publiées depuis quelque temps contre la comédie; mais je me contenterai d'en dire deux choses, pour fermer la bouche à ces ennemis d'un divertissement si honnête et si utile : l'un, que je soumets tout ce que j'ai fait et ferai à l'avenir à la censure des puissances, tant ecclésiastiques que séculières, sous lesquelles Dieu me fait vivre : je ne sais s'ils en voudraient faire autant; l'autre, que la comédie est assez justifiée par cette célèbre traduction de la moitié de celles de Térence, que des personnes d'une piété exemplaire et rigide ont donnée au public, et ne l'auraient jamais fait, si elles n'eussent jugé qu'on peut innocemment mettre sur la scène des filles engrossées par leurs amants, et des marchands d'esclaves à prostituer[1]. La nôtre ne souffre point de tels ornements. L'amour en est l'âme pour l'ordinaire; mais l'amour dans le malheur n'excite que la pitié, et est plus capable de purger en nous cette passion que de nous en faire envie.

Il n'y a point d'homme, au sortir de la représentation du *Cid,* qui voulût avoir tué, comme lui, le père de sa maîtresse, pour en recevoir de pareilles douceurs, ni de fille qui souhaitât que son amant eût tué son père, pour avoir la joie de l'aimer en poursuivant sa mort. Les tendresses de l'amour content sont d'une autre nature, et c'est ce qui m'oblige à les éviter. J'espère un jour traiter cette matière plus au long, et faire voir quelle erreur c'est de dire qu'on peut faire parler sur le théâtre toutes sortes de gens, selon toute l'étendue de leurs caractères.

ACTEURS

ATTILA, *Roi des Huns.*
ARDARIC, *Roi des Gépides.*
VALAMIR, *Roi des Ostrogoths.*
HONORIE, *Sœur de l'Empereur Valentinian.*
ILDIONE, *Sœur de Mérouée, Roi de France.*
OCTAR, *Capitaine des Gardes d'Attila.*
FLAVIE, *Dame d'honneur d'Honorie.*
GARDES.

La scène est au camp d'Attila, dans le Norique.

ACTE PREMIER

SCÈNE PREMIÈRE

Attila, Octar, suite

Attila

Ils ne sont pas venus, nos deux rois? Qu'on leur die
Qu'ils se font trop attendre, et qu'Attila s'ennuie;
Qu'alors que je les mande ils doivent se hâter.

Octar

Mais, Seigneur, quel besoin de les en consulter?
Pourquoi de votre hymen les prendre pour arbitres,
Eux qui n'ont de leur trône ici que de vains titres,
Et que vous ne laissez au nombre des vivants
Que pour traîner partout deux rois pour vos suivants?

Attila

J'en puis résoudre seul, Octar, et les appelle,
Non sous aucun espoir de lumière nouvelle :
Je crois voir avant eux ce qu'ils m'éclairciront,
Et m'être déjà dit tout ce qu'ils me diront;
Mais de ces deux partis lequel que je préfère,
Sa gloire est un affront pour l'autre et pour son frère;
Et je veux attirer d'un si juste courroux
Sur l'auteur du conseil les plus dangereux coups,
Assurer une excuse à ce manque d'estime,
Pouvoir, s'il est besoin, livrer une victime;
Et c'est ce qui m'oblige à consulter ces rois,
Pour faire à leurs périls éclater ce grand choix;
Car enfin j'aimerais un prétexte à leur perte :
J'en prendrais hautement l'occasion offerte.
Ce titre en eux me choque, et je ne sais pourquoi
Un roi que je commande ose se nommer roi.
Un nom si glorieux marque une indépendance
Que souille, que détruit la moindre obéissance;

Et je suis las de voir que du bandeau royal
Ils prennent droit tous deux de me traiter d'égal.

OCTAR

Mais, Seigneur, se peut-il que pour ces deux princesses
Vous ayez mêmes yeux et pareilles tendresses,
Que leur mérite égal dispose sans ennui
Votre âme irrésolue aux sentiments d'autrui?
Ou si vers l'une ou l'autre elle a pris quelque pente,
Dont prennent ces deux rois la route différente,
Voudra-t-elle, aux dépens de ses vœux les plus doux,
Préparer une excuse à ce juste courroux?
Et pour juste qu'il soit, est-il si fort à craindre
Que le grand Attila s'abaisse à se contraindre?

ATTILA

Non; mais la noble ardeur d'envahir tant d'États
Doit combattre de tête encor plus que de bras[2],
Entre ses ennemis rompre l'intelligence,
Y jeter du désordre et de la défiance,
Et ne rien hasarder qu'on n'ait de toutes parts,
Autant qu'il est possible, enchaîné les hasards.
  Nous étions aussi forts qu'à présent nous le sommes,
Quand je fondis en Gaule avec cinq cent mille hommes.
Dès lors, s'il t'en souvient, je voulus, mais en vain,
D'avec le Visigoth détacher le Romain.
J'y perdis auprès d'eux des soins qui me perdirent :
Loin de se diviser, d'autant mieux ils s'unirent.
La terreur de mon nom pour nouveaux compagnons
Leur donna les Alains, les Francs, les Bourguignons;
Et n'ayant pu semer entre eux aucuns divorces,
Je me vis en déroute avec toutes mes forces.
J'ai su les rétablir, et cherche à me venger;
Mais je cherche à le faire avec moins de danger.
  De ces cinq nations contre moi trop heureuses,
J'envoie offrir la paix aux deux plus belliqueuses;
Je traite avec chacune; et comme toutes deux
De mon hymen offert ont accepté les nœuds,
Des princesses qu'ensuite elles en font le gage
L'une sera ma femme et l'autre mon otage.
Si j'offense par là l'un des deux souverains,
Il craindra pour sa sœur, qui reste entre mes mains.

Ainsi je les tiendrai l'un et l'autre en contrainte,
L'un par mon alliance, et l'autre par la crainte;
Ou si le malheureux s'obstine à s'irriter,
L'heureux en ma faveur saura lui résister,
Tant que de nos vainqueurs terrassés l'un par l'autre
Les trônes ébranlés tombent au pied du nôtre.
Quant à l'amour, apprends que mon plus doux souci
N'est... Mais Ardaric entre, et Valamir aussi.

SCÈNE II

ATTILA, ARDARIC, VALAMIR, OCTAR

ATTILA

Rois, amis d'Attila, soutiens de ma puissance,
Qui rangez tant d'États sous mon obéissance,
Et de qui les conseils, le grand cœur et la main,
Me rendent formidable à tout le genre humain,
Vous voyez en mon camp les éclatantes marques
Que de ce vaste effroi nous donnent deux monarques.
En Gaule Mérouée, à Rome l'Empereur,
Ont cru par mon hymen éviter ma fureur.
La paix avec tous deux en même temps traitée
Se trouve avec tous deux à ce prix arrêtée;
Et presque sur les pas de mes ambassadeurs
Les leurs m'ont amené deux princesses leurs sœurs.
Le choix m'en embarrasse, il est temps de le faire;
Depuis leur arrivée en vain je les diffère :
Il faut enfin résoudre; et quel que soit ce choix,
J'offense un empereur, ou le plus grand des rois.
   Je le dis le plus grand, non qu'encor la victoire
Ait porté Mérouée à ce comble de gloire;
Mais si de nos devins l'oracle n'est point faux,
Sa grandeur doit atteindre aux degrés les plus hauts;
Et de ses successeurs l'empire inébranlable
Sera de siècle en siècle enfin si redoutable,
Qu'un jour toute la terre en recevra des lois,
Ou tremblera du moins au nom de leurs François.
   Vous donc, qui connaissez de combien d'importance
Est pour nos grands projets l'une et l'autre alliance,

Prêtez-moi des clartés pour bien voir aujourd'hui
De laquelle ils auront ou plus ou moins d'appui,
Qui des deux, honoré par ces nœuds domestiques,
Nous vengera le mieux des Champs catalauniques;
Et qui des deux enfin, déchu d'un tel espoir,
Sera le plus à craindre à qui veut tout pouvoir.

ARDARIC

En l'état où le ciel a mis votre puissance,
Nous mettrions en vain les forces en balance :
Tout ce qu'on y peut voir ou de plus ou de moins
Ne vaut pas amuser le moindre de vos soins.
L'un et l'autre traité suffit pour nous instruire
Qu'ils vous craignent tous deux et n'osent plus vous nuire.
Ainsi, sans perdre temps à vous inquiéter,
Vous n'avez que vos yeux, Seigneur, à consulter.
Laissez aller ce choix du côté du mérite
Pour qui, sur leur rapport, l'amour vous sollicite :
Croyez ce qu'avec eux votre cœur résoudra;
Et de ces potentats s'offense qui voudra.

ATTILA

L'amour chez Attila n'est pas un bon suffrage;
Ce qu'on m'en donnerait me tiendrait lieu d'outrage,
Et tout exprès ailleurs je porterais ma foi,
De peur qu'on n'eût par là trop de pouvoir sur moi.
Les femmes qu'on adore usurpent un empire
Que jamais un mari n'ose ou ne peut dédire.
C'est au commun des rois à se plaire en leurs fers,
Non à ceux dont le nom fait trembler l'univers.
Que chacun de leurs yeux aime à se faire esclave;
Moi, je ne veux les voir qu'en tyrans que je brave :
Et par quelques attraits qu'ils captivent un cœur,
Le mien en dépit d'eux est tout à ma grandeur.
Parlez donc seulement du choix le plus utile,
Du courroux à dompter ou plus ou moins facile;
Et ne me dites point que de chaque côté
Vous voyez comme lui peu d'inégalité.
En matière d'État ne fût-ce qu'un atome,
Sa perte quelquefois importe d'un royaume ;
Il n'est scrupule exact qu'il n'y faille garder,
Et le moindre avantage a droit de décider.

VALAMIR

Seigneur, dans le penchant que prennent les affaires,
Les grands discours ici ne sont pas nécessaires :
Il ne faut que des yeux; et pour tout découvrir,
Pour décider de tout, on n'a qu'à les ouvrir.
Un grand destin commence, un grand destin s'achève;
L'empire est prêt à choir, et la France s'élève;
L'une peut avec elle affermir son appui,
Et l'autre en trébuchant l'ensevelir sous lui.
Vos devins vous l'ont dit; n'y mettez point d'obstacles,
Vous qui n'avez jamais douté de leurs oracles :
Soutenir un État chancelant et brisé,
C'est chercher par sa chute à se voir écrasé.
Appuyez donc la France, et laissez tomber Rome;
Aux grands ordres du ciel prêtez ceux d'un grand homme;
D'un si bel avenir avouez vos devins,
Avancez les succès, et hâtez les destins.

ARDARIC

Oui, le ciel, par le choix de ces grands hyménées,
A mis entre vos mains le cours des destinées;
Mais s'il est glorieux, Seigneur, de le hâter,
Il l'est, et plus encor, de si bien l'arrêter,
Que la France, en dépit d'un infaillible augure,
N'aille qu'à pas traînants vers sa grandeur future,
Et que l'aigle, accablé par ce destin nouveau,
Ne puisse trébucher que sur votre tombeau.
Serait-il gloire égale à celle de suspendre
Ce que ces deux États du ciel doivent attendre,
Et de vous faire voir aux plus savants devins
Arbitre des succès et maître des destins?
J'ose vous dire plus. Tout ce qu'ils vous prédisent,
Avec pleine clarté dans le ciel ils le lisent;
Mais vous assurent-ils que quelque astre jaloux
N'ait point mis plus d'un siècle entre l'effet et vous?
Ces éclatants retours que font les destinées
Sont assez rarement l'œuvre de peu d'années;
Et ce qu'on vous prédit touchant ces deux États
Peut être un avenir qui ne vous touche pas.
Cependant regardez ce qu'est encor l'empire :
Il chancelle, il se brise, et chacun le déchire;
De ses entrailles même il produit les tyrans;
Mais il peut encor plus que tous ses conquérants.

Le moindre souvenir des Champs catalauniques
En peut mettre à vos yeux des preuves trop publiques :
Singibar, Gondebaut, Mérouée et Thierri,
Là, sans Aétius, tous quatre auraient péri.
Les Romains firent seuls cette grande journée :
Unissez-les à vous par un digne hyménée.
Puisque déjà sans eux vous pouvez presque tout,
Il n'est rien dont par eux vous ne veniez à bout.
Quand de ces nouveaux rois ils vous auront fait maître,
Vous verrez à loisir de qui vous voudrez l'être,
Et résoudrez vous seul avec tranquillité
Si vous leur souffrirez encor l'égalité.

VALAMIR

L'empire, je l'avoue, est encor quelque chose;
Mais nous ne sommes plus au temps de Théodose;
Et comme dans sa race il ne revit pas bien,
L'empire est quelque chose, et l'Empereur n'est rien.
Ses deux fils n'ont rempli les trônes des deux Romes
Que d'idoles pompeux, que d'ombres au lieu d'hommes.
L'imbécile fierté de ces faux souverains,
Qui n'osait à son aide appeler des Romains,
Parmi des nations qu'ils traitaient de barbares
Empruntait pour régner des personnes plus rares,
Et d'un côté Gainas, de l'autre Stilicon,
A ces deux majestés ne laissant que le nom,
On voyait dominer d'une hauteur égale
Un Goth dans un empire, et dans l'autre un Vandale.
Comme de tous côtés on s'en est indigné,
De tous côtés aussi pour eux on a régné.
Le second Théodose avait pris leur modèle :
Sa sœur à cinquante ans le tenait en tutelle,
Et fut, tant qu'il régna, l'âme de ce grand corps,
Dont elle fait encor mouvoir tous les ressorts.
Pour Valentinian, tant qu'a vécu sa mère,
Il a semblé répondre à ce grand caractère :
Il a paru régner; mais on voit aujourd'hui
Qu'il régnait par sa mère, ou sa mère pour lui;
Et depuis son trépas il a trop fait connaître
Que s'il est empereur, Aétius est maître;
Et c'en serait la sœur qu'il faudrait obtenir,
Si jamais aux Romains vous vouliez vous unir :
Au reste, un prince faible, envieux, mol, stupide,

Qu'un heureux succès enfle, un douteux intimide,
Qui pour unique emploi s'attache à son plaisir,
Et laisse le pouvoir à qui s'en peut saisir.
Mais le grand Mérouée, est un roi magnanime,
Amoureux de la gloire, ardent après l'estime,
Qui ne permet aux siens d'emploi ni de pouvoir,
Qu'autant que par son ordre ils en doivent avoir.
Il sait vaincre et régner; et depuis sa victoire,
S'il a déjà soumis et la Seine et la Loire,
Quand vous voudrez aux siens joindre vos combattants,
La Garomne et l'Arar ne tiendront pas longtemps.
Alors ces mêmes champs, témoins de notre honte,
En verront la vengeance et plus haute et plus prompte;
Et pour glorieux prix d'avoir su vous venger,
Vous aurez avec lui la Gaule à partager,
D'où vous ferez savoir à toute l'Italie
Qu'alors que la prudence à la valeur s'allie,
Il n'est rien à l'épreuve, et qu'il est temps qu'enfin
Et du Tibre et du Pô vous fassiez le destin.

ARDARIC

Prenez-en donc le droit des mains d'une princesse
Qui l'apporte pour dot à l'ardeur qui vous presse;
Et paraissez plutôt vous saisir de son bien,
Qu'usurper des États sur qui ne vous doit rien.
Sa mère eut tant de part à la toute-puissance,
Qu'elle fit à l'empire associer Constance;
Et si ce même empire a quelque attrait pour vous,
La fille a même droit en faveur d'un époux.
Allez, la force en main, demander ce partage
Que d'un père mourant lui laissa le suffrage :
Sous ce prétexte heureux vous verrez des Romains
Se détacher de Rome, et vous tendre les mains.
Aétius n'est pas si maître qu'on veut croire :
Il a jusque chez lui des jaloux de sa gloire;
Et vous aurez pour vous tous ceux qui dans le cœur
Sont mécontents du prince, ou las du gouverneur.
Le débris de l'empire a de belles ruines :
S'il n'a plus de héros, il a des héroïnes.
Rome vous en offre une, et part à ce débris :
Pourriez-vous refuser votre main à ce prix?
Ildione n'apporte ici que sa personne :
Sa dot ne peut s'étendre aux droits d'une couronne,

Ses Francs n'admettent point de femme à dominer;
Mais les droits d'Honorie ont de quoi tout donner.
Attachez-les, Seigneur, à vous, à votre race;
Du fameux Théodose assurez-vous la place :
Rome adore la sœur, le frère eſt sans pouvoir;
On hait Aétius : vous n'avez qu'à vouloir.

ATTILA

Eſt-ce comme il me faut tirer d'inquiétude,
Que de plonger mon âme en plus d'incertitude?
Et pour vous prévaloir de mes perplexités,
Choisissez-vous exprès ces contrariétés?
Plus j'entends raisonner, et moins on détermine :
Chacun dans sa pensée également s'obſtine;
Et quand par vous je cherche à ne plus balancer,
Vous cherchez l'un et l'autre à mieux m'embarrasser!
Je ne demande point de si diverses routes :
Il me faut des clartés, et non de nouveaux doutes;
Et quand je vous confie un sort tel que le mien,
C'eſt m'offenser tous deux que ne résoudre rien.

VALAMIR

Seigneur, chacun de nous vous parle comme il pense,
Chacun de ce grand choix vous fait voir l'importance;
Mais nous ne sommes point jaloux de nos avis.
Croyez-le, croyez-moi, nous en serons ravis;
Ils sont les purs effets d'une amitié fidèle,
De qui le zèle ardent...

ATTILA

Unissez donc ce zèle,
Et ne me forcez point à voir dans vos débats
Plus que je ne veux voir, et... Je n'achève pas.
Dites-moi seulement ce qui vous intéresse
A protéger ici l'une et l'autre princesse.
Leurs frères vous ont-ils, à force de présents,
Chacun de son côté rendus leurs partisans?
Eſt-ce amitié pour l'une, eſt-ce haine pour l'autre,
Qui forme auprès de moi son avis et le vôtre?
Par quel dessein de plaire ou de vous agrandir...
Mais derechef je veux ne rien approfondir,
Et croire qu'où je suis on n'a pas tant d'audace.
Vous, si vous vous aimez, faites-vous une grâce :

Accordez-vous ensemble, et ne conteſtez plus,
Ou de l'une des deux ménagez un refus,
Afin que nous puissions en cette conjonċture
A son aversion imputer la rupture.
Employez-y tous deux ce zèle et cette ardeur
Que vous dites avoir tous deux pour ma grandeur :
J'en croirai les efforts qu'on fera pour me plaire,
Et veux bien jusque-là suspendre ma colère.

SCÈNE III

ARDARIC, VALAMIR

ARDARIC

En serons-nous toujours les malheureux objets?
Et verrons-nous toujours qu'il nous traite en sujets?

VALAMIR

Fermons les yeux, Seigneur, sur de telles disgrâces :
Le ciel en doit un jour effacer jusqu'aux traces;
Mes devins me l'ont dit; et s'il en eſt besoin,
Je dirai que ce jour peut-être n'eſt pas loin :
Ils en ont, disent-ils, un assuré présage.
Je vous confierai plus : ils m'ont dit davantage,
Et qu'un Théodoric qui doit sortir de moi
Commandera dans Rome, et s'en fera le roi;
Et c'eſt ce qui m'oblige à parler pour la France,
A presser Attila d'en choisir l'alliance,
D'épouser Ildione, afin que par ce choix
Il laisse à mon hymen Honorie et ses droits.
   Ne vous opposez plus aux grandeurs d'Ildione,
Souffrez en ma faveur qu'elle monte à ce trône;
Et si jamais pour vous je puis en faire autant...

ARDARIC

Vous le pouvez, Seigneur, et dès ce même inſtant.
Souffrez qu'à votre exemple en deux mots je m'explique.
Vous aimez; mais ce n'eſt qu'un amour politique;
Et puisque je vous dois confidence à mon tour,
J'ai pour l'autre princesse un véritable amour;

Et c'est ce qui m'oblige à parler pour l'empire,
Afin qu'on m'abandonne un objet où j'aspire.
Une étroite amitié l'un à l'autre nous joint;
Mais enfin nos désirs ne compatissent point.
Voyons qui se doit vaincre, et s'il faut que mon âme
A votre ambition immole cette flamme;
Ou s'il n'est point plus beau que votre ambition
Elle-même s'immole à cette passion.

VALAMIR

Ce serait pour mon cœur un cruel sacrifice.

ARDARIC

Et l'autre pour le mien serait un dur supplice.
Vous aime-t-on?

VALAMIR

Du moins j'ai lieu de m'en flatter.
Et vous, Seigneur?

ARDARIC

Du moins on me daigne écouter.

VALAMIR

Qu'un mutuel amour est un triste avantage,
Quand ce que nous aimons d'un autre est le partage!

ARDARIC

Cependant le tyran prendra pour attentat
Cet amour qui fait seul tant de raisons d'État.
Nous n'avons que trop vu jusqu'où va sa colère,
Qui n'a pas épargné le sang même d'un frère,
Et combien après lui de rois ses alliés
A son orgueil barbare il a sacrifiés.

VALAMIR

Les peuples qui suivaient ces illustres victimes
Suivent encor sous lui l'impunité des crimes;
Et ce ravage affreux qu'il permet aux soldats
Lui gagne tant de cœurs, lui donne tant de bras,
Que nos propres sujets sortis de nos provinces
Sont en dépit de nous plus à lui qu'à leurs princes.

ARDARIC

Il semble à ses discours déjà nous soupçonner,
Et ce sont des soupçons qu'il nous faut détourner.
A ce refus qu'il veut disposons ma princesse.

VALAMIR

Pour y porter la mienne il faudra peu d'adresse.

ARDARIC

Si vous persuadez, quel malheur est le mien !

VALAMIR

Et si l'on vous en croit, puis-je espérer plus rien?

ARDARIC

Ah ! que ne pouvons-nous être heureux l'un et l'autre !

VALAMIR

Ah ! que n'est mon bonheur plus compatible au vôtre !

ARDARIC

Allons des deux côtés chacun faire un effort.

VALAMIR

Allons, et du succès laissons-en faire au sort.

ACTE II

SCÈNE PREMIÈRE

HONORIE, FLAVIE

FLAVIE

Je ne m'en défends point : oui, Madame, Octar m'aime;
Tout ce que je vous dis, je l'ai su de lui-même.
Ils sont rois, mais c'est tout : ce titre sans pouvoir
N'a rien presque en tous deux de ce qu'il doit avoir;
Et le fier Attila chaque jour fait connaître
Que s'il n'est pas leur roi, du moins il est leur maître,
Et qu'ils n'ont en sa cour le rang de ses amis
Qu'autant qu'à son orgueil ils s'y montrent soumis.
Tous deux ont grand mérite, et tous deux grand courage;
Mais ils sont, à vrai dire, ici comme en otage,
Tandis que leurs soldats en des camps éloignés
Prennent l'ordre sous lui de gens qu'il a gagnés;
Et si de le servir leurs troupes n'étaient prêtes,
Ces rois, tout rois qu'ils sont, répondraient de leurs têtes.
Son frère aîné Vléda, plus rempli d'équité,
Les traitait malgré lui d'entière égalité;
Il n'a pu le souffrir, et sa jalouse envie,
Pour n'avoir pas d'égaux, s'est immolé sa vie.
Le sang qu'après avoir mis ce prince au tombeau,
On lui voit chaque jour distiller du cerveau[3],
Punit son parricide, et chaque jour vient faire
Un tribut étonnant à celui de ce frère :
Suivant même qu'il a plus ou moins de courroux,
Ce sang forme un supplice ou plus rude ou plus doux,
S'ouvre une plus féconde ou plus stérile veine;
Et chaque emportement porte avec lui sa peine.

HONORIE

Que me sert donc qu'on m'aime, et pourquoi m'engager
A souffrir un amour qui ne peut me venger?

L'insolent Attila me donne une rivale;
Par ce choix qu'il balance il la fait mon égale;
Et quand pour l'en punir je crois prendre un grand roi,
Je ne prends qu'un grand nom qui ne peut rien pour moi.
Juge que de chagrins au cœur d'une princesse
Qui hait également l'orgueil et la faiblesse;
Et de quel œil je puis regarder un amant
Qui n'aura que pitié de mon ressentiment,
Qui ne saura qu'aimer, et dont tout le service
Ne m'assure aucun bras à me faire justice.
  Jusqu'à Rome Attila m'envoie offrir sa foi,
Pour douter dans son camp entre Ildione et moi.
Hélas ! Flavie, hélas ! si ce doute m'offense,
Que doit faire une indigne et haute préférence?
Et n'est-ce pas alors le dernier des malheurs
Qu'un éclat impuissant d'inutiles douleurs?

FLAVIE

Prévenez-le, Madame; et montrez à sa honte
Combien de tant d'orgueil vous faites peu de conte.

HONORIE

La bravade est aisée, un mot est bientôt dit :
Mais où fuir un tyran que la bravade aigrit?
Retournerai-je à Rome, où j'ai laissé mon frère
Enflammé contre moi de haine et de colère,
Et qui, sans la terreur d'un nom si redouté,
Jamais n'eût mis de borne à ma captivité?
Moi qui prétends pour dot la moitié de l'empire...

FLAVIE

Ce serait d'un malheur vous jeter dans un pire[4].
Ne vous emportez pas contre vous jusque-là :
Il est d'autres moyens de braver Attila.
Épousez Valamir.

HONORIE

Est-ce comme on le brave
Que d'épouser un roi dont il fait son esclave?

FLAVIE

Mais vous l'aimez.

HONORIE

Eh bien ! si j'aime Valamir,
Je ne veux point de rois qu'on force d'obéir;
Et si tu me dis vrai, quelque rang que je tienne,
Cet hymen pourrait être et sa perte et la mienne.
Mais je veux qu'Attila, pressé d'un autre amour,
Endure un tel insulte au milieu de sa cour :
Ildione par là me verrait à sa suite;
A de honteux respects je m'y verrais réduite;
Et le sang des Césars, qu'on adora toujours,
Ferait hommage au sang d'un roi de quatre jours !
Dis-le-moi toutefois : pencherait-il vers elle?
Que t'en a dit Octar?

FLAVIE

Qu'il la trouve assez belle,
Qu'il en parle avec joie, et fuit à lui parler.

HONORIE

Il me parle, et s'il faut ne rien dissimuler,
Ses discours me font voir du respect, de l'estime,
Et même quelque amour, sans que le nom s'exprime.

FLAVIE

C'est un peu plus qu'à l'autre.

HONORIE

Et peut-être bien moins.

FLAVIE

Quoi? ce qu'à l'éviter il apporte de soins...

HONORIE

Peut-être il ne la fuit que de peur de se rendre;
Et s'il ne me fuit pas, il sait mieux s'en défendre.
Oui, sans doute, il la craint, et toute sa fierté
Ménage, pour choisir, un peu de liberté.

FLAVIE

Mais laquelle des deux voulez-vous qu'il choisisse?

HONORIE

Mon âme des deux parts attend même supplice :
Ainsi que mon amour, ma gloire a ses appas;

Je meurs, s'il me choisit, ou ne me choisit pas;
Et... Mais Valamir entre, et sa vue en mon âme
Fait trembler mon orgueil, enorgueillit ma flamme.
Flavie, il peut sur moi bien plus que je ne veux :
Pour peu que je l'écoute, il aura tous mes vœux.
Dis-lui... mais il vaut mieux faire effort sur moi-même.

SCÈNE II

VALAMIR, HONORIE, FLAVIE

HONORIE

Le savez-vous, Seigneur, comment je veux qu'on m'aime?
Et puisque jusqu'à moi vous portez vos souhaits,
Avez-vous su connaître à quel prix je me mets?
Je parle avec franchise, et ne veux point vous taire
Que vos soins me plairaient, s'il ne fallait que plaire;
Mais quand cent et cent fois ils seraient mieux reçus,
Il faut pour m'obtenir quelque chose de plus.
 Attila m'eſt promis, j'en ai sa foi pour gage;
La princesse des Francs prétend même avantage;
Et puisque sur le choix il semble hésiter[5],
Étant ce que je suis j'aurais tort d'en douter.
Mais qui promet à deux outrage l'une et l'autre.
J'ai du cœur, on m'offense, examinez le vôtre.
Pourrez-vous m'en venger, pourrez-vous l'en punir?

VALAMIR

N'eſt-ce que par le sang qu'on peut vous obtenir?
Et faut-il que ma flamme à ce grand cœur réponde
Par un assassinat du plus grand roi du monde,
D'un roi que vous avez souhaité pour époux?
Ne saurait-on sans crime être digne de vous?

HONORIE

Non, je ne vous dis pas qu'aux dépens de sa tête
Vous vous fassiez aimer, et payiez ma conquête.
De l'aimable façon qu'il vous traite aujourd'hui
Il a trop mérité ces tendresses pour lui;
D'ailleurs, s'il faut qu'on l'aime, il eſt bon qu'on le craigne.
Mais c'eſt cet Attila qu'il faut que je dédaigne.

Pourrez-vous hautement me tirer de ses mains,
Et braver avec moi le plus fier des humains?

VALAMIR

Il n'en est pas besoin, Madame : il vous respecte,
Et bien que sa fierté vous puisse être suspecte,
A vos moindres froideurs, à vos moindres dégoûts,
Je sais que ses respects me donneraient à vous.

HONORIE

Que j'estime assez peu le sang de Théodose
Pour souffrir qu'en moi-même un tyran en dispose,
Qu'une main qu'il me doit me choisisse un mari,
Et me présente un roi comme son favori!
Pour peu que vous m'aimiez, Seigneur, vous devez croire
Que rien ne m'est sensible à l'égal de ma gloire.
Régnez comme Attila, je vous préfère à lui;
Mais point d'époux qui n'ose en dédaigner l'appui,
Point d'époux qui m'abaisse au rang de ses sujettes.
Enfin, je veux un roi : regardez si vous l'êtes;
Et quoi que sur mon cœur vous ayez d'ascendant,
Sachez qu'il n'aimera qu'un prince indépendant.
Voyez à quoi, Seigneur, on connaît les monarques :
Ne m'offrez plus de vœux qui n'en portent les marques;
Et soyez satisfait qu'on vous daigne assurer
Qu'à tous les rois ce cœur voudrait vous préférer.

SCÈNE III

VALAMIR, FLAVIE

VALAMIR

Quelle hauteur, Flavie, et que faut-il qu'espère
Un roi dont tous les vœux...

FLAVIE

Seigneur, laissez-la faire :
L'amour sera le maître; et la même hauteur
Qui vous dispute ici l'empire de son cœur,

Vous donne en même temps le secours de la haine
Pour triompher bientôt de la fierté romaine.
L'orgueil qui vous dédaigne en dépit de ses feux
Fait haïr Attila de se promettre à deux;
Non que cette fierté n'en soit assez jalouse
Pour ne pouvoir souffrir qu'Ildione l'épouse :
A son frère, à ses Francs faites-la renvoyer,
Vous verrez tout ce cœur soudain se déployer,
Suivre ce qui lui plaît, braver ce qui l'irrite,
Et livrer hautement la victoire au mérite.
Ne vous rebutez point d'un peu d'emportement :
Quelquefois malgré nous il vient un bon moment.
L'amour fait des heureux lorsque moins on y pense;
Et je ne vous dis rien sans beaucoup d'apparence.
Ardaric vous apporte un entretien plus doux.
Adieu : comme le cœur, le temps sera pour vous.

SCÈNE IV

ARDARIC, VALAMIR

ARDARIC

Qu'avez-vous obtenu, Seigneur, de la Princesse?

VALAMIR

Beaucoup et rien : j'ai vu pour moi quelque tendresse;
Mais elle sait d'ailleurs si bien ce qu'elle vaut,
Que si celle des Francs a le cœur aussi haut,
Si c'est à même prix, Seigneur, qu'elle se donne,
Vous lui pourrez longtemps offrir votre couronne.
Mon rival est haï, je n'en saurais douter;
Tout le cœur est à moi, j'ai lieu de m'en vanter;
Au reste des mortels je sais qu'on me préfère,
Et ne sais toutefois ce qu'il faut que j'espère.
Voyez votre Ildione; et puissiez-vous, Seigneur,
Y trouver plus de jour à lire dans son cœur,
Une âme plus tournée à remplir votre attente,
Un esprit plus facile ! Octar sort de sa tente.
Adieu.

SCÈNE V

ARDARIC, OCTAR

ARDARIC

Pourrai-je voir la Princesse à mon tour?

OCTAR

Non, à moins qu'il vous plaise attendre son retour;
Mais, à ce que ses gens, Seigneur, m'ont fait entendre,
Vous n'avez en ce lieu qu'un moment à l'attendre.

ARDARIC

Dites-moi cependant : vous fûtes prisonnier
Du roi des Francs, son frère, en ce combat dernier?

OCTAR

Le désordre, Seigneur, des Champs catalauniques
Me donna peu de part aux disgrâces publiques.
Si j'y fus prisonnier de ce roi généreux,
Il me fit dans sa cour un sort assez heureux :
Ma prison y fut libre; et j'y trouvai sans cesse
Une bonté si rare au cœur de la Princesse,
Que de retour ici je pense lui devoir
Les plus sacrés respects qu'un sujet puisse avoir.

ARDARIC

Qu'un monarque est heureux lorsque le ciel lui donne
La main d'une si belle et si rare personne !

OCTAR

Vous savez toutefois qu'Attila ne l'est pas,
Et combien son trop d'heur lui cause d'embarras.

ARDARIC

Ah ! puisqu'il a des yeux, sans doute il la préfère,
Mais vous vous louez fort aussi du roi son frère.
Ne me déguisez rien : a-t-il des qualités
A se faire admirer ainsi de tous côtés?

Est-ce une vérité que ce que j'entends dire,
Ou si c'est sans raison que l'univers l'admire?

OCTAR

Je ne sais pas, Seigneur, ce qu'on vous en a dit;
Mais si pour l'admirer ce que j'ai vu suffit,
Je l'ai vu dans la paix, je l'ai vu dans la guerre[6],
Porter partout un front de maître de la terre.
J'ai vu plus d'une fois de fières nations
Désarmer son courroux par leurs soumissions.
J'ai vu tous les plaisirs de son âme héroïque
N'avoir rien que d'auguste et que de magnifique;
Et ses illustres soins ouvrir à ses sujets
L'école de la guerre au milieu de la paix.
Par ces délassements sa noble inquiétude
De ses justes desseins faisait l'heureux prélude;
Et si j'ose le dire, il doit nous être doux
Que ce héros les tourne ailleurs que contre nous.
Je l'ai vu, tout couvert de poudre et de fumée,
Donner le grand exemple à toute son armée,
Semer par ses périls l'effroi de toutes parts,
Bouleverser les murs d'un seul de ses regards,
Et sur l'orgueil brisé des plus superbes têtes
De sa course rapide entasser les conquêtes.
Ne me commandez point de peindre un si grand roi :
Ce que j'en ai vu passe un homme tel que moi;
Mais je ne puis, Seigneur, m'empêcher de vous dire
Combien son jeune prince est digne qu'on l'admire[7].
  Il montre un cœur si haut sous un front délicat
Que dans son premier lustre il est déjà soldat :
Le corps attend les ans, mais l'âme est toute prête.
D'un gros de cavaliers il se met à la tête,
Et l'épée à la main, anime l'escadron
Qu'enorgueillit l'honneur de marcher sous son nom.
Tout ce qu'a d'éclatant la majesté du père,
Tout ce qu'ont de charmant les grâces de la mère,
Tout brille sur ce front, dont l'aimable fierté
Porte empreints et ce charme et cette majesté.
L'amour et le respect qu'un si jeune mérite...
Mais la Princesse vient, Seigneur, et je vous quitte.

SCÈNE VI

ARDARIC, ILDIONE

ILDIONE

On vous a consulté, Seigneur; m'apprendrez-vous
Comment votre Attila dispose enfin de nous?

ARDARIC

Comment disposez-vous vous-même de mon âme?
Attila va choisir; il faut parler, Madame :
Si son choix est pour vous, que ferez-vous pour moi?

ILDIONE

Tout ce que peut un cœur qu'engage ailleurs ma foi.
C'est devers vous qu'il penche; et si je ne vous aime,
Je vous plaindrai du moins à l'égal de moi-même :
J'aurai mêmes ennuis, j'aurai mêmes douleurs;
Mais je n'oublierai point que je me dois ailleurs.

ARDARIC

Cette foi que peut-être on est près de vous rendre,
Si vous aviez du cœur, vous sauriez la reprendre.

ILDIONE

J'en ai, s'il faut me vaincre, autant qu'on peut avoir,
Et n'en aurai jamais pour vaincre mon devoir.

ARDARIC

Mais qui s'engage à deux dégage l'une et l'autre.

ILDIONE

Ce serait ma pensée aussi bien que la vôtre;
Et si je n'étais pas, Seigneur, ce que je suis,
J'en prendrais quelque droit de finir mes ennuis;
Mais l'esclavage fier d'une haute naissance,
Où toute autre peut tout, me tient dans l'impuissance;
Et victime d'État, je dois sans reculer
Attendre aveuglément qu'on me daigne immoler.

ARDARIC

Attendre qu'Attila, l'objet de votre haine,
Daigne vous immoler à la fierté romaine?

ILDIONE

Qu'un pareil sacrifice aurait pour moi d'appas !
Et que je souffrirai s'il ne s'y résout pas !

ARDARIC

Qu'il serait glorieux de le faire vous-même,
D'en épargner la honte à votre diadème !
J'entends celui des Francs, qu'au lieu de maintenir...

ILDIONE

C'est à mon frère alors de venger et punir;
Mais ce n'est point à moi de rompre une alliance
Dont il vient d'attacher vos Huns avec sa France,
Et me faire par là du gage de la paix
Le flambeau d'une guerre à ne finir jamais.
Il faut qu'Attila parle; et puisse être Honorie
La plus considérée, ou moi la moins chérie !
Puisse-t-il se résoudre à me manquer de foi !
C'est tout ce que je puis et pour vous et pour moi.
S'il vous faut des souhaits, je n'en suis point avare;
S'il vous faut des regrets, tout mon cœur s'y prépare,
Et veut bien...

ARDARIC

Que feront d'inutiles souhaits
Que laisser à tous deux d'inutiles regrets?
Pouvez-vous espérer qu'Attila vous dédaigne?

ILDIONE

Rome est encor puissante, il se peut qu'il la craigne.

ARDARIC

A moins que pour appui Rome n'ait vos froideurs,
Vos yeux l'emporteront sur toutes ses grandeurs :
Je le sens en moi-même, et ne vois point d'empire
Qu'en mon cœur d'un regard ils ne puissent détruire.
Armez-les de rigueurs, Madame, et par pitié
D'un charme si funeste ôtez-leur la moitié :

C'en sera trop encore, et pour peu qu'ils éclatent,
Il n'eſt aucun espoir dont mes désirs se flattent.
Faites donc davantage : allez jusqu'au refus,
Ou croyez qu'Ardaric déjà n'espère plus,
Qu'il ne vit déjà plus, et que votre hyménée
A déjà par vos mains tranché sa deſtinée.

ILDIONE

Ai-je si peu de part en de tels déplaisirs,
Que pour m'y voir en prendre il faille vos soupirs?
Me voulez-vous forcer à la honte des larmes?

ARDARIC

Si contre tant de maux vous m'enviez leurs charmes,
Faites quelque autre grâce à mes sens alarmés,
Madame, et pour le moins dites que vous m'aimez.

ILDIONE

Ne vouloir pas m'en croire à moins d'un mot si rude,
C'eſt pour une belle âme un peu d'ingratitude.
De quelques traits pour vous que mon cœur soit frappé,
Ce grand mot jusqu'ici ne m'eſt point échappé;
Mais haïr un rival, endurer d'être aimée,
Comme vous de ce choix avoir l'âme alarmée,
A votre espoir flottant donner tous mes souhaits,
A votre espoir déçu donner tous mes regrets,
N'eſt-ce point dire trop ce qui sied mal à dire?

ARDARIC

Mais vous épouserez Attila.

ILDIONE

J'en soupire,

Et mon cœur...

ARDARIC

Que fait-il, ce cœur, que m'abuser,
Si, même en n'osant rien, il craint de trop oser?
Non, si vous en aviez, vous sauriez la reprendre,
Cette foi que peut-être on eſt prêt de vous rendre.
Je ne m'en dédis point, et ma juſte douleur
Ne peut vous dire assez que vous manquez de cœur.

ILDIONE

Il faut donc qu'avec vous tout à fait je m'explique.
Écoutez; et surtout, Seigneur, plus de réplique.
Je vous aime : Ce mot me coûte à prononcer;
Mais puisqu'il vous plaît tant, je veux bien m'y forcer.
Permettez toutefois que je vous die encore
Que si votre Attila de ce grand choix m'honore,
Je recevrai sa main d'un œil aussi content
Que si je me donnais ce que mon cœur prétend :
Non que de son amour je ne prenne un tel gage
Pour le dernier supplice et le dernier outrage,
Et que le dur effort d'un si cruel moment
Ne redouble ma haine et mon ressentiment;
Mais enfin mon devoir veut une déférence
Où même il ne soupçonne aucune répugnance.
Je l'épouserai donc, et réserve pour moi
La gloire de répondre à ce que je me doi.
J'ai ma part, comme une autre, à la haine publique
Qu'aime à semer partout son orgueil tyrannique;
Et le hais d'autant plus, que son ambition
A voulu s'asservir toute ma nation;
Qu'en dépit des traités et de tout leur mystère
Un tyran qui déjà s'est immolé son frère,
Si jamais sa fureur ne redoutait plus rien,
Aurait peut-être peine à faire grâce au mien.
Si donc ce triste choix m'arrache à ce que j'aime,
S'il me livre à l'horreur qu'il me fait de lui-même,
S'il m'attache à la main qui veut tout saccager,
Voyez que d'intérêts, que de maux à venger !
Mon amour, et ma haine, et la cause commune
Crieront à la vengeance, en voudront trois pour une;
Et comme j'aurai lors sa vie entre mes mains,
Il a lieu de me craindre autant que je vous plains.
Assez d'autres tyrans ont péri par leurs femmes :
Cette gloire aisément touche les grandes âmes,
Et de ce même coup qui brisera mes fers,
Il est beau que ma main venge tout l'univers.
Voilà quelle je suis, voilà ce que je pense,
Voilà ce que l'amour prépare à qui l'offense.
Vous, faites-moi justice; et songez mieux, Seigneur
S'il faut me dire encor que je manque de cœur.

Elle s'en va.

ARDARIC

Vous préserve le ciel de l'épreuve cruelle
Où veut un cœur si grand mettre une âme si belle !
Et puisse Attila prendre un esprit assez doux
Pour vouloir qu'on vous doive autant à lui qu'à vous !

ACTE III

SCÈNE PREMIÈRE

ATTILA, OCTAR

ATTILA

OCTAR, as-tu pris soin de redoubler ma garde?

OCTAR

Oui, Seigneur, et déjà chacun s'entre-regarde,
S'entre-demande à quoi ces ordres que j'ai mis...

ATTILA

Quand on a deux rivaux, manque-t-on d'ennemis?

OCTAR

Mais, Seigneur, jusqu'ici vous en doutez encore.

ATTILA

Et pour bien éclaircir ce qu'en effet j'ignore,
Je me mets à couvert de ce que de plus noir
Inspire à leurs pareils l'amour au désespoir;
Et ne laissant pour arme à leur douleur pressante
Qu'une haine sans force, une rage impuissante,
Je m'assure un triomphe en ce glorieux jour
Sur leurs ressentiments, comme sur leur amour.
Qu'en disent nos deux rois?

OCTAR

Leurs âmes, alarmées
De voir par ce renfort leurs tentes enfermées,
Affectent de montrer une tranquillité...

ATTILA

De leur tente à la mienne ils ont la liberté.

OCTAR

Oui, mais seuls, et sans suite; et quant aux deux princesses,
Que de leurs actions on laisse encor maîtresses,
On ne permet d'entrer chez elles qu'à leurs gens;
Et j'en bannis par là ces rois et leurs agents.
N'en ayez plus, Seigneur, aucune inquiétude :
Je les fais observer avec exactitude;
Et de quelque côté qu'elles tournent leurs pas,
J'ai des yeux tous placés qui ne les manquent pas :
On vous rendra bon compte et des deux rois et d'elles.

ATTILA

Il suffit sur ce point : apprends d'autres nouvelles.
Ce grand chef des Romains, l'illustre Aétius,
Le seul que je craignais, Octar, il ne vit plus.

OCTAR

Qui vous en a défait?

ATTILA

Valentinian même.
Craignant qu'il n'usurpât jusqu'à son diadème,
Et pressé des soupçons où j'ai su l'engager,
Lui-même, à ses yeux même, il l'a fait égorger.
Rome perd en lui seul plus de quatre batailles :
Je me vois l'accès libre au pied de ses murailles;
Et si j'y fais paraître Honorie et ses droits,
Contre un tel empereur j'aurai toutes les voix :
Tant l'effroi de mon nom, et la haine publique
Qu'attire sur sa tête une mort si tragique,
Sauront faire aisément, sans en venir aux mains,
De l'époux d'une sœur un maître des Romains.

OCTAR

Ainsi donc votre choix tombe sur Honorie?

ATTILA

J'y fais ce que je puis, et ma gloire m'en prie;
Mais d'ailleurs Ildione a pour moi tant d'attraits,
Que mon cœur étonné flotte plus que jamais.
Je sens combattre encor dans ce cœur qui soupire
Les droits de la beauté contre ceux de l'empire.

L'effort de ma raison qui soutient mon orgueil
Ne peut non plus que lui soutenir un coup d'œil;
Et quand de tout moi-même il m'a rendu le maître,
Pour me rendre à mes fers elle n'a qu'à paraître.
O beauté, qui te fais adorer en tous lieux,
Cruel poison de l'âme, et doux charme des yeux,
Que devient, quand tu veux, l'autorité suprême,
Si tu prends malgré moi l'empire de moi-même,
Et si cette fierté qui fait partout la loi
Ne peut me garantir de la prendre de toi?
Va la trouver pour moi, cette beauté charmante;
Du plus utile choix donne-lui l'épouvante;
Pour l'obliger à fuir, peins-lui bien tout l'affront
Que va mon hyménée imprimer sur son front.
Ose plus : fais-lui peur d'une prison sévère
Qui me réponde ici du courroux de son frère,
Et retienne tous ceux que l'espoir de sa foi
Pourrait en un moment soulever contre moi.
Mais quelle âme en effet n'en serait pas séduite?
Je vois trop de périls, Octar, en cette fuite :
Ses yeux, mes souverains, à qui tout est soumis,
Me sauraient d'un coup d'œil faire trop d'ennemis.
Pour en sauver mon cœur prends une autre manière.
Fais-m'en haïr, peins-moi d'une humeur noire et fière;
Dis-lui que j'aime ailleurs; et fais-lui prévenir
La gloire qu'Honorie est prête d'obtenir.
Fais qu'elle me dédaigne, et me préfère un autre
Qui n'ait pour tout pouvoir qu'un faible emprunt du
Ardaric, Valamir, ne m'importe des deux. [nôtre :
Mais voir en d'autres bras l'objet de tous mes vœux!
Vouloir qu'à mes yeux même un autre le possède!
Ah! le mal est encor plus doux que le remède.
Dis-lui, fais-lui savoir...

OCTAR

Quoi, Seigneur?

ATTILA

Je ne sai :
Tout ce que j'imagine est d'un fâcheux essai.

OCTAR

A quand remettez-vous, après tout, d'en résoudre?

ATTILA

Octar, je l'aperçois. Quel nouveau coup de foudre !
O raison confondue, orgueil presque étouffé,
Avant ce coup fatal que n'as-tu triomphé !

SCÈNE II

ATTILA, ILDIONE, OCTAR

ATTILA

Venir jusqu'en ma tente enlever mes hommages,
Madame, c'est trop loin pousser vos avantages :
Ne vous suffit-il point que le cœur soit à vous?

ILDIONE

C'est de quoi faire naître un espoir assez doux.
Ce n'est pas toutefois, Seigneur, ce qui m'amène :
Ce sont des nouveautés dont j'ai lieu d'être en peine.
Votre garde est doublée, et par un ordre exprès
Je vois ici deux rois observés de fort près.

ATTILA

Prenez-vous intérêt ou pour l'un ou pour l'autre?

ILDIONE

Mon intérêt, Seigneur, c'est d'avoir part au vôtre :
J'ai droit en vos périls de m'en mettre en souci,
Et de plus, je me trompe, ou l'on m'observe aussi.
Vous serais-je suspecte? Et de quoi?

ATTILA

D'être aimée.

Madame, vos attraits, dont j'ai l'âme charmée,
Si j'en crois l'apparence, ont blessé plus d'un roi;
D'autres ont un cœur tendre et des yeux comme moi;
Et pour vous et pour moi j'en préviens l'insolence,
Qui pourrait sur vous-même user de violence.

ILDIONE

Il en est des moyens plus doux et plus aisés,
Si je vous charme autant que vous m'en accusez.

ATTILA

Ah ! vous me charmez trop, moi de qui l'âme altière
Cherche à voir sous mes pas trembler la terre entière :
Moi qui veux pouvoir tout, sitôt que je vous voi,
Malgré tout cet orgueil, je ne puis rien sur moi.
Je veux, je tâche en vain d'éviter par la fuite
Ce charme dominant qui marche à votre suite :
Mes plus heureux succès ne font qu'enfoncer mieux
L'inévitable trait dont me percent vos yeux.
Un regard imprévu leur fait une victoire;
Leur moindre souvenir l'emporte sur ma gloire :
Il s'empare et du cœur et des soins les plus doux;
Et j'oublie Attila dès que je pense à vous.
Que pourrai-je, Madame, après que l'hyménée
Aura mis sous vos lois toute ma destinée?
Quand je voudrai punir, vous saurez pardonner;
Vous refuserez grâce où j'en voudrai donner;
Vous envoirez la paix où je voudrai la guerre;
Vous saurez par mes mains conduire le tonnerre;
Et tout mon amour tremble à s'accorder un bien
Qui me met en état de ne pouvoir plus rien.
  Attentez un peu moins sur ce pouvoir suprême,
Madame, et pour un jour cessez d'être vous-même;
Cessez d'être adorable, et laissez-moi choisir
Un objet qui m'en laisse aisément ressaisir.
Défendez à vos yeux cet éclat invincible
Avec qui ma fierté devient incompatible;
Prêtez-moi des refus, prêtez-moi des mépris,
Et rendez-moi vous-même à moi-même à ce prix.

ILDIONE

Je croyais qu'on me dût préférer Honorie
Avec moins de douceurs et de galanterie;
Et je n'attendais pas une civilité
Qui malgré cette honte enflât ma vanité.
Ses honneurs près des miens ne sont qu'honneurs frivoles,
Ils n'ont que des effets, j'ai les belles paroles;
Et si de son côté vous tournez tous vos soins,
C'est qu'elle a moins d'attraits, et se fait craindre moins.
L'aurait-on jamais cru, qu'un Attila pût craindre,
Qu'un si léger éclat eût de quoi l'y contraindre,
Et que de ce grand nom qui remplit tout d'effroi
Il n'osât hasarder tout l'orgueil contre moi?

Avant qu'il porte ailleurs ces timides hommages
Que jusqu'ici j'enlève avec tant d'avantages,
Apprenez-moi, Seigneur, pour suivre vos desseins,
Comme il faut dédaigner le plus grand des humains;
Dites-moi quels mépris peuvent le satisfaire.
Ah ! si je lui déplais à force de lui plaire,
Si de son trop d'amour sa haine eſt tout le fruit,
Alors qu'on la mérite, où se voit-on réduit?
Allez, Seigneur, allez où tant d'orgueil aspire.
Honorie a pour dot la moitié de l'empire;
D'un mérite penchant c'eſt un ferme soutien;
Et cet heureux éclat efface tout le mien :
Je n'ai que ma personne.

ATTILA

Et c'eſt plus que l'empire,
Plus qu'un droit souverain sur tout ce qui respire.
Tout ce qu'a cet empire ou de grand ou de doux,
Je veux mettre ma gloire à le tenir de vous.
Faites-moi l'accepter, et pour reconnaissance
Quels climats voulez-vous sous votre obéissance?
Si la Gaule vous plaît, vous la partagerez :
J'en offre la conquête à vos yeux adorés;
Et mon amour...

ILDIONE

A quoi que cet amour s'apprête,
La main du conquérant vaut mieux que sa conquête.

ATTILA

Quoi? vous pourriez m'aimer, Madame, à votre tour?
Qui sème tant d'horreurs fait naître peu d'amour.
Qu'aimeriez-vous en moi? Je suis cruel, barbare;
Je n'ai que ma fierté, que ma fureur de rare :
On me craint, on me hait; on me nomme en tout lieu
La terreur des mortels et le fléau de Dieu.
Aux refus que je veux c'eſt là trop de matière;
Et si ce n'eſt assez d'y joindre la prière,
Si rien ne vous résout à dédaigner ma foi,
Appréhendez pour vous comme je fais pour moi.
Si vos tyrans d'appas retiennent ma franchise,
Je puis l'être comme eux de qui me tyrannise.
Souvenez-vous enfin que je suis Attila,
Et que c'eſt dire tout que d'aller jusque-là.

ILDIONE

Il faut donc me résoudre? Eh bien! j'ose... De grâce,
Dispensez-moi du reste, il y faut trop d'audace.
Je tremble comme un autre à l'aspect d'Attila,
Et ne me puis, Seigneur, oublier jusque-là.
J'obéis : ce mot seul dit tout ce qu'il souhaite;
Si c'est m'expliquer mal, qu'il en soit l'interprète.
J'ai tous les sentiments qu'il lui plaît m'ordonner;
J'accepte cette dot qu'il vient de me donner;
Je partage déjà la Gaule avec mon frère,
Et veux tout ce qu'il faut pour ne vous plus déplaire.
Mais ne puis-je savoir, pour ne manquer à rien,
A qui vous me donnez, quand j'obéis si bien?

ATTILA

Je n'ose le résoudre, et de nouveau je tremble,
Sitôt que je conçois tant de chagrins ensemble.
C'est trop que de vous perdre et vous donner ailleurs;
Madame, laissez-moi séparer mes douleurs :
Souffrez qu'un déplaisir me prépare pour l'autre;
Après mon hyménée on aura soin du vôtre :
Ce grand effort déjà n'est que trop rigoureux,
Sans y joindre celui de faire un autre heureux.
Souvent un peu de temps fait plus qu'on n'ose attendre.

ILDIONE

J'oserai plus que vous, Seigneur, et sans en prendre;
Et puisque de son bien chacun peut ordonner,
Votre cœur est à moi, j'oserai le donner;
Mais je ne le mettrai qu'en la main qu'il souhaite.
Vous, traitez-moi, de grâce, ainsi que je vous traite;
Et quand ce coup pour vous sera moins rigoureux,
Avant que me donner consultez-en mes vœux.

ATTILA

Vous aimeriez quelqu'un!

ILDIONE

Jusqu'à votre hyménée
Mon cœur est au monarque à qui l'on m'a donnée;
Mais quand par ce grand choix j'en perdrai tout espoir,
J'ai des yeux qui verront ce qu'il me faudra voir.

SCÈNE III

Honorie, Attila, Ildione, Octar

Honorie

Ce grand choix est donc fait, Seigneur, et pour le faire
Vous avez à tel point redouté ma colère,
Que vous n'avez pas cru vous en pouvoir sauver
Sans doubler votre garde, et me faire observer?
Je ne me jugeais pas en ces lieux tant à craindre;
Et d'un tel attentat j'aurais tort de me plaindre,
Quand je vois que la peur de mes ressentiments
En commence déjà les justes châtiments.

Ildione

Que ces ordres nouveaux ne troublent point votre âme :
C'était moi qu'on craignait, et non pas vous, Madame;
Et ce glorieux choix qui vous met en courroux
Ne tombe pas sur moi, Madame, c'est sur vous.
Il est vrai que sans moi vous n'y pouviez prétendre :
Son cœur, tant qu'il m'eût plu, s'en aurait su défendre;
Il était tout à moi. Ne vous alarmez pas
D'apprendre qu'il était au peu que j'ai d'appas.
Je vous en fais un don : recevez-le pour gage
Ou de mes amitiés ou d'un parfait hommage;
Et forte désormais de vos droits et des miens,
Donnez à ce grand cœur de plus dignes liens.

Honorie

C'est donc de votre main qu'il passe dans la mienne,
Madame, et c'est de vous qu'il faut que je le tienne?

Ildione

Si vous ne le voulez aujourd'hui de ma main,
Craignez qu'il soit trop tard de le vouloir demain.
Elle l'aimera mieux sans doute de la vôtre,
Seigneur, ou vous ferez ce présent à quelque autre.
Pour lui porter ce cœur que je vous avais pris,
Vous m'avez commandé des refus, des mépris :
Souffrez que des mépris le respect me dispense,

Et voyez pour le reste entière obéissance.
Je vous rends à vous-même, et ne puis rien de plus;
Et c'est à vous de faire accepter mes refus.

SCÈNE IV

ATTILA, HONORIE, OCTAR

HONORIE

Accepter ses refus ! moi, Seigneur?

ATTILA

Vous, Madame.
Peut-il être honteux de devenir ma femme?
Et quand on vous assure un si glorieux nom,
Peut-il vous importer qui vous en fait le don?
Peut-il vous importer par quelle voie arrive
La gloire dont pour vous Ildione se prive?
Que ce soit son refus, ou que ce soit mon choix,
En marcherez-vous moins sur la tête des rois[8]?
Mes deux traités de paix m'ont donné deux princesses,
Dont l'une aura ma main, si l'autre eut mes tendresses;
L'une aura ma grandeur, comme l'autre eut mes vœux :
C'est ainsi qu'Attila se partage à vous deux.
N'en murmurez, Madame, ici non plus que l'autre;
Sa part la satisfait, recevez mieux la vôtre;
J'en étais idolâtre, et veux vous épouser.
La raison? c'est ainsi qu'il me plaît d'en user.

HONORIE

Et ce n'est pas ainsi qu'il me plaît qu'on en use :
Je cesse d'estimer ce qu'une autre refuse,
Et bien que vos traités vous engagent ma foi,
Le rebut d'Ildione est indigne de moi.
Oui, bien que l'univers ou vous serve ou vous craigne,
Je n'ai que des mépris pour ce qu'elle dédaigne.
Quel honneur est celui d'être votre moitié,
Qu'elle cède par grâce, et m'offre par pitié?
Je sais ce que le ciel m'a faite au-dessus d'elle,
Et suis plus glorieuse encor qu'elle n'est belle.

ATTILA

J'adore cet orgueil, il eﬅ égal au mien,
Madame; et nos fiertés se ressemblent si bien,
Que si la ressemblance eﬅ par où l'on s'entr'aime,
J'ai lieu de vous aimer comme une autre moi-même.

HONORIE

Ah ! si non plus que vous je n'ai point le cœur bas,
Nos fiertés pour cela ne se ressemblent pas.
La mienne eﬅ de princesse, et la vôtre eﬅ d'esclave :
Je brave les mépris, vous aimez qu'on vous brave;
Votre orgueil a son faible, et le mien, toujours fort,
Ne peut souffrir d'amour dans ce peu de rapport.
S'il vient de ressemblance, et que d'illuﬅres flammes
Ne puissent que par elle unir les grandes âmes,
D'où naîtrait cet amour, quand je vois en tous lieux
De plus dignes fiertés qui me ressemblent mieux?

ATTILA

Vous en voyez ici, Madame; et je m'abuse,
Ou quelque autre me vole un cœur qu'on me refuse;
Et cette noble ardeur de me désobéir
En garde la conquête à l'heureux Valamir.

HONORIE

Ce n'eﬅ qu'à moi, Seigneur, que j'en dois rendre conte;
Quand je voudrai l'aimer, je le pourrai sans honte :
Il eﬅ roi comme vous.

ATTILA

En effet il eﬅ roi,
J'en demeure d'accord, mais non pas comme moi.
Même splendeur de sang, même titre nous pare;
Mais de quelques degrés le pouvoir nous sépare;
Et du trône où le ciel a voulu m'affermir,
C'eﬅ tomber d'assez haut que jusqu'à Valamir.
Chez ses propres sujets ce titre qu'il étale
Ne fait d'entre eux et moi que remplir l'intervalle;
Il reçoit sous ce titre et leur porte mes lois;
Et s'il eﬅ roi des Goths, je suis celui des rois.

HONORIE

Et j'ai de quoi le mettre au-dessus de ta tête,
Sitôt que de ma main j'aurai fait sa conquête.

Tu n'as pour tout pouvoir que des droits usurpés
Sur des peuples surpris et des princes trompés;
Tu n'as d'autorité que ce qu'en font les crimes;
Mais il n'aura de moi, que des droits légitimes;
Et fût-il sous ta rage à tes pieds abattu,
Il est plus grand que toi, s'il a plus de vertu.

ATTILA

Sa vertu ni vos droits ne sont pas de grands charmes,
A moins que pour appui je leur prête mes armes.
Ils ont besoin de moi, s'ils veulent aller loin;
Mais pour être empereur je n'en ai plus besoin.
Aétius est mort, l'empire n'a plus d'homme,
Et je puis trop sans vous me faire place à Rome.

HONORIE

Aétius est mort! Je n'ai plus de tyran[9];
Je reverrai mon frère en Valentinian;
Et mille vrais héros qu'opprimait ce faux maître
Pour me faire justice à l'envi vont paraître.
Ils défendront l'empire, et soutiendront mes droits
En faveur des vertus dont j'aurai fait le choix.
Les grands cœurs n'osent rien sous d'aussi grands ministres:
Leur plus haute valeur n'a d'effets que sinistres;
Leur gloire fait ombrage à ces puissants jaloux,
Qui s'estiment perdus s'ils ne les perdent tous.
Mais après leur trépas tous ces grands cœurs revivent;
Et pour ne plus souffrir des fers qui les captivent,
Chacun reprend sa place et remplit son devoir.
La mort d'Aétius te le fera trop voir :
Si pour leur maître en toi je leur mène un barbare,
Tu verras quel accueil leur vertu te prépare;
Mais si d'un Valamir j'honore un si haut rang,
Aucun pour me servir n'épargnera son sang.

ATTILA

Vous me faites pitié de si mal vous connaître,
Que d'avoir tant d'amour, et le faire paraître.
Il est honteux, Madame, à des rois tels que nous,
Quand ils en sont blessés, d'en laisser voir les coups.
Il a droit de régner sur les âmes communes,
Non sur celles qui font et défont les fortunes;
Et si de tout le cœur on ne peut l'arracher,

Il faut s'en rendre maître, ou du moins le cacher.
Je ne vous blâme point d'avoir eu mes faiblesses;
Mais faites même effort sur ces lâches tendresses,
Et comme je vous tiens seule digne de moi,
Tenez-moi seul aussi digne de votre foi.
Vous aimez Valamir, et j'adore Ildione :
Je me garde pour vous, gardez-vous pour mon trône;
Prenez ainsi que moi des sentiments plus hauts,
Et suivez mes vertus ainsi que mes défauts.

HONORIE

Parle de tes fureurs et de leur noir ouvrage :
Il s'y mêle peut-être une ombre de courage;
Mais bien loin qu'avec gloire on te puisse imiter,
La vertu des tyrans est même à détester.
Irai-je à ton exemple assassiner mon frère?
Sur tous mes alliés répandre ma colère?
Me baigner dans leur sang, et d'un orgueil jaloux...?

ATTILA

Si nous nous emportons, j'irai plus loin que vous,
Madame.

HONORIE

Les grands cœurs parlent avec franchise.

ATTILA

Quand je m'en souviendrai, n'en soyez pas surprise;
Et si je vous épouse avec ce souvenir,
Vous voyez le passé, jugez de l'avenir.
Je vous laisse y penser. Adieu, Madame.

HONORIE

Ah ! traître !

ATTILA

Je suis encore amant, demain je serai maître.
Remenez la Princesse, Octar.

HONORIE

Quoi?

ATTILA

C'est assez.
Vous me direz tantôt tout ce que vous pensez;

Mais pensez-y deux fois avant que me le dire :
Songez que c'est de moi que vous tiendrez l'empire;
Que vos droits sans ma main ne sont que droits en l'air.

HONORIE

Ciel !

ATTILA

Allez, et du moins apprenez à parler.

HONORIE

Apprends, apprends toi-même à changer de langage,
Lorsque au sang des Césars ta parole t'engage.

ATTILA

Nous en pourrons changer avant la fin du jour.

HONORIE

Fais ce que tu voudras, tyran, j'aurai mon tour.

ACTE IV

SCÈNE PREMIÈRE

HONORIE, OCTAR, FLAVIE

HONORIE

ALLEZ, servez-moi bien. Si vous aimez Flavie,
Elle sera le prix de m'avoir bien servie :
J'en donne ma parole; et sa main eſt à vous,
Dès que vous m'obtiendrez Valamir pour époux.

OCTAR

Je voudrais le pouvoir : j'assurerais, Madame,
Sous votre Valamir mes jours avec ma flamme,
Bien qu'Attila me traite assez confidemment,
Ils dépendent sous lui d'un malheureux moment :
Il ne faut qu'un soupçon, un dégoût, un caprice,
Pour en faire à sa haine un soudain sacrifice;
Ce n'eſt pas un esprit que je porte où je veux.
Faire un peu plus de pente au penchant de ses vœux,
L'attacher un peu plus au parti qu'ils choisissent,
Ce n'eſt rien qu'avec moi deux mille autres ne puissent;
Mais proposer de front, ou vouloir doucement
Contre ce qu'il résout tourner son sentiment,
Combattre sa pensée en faveur de la vôtre,
C'eſt ce que nous n'osons, ni moi, ni pas un autre;
Et si je hasardais ce contre-temps fatal,
Je me perdrais, Madame, et vous servirais mal.

HONORIE

Mais qui l'attache à moi, quand pour l'autre il soupire?

OCTAR

La mort d'Aétius et vos droits sur l'empire.
Il croit s'en voir par là les chemins aplanis;
Et tous autres souhaits de son cœur sont bannis.

Il aime à conquérir, mais il hait les batailles :
Il veut que son nom seul renverse les murailles;
Et plus grand politique encor que grand guerrier,
Il tient que les combats sentent l'aventurier.
Il veut que de ses gens le déluge effroyable
Atterre impunément les peuples qu'il accable;
Et prodigue de sang, il épargne celui
Que tant de combattants exposeraient pour lui.
Ainsi n'espérez pas que jamais il relâche,
Que jamais il renonce à ce choix qui vous fâche.
Si pourtant je vois jour à plus que je n'attends,
Madame, assurez-vous que je prendrai mon temps.

SCÈNE II

HONORIE, FLAVIE

FLAVIE

Ne vous êtes-vous point un peu trop déclarée,
Madame? et le chagrin de vous voir préférée
Étouffe-t-il la peur que marquaient vos discours
De rendre hommage au sang d'un roi de quatre jours?

HONORIE

Je te l'avais bien dit, que mon âme incertaine
De tous les deux côtés attendait même gêne,
Flavie; et de deux maux qu'on craint également
Celui qui nous arrive est toujours le plus grand,
Celui que nous sentons devient le plus sensible.
D'un choix si glorieux la honte est trop visible;
Ildione a su l'art de m'en faire un malheur :
La gloire en est pour elle, et pour moi la douleur;
Elle garde pour soi tout l'effet du mérite,
Et me livre avec joie aux ennuis qu'elle évite.
Vois avec quel insulte et de quelle hauteur
Son refus en mes mains rejette un si grand cœur,
Cependant que ravie elle assure à son âme
La douceur d'être toute à l'objet de sa flamme;
Car je ne doute point qu'elle n'ait de l'amour.
Ardaric qui s'attache à la voir chaque jour,
Les respects qu'il lui rend, et les soins qu'il se donne...

FLAVIE

J'ose vous dire plus, Attila l'en soupçonne :
Il eſt fier et colère; et s'il sait une fois
Qu'Ildione en secret l'honore de son choix,
Qu'Ardaric ait sur elle osé jeter la vue,
Et briguer cette foi qu'à lui seul il croit due,
Je crains qu'un tel espoir, au lieu de s'affermir...

HONORIE

Que n'ai-je donc mieux tu que j'aimais Valamir !
Mais quand on eſt bravée et qu'on perd ce qu'on aime,
Flavie, eſt-on si tôt maîtresse de soi-même?
D'Attila, s'il se peut, tournons l'emportement
Ou contre ma rivale, ou contre son amant;
Accablons leur amour sous ce que j'appréhende;
Promettons à ce prix la main qu'on nous demande;
Et faisons que l'ardeur de recevoir ma foi
L'empêche d'être ici plus heureuse que moi.
Renversons leur triomphe. Étrange frénésie !
Sans aimer Ardaric, j'en conçois jalousie !
Mais je me venge, et suis, en ce juſte projet,
Jalouse du bonheur, et non pas de l'objet.

FLAVIE

Attila vient, Madame.

HONORIE

Eh bien ! faisons connaître
Que le sang des Césars ne souffre point de maître,
Et peut bien refuser de pleine autorité
Ce qu'une autre refuse avec témérité.

SCÈNE III

ATTILA, HONORIE, FLAVIE

ATTILA

Tout s'apprête, Madame, et ce grand hyménée
Peut dans une heure ou deux terminer la journée,
Mais sans vous y contraindre; et je ne viens que voir
Si vous avez mieux vu quel eſt votre devoir.

HONORIE

Mon devoir est, Seigneur, de soutenir ma gloire,
Sur qui va s'imprimer une tache trop noire,
Si votre illustre amour pour son premier effet
Ne venge hautement l'outrage qu'on lui fait.
Puis-je voir sans rougir qu'à la belle Ildione
Vous demandiez congé de m'offrir votre trône,
Que...?

ATTILA

Toujours Ildione, et jamais Attila!

HONORIE

Si vous me préférez, Seigneur, punissez-la :
Prenez mes intérêts, et pressez votre flamme
De remettre en honneur le nom de votre femme.
Ildione le traite avec trop de mépris;
Souffrez-en de pareils, ou rendez-lui son prix.
A quel droit voulez-vous qu'un tel manque d'estime,
S'il est gloire pour elle, en moi devienne un crime;
Qu'après que nos refus ont tous deux éclaté,
Le mien soit punissable où le sien est flatté;
Qu'elle brave à vos yeux ce qu'il faut que je craigne,
Et qu'elle me condamne à ce qu'elle dédaigne?

ATTILA

Pour vous justifier mes ordres et mes vœux,
Je croyais qu'il suffit d'un simple : « Je le veux »;
Mais voyez, puisqu'il faut mettre tout en balance,
D'Ildione et de vous qui m'oblige ou m'offense.
Quand son refus me sert, le vôtre me trahit;
Il veut me commander, quand le sien m'obéit :
L'un est plein de respect, l'autre est gonflé d'audace;
Le vôtre me fait honte, et le sien me fait grâce.
Faut-il après cela qu'aux dépens de son sang
Je mérite l'honneur de vous mettre en mon rang?

HONORIE

Ne peut-on se venger à moins qu'on assassine?
Je ne veux point sa mort, ni même sa ruine :
Il est des châtiments plus justes et plus doux,
Qui l'empêcheraient mieux de triompher de nous.
Je dis de nous, Seigneur, car l'offense est commune,

Et ce que vous m'offrez des deux n'en ferait qu'une.
Ildione, pour prix de son manque de foi,
Dispose arrogamment et de vous et de moi !
Pour prix de la hauteur dont elle m'a bravée,
A son heureux amant sa main est réservée,
Avec qui, satisfaite, elle goûte l'appas
De m'ôter ce que j'aime, et me mettre en vos bras !

ATTILA

Quel est-il cet amant?

HONORIE

Ignorez-vous encore
Qu'elle adore Ardaric, et qu'Ardaric l'adore?

ATTILA

Qu'on m'amène Ardaric. Mais de qui savez-vous...

HONORIE

C'est une vision de mes soupçons jaloux;
J'en suis mal éclaircie, et votre orgueil l'avoue,
Et quand elle me brave, et quand elle vous joue;
Même, s'il faut vous croire, on ne vous sert pas mal
Alors qu'on vous dédaigne en faveur d'un rival.

ATTILA

D'Ardaric et de moi telle est la différence,
Qu'elle en punit assez la folle préférence.

HONORIE

Quoi? s'il peut moins que vous, ne lui volez-vous pas
Ce pouvoir usurpé sur ses propres soldats?
Un véritable roi qu'opprime un sort contraire,
Tout opprimé qu'il est, garde son caractère;
Ce nom lui reste entier sous les plus dures lois :
Il est dans les fers même égal aux plus grands rois;
Et la main d'Ardaric suffit à ma rivale
Pour lui donner plein droit de me traiter d'égale.
Si vous voulez punir l'affront qu'elle nous fait,
Réduisez-la, Seigneur, à l'hymen d'un sujet.
Ne cherchez point pour elle une plus dure peine
Que de voir une femme être sa souveraine;
Et je pourrai moi-même alors vous demander
Le droit de m'en servir et de lui commander.

ATTILA

Madame, je saurai lui trouver un supplice.
Agréez cependant pour vous même justice;
Et s'il faut un sujet à qui dédaigne un roi,
Choisissez dans une heure, ou d'Octar, ou de moi.

HONORIE

D'Octar, ou...

ATTILA

Les grands cœurs parlent avec franchise,
C'est une vérité que vous m'avez apprise :
Songez donc sans murmure à cet illustre choix,
Et remerciez-moi de suivre ainsi vos lois.

HONORIE

Me proposer Octar !

ATTILA

Qu'y trouvez-vous à dire?
Serait-il à vos yeux indigne de l'empire?
S'il est né sans couronne et n'eut jamais d'État,
On monte à ce grand trône encor d'un lieu plus bas.
On a vu des Césars, et même des plus braves,
Qui sortaient d'artisans, de bandoliers[10], d'esclaves;
Le temps et leurs vertus les ont rendus fameux,
Et notre cher Octar a des vertus comme eux.

HONORIE

Va, ne me tourne point Octar en ridicule :
Ma gloire pourrait bien l'accepter sans scrupule,
Tyran, et tu devrais du moins te souvenir
Que s'il n'en est pas digne, il peut le devenir.
Au défaut d'un beau sang, il est de grands services,
Il est des vœux soumis, il est des sacrifices,
Il est de glorieux et surprenants effets,
Des vertus de héros, et même des forfaits.
L'exemple y peut beaucoup. Instruit par tes maximes,
Il s'est fait de ton ordre une habitude aux crimes :
Comme ta créature, il doit te ressembler.
Quand je l'enhardirai, commence de trembler :
Ta vie est en mes mains, dès qu'il voudra me plaire,
Et rien n'est sûr pour toi, si je veux qu'il espère.

Ton rival entre, adieu : délibère avec lui
Si ce cher Octar m'aime, ou sera ton appui.

SCÈNE IV

ATTILA, ARDARIC

ATTILA

Seigneur, sur ce grand choix je cesse d'être en peine :
J'épouse dès ce soir la princesse romaine,
Et n'ai plus qu'à prévoir à qui plus sûrement
Je puis confier l'autre et son ressentiment.
Le roi des Bourguignons, par ambassade expresse,
Pour Sigismond, son fils, voulait cette princesse;
Mais nos ambassadeurs furent mieux écoutés.
Pourrait-on nous donner toutes nos sûretés?

ARDARIC

Son État sert de borne à ceux de Mérouée;
La partie entre eux deux serait bientôt nouée;
Et vous verriez armer d'une pareille ardeur
Un mari pour sa femme, un frère pour sa sœur :
L'union en serait trop facile et trop grande.

ATTILA

Celui des Visigoths faisait même demande.
Comme de Mérouée il est plus écarté,
Leur union aurait moins de facilité :
Le Bourguignon d'ailleurs sépare leurs provinces,
Et servirait pour nous de barre à ces deux princes.

ARDARIC

Oui; mais bientôt lui-même entre eux deux écrasé
Leur ferait à se joindre un chemin trop aisé;
Et ces deux rois, par là maîtres de la contrée,
D'autant plus fortement en défendraient l'entrée,
Qu'ils auraient plus à perdre, et qu'un juste courroux
N'aurait plus tant de chefs à liguer contre vous.
La princesse Ildione est orgueilleuse et belle;
Il lui faut un mari qui réponde mieux d'elle,
Dont tous les intérêts aux vôtres soient soumis,

Et ne le pas choisir parmi vos ennemis.
D'une fière beauté la haine opiniâtre
Donne à ce qu'elle hait jusqu'au bout à combattre;
Et pour peu que la veuille écouter un époux...

ATTILA

Il lui faut donc, Seigneur, ou Valamir, ou vous.
La pourriez-vous aimer? Parlez sans flatterie.
J'apprends que Valamir eſt aimé d'Honorie;
Il peut de mon hymen conserver quelque ennui,
Et je m'assurerais sur vous plus que sur lui.

ARDARIC

C'eſt m'honorer, Seigneur, de trop de confiance.

ATTILA

Parlez donc, pourriez-vous goûter cette alliance?

ARDARIC

Vous savez que vous plaire eſt mon plus cher souci.

ATTILA

Qu'on cherche la Princesse, et qu'on l'amène ici :
Je veux que de ma main vous receviez la sienne.
Mais dites-moi, de grâce, attendant qu'elle vienne,
Par où me voulez-vous assurer votre foi?
Et que seriez-vous prêt d'entreprendre pour moi?
Car enfin elle eſt belle, elle peut tout séduire,
Et vous forcer vous-même à me vouloir détruire.

ARDARIC

Faut-il vous immoler l'orgueil de Torismond?
Faut-il teindre l'Arar du sang de Sigismond?
Faut-il mettre à vos pieds et l'un et l'autre trône?

ATTILA

Ne dissimulez point, vous aimez Ildione,
Et proposez bien moins ces glorieux travaux
Contre mes ennemis que contre vos rivaux.
Ce prompt emportement et ces subites haines
Sont d'un amour jaloux les preuves trop certaines :
Les soins de cet amour font ceux de ma grandeur;
Et si vous n'aimiez pas, vous auriez moins d'ardeur.

Voyez comme un rival eſt soudain haïssable,
Comme vers notre amour ce nom le rend coupable,
Comme sa perte eſt juſte encor qu'il n'ose rien;
Et sans aller si loin, délivrez-moi du mien.
Différez à punir une offense incertaine,
Et servez ma colère avant que votre haine.
Serait-il sûr pour moi d'exposer ma bonté
A tous les attentats d'un amant supplanté?
Vous-même pourriez-vous épouser une femme,
Et laisser à ses yeux le maître de son âme?

ARDARIC

S'il était trop à craindre, il faudrait l'en bannir.

ATTILA

Quand il eſt trop à craindre, il faut le prévenir.
C'eſt un roi dont les gens, mêlés parmi les nôtres,
Feraient accompagner son exil de trop d'autres,
Qu'on verrait s'opposer aux soins que nous prendrons,
Et de nos ennemis grossir les escadrons.

ARDARIC

Eſt-ce un crime pour lui qu'une douce espérance
Que vous pourriez ailleurs porter la préférence?

ATTILA

Oui, pour lui, pour vous-même, et pour tout autre roi,
C'en eſt un que prétendre en même lieu que moi.
S'emparer d'un esprit dont la foi m'eſt promise,
C'eſt surprendre une place entre mes mains remise;
Et vous ne seriez pas moins coupable que lui,
Si je ne vous voyais d'un autre œil aujourd'hui.
A des crimes pareils j'ai dû même juſtice,
Et ne choisis pour vous qu'un amoureux supplice.
Pour un si cher objet que je mets en vos bras,
Eſt-ce un prix excessif qu'un si juſte trépas?

ARDARIC

Mais c'eſt déshonorer, Seigneur, votre hyménée
Que vouloir d'un tel sang en marquer la journée.

ATTILA

Eſt-il plus grand honneur que de voir en mon choix
Qui je veux à ma flamme immoler de deux rois,

Et que du sacrifice où s'expiera leur crime,
L'un d'eux soit le ministre, et l'autre la victime?
Si vous n'osez par là satisfaire vos feux,
Craignez que Valamir ne soit moins scrupuleux,
Qu'il ne s'impute pas à tant de barbarie
D'accepter à ce prix son illustre Honorie,
Et n'ait aucune horreur de ses vœux les plus doux,
Si leur entier succès ne lui coûte que vous;
Car je puis épouser encor votre princesse,
Et détourner vers lui l'effort de ma tendresse.

SCÈNE V

ATTILA, ARDARIC, ILDIONE

ATTILA, *à Ildione.*

Vos refus obligeants ont daigné m'ordonner
De consulter vos vœux avant que vous donner;
Je m'en fais une loi. Dites-moi donc, Madame,
Votre cœur d'Ardaric agréerait-il la flamme?

ILDIONE

C'est à moi d'obéir, si vous le souhaitez;
Mais, Seigneur...

ATTILA

Il y fait quelques difficultés;
Mais je sais que sur lui vous êtes absolue.
Achevez d'y porter son âme irrésolue,
Afin que dans une heure, au milieu de ma cour,
Votre hymen et le mien couronnent ce grand jour.

SCÈNE VI

ARDARIC, ILDIONE

ILDIONE

D'où viennent ces soupirs? d'où naît cette tristesse?
Est-ce que la surprise étonne l'allégresse,

Qu'elle en suspend l'effet pour le mieux signaler,
Et qu'aux yeux du tyran il faut dissimuler?
Il eſt parti, Seigneur; souffrez que votre joie,
Souffrez que son excès tout entier se déploie,
Qu'il fasse voir aux miens celui de votre amour.

ARDARIC

Vous allez soupirer, Madame, à votre tour,
A moins que votre cœur malgré vous se prépare
A n'avoir rien d'humain non plus que ce barbare.
Il me choisit pour vous; c'eſt un honneur bien grand,
Mais qui doit faire horreur par le prix qu'il le vend.
A recevoir ma main pourrez-vous être prête,
S'il faut qu'à Valamir il en coûte la tête?

ILDIONE

Quoi? Seigneur!

ARDARIC

Attendez à vous en étonner
Que vous sachiez la main qui doit l'assassiner.
C'eſt à cet attentat la mienne qu'il deſtine,
Madame.

ILDIONE

C'eſt par vous, Seigneur, qu'il l'assassine!

ARDARIC

Il me fait son bourreau pour perdre un autre roi
A qui fait sa fureur la même offre qu'à moi.
Aux dépens de sa tête il veut qu'on vous obtienne;
On lui donne Honorie aux dépens de la mienne :
Sa cruelle faveur m'en a laissé le choix.

ILDIONE

Quel crime voit sa rage à punir en deux rois?

ARDARIC

Le crime de tous deux, c'eſt d'aimer deux princesses,
C'eſt d'avoir mieux que lui mérité leurs tendresses.
De vos bontés pour nous il nous fait un malheur,
Et d'un sujet de joie un excès de douleur.

ILDIONE

Est-il orgueil plus lâche, ou lâcheté plus noire?
Il veut que je vous coûte ou la vie ou la gloire,
Et serve de prétexte au choix infortuné
D'assassiner vous-même ou d'être assassiné !
Il vous offre ma main comme un bonheur insigne,
Mais à condition de vous en rendre indigne;
Et si vous refusez par là de m'acquérir,
Vous ne sauriez vous-même éviter de périr !

ARDARIC

Il est beau de périr pour éviter un crime :
Quand on meurt pour sa gloire, on revit dans l'estime
Et triompher ainsi du plus rigoureux sort,
C'est s'immortaliser par une illustre mort.

ILDIONE

Cette immortalité qui triomphe en idée
Veut être, pour charmer, de plus loin regardée;
Et quand à notre amour ce triomphe est fatal,
La gloire qui le suit nous en console mal.

ARDARIC

Vous vengerez ma mort; et mon âme ravie...

ILDIONE

Ah ! venger une mort n'est pas rendre une vie :
Le tyran immolé me laisse mes malheurs;
Et son sang répandu ne tarit pas mes pleurs.

ARDARIC

Pour sauver une vie, après tout périssable,
En rendrai-je le reste infâme et détestable?
Et ne vaut-il pas mieux assouvir sa fureur,
Et mériter vos pleurs, que de vous faire horreur?

ILDIONE

Vous m'en feriez sans doute, après cette infamie,
Assez pour vous traiter en mortelle ennemie;
Mais souvent la fortune a d'heureux changements
Qui président sans nous aux grands événements.
Le ciel n'est pas toujours aux méchants si propice :
Après tant d'indulgence, il a de la justice.

Parlez à Valamir, et voyez avec lui
S'il n'est aucun remède à ce mortel ennui.

ARDARIC

Madame...

ILDIONE

Allez, Seigneur : nos maux et le temps pressent,
Et les mêmes périls tous deux vous intéressent.

ARDARIC

J'y vais; mais en l'état qu'est son sort et le mien,
Nous nous plaindrons ensemble et ne résoudrons rien.

SCÈNE VII

ILDIONE

Trêve, mes tristes yeux, trêve aujourd'hui de larmes !
Armez contre un tyran vos plus dangereux charmes :
Voyez si de nouveau vous le pourrez dompter,
Et renverser sur lui ce qu'il ose attenter.
Reprenez en son cœur votre place usurpée,
Ramenez à l'autel ma victime échappée,
Rappelez ce courroux que son choix incertain
En faveur de ma flamme allumait dans mon sein.
Que tout semble facile en cette incertitude !
Mais qu'à l'exécuter tout est pénible et rude !
Et qu'aisément le sexe oppose à sa fierté
Sa douceur naturelle et sa timidité !
Quoi? ne donner ma foi que pour être perfide !
N'accepter un époux que pour un parricide !
Ciel, qui me vois frémir à ce nom seul d'époux,
Ou rends-moi plus barbare, ou mon tyran plus doux !

ACTE V

SCÈNE PREMIÈRE

ARDARIC, VALAMIR
Ils n'ont d'épée l'un ni l'autre.

ARDARIC

SEIGNEUR, vos destins seuls ont causé notre perte :
Par eux à tous nos maux la porte s'est ouverte;
Et l'infidèle appas de leur prédiction
A jeté trop d'amorce à notre ambition.
C'est de là qu'est venu cet amour politique
Que prend pour attentat un orgueil tyrannique.
Sans le flatteur espoir d'un avenir si doux,
Honorie aurait eu moins de charmes pour vous.
C'est par là que vos yeux la trouvent adorable,
Et que vous faites naître un amour véritable,
Qui l'attachant à vous excite des fureurs
Que vous voyez passer aux dernières horreurs.
A moins que je vous perde, il faut que je périsse;
On vous fait même grâce, ou pareille injustice :
Ainsi vos seuls devins nous forcent de périr,
Et ce sont tous les droits qu'ils vous font acquérir.

VALAMIR

Je viens de les quitter; et loin de s'en dédire,
Ils assurent ma race encor du même empire.
Ils savent qu'Attila s'aigrit au dernier point,
Et ses emportements ne les émeuvent point;
Quelque loi qu'il nous fasse, ils sont inébranlables :
Le ciel en a donné des arrêts immuables;
Rien n'en rompra l'effet; et Rome aura pour roi
Ce grand Théodoric qui doit sortir de moi.

ARDARIC

Ils veulent donc, Seigneur, qu'aux dépens de ma tête
Vos mains à ce héros préparent sa conquête?

VALAMIR

Seigneur, c'est m'offenser encor plus qu'Attila.

ARDARIC

Par où lui pouvez-vous échapper que par là?
Pouvez-vous que par là posséder Honorie?
Et d'où naîtra ce fils, si vous perdez la vie?

VALAMIR

Je me vois comme vous aux portes du trépas;
Mais j'espère, après tout, ce que je n'entends pas.

SCÈNE II

ARDARIC, VALAMIR, HONORIE

HONORIE

Savez-vous d'Attila jusqu'où va la furie,
Princes, et quelle en est l'affreuse barbarie?
Cette offre qu'il vous fait d'en rendre l'un heureux
N'est qu'un piège qu'il tend pour vous perdre tous deux.
Il veut, sous cet espoir, qu'il donne à l'un et l'autre,
Votre sang de sa main, ou le sien de la vôtre;
Mais qui le servirait serait bientôt livré
Aux troupes de celui qu'il aurait massacré;
Et par le désaveu de cette obéissance
Ce tigre assouvirait sa rage et leur vengeance[11].
Octar aime Flavie, et l'en vient d'avertir.

VALAMIR

Euric, son lieutenant, ne fait que de sortir :
Le tyran soupçonneux, qui craint ce qu'il mérite,
A pour nous désarmer choisi ce satellite;
Et comme avec justice il nous croit irrités,
Pour nous parler encore il prend ses sûretés.
Pour peu qu'il eût tardé, nous allions dans sa tente
Surprendre et prévenir sa plus barbare attente,
Tandis qu'il nous laissait encor la liberté
D'y porter l'un et l'autre une épée au côté.
Il promet à tous deux de nous la faire rendre,

Dès qu'il saura de nous ce qu'il en doit attendre,
Quel eſt notre dessein, ou pour en mieux parler,
Dès que nous résoudrons de nous entr'immoler.
Cependant il réduit à l'entière impuissance
Ce noble désespoir qui punit par avance,
Et qui se faisant droit avant que de mourir,
Croit que se perdre ainsi, c'eſt un peu moins périr;
Car nous aurions péri par les mains de sa garde;
Mais la mort eſt plus belle alors qu'on la hasarde.

HONORIE

Il vient, Seigneur.

SCÈNE III

ATTILA, VALAMIR, ARDARIC, HONORIE, OCTAR

ATTILA

Eh bien! mes illuſtres amis,
Contre mes grands rivaux quel espoir m'eſt permis?
Pas un n'a-t-il pour soi la digne complaisance
D'acquérir sa princesse, en perdant qui m'offense?
Quoi? l'amour, l'amitié, tout va d'un froid égal!
Pas un ne m'aime assez pour haïr mon rival!
Pas un de son objet n'a l'âme assez ravie
Pour vouloir être heureux aux dépens d'une vie!
Quels amis! quels amants! et quelle dureté!
Daignez, daignez du moins la mettre en sûreté :
Si ces deux intérêts n'ont rien qui la fléchisse,
Que l'horreur de mourir, à leur défaut, agisse;
Et si vous n'écoutez l'amitié ni l'amour,
Faites un noble effort pour conserver le jour.

VALAMIR

A l'inhumanité joindre la raillerie,
C'eſt à son dernier point porter la barbarie.
Après l'assassinat d'un frère et de six rois,
Notre tour eſt venu de subir mêmes lois;
Et nous méritons bien les plus cruels supplices
De nous être exposés aux mêmes sacrifices,

D'en avoir pu souffrir chaque jour de nouveaux.
Punissez, vengez-vous, mais cherchez des bourreaux;
Et si vous êtes roi, songez que nous le sommes.

ATTILA

Vous? devant Attila vous n'êtes que deux hommes;
Et dès qu'il m'aura plu d'abattre votre orgueil,
Vos têtes pour tomber n'attendront qu'un coup d'œil.
Je fais grâce à tous deux de n'en demander qu'une :
Faites-en décider l'épée et la fortune;
Et qui succombera du moins tiendra de moi
L'honneur de ne périr que par la main d'un roi.
Nobles gladiateurs, dont ma colère apprête
Le spectacle pompeux à cette grande fête,
Montrez, montrez un cœur enfin digne du rang.

ARDARIC

Votre main est plus faite à verser de tel sang;
C'est lui faire un affront que d'emprunter les nôtres.

ATTILA

Pour me faire justice il s'en trouvera d'autres;
Mais si vous renoncez aux objets de vos vœux,
Le refus d'une tête en pourra coûter deux.
Je révoque ma grâce, et veux bien que vos crimes
De deux rois mes rivaux me fassent deux victimes;
Et ces rares objets si peu dignes de moi
Seront le digne prix de cet illustre emploi.
(A Ardaric.)
De celui de vos feux je ferai la conquête
De quiconque à mes pieds abattra votre tête.
(A Honorie.)
Et comme vous paierez celle de Valamir,
Nous aurons à ce prix des bourreaux à choisir;
Et pour nouveau supplice à de si belles flammes,
Ce choix ne tombera que sur les plus infâmes.

HONORIE

Tu pourrais être lâche et cruel jusque-là !

ATTILA

Encor plus, s'il le faut, mais toujours Attila,
Toujours l'heureux objet de la haine publique,

Fidèle au grand dépôt du pouvoir tyrannique,
Toujours...

HONORIE

Achève, et dis que tu veux en tout lieu
Être l'effroi du monde, et le fléau de Dieu.
Étale insolemment l'épouvantable image
De ces fleuves de sang où se baignait ta rage.
Fais voir...

ATTILA

Que vous perdez de mots injurieux
A me faire un reproche et doux et glorieux!
Ce dieu dont vous parlez, de temps en temps sévère,
Ne s'arme pas toujours de toute sa colère;
Mais quand à sa fureur il livre l'univers,
Elle a pour chaque temps des déluges divers.
Jadis, de toutes parts faisant regorger l'onde,
Sous un déluge d'eaux il abîma le monde;
Sa main tient en réserve un déluge de feux
Pour le dernier moment de nos derniers neveux;
Et mon bras, dont il fait aujourd'hui son tonnerre,
D'un déluge de sang couvre pour lui la terre.

HONORIE

Lorsque par les tyrans il punit les mortels,
Il réserve sa foudre à ces grands criminels,
Qu'il donne pour supplice à toute la nature,
Jusqu'à ce que leur rage ait comblé la mesure.
Peut-être qu'il prépare en ce même moment
A de si noirs forfaits l'éclat du châtiment.
Qu'alors que ta fureur à nous perdre s'apprête,
Il tient le bras levé pour te briser la tête,
Et veut qu'un grand exemple oblige de trembler
Quiconque désormais t'osera ressembler.

ATTILA

Eh bien! en attendant ce changement sinistre,
J'oserai jusqu'au bout lui servir de ministre,
Et faire exécuter toutes ses volontés
Sur vous et sur des rois contre moi révoltés.
Par des crimes nouveaux je punirai les vôtres,
Et mon tour à périr ne viendra qu'après d'autres.

HONORIE

Ton sang, qui chaque jour, à longs flots distillés,
S'échappe vers ton frère et six rois immolés,
Te dirait-il trop bas que leurs ombres t'appellent?
Faut-il que ces avis par moi se renouvellent?
Vois, vois couler ce sang qui te vient avertir,
Tyran, que pour les joindre, il faut bientôt partir.

ATTILA

Ce n'est rien; et pour moi s'il n'est point d'autre foudre,
J'aurai pour ce départ du temps à m'y résoudre.
D'autres vous enverraient leur frayer le chemin;
Mais j'en laisserai faire à votre grand destin,
Et trouverai pour vous quelques autres vengeances,
Quand l'humeur me prendra de punir tant d'offenses.

SCÈNE IV

ATTILA, VALAMIR, ARDARIC, HONORIE,
ILDIONE, OCTAR

ATTILA, *à Ildione.*

Où venez-vous, Madame, et qui vous enhardit
A vouloir voir ma mort qu'ici l'on me prédit?
Venez-vous de deux rois soutenir la querelle,
Vous révolter comme eux, me foudroyer comme elle,
Ou mendier l'appui de mon juste courroux
Contre votre Ardaric qui ne veut plus de vous?

ILDIONE

Il n'en mériterait ni l'amour ni l'estime,
S'il osait espérer m'acquérir par un crime.
D'un si juste refus j'ai de quoi me louer,
Et ne viens pas ici pour l'en désavouer.
Non, Seigneur : c'est du mien que j'y viens me dédire,
Rendre à mes yeux sur vous leur souverain empire,
Rattacher, réunir votre vouloir au mien,
Et reprendre un pouvoir dont vous n'usez pas bien.
Seigneur, est-ce là donc cette reconnaissance
Si hautement promise à mon obéissance?

J'ai quitté tous les miens sous l'espoir d'être à vous;
Par votre ordre mon cœur quitte un espoir si doux,
Je me réduis au choix qu'il vous a plu me faire,
Et votre ordre le met hors d'état de me plaire !
Mon respect qui me livre aux vœux d'un autre roi
N'y voit pour lui qu'opprobre, et que honte pour moi !
Rendez, rendez-le-moi, cet empire suprême
Qui ne vous laissait plus disposer de vous-même :
Rendez toute votre âme à son premier souhait,
Recevez qui vous aime, et fuyez qui vous hait.
Honorie a ses droits; mais celui de vous plaire
N'est pas, vous le savez, un droit imaginaire;
Et pour vous appuyer, Mérouée a des bras
Qui font taire les droits quand il faut des combats[12].

ATTILA

Non, je ne puis plus voir cette ingrate Honorie
Qu'avec la même horreur qu'on voit une furie;
Et tout ce que le ciel a formé de plus doux,
Tout ce qu'il peut de mieux, je crois le voir en vous;
Mais dans votre cœur même un autre amour murmure
Lorsque...

ILDIONE

Vous pourriez croire une telle imposture !
Qu'ai-je dit? qu'ai-je fait que de vous obéir?
Et par où jusque-là m'aurais-je pu trahir?

ATTILA

Ardaric est pour vous un époux adorable.

ILDIONE

Votre main lui donnait ce qu'il avait d'aimable;
Et je ne l'ai tantôt accepté pour époux
Que par cet ordre exprès que j'ai reçu de vous.
Vous aviez déjà vu qu'en dépit de ma flamme,
Pour vous faire empereur...

ATTILA

Vous me trompez, Madame;
Mais l'amour par vos yeux me sait si bien dompter,
Que je ferme les miens pour n'y plus résister.
N'abusez pas pourtant d'un si puissant empire :

Songez qu'il eſt encor d'autres biens où j'aspire,
Que la vengeance eſt douce aussi bien que l'amour;
Et laissez-moi pouvoir quelque chose à mon tour.

ILDIONE

Seigneur, ensanglanter cette illuſtre journée !
Grâce, grâce du moins jusqu'après l'hyménée.
A son heureux flambeau souffrez un pur éclat,
Et laissez pour demain les maximes d'État.

ATTILA

Vous le voulez, Madame, il faut vous satisfaire;
Mais ce n'eſt que grossir d'autant plus ma colère;
Et ce que par votre ordre elle perd de moments
Enfle l'avidité de mes ressentiments.

HONORIE

Voyez, voyez plutôt, par votre exemple même,
Seigneur, jusqu'où s'aveugle un grand cœur quand il [aime :
Voyez jusqu'où l'amour, qui vous ferme les yeux,
Force et dompte les rois qui résiſtent le mieux,
Quel empire il se fait sur l'âme la plus fière;
Et si vous avez vu la mienne trop altière,
Voyez ce même amour immoler pleinement
Son orgueil le plus juſte au salut d'un amant,
Et toute sa fierté dans mes larmes éteinte
Descendre à la prière et céder à la crainte.
Avoir su jusque-là réduire mon courroux,
Vous doit être, Seigneur, un triomphe assez doux.
Que tant d'orgueil dompté suffise pour victime.
Voudriez-vous traiter votre exemple de crime,
Et quand vous adorez qui ne vous aime pas,
D'un réciproque amour condamner les appas?

ATTILA

Non, Princesse, il vaut mieux nous imiter l'un l'autre :
Vous suivez mon exemple, et je suivrai le vôtre.
Vous condamniez Madame à l'hymen d'un sujet;
Remplissez au lieu d'elle un si juſte projet.
Je vous l'ai déjà dit; et mon respect fidèle
A cette digne loi que vous faisiez pour elle,
N'ose prendre autre règle à punir vos mépris.
Si Valamir vous plaît, sa vie eſt à ce prix :

Disposez à ce prix d'une main qui m'eſt due.
Octar, ne perdez pas la Princesse de vue.
Vous, qui me commandez de vous donner ma foi,
Madame, allons au temple; et vous, rois, suivez-moi.

SCÈNE V

HONORIE, OCTAR

HONORIE

Tu le vois, pour toucher cet orgueilleux courage,
J'ai pleuré, j'ai prié, j'ai tout mis en usage,
Octar; et pour tout fruit de tant d'abaissement,
Le barbare me traite encor plus fièrement.
S'il reſte quelque espoir, c'eſt toi seul qu'il regarde.
Prendras-tu bien ton temps? Tu commandes sa garde;
La nuit et le sommeil vont tout mettre en ton choix;
Et Flavie eſt le prix du salut de deux rois.

OCTAR

Ah! Madame, Attila, depuis votre menace,
Met hors de mon pouvoir l'effet de cette audace.
Ce défiant esprit n'agit plus maintenant,
Dans toutes ses fureurs, que par mon lieutenant :
C'eſt par lui qu'aux deux rois il fait ôter les armes,
Et deux mots en son âme ont jeté tant d'alarmes,
Qu'exprès à votre suite il m'attache aujourd'hui,
Pour m'ôter tout moyen de m'approcher de lui.
Pour peu que je vous quitte il y va de ma vie,
Et s'il peut découvrir que j'adore Flavie...

HONORIE

Il le saura de moi, si tu ne veux agir,
Infâme, qui t'en peux excuser sans rougir :
Si tu veux vivre encor, va chercher du courage.
Tu vois ce qu'à toute heure il immole à sa rage;
Et ta vertu, qui craint de trop paraître au jour,
Attend, les bras croisés, qu'il t'immole à ton tour.
Fais périr, ou péris; préviens, lâche, ou succombe :
Venge toute la terre, ou grossis l'hécatombe.

Si ta gloire sur toi, si l'amour ne peut rien,
Meurs en traître, ou du moins sers de victime au mien.
Mais qui me rend, Seigneur, le bien de votre vue?

SCÈNE VI

VALAMIR, HONORIE, OCTAR

VALAMIR

L'impatient transport d'une joie imprévue :
Notre tyran n'est plus.

HONORIE

Il est mort?

VALAMIR

Écoutez
Comme enfin l'ont puni ses propres cruautés,
Et comme heureusement le ciel vient de souscrire
A ce que nos malheurs vous ont fait lui prédire.
A peine sortions-nous, pleins de trouble et d'horreur[13],
Qu'Attila recommence à saigner de fureur,
Mais avec abondance; et le sang qui bouillonne
Forme un si gros torrent, que lui-même il s'étonne.
Tout surpris qu'il en est : « S'il ne veut s'arrêter,
Dit-il, on me paiera ce qu'il m'en va coûter. »
Il demeure à ces mots sans parole, sans force;
Tous ses sens d'avec lui font un soudain divorce
Sa gorge enfle, et du sang dont le cours s'épaissit
Le passage se ferme, ou du moins s'étrécit.
De ce sang renfermé la vapeur en furie
Semble avoir étouffé sa colère et sa vie;
Et déjà de son front la funeste pâleur
N'opposait à la mort qu'un reste de chaleur,
Lorsqu'une illusion lui présente son frère,
Et lui rend tout d'un coup la vie et la colère :
Il croit le voir suivi des ombres de six rois,
Qu'il se veut immoler une seconde fois;
Mais ce retour si prompt de sa plus noire audace
N'est qu'un dernier effort de la nature lasse,
Qui prête à succomber sous la mort qui l'atteint,

Jette un plus vif éclat, et tout d'un coup s'éteint.
C'eſt en vain qu'il fulmine à cette affreuse vue :
Sa rage qui renaît en même temps le tue.
L'impétueuse ardeur de ces transports nouveaux
A son sang prisonnier ouvre tous les canaux;
Son élancement perce ou rompt toutes les veines,
Et ces canaux ouverts sont autant de fontaines
Par où l'âme et le sang se pressent de sortir,
Pour terminer sa rage et nous en garantir.
Sa vie à longs ruisseaux se répand sur le sable;
Chaque inſtant l'affaiblit, et chaque effort l'accable;
Chaque pas rend juſtice au sang qu'il a versé,
Et fait grâce à celui qu'il avait menacé.
Ce n'eſt plus qu'en sanglots qu'il dit ce qu'il croit dire;
Il frissonne, il chancelle, il trébuche, il expire;
Et sa fureur dernière, épuisant tant d'horreurs,
Venge enfin l'univers de toutes ses fureurs.

SCÈNE VII

ARDARIC, VALAMIR, HONORIE, ILDIONE,
OCTAR

ARDARIC

Ce n'eſt pas tout, Seigneur; la haine générale,
N'ayant plus à le craindre, avidement s'étale;
Tous brûlent de servir sous des ordres plus doux,
Tous veulent à l'envi les recevoir de nous.
Ce bonheur étonnant que le ciel nous renvoie
De tant de nations fait la commune joie;
La fin de nos périls en remplit tous les vœux.
Et pour être tous quatre au dernier point heureux,
Nous n'avons plus qu'à voir notre flamme avouée
Du souverain de Rome et du grand Mérouée :
La princesse des Francs m'impose cette loi.

HONORIE

Pour moi, je n'en ai plus à prendre que de moi.

ARDARIC

Ne perdons point de temps en ce retour d'affaires :

Allons donner tous deux les ordres nécessaires,
Remplir ce trône vide, et voir sous quelles lois
Tant de peuples voudront nous recevoir pour rois.

VALAMIR

Me le permettez-vous, Madame? et puis-je croire
Que vous tiendrez enfin ma flamme à quelque gloire?

HONORIE

Allez; et cependant assurez-vous, Seigneur,
Que nos destins changés n'ont point changé mon cœur.

TITE ET BÉRÉNICE

COMÉDIE HÉROIQUE

ACTEURS

TITE, *Empereur de Rome, et amant de Bérénice.*
DOMITIAN, *Frère de Tite, et amant de Domitie.*
BÉRÉNICE, *Reine d'une partie de la Judée.*
DOMITIE, *Fille de Corbulon.*
PLAUTINE, *Confidente de Domitie.*
FLAVIAN, *Confident de Tite.*
ALBIN, *Confident de Domitian.*
PHILON, *Ministre d'État, confident de Bérénice.*

La scène est à Rome, dans le Palais impérial.

ACTE PREMIER

SCÈNE PREMIÈRE

DOMITIE, PLAUTINE

DOMITIE

LAISSE-MOI mon chagrin, tout injuste qu'il est :
Je le chasse, il revient; je l'étouffe, il renaît;
Et plus nous approchons de ce grand hyménée,
Plus en dépit de moi je m'en trouve gênée.
Il fait toute ma gloire, il fait tous mes désirs :
Ne devrait-il pas faire aussi tous mes plaisirs?
Depuis plus de six mois la pompe s'en apprête,
Rome s'en fait d'avance en l'esprit une fête;
Et tandis qu'à l'envi tout l'empire l'attend,
Mon cœur dans tout l'empire est le seul mécontent.

PLAUTINE

Que trouvez-vous, Madame, ou d'amer ou de rude,
A voir qu'un tel bonheur n'ait plus d'incertitude?
Et quand dans quatre jours vous devez y monter,
Quel importun chagrin pouvez-vous écouter?
Si vous n'en êtes pas tout à fait la maîtresse,
Du moins à l'empereur cachez cette tristesse :
Le dangereux soupçon de n'être pas aimé
Peut le rendre à l'objet dont il fut trop charmé.
Avant qu'il vous aimât, il aimait Bérénice;
Et s'il n'en put alors faire une impératrice,
A présent il est maître, et son père au tombeau
Ne peut plus le forcer d'éteindre un feu si beau.

DOMITIE

C'est là ce qui me gêne, et l'image importune
Qui trouble les douceurs de toute ma fortune :
J'ambitionne et crains l'hymen d'un empereur
Dont j'ai lieu de douter si j'aurai tout le cœur.

Ce pompeux appareil, où sans cesse il ajoute,
Recule chaque jour un nœud qui le dégoûte.
Il souffre chaque jour que le gouvernement
Vole ce qu'à me plaire il doit d'attachement;
Et ce qu'il en étale agit d'une manière
Qui ne m'assure point d'une âme tout entière.
Souvent même, au milieu des offres de sa foi,
Il semble tout à coup qu'il n'est pas avec moi,
Qu'il a quelque plus douce ou noble inquiétude.
Son feu de sa raison est l'effet et l'étude;
Il s'en fait un plaisir bien moins qu'un embarras,
Et s'efforce à m'aimer; mais il ne m'aime pas.

PLAUTINE

A cet effort pour vous qui pourrait le contraindre?
Maître de l'univers, a-t-il un maître à craindre?

DOMITIE

J'ai quelques droits, Plautine, à l'empire romain,
Que le choix d'un époux peut mettre en bonne main :
Mon père, avant le sien élu pour cet empire,
Préféra... Tu le sais, et c'est assez t'en dire.
C'est par cet intérêt qu'il m'apporte sa foi;
Mais pour le cœur, te dis-je, il n'est pas tout à moi.

PLAUTINE

La chose est bien égale, il n'a pas tout le vôtre;
S'il aime un autre objet, vous en aimez un autre;
Et comme sa raison vous donne tous ses vœux,
Votre ardeur pour son rang fait pour lui tous vos feux.

DOMITIE

Ne dis point qu'entre nous la chose soit égale.
Un divorce avec moi n'a rien qui le ravale :
Sans avilir son sort, il me renvoie au mien;
Et du rang qui lui reste, il ne me reste rien.

PLAUTINE

Que ce que vous avez d'ambitieux caprice,
Pardonnez-moi ce mot, vous fait un dur supplice !
Le cœur rempli d'amour, vous prenez un époux,
Sans en avoir pour lui, sans qu'il en ait pour vous.
Aimez pour être aimée, et montrez-lui vous-même,

En l'aimant comme il faut, comme il faut qu'il vous aime;
Et si vous vous aimez, gagnez sur vous ce point
De vous donner entière, ou ne vous donnez point.

DOMITIE

Si l'amour quelquefois souffre qu'on le contraigne,
Il souffre rarement qu'une autre ardeur l'éteigne;
Et quand l'ambition en met l'empire à bas,
Elle en fait son esclave, et ne l'étouffe pas.
Mais un si fier esclave, ennemi de sa chaîne,
La secoue à toute heure, et la porte avec gêne,
Et maître de nos sens, qu'il appelle au secours,
Il échappe souvent, et murmure toujours.
Veux-tu que je te fasse un aveu tout sincère?
Je ne puis aimer Tite, ou n'aimer pas son frère;
Et malgré cet amour, je ne puis m'arrêter
Qu'au degré le plus haut où je puisse monter.
Laisse-moi retracer ma vie en ta mémoire :
Tu me connais assez pour en savoir l'histoire;
Mais tu n'as pu connaître, à chaque événement,
De mon illustre orgueil quel fut le sentiment.
En naissant, je trouvai l'empire en ma famille.
Néron m'eut pour parente, et Corbulon pour fille;
Et le bruit qu'en tous lieux fit sa haute valeur,
Autant que ma naissance enfla mon jeune cœur.
De l'éclat des grandeurs par là préoccupée,
Je vis d'un œil jaloux Octavie et Poppée;
Et Néron, des mortels et l'horreur et l'effroi,
M'eût paru grand héros, s'il m'eût offert sa foi.
Après tant de forfaits et de morts entassées,
Les troupes du Levant, d'un tel monstre lassées,
Pour César en sa place élurent Corbulon.
Son austère vertu rejeta ce grand nom :
Un lâche assassinat en fut le prompt salaire.
Mais mon orgueil, sensible à ces honneurs d'un père,
Prit de tout autre rang une assez forte horreur
Pour me traiter dans l'âme en fille d'empereur.
Néron périt enfin. Trois empereurs de suite
Virent de leur fortune une assez prompte fuite.
L'Orient de leurs noms fut à peine averti,
Qu'il fit Vespasian chef d'un plus fort parti.
Le ciel l'en avoua : ce guerrier magnanime
Par Tite, son aîné, fit assiéger Solime;

Et tandis qu'en Égypte il prit d'autres emplois,
Domitian ici vint dispenser ses lois.
Je le vis et l'aimai. Ne blâme point ma flamme :
Rien de plus grand que lui n'éblouissait mon âme;
Je ne voyais point Tite, un hymen me l'ôtait;
Mille soupirs aidaient au rang qui me flattait.
Pour remplir tous nos vœux nous n'attendions qu'un père:
Il vint, mais d'un esprit à nos vœux si contraire,
Que quoi qu'on lui pût dire, on n'en put arracher
Ce qu'attendait un feu qui nous était si cher.
On n'en sut point la cause; et divers bruits coururent,
Qui tous à notre amour également déplurent.
J'en eus un long chagrin. Tite fit tôt après
De Bérénice à Rome admirer les attraits.
Pour elle avec Martie il avait fait divorce;
Et cette belle reine eut sur lui tant de force,
Que pour montrer à tous sa flamme, et hautement,
Il lui fit au palais prendre un appartement.
L'Empereur, bien qu'en l'âme il prévît quelle haine
Concevrait tout l'État pour l'époux d'une reine,
Sembla voir cet amour d'un œil indifférent,
Et laisser un cours libre aux flots de ce torrent.
Mais sous les vains dehors de cette complaisance,
On ménagea ce prince avec tant de prudence,
Qu'en dépit de son cœur, que charmaient tant d'appas,
Il l'obligea lui-même à revoir ses États.
A peine je le vis sans maîtresse et sans femme,
Que mon orgueil vers lui tourna toute mon âme;
Et s'étant emparé du plus doux de mes soins,
Son frère commença de me plaire un peu moins :
Non qu'il ne fût toujours maître de ma tendresse,
Mais je la regardais ainsi qu'une faiblesse,
Comme un honteux effet d'un amour éperdu
Qui me volait un rang que je me croyais dû.
Tite à peine sur moi jetait alors la vue :
Cent fois avec douleur je m'en suis aperçue;
Mais ce qui consolait ce juste et long ennui,
C'est que Vespasian me regardait pour lui.
Je commençais pourtant à n'en plus rien attendre,
Quand je vis en ses yeux quelque chose de tendre;
Il me rendit visite, et fit tout ce qu'on fait
Alors qu'on veut aimer, ou qu'on aime en effet.
Je veux bien avouer que j'y crus du mystère,

Qu'il ne me disait rien que par l'ordre d'un père;
Mais qui ne pencherait à s'en désabuser,
Lorsque, ce père mort, il songe à m'épouser?
Toi qui vois tout mon cœur, juge de son martyre :
L'ambition l'entraîne, et l'amour le déchire.
Quand je crois m'être mise au-dessus de l'amour,
L'amour vers son objet me ramène à son tour :
Je veux régner, et tremble à quitter ce que j'aime,
Et ne me saurais voir d'accord avec moi-même.

PLAUTINE

Ah ! si Domitian devenait empereur,
Que vous auriez bientôt calmé tout ce grand cœur !
Que bientôt... Mais il vient. Ce grand cœur en soupire !

DOMITIE

Hélas ! plus je le vois, moins je sais que lui dire.
Je l'aime et le dédaigne; et n'osant m'attendrir,
Je me veux mal des maux que je lui fais souffrir.

SCÈNE II

DOMITIAN, DOMITIE, ALBIN, PLAUTINE

DOMITIAN

Faut-il mourir, Madame? et si proche du terme,
Votre illustre inconstance est-elle encor si ferme,
Que les restes d'un feu que j'avais cru si fort
Puissent dans quatre jours se promettre ma mort?

DOMITIE

Ce qu'on m'offre, Seigneur, me ferait peu d'envie,
S'il en coûtait à Rome une si belle vie;
Et ce n'est pas un mal qui vaille en soupirer
Que de faire une perte aisée à réparer.

DOMITIAN

Aisée à réparer ! Un choix qui m'a su plaire,
Et qui ne plaît pas moins à l'Empereur mon frère,
Charme-t-il l'un et l'autre avec si peu d'appas
Que vous sachiez leur prix, et le mettiez si bas?

DOMITIE

Quoi qu'on ait pour soi-même ou d'amour ou d'estime,
Ne s'en croire pas trop n'est pas faire un grand crime.
Mais n'examinons point en cet excès d'honneur,
Si j'ai quelque mérite, ou n'ai que du bonheur.
Telle que je puis être, obtenez-moi d'un frère.

DOMITIAN

Hélas ! si je n'ai pu vous obtenir d'un père,
Si même je ne puis vous obtenir de vous,
Qu'obtiendrai-je d'un frère amoureux et jaloux?

DOMITIE

Et moi, résisterai-je à sa toute-puissance,
Quand vous n'y répondez qu'avec obéissance?
Moi qui n'ai sous les cieux que vous seul pour soutien,
Que puis-je contre lui, quand vous n'y pouvez rien?

DOMITIAN

Je ne puis rien sans vous, et pourrais tout, Madame,
Si je pouvais encor m'assurer de votre âme.

DOMITIE

Pouvez-vous en douter, après deux ans de pleurs
Qu'à vos yeux j'ai donnés à nos communs malheurs?
Durant un déplaisir si long et si sensible
De voir toujours un père à nos vœux inflexible,
Ai-je écouté quelqu'un de tant de soupirants
Qui m'accablaient partout de leurs regards mourants?
Quel que fût leur amour, quel que fût leur mérite...

DOMITIAN

Oui, vous m'avez aimé jusqu'à l'amour de Tite.
Mais de ces soupirants qui vous offraient leur foi
Aucun ne vous eût mise alors si haut que moi;
Votre âme ambitieuse à mon rang attachée
N'en voyait point en eux dont elle fût touchée :
Ainsi de ces rivaux aucun n'a réussi.
Mais les temps sont changés, Madame, et vous aussi.

DOMITIE

Non, Seigneur : je vous aime, et garde au fond de l'âme
Tout ce que j'eus pour vous de tendresse et de flamme :

L'effort que je me fais me tue autant que vous;
Mais enfin l'Empereur veut être mon époux.

DOMITIAN

Ah! si vous n'acceptez sa main qu'avec contrainte,
Venez, venez, Madame, autoriser ma plainte :
L'Empereur m'aime assez pour quitter vos liens,
Quand je lui porterai vos vœux avec les miens.
Dites que vous m'aimez, et que tout son empire...

DOMITIE

C'est ce qu'à dire vrai j'aurai peine à lui dire,
Seigneur; et le respect qui n'y peut consentir...

DOMITIAN

Non, votre ambition ne se peut démentir.
Ne la déguisez plus, montrez-la tout entière,
Cette âme que le trône a su rendre si fière,
Cette âme dont j'ai fait les plaisirs les plus doux,
Cette âme...

DOMITIE

Voyez-la cette âme toute à vous,
Voyez-y tout ce feu que vous y fîtes naître;
Et soyez satisfait, si vous le pouvez être.
Je ne veux point, Seigneur, vous le dissimuler,
Mon cœur va tout à vous quand je le laisse aller;
Mais sans dissimuler j'ose aussi vous le dire,
Ce n'est pas mon dessein qu'il m'en coûte l'empire;
Et je n'ai point une âme à se laisser charmer
Du ridicule honneur de savoir bien aimer.
La passion du trône est seule toujours belle,
Seule à qui l'âme doive une ardeur immortelle.
J'ignorais de l'amour quel est le doux poison,
Quand elle s'empara de toute ma raison.
Comme elle est la première, elle est la dominante.
Non qu'à trahir l'amour je ne me violente;
Mais il est juste enfin que des soupirs secrets
Me punissent d'aimer contre mes intérêts.
Daignez donc voir, Seigneur, quelle route il faut pren-
Pour ne point m'imposer la honte de descendre. [dre,
Tout mon cœur vous préfère à cet heureux rival;
Pour m'avoir toute à vous, devenez son égal.

Vous dites qu'il vous aime; et je ne le puis croire,
Si je ne vois sur vous un rayon de sa gloire.
On vous a vus tous deux sortir d'un même flanc;
Ayez mêmes honneurs ainsi que même sang.
Dites-lui que le droit qu'a ce sang à l'empire...

DOMITIAN

C'eſt là ce qu'à mon tour j'aurai peine à lui dire,
Madame; et le devoir qui n'y peut consentir...

DOMITIE

A mes vives douleurs daignez donc compatir,
Seigneur : j'achète assez le rang d'impératrice,
Sans qu'un reproche injuſte augmente mon supplice.

DOMITIAN

Eh bien ! dans cet hymen, qui n'en a que pour moi,
J'applaudirai moi-même à votre peu de foi;
Je dirai que le ciel doit à votre mérite...

DOMITIE

Non, Seigneur; faites mieux, et quittez qui vous quitte;
Rome a mille beautés dignes de votre cœur;
Mais dans toute la terre il n'eſt qu'un empereur.
Si mon père avait eu les sentiments du vôtre,
Je vous aurais donné ce que j'attends d'un autre;
Et ma flamme en vos mains eût mis sans balancer
Le sceptre qu'en la mienne il aurait dû laisser.
Laissez à son défaut suppléer la fortune,
Et n'ayez pas une âme assez basse et commune
Pour s'opposer au ciel qui me rend par autrui
Ce que trop de vertu me fit perdre par lui.
Pour peu que vous m'aimiez, aimez mes avantages :
Il n'eſt point d'autre amour digne des grands courages.
Voilà toute mon âme. Après cela, Seigneur,
Laissez-moi m'épargner les troubles de mon cœur.
Un plus long entretien ne pourrait rien produire
Qui ne pût malgré moi vous déplaire ou me nuire.

SCÈNE III

DOMITIAN, ALBIN

ALBIN

Elle se défend bien, Seigneur, et dans la cour...

DOMITIAN

Aucun n'a plus d'esprit, Albin, et moins d'amour.
J'admire, ainsi que toi, dans ce qu'elle m'oppose,
Son adresse à défendre une mauvaise cause;
Et si pour m'assurer que son cœur n'est qu'à moi,
Tant d'esprit agissait en faveur de sa foi;
Si sa flamme au secours appliquait cette adresse,
L'Empereur convaincu me rendrait ma maîtresse.

ALBIN

Cependant n'est-ce rien que ce cœur soit à vous?

DOMITIAN

D'un bonheur si mal sûr je ne suis point jaloux,
Et trouve peu de jour à croire qu'elle m'aime,
Quand elle ne regarde et n'aime que soi-même.

ALBIN

Seigneur, s'il m'est permis de parler librement,
Dans toute la nature aime-t-on autrement?
L'amour propre est la source en nous de tous les autres[1]:
C'en est le sentiment qui forme tous les nôtres;
Lui seul allume, éteint, ou change nos désirs :
Les objets de nos vœux le sont de nos plaisirs.
Vous-même, qui brûlez d'une ardeur si fidèle,
Aimez-vous Domitie, ou vos plaisirs en elle?
Et quand vous aspirez à des liens si doux,
Est-ce pour l'amour d'elle, ou pour l'amour de vous?
De sa possession l'aimable et chère idée
Tient vos sens enchantés et votre âme obsédée;
Mais si vous conceviez quelques destins meilleurs,
Vous porteriez bientôt toute cette âme ailleurs.
Sa conquête est pour vous le comble des délices;
Vous ne vous figurez ailleurs que des supplices :

C'est par là qu'elle seule a droit de vous charmer;
Et vous n'aimez que vous, quand vous croyez l'aimer.

DOMITIAN

En l'état où je suis, les maux dont je soupire
M'ôtent la liberté de te rien contredire;
Cherchons-en le remède, au lieu de raisonner
Sur l'amour où le ciel se plaît à m'obstiner.
N'est-il point de secret, n'est-il point d'artifice?...

ALBIN

Oui, Seigneur, il en est. Rappelons Bérénice;
Sous le nom de César pratiquons son retour,
Qui retarde l'hymen, et suspende l'amour.

DOMITIAN

Que je verrais, Albin, ma volage punie,
Si de ces grands apprêts pour la cérémonie,
Que depuis si longtemps on dresse à si grand bruit,
Elle n'avait que l'ombre, et qu'une autre eût le fruit!
Qu'elle serait confuse! et que j'aurais de joie!
Mais il faut que le ciel lui-même la renvoie,
Cette belle rivale; et tout notre discours
Ne la saurait ici rendre dans quatre jours.

ALBIN

N'importe : en l'attendant préparons sa victoire;
Dans l'esprit d'un rival ranimons sa mémoire;
Retraçons à ses yeux l'image du passé,
Et profitons par là du cœur embarrassé.
N'y perdez point de temps : allez, sans plus rien taire,
Tâter jusqu'en ce cœur les tendresses de frère.
Si vous ne l'emportez, il pourra s'ébranler;
S'il ne rompt cet hymen, il pourra reculer :
Je me trompe, ou son âme y penche d'elle-même.
S'il s'émeut, redoublez; dites que l'on vous aime;
Dites qu'un pur respect contraint avec ennui
Une âme toute à vous à se donner à lui.
S'il se trouble, achevez : parlez de Bérénice,
De tant d'amour qu'il traite avec tant d'injustice.
Pour lui donner le temps de venir au secours,
Nous aurons quatre mois au lieu de quatre jours.

DOMITIAN

Mais j'aime Domitie; et lui parler contre elle,
C'est me mettre au hasard d'irriter l'infidèle.
Ne me condamne point, Albin, à la trahir,
A joindre à ses mépris le droit de me haïr :
En vain je veux contre elle écouter ma colère;
Tout ingrate qu'elle est, je tremble à lui déplaire.

ALBIN

Seigneur, quelle mesure avez-vous à garder?
Quand on voit tout perdu, craint-on de hasarder?
Et si l'ambition vers un autre l'entraîne,
Que vous peut importer son amour ou sa haine?

DOMITIAN

Qu'un salutaire avis fait une douce loi
A qui peut avoir l'âme aussi libre que toi !
Mais celle d'un amant n'est pas comme une autre âme :
Il ne voit, il n'entend, il ne croit que sa flamme;
Du plus puissant remède il se fait un poison,
Et la raison pour lui n'est pas toujours raison.

ALBIN

Et si je vous disais que déjà Bérénice
Est dans Rome, inconnue[2], et par mon artifice?
Qu'elle surprendra Tite, et qu'elle y vient exprès
Pour de ce grand hymen renverser les apprêts?

DOMITIAN

Albin, serait-il vrai?

ALBIN

La nouvelle vous flatte :
Peut-être est-elle fausse; attendez qu'elle éclate;
Surtout à l'Empereur déguisez-la si bien...

DOMITIAN

Va : je lui parlerai comme n'en sachant rien.

ACTE II

SCÈNE PREMIÈRE

TITE, FLAVIAN

TITE

QUOI? des ambassadeurs que Bérénice envoie
Viennent ici, dis-tu, me témoigner sa joie,
M'apporter son hommage et me féliciter
Sur ce comble de gloire où je viens de monter?

FLAVIAN

En attendant votre ordre, ils sont au port d'Ostie.

TITE

Ainsi, grâces aux Dieux, sa flamme est amortie;
Et de pareils devoirs sont pour moi des froideurs,
Puisqu'elle s'en rapporte à ses ambassadeurs.
Jusqu'après mon hymen remettons leur venue :
J'aurais trop à rougir si j'y souffrais leur vue,
Et recevais les yeux de ses propres sujets
Pour envieux témoins du vol que je lui fais;
Car mon cœur fut son bien à cette belle reine.
Et pourrait l'être encor, malgré Rome et sa haine,
Si ce divin objet, qui fut tout mon désir,
Par quelque doux regard s'en venait ressaisir.
Mais du haut de son trône elle aime mieux me rendre
Ces froideurs que pour elle on me força de prendre.
Peut-être, en ce moment que toute ma raison
Ne saurait sans désordre entendre son beau nom,
Entre les bras d'un autre un autre amour la livre :
Elle suit mon exemple, et se plaît à le suivre :
Et ne m'envoie ici traiter de souverain
Que pour braver l'amant qu'elle charmait en vain.

FLAVIAN

Si vous la revoyiez, je plaindrais Domitie.

TITE

Contre tous ses attraits ma raison endurcie
Ferait de Domitie encor la sûreté,
Mais mon cœur aurait peu de cette dureté.
N'aurais-tu point appris qu'elle fût infidèle,
Qu'elle écoutât les rois qui soupirent pour elle?
Dis-moi que Polémon règne dans son esprit,
J'en aurai du chagrin, j'en aurai du dépit,
D'une vive douleur j'en aurai l'âme atteinte;
Mais j'épouserai l'autre avec moins de contrainte;
Car enfin elle est belle, et digne de ma foi;
Elle aurait tout mon cœur, s'il était tout à moi.
La noblesse du sang, la grandeur de courage,
Font avec son mérite un illustre assemblage :
C'est le choix de mon père; et je connais trop bien
Qu'à choisir en César ce doit être le mien.
Mais tout mon cœur renonce à lui faire justice,
Dès que mon souvenir lui rend sa Bérénice.

FLAVIAN

Si de tels souvenirs vous sont encor si doux,
L'hyménée a, Seigneur, peu de charmes pour vous.

TITE

Si de tels souvenirs ne me faisaient la guerre,
Serait-il potentat plus heureux sur la terre?
Mon nom par la victoire est si bien affermi,
Qu'on me croit dans la paix un lion endormi[3] :
Mon réveil incertain du monde fait l'étude;
Mon repos en tous lieux jette l'inquiétude;
Et tandis qu'en ma cour les aimables loisirs
Ménagent l'heureux choix des jeux et des plaisirs,
Pour envoyer l'effroi sous l'un et l'autre pôle,
Je n'ai qu'à faire un pas et hausser la parole.
Que de félicités, si mes vœux imprudents
N'étaient de mon pouvoir les seuls indépendants?
Maître de l'univers sans l'être de moi-même,
Je suis le seul rebelle à ce pouvoir suprême :
D'un feu que je combats je me laisse charmer,
Et n'aime qu'à regret ce que je veux aimer.
En vain de mon hymen Rome presse la pompe :
J'y veux de la lenteur, j'aime qu'on l'interrompe,

Et n'ose résister aux dangereux souhaits
De préparer toujours et n'achever jamais.

FLAVIAN

Si ce dégoût, Seigneur, va jusqu'à la rupture,
Domitie aura peine à souffrir cette injure :
Ce jeune esprit, qu'entête et le sang de Néron
Et le choix qu'en Syrie on fit de Corbulon,
S'attribue à l'empire un droit imaginaire,
Et s'en fait, comme vous, un rang héréditaire.
Si de votre parole un manque surprenant
La jette entre les bras d'un homme entreprenant,
S'il l'unit à quelque âme assez fière et hautaine
Pour servir son orgueil et seconder sa haine,
Un vif ressentiment lui fera tout oser :
En un mot, il vous faut la perdre ou l'épouser.

TITE

J'en sais la politique, et cette loi cruelle
A presque fait l'amour qu'il m'a fallu pour elle.
Réduit au triste choix dont tu viens de parler,
J'aime mieux, Flavian, l'aimer que l'immoler,
Et ne puis démentir cette horreur magnanime
Qu'en recevant le jour je conçus pour le crime.
Moi qui seul des Césars me vois en ce haut rang
Sans qu'il en coûte à Rome une goutte de sang,
Moi que du genre humain on nomme les délices,
Moi qui ne puis souffrir les plus justes supplices,
Pourrais-je autoriser une injuste rigueur
A perdre une héroïne à qui je dois mon cœur?
Non : malgré les attraits de sa belle rivale,
Malgré les vœux flottants de mon âme inégale,
Je veux l'aimer, je l'aime; et sa seule beauté
Pouvait me consoler de ce que j'ai quitté.
Elle seule en ses yeux porte de quoi contraindre
Mes feux à s'assoupir, s'ils ne peuvent s'éteindre,
De quoi flatter mon âme, et forcer mes douleurs
A souhaiter du moins de n'aimer plus ailleurs.
Mais je ne vois pas bien que j'en sois encor maître;
Dès que ma flamme expire, un mot la fait renaître,
Et mon cœur malgré moi rappelle un souvenir
Que je n'ose écouter et ne saurais bannir.
Ma raison s'en veut faire en vain un sacrifice :

Tout me ramène ici, tout m'offre Bérénice;
Et même je ne sais par quel pressentiment
Je n'ai souffert personne en son appartement;
Mais depuis cet adieu, si cruel et si tendre,
Il est demeuré vide, et semble encor l'attendre.
Va, fais porter mon ordre à ses ambassadeurs :
C'est trop entretenir d'inutiles ardeurs;
Il est temps de chercher qui m'en puisse distraire,
Et le ciel à propos envoie ici mon frère.

FLAVIAN

Irez-vous au sénat?

TITE

Non; il peut s'assembler
Sur ce déluge ardent qui nous a fait trembler,
Et pourvoir sous mon ordre aux affreuses ruines
Dont ses feux ont couvert les campagnes voisines.

SCÈNE II

TITE, DOMITIAN, ALBIN

DOMITIAN

Puis-je parler, Seigneur, et de votre amitié
Espérer une grâce à force de pitié?
Je me suis jusqu'ici fait trop de violence,
Pour augmenter encor mes maux par mon silence.
Ce que je vais vous dire est digne du trépas;
Mais aussi j'en mourrai, si je ne le dis pas.
Apprenez donc mon crime, et voyez s'il faut faire
Justice d'un coupable, ou grâce aux vœux d'un frère.
J'ai vu ce que j'aimais choisi pour être à vous,
Et je l'ai vu longtemps sans en être jaloux.
Vous n'aimiez Domitie alors que par contrainte :
Vous vous faisiez effort, j'imitais votre feinte;
Et comme aux lois d'un père il fallait obéir,
Je feignais d'oublier, vous de ne point haïr.
Le ciel, qui dans vos mains met sa toute-puissance,
Ne met-il point de borne à cette obéissance?
La faut-il à son ombre, et que ce même effort
Vous déchire encor l'âme et me donne la mort?

TITE

Souffrez sur cet effort que je vous désabuse.
Il fut grand, et de ceux que tout le cœur refuse :
Pour en sauver le mien, je fis ce que je pus;
Mais ce qui fut effort à présent ne l'eſt plus.
Sachez-en la raison. Sous l'empire d'un père
Je murmurai toujours d'un ordre si sévère,
Et cherchai les moyens de tirer en longueur
Cet hymen qui vous gêne et m'arrachait le cœur.
Son trépas a changé toutes choses de face :
J'ai pris ses sentiments lorsque j'ai pris sa place;
Je m'impose à mon tour les lois qu'il m'imposait,
Et me dis après lui tout ce qu'il me disait.
J'ai des yeux d'empereur, et n'ai plus ceux de Tite;
Je vois en Domitie un tout autre mérite,
J'écoute la raison, j'en goûte les conseils,
Et j'aime comme il faut qu'aiment tous mes pareils.
Si dans les premiers jours que vous m'avez vu maître
Votre feu mal éteint avait voulu paraître,
J'aurais pu me combattre et me vaincre pour vous;
Mais si près d'un hymen si souhaité de tous,
Quand Domitie a droit de s'en croire assurée,
Que le jour en eſt pris, la fête préparée,
Je l'aime et lui dois trop pour jeter sur son front
L'éternelle rougeur d'un si mortel affront.
Rome entière et ma foi l'appellent à l'empire :
Voyez mieux de quel œil on m'en verrait dédire,
Ce qu'ose se permettre une femme en fureur,
Et combien Rome entière aurait pour moi d'horreur.

DOMITIAN

Elle n'en aurait point de vous voir pour un frère
Faire autant que pour elle il vous a plu de faire.
Seigneur, à vos bontés laissez un libre cours;
Qui se vainc une fois peut se vaincre toujours :
Ce n'eſt pas un effort que votre âme redoute.

TITE

Qui se vainc une fois sait bien ce qu'il en coûte :
L'effort eſt assez grand pour en craindre un second.

DOMITIAN

Ah ! si votre grande âme à peine s'en répond,

La mienne, qui n'est pas d'une trempe si belle,
Réduite au même effort, Seigneur, que fera-t-elle?

TITE

Ce que je fais, mon frère : aimez ailleurs.

DOMITIAN

Hélas!

Ce qui vous fut aisé, Seigneur, ne me l'est pas.
Quand vous avez changé, voyiez-vous Bérénice?
De votre changement son départ fut complice;
Vous l'aviez éloignée, et j'ai devant les yeux,
Je vois presque en vos bras ce que j'aime le mieux.
Jugez de ma douleur par l'excès de la vôtre,
Si vous voyiez la Reine entre les bras d'un autre;
Contre un rival heureux épargneriez-vous rien,
A moins que d'un respect aussi grand que le mien?

TITE

Vengez-vous, j'y consens; que rien ne vous retienne.
Je prends votre maîtresse; allez, prenez la mienne.
Épousez Bérénice, et...

DOMITIAN

Vous n'achevez point,
Seigneur : me pourriez-vous aimer jusqu'à ce point?

TITE

Oui, si je ne craignais pour vous l'injuste haine
Que Rome concevrait pour l'époux d'une reine.

DOMITIAN

Dites, dites, Seigneur, qu'il est bien malaisé
De céder ce qu'adore un cœur bien embrasé;
Ne vous contraignez plus, ne gênez plus votre âme,
Satisfaites en maître une si belle flamme;
Quand vous aurez su dire une fois : « Je le veux »,
D'un seul mot prononcé vous ferez quatre heureux.
Bérénice est toujours digne de votre couche,
Et Domitie enfin vous parle par ma bouche;
Car je ne saurais plus vous le taire; oui, Seigneur,
Vous en voulez la main, et j'en ai tout le cœur :
Elle m'en fit le don dès la première vue,
Et ce don fut l'effet d'une force imprévue,
De cet ordre du ciel qui verse en nos esprits

Les principes secrets de prendre et d'être pris.
Je vous dirais, Seigneur, quelle en eſt la puissance,
Si vous ne le saviez par votre expérience.
Ne rompez pas des nœuds et si forts et si doux :
Rien ne les peut briser que le trépas, ou vous;
Et c'eſt un triſte honneur pour une si grande âme,
Que d'accabler un frère et contraindre une femme.

TITE

Je ne contrains personne; et de sa propre voix
Nous allons, vous et moi, savoir quel eſt son choix.

SCÈNE III

TITE, DOMITIAN, DOMITIE, ALBIN, PLAUTINE

TITE

Parlez, parlez, Madame, et daignez nous apprendre
Où porte votre cœur, ce qu'il sent de plus tendre,
Qui le possède entier de mon frère ou de moi?

DOMITIE

En doutez-vous, Seigneur, quand vous avez ma foi?

TITE

J'aime à n'en point douter, mais on veut que j'en doute :
On dit que cette foi ne vous donne pas toute,
Que ce cœur reſte ailleurs. Parlez en liberté,
Et n'en consultez point cette noble fierté,
Ce digne orgueil du sang que mon rang sollicite :
De tout ce que je suis ne regardez que Tite;
Et pour mieux écouter vos désirs les plus doux,
Entre le prince et moi ne regardez que vous.

DOMITIE

Qu'avez-vous dit de moi, Prince?

DOMITIAN

Que dans votre âme
Vous laissez vivre encor notre première flamme;
Et qu'en faveur du rang si vous m'osez trahir,
Ce n'eſt pas tant aimer, Madame, qu'obéir.
C'eſt en dire un peu plus que vous n'aviez envie;

Mais il y va de vous, il y va de ma vie;
Et qui se voit si près de perdre tout son bien,
Se fait armes de tout, et ne ménage rien.

DOMITIE

Je ne sais de vous deux, Seigneur, à ne rien feindre,
Duquel je dois le plus me louer ou me plaindre.
C'eſt aimer assez mal, que remettre tous deux
Au choix de mes désirs le succès de vos vœux;
Et cette liberté par tous les deux offerte
Montre que tous les deux peuvent souffrir ma perte,
Et que tout leur amour eſt prêt à consentir
Que mon cœur ou ma foi veuillent se démentir.
Je me plains de tous deux, et vous plains l'un et l'autre,
Si pour voir tout ce cœur vous m'ouvrez tout le vôtre.
Le prince n'agit pas en amant fort discret;
S'il ne m'impose rien, il trahit mon secret :
Tout ce qu'il vous en dit m'offense ou vous abuse.
Mais ce que fait l'amour, l'amour aussi l'excuse.
Vous, Seigneur, je croyais que vous m'aimiez assez
Pour m'épargner le trouble où vous m'embarrassez,
Et laisser pour couleur à mon peu de conſtance
La gloire d'obéir à la toute-puissance :
Vous m'ôtez cette excuse, et me voulez charger
De ce qu'a d'odieux la honte de changer.
Si le prince en mon cœur garde encor même place,
C'eſt manquer de respect que vous le dire en face;
Et si mon choix pour vous n'eſt point violenté,
C'eſt trop d'ambition et d'infidélité.
Ainsi des deux côtés tout sert à me confondre.
J'ai cent choses à dire, et rien à vous répondre;
Et ne voulant déplaire à pas un de vous deux,
Je veux, ainsi que vous, douter où vont mes vœux.
Ce qui le plus m'étonne en cette déférence
Qui veut du cœur entier une entière assurance,
C'eſt que dans ce haut rang vous ne vouliez pas voir
Qu'il n'importe du cœur quand on sait son devoir,
Et que de vos pareils les hautes deſtinées
Ne le consultent point sur ces grands hyménées.

TITE

Si le vôtre, Madame, était de moindre prix...
Mais que veut Flavian?

SCÈNE IV

TITE, DOMITIAN, DOMITIE, PLAUTINE,
FLAVIAN, ALBIN

FLAVIAN

Vous en serez surpris,
Seigneur, je vous apporte une grande nouvelle :
La reine Bérénice...

TITE

Eh bien ! eſt infidèle?
Et son esprit, charmé par un plus doux souci...

FLAVIAN

Elle eſt dans ce palais, Seigneur; et la voici.

SCÈNE V

TITE, DOMITIAN, BÉRÉNICE, DOMITIE,
FLAVIAN, ALBIN, PHILON, PLAUTINE

TITE

O Dieux ! eſt-ce, Madame, aux reines de surprendre?
Quel accueil, quels honneurs peuvent-elles attendre,
Quand leur surprise envie au souverain pouvoir
Celui de donner ordre à les bien recevoir?

BÉRÉNICE

Pardonnez-le, Seigneur, à mon impatience.
J'ai fait sous d'autres noms demander audience :
Vous la donniez trop tard à mes ambassadeurs;
Je n'ai pu tant attendre à voir tant de grandeurs;
Et quoique par vous-même autrefois exilée,
Sans ordre et sans aveu je me suis rappelée,
Pour être la première à mettre à vos genoux
Le sceptre qu'à présent je ne tiens que de vous,
Et prendre sur les rois cet illuſtre avantage
De leur donner l'exemple à vous en faire hommage.

Je ne vous dirai point avec quelles langueurs
D'un si cruel exil j'ai souffert les longueurs :
Vous savez trop...

TITE

Je sais votre zèle, et l'admire,
Madame; et pour me voir possesseur de l'empire,
Pour me rendre vos soins, je ne méritais pas
Que rien vous pût résoudre à quitter vos États,
Qu'une si grande reine en formât la pensée.
Un voyage si long vous doit avoir lassée.
Conduisez-la, mon frère, en son appartement.
Vous, faites-l'y servir aussi pompeusement,
Avec le même éclat qu'elle s'y vit servie
Alors qu'elle faisait le bonheur de ma vie.

SCÈNE VI

TITE, DOMITIE, PLAUTINE, PHILON

DOMITIE

Seigneur, faut-il ici vous rendre votre foi?
Ne regardez que vous entre la Reine et moi;
Parlez sans vous contraindre, et me daignez apprendre
Où porte votre cœur ce qu'il sent de plus tendre.

TITE

Adieu, Madame, adieu. Dans le trouble où je suis,
Me taire et vous quitter, c'est tout ce que je puis.

SCÈNE VII

DOMITIE, PLAUTINE

DOMITIE

Se taire et me quitter ! Après cette retraite,
Crois-tu qu'un tel arrêt ait besoin d'interprète?

PLAUTINE

Oui, Madame; et ce n'est que dérober au jour,
Que vous cacher le trouble où le met ce retour.

DOMITIE

Non, non. Tu l'as voulu, Plautine, que je vinsse
Désavouer ici les vanités du prince,
Empêcher qu'un amant dont je n'ai pas le cœur
Ne cédât ma conquête à mon premier vainqueur :
Vois la honte qu'ainsi je me suis attirée.
Quand sa reine a paru, m'a-t-il considérée?
A-t-il jeté les yeux sur moi qu'en me quittant?

PLAUTINE

Pensez-vous que sa reine ait l'esprit plus content?
Avant que vous quitter, lui-même il l'a bannie.

DOMITIE

Oui, mais avec respect, avec cérémonie,
Avec des yeux enfin qui l'éloignant des miens,
Lui promettaient assez de plus doux entretiens.
Tu me diras encor que la chose est égale,
Que s'il m'ose quitter, il chasse ma rivale.
Mais pour peu qu'il m'aimât, du moins il m'aurait dit
Que je garde en son âme encor même crédit :
Il m'en aurait donné des sûretés nouvelles,
Il m'en aurait laissé quelques marques fidèles.
S'il me voulait cacher le trouble où je le voi,
La plus mauvaise excuse était bonne pour moi.
Mais pour toute réponse, il se tait, il me quitte;
Et tu ne peux souffrir que mon cœur s'en irrite!
Tu veux, lorsque lui-même ose se déclarer,
Que je me flatte encore assez pour espérer!
C'est avec le perfide être d'intelligence.
Sans me flatter en vain, courons à la vengeance;
Faisons voir ce qu'en moi peut le sang de Néron,
Et que je suis de plus fille de Corbulon.

PLAUTINE

Vous l'êtes; mais enfin c'est n'être qu'une fille,
Que le reste impuissant d'une illustre famille.
Contre un tel empereur où prendrez-vous des bras?

DOMITIE

Contre un tel empereur nous n'en manquerons pas.
S'il épouse sa reine, il est l'horreur de Rome.
Trouvons alors, trouvons un grand cœur, un grand hom-
Un Romain qui réponde au sang de mes aïeux; [me,
Et pour le révolter, laisse faire à mes yeux.
Juge, par le pouvoir de ceux de Bérénice,
Si les miens auront peine à s'en faire justice.
Si ceux-là forcent Tite à me manquer de foi,
Ceux-ci feront briser le joug d'un nouveau roi;
Et si de l'univers les siens charment le maître,
Les miens charmeront ceux qui méritent de l'être.
Dis-le-moi, tu l'as vue, ai-je peu de raison
Quand de mes yeux aux siens je fais comparaison?
Est-elle plus charmante? ai-je moins de mérite?
Suis-je moins digne qu'elle enfin du cœur de Tite?

PLAUTINE

Madame...

DOMITIE

Je m'emporte, et mes sens interdits
Impriment leur désordre en tout ce que je dis.
Comment saurais-je aussi ce que je te dois dire,
Si je ne sais pas même à quoi mon âme aspire?
Mon aveugle fureur s'égare à tout propos.
Allons penser à tout avec plus de repos.

PLAUTINE

Vous pourriez hasarder un moment de visite,
Pour voir si ce retour est sans l'aveu de Tite,
Ou si c'est de concert qu'il a fait le surpris.

DOMITIE

Oui; mais auparavant remettons nos esprits.

ACTE III

SCÈNE PREMIÈRE

DOMITIAN, BÉRÉNICE, PHILON

DOMITIAN

Je vous l'ai dit, Madame, et j'aime à le redire,
Qu'il eſt beau qu'à vous plaire un empereur aspire,
Qu'il lui doit être doux qu'un véritable feu
Par de juſtes soupirs mérite votre aveu.
Serait-ce un crime à moins? Serait-ce vous déplaire,
Après un empereur, de vous offrir son frère?
Et voudriez-vous croire, en faveur de ma foi,
Qu'un frère d'empereur pourrait valoir un roi?

BÉRÉNICE

Si votre âme, Seigneur, en veut être éclaircie,
Vous pouvez le savoir de votre Domitie.
De tous les deux aimée, et douce à tous les deux,
Elle sait mieux que moi comme on change de vœux.
Et sait peut-être mal la route qu'il faut prendre
Pour trouver le secret de les faire descendre,
Quelque facilité qu'elle ait eue à trouver,
Malgré sa flamme et vous, l'art de les élever.
Pour moi, qui n'eus jamais l'honneur d'être Romaine,
Et qu'un deſtin jaloux n'a fait naître que reine,
Sans qu'un de vous descende au rang que je remplis,
Ce me doit être assez d'un de vos affranchis;
Et si votre empereur suit les traces des autres,
Il suffit d'un tel sort pour relever les nôtres.
Mais changeons de discours, et me dites, Seigneur,
Par quel ordre aujourd'hui vous m'offrez votre cœur.
Eſt-ce pour obliger ou Domitie ou Tite?
N'ose-t-il me quitter à moins que je le quitte?
Et peut-il à son rang si peu se confier,

Qu'il veuille mon exemple à se justifier?
Me donne-t-il à vous alors qu'il m'abandonne?

DOMITIAN

Il vous respecte trop : c'est à vous qu'il me donne,
Et me fait la justice, en m'enlevant mon bien,
De vouloir que je tâche à m'enrichir du sien;
Mais à peine il le veut, qu'il craint pour moi la haine
Que Rome concevrait pour l'époux d'une reine.
C'est à vous de juger d'où part ce sentiment.
En vain, par politique, il fait ailleurs l'amant;
Il s'y réduit en vain par grandeur de courage :
A ces fausses clartés opposez quelque ombrage;
Et je renonce au jour, s'il ne revient à vous,
Pour peu que vous penchiez à le rendre jaloux.

BÉRÉNICE

Peut-être; mais, Seigneur, croyez-vous Bérénice
D'un cœur à s'abaisser jusqu'à cet artifice,
Jusques à mendier lâchement le retour
De ce qu'un grand service a mérité d'amour?

DOMITIAN

Madame, sur ce point je n'ai rien à vous dire.
Vous savez ce que vaut l'Empereur et l'empire;
Et si vous consentez qu'on vous manque de foi,
Vous pouvez remarquer si je vaux bien un roi.
J'aperçois Domitie, et lui cède la place.

SCÈNE II

DOMITIE, BÉRÉNICE, DOMITIAN, PHILON

DOMITIE

Je vais me retirer, Seigneur, si je vous chasse;
Et j'ai des intérêts que vous servez trop bien
Pour arrêter le cours d'un si long entretien.

DOMITIAN

Je faisais à la Reine une offre de service
Qui peut vous assurer le rang d'impératrice,

Madame; et si j'en suis accepté pour époux,
Tite n'aura plus d'yeux pour d'autre que pour vous.
Est-ce vous mal servir?

DOMITIE

Quoi? Madame, il vous aime?

BÉRÉNICE

Non; mais il me le dit, Madame.

DOMITIE

Lui?

BÉRÉNICE

Lui-même.

Est-ce vous offenser que m'offrir vos refus?
Et vous doit-il un cœur dont vous ne voulez plus?

DOMITIE

Je ne sais si je puis vous dire s'il m'offense,
Quand vous vous préparez à prendre sa défense.

BÉRÉNICE

Et moi, je ne sais pas s'il a droit de changer,
Mais je sais que l'amour ne peut désobliger.

DOMITIE

Du moins ce nouveau feu rend justice au mérite.

DOMITIAN

Vous m'avez commandé de quitter qui me quitte
Vous le savez, Madame; et si c'est vous trahir,
Vous m'avouerez aussi que c'est vous obéir.

DOMITIE

S'il échappe à l'amour un mot qui le trahisse,
A l'effort qu'il se fait veut-il qu'on obéisse?
Il cherche une révolte, et s'en laisse charmer.
Vous le sauriez, ingrat, si vous saviez aimer,
Et ne vous feriez pas l'indigne violence
De vous offrir ailleurs, et même en ma présence.

DOMITIAN, *à Bérénice.*

Madame, vous voyez ce que je vous ai dit;
La preuve est convaincante, et l'exemple suffit.

BÉRÉNICE

Il suffit pour vous croire, et non pas pour le suivre.

DOMITIE

Allez, sous quelques lois qu'il vous plaise de vivre,
Vivez-y, j'y consens; mais vous pouviez, Seigneur,
Vous hâter un peu moins de m'ôter votre cœur,
Attendre que l'honneur de ce grand hyménée
Vous renvoyât la foi que vous m'avez donnée.
Si vous vouliez passer pour véritable amant,
Il fallait espérer jusqu'au dernier moment;
Il vous fallait...

DOMITIAN

Eh bien ! puisqu'il faut que j'espère,
Madame, faites grâce à l'Empereur mon frère,
A la Reine, à vous-même enfin, si vous m'aimez
Autant qu'il le paraît à vos yeux alarmés.
Les scrupules d'État, qu'il fallait mieux combattre,
Assez et trop longtemps nous ont gênés tous quatre :
Réunissez des cœurs de qui rompt l'union
Cette chimère en Tite, en vous l'ambition.
Vous trouverez au mien encor les mêmes flammes
Qui, dès que je vous vis, charmèrent nos deux âmes.
Dès ce premier moment j'adorai vos appas;
Dès ce premier moment je ne vous déplus pas.
Ai-je épargné depuis aucuns soins pour vous plaire?
Est-ce un crime pour moi que l'aînesse d'un frère?
Et faut-il m'accabler d'un éternel ennui
Pour avoir vu le jour deux lustres après lui,
Comme si de mon choix il dépendait de naître
Dans le temps qu'il fallait pour devenir son maître?
Au nom de votre amour et de ce digne amant,
Madame, qui vous aime encor si chèrement,
Prenez quelque pitié d'un amant déplorable;
Faites-la partager à cette inexorable;
Dissipez la fierté d'une injuste rigueur.
Pour juge entre elle et moi je ne veux que son cœur.
Je vous laisse avec elle arbitre de ma vie.
Adieu, Madame. Adieu, trop aimable ennemie.

SCÈNE III

BÉRÉNICE, DOMITIE, PHILON

BÉRÉNICE

Les intérêts du prince avancent trop le mien
Pour vous oser, Madame, importuner de rien;
Et l'incivilité de la moindre prière
Semblerait vous presser de me rendre son frère.
Tout ce qu'en sa faveur je crois m'être permis,
Après qu'à votre cœur lui-même il s'est remis,
C'est de vous faire voir ce que hasarde une âme
Qui sacrifie au rang les douceurs de sa flamme,
Et quel long repentir suit ces nobles ardeurs
Qui soumettent l'amour à l'éclat des grandeurs.

DOMITIE

Quand les choses, Madame, auront changé de face,
Je reviendrai savoir ce qu'il faut que je fasse,
Et demander votre ordre avec empressement
Sur le choix ou du prince ou de quelque autre amant.
Agréez cependant un respect qui m'amène
Vous rendre mes devoirs comme à ma souveraine;
Car je n'ose douter que déjà l'Empereur
Ne vous ait redonné bonne part en son cœur.
Vous avez sur vos rois pris ce digne avantage
D'être ici la première à rendre un juste hommage;
Et pour vous imiter, je veux avoir le bien
D'être aussi la première à vous offrir le mien.
Cet exemple qu'aux rois vous donnez pour un homme,
J'aime pour une reine à le donner à Rome;
Et plus il est nouveau, plus j'ai lieu d'espérer
Que de quelques bontés vous voudrez m'honorer.

BÉRÉNICE

A vous dire le vrai, sa nouveauté m'étonne :
J'aurais eu quelque peine à vous croire si bonne;
Et je recevrais l'offre avec confusion
Si je n'y soupçonnais un peu d'illusion.
Quoi qu'il en soit, Madame, en cette incertitude
Qui nous met l'une et l'autre en quelque inquiétude,

Ce que je puis répondre à vos civilités,
C'est de vous demander pour moi mêmes bontés,
Et que celle des deux qui sera satisfaite
Traite l'autre de l'air qu'elle veut qu'on la traite.
J'ai vu Tite se rendre au peu que j'ai d'appas;
Je ne l'espère plus, et n'y renonce pas.
Il peut se souvenir, dans ce grade sublime,
Qu'il soumit votre Rome en détruisant Solyme,
Qu'en ce siège pour lui je hasardai mon rang,
Prodiguai mes trésors, et mes peuples leur sang,
Et que s'il me fait part de sa toute-puissance,
Ce sera moins un don qu'une reconnaissance.

DOMITIE

Ce sont là de grands droits; et si l'amour s'y joint,
Je dois craindre une chute à n'en relever point.
Tite y peut ajouter que je n'ai point la gloire
D'avoir sur ma patrie étendu sa victoire,
De l'avoir saccagée et détruite à l'envi,
Et renversé l'autel du dieu que j'ai servi :
C'est par là qu'il vous doit cette haute fortune.
Mais je commence à voir que je vous importune.
Adieu. Quelque autre fois nous suivrons ce discours.

BÉRÉNICE

Je suis venue ici trop tôt de quatre jours;
J'en suis au désespoir et vous en fais excuse.

DOMITIE

Dans quatre jours, Madame, on verra qui s'abuse.

SCÈNE IV

BÉRÉNICE, PHILON

BÉRÉNICE

Quel caprice, Philon, l'amène jusqu'ici
M'expliquer elle-même un si cuisant souci?
Tite, après mon départ l'aurait-il maltraitée?

PHILON

Après votre départ il l'a soudain quittée,
Madame, et s'est défait de cet esprit jaloux
Avec un compliment encor plus court qu'à vous.

BÉRÉNICE

Ainsi tout est égal : s'il me chasse, il la quitte,
Mais ce peu qu'il m'a dit ne peut qu'il ne m'irrite :
Il marque trop pour moi son infidélité.
Vois de ses derniers mots quelle est la dureté :
« Qu'on la serve, a-t-il dit, comme elle fut servie
Alors qu'elle faisait le bonheur de ma vie. »
Je ne le fais donc plus ! Voilà ce que j'ai craint.
Il fait en liberté ce qu'il faisait contraint.
Cet ordre de sortir, si prompt et si sévère,
N'a plus pour s'excuser l'autorité d'un père :
Il est libre, il est maître, il veut tout ce qu'il fait.

PHILON

Du peu qu'il vous a dit j'attends un autre effet.
Le trouble de vous voir auprès d'une rivale
Voulait pour se remettre un moment d'intervalle;
Et quand il a rompu sitôt vos entretiens,
Je lisais dans ses yeux qu'il évitait les siens,
Qu'il fuyait l'embarras d'une telle présence.
Mais il vient à son tour prendre son audience,
Madame; et vous voyez si j'en sais bien juger.
Songez de quelle sorte il faut le ménager.

SCÈNE V

TITE, BÉRÉNICE, FLAVIAN, PHILON

BÉRÉNICE

Me cherchez-vous, Seigneur, après m'avoir chassée?

TITE

Vous avez su mieux lire au fond de ma pensée,
Madame; et votre cœur connaît assez le mien
Pour me justifier sans que j'explique rien.

BÉRÉNICE

Mais justifiera-t-il le don qu'il vous plaît faire
De ma propre personne au prince votre frère?
Et n'est-ce point assez de me manquer de foi,
Sans prendre encor le droit de disposer de moi?
Pouvez-vous jusque-là me bannir de votre âme?
Le pouvez-vous, Seigneur?

TITE

Le croyez-vous, Madame?

BÉRÉNICE

Hélas ! que j'ai de peur de vous dire que non !
J'ai voulu vous haïr dès que j'ai su ce don :
Mais à de tels courroux l'âme en vain se confie;
A peine je vous vois que je vous justifie.
Vous me manquez de foi, vous me donnez, chassez.
Que de crimes ! Un mot les a tous effacés.
Faut-il, Seigneur, faut-il que je ne vous accuse
Que pour dire aussitôt que c'est moi qui m'abuse,
Que pour me voir forcée à répondre pour vous !
Épargnez cette honte à mon dépit jaloux;
Sauvez-moi du désordre où ma bonté m'expose,
Et du moins par pitié dites-moi quelque chose;
Accusez-moi plutôt, Seigneur, à votre tour,
Et m'imputez pour crime un trop parfait amour.
Vos chimères d'État, vos indignes scrupules,
Ne pourront-ils jamais passer pour ridicules?
En souffrez-vous encor la tyrannique loi?
Ont-ils encor sur vous plus de pouvoir que moi?
Du bonheur de vous voir j'ai l'âme si ravie,
Que pour peu qu'il durât, j'oublierais Domitie.
Pourrez-vous l'épouser dans quatre jours? O cieux !
Dans quatre jours ! Seigneur, y voudrez-vous mes yeux?
Vous plairez-vous à voir qu'en triomphe menée,
Je serve de victime à ce grand hyménée;
Que traînée avec pompe aux marches de l'autel,
J'aille de votre main attendre un coup mortel?
M'y verrez-vous mourir sans verser une larme?
Vous y préparez-vous sans trouble et sans alarme?
Et si vous concevez l'excès de ma douleur,
N'en rejaillit-il rien jusque dans votre cœur?

TITE

Hélas ! Madame, hélas ! pourquoi vous ai-je vue?
Et dans quel contre-temps[4] êtes-vous revenue !
Ce qu'on fit d'injustice à de si chers appas
M'avait assez coûté pour ne l'envier pas.
Votre absence et le temps m'avaient fait quelque grâce;
J'en craignais un peu moins les malheurs où je passe;
Je souffrais Domitie, et d'assidus efforts
M'avaient, malgré l'amour, fait maître du dehors.
La contrainte semblait tourner en habitude;
Le joug que je prenais m'en paraissait moins rude;
Et j'allais être heureux, du moins aux yeux de tous,
Autant qu'on le peut être en n'étant point à vous.
J'allais...

BÉRÉNICE

N'achevez point, c'est là ce qui me tue.
Et je pourrais souffrir votre hymen à ma vue,
Si vous aviez choisi quelque objet sans éclat,
Qui ne pût être à vous que par raison d'État,
Qui de ses grands aïeux n'eût reçu rien d'aimable,
Qui n'en eût que le nom qui fût considérable.
« Il s'est assez puni de son manque de foi,
Me dirais-je, et son cœur n'en est pas moins à moi. »
Mais Domitie est belle, elle a tout l'avantage
Qu'ajoute un vrai mérite à l'éclat du visage;
Et pour vous épargner les discours superflus,
Elle est digne de vous, si vous ne m'aimez plus.
Elle a toujours charmé le prince, votre frère,
Elle a gagné sur vous de ne vous plus déplaire :
L'hymen achèvera de me faire oublier;
Elle aura votre cœur, et l'aura tout entier.
Seigneur, faites-moi grâce : épousez Sulpitie,
Ou Camille, ou Sabine, et non pas Domitie;
Choisissez-en quelqu'une enfin dont le bonheur
Ne m'ôte que la main, et me laisse le cœur.

TITE

Domitie aisément souffrirait ce partage;
Ma main satisferait l'orgueil de son courage;
Et pour le cœur, à peine il vous sait en ces lieux,
Qu'il revient tout entier faire hommage à vos yeux.

BÉRÉNICE

N'importe : ayez pitié, Seigneur, de ma faiblesse.
Vous avez un cœur fait à changer de maîtresse;
Vous ne savez que trop l'art de manquer de foi :
Ne l'exercerez-vous jamais que contre moi?

TITE

Domitie eſt le choix de Rome et de mon père :
Ils crurent à propos de l'ôter à mon frère,
De crainte que ce cœur jeune et présomptueux
Ne rendît téméraire un prince impétueux.
Si pour vous obéir je lui suis infidèle,
Rome, qui l'a choisie, y consentira-t-elle?

BÉRÉNICE

Quoi? Rome ne veut pas quand vous avez voulu?
Que faites-vous, Seigneur, du pouvoir absolu?
N'êtes-vous dans ce trône, où tant de monde aspire,
Que pour assujettir l'Empereur à l'empire?
Sur ses plus hauts degrés Rome vous fait la loi !
Elle affermit ou rompt le don de votre foi !
Ah ! si j'en puis juger sur ce qu'on voit paraître,
Vous en êtes l'esclave encor plus que le maître.

TITE

Tel eſt le triſte sort de ce rang souverain,
Qui ne dispense pas d'avoir un cœur romain;
Ou plutôt des Romains tel eſt le dur caprice
A suivre obſtinément une aveugle injuſtice,
Qui rejetant d'un roi le nom plus que les lois,
Accepte un empereur plus puissant que cent rois.
C'eſt ce nom seul qui donne à leurs farouches haines
Cette invincible horreur qui passe jusqu'aux reines,
Jusques à leurs époux; et vos yeux adorés
Verraient de notre hymen naître cent conjurés.
Encor s'il n'y fallait hasarder que ma vie;
Si ma perte aussitôt de la vôtre suivie...

BÉRÉNICE

Non, Seigneur, ce n'eſt pas aux reines comme moi
A hasarder leurs jours pour signaler leur foi.
La plus illuſtre ardeur de périr l'un pour l'autre
N'a rien de glorieux pour mon rang et le vôtre :

L'amour de nos pareils la traite de fureur,
Et ces vertus d'amant ne sont pas d'empereur.
Mes secours en Judée achevèrent l'ouvrage
Qu'avait des légions ébauché le suffrage :
Il m'est trop précieux pour le mettre au hasard;
Et j'y pouvais, Seigneur, mériter quelque part,
N'était qu'affermissant votre heureuse fortune,
Je n'ai fait qu'empêcher qu'elle nous fût commune.
Si j'eusse eu moins pour elle ou de zèle ou de foi,
Vous seriez moins puissant, mais vous seriez à moi;
Vous n'auriez que le nom de général d'armée,
Mais j'aurais pour époux l'amant qui m'a charmée;
Et je posséderais dans ma cour, en repos,
Au lieu d'un empereur, le plus grand des héros.

TITE

Eh bien ! Madame, il faut renoncer à ce titre,
Qui de toute la terre en vain me fait l'arbitre.
Allons dans vos États m'en donner un plus doux;
Ma gloire la plus haute est celle d'être à vous.
Allons où je n'aurai que vous pour souveraine,
Où vos bras amoureux seront ma seule chaîne,
Où l'hymen en triomphe à jamais l'étreindra;
Et soit de Rome esclave et maître qui voudra[5] !

BÉRÉNICE

Il n'est plus temps : ce nom, si sujet à l'envie,
Ne se quitte jamais, Seigneur, qu'avec la vie;
Et des nouveaux Césars la tremblante fierté
N'ose faire de grâce à ceux qui l'ont porté :
Qui l'a pris une fois est toujours punissable.
Ce fut par là qu'Othon se traita de coupable,
Par là Vitellius mérita le trépas;
Et vous n'auriez partout qu'assassins sur vos pas.

TITE

Que faire donc, Madame?

BÉRÉNICE

Assurer votre vie;
Et s'il y faut enfin la main de Domitie...
Mais adieu : sur ce point si vous pouvez douter,
Ce n'est pas moi, Seigneur, qu'il en faut consulter.

TITE, *à Bérénice qui se retire.*

Non, Madame; et dût-il m'en coûter trône et vie,
Vous ne me verrez point épouser Domitie.
  Ciel, si vous ne voulez qu'elle règne en ces lieux,
Que vous m'êtes cruel de la rendre à mes yeux!

ACTE IV

SCÈNE PREMIÈRE

BÉRÉNICE, PHILON

BÉRÉNICE

AVEZ-VOUS su, Philon, quel bruit et quel murmure
Fait mon retour à Rome en cette conjoncture?

PHILON

Oui, Madame : j'ai vu presque tous vos amis,
Et su d'eux quel espoir vous peut être permis.
Il est peu de Romains qui penchent la balance
Vers l'extrême hauteur ou l'extrême indulgence :
La plupart d'eux embrasse un avis modéré
Par qui votre retour n'est pas déshonoré,
Mais à l'hymen de Tite il vous ferme la porte :
La fière Domitie est partout la plus forte;
La vertu de son père et son illustre sang
A son ambition assure ce haut rang.
Il est peu sur ce point de voix qui se divisent,
Madame; et, quant à vous, voici ce qu'ils en disent :
« Elle a bien servi Rome, il le faut avouer;
L'Empereur et l'empire ont lieu de s'en louer :
On lui doit des honneurs, des titres sans exemples;
Mais enfin elle est reine, elle abhorre nos temples,
Et sert un Dieu jaloux qui ne peut endurer
Qu'aucun autre que lui se fasse révérer;
Elle traite à nos yeux les nôtres de fantômes.
On peut lui prodiguer des villes, des royaumes :
Il est des rois pour elle; et déjà Polémon
De ce Dieu qu'elle adore invoque le seul nom;
Des nôtres pour lui plaire il dédaigne le culte;
Qu'elle règne avec lui sans nous faire d'insulte.
Si ce trône et le sien ne lui suffisent pas,
Rome est prête d'y joindre encor d'autres États,

Et de faire éclater avec magnificence
Un juste et plein effet de sa reconnaissance. »

BÉRÉNICE

Qu'elle répande ailleurs ces effets éclatants,
Et ne m'enlève point le seul où je prétends.
Elle n'a point de part en ce que je mérite :
Elle ne me doit rien, je n'ai servi que Tite.
Si j'ai vu sans douleur mon pays désolé,
C'est à Tite, à lui seul, que j'ai tout immolé;
Sans lui, sans l'espérance à mon amour offerte,
J'aurais servi Solyme, ou péri dans sa perte;
Et quand Rome s'efforce à m'arracher son cœur,
Elle sert le courroux d'un Dieu juste vengeur.
Mais achevez, Philon; ne dit-on autre chose?

PHILON

On parle des périls où votre amour l'expose :
« De cet hymen, dit-on, les nœuds si désirés
Serviront de prétexte à mille conjurés;
Ils pourront soulever jusqu'à son propre frère.
Il se voulut jadis cantonner contre un père;
N'eût été Mucian qui le tint dans Lyon,
Il se faisait le chef de la rébellion,
Avouait Civilis, appuyait ses Bataves,
Des Gaulois belliqueux soulevait les plus braves;
Et les deux bords du Rhin l'auraient pour empereur,
Pour peu qu'eût Céréal écouté sa fureur. »
Il aime Domitie, et règne dans son âme;
Si Tite ne l'épouse, il en fera sa femme.
Vous savez de tous deux quelle est l'ambition :
Jugez ce qui peut suivre une telle union.

BÉRÉNICE

Ne dit-on rien de plus?

PHILON

Ah ! Madame, je tremble
A vous dire encor...

BÉRÉNICE

Quoi?

PHILON

Que le sénat s'assemble.

BÉRÉNICE

Quelle eſt l'occasion qui le fait assembler?

PHILON

L'occasion n'a rien qui vous doive troubler;
Et ce n'eſt qu'à dessein de pourvoir aux dommages
Que du Vésuve ardent ont causés les ravages;
Mais Domitie aura des amis, des parents,
Qui pourront bien après vous mettre sur les rangs.

BÉRÉNICE

Quoi que sur mes deſtins ils usurpent d'empire,
Je ne vois pas leur maître en état d'y souscrire.
Philon, laissons-les faire : ils n'ont qu'à me bannir
Pour trouver hautement l'art de me retenir.
Contre toutes leurs voix je ne veux qu'un suffrage,
Et l'ardeur de me nuire achèvera l'ouvrage.
Ce n'eſt pas qu'en effet la gloire où je prétends
N'offre trop de prétexte aux esprits mécontents :
Je ne puis jeter l'œil sur ce que je suis née
Sans voir que de périls suivront cet hyménée.
Mais pour y parvenir s'il faut trop hasarder,
Je veux donner le bien que je n'ose garder;
Je veux du moins, je veux ôter à ma rivale
Ce miracle vivant, cette âme sans égale :
Qu'en dépit des Romains, leur digne souverain,
S'il prend une moitié, la prenne de ma main;
Et pour tout dire enfin, je veux que Bérénice
Ait une créature en leur impératrice.
Je vois Domitian. Contre tous leurs arrêts
Il n'eſt pas malaisé d'unir nos intérêts.

SCÈNE II

DOMITIAN, BÉRÉNICE, PHILON, ALBIN

BÉRÉNICE

Auriez-vous au sénat, Seigneur, assez de brigue
Pour combattre et confondre une insolente ligue?

S'il ne s'assemble pas exprès pour m'exiler,
J'ai quelques envieux qui pourront en parler.
L'exil m'importe peu, j'y suis accoutumée;
Mais vous perdez l'objet dont votre âme eſt charmée :
L'audacieux décret de mon bannissement
Met votre Domitie aux bras d'un autre amant;
Et vous pouvez juger que s'il faut qu'on m'exile,
Sa conquête pour vous n'en eſt pas plus facile.
Voyez si votre amour se veut laisser ravir
Cet unique secours qui pourrait le servir.

DOMITIAN

On en pourra parler, Madame, et mon ingrate
En a déjà conçu quelque espoir qui la flatte;
Mais je puis dire aussi que le rang que je tiens
M'a fait assez d'amis pour opposer aux siens;
Et que si dès l'abord ils ne les font pas taire,
Ils rompront le grand coup qui seul nous peut déplaire.
Non que tout cet espoir ne coure grand hasard,
Si votre amant volage y prend la moindre part;
On l'aime; et si son ordre à nos amis s'oppose
Leur plus fidèle ardeur osera peu de chose.

BÉRÉNICE

Ah ! Prince, je mourrai de honte et de douleur,
Pour peu qu'il contribue à faire mon malheur;
Mais je n'ai qu'à le voir pour calmer ces alarmes.

DOMITIAN

N'y perdez point de temps, portez-y tous vos charmes :
N'en oubliez aucun dans un péril si grand.
Peut-être, ainsi que vous, ce dessein le surprend;
Mais je crains qu'après tout son âme irrésolue,
Ne relâche un peu trop sa puissance absolue,
Et ne laisse au sénat décider de ses vœux,
Pour se faire une excuse envers l'une des deux.

BÉRÉNICE

Quelques efforts qu'on fasse, et quelque art qu'on déploie,
Je vous réponds de tout, pourvu que je le voie;
Et je ne crois pas même au pouvoir de vos dieux
De lui faire épouser Domitie à vos yeux.
Si vous l'aimez encor, ce mot vous doit suffire.

Quant au sénat, qu'il m'ôte ou me donne l'empire,
Je ne vous dirai point à quoi je me résous.
Voici votre inconstante. Adieu, pensez à vous.

SCÈNE III

DOMITIAN, DOMITIE, ALBIN, PLAUTINE

DOMITIE

Prince, si vous m'aimez, l'occasion est belle.

DOMITIAN

Si je vous aime ! Est-il un amant plus fidèle?
Mais, Madame, sachons ce que vous souhaitez.

DOMITIE

Vous me servirez mal, puisque vous en doutez.
L'amant digne du cœur de la beauté qu'il aime
Sait mieux ce qu'elle veut que ce qu'il veut lui-même.
Mais puisque j'ai besoin d'expliquer mon courroux,
J'en veux à Bérénice, à l'Empereur, à vous :
A lui, qui n'ose plus m'aimer en sa présence;
A vous, qui vous mettez de leur intelligence,
Et dont tous les amis vont servir un amour
Qui me rend à vos yeux la fable de la cour.
Si vous m'aimez, Seigneur, il faut sauver ma gloire,
M'assurer par vos soins une pleine victoire;
Il faut...

DOMITIAN

Si vous croyiez votre bonheur douteux,
Votre retour vers moi serait-il si honteux?
Suis-je indigne de vous? suis-je si peu de chose
Que toute votre gloire à mon amour s'oppose?
Ne voit-on plus en moi ce que vous estimiez?
Et suis-je moindre enfin qu'alors que vous m'aimiez?

DOMITIE

Non; mais un autre espoir va m'accabler de honte,
Quand le trône m'attend, si Bérénice y monte.
Délivrez-en mes yeux, et prêtez-moi la main

Du moins à soutenir l'honneur du nom romain.
De quel œil verrez-vous qu'une reine étrangère...

DOMITIAN

De l'œil dont je verrais que l'Empereur mon frère,
En prît d'autres pour vous, ranimât mon espoir,
Et pour se rendre heureux, usât de son pouvoir.

DOMITIE

Ne vous y trompez pas : s'il me donne le change,
Je ne suis point à vous, je suis à qui me venge,
Et trouverai peut-être à Rome assez d'appui
Pour me venger de vous aussi bien que de lui.

DOMITIAN

Et c'est du nom romain la gloire qui vous touche,
Madame? et vous l'avez au cœur comme en la bouche?
Ah ! que le nom de Rome est un nom précieux
Alors qu'en la servant on se sert encor mieux,
Qu'avec nos intérêts ce grand devoir conspire,
Et que pour récompense on se promet l'empire !
Parlons à cœur ouvert, Madame, et dites-moi
Quel fruit je dois attendre enfin d'un tel emploi.

DOMITIE

Voulez-vous pour servir être sûr du salaire,
Seigneur? et n'avez-vous qu'un amour mercenaire?

DOMITIAN

Je n'en connais point d'autre, et ne conçois pas bien
Qu'un amant puisse plaire en ne prétendant rien.

DOMITIE

Que ces précautions sentent les âmes basses !

DOMITIAN

Les Dieux à qui les sert font espérer des grâces.

DOMITIE

Les exemples des Dieux s'appliquent mal sur nous.

DOMITIAN

Je ne veux donc, Madame, autre exemple que vous.
N'attendez-vous de Tite, et n'avez-vous pour Tite

Qu'une stérile ardeur qui s'attache au mérite?
De vos destins aux siens pressez-vous l'union
Sans vouloir aucun fruit de tant de passion?

DOMITIE

Peut-être en ce dessein ne suis-je intéressée
Que par l'intérêt seul de ma gloire blessée.
Croyez-moi généreuse, et soyez généreux :
N'aimez plus, ou n'aimez que comme je le veux.
Je sais ce que je dois à l'amant qui m'oblige;
Mais j'aime qu'on l'attende et non pas qu'on l'exige;
Et qui peut immoler son intérêt au mien,
Peut se promettre tout de qui ne promet rien.
Peut-être qu'en l'état où je suis avec Tite,
Je veux bien le quitter, mais non pas qu'il me quitte.
Vous en dis-je trop peu pour vous l'imaginer?
Et depuis quand l'amour n'ose-t-il deviner?
Tous mes emportements pour la grandeur suprême
Ne vous déguisent point, Seigneur, que je vous aime;
Et l'on ne voit que trop quel droit j'ai de haïr
Un empereur sans foi qui meurt de me trahir.
Me condamnerez-vous à voir que Bérénice
M'enlève de hauteur le rang d'impératrice?
Lui pourrez-vous aider à me perdre d'honneur?

DOMITIAN

Ne pouvez-vous le mettre à faire mon bonheur?

DOMITIE

J'ai quelque orgueil encor, Seigneur, je le confesse.
De tout ce qu'il attend rendez-moi la maîtresse,
Et laissez à mon choix l'effet de votre espoir :
Que ce soit une grâce, et non pas un devoir;
Et que...

DOMITIAN

Me faire grâce après tant d'injustice!
De tant de vains détours je vois trop l'artifice,
Et ne saurais douter du choix que vous ferez
Quand vous aurez par moi ce que vous espérez.
Épousez, j'y consens, le rang de souveraine;
Faites l'impératrice, en donnant une reine;

Disposez de sa main, et pour première loi,
Madame, ordonnez-lui d'abaisser l'œil sur moi.

DOMITIE

Cet objet de ma haine a pour vous quelque charme.

DOMITIAN

Son nom seul prononcé vous a mise en alarme :
Me puis-je mieux venger, si vous me trahissez,
Que d'aimer à vos yeux ce que vous haïssez?

DOMITIE

Parlons à cœur ouvert. Aimez-vous Bérénice?

DOMITIAN

Autant qu'il faut l'aimer pour vous faire un supplice.

DOMITIE

Ce sera donc le vôtre encor plus que le mien.
Après cela, Seigneur, je ne vous dis plus rien.
S'il n'a pas pour votre âme une assez rude gêne,
J'y puis joindre au besoin une implacable haine.

DOMITIAN

Et moi, dût à jamais croître ce grand courroux,
J'épouserai, Madame, ou Bérénice, ou vous.

DOMITIE

Ou Bérénice, ou moi ! La chose est donc égale,
Et vous ne m'aimez plus qu'autant que ma rivale?

DOMITIAN

La douleur de vous perdre, hélas !...

DOMITIE

C'en est assez :
Nous verrons cet amour dont vous nous menacez.
Cependant si la Reine, aussi fière que belle,
Sait comme il faut répondre aux vœux d'un infidèle,
Ne me rapportez point l'objet de son dédain
Qu'elle n'ait repassé les rives du Jourdain.

SCÈNE IV

DOMITIAN, ALBIN

DOMITIAN

Admire ainsi que moi de quelle jalousie
Au seul nom de la Reine elle a paru saisie;
Comme s'il importait à ses heureux appas
A qui je donne un cœur dont elle ne veut pas !

ALBIN

Seigneur, telle eſt l'humeur de la plupart des femmes.
L'amour sous leur empire eût-il rangé mille âmes,
Elles regardent tout comme leur propre bien,
Et ne peuvent souffrir qu'il leur échappe rien.
Un captif mal gardé leur semble une infamie :
Qui l'ose recevoir devient leur ennemie;
Et sans leur faire un vol on ne peut disposer
D'un cœur qu'un autre choix les force à refuser :
Elles veulent qu'ailleurs par leur ordre il soupire,
Et qu'un don de leur part marque un reſte d'empire.
Domitie a pour vous ces communs sentiments
Que les fières beautés ont pour tous leurs amants,
Et craint, si votre main se donne à Bérénice,
Qu'elle ne porte en vain le nom d'impératrice,
Quand d'un côté l'hymen, et de l'autre l'amour,
Feront à cette reine un empire en sa cour.
Voilà sa jalousie, et ce qu'elle redoute,
Seigneur. Pour le sénat, n'en soyez point en doute,
Il aime l'Empereur, et l'honore à tel point,
Qu'il servira sa flamme, ou n'en parlera point;
Pour le ſtupide Claude il eut bien la bassesse
D'autoriser l'hymen de l'oncle avec la nièce :
Il ne fera pas moins pour un prince adoré,
Et je l'y tiens déjà, Seigneur, tout préparé.

DOMITIAN

Tu parles du sénat, et je veux parler d'elle,
De l'ingrate qu'un trône a rendue infidèle.
N'eſt-il point de moyen, ne vois-tu point de jour
A mettre enfin d'accord sa gloire et son amour?

ALBIN

Tout dépendra de Tite et du secret office
Qu'il peut dans le sénat rendre à sa Bérénice.
L'air dont il agira pour un espoir si doux
Tournera l'assemblée ou pour ou contre vous;
Et si sa politique à vos amis s'oppose,
Vous l'avez dit vous-même, ils pourront peu de chose.
Sondez ses sentiments, et réglez-vous sur eux :
Votre bonheur est sûr, s'il consent d'être heureux.
Que si son choix balance, ou flatte mal le vôtre,
Demandez Bérénice afin d'obtenir l'autre.
Vous l'avez déjà vu sensible à de tels coups;
Et c'est un grand ressort qu'un peu d'amour jaloux.
Au moindre empressement pour cette belle reine,
Il vous fera justice et reprendra sa chaîne.
Songez à pénétrer ce qu'il a dans l'esprit.
Le voici.

DOMITIAN

Je suivrai ce que ton zèle en dit.

SCÈNE V

TITE, DOMITIAN, FLAVIAN, ALBIN

TITE

Avez-vous regagné le cœur de votre ingrate,
Mon frère?

DOMITIAN

Sa fierté de plus en plus éclate.
Voyez s'il fut jamais orgueil pareil au sien :
Il veut que je la serve et ne prétende rien,
Que j'appuie en l'aimant toute son injustice,
Que je fasse de Rome exiler Bérénice.
Mais, Seigneur, à mon tour puis-je vous demander
Ce qu'à vos plus doux vœux il vous plaît d'accorder?

TITE

J'aurai peine à bannir la Reine de ma vue.
Par quels ordres, grands Dieux, est-elle revenue?

Je souffrais, mais enfin je vivais sans la voir;
J'allais...

DOMITIAN

N'avez-vous pas un absolu pouvoir,
Seigneur?

TITE

Oui; mais j'en suis comptable à tout le monde;
Comme dépositaire, il faut que j'en réponde.
Un monarque a souvent des lois à s'imposer;
Et qui veut pouvoir tout ne doit pas tout oser.

DOMITIAN

Que refuserez-vous aux désirs de votre âme,
Si le sénat approuve une si belle flamme?

TITE

Qu'il parle du Vésuve, et ne se mêle pas
De jeter dans mon âme un nouvel embarras.
Est-ce à lui d'abuser de mon inquiétude
Jusqu'à mettre une borne à son incertitude?
Et s'il ose en mon choix prendre quelque intérêt,
Me croit-il en état d'en croire son arrêt?
S'il exile la Reine, y pourrai-je souscrire?

DOMITIAN

S'il parle en sa faveur, pourrez-vous l'en dédire?
Ah! que je vous plaindrais d'avoir si peu d'amour!

TITE

J'en ai trop, et le mets peut-être trop au jour.

DOMITIAN

Si vous en aviez tant, vous auriez peu de peine
A rendre Domitie à sa première chaîne.

TITE

Ah! s'il ne s'agissait que de vous la céder,
Vous auriez peu de peine à me persuader;
Et, pour vous rendre heureux, me rendre à Bérénice
Ne serait pas vous faire un fort grand sacrifice.
Il y va de bien plus.

DOMITIAN

De quoi, Seigneur?

TITE

De tout.

Il y va d'épouser sa haine jusqu'au bout,
D'en suivre la furie, et d'être le ministre
De ce qu'un noir dépit conçoit de plus sinistre;
Et peut-être l'aigreur de ces inimitiés
Voudra que je vous perde ou que vous me perdiez :
Voilà ce qui peut suivre un si doux hyménée.
Vous voyez dans l'orgueil Domitie obstinée;
Quand pour moi cet orgueil ose vous dédaigner,
Elle ne m'aime pas : elle cherche à régner,
Avec vous, avec moi, n'importe la manière.
Tout plairait, à ce prix, à son humeur altière;
Tout serait digne d'elle; et le nom d'empereur
A mon assassin même attacherait son cœur.

DOMITIAN

Pouvez-vous mieux choisir un frein à sa colère,
Seigneur, que de la mettre entre les mains d'un frère?

TITE

Non : je ne puis la mettre en de plus sûres mains;
Mais plus vous m'êtes cher, Prince, et plus je vous crains :
De ceux qu'unit le sang plus douces sont les chaînes,
Plus leur désunion met d'aigreur dans leurs haines;
L'offense en est plus rude, et le courroux plus grand.
La suite plus barbare, et l'effet plus sanglant.
La nature en fureur s'abandonne à tout faire,
Et cinquante ennemis sont moins haïs qu'un frère.
Je ne réveille point des soupçons assoupis,
Et veux bien oublier le temps de Civilis :
Vous étiez encor jeune, et sans vous bien connaître,
Vous pensiez n'être né que pour vivre sans maître;
Mais les occasions renaissent aisément :
Une femme est flatteuse, un empire est charmant,
Et comme avec plaisir on s'en laisse surprendre,
On néglige bientôt les soins de s'en défendre.
Croyez-moi, séparez vos intérêts des siens.

DOMITIAN

Eh bien ! j'en briserai les dangereux liens.

Pour votre sûreté j'accepte ce supplice;
Mais pour m'en consoler, donnez-moi Bérénice.
Dût le sénat, dût Rome en frémir de courroux,
Vous n'osez l'épouser, j'oserai plus que vous;
Je l'aime, et l'aimerai si votre âme y renonce.
Quoi? n'osez-vous, Seigneur, me faire de réponse?

TITE

Se donne-t-elle à vous, et ne tient-il qu'à moi?

DOMITIAN

Elle a droit d'imiter qui lui manque de foi.

TITE

Elle n'en a que trop; et toutefois je doute
Que son amour trahi prenne la même route.

DOMITIAN

Mais si pour se venger elle répond au mien?

TITE

Épousez-la, mon frère, et ne m'en dites rien.

DOMITIAN

Et si je regagnais l'esprit de Domitie?
Si pour moi sa fierté se montrait adoucie?
Si mes vœux, si mes soins en étaient mieux reçus,
Seigneur?

TITE, *en rentrant.*

Épousez-la sans m'en parler non plus.

DOMITIAN

Allons, et malgré lui rendons-lui Bérénice.
Albin, de nos projets son amour est complice;
Et puisqu'il l'aime assez pour en être jaloux,
Malgré l'ambition Domitie est à nous.

ACTE V

SCÈNE PREMIÈRE

TITE, FLAVIAN

TITE

As-tu vu Bérénice? aime-t-elle mon frère?
Et se plaît-elle à voir qu'il tâche de lui plaire?
Me la demande-t-il de son consentement?

FLAVIAN

Ne la soupçonnez point d'un si bas sentiment;
Elle n'en peut souffrir non pas même la feinte.

TITE

As-tu vu dans son cœur encor la même atteinte?

FLAVIAN

Elle veut vous parler, c'est tout ce que j'en sai.

TITE

Faut-il de son pouvoir faire un nouvel essai?

FLAVIAN

M'en croirez-vous, Seigneur? évitez sa présence,
Ou mettez-vous contre elle un peu mieux en défense.
Quel fruit espérez-vous de tout son entretien?

TITE

L'en aimer davantage, et ne résoudre rien.

FLAVIAN

L'irrésolution doit-elle être éternelle?
Vous ne me dites plus que Domitie est belle,
Seigneur, vous qui disiez que ses seules beautés

Vous peuvent consoler de ce que vous quittez;
Qu'elle seule en ses yeux porte de quoi contraindre
Vos feux à s'assoupir, s'ils ne peuvent s'éteindre.

TITE

Je l'ai dit, il est vrai; mais j'avais d'autres yeux,
Et je ne voyais pas Bérénice en ces lieux.

FLAVIAN

Quand aux feux les plus beaux un monarque défère,
Il s'en fait un plaisir et non pas une affaire,
Et regarde l'amour comme un lâche attentat
Dès qu'il veut prévaloir sur la raison d'État.
Son grand cœur, au-dessus des plus dignes amorces,
A ses devoirs pressants laisse toutes leurs forces;
Et son plus doux espoir n'ose lui demander
Ce que sa dignité ne lui peut accorder.

TITE

Je sais qu'un empereur doit parler ce langage;
Et quand il l'a fallu, j'en ai dit davantage;
Mais de ces duretés que j'étale à regret,
Chaque mot à mon cœur coûte un soupir secret;
Et quand à la raison j'accorde un tel empire,
Je le dis seulement parce qu'il le faut dire,
Et qu'étant au-dessus de tous les potentats,
Il me serait honteux de ne le dire pas.
De quoi s'enorgueillit un souverain de Rome,
Si par respect pour elle il doit cesser d'être homme,
Éteindre un feu qui plaît, ou ne le ressentir
Que pour s'en faire honte et pour le démentir?
Cette toute-puissance est bien imaginaire,
Qui s'asservit soi-même à la peur de déplaire,
Qui laisse au goût public régler tous ses projets,
Et prend le plus haut rang pour craindre ses sujets.
Je ne me donne point d'empire sur leurs âmes,
Je laisse en liberté leurs soupirs et leurs flammes;
Et quand d'un bel objet j'en vois quelqu'un charmé,
J'applaudis au bonheur d'aimer et d'être aimé.
Quand je l'obtiens du ciel, me portent-ils envie?
Qu'ont d'amer pour eux tous les douceurs de ma vie?
Et par quel intérêt...

FLAVIAN

Ils perdraient tout en vous.
Vous faites le bonheur et le salut de tous,
Seigneur; et l'univers, de qui vous êtes l'âme...

TITE

Ne perds plus de raisons à combattre ma flamme :
Les yeux de Bérénice inspirent des avis
Qui persuadent mieux que tout ce que tu dis.

FLAVIAN

Ne vous exposez donc qu'à ceux de Domitie.

TITE

Je n'ai plus, Flavian, que quatre jours de vie :
Pourquoi prends-tu plaisir à les tyranniser?

FLAVIAN

Mais vous savez qu'il faut la perdre ou l'épouser?

TITE

En vain donc à ses vœux tout mon amour s'oppose;
Périr ou faire un crime est pour moi même chose.
Laissons-lui toutefois soulever des mutins;
Hasardons sur la foi de nos heureux destins :
Ils m'ont promis la Reine, et doivent à ses charmes
Tout ce qu'ils ont soumis à l'effort de mes armes;
Par elle j'ai vaincu, pour elle il faut périr.

FLAVIAN

Seigneur...

TITE

Oui, Flavian, c'est à faire à mourir.
La vie est peu de chose; et tôt ou tard, qu'importe
Qu'un traître me l'arrache, ou que l'âge l'emporte?
Nous mourons à toute heure; et dans le plus doux sort
Chaque instant de la vie est un pas vers la mort.

FLAVIAN

Flattez mieux les désirs de votre ambitieuse,
Et ne la changez pas de fière en furieuse.
Elle vient vous parler.

TITE

Dieux ! quel comble d'ennuis !

SCÈNE II

TITE, DOMITIE, FLAVIAN, PLAUTINE

DOMITIE

Je viens savoir de vous, Seigneur, ce que je suis.
J'ai votre foi pour gage, et mes aïeux pour marques
Du grand droit de prétendre au plus grand des monarques;
Mais Bérénice est belle, et des yeux si puissants
Renversent aisément des droits si languissants.
Ce grand jour qui devait unir mon sort au vôtre
Servira-t-il, Seigneur, au triomphe d'une autre?

TITE

J'ai quatre jours encor pour en délibérer,
Madame; jusque-là laissez-moi respirer.
C'est peu de quatre jours pour un tel sacrifice;
Et s'il faut à vos droits immoler Bérénice,
Je ne vous réponds pas que Rome et tous vos droits
Puissent en quatre jours m'en imposer les lois.

DOMITIE

Il n'en faudrait pas tant, Seigneur, pour vous résoudre
A lancer sur ma tête un dernier coup de foudre,
Si vous ne craigniez point qu'il rejaillît sur vous.

TITE

Suspendez quelque temps encor ce grand courroux.
Puis-je étouffer sitôt une si belle flamme?

DOMITIE

Quoi? vous ne pouvez pas ce que peut une femme?
Que vous me rendez mal ce que vous me devez !
J'ai brisé de beaux fers, Seigneur, vous le savez;
Et mon âme, sensible à l'amour comme une autre,
En étouffe un peut-être aussi fort que le vôtre.

TITE

Peut-être auriez-vous peine à le bien étouffer,
Si votre ambition n'en savait triompher.
Moi qui n'ai que les Dieux au-dessus de ma tête,
Qui ne vois plus de rang digne de ma conquête,
Du trône où je me sieds puis-je aspirer à rien
Qu'à posséder un cœur qui n'aspire qu'au mien?
C'est là de mes pareils la noble inquiétude :
L'ambition remplie y jette leur étude;
Et sitôt qu'à prétendre elle n'a plus de jour,
Elle abandonne un cœur tout entier à l'amour.

DOMITIE

Elle abandonne ainsi le vôtre et cette reine,
Qui cherche une grandeur encor plus souveraine.

TITE

Non, Madame : je veux que vous sortiez d'erreur.
Bérénice aime Tite, et non pas l'Empereur;
Elle en veut à mon cœur, et non pas à l'empire.

DOMITIE

D'autres avaient déjà pris soin de me le dire,
Seigneur; et votre reine a le goût délicat
De n'en vouloir qu'au cœur, et non pas à l'éclat.
Cet amour épuré que Tite seul lui donne
Renoncerait au rang pour être à la personne!
Mais on a beau, Seigneur, raffiner sur ce point,
La personne et le rang ne se séparent point.
Sous les tendres brillants de cette noble amorce
L'ambition cachée attaque, presse, force;
Par là de ses projets elle vient mieux à bout;
Elle ne prétend rien, et s'empare de tout.
L'art est grand; mais enfin je ne sais s'il mérite
La bouche d'une reine et l'oreille de Tite.
Pour moi, j'aime autrement; et tout me charme en vous;
Tout m'en est précieux, Seigneur, tout m'en est doux;
Je ne sais point si j'aime ou l'Empereur ou Tite,
Si je m'attache au rang ou n'en veux qu'au mérite,
Mais je sais qu'en l'état où je suis aujourd'hui
J'applaudis à mon cœur de n'aspirer qu'à lui.

TITE

Mais me le donnez-vous tout ce cœur qui n'aspire,
En se tournant vers moi, qu'aux honneurs de l'empire?
Suit-il l'ambition en dépit de l'amour,
Madame? la suit-il sans espoir de retour?

DOMITIE

Si c'est à mon égard ce qui vous inquiète,
Le cœur se rend bientôt quand l'âme est satisfaite :
Nous le défendons mal de qui remplit nos vœux.
Un moment dans le trône éteint tous autres feux;
Et donner tout ce cœur, souvent ce n'est que faire
D'un trésor invisible un don imaginaire.
A l'amour vraiment noble il suffit du dehors;
Il veut bien du dedans ignorer les ressorts :
Il n'a d'yeux que pour voir ce qui s'offre à la vue,
Tout le reste est pour eux une terre inconnue;
Et sans importuner le cœur d'un souverain,
Il a tout ce qu'il veut quand il en a la main.
Ne m'ôtez pas la vôtre, et disposez du reste.
Le cœur a quelque chose en soi de tout céleste;
Il n'appartient qu'aux Dieux; et comme c'est leur choix,
Je ne veux point, Seigneur, attenter sur leurs droits.

TITE

Et moi, qui suis des Dieux la plus visible image,
Je veux ce cœur comme eux, et j'en veux tout l'hommage.
Mais vous n'en avez plus, Madame, à me donner;
Vous ne voulez ma main que pour vous couronner.
D'autres pourront un jour vous rendre ce service.
Cependant, pour régler le sort de Bérénice,
Vous pouvez faire agir vos amis au sénat;
Ils peuvent m'y nommer lâche, parjure, ingrat :
J'attendrai son arrêt, et le suivrai peut-être.

DOMITIE

Suivez-le, mais tremblez s'il flatte trop son maître.
Ce grand corps tous les ans change d'âme et de cœurs,
C'est le même sénat, et d'autres sénateurs.
S'il alla pour Néron jusqu'à l'idolâtrie,
Il le traita depuis de traître à sa patrie,
Et réduisit ce prince indigne de son rang
A la nécessité de se percer le flanc.

Vous êtes son amour, craignez d'être sa haine
Après l'indignité d'épouser une reine.
Vous avez quatre jours pour en délibérer.
J'attends le coup fatal, que je ne puis parer.
Adieu. Si vous l'osez, contentez votre envie;
Mais en m'ôtant l'honneur n'épargnez pas ma vie.

SCÈNE III

TITE, FLAVIAN

TITE

L'impérieux esprit ! Conçois-tu, Flavian,
Où pourraient ses fureurs porter Domitian,
Et de quelle importance est pour moi l'hyménée
Où par tous mes désirs je la sens condamnée?

FLAVIAN

Je vous l'ai déjà dit, Seigneur; pensez-y bien,
Et surtout de la Reine évitez l'entretien.
Redoutez... Mais elle entre, et sa moindre tendresse
De toutes nos raisons va montrer la faiblesse.

SCÈNE IV

TITE, BÉRÉNICE, PHILON, FLAVIAN

TITE

Eh bien ! Madame, eh bien ! faut-il tout hasarder?
Et venez-vous ici pour me le commander?

BÉRÉNICE

De ce qui m'est permis je sais mieux la mesure,
Seigneur; et j'ai pour vous une flamme trop pure
Pour vouloir, en faveur d'un zèle ambitieux,
Mettre au moindre péril des jours si précieux.
Quelque pouvoir sur moi que notre amour obtienne,
J'ai soin de votre gloire; ayez-en de la mienne.

Je ne demande plus que pour de si beaux yeux
Votre absolu pouvoir hasarde un : « Je le veux. »
Cet amour le voudrait; mais, comme je suis reine,
Je sais des souverains la raison souveraine.
Si l'ardeur de vous voir l'a voulue ignorer,
Si mon indigne exil s'est permis d'espérer,
Si j'ai rentré dans Rome avec quelque imprudence,
Tite à ce trop d'ardeur doit un peu d'indulgence.
Souffrez qu'un peu d'éclat, pour prix de tant d'amour,
Signale ma venue, et marque mon retour.
Voudrez-vous que je parte avec l'ignominie
De ne vous avoir vu que pour me voir bannie?
Laissez-moi la douceur de languir en ces lieux,
D'y soupirer pour vous, d'y mourir à vos yeux :
C'en sera bientôt fait, ma douleur est trop vive
Pour y tenir longtemps votre attente captive;
Et si je tarde trop à mourir de douleur,
J'irai loin de vos yeux terminer mon malheur.
Mais laissez-m'en choisir la funeste journée;
Et du moins jusque-là, Seigneur, pas d'hyménée.
Pour votre ambitieuse avez-vous tant d'amour
Que vous ne le puissiez différer d'un seul jour?
Pouvez-vous refuser à ma douleur profonde...

TITE

Hélas ! que voulez-vous que la mienne réponde?
Et que puis-je répondre alors que vous parlez,
Moi qui ne puis vouloir que ce que vous voulez?
Vous parlez de languir, de mourir à ma vue;
Mais, ô Dieux ! songez-vous que chaque mot me tue,
Et porte dans mon cœur de si sensibles coups,
Qu'il ne m'en faut plus qu'un pour mourir avant vous?
De ceux qui m'ont percé souffrez que je soupire.
Pourquoi partir, Madame, et pourquoi me le dire?
Ah ! si vous vous forcez d'abandonner ces lieux,
Ne m'assassinez point de vos cruels adieux.
Je vous suivrais, Madame; et flatté de l'idée
D'oser mourir à Rome, et revivre en Judée,
Pour aller de mes feux vous demander le fruit,
Je quitterais l'empire et tout ce qui leur nuit.

BÉRÉNICE

Daigne me préserver le ciel...

TITE

De quoi, Madame?

BÉRÉNICE

De voir tant de faiblesse en une si grande âme !
Si j'avais droit par là de vous moins estimer,
Je cesserais peut-être aussi de vous aimer.

TITE

Ordonnez donc enfin ce qu'il faut que je fasse.

BÉRÉNICE

S'il faut partir demain, je ne veux qu'une grâce :
Que ce soit vous, Seigneur, qui le veuilliez pour moi,
Et non votre sénat qui m'en fasse la loi.
Faites-lui souvenir, quoi qu'il craigne ou projette,
Que je suis son amie, et non pas sa sujette;
Que d'un tel attentat notre rang est jaloux,
Et que tout mon amour ne m'asservit qu'à vous.

TITE

Mais peut-être, Madame...

BÉRÉNICE

Il n'est point de peut-être,
Seigneur : s'il en décide, il se fait voir mon maître;
Et dût-il vous porter à tout ce que je veux,
Je ne l'ai point choisi pour juge de mes vœux.

SCÈNE V

TITE, BÉRÉNICE, DOMITIAN, ALBIN,
FLAVIAN, PHILON

Domitian entre.

TITE

Allez dire au sénat, Flavian, qu'il se lève;
Quoiqu'il ait commencé, je défends qu'il achève.
Soit qu'il parle à présent du Vésuve ou de moi,
Qu'il cesse, et que chacun se retire chez soi.
Ainsi le veut la Reine; et comme amant fidèle,

Je veux qu'il obéisse aux lois que je prends d'elle,
Qu'il laisse à notre amour régler notre intérêt.

DOMITIAN

Il n'est plus temps, Seigneur; j'en apporte l'arrêt.

TITE

Qu'ose-t-il m'ordonner?

DOMITIAN

Seigneur, il vous conjure
De remplir tout l'espoir d'une flamme si pure.
Des services rendus à vous, à tout l'État,
C'est le prix qu'a jugé lui devoir le sénat;
Et pour ne vous prier que pour une Romaine,
D'une commune voix Rome adopte la Reine;
Et le peuple à grands cris montre sa passion
De voir un plein effet de cette adoption.

TITE

Madame...

BÉRÉNICE

Permettez, Seigneur, que je prévienne
Ce que peut votre flamme accorder à la mienne.
Grâces au juste ciel, ma gloire en sûreté
N'a plus à redouter aucune indignité.
J'éprouve du sénat l'amour et la justice,
Et n'ai qu'à le vouloir pour être impératrice.
Je n'abuserai point d'un surprenant respect
Qui semble un peu bien prompt pour n'être point suspect :
Souvent on se dédit de tant de complaisance.
Non que vous ne puissiez en fixer l'inconstance :
Si nous avons trop vu ses flux et ses reflux
Pour Galba, pour Othon, et pour Vitellius,
Rome, dont aujourd'hui vous êtes les délices,
N'aura jamais pour vous ces insolents caprices.
Mais aussi cet amour qu'a pour vous l'univers
Ne vous peut garantir des ennemis couverts.
Un million de bras a beau garder un maître,
Un million de bras ne pare point d'un traître :
Il n'en faut qu'un pour perdre un prince aimé de tous,
Il n'y faut qu'un brutal qui me haïsse en vous;
Aux zèles indiscrets tout paraît légitime,

Et la fausse vertu se fait honneur du crime.
Rome a sauvé ma gloire en me donnant sa voix;
Sauvons-lui, vous et moi, la gloire de ses lois;
Rendons-lui, vous et moi, cette reconnaissance
D'en avoir pour vous plaire affaibli la puissance,
De l'avoir immolée à vos plus doux souhaits.
On nous aime : faisons qu'on nous aime à jamais.
D'autres sur votre exemple épouseraient des reines
Qui n'auraient pas, Seigneur, des âmes si romaines,
Et lui feraient peut-être avec trop de raison
Haïr votre mémoire et détester mon nom.
Un refus généreux de tant de déférence
Contre tous ces périls nous met en assurance.

TITE

Le ciel de ces périls saura trop nous garder.

BÉRÉNICE

Je les vois de trop près pour vous y hasarder.

TITE

Quand Rome vous appelle à la grandeur suprême...

BÉRÉNICE

Jamais un tendre amour n'expose ce qu'il aime.

TITE

Mais, Madame, tout cède, et nos vœux exaucés...

BÉRÉNICE

Votre cœur est à moi, j'y règne; c'est assez.

TITE

Malgré les vœux publics refuser d'être heureuse,
C'est plus craindre qu'aimer.

BÉRÉNICE

La crainte est amoureuse.
Ne me renvoyez pas, mais laissez-moi partir.
Ma gloire ne peut croître, et peut se démentir.
Elle passe aujourd'hui celle du plus grand homme,
Puisque enfin je triomphe et dans Rome et de Rome :
J'y vois à mes genoux le peuple et le sénat;

Plus j'y craignais de honte, et plus j'y prends d'éclat;
J'y tremblais sous sa haine, et la laisse impuissante;
J'y rentrais exilée, et j'en sors triomphante.

TITE

L'amour peut-il se faire une si dure loi?

BÉRÉNICE

La raison me la fait malgré vous, malgré moi[6].
Si je vous en croyais, si je voulais m'en croire,
Nous pourrions vivre heureux mais avec moins de gloire.
Épousez Domitie : il ne m'importe plus
Qui vous enrichissiez d'un si noble refus.
C'est à force d'amour que je m'arrache au vôtre;
Et je serais à vous, si j'aimais comme une autre.
Adieu, Seigneur : je pars.

TITE

Ah ! Madame, arrêtez.

DOMITIAN

Est-ce là donc pour moi l'effet de vos bontés,
Madame? Est-ce le prix de vous avoir servie?
J'assure votre gloire, et vous m'ôtez la vie.

TITE

Ne vous alarmez point : quoi que la Reine ait dit,
Domitie est à vous, si j'ai quelque crédit.
Madame, en ce refus un tel amour éclate,
Que j'aurais pour vous l'âme au dernier point ingrate,
Et mériterais mal ce qu'on a fait pour moi,
Si je portais ailleurs la main que je vous doi.
Tout est à vous : l'amour, l'honneur, Rome l'ordonne.
Un si noble refus n'enrichira personne.
J'en jure par l'espoir qui nous fut le plus doux :
Tout est à vous, Madame, et ne sera qu'à vous;
Et ce que mon amour doit à l'excès du vôtre
Ne deviendra jamais le partage d'une autre.

BÉRÉNICE

Le mien vous aurait fait déjà ces beaux serments,
S'il n'eût craint d'inspirer de pareils sentiments :
Vous vous devez des fils, et des Césars à Rome,
Qui fassent à jamais revivre un si grand homme.

TITE

Pour revivre en des fils nous n'en mourons pas moins,
Et vous mettez ma gloire au-dessus de ces soins.
Du levant au couchant, du More jusqu'au Scythe,
Les peuples vanteront et Bérénice et Tite;
Et l'histoire à l'envi forcera l'avenir
D'en garder à jamais l'illustre souvenir.
Prince, après mon trépas soyez sûr de l'empire;
Prenez-y part en frère, attendant que j'expire.
Allons voir Domitie, et la fléchir pour vous.
Le premier rang dans Rome est pour elle assez doux;
Et je vais lui jurer qu'à moins que je périsse,
Elle seule y tiendra celui d'impératrice.
Est-ce là vous l'ôter?

DOMITIAN

Ah ! c'en est trop, Seigneur.

TITE, *à Bérénice.*

Daignez contribuer à faire son bonheur,
Madame, et nous aider à mettre de cette âme
Toute l'ambition d'accord avec sa flamme.

BÉRÉNICE

Allons, Seigneur : ma gloire en croîtra de moitié,
Si je puis remporter chez moi son amitié.

TITE

Ainsi pour mon hymen la fête préparée
Vous rendra cette foi qu'on vous avait jurée,
Prince; et ce jour, pour vous si noir, si rigoureux,
N'aura d'éclat ici que pour vous rendre heureux.

PULCHÉRIE[1]

COMÉDIE HÉROIQUE

AU LECTEUR

Pulchérie, fille de l'empereur Arcadius, et sœur du jeune Théodose, a été une princesse très illustre, et dont les talents étaient merveilleux : tous les historiens en conviennent. Dès l'âge de quinze ans, elle empiéta le gouvernement sur son frère, dont elle avait reconnu la faiblesse, et s'y conserva tant qu'il vécut, à la réserve d'environ une année de disgrâce, qu'elle passa loin de la cour, et qui coûta cher à ceux qui l'avaient réduite à s'en éloigner. Après la mort de ce prince, ne pouvant retenir l'autorité souveraine en sa personne, ni se résoudre à la quitter, elle proposa son mariage à Martian, à la charge qu'il lui permettrait de garder sa virginité, qu'elle avait vouée et consacrée à Dieu. Comme il était déjà assez avancé dans la vieillesse, il accepta la condition aisément, et elle le nomma pour empereur au sénat, qui ne voulut, ou n'osa l'en dédire. Elle passait alors cinquante ans, et mourut deux ans après. Martian en régna sept, et eut pour successeur Léon, que ses excellentes qualités firent surnommer *le Grand*. Le patrice Aspar le servit à monter au trône, et lui demanda pour récompense l'association à cet empire qu'il lui avait fait obtenir. Le refus de Léon le fit conspirer contre ce maître qu'il s'était choisi; la conspiration fut découverte, et Léon s'en défit. Voilà ce que m'a prêté l'histoire. Je ne veux point prévenir votre jugement sur ce que j'y ai changé ou ajouté, et me contenterai de vous dire que bien que cette pièce aye été reléguée dans un lieu où on ne voulait plus se souvenir qu'il y eût un théâtre, bien qu'elle ait passé par des bouches pour qui on n'était prévenu d'aucune estime, bien que ses principaux caractères soient contre le goût du temps, elle n'a pas laissé de peupler le désert, de mettre en crédit des acteurs dont on ne connaissait pas le mérite, et de faire voir qu'on n'a pas toujours besoin de s'assujettir aux entêtements du siècle pour se faire écouter sur la scène. J'aurai de quoi me satisfaire si cet ouvrage est aussi heureux à la lecture qu'il l'a été à la représentation; et si je n'ose ne vous dissimuler rien, je me flatte assez pour l'espérer.

ACTEURS

PULCHÉRIE, *Impératrice d'Orient.*
MARTIAN, *Vieux Sénateur, Ministre d'État sous Théodose le Jeune.*
LÉON, *Amant de Pulchérie.*
ASPAR, *Amant d'Irène.*
IRÈNE, *Sœur de Léon.*
JUSTINE, *Fille de Martian.*

La scène est à Constantinople, dans le Palais impérial.

ACTE PREMIER

SCÈNE PREMIÈRE

PULCHÉRIE, LÉON

PULCHÉRIE

JE vous aime, Léon, et n'en fais point mystère :
Des feux tels que les miens n'ont rien qu'il faille taire.
Je vous aime, et non point de cette folle ardeur
Que les yeux éblouis font maîtresse du cœur,
Non d'un amour conçu par les sens en tumulte,
A qui l'âme applaudit sans qu'elle se consulte,
Et qui ne concevant que d'aveugles désirs,
Languit dans les faveurs, et meurt dans les plaisirs :
Ma passion pour vous, généreuse et solide,
A la vertu pour âme, et la raison pour guide,
La gloire pour objet, et veut sous votre loi
Mettre en ce jour illustre et l'univers et moi.
Mon aïeul Théodose, Arcadius mon père,
Cet empire quinze ans gouverné par un frère,
L'habitude à régner, et l'horreur d'en déchoir,
Voulaient dans un mari trouver même pouvoir.
Je vous en ai cru digne; et dans ces espérances,
Dont un penchant flatteur m'a fait des assurances,
De tout ce que sur vous j'ai fait tomber d'emplois
Aucun n'a démenti l'attente de mon choix;
Vos hauts faits à grands pas nous portaient à l'empire;
J'avais réduit mon frère à ne m'en point dédire :
Il vous y donnait part, et j'étais toute à vous;
Mais ce malheureux prince est mort trop tôt pour nous.
L'empire est à donner, et le sénat s'assemble
Pour choisir une tête à ce grand corps qui tremble,
Et dont les Huns, les Goths, les Vandales, les Francs,
Bouleversent la masse et déchirent les flancs.
Je vois de tous côtés des partis et des ligues :
Chacun s'entre-mesure et forme ses intrigues.

Procope, Gratian, Aréobinde, Aspar
Vous peuvent enlever ce grand nom de César :
Ils ont tous du mérite; et ce dernier s'assure
Qu'on se souvient encor de son père Ardabure,
Qui terrassant Mitrane en combat singulier,
Nous acquit sur la Perse un avantage entier,
Et rassurant par là nos aigles alarmées,
Termina seul la guerre aux yeux des deux armées.
Mes souhaits, mon crédit, mes amis, sont pour vous;
Mais à moins que ce rang, plus d'amour, point d'époux :
Il faut, quelques douceurs que cet amour propose,
Le trône ou la retraite au sang de Théodose;
Et si par le succès mes desseins sont trahis,
Je m'exile en Judée auprès d'Athénaïs.

LÉON

Je vous suivrais, Madame, et du moins sans ombrage
De ce que mes rivaux ont sur moi d'avantage,
Si vous ne m'y faisiez quelque destin plus doux,
J'y mourrais de douleur d'être indigne de vous :
J'y mourrais à vos yeux en adorant vos charmes.
Peut-être essuieriez-vous quelqu'une de mes larmes;
Peut-être ce grand cœur, qui n'ose s'attendrir,
S'y défendrait si mal de mon dernier soupir,
Qu'un éclat imprévu de douleur et de flamme
Malgré vous à son tour voudrait suivre mon âme.
La mort, qui finirait à vos yeux mes ennuis,
Aurait plus de douceur que l'état où je suis.
Vous m'aimez; mais, hélas ! quel amour est le vôtre,
Qui s'apprête peut-être à pencher vers un autre?
Que servent ces désirs, qui n'auront point d'effet
Si votre illustre orgueil ne se voit satisfait?
Et que peut cet amour dont vous êtes maîtresse,
Cet amour dont le trône a toute la tendresse,
Esclave ambitieux du suprême degré,
D'un titre qui l'allume et l'éteint à son gré?
Ah ! ce n'est point par là que je vous considère;
Dans le plus triste exil vous me seriez plus chère :
Là mes yeux, sans relâche attachés à vous voir,
Feraient de mon amour mon unique devoir;
Et mes soins, réunis à ce noble esclavage,
Sauraient de chaque instant vous rendre un plein hom-
Pour être heureux amant, faut-il que l'univers [mage.

Ait place dans un cœur qui ne veut que vos fers;
Que les plus dignes soins d'une flamme si pure
Deviennent partagés à toute la nature?
Ah! que ce cœur, Madame, a lieu d'être alarmé,
Si sans être empereur je ne suis plus aimé!

PULCHÉRIE

Vous le serez toujours; mais une âme bien née
Ne confond pas toujours l'amour et l'hyménée:
L'amour entre deux cœurs ne veut que les unir;
L'hyménée a de plus leur gloire à soutenir;
Et je vous l'avouerai, pour les plus belles vies
L'orgueil de la naissance a bien des tyrannies:
Souvent les beaux désirs n'y servent qu'à gêner:
Ce qu'on se doit combat ce qu'on se veut donner:
L'amour gémit en vain sous ce devoir sévère...
Ah! si je n'avais eu qu'un sénateur pour père!
Mais mon sang dans mon sexe a mis les plus grands cœurs;
Eudoxe et Placidie ont eu des empereurs:
Je n'ose leur céder en grandeur de courage;
Et malgré mon amour je veux même partage:
Je pense en être sûre, et tremble toutefois
Quand je vois mon bonheur dépendre d'une voix.

LÉON

Qu'avez-vous à trembler? Quelque empereur qu'on [nomme,
Vous aurez votre amant, ou du moins un grand homme,
Dont le nom, adoré du peuple et de la cour,
Soutiendra votre gloire, et vaincra votre amour.
Procope, Aréobinde, Aspar, et leurs semblables,
Parés de ce grand nom, vous deviendront aimables;
Et l'éclat de ce rang, qui fait tant de jaloux,
En eux, ainsi qu'en moi, sera charmant pour vous.

PULCHÉRIE

Que vous m'êtes cruel, que vous m'êtes injuste
D'attacher tout mon cœur au seul titre d'Auguste!
Quoi que de ma naissance exige la fierté,
Vous seul ferez ma joie et ma félicité:
De tout autre empereur la grandeur odieuse...

LÉON

Mais vous l'épouserez, heureuse ou malheureuse?

PULCHÉRIE

Ne me pressez point tant, et croyez avec moi
Qu'un choix si glorieux vous donnera ma foi,
Ou que si le sénat à nos vœux est contraire,
Le ciel m'inspirera ce que je devrai faire.

LÉON

Il vous inspirera quelque sage douleur,
Qui n'aura qu'un soupir à perdre en ma faveur.
Oui, de si grands rivaux...

PULCHÉRIE

Ils ont tous des maîtresses.

LÉON

Le trône met une âme au-dessus des tendresses.
Quand du grand Théodose on aura pris le rang,
Il y faudra placer les restes de son sang :
Il voudra, ce rival, qui que l'on puisse élire,
S'assurer par l'hymen de vos droits à l'empire.
S'il a pu faire ailleurs quelque offre de sa foi,
C'est qu'il a cru ce cœur trop prévenu pour moi;
Mais se voyant au trône et moi dans la poussière,
Il se promettra tout de votre humeur altière;
Et s'il met à vos pieds ce charme de vos yeux,
Il deviendra l'objet que vous verrez le mieux.

PULCHÉRIE

Vous pourriez un peu loin pousser ma patience,
Seigneur : j'ai l'âme fière, et tant de prévoyance
Demande à la souffrir encore plus de bonté
Que vous ne m'avez vu jusqu'ici de fierté.
Je ne condamne point ce que l'amour inspire;
Mais enfin on peut craindre, et ne le point tant dire.
Je n'en tiendrai pas moins tout ce que j'ai promis.
Vous avez mes souhaits, vous aurez mes amis;
De ceux de Martian vous aurez le suffrage :
Il a, tout vieux qu'il est, plus de vertus que d'âge;
Et s'il briguait pour lui, ses glorieux travaux
Donneraient fort à craindre à vos plus grands rivaux.

LÉON

Notre empire, il est vrai, n'a point de plus grand homme :
Séparez-vous du rang, Madame, et je le nomme.

S'il me peut enlever celui de souverain,
Du moins je ne crains pas qu'il m'ôte votre main :
Ses vertus le pourraient; mais je vois sa vieillesse.

PULCHÉRIE

Quoi qu'il en soit, pour vous ma bonté l'intéresse :
Il s'est plu sous mon frère à dépendre de moi,
Et je me viens encor d'assurer de sa foi.
Je vois entrer Irène; Aspar la trouve belle :
Faites agir pour vous l'amour qu'il a pour elle;
Et comme en ce dessein rien n'est à négliger,
Voyez ce qu'une sœur vous pourra ménager.

SCÈNE II

PULCHÉRIE, LÉON, IRÈNE

PULCHÉRIE

M'aiderez-vous, Irène, à couronner un frère?

IRÈNE

Un si faible secours vous est peu nécessaire,
Madame, et le sénat...

PULCHÉRIE

N'en agissez pas moins :
Joignez vos vœux aux miens, et vos soins à mes soins,
Et montrons ce que peut en cette conjoncture
Un amour secondé de ceux de la nature.
Je vous laisse y penser.

SCÈNE III

LÉON, IRÈNE

IRÈNE

Vous ne me dites rien,
Seigneur : attendez-vous que j'ouvre l'entretien?

LÉON

A dire vrai, ma sœur, je ne sais que vous dire.
Aspar m'aime, il vous aime : il y va de l'empire;
Et s'il faut qu'entre nous on balance aujourd'hui,
La princesse est pour moi, le mérite est pour lui.
Vouloir qu'en ma faveur à ce grade il renonce,
C'est faire une prière indigne de réponse;
Et de son amitié je ne puis l'exiger,
Sans vous voler un bien qu'il vous doit partager.
C'est là ce qui me force à garder le silence :
Je me réponds pour vous à tout ce que je pense,
Et puisque j'ai souffert qu'il ait tout votre cœur,
Je dois souffrir aussi vos soins pour sa grandeur.

IRÈNE

J'ignore encor quel fruit je pourrais en attendre.
Pour le trône, il est sûr qu'il a droit d'y prétendre;
Sur vous et sur tout autre il le peut emporter :
Mais qu'il m'y donne part, c'est dont j'ose douter.
Il m'aime en apparence, en effet il m'amuse;
Jamais pour notre hymen il ne manque d'excuse,
Et vous aime à tel point, que, si vous l'en croyez,
Il ne peut être heureux que vous ne le soyez :
Non que votre bonheur fortement l'intéresse;
Mais sachant quel amour a pour vous la princesse,
Il veut voir quel succès aura son grand dessein,
Pour ne point m'épouser qu'en sœur de souverain.
Ainsi depuis deux ans vous voyez qu'il diffère.
Du reste à Pulchérie il prend grand soin de plaire,
Avec exactitude il suit toutes ses lois;
Et dans ce que sous lui vous avez eu d'emplois,
Votre tête aux périls à toute heure exposée
M'a pour vous et pour moi presque désabusée;
La gloire d'un ami, la haine d'un rival,
La hasardaient peut-être avec un soin égal.
Le temps est arrivé qu'il faut qu'il se déclare;
Et de son amitié l'effort sera bien rare
Si mis à cette épreuve, ambitieux qu'il est,
Il cherche à vous servir contre son intérêt.
Peut-être il promettra; mais quoi qu'il vous promette,
N'en ayons pas, Seigneur, l'âme moins inquiète;
Son ardeur trouvera pour vous si peu d'appui,
Qu'on le fera lui-même empereur malgré lui;

Et lors, en ma faveur quoi que l'amour oppose,
Il faudra faire grâce au sang de Théodose;
Et le sénat voudra qu'il prenne d'autres yeux
Pour mettre la princesse au rang de ses aïeux.
Son cœur suivra le sceptre, en quelque main qu'il brille:
Si Martian l'obtient, il aimera sa fille;
Et l'amitié du frère et l'amour de la sœur
Céderont à l'espoir de s'en voir successeur.
En un mot, ma fortune est encor fort douteuse :
Si vous n'êtes heureux, je ne puis être heureuse;
Et je n'ai plus d'amant non plus que vous d'ami,
A moins que dans le trône il vous voie affermi.

LÉON

Vous présumez bien mal d'un héros qui vous aime.

IRÈNE

Je pense le connaître à l'égal de moi-même :
Mais croyez-moi, Seigneur, et l'empire est à vous.

LÉON

Ma sœur !

IRÈNE

Oui, vous l'aurez malgré lui, malgré tous.

LÉON

N'y perdons aucun temps; hâtez-vous de m'instruire;
Hâtez-vous de m'ouvrir la route à m'y conduire;
Et si votre bonheur peut dépendre du mien...

IRÈNE

Apprenez le secret de ne hasarder rien.
N'agissez point pour vous; il s'en offre trop d'autres
De qui les actions brillent plus que les vôtres,
Que leurs emplois plus hauts ont mis en plus d'éclat,
Et qui, s'il faut tout dire, ont plus servi l'État :
Vous les passez peut-être en grandeur de courage;
Mais il vous a manqué l'occasion et l'âge;
Vous n'avez commandé que sous des généraux,
Et n'êtes pas encor du poids de vos rivaux.
Proposez la princesse; elle a des avantages
Que vous verrez sur l'heure unir tous les suffrages :

Tant qu'a vécu son frère, elle a régné sur lui;
Ses ordres de l'empire ont été tout l'appui;
On vit depuis quinze ans sous son obéissance :
Faites qu'on la maintienne en sa toute-puissance,
Qu'à ce prix le sénat lui demande un époux;
Son choix tombera-t-il sur un autre que vous?
Voudrait-elle de vous une action plus belle
Qu'un respect amoureux qui veut tenir tout d'elle?
L'amour en deviendra plus fort qu'auparavant,
Et vous vous servirez vous-même en la servant.

LÉON

Ah! que c'est me donner un conseil salutaire!
A-t-on jamais vu sœur qui servît mieux un frère?
Martian avec joie embrassera l'avis :
A peine parle-t-il que les siens sont suivis;
Et puisqu'à la princesse il a promis un zèle
A tout oser pour moi sur l'ordre qu'il a d'elle,
Comme sa créature, il fera hautement
Bien plus en sa faveur qu'en faveur d'un amant.

IRÈNE

Pour peu qu'il vous appuie, allez, l'affaire est sûre.

LÉON

Aspar vient : faites-lui, ma sœur, quelque ouverture;
Voyez...

IRÈNE

C'est un esprit qu'il vaut mieux ménager;
Nous découvrir à lui, c'est tout mettre en danger :
Il est ambitieux, adroit, et d'un mérite...

SCÈNE IV

ASPAR, LÉON, IRÈNE

LÉON

Vous me pardonnez bien, Seigneur, si je vous quitte;
C'est suppléer assez à ce que je vous doi
Que vous laisser ma sœur, qui vous plaît plus que moi.

ASPAR

Vous m'obligez, Seigneur; mais en cette occurrence
J'ai besoin avec vous d'un peu de conférence.
Du sort de l'univers nous allons décider :
L'affaire vous regarde, et peut me regarder;
Et si tous mes amis ne s'unissent aux vôtres,
Nos partis divisés pourront céder à d'autres.
Agissons de concert; et sans être jaloux,
En ce grand coup d'État, vous de moi, moi de vous,
Jurons-nous que des deux qui que l'on puisse élire
Fera de son ami son collègue à l'empire;
Et pour nous l'assurer, voyons sur qui des deux
Il est plus à propos de jeter tant de vœux :
Quel nom serait plus propre à s'attirer le reste.
Pour moi, je suis tout prêt, et dès ici j'atteste...

LÉON

Votre nom pour ce choix est plus fort que le mien,
Et je n'ose douter que vous n'en usiez bien.
Je craindrais de tout autre un dangereux partage;
Mais de vous je n'ai pas, Seigneur, le moindre ombrage,
Et l'amitié voudrait vous en donner ma foi;
Mais c'est à la princesse à disposer de moi;
Je ne puis que par elle, et n'ose rien sans elle.

ASPAR

Certes, s'il faut choisir l'amant le plus fidèle,
Vous l'allez emporter sur tous sans contredit;
Mais ce n'est pas, Seigneur, le point dont il s'agit :
Le plus flatteur effort de la galanterie
Ne peut...

LÉON

Que voulez-vous? j'adore Pulchérie;
Et n'ayant rien d'ailleurs par où la mériter,
J'espère en ce doux titre, et j'aime à le porter.

ASPAR

Mais il y va du trône, et non d'une maîtresse.

LÉON

Je vais faire, Seigneur, votre offre à la princesse;
Elle sait mieux que moi les besoins de l'État.
Adieu : je vous dirai sa réponse au sénat.

SCÈNE V

Aspar, Irène

Irène

Il a beaucoup d'amour.

Aspar

Oui, Madame; et j'avoue
Qu'avec quelque raison la princesse s'en loue :
Mais j'aurais souhaité qu'en cette occasion
L'amour concertât mieux avec l'ambition,
Et que son amitié, s'en laissant moins séduire,
Ne nous exposât point à nous entre-détruire.
Vous voyez qu'avec lui j'ai voulu m'accorder.
M'aimeriez-vous encor si j'osais lui céder,
Moi qui dois d'autant plus mes soins à ma fortune,
Que l'amour entre nous la doit rendre commune?

Irène

Seigneur, lorsque le mien vous a donné mon cœur,
Je n'ai point prétendu la main d'un empereur :
Vous pouviez être heureux sans m'apporter ce titre;
Mais du sort de Léon Pulchérie est l'arbitre,
Et l'orgueil de son sang avec quelque raison
Ne peut souffrir d'époux à moins de ce grand nom.
Avant que ce cher frère épouse la princesse,
Il faut que le pouvoir s'unisse à la tendresse,
Et que le plus haut rang mette en leur plus beau jour
La grandeur du mérite et l'excès de l'amour.
M'aimeriez-vous assez pour n'être point contraire
A l'unique moyen de rendre heureux ce frère,
Vous qui, dans votre amour, avez pu sans ennui
Vous défendre de l'être un moment avant lui,
Et qui mériteriez qu'on vous fît mieux connaître
Que s'il ne le devient, vous aurez peine à l'être?

Aspar

C'est aller un peu vite, et bientôt m'insulter
En sœur de souverain qui cherche à me quitter.
Je vous aime, et jamais une ardeur plus sincère...

IRÈNE

Seigneur, est-ce m'aimer que de perdre mon frère?

ASPAR

Voulez-vous que pour lui je me perde d'honneur?
Est-ce m'aimer que mettre à ce prix mon bonheur?
Moi, qu'on a vu forcer trois camps et vingt murailles,
Moi qui, depuis dix ans, ai gagné sept batailles,
N'ai-je acquis tant de nom que pour prendre la loi
De qui n'a commandé que sous Procope, ou moi,
Que pour m'en faire un maître, et m'attacher moi-même
Un joug honteux au front, au lieu d'un diadème?

IRÈNE

Je suis plus raisonnable, et ne demande pas
Qu'en faveur d'un ami vous descendiez si bas.
Pylade pour Oreste aurait fait davantage;
Mais de pareils efforts ne sont plus en usage,
Un grand cœur les dédaigne, et le siècle a changé :
A s'aimer de plus près on se croit obligé,
Et des vertus du temps l'âme persuadée
Hait de ces vieux héros la surprenante idée.

ASPAR

Il y va de ma gloire, et les siècles passés...

IRÈNE

Elle n'est pas, Seigneur, peut-être où vous pensez;
Et quoi qu'un juste espoir ose vous faire croire,
S'exposer au refus, c'est hasarder sa gloire.
La princesse peut tout, ou du moins plus que vous.
Vous vous attirerez sa haine et son courroux.
Son amour l'intéresse, et son âme hautaine...

ASPAR

Qu'on me fasse empereur, et je crains peu sa haine.

IRÈNE

Mais s'il faut qu'à vos yeux un autre préféré
Monte, en dépit de vous, à ce rang adoré,
Quel déplaisir! quel trouble! et quelle ignominie
Laissera pour jamais votre gloire ternie!
Non, Seigneur, croyez-moi, n'allez point au sénat,

De vos hauts faits pour vous laissez parler l'éclat.
Qu'il sera glorieux que sans briguer personne,
Ils fassent à vos pieds apporter la couronne,
Que votre seul mérite emporte ce grand choix,
Sans que votre présence ait mendié de voix !
Si Procope, ou Léon, ou Martian, l'emporte,
Vous n'aurez jamais eu d'ambition si forte,
Et vous désavouerez tous ceux de vos amis
Dont la chaleur pour vous se sera trop permis.

ASPAR

A ces hauts sentiments s'il me fallait répondre,
J'aurais peine, Madame, à ne me point confondre :
J'y vois beaucoup d'esprit, j'y trouve encor plus d'art;
Et ce que j'en puis dire à la hâte et sans fard,
Dans ces grands intérêts vous montrer si savante,
C'est être bonne sœur et dangereuse amante.
L'heure me presse : adieu. J'ai des amis à voir
Qui sauront accorder ma gloire et mon devoir;
Le ciel me prêtera par eux quelque lumière
A mettre l'un et l'autre en assurance entière,
Et répondre avec joie à tout ce que je doi
A vous, à ce cher frère, à la princesse, à moi.

IRÈNE, *seule*.

Perfide, tu n'es pas encore où tu te penses.
J'ai pénétré ton cœur, j'ai vu tes espérances;
De ton amour pour moi je vois l'illusion;
Mais tu n'en sortiras qu'à ta confusion.

ACTE II

SCÈNE PREMIÈRE

MARTIAN, JUSTINE

JUSTINE

NOTRE illustre princesse est donc impératrice,
Seigneur?

MARTIAN

A ses vertus on a rendu justice.
Léon l'a proposée; et quand je l'ai suivi,
J'en ai vu le sénat au dernier point ravi;
Il a réduit soudain toutes ses voix en une,
Et s'est débarrassé de la foule importune,
Du turbulent espoir de tant de concurrents
Que la soif de régner avait mis sur les rangs.

JUSTINE

Ainsi voilà Léon assuré de l'empire.

MARTIAN

Le sénat, je l'avoue, avait peine à l'élire,
Et contre les grands noms de ses compétiteurs
Sa jeunesse eût trouvé d'assez froids protecteurs :
Non qu'il n'ait du mérite, et que son grand courage
Ne se pût tout promettre avec un peu plus d'âge;
On n'a point vu sitôt tant de rares exploits;
Mais et l'expérience, et les premiers emplois,
Le titre éblouissant de général d'armée,
Tout ce qui peut enfin grossir la renommée,
Tout cela veut du temps; et l'amour aujourd'hui
Va faire ce qu'un jour son nom ferait pour lui.

JUSTINE

Hélas ! Seigneur.

MARTIAN

Hélas ! ma fille, quel mystère
T'oblige à soupirer de ce que dit un père?

JUSTINE

L'image de l'empire en de si jeunes mains
M'a tiré ce soupir pour l'État, que je plains.

MARTIAN

Pour l'intérêt public rarement on soupire,
Si quelque ennui secret n'y mêle son martyre :
L'un se cache sous l'autre, et fait un faux éclat;
Et jamais à ton âge, on ne plaignit l'État.

JUSTINE

A mon âge, un soupir semble dire qu'on aime :
Cependant vous avez soupiré tout de même,
Seigneur; et si j'osais vous le dire à mon tour...

MARTIAN

Ce n'est point à mon âge à soupirer d'amour,
Je le sais; mais enfin chacun a sa faiblesse.
Aimerais-tu Léon?

JUSTINE

Aimez-vous la princesse?

MARTIAN

Oublie en ma faveur que tu l'as deviné,
Et démens un soupçon qu'un soupir t'a donné.
L'amour en mes pareils n'est jamais excusable :
Pour peu qu'on s'examine, on s'en tient méprisable,
On s'en hait; et ce mal, qu'on n'ose découvrir,
Fait encor plus de peine à cacher qu'à souffrir[2];
Mais t'en faire l'aveu, c'est n'en faire à personne;
La part que le respect, que l'amitié t'y donne,
Et tout ce que le sang en attire sur toi,
T'imposent de le taire une éternelle loi.
J'aime, et depuis dix ans ma flamme et mon silence
Font à mon triste cœur égale violence :
J'écoute la raison, j'en goûte les avis,
Et les mieux écoutés sont le plus mal suivis.

Cent fois en moins d'un jour je guéris et retombe;
Cent fois je me révolte, et cent fois je succombe :
Tant ce calme forcé, que j'étudie en vain,
Près d'un si rare objet s'évanouit soudain !

JUSTINE

Mais pourquoi lui donner vous-même la couronne,
Quand à ce cher Léon c'est donner sa personne?

MARTIAN

Apprends que dans un âge usé comme le mien,
Qui n'ose souhaiter ni même accepter rien,
L'amour hors d'intérêt s'attache à ce qu'il aime,
Et n'osant rien pour soi, le sert contre soi-même.

JUSTINE

N'ayant rien prétendu, de quoi soupirez-vous?

MARTIAN

Pour ne prétendre rien, on n'est pas moins jaloux;
Et ces désirs, qu'éteint le déclin de la vie,
N'empêchent pas de voir avec un œil d'envie,
Quand on est d'un mérite à pouvoir faire honneur,
Et qu'il faut qu'un autre âge emporte le bonheur.
Que le moindre retour vers nos belles années
Jette alors d'amertume en nos âmes gênées !
« Que n'ai-je vu le jour quelques lustres plus tard !
Disais-je; en ses bontés peut-être aurais-je part,
Si le ciel n'opposait auprès de la princesse
A l'excès de l'amour le manque de jeunesse;
De tant et tant de cœurs qu'il force à l'adorer,
Devais-je être le seul qui ne pût espérer? »
J'aimais quand j'étais jeune, et ne déplaisais guère[3] :
Quelquefois de soi-même on cherchait à me plaire;
Je pouvais aspirer au cœur le mieux placé;
Mais, hélas ! j'étais jeune, et ce temps est passé;
Le souvenir en tue, et l'on ne l'envisage
Qu'avec, s'il faut le dire, une espèce de rage;
On le repousse, on fait cent projets superflus :
Le trait qu'on porte au cœur s'enfonce d'autant plus;
Et ce feu, que de honte on s'obstine à contraindre,
Redouble par l'effort qu'on se fait pour l'éteindre.

Justine

Instruit que vous étiez des maux que fait l'amour,
Vous en pouviez, Seigneur, empêcher le retour,
Contre toute sa ruse être mieux sur vos gardes.

Martian

Et l'ai-je regardé comme tu le regardes,
Moi qui me figurais que ma caducité
Près de la beauté même était en sûreté?
Je m'attachais sans crainte à servir la princesse,
Fier de mes cheveux blancs, et fort de ma faiblesse;
Et quand je ne pensais qu'à remplir mon devoir,
Je devenais amant sans m'en apercevoir.
Mon âme, de ce feu nonchalamment saisie,
Ne l'a point reconnu que par ma jalousie :
Tout ce qui l'approchait voulait me l'enlever,
Tout ce qui lui parlait cherchait à m'en priver;
Je tremblais qu'à leurs yeux elle ne fût trop belle;
Je les haïssais tous, comme plus dignes d'elle,
Et ne pouvais souffrir qu'on s'enrichît d'un bien
Que j'enviais à tous sans y prétendre à rien.
Quel supplice d'aimer un objet adorable,
Et de tant de rivaux se voir le moins aimable !
D'aimer plus qu'eux ensemble, et n'oser de ses feux,
Quelques ardents qu'ils soient, se promettre autant [qu'eux !
On aurait deviné mon amour par ma peine,
Si la peur que j'en eus n'avait fui tant de gêne.
L'auguste Pulchérie avait beau me ravir,
J'attendais à la voir qu'il la fallût servir :
Je fis plus, de Léon j'appuyai l'espérance;
La princesse l'aima, j'en eus la confiance,
Et la dissuadai de se donner à lui
Qu'il ne fût de l'empire ou le maître ou l'appui.
Ainsi, pour éviter un hymen si funeste,
Sans rendre heureux Léon, je détruisais le reste;
Et mettant un long terme au succès de l'amour,
J'espérais de mourir avant ce triste jour.
Nous y voilà, ma fille, et du moins j'ai la joie
D'avoir à son triomphe ouvert l'unique voie.
J'en mourrai du moment qu'il recevra sa foi,
Mais dans cette douceur qu'ils tiendront tout de moi.
J'ai caché si longtemps l'ennui qui me dévore,

Qu'en dépit que j'en aye enfin il s'évapore :
L'aigreur en diminue à te le raconter.
Fais-en autant du tien; c'est mon tour d'écouter.

JUSTINE

Seigneur, un mot suffit pour ne vous en rien taire :
Le même astre a vu naître et la fille et le père;
Ce mot dit tout. Souffrez qu'une imprudente ardeur,
Prête à s'évaporer, respecte ma pudeur.
Je suis jeune, et l'amour trouvait une âme tendre
Qui n'avait ni le soin ni l'art de se défendre :
La princesse, qui m'aime et m'ouvrait ses secrets,
Lui prêtait contre moi d'inévitables traits,
Et toutes les raisons dont s'appuyait sa flamme
Étaient autant de dards qui me traversaient l'âme.
Je pris, sans y penser, son exemple pour loi :
« Un amant digne d'elle est trop digne de moi,
Disais-je; et s'il brûlait pour moi comme pour elle,
Avec plus de bonté je recevrais son zèle. »
Plus elle m'en peignait les rares qualités,
Plus d'une douce erreur mes sens étaient flattés.
D'un illustre avenir l'infaillible présage,
Qu'on voit si hautement écrit sur son visage,
Son nom que je voyais croître de jour en jour,
Pour moi, comme pour elle, étaient dignes d'amour :
Je les voyais d'accord d'un heureux hyménée;
Mais nous n'en étions pas encore à la journée :
« Quelque obstacle imprévu rompra de si doux nœuds,
Ajoutais-je; et le temps éteint les plus beaux feux. »
C'est ce que m'inspirait l'aimable rêverie
Dont jusqu'à ce grand jour ma flamme s'est nourrie;
Mon cœur, qui ne voulait désespérer de rien,
S'en faisait à toute heure un charmant entretien.
Qu'on rêve avec plaisir, quand notre âme blessée
Autour de ce qu'elle aime est toute ramassée !
Vous le savez, Seigneur, et comme à tout propos
Un doux je ne sais quoi trouble notre repos :
Un sommeil inquiet sur de confus nuages
Élève incessamment de flatteuses images,
Et sur leur vain rapport fait naître des souhaits
Que le réveil admire et ne dédit jamais.
Ainsi, près de tomber dans un malheur extrême,
J'en écartais l'idée en m'abusant moi-même;

Mais il faut renoncer à des abus si doux;
Et je me vois, Seigneur, au même état que vous.

MARTIAN

Tu peux aimer ailleurs, et c'est un avantage
Que n'ose se permettre un amant de mon âge.
Choisis qui tu voudras, je saurai l'obtenir.
Mais écoutons Aspar, que j'aperçois venir.

SCÈNE II

MARTIAN, ASPAR, JUSTINE

ASPAR

Seigneur, votre suffrage a réuni les nôtres :
Votre voix a plus fait que n'auraient fait cent autres;
Mais j'apprends qu'on murmure, et doute si le choix
Que fera la princesse aura toutes les voix.

MARTIAN

Et qui fait présumer de son incertitude
Qu'il aura quelque chose ou d'amer ou de rude?

ASPAR

Son amour pour Léon : elle en fait son époux,
Aucun n'en veut douter.

MARTIAN

Je le crois comme eux tous.
Qu'y trouve-t-on à dire, et quelle défiance...?

ASPAR

Il est jeune, et l'on craint son peu d'expérience.
Considérez, Seigneur, combien c'est hasarder :
Qui n'a fait qu'obéir saura mal commander;
On n'a point vu sous lui d'armée ou de province.

MARTIAN

Jamais un bon sujet ne devint mauvais prince;
Et si le ciel en lui répond mal à nos vœux,

L'auguste Pulchérie en sait assez pour deux.
Rien ne nous surprendra de voir la même chose
Où nos yeux se sont faits quinze ans sous Théodose :
C'était un prince faible, un esprit mal tourné;
Cependant avec elle il a bien gouverné.

ASPAR

Cependant nous voyons six généraux d'armée
Dont au commandement l'âme est accoutumée;
Voudront-ils recevoir un ordre souverain
De qui l'a jusqu'ici toujours pris de leur main?
Seigneur, il est bien dur de se voir sous un maître
Dont on le fut toujours, et dont on devrait l'être.

MARTIAN

Et qui m'assurera que ces six généraux
Se réuniront mieux sous un de leurs égaux?
Plus un pareil mérite aux grandeurs nous appelle,
Et plus la jalousie aux grands est naturelle.

ASPAR

Je les tiens réunis, Seigneur, si vous voulez.
Il est, il est encor des noms plus signalés :
J'en sais qui leur plairaient; et, s'il vous faut plus dire,
Avouez-en mon zèle, et je vous fais élire.

MARTIAN

Moi, Seigneur, dans un âge où la tombe m'attend !
Un maître pour deux jours n'est pas ce qu'on prétend.
Je sais le poids d'un sceptre, et connais trop mes forces
Pour être encor sensible à ces vaines amorces.
Les ans, qui m'ont usé l'esprit comme le corps,
Abattraient tous les deux sous les moindres efforts;
Et ma mort, que par là vous verriez avancée,
Rendrait à tant d'égaux leur première pensée,
Et ferait une triste et prompte occasion
De rejeter l'État dans la division.

ASPAR

Pour éviter les maux qu'on en pourrait attendre,
Vous pourriez partager vos soins avec un gendre,
L'installer dans le trône, et le nommer César.

MARTIAN

Il faudrait que ce gendre eût les vertus d'Aspar;
Mais vous aimez ailleurs, et ce serait un crime
Que de rendre infidèle un cœur si magnanime.

ASPAR

J'aime, et ne me sens pas capable de changer;
Mais d'autres vous diraient que pour vous soulager,
Quand leur amour irait jusqu'à l'idolâtrie,
Ils le sacrifieraient au bien de la patrie.

JUSTINE

Certes, qui m'aimerait pour le bien de l'État
Ne me trouverait pas, Seigneur, un cœur ingrat,
Et je lui rendrais grâce au nom de tout l'empire;
Mais vous êtes constant; et s'il vous faut plus dire,
Quoi que le bien public jamais puisse exiger,
Ce ne sera pas moi qui vous ferai changer.

MARTIAN

Revenons à Léon. J'ai peine à bien comprendre
Quels malheurs d'un tel choix nous aurions lieu d'attendre.
Quiconque vous verra le mari de sa sœur,
S'il ne le craint assez, craindra son défenseur;
Et si vous me comptez encor pour quelque chose,
Mes conseils agiront comme sous Théodose.

ASPAR

Nous en pourrons tous deux avoir le démenti.

MARTIAN

C'est à faire à périr pour le meilleur parti :
Il ne m'en peut coûter qu'une mourante vie,
Que l'âge et ses chagrins m'auront bientôt ravie.
Pour vous, qui d'un autre œil regardez ce danger,
Vous avez plus à vivre et plus à ménager;
Et je n'empêche pas qu'auprès de la princesse
Votre zèle n'éclate autant qu'il s'intéresse.
Vous pouvez l'avertir de ce que vous croyez,
Lui dire de ce choix ce que vous prévoyez.
Lui proposer sans fard celui qu'elle doit faire.
La vérité lui plaît, et vous pourrez lui plaire.

Je changerai comme elle alors de sentiments,
Et tiens mon âme prête à ses commandements.

ASPAR

Parmi les vérités il en est de certaines
Qu'on ne dit point en face aux têtes souveraines,
Et qui veulent de nous un tour, un ascendant
Qu'aucun ne peut trouver qu'un ministre prudent :
Vous ferez mieux valoir ces marques d'un vrai zèle.
M'en ouvrant avec vous, je m'acquitte envers elle :
Et n'ayant rien de plus qui m'amène en ce lieu,
Je vous en laisse maître, et me retire. Adieu.

SCÈNE III

MARTIAN, JUSTINE

MARTIAN

Le dangereux esprit ! et qu'avec peu de peine
Il manquerait d'amour et de foi pour Irène !
Des rivaux de Léon il est le plus jaloux,
Et roule des projets qu'il ne dit pas à tous.

JUSTINE

Il n'a pour but, Seigneur, que le bien de l'empire.
Détrônez la princesse, et faites-vous élire :
C'est un amant pour moi que je n'attendais pas,
Qui vous soulagera du poids de tant d'États.

MARTIAN

C'est un homme, et je veux qu'un jour il t'en souvienne,
C'est un homme à tout perdre, à moins qu'on le prévienne.
Mais Léon vient déjà nous vanter son bonheur :
Arme-toi de constance, et prépare un grand cœur;
Et quelque émotion qui trouble ton courage,
Contre tout son désordre affermis ton visage.

SCÈNE IV

LÉON, MARTIAN, JUSTINE

LÉON

L'auriez-vous cru jamais, Seigneur? je suis perdu.

MARTIAN

Seigneur, que dites-vous? ai-je bien entendu?

LÉON

Je le suis sans ressource, et rien plus ne me flatte.
J'ai revu Pulchérie, et n'ai vu qu'une ingrate :
Quand je crois l'acquérir, c'est lors que je la perds;
Et me détruis moi-même alors que je la sers.

MARTIAN

Expliquez-vous, Seigneur, parlez en confiance;
Fait-elle un autre choix?

LÉON

Non, mais elle balance :
Elle ne me veut pas encor désespérer,
Mais elle prend du temps pour en délibérer.
Son choix n'est plus pour moi, puisqu'elle le diffère :
L'amour n'est point le maître alors qu'on délibère;
Et je ne saurais plus me promettre sa foi,
Moi qui n'ai que l'amour qui lui parle pour moi.
Ah ! Madame...

JUSTINE

Seigneur...

LÉON

Auriez-vous pu le croire?

JUSTINE

L'amour qui délibère est sûr de sa victoire,
Et quand d'un vrai mérite il s'est fait un appui,
Il n'est point de raisons qui ne parlent pour lui.
Souvent il aime à voir un peu d'impatience,
Et feint de reculer, lorsque plus il avance :

Ce moment d'amertume en rend les fruits plus doux.
Aimez, et laissez faire une âme toute à vous.

LÉON

Toute à moi ! mon malheur n'est que trop véritable;
J'en ai prévu le coup, je le sens qui m'accable.
Plus elle m'assurait de son affection,
Plus je me faisais peur de son ambition :
Je ne savais des deux quelle était la plus forte;
Mais il n'est que trop vrai, l'ambition l'emporte;
Et si son cœur encor lui parle en ma faveur,
Son trône me dédaigne en dépit de son cœur.
Seigneur, parlez pour moi; parlez pour moi, Madame :
Vous pouvez tout sur elle, et lisez dans son âme.
Peignez-lui bien mes feux, retracez-lui les siens;
Rappelez dans son cœur leurs plus doux entretiens;
Et si vous concevez de quelle ardeur je l'aime,
Faites-lui souvenir qu'elle m'aimait de même.
Elle-même a brigué pour me voir souverain :
J'étais, sans ce grand titre, indigne de sa main;
Mais si je ne l'ai pas, ce titre qui l'enchante,
Seigneur, à qui tient-il qu'à son humeur changeante?
Son orgueil contre moi doit-il s'en prévaloir,
Quand pour me voir au trône elle n'a qu'à vouloir?
Le sénat n'a pour elle appuyé mon suffrage
Qu'afin que d'un beau feu ma grandeur fût l'ouvrage :
Il sait depuis quel temps il lui plaît de m'aimer;
Et quand il l'a nommée, il a cru me nommer.
Allez, Seigneur, allez empêcher son parjure;
Faites qu'un empereur soit votre créature.
Que je vous céderais ce grand titre aisément,
Si vous pouviez sans lui me rendre heureux amant !
Car enfin mon amour n'en veut qu'à sa personne,
Et n'a d'ambition que ce qu'on m'en ordonne.

MARTIAN

Nous allons, et tous deux, Seigneur, lui faire voir
Qu'elle doit mieux user de l'absolu pouvoir.
Modérez cependant l'excès de votre peine;
Remettez vos esprits dans l'entretien d'Irène.

LÉON

D'Irène? et ses conseils m'ont trahi, m'ont perdu.

MARTIAN

Son zèle pour un frère a fait ce qu'il a dû.
Pouvait-elle prévoir cette supercherie
Qu'a faite à votre amour l'orgueil de Pulchérie?
J'ose en parler ainsi, mais ce n'eſt qu'entre nous.
Nous lui rendrons l'esprit plus traitable et plus doux,
Et vous rapporterons son cœur et ce grand titre.
Allez.

LÉON

Entre elle et moi que n'êtes-vous l'arbitre !
Adieu : c'eſt de vous seul que je puis recevoir
De quoi garder encor quelque reſte d'espoir.

SCÈNE V

MARTIAN, JUSTINE

MARTIAN

Juſtine, tu le vois, ce bienheureux obſtacle
Dont ton amour semblait pressentir le miracle.
Je ne te défends point, en cette occasion,
De prendre un peu d'espoir sur leur division;
Mais garde-toi d'avoir une âme assez hardie
Pour faire à leur amour la moindre perfidie :
Le mien de ce revers s'applique tant de part,
Que j'espère en mourir quelques moments plus tard.
Mais de quel front enfin leur donner à connaître
Les périls d'un amour que nous avons vu naître,
Dont nous avons tous deux été les confidents,
Et peut-être formé les traits les plus ardents?
De tous leurs déplaisirs, c'eſt nous rendre coupables :
Servons-les en amis, en amants véritables;
Le véritable amour n'eſt point intéressé.
Allons, j'achèverai comme j'ai commencé;
Suis l'exemple, et fais voir qu'une âme généreuse
Trouve dans sa vertu de quoi se rendre heureuse,
D'un sincère devoir fait son unique bien,
Et jamais ne s'expose à se reprocher rien.

ACTE III

SCÈNE PREMIÈRE

PULCHÉRIE, MARTIAN, JUSTINE

PULCHÉRIE

Je vous ai dit mon ordre : allez, Seigneur, de grâce,
Sauvez mon triste cœur du coup qui le menace;
Mettez tout le sénat dans ce cher intérêt.

MARTIAN

Madame, il sait assez combien Léon vous plaît,
Et le nomme assez haut alors qu'il vous défère
Un choix que votre amour vous a déjà fait faire.

PULCHÉRIE

Que ne m'en fait-il donc une obligeante loi?
Ce n'est pas le choisir que s'en remettre à moi;
C'est attendre l'issue à couvert de l'orage :
Si l'on m'en applaudit, ce sera son ouvrage;
Et si j'en suis blâmée, il n'y veut point de part.
En doute du succès, il en fuit le hasard;
Et lorsque je l'en veux garant vers tout le monde,
Il veut qu'à l'univers moi seule j'en réponde.
Ainsi m'abandonnant au choix de mes souhaits,
S'il est des mécontents, moi seule je les fais;
Et je devrai moi seule apaiser le murmure
De ceux à qui ce choix semblera faire injure,
Prévenir leur révolte, et calmer les mutins
Qui porteront envie à nos heureux destins.

MARTIAN

Aspar vous aura vue, et cette âme chagrine...

PULCHÉRIE

Il m'a vue, et j'ai vu quel chagrin le domine;
Mais il n'a pas laissé de me faire juger

Du choix que fait mon cœur quel sera le danger.
Il part de bons avis quelquefois de la haine;
On peut tirer du fruit de tout ce qui fait peine;
Et des plus grands desseins qui veut venir à bout
Prête l'oreille à tous, et fait profit de tout.

MARTIAN

Mais vous avez promis, et la foi qui vous lie....

PULCHÉRIE

Je suis impératrice, et j'étais Pulchérie.
De ce trône, ennemi de mes plus doux souhaits,
Je regarde l'amour comme un de mes sujets :
Je veux que le respect qu'il doit à ma couronne
Repousse l'attentat qu'il fait sur ma personne;
Je veux qu'il m'obéisse, au lieu de me trahir;
Je veux qu'il donne à tous l'exemple d'obéir;
Et jalouse déjà de mon pouvoir suprême,
Pour l'affermir sur tous, je le prends sur moi-même.

MARTIAN

Ainsi donc ce Léon qui vous était si cher...

PULCHÉRIE

Je l'aime d'autant plus qu'il m'en faut détacher.

MARTIAN

Serait-il à vos yeux moins digne de l'empire
Qu'alors que vous pressiez le sénat de l'élire?

PULCHÉRIE

Il fallait qu'on le vît des yeux dont je le voi,
Que de tout son mérite on convînt avec moi,
Et que par une estime éclatante et publique
On mît l'amour d'accord avec la politique.
J'aurais déjà rempli l'espoir d'un si beau feu,
Si le choix du sénat m'en eût donné l'aveu :
J'aurais pris le parti dont il me faut défendre;
Et si jusqu'à Léon je n'ose plus descendre,
Il m'était glorieux, le voyant souverain,
De remonter au trône en lui donnant la main.

MARTIAN

Votre cœur tiendra bon pour lui contre tous autres.

PULCHÉRIE

S'il a ces sentiments, ce ne sont pas les vôtres :
Non, Seigneur, c'est Léon, c'est son juste courroux,
Ce sont ses déplaisirs qui s'expliquent par vous :
Vous prêtez votre bouche et n'êtes pas capable
De donner à ma gloire un conseil qui l'accable.

MARTIAN

Mais ses rivaux ont-ils plus de mérite?

PULCHÉRIE

Non;
Mais ils ont plus d'emploi, plus de rang, plus de nom;
Et si de ce grand choix ma flamme est la maîtresse,
Je commence à régner par un trait de faiblesse.

MARTIAN

Et tenez-vous fort sûr qu'une légèreté
Donnera plus d'éclat à votre dignité?
Pardonnez-moi ce mot, s'il a trop de franchise;
Le peuple aura peut-être une âme moins soumise :
Il aime à censurer ceux qui lui font la loi,
Et vous reprochera jusqu'au manque de foi.

PULCHÉRIE

Je vous ai déjà dit ce qui m'en justifie :
Je suis impératrice, et j'étais Pulchérie.
J'ose vous dire plus : Léon a des jaloux,
Qui n'en font pas, Seigneur, même estime que nous.
Pour surprenant que soit l'essai de son courage,
Les vertus d'empereur ne sont point de son âge :
Il est jeune, et chez eux c'est un si grand défaut,
Que ce mot prononcé détruit tout ce qu'il vaut.
Si donc j'en fais le choix, je paraîtrai le faire
Pour régner sous son nom ainsi que sous mon frère.
Vous-même, qu'ils ont vu sous lui dans un emploi
Où vos conseils régnaient autant et plus que moi,
Ne donnerez-vous point quelque lieu de vous dire
Que vous n'aurez voulu qu'un fantôme à l'empire,
Et que dans un tel choix vous vous serez flatté
De garder en vos mains toute l'autorité?

MARTIAN

Ce n'eſt pas mon dessein, Madame; et s'il faut dire
Sur le choix de Léon ce que le ciel m'inspire,
Dès cet heureux moment qu'il sera votre époux,
J'abandonne Byzance et prends congé de vous,
Pour aller, dans le calme et dans la solitude,
De la mort qui m'attend faire l'heureuse étude.
Voilà comme j'aspire à gouverner l'État.
Vous m'avez commandé d'assembler le sénat;
J'y vais, Madame.

PULCHÉRIE

Quoi? Martian m'abandonne,
Quand il faut sur ma tête affermir la couronne!
Lui, de qui le grand cœur, la prudence, la foi...

MARTIAN

Tout le prix que j'en veux, c'eſt de mourir à moi.

SCÈNE II

PULCHÉRIE, JUSTINE

PULCHÉRIE

Que me dit-il, Juſtine, et de quelle retraite
Ose-t-il menacer l'hymen qu'il me souhaite?
De Léon près de moi ne se fait-il l'appui
Que pour mieux dédaigner de me servir sous lui?
Le hait-il? le craint-il? et par quelle autre cause...

JUSTINE

Qui que vous épousiez, il voudra même chose.

PULCHÉRIE

S'il était dans un âge à prétendre ma foi,
Comme il serait de tous le plus digne de moi,
Ce qu'il donne à penser aurait quelque apparence :
Mais les ans l'ont dû mettre en entière assurance.

JUSTINE

Que savons-nous, Madame? eſt-il dessous les cieux
Un cœur impénétrable au pouvoir de vos yeux?

Ce qu'ils ont d'habitude à faire des conquêtes
Trouve à prendre vos fers les âmes toujours prêtes.
L'âge n'en met aucune à couvert de leurs traits :
Non que sur Martian j'en sache les effets;
Il m'a dit comme à vous que ce grand hyménée
L'envoira loin d'ici finir sa destinée;
Et si j'ose former quelque soupçon confus,
Je parle en général, et ne sais rien de plus.
Mais pour votre Léon, êtes-vous résolue
A le perdre aujourd'hui, de puissance absolue?
Car ne l'épouser pas, c'est le perdre en effet.

PULCHÉRIE

Pour te montrer la gêne où son nom seul me met,
Souffre que je t'explique en faveur de sa flamme
La tendresse du cœur après la grandeur d'âme.
Léon seul est ma joie, il est mon seul désir;
Je n'en puis choisir d'autre, et n'ose le choisir :
Depuis trois ans unie à cette chère idée,
J'en ai l'âme à toute heure, en tous lieux obsédée;
Rien n'en détachera mon cœur que le trépas,
Encore après ma mort n'en répondrais-je pas;
Et si dans le tombeau le ciel permet qu'on aime,
Dans le fond du tombeau je l'aimerai de même.
Trône qui m'éblouis, titres qui me flattez,
Pourrez-vous me valoir ce que vous me coûtez?
Et de tout votre orgueil la pompe la plus haute
A-t-elle un bien égal à celui qu'elle m'ôte?

JUSTINE

Et vous pouvez penser à prendre un autre époux?

PULCHÉRIE

Ce n'est pas, tu le sais, à quoi je me résous.
Si ma gloire à Léon me défend de me rendre,
De tout autre que lui l'amour sait me défendre.
Qu'il est fort cet amour ! sauve-m'en, si tu peux;
Vois Léon, parle-lui, dérobe-moi ses vœux :
M'en faire un prompt larcin, c'est me rendre un service
Qui saura m'arracher des bords du précipice.
Je le crains, je me crains, s'il n'engage sa foi,
Et je suis trop à lui tant qu'il est tout à moi.
Sens-tu d'un tel effort ton amitié capable?

Ce héros n'a-t-il rien qui te paraisse aimable?
Au pouvoir de tes yeux j'unirai mon pouvoir :
Parle, que résous-tu de faire?

JUSTINE

Mon devoir.
Je sors d'un sang, Madame, à me rendre assez vaine
Pour attendre un époux d'une main souveraine;
Et n'ayant point d'amour que pour ma liberté,
S'il la faut immoler à votre sûreté,
J'oserai... Mais voici ce cher Léon, Madame;
Voulez-vous...

PULCHÉRIE

Laisse-moi consulter mieux mon âme;
Je ne sais pas encor trop bien ce que je veux :
Attends un nouvel ordre, et suspends tous tes vœux.

SCÈNE III

PULCHÉRIE, LÉON, JUSTINE

PULCHÉRIE

Seigneur, qui vous ramène? Eſt-ce l'impatience
D'ajouter à mes maux ceux de votre présence,
De livrer tout mon cœur à de nouveaux combats;
Et souffré-je trop peu quand je ne vous vois pas?

LÉON

Je viens savoir mon sort.

PULCHÉRIE

N'en soyez point en doute;
Je vous aime et nous plains : c'eſt là me peindre toute,
C'eſt tout ce que je sens; et si votre amitié
Sentait pour mes malheurs quelque trait de pitié,
Elle m'épargnerait cette fatale vue,
Qui me perd, m'assassine, et vous-même vous tue.

LÉON

Vous m'aimez, dites-vous?

PULCHÉRIE

Plus que jamais.

LÉON

Hélas !
Je souffrirais bien moins si vous ne m'aimiez pas.
Pourquoi m'aimer encor seulement pour me plaindre?

PULCHÉRIE

Comment cacher un feu que je ne puis éteindre?

LÉON

Vous l'étouffez du moins sous l'orgueil scrupuleux
Qui fait seul tous les maux dont nous mourons tous deux.
Ne vous en plaignez point, le vôtre est volontaire :
Vous n'avez que celui qu'il vous plaît de vous faire;
Et ce n'est pas pour être aux termes d'en mourir
Que d'en pouvoir guérir dès qu'on s'en veut guérir.

PULCHÉRIE

Moi seule je me fais les maux dont je soupire !
A-ce été sous mon nom que j'ai brigué l'empire?
Ai-je employé mes soins, mes amis, que pour vous?
Ai-je cherché par là qu'à vous voir mon époux?
Quoi? votre déférence à mes efforts s'oppose !
Elle rompt mes projets, et seule j'en suis cause !
M'avoir fait obtenir plus qu'il ne m'était dû,
C'est ce qui m'a perdue, et qui vous a perdu.
Si vous m'aimiez, Seigneur, vous me deviez mieux croire,
Ne pas intéresser mon devoir et ma gloire :
Ce sont deux ennemis que vous nous avez faits,
Et que tout notre amour n'apaisera jamais.
Vous m'accablez en vain de soupirs, de tendresse;
En vain mon triste cœur en vos maux s'intéresse,
Et vous rend, en faveur de nos communs désirs,
Tendresse pour tendresse, et soupirs pour soupirs :
Lorsqu'à des feux si beaux je rends cette justice,
C'est l'amante qui parle; oyez l'impératrice.
Ce titre est votre ouvrage, et vous me l'avez dit :
D'un service si grand votre espoir s'applaudit,
Et s'est fait en aveugle un obstacle invincible,
Quand il a cru se faire un succès infaillible.

Appuyé de mes soins, assuré de mon cœur,
Il fallait m'apporter la main d'un empereur,
M'élever jusqu'à vous en heureuse sujette :
Ma joie était entière, et ma gloire parfaite;
Mais puis-je avec ce nom même chose pour vous?
Il faut nommer un maître, et choisir un époux :
C'est la loi qu'on m'impose, ou plutôt c'est la peine
Qu'on attache aux douceurs de me voir souveraine.
Je sais que le sénat, d'une commune voix,
Me laisse avec respect la liberté du choix;
Mais il attend de moi celui du plus grand homme
Qui respire aujourd'hui dans l'une et l'autre Rome :
Vous l'êtes, j'en suis sûre, et toutefois, hélas !
Un jour on le croira, mais...

LÉON

On ne le croit pas,
Madame : il faut encor du temps et des services;
Il y faut du destin quelques heureux caprices,
Et que la renommée, instruite en ma faveur,
Séduisant l'univers, impose à ce grand cœur.
Cependant admirez comme un amant se flatte :
J'avais cru votre gloire un peu moins délicate;
J'avais cru mieux répondre à ce que je vous doi
En tenant tout de vous, qu'en vous l'offrant en moi;
Et qu'auprès d'un objet que l'amour sollicite,
Ce même amour pour moi tiendrait lieu de mérite.

PULCHÉRIE

Oui; mais le tiendra-t-il auprès de l'univers,
Qui sur un si grand choix tient tous ses yeux ouverts?
Peut-être le sénat n'ose encor vous élire,
Et si je m'y hasarde, osera m'en dédire;
Peut-être qu'il s'apprête à faire ailleurs sa cour
Du honteux désaveu qu'il garde à notre amour;
Car ne nous flattons point, ma gloire inexorable
Me doit au plus illustre, et non au plus aimable;
Et plus ce rang m'élève et plus sa dignité
M'en fait avec hauteur une nécessité.

LÉON

Rabattez ces hauteurs où tout le cœur s'oppose,
Madame, et pour tous deux hasardez quelque chose :

Tant d'orgueil et d'amour ne s'accordent pas bien;
Et c'est ne point aimer que ne hasarder rien.

PULCHÉRIE

S'il n'y faut que mon sang, je veux bien vous en croire :
Mais c'est trop hasarder qu'y hasarder ma gloire;
Et plus je ferme l'œil aux périls que j'y cours,
Plus je vois que c'est trop qu'y hasarder vos jours.
Ah ! si la voix publique enflait votre espérance
Jusqu'à me demander pour vous la préférence,
Si des noms que la gloire à l'envi me produit
Le plus cher à mon cœur faisait le plus de bruit,
Qu'aisément à ce bruit on me verrait souscrire,
Et remettre en vos mains ma personne et l'empire !
Mais l'empire vous fait trop d'illustres jaloux :
Dans le fond de ce cœur je vous préfère à tous;
Vous passez les plus grands, mais ils sont plus en vue.
Vos vertus n'ont point eu toute leur étendue;
Et le monde, ébloui par des noms trop fameux,
N'ose espérer de vous ce qu'il présume d'eux.
Vous aimez, vous plaisez : c'est tout auprès des femmes;
C'est par là qu'on surprend, qu'on enlève leurs âmes;
Mais pour remplir un trône et s'y faire estimer,
Ce n'est pas tout, Seigneur, que de plaire et d'aimer.
La plus ferme couronne est bientôt ébranlée,
Quand un effort d'amour semble l'avoir volée;
Et pour garder un rang si cher à nos désirs,
Il faut un plus grand art que celui des soupirs.
Ne vous abaissez pas à la honte des larmes :
Contre un devoir si fort ce sont de faibles armes;
Et si de tels secours vous couronnaient ailleurs,
J'aurais pitié d'un sceptre acheté par des pleurs.

LÉON

Ah ! Madame, aviez-vous de si fières pensées,
Quand vos bontés pour moi se sont intéressées?
Me disiez-vous alors que le gouvernement
Demandait un autre art que celui d'un amant?
Si le sénat eût joint ses suffrages aux vôtres,
J'en aurais paru digne autant ou plus qu'un autre :
Ce grand art de régner eût suivi tant de voix;
Et vous-même...

PULCHÉRIE

Oui, Seigneur, j'aurais suivi ce choix,
Sûre que le sénat, jaloux de son suffrage,
Contre tout l'univers maintiendrait son ouvrage.
Tel contre vous et moi s'osera révolter,
Qui contre un si grand corps craindrait de s'emporter,
Et méprisant en moi ce que l'amour m'inspire,
Respecterait en lui le démon de l'empire.

LÉON

Mais l'offre qu'il vous fait d'en croire tous vos vœux...

PULCHÉRIE

N'est qu'un refus moins rude et plus respectueux.

LÉON

Quelles illusions de gloire chimérique,
Quels farouches égards de dure politique,
Dans ce cœur tout à moi, mais qu'en vain j'ai charmé,
Me font le plus aimable et le moins estimé?

PULCHÉRIE

Arrêtez : mon amour ne vient que de l'estime.
Je vous vois un grand cœur, une vertu sublime,
Une âme, une valeur dignes de mes aïeux;
Et si tout le sénat avait les mêmes yeux...

LÉON

Laissons là le sénat, et m'apprenez, de grâce,
Madame, à quel heureux je dois quitter la place,
Qui je dois imiter pour obtenir un jour
D'un orgueil souverain le prix d'un juste amour.

PULCHÉRIE

J'aurai peine à choisir; choisissez-le vous-même,
Cet heureux, et nommez qui vous voulez que j'aime;
Mais vous souffrez assez, sans devenir jaloux.
J'aime; et si ce grand choix ne peut tomber sur vous,
Aucun autre du moins, quelque ordre qu'on m'en donne,
Ne se verra jamais maître de ma personne :
Je le jure en vos mains, et j'y laisse mon cœur.
N'attendez rien de plus, à moins d'être empereur;
Mais j'entends empereur comme vous devez l'être,

Par le choix du sénat qui vous prenne pour maître,
Qui d'un État si grand vous fasse le soutien,
Et d'un commun suffrage autorise le mien.
Je le fais rassembler exprès pour vous élire,
Ou me laisser moi seule à gouverner l'empire,
Et ne plus m'asservir à ce dangereux choix,
S'il ne me veut pour vous donner toutes ses voix.
Adieu, Seigneur, je crains de n'être plus maîtresse
De ce que vos regards m'inspirent de faiblesse,
Et que ma peine, égale à votre déplaisir,
Ne coûte à mon amour quelque indigne soupir.

SCÈNE IV

LÉON, JUSTINE

LÉON

C'est trop de retenue, il est temps que j'éclate :
Je ne l'ai point nommée ambitieuse, ingrate;
Mais le sujet enfin va céder à l'amant,
Et l'excès du respect au juste emportement.
Dites-le-moi, Madame : a-t-on vu perfidie
Plus noire au fond de l'âme, au dehors plus hardie?
A-t-on vu plus d'étude attacher la raison
A l'indigne secours de tant de trahison?
Loin d'en baisser les yeux, l'orgueilleuse en fait gloire :
Elle nous l'ose peindre en illustre victoire.
L'honneur et le devoir eux seuls la font agir!
Et m'étant plus fidèle, elle aurait à rougir!

JUSTINE

La gêne qu'elle en souffre égale bien la vôtre :
Pour vous, elle renonce à choisir aucun autre;
Elle-même en vos mains en a fait le serment.

LÉON

Illusion nouvelle, et pur amusement!
Il n'est, Madame, il n'est que trop de conjonctures
Où les nouveaux serments sont de nouveaux parjures.
Qui sait l'art de régner les rompt avec éclat,
Et ne manque jamais de cent raisons d'État.

JUSTINE

Mais si vous la piquiez d'un peu de jalousie,
Seigneur, si vous brouilliez par là sa fantaisie,
Son amour mal éteint pourrait vous rappeler,
Et sa gloire aurait peine à vous laisser aller.

LÉON

Me soupçonneriez-vous d'avoir l'âme assez basse
Pour employer la feinte à tromper ma disgrâce?
Je suis jeune, et j'en fais trop mal ici ma cour
Pour joindre à ce défaut un faux éclat d'amour.

JUSTINE

L'agréable défaut, Seigneur, que la jeunesse !
Et que de vos jaloux l'importune sagesse,
Toute fière qu'elle est, le voudrait racheter
De tout ce qu'elle croit et croira mériter !
Mais si feindre en amour à vos yeux est un crime,
Portez sans feinte ailleurs votre plus tendre estime :
Punissez tant d'orgueil par de justes dédains,
Et mettez votre cœur en de plus sûres mains.

LÉON

Vous voyez qu'à son rang elle me sacrifie,
Madame, et vous voulez que je la justifie !
Qu'après tous les mépris qu'elle montre pour moi,
Je lui prête un exemple à me voler sa foi !

JUSTINE

Aimez, à cela près, et sans vous mettre en peine
Si c'est justifier ou punir l'inhumaine,
Songez que si vos vœux en étaient mal reçus,
On pourrait avec joie accepter ses refus.
L'honneur qu'on se ferait à vous détacher d'elle
Rendrait cette conquête et plus noble et plus belle.
Plus il faut de mérite à vous rendre inconstant,
Plus en aurait de gloire un cœur qui vous attend;
Car peut-être en est-il que la princesse même
Condamne à vous aimer dès que vous direz : « J'aime. »
Adieu : c'en est assez pour la première fois.

LÉON

O ciel, délivre-moi du trouble où tu me vois !

ACTE IV

SCÈNE PREMIÈRE

JUSTINE, IRÈNE

JUSTINE

Non, votre cher Aspar n'aime point la princesse :
Ce n'eſt que pour le rang que tout son cœur s'empresse;
Et si l'on eût choisi mon père pour César,
J'aurais déjà les vœux de cet illuſtre Aspar.
Il s'en eſt expliqué tantôt en ma présence;
Et tout ce que pour elle il a de complaisance,
Tout ce qu'il lui veut faire ou craindre ou dédaigner,
Ne doit être imputé qu'à l'ardeur de régner.
  Pulchérie a des yeux qui percent le myſtère,
Et le croit plus rival qu'ami de ce cher frère;
Mais comme elle balance, elle écoute aisément
Tout ce qui peut d'abord flatter son sentiment :
Voilà ce que j'en sais.

IRÈNE

Je ne suis point surprise
De tout ce que d'Aspar m'apprend votre franchise.
Vous ne m'en dites rien que ce que j'en ai dit,
Lorsqu'à Léon tantôt j'ai dépeint son esprit;
Et j'en ai pénétré l'ambition secrète
Jusques à pressentir l'offre qu'il vous a faite.
  Puisque en vain je m'attache à qui ne m'aime pas,
Il faut avec honneur franchir ce mauvais pas :
Il faut, à son exemple, avoir ma politique,
Trouver à ma disgrâce une face héroïque,
Donner à ce divorce une illuſtre couleur,
Et sous de beaux dehors dévorer ma douleur.
Dites-moi cependant, que deviendra mon frère?
D'un si parfait amour que faut-il qu'il espère?

JUSTINE

On l'aime, et fortement, et bien plus qu'on ne veut;
Mais pour s'en détacher, on fait tout ce qu'on peut.
Faut-il vous dire tout? On m'a commandé même
D'essayer contre lui l'art et le stratagème.
On me devra beaucoup si je puis l'ébranler,
On me donne son cœur, si je le puis voler;
Et déjà pour essai de mon obéissance,
J'ai porté quelque attaque, et fait un peu d'avance.
Vous pouvez bien juger comme il a rebuté,
Fidèle amant qu'il est, cette importunité;
Mais pour peu qu'il vous plût appuyer l'artifice,
Cet appui tiendrait lieu d'un signalé service.

IRÈNE

Ce n'est point un service à prétendre de moi
Que de porter mon frère à garder mal sa foi;
Et quand à vous aimer j'aurais su le réduire,
Quel fruit son changement pourrait-il lui produire?
Vous qui ne l'aimez point, pourriez-vous l'accepter?

JUSTINE

Léon ne saurait être un homme à rejeter,
Et l'on voit si souvent, après la foi donnée,
Naître un parfait amour d'un pareil hyménée,
Que si de son côté j'y voyais quelque jour,
J'espérerais bientôt de l'aimer à mon tour.

IRÈNE

C'est trop et trop peu dire. Est-il encore à naître,
Cet amour? Est-il né?

JUSTINE

Cela pourrait bien être,
Ne l'examinons point avant qu'il en soit temps;
L'occasion viendra peut-être, et je l'attends.

IRÈNE

Et vous servez Léon auprès de la princesse?

JUSTINE

Avec sincérité pour lui je m'intéresse;
Et si j'en étais crue, il aurait le bonheur

D'en obtenir la main, comme il en a le cœur.
J'obéis cependant aux ordres qu'on me donne,
Et souffrirais ses vœux, s'il perdait la couronne.
Mais la princesse vient.

SCÈNE II

PULCHÉRIE, IRÈNE, JUSTINE

PULCHÉRIE

Que fait ce malheureux,
Irène?

IRÈNE

Ce qu'on fait dans un sort rigoureux :
Il soupire, il se plaint.

PULCHÉRIE

De moi?

IRÈNE

De sa fortune.

PULCHÉRIE

Est-il bien convaincu qu'elle nous est commune,
Qu'ainsi que lui du sort j'accuse la rigueur?

IRÈNE

Je ne pénètre point jusqu'au fond de son cœur;
Mais je sais qu'au dehors sa douleur vous respecte :
Elle se tait de vous.

PULCHÉRIE

Ah ! qu'elle m'est suspecte !
Un modeste reproche à ses maux siérait bien :
C'est me trop accuser que de n'en dire rien.
M'aurait-il oubliée, et déjà dans son âme
Effacé tous les traits d'une si belle flamme?

IRÈNE

C'est par là qu'il devrait soulager ses ennuis,
Madame; et de ma part j'y fais ce que je puis.

PULCHÉRIE

Ah ! ma flamme n'eﬆ pas à tel point affaiblie,
Que je puisse endurer, Irène, qu'il m'oublie.
Fais-lui, fais-lui plutôt soulager son ennui
A croire que je souffre autant et plus que lui.
C'eﬆ une vérité que j'ai besoin qu'il croie,
Pour mêler à mes maux quelque inutile joie,
Si l'on peut nommer joie une triﬆe douceur
Qu'un digne amour conserve en dépit du malheur.
L'âme qui l'a sentie en eﬆ toujours charmée,
Et même en n'aimant plus, il eﬆ doux d'être aimée.

JUSTINE

Vous souvient-il encor de me l'avoir donné,
Madame? et ce doux soin dont votre esprit gêné...

PULCHÉRIE

Souffre un reﬆe d'amour qui me trouble et m'accable.
Je ne t'en ai point fait un don irrévocable;
Mais je te le redis, dérobe-moi ses vœux;
Séduis, enlève-moi son cœur, si tu le peux.
J'ai trop mis à l'écart celui d'impératrice;
Reprenons avec lui ma gloire et mon supplice :
C'en eﬆ un, et bien rude, à moins que le sénat
Mette d'accord ma flamme et le bien de l'État.

IRÈNE

N'eﬆ-ce point avilir votre pouvoir suprême
Que mendier ailleurs ce qu'il peut de lui-même?

PULCHÉRIE

Irène, il te faudrait les mêmes yeux qu'à moi
Pour voir la moindre part de ce que je prévoi.
Épargne à mon amour la douleur de te dire
A quels troubles ce choix hasarderait l'empire :
Je l'ai déjà tant dit, que mon esprit lassé
N'en saurait plus souffrir le portrait retracé.
Ton frère a l'âme grande, intrépide, sublime;
Mais d'un peu de jeunesse on lui fait un tel crime,
Que si tant de vertus n'ont que moi pour appui,
En faire un empereur, c'eﬆ me perdre avec lui.

IRÈNE

Quel ordre a pu du trône exclure la jeunesse?
Quel astre à nos beaux jours enchaîne la faiblesse?
Les vertus, et non l'âge, ont droit à ce haut rang;
Et n'était le respect qu'imprime votre sang,
Je dirais que Léon vaudrait bien Théodose.

PULCHÉRIE

Sans doute; et toutefois ce n'est pas même chose.
Faible qu'était ce prince à régir tant d'États,
Il avait des appuis que ton frère n'a pas :
L'empire en sa personne était héréditaire;
Sa naissance le tint d'un aïeul et d'un père[4];
Il régna dès l'enfance et régna sans jaloux,
Estimé d'assez peu, mais obéi de tous.
Léon peut succéder aux droits de la puissance,
Mais non pas au bonheur de cette obéissance :
Tant ce trône, où l'amour par ma main l'aurait mis,
Dans mes premiers sujets lui ferait d'ennemis !
Tout ce qu'ont vu d'illustre et la paix et la guerre
Aspire à ce grand nom de maître de la terre :
Tous regardent l'empire ainsi qu'un bien commun
Que chacun veut pour soi, tant qu'il n'est à pas un.
Pleins de leur renommée, enflés de leurs services,
Combien ce choix pour eux aura-t-il d'injustices,
Si ma flamme obstinée et ses odieux soins
L'arrêtent sur celui qu'ils estiment le moins !
Léon est d'un mérite à devenir leur maître;
Mais comme c'est l'amour qui m'aide à le connaître,
Tout ce qui contre nous s'osera mutiner
Dira que je suis seule à me l'imaginer.

IRÈNE

C'est donc en vain pour lui qu'on prie et qu'on espère?

PULCHÉRIE

Je l'aime, et sa personne à mes yeux est bien chère;
Mais si le ciel pour lui n'inspire le sénat,
Je sacrifierai tout au bonheur de l'État.

IRÈNE

Que pour vous imiter j'aurais l'âme ravie
D'immoler à l'État le bonheur de ma vie !

Madame, ou de Léon faites-nous un César,
Ou portez ce grand choix sur le fameux Aspar :
Je l'aime, et ferais gloire, en dépit de ma flamme,
De faire un maître à tous de celui de mon âme;
Et pleurant pour le frère en ce grand changement,
Je m'en consolerais à voir régner l'amant.
Des deux têtes qu'au monde on me voit les plus chères
Élevez l'une ou l'autre au trône de vos pères;
Daignez...

PULCHÉRIE

Aspar serait digne d'un tel honneur,
Si vous pouviez, Irène, un peu moins sur son cœur.
J'aurais trop à rougir si sous le nom de femme
Je le faisais régner sans régner dans son âme;
Si j'en avais le titre, et vous tout le pouvoir,
Et qu'entre nous ma cour partageât son devoir.

IRÈNE

Ne l'appréhendez pas : de quelque ardeur qu'il m'aime,
Il est plus à l'État, Madame, qu'à lui-même.

PULCHÉRIE

Je le crois comme vous, et que sa passion
Regarde plus l'État que vous, moi, ni Léon.
C'est vous entendre, Irène, et vous parler sans feindre :
Je vois ce qu'il projette, et ce qu'il en faut craindre.
L'aimez-vous?

IRÈNE

Je l'aimai, quand je crus qu'il m'aimait :
Je voyais sur son front un air qui me charmait;
Mais depuis que le temps m'a fait mieux voir sa flamme,
J'ai presque éteint la mienne et dégagé mon âme.

PULCHÉRIE

Achevez. Tel qu'il est, voulez-vous l'épouser?

IRÈNE

Oui, Madame, ou du moins le pouvoir refuser.
Après deux ans d'amour il y va de ma gloire :
L'affront serait trop grand, et la tache trop noire,
Si dans la conjoncture où l'on est aujourd'hui

Il m'osait regarder comme indigne de lui.
Ses desseins vont plus haut; et voyant qu'il vous aime,
Bien que peut-être moins que votre diadème,
Je n'ai rien vu en moi qui le pût retenir;
Et je ne vous l'offrais que pour le prévenir.
C'eſt ainsi que j'ai cru me mettre en assurance
Par l'éclat généreux d'une fausse apparence :
Je vous cédais un bien que je ne puis garder,
Et qu'à vous seule enfin ma gloire peut céder.

PULCHÉRIE

Reposez-vous sur moi. Votre Aspar vient.

SCÈNE III

PULCHÉRIE, ASPAR, IRÈNE, JUSTINE

ASPAR

Madame,
Déjà sur vos desseins j'ai lu dans plus d'une âme,
Et crois de mon devoir de vous mieux avertir
De ce que sur tous deux on m'a fait pressentir.
J'espère pour Léon, et j'y fais mon possible;
Mais j'en prévois, Madame, un murmure infaillible,
Qui pourra se borner à quelque émotion,
Et peut aller plus loin que la sédition.

PULCHÉRIE

Vous en savez l'auteur : parlez, qu'on le punisse;
Que moi-même au sénat j'en demande juſtice.

ASPAR

Peut-être eſt-ce quelqu'un que vous pourriez choisir,
S'il vous fallait ailleurs tourner votre désir,
Et dont le choix illuſtre à tel point saurait plaire,
Que nous n'aurions à craindre aucun parti contraire.
Comme à vous le nommer, ce serait fait de lui,
Ce serait à l'empire ôter un ferme appui,
Et livrer un grand cœur à sa perte certaine
Quand il n'eſt pas encor digne de votre haine.

PULCHÉRIE

On me fait mal sa cour avec de tels avis,
Qui sans nommer personne, en nomment plus de dix.
Je hais l'empressement de ces devoirs sincères,
Qui ne jette en l'esprit que de vagues chimères,
Et ne me présentant qu'un obscur avenir,
Me donne tout à craindre, et rien à prévenir.

ASPAR

Le besoin de l'État eſt souvent un myſtère
Dont la moitié se dit, et l'autre eſt bonne à taire.

PULCHÉRIE

Il n'eſt souvent aussi qu'un pur fantôme en l'air
Que de secrets ressorts font agir et parler,
Et s'arrête où le fixe une âme prévenue,
Qui pour ses intérêts le forme et le remue.
Des besoins de l'État si vous êtes jaloux,
Fiez-vous-en à moi, qui les vois mieux que vous.
Martian, comme vous, à vous parler sans feindre,
Dans le choix de Léon voit quelque chose à craindre;
Mais il m'apprend de qui je dois me défier;
Et je puis, si je veux, me le sacrifier.

ASPAR

Qui nomme-t-il, Madame?

PULCHÉRIE

Aspar, c'eſt un myſtère
Dont la moitié se dit, et l'autre eſt bonne à taire.
Si l'on hait tant Léon, du moins réduisez-vous
A faire qu'on m'admette à régner sans époux.

ASPAR

Je ne l'obtiendrais point, la chose eſt sans exemple.

PULCHÉRIE

La matière au vrai zèle en eſt d'autant plus ample;
Et vous en montrerez de plus rares effets
En obtenant pour moi ce qu'on n'obtint jamais.

ASPAR

Oui; mais qui voulez-vous que le sénat vous donne,
Madame, si Léon?...

PULCHÉRIE

Ou Léon, ou personne.
A l'un de ces deux points amenez les esprits.
Vous adorez Irène, Irène eſt votre prix;
Je la laisse avec vous, afin que votre zèle
S'allume à ce beau feu que vous avez pour elle.
Juſtine, suivez-moi.

SCÈNE IV

ASPAR, IRÈNE

IRÈNE

Ce prix qu'on vous promet,
Sur votre âme, Seigneur, doit faire peu d'effet.
La mienne, tout acquise à votre ardeur sincère,
Ne peut à ce grand cœur tenir lieu de salaire;
Et l'amour à tel point vous rend maître du mien,
Que me donner à vous, c'eſt ne vous donner rien.

ASPAR

Vous dites vrai, Madame; et du moins j'ose dire
Que me donner un cœur au-dessous de l'empire,
Un cœur qui me veut faire une honteuse loi,
C'eſt ne me donner rien qui soit digne de moi.

IRÈNE

Indigne que je suis d'une foi si douteuse,
Vous fais-je quelque loi qui puisse être honteuse?
Et si Léon devait l'empire à votre appui,
Lui qui vous y ferait le premier d'après lui,
Auriez-vous à rougir de l'en avoir fait maître,
Seigneur, vous qui voyez que vous ne pouvez l'être?
Mettez-vous, j'y consens, au-dessus de l'amour,
Si pour monter au trône, il s'offre quelque jour.
Qu'à ce glorieux titre un amant soit volage,
Je puis l'en eſtimer, l'en aimer davantage,
Et voir avec plaisir la belle ambition
Triompher d'une ardente et longue passion.
L'objet le plus charmant doit céder à l'empire :

Régnez; j'en dédirai mon cœur s'il en soupire.
Vous ne m'en croyez pas, Seigneur; et toutefois
Vous régneriez bientôt si l'on suivait ma voix.
Apprenez à quel point pour vous je m'intéresse.
Je viens de vous offrir moi-même à la princesse;
Et je sacrifiais mes plus chères ardeurs
A l'honneur de vous mettre au faîte des grandeurs.
Vous savez sa réponse : « Ou Léon, ou personne. »

ASPAR

C'est agir en amante et généreuse et bonne;
Mais sûre d'un refus qui doit rompre le coup,
La générosité ne coûte pas beaucoup.

IRÈNE

Vous voyez les chagrins où cette offre m'expose,
Et ne me voulez pas devoir la moindre chose !
Ah ! si j'osais, Seigneur, vous appeler ingrat !

ASPAR

L'offre sans doute est rare, et ferait grand éclat,
Si pour mieux éblouir vous aviez eu l'adresse
D'ébranler tant soit peu l'esprit de la princesse.
Elle est impératrice, et d'un seul : « Je le veux, »
Elle peut de Léon faire un monarque heureux :
Qu'a-t-il besoin de moi, lui qui peut tout sur elle?

IRÈNE

N'insultez point, Seigneur, une flamme si belle.
L'amour, las de gémir sous les raisons d'État,
Pourrait n'en croire pas tout à fait le sénat.

ASPAR

L'amour n'a qu'à parler : le sénat, quoi qu'on pense,
N'aura que du respect et de la déférence;
Et de l'air dont la chose a déjà pris son cours,
Léon pourra se voir empereur pour trois jours.

IRÈNE

Trois jours peuvent suffire à faire bien des choses :
La cour en moins de temps voit cent métamorphoses;
En moins de temps un prince à qui tout est permis
Peut rendre ce qu'il doit aux vrais et faux amis.

ASPAR

L'amour qui parle ainsi ne paraît pas fort tendre.
Mais je vous aime assez pour ne vous pas entendre;
Et dirai toutefois, sans m'en embarrasser,
Qu'il est un peu bien tôt pour vous de menacer.

IRÈNE

Je ne menace point, Seigneur; mais je vous aime
Plus que moi, plus encor que ce cher frère même.
L'amour tendre est timide, et craint pour son objet,
Dès qu'il lui voit former un dangereux projet.

ASPAR

Vous m'aimez, je le crois; du moins cela peut être;
Mais de quelle façon le faites-vous connaître?
L'amour inspire-t-il ce rare empressement
De voir régner un frère aux dépens d'un amant?

IRÈNE

Il m'inspire à regret la peur de votre perte.
Régnez, je vous l'ai dit, la porte en est ouverte;
Vous avez du mérite, et je manque d'appas;
Dédaignez, quittez-moi, mais ne vous perdez pas.
Pour le salut d'un frère ai-je si peu d'alarmes
Qu'il leur faille ajouter d'autres sujets de larmes?
C'est assez que pour vous j'ose en vain soupirer;
Ne me réduisez point, Seigneur, à vous pleurer.

ASPAR

Gardez, gardez vos pleurs pour ceux qui sont à plaindre :
Puisque vous m'aimez tant, je n'ai point lieu de craindre.
Quelque peine qu'on doive à ma témérité,
Votre main qui m'attend fera ma sûreté;
Et contre le courroux le plus inexorable
Elle me servira d'asile inviolable.

IRÈNE

Vous la voudrez peut-être, et la voudrez trop tard.
Ne vous exposez point, Seigneur, à ce hasard;
Je doute si j'aurais toujours même tendresse,
Et pourrais de ma main n'être pas la maîtresse.
Je vous parle sans feindre, et ne sais point railler
Lorsqu'au salut commun il nous faut travailler.

ASPAR

Et je veux bien aussi vous répondre sans feindre.
J'ai pour vous un amour à ne jamais s'éteindre,
Madame; et dans l'orgueil que vous-même approuvez,
L'amitié de Léon a ses droits conservés;
Mais ni cette amitié, ni cet amour si tendre,
Quelques soins, quelque effort qu'il vous en plaise atten-
Ne me verront jamais l'esprit persuadé [dre,
Que je doive obéir à qui j'ai commandé,
A qui, si j'en puis croire un cœur qui vous adore,
J'aurai droit, et longtemps, de commander encore.
Ma gloire, qui s'oppose à cet abaissement,
Trouve en tous mes égaux le même sentiment.
Ils ont fait la princesse arbitre de l'empire :
Qu'elle épouse Léon, tous sont prêts d'y souscrire;
Mais je ne réponds pas d'un long respect en tous,
A moins qu'il associe aussitôt l'un de nous.
La chose est peu nouvelle, et je ne vous propose
Que ce que l'on a fait pour le grand Théodose.
C'est par là que l'empire est tombé dans ce sang
Si fier de sa naissance et si jaloux du rang.
Songez sur cet exemple à vous rendre justice,
A me faire empereur pour être impératrice :
Vous avez du pouvoir, Madame; usez-en bien,
Et pour votre intérêt attachez-vous au mien.

IRÈNE

Léon dispose-t-il du cœur de la princesse?
C'est un cœur fier et grand : le partage la blesse;
Elle veut tout ou rien; et dans ce haut pouvoir
Elle éteindra l'amour plutôt que d'en déchoir.
Près d'elle avec le temps nous pourrons davantage :
Ne pressons point, Seigneur, un si juste partage.

ASPAR

Vous le voudrez peut-être, et le voudrez trop tard :
Ne laissez point longtemps nos destins au hasard.
J'attends de votre amour cette preuve nouvelle.
Adieu, Madame.

IRÈNE

Adieu. L'ambition est belle;
Mais vous n'êtes, Seigneur, avec ce sentiment,
Ni véritable ami, ni véritable amant.

ACTE V

SCÈNE PREMIÈRE

PULCHÉRIE, JUSTINE

PULCHÉRIE

JUSTINE, plus j'y pense, et plus je m'inquiète :
Je crains de n'avoir plus une amour si parfaite,
Et que si de Léon on me fait un époux,
Un bien si désiré ne me soit plus si doux.
Je ne sais si le rang m'aurait fait changer d'âme;
Mais je tremble à penser que je serais sa femme,
Et qu'on n'épouse point l'amant le plus chéri,
Qu'on ne se fasse un maître aussitôt qu'un mari.
J'aimerais à régner avec l'indépendance
Que des vrais souverains s'assure la prudence;
Je voudrais que le ciel inspirât au sénat
De me laisser moi seule à gouverner l'État,
De m'épargner ce maître, et vois d'un œil d'envie
Toujours Sémiramis, et toujours Zénobie.
On triompha de l'une; et pour Sémiramis,
Elle usurpa le nom et l'habit de son fils;
Et sous l'obscurité d'une longue tutelle,
Cet habit et ce nom régnaient tous deux plus qu'elle.
Mais mon cœur de leur sort n'en est pas moins jaloux;
C'était régner enfin, et régner sans époux.
Le triomphe n'en fait qu'affermir la mémoire;
Et le déguisement n'en détruit point la gloire.

JUSTINE

Que les choses bientôt prendraient un autre tour
Si le sénat prenait le parti de l'amour !
Que bientôt… Mais je vois Aspar avec mon père.

PULCHÉRIE

Sachons d'eux quel destin le ciel vient de me faire.

SCÈNE II

Martian, Aspar, Pulchérie, Justine

Martian

Madame, le sénat nous députe tous deux
Pour vous jurer encor qu'il suivra tous vos vœux.
Après qu'entre vos mains il a remis l'empire,
C'est faire un attentat que de vous rien prescrire;
Et son respect vous prie une seconde fois
De lui donner vous seule un maître à votre choix.

Pulchérie

Il pouvait le choisir.

Martian

Il s'en défend l'audace,
Madame; et sur ce point il vous demande grâce.

Pulchérie

Pourquoi donc m'en fait-il une nécessité?

Martian

Pour donner plus de force à votre autorité.

Pulchérie

Son zèle est grand pour elle : il faut le satisfaire,
Et lui mieux obéir qu'il n'a daigné me plaire.
Sexe, ton sort en moi ne peut se démentir :
Pour être souveraine il faut m'assujettir,
En montant sur le trône entrer dans l'esclavage,
Et recevoir des lois de qui me rend hommage.
Allez, dans quelques jours je vous ferai savoir
Le choix que par son ordre aura fait mon devoir.

Aspar

Il tiendrait à faveur et bien haute et bien rare
De le savoir, Madame, avant qu'il se sépare.

Pulchérie

Quoi? pas un seul moment pour en délibérer.
Mais je ferais un crime à le plus différer;

Il vaut mieux, pour essai de ma toute-puissance,
Montrer un digne effet de pleine obéissance.
Retirez-vous, Aspar : vous aurez votre tour.

SCÈNE III

PULCHÉRIE, MARTIAN, JUSTINE

PULCHÉRIE

On m'a dit que pour moi vous aviez de l'amour,
Seigneur; serait-il vrai?

MARTIAN

Qui vous l'a dit, Madame?

PULCHÉRIE

Vos services, mes yeux, le trouble de votre âme,
L'exil que mon hymen vous devait imposer :
Sont-ce là des témoins, Seigneur, à récuser?

MARTIAN

C'est donc à moi, Madame, à confesser mon crime.
L'amour naît aisément du zèle et de l'estime;
Et l'assiduité près d'un charmant objet
N'attend point notre aveu pour faire son effet.
Il m'est honteux d'aimer; il vous l'est d'être aimée
D'un homme dont la vie est déjà consumée,
Qui ne vit qu'à regret depuis qu'il a pu voir
Jusqu'où ses yeux charmés ont trahi son devoir.
Mon cœur, qu'un si long âge en mettait hors d'alarmes,
S'est vu livré par eux à ces dangereux charmes.
En vain, Madame, en vain je m'en suis défendu;
En vain j'ai su me taire après m'être rendu :
On m'a forcé d'aimer, on me force à le dire.
Depuis plus de dix ans je languis, je soupire,
Sans que de tout l'excès d'un si long déplaisir
Vous ayez pu surprendre une larme, un soupir;
Mais enfin la langueur qu'on voit sur mon visage
Est encor plus l'effet de l'amour que de l'âge.
Il faut faire un heureux, le jour n'en est pas loin :
Pardonnez à l'horreur d'en être le témoin,

Si mes maux et ce feu digne de votre haine
Cherchent dans un exil leur remède, et sa peine.
Adieu : vivez heureuse; et si tant de jaloux...

PULCHÉRIE

Ne partez pas, Seigneur, je les tromperai tous;
Et puisque de ce choix aucun ne me dispense,
Il eſt fait, et de tel à qui pas un ne pense.

MARTIAN

Quel qu'il soit, il sera l'arrêt de mon trépas,
Madame.

PULCHÉRIE

Encore un coup, ne vous éloignez pas.
Seigneur, jusques ici vous m'avez bien servie;
Vos lumières ont fait tout l'éclat de ma vie;
La vôtre s'eſt usée à me favoriser:
Il faut encor plus faire, il faut...

MARTIAN

Quoi?

PULCHÉRIE

M'épouser.

MARTIAN

Moi, Madame?

PULCHÉRIE

Oui, Seigneur; c'eſt le plus grand service
Que vos soins puissent rendre à votre impératrice.
Non qu'en m'offrant à vous je réponde à vos feux
Jusques à souhaiter des fils et des neveux :
Mon aïeul, dont partout les hauts faits retentissent,
Voudra bien qu'avec moi ses descendants finissent,
Que j'en sois la dernière, et ferme dignement
D'un si grand empereur l'auguſte monument.
Qu'on ne prétende plus que ma gloire s'expose
A laisser des Césars du sang de Théodose.
Qu'ai-je affaire de race à me déshonorer,
Moi qui n'ai que trop vu ce sang dégénérer,
Et que s'il eſt fécond en illuſtres princesses,
Dans les princes qu'il forme il n'a que des faiblesses?

Ce n'est pas que Léon, choisi pour souverain,
Pour me rendre à mon rang n'eût obtenu ma main :
Mon amour, à ce prix, se fût rendu justice;
Mais puisqu'on m'a sans lui nommée impératrice,
Je dois à ce haut rang d'assez nobles projets
Pour n'admettre en mon lit aucun de mes sujets.
Je ne veux plus d'époux, mais il m'en faut une ombre,
Qui des Césars pour moi puisse grossir le nombre;
Un mari qui content d'être au-dessus des rois,
Me donne ses clartés, et dispense mes lois;
Qui n'étant en effet que mon premier ministre,
Pare ce que sous moi l'on craindrait de sinistre,
Et pour tenir en bride un peuple sans raison,
Paraisse mon époux, et n'en ait que le nom.
Vous m'entendez, Seigneur, et c'est assez vous dire.
Prêtez-moi votre main, je vous donne l'empire[5] :
Éblouissons le peuple, et vivons entre nous
Comme s'il n'était point d'épouse ni d'époux.
Si ce n'est posséder l'objet de votre flamme,
C'est vous rendre du moins le maître de son âme,
L'ôter à vos rivaux, vous mettre au-dessus d'eux,
Et de tous mes amants vous voir le plus heureux.

MARTIAN

Madame...

PULCHÉRIE

A vos hauts faits je dois ce grand salaire;
Et j'acquitte envers vous et l'État et mon frère.

MARTIAN

Aurait-on jamais cru, Madame...?

PULCHÉRIE

Allez, Seigneur,
Allez en plein sénat faire voir l'Empereur.
Il demeure assemblé pour recevoir son maître :
Allez-y de ma part vous faire reconnaître;
Ou si votre souhait ne répond pas au mien,
Faites grâce à mon sexe, et ne m'en dites rien.

MARTIAN

Souffrez qu'à vos genoux, Madame...

PULCHÉRIE

Allez, vous dis-je :
Je m'oblige encor plus que je ne vous oblige;
Et mon cœur qui vous vient d'ouvrir ses sentiments,
N'en veut ni de refus ni de remercîments.

SCÈNE IV

PULCHÉRIE, ASPAR, JUSTINE

PULCHÉRIE

Faites rentrer Aspar. Que faites-vous d'Irène?
Quand l'épouserez-vous? Ce mot vous fait-il peine?
Vous ne répondez point?

ASPAR

Non, Madame, et je doi
Ce respect aux bontés que vous avez pour moi.
Qui se tait obéit.

PULCHÉRIE

J'aime assez qu'on s'explique.
Les silences de cour ont de la politique.
Sitôt que nous parlons, qui consent applaudit,
Et c'est en se taisant que l'on nous contredit.
Le temps m'éclaircira de ce que je soupçonne.
Cependant j'ai fait choix de l'époux qu'on m'ordonne.
Léon vous faisait peine, et j'ai dompté l'amour,
Pour vous donner un maître admiré dans la cour,
Adoré dans l'armée, et que de cet empire
Les plus fermes soutiens feraient gloire d'élire :
C'est Martian.

ASPAR

Tout vieil et tout cassé qu'il est !

PULCHÉRIE

Tout vieil et tout cassé, je l'épouse : il me plaît.
J'ai mes raisons. Au reste, il a besoin d'un gendre
Qui partage avec lui les soins qu'il lui faut prendre,
Qui soutienne des ans penchés dans le tombeau,

Et qui porte sous lui la moitié du fardeau.
Qui jugeriez-vous propre à remplir cette place?
Une seconde fois vous paraissez de glace !

ASPAR

Madame, Aréobinde et Procope tous deux
Ont engagé leur cœur et formé d'autres vœux...
Sans cela je dirais...

PULCHÉRIE

Et sans cela moi-même
J'élèverais Aspar à cet honneur suprême;
Mais quand il serait homme à pouvoir aisément
Renoncer aux douceurs de son attachement,
Justine n'aurait pas une âme assez hardie
Pour accepter un cœur noirci de perfidie,
Et vous regarderait comme un volage esprit
Toujours prêt à donner où la fortune rit.
N'en savez-vous aucun de qui l'ardeur fidèle...

ASPAR

Madame, vos bontés choisiront mieux pour elle;
Comme pour Martian elles nous ont surpris,
Elles sauront encor surprendre nos esprits.
Je vous laisse en résoudre.

PULCHÉRIE

Allez; et pour Irène,
Si vous ne sentez rien en l'âme qui vous gêne,
Ne faites plus douter de vos longues amours,
Ou je dispose d'elle avant qu'il soit deux jours.

SCÈNE V

PULCHÉRIE, JUSTINE

PULCHÉRIE

Ce n'est pas encor tout, Justine : je veux faire
Le malheureux Léon successeur de ton père.
Y contribueras-tu? prêteras-tu la main
Au glorieux succès d'un si noble dessein?

JUSTINE

Et la main et le cœur sont en votre puissance,
Madame : doutez-vous de mon obéissance,
Après que par votre ordre il m'a déjà coûté
Un conseil contre vous qui doit l'avoir flatté?

PULCHÉRIE

Achevons : le voici. Je réponds de ton père;
Son cœur eﬆ trop à moi pour nous être contraire.

SCÈNE VI

PULCHÉRIE, LÉON, JUSTINE

LÉON

Je me le disais bien, que vos nouveaux serments,
Madame, ne seraient que des amusements.

PULCHÉRIE

Vous commencez d'un air...

LÉON

J'achèverai de même,
Ingrate ! ce n'eﬆ plus ce Léon qui vous aime;
Non, ce n'eﬆ plus...

PULCHÉRIE

Sachez...

LÉON

Je ne veux rien savoir,
Et je n'apporte ici ni respeﬅ ni devoir.
L'impétueuse ardeur d'une rage inquiète
N'y vient que mériter la mort que je souhaite;
Et les emportements de ma juﬆe fureur
Ne m'y parlent de vous que pour m'en faire horreur.
Oui, comme Pulchérie et comme impératrice,
Vous n'avez eu pour moi que détour, qu'injuﬆice :
Si vos fausses bontés ont su me décevoir,
Vos serments m'ont réduit au dernier désespoir.

PULCHÉRIE

Ah ! Léon.

LÉON

Par quel art, que je ne puis comprendre,
Forcez-vous d'un soupir ma fureur à se rendre?
Un coup d'œil en triomphe; et dès que je vous voi
Il ne me souvient plus de vos manques de foi.
Ma bouche se refuse à vous nommer parjure,
Ma douleur se défend jusqu'au moindre murmure,
Et l'affreux désespoir qui m'amène en ces lieux
Cède au plaisir secret d'y mourir à vos yeux.
J'y vais mourir, Madame, et d'amour, non de rage :
De mon dernier soupir recevez l'humble hommage;
Et si de votre rang la fierté le permet,
Recevez-le, de grâce, avec quelque regret.
Jamais fidèle ardeur n'approcha de ma flamme,
Jamais frivole espoir ne flatta mieux une âme.
Je ne méritais pas qu'il eût aucun effet,
Ni qu'un amour si pur se vît mieux satisfait.
Mais quand vous m'avez dit : « Quelque ordre qu'on me [donne,
Nul autre ne sera maître de ma personne, »
J'ai dû me le promettre; et toutefois, hélas !
Vous passez dès demain, Madame, en d'autres bras;
Et dès ce même jour, vous perdez la mémoire
De ce que vos bontés me commandaient de croire !

PULCHÉRIE

Non, je ne la perds pas, et sais ce que je doi.
Prenez des sentiments qui soient dignes de moi,
Et ne m'accusez point de manquer de parole,
Quand pour vous la tenir moi-même je m'immole.

LÉON

Quoi? vous n'épousez pas Martian dès demain?

PULCHÉRIE

Savez-vous à quel prix je lui donne la main?

LÉON

Que m'importe à quel prix un tel bonheur s'achète?

PULCHÉRIE

Sortez, sortez du trouble où votre erreur vous jette,

Et sachez qu'avec moi ce grand titre d'époux
N'a point de privilège à vous rendre jaloux;
Que sous l'illusion de ce faux hyménée,
Je fais vœu de mourir telle que je suis née;
Que Martian reçoit et ma main et ma foi,
Pour me conserver toute, et tout l'empire à moi;
Et que tout le pouvoir que cette foi lui donne
Ne le fera jamais maître de ma personne.
Est-ce tenir parole? et reconnaissez-vous
A quel point je vous sers quand j'en fais mon époux?
C'est pour vous qu'en ses mains je dépose l'empire;
C'est pour vous le garder qu'il me plaît de l'élire.
Rendez-vous, comme lui, digne de ce dépôt,
Que son âge penchant vous remettra bientôt;
Suivez-le pas à pas; et marchant dans sa route,
Mettez ce premier rang après lui hors de doute.
Étudiez sous lui ce grand art de régner,
Que tout autre aurait peine à vous mieux enseigner;
Et pour vous assurer ce que j'en veux attendre,
Attachez-vous au trône, et faites-vous son gendre;
Je vous donne Justine.

LÉON

A moi, Madame!

PULCHÉRIE

A vous,
Que je m'étais promis moi-même pour époux.

LÉON

Ce n'est donc pas assez de vous avoir perdue,
De voir en d'autres mains la main qui m'était due,
Il faut aimer ailleurs!

PULCHÉRIE

Il faut être empereur,
Et le sceptre à la main, justifier mon cœur;
Montrer à l'univers, dans le héros que j'aime,
Tout ce qui rend un front digne du diadème;
Vous mettre, à mon exemple, au-dessus de l'amour,
Et par mon ordre enfin régner à votre tour.
Justine a du mérite, elle est jeune, elle est belle :
Tous vos rivaux pour moi le vont être pour elle :

Et l'empire pour dot est un trait si charmant,
Que je ne vous en puis répondre qu'un moment.

LÉON

Oui, Madame, après vous elle est incomparable :
Elle est de votre cour la plus considérable;
Elle a des qualités à se faire adorer,
Mais, hélas ! jusqu'à vous j'avais droit d'aspirer.
Voulez-vous qu'à vos yeux je trompe un tel mérite,
Que sans amour pour elle à m'aimer je l'invite,
Qu'en vous laissant mon cœur je demande le sien,
Et lui promette tout pour ne lui donner rien?

PULCHÉRIE

Et ne savez-vous pas qu'il est des hyménées
Que font sans nous au ciel les belles destinées?
Quand il veut que l'effet en éclate ici-bas,
Lui-même il nous entraîne où nous ne pensions pas;
Et dès qu'il les résout, il sait trouver la voie
De nous faire accepter ses ordres avec joie.

LÉON

Mais ne vous aimer plus ! vous voler tous mes vœux !

PULCHÉRIE

Aimez-moi, j'y consens; je dis plus, je le veux,
Mais comme impératrice, et non plus comme amante;
Que la passion cesse, et que le zèle augmente.
Justine, qui m'écoute, agréera bien, Seigneur,
Que je conserve ainsi ma part en votre cœur.
Je connais tout le sien. Rendez-vous plus traitable,
Pour apprendre à l'aimer autant qu'elle est aimable;
Et laissez-vous conduire à qui sait mieux que vous
Les chemins de vous faire un sort illustre et doux.
Croyez-en votre amante et votre impératrice :
L'une aime vos vertus, l'autre leur rend justice;
Et sur Justine et vous je dois pouvoir assez
Pour vous dire à tous deux : « Je parle, obéissez. »

LÉON

J'obéis donc, Madame, à cet ordre suprême,
Pour vous offrir un cœur qui n'est pas à lui-même;
Mais enfin je ne sais quand je pourrai donner
Ce que je ne puis même offrir sans le gêner;

Et cette offre d'un cœur entre les mains d'une autre
Ne peut faire un amour qui mérite le vôtre.

JUSTINE

Il est assez à moi, dans de si bonnes mains,
Pour n'en point redouter de vrais et longs dédains;
Et je vous répondrais d'une amitié sincère,
Si j'en avais l'aveu de l'Empereur mon père.
Le temps fait tout, Seigneur.

SCÈNE VII

PULCHÉRIE, MARTIAN, LÉON, JUSTINE

MARTIAN

D'une commune voix,
Madame, le sénat accepte votre choix.
A vos bontés pour moi son allégresse unie
Soupire après le jour de la cérémonie;
Et le serment prêté, pour n'en retarder rien,
A votre auguste nom vient de mêler le mien.

PULCHÉRIE

Cependant j'ai sans vous disposé de Justine,
Seigneur, et c'est Léon à qui je la destine.

MARTIAN

Pourrais-je lui choisir un plus illustre époux
Que celui que l'amour avait choisi pour vous?
Il peut prendre après vous tout pouvoir dans l'empire,
S'y faire des emplois où l'univers l'admire,
Afin que par votre ordre et les conseils d'Aspar
Nous l'installions au trône et le nommions César.

PULCHÉRIE

Allons tout préparer pour ce double hyménée,
En ordonner la pompe, en choisir la journée.
D'Irène avec Aspar j'en voudrais faire autant;
Mais j'ai donné deux jours à cet esprit flottant,
Et laisse jusque-là ma faveur incertaine,
Pour régler son destin sur le destin d'Irène.

SURÉNA[1]
GÉNÉRAL DES PARTHES
TRAGÉDIE

AU LECTEUR

Le sujet de cette tragédie est tiré de Plutarque et d'Appian Alexandrin. Ils disent tous deux que Suréna était le plus noble, le plus riche, le mieux fait, et le plus vaillant des Parthes. Avec ces qualités, il ne pouvait manquer d'être un des premiers hommes de son siècle; et si je ne m'abuse, la peinture que j'en ai faite ne l'a point rendu méconnaissable : vous en jugerez.

ACTEURS

ORODE, *Roi des Parthes.*
PACORUS, *Fils d'Orode.*
SURÉNA, *Lieutenant d'Orode, et général de son armée contre Crassus.*
SILLACE, *Autre lieutenant d'Orode.*
EURYDICE, *Fille d'Artabase, Roi d'Arménie.*
PALMIS, *Sœur de Suréna.*
ORMÈNE, *Dame d'honneur d'Eurydice.*

La scène est à Séleucie, sur l'Euphrate.

ACTE PREMIER[2]

SCÈNE PREMIÈRE

EURYDICE, ORMÈNE

EURYDICE

Ne me parle plus tant de joie et d'hyménée;
Tu ne sais pas les maux où je suis condamnée,
Ormène : c'est ici que doit s'exécuter
Ce traité qu'à deux rois il a plu d'arrêter;
Et l'on a préféré cette superbe ville,
Ces murs de Séleucie, aux murs d'Hécatompyle.
La Reine et la princesse en quittent le séjour,
Pour rendre en ces beaux lieux tout son lustre à la cour.
Le Roi les mande exprès, le prince n'attend qu'elles;
Et jamais ces climats n'ont vu pompes si belles.
Mais que servent pour moi tous ces préparatifs,
Si mon cœur est esclave et tous ses vœux captifs,
Si de tous ces efforts de publique allégresse
Il se fait des sujets de trouble et de tristesse?
J'aime ailleurs.

ORMÈNE

Vous, Madame?

EURYDICE

Ormène, je l'ai tu
Tant que j'ai pu me rendre à toute ma vertu.
N'espérant jamais voir l'amant qui m'a charmée,
Ma flamme dans mon cœur se tenait renfermée :
L'absence et la raison semblaient la dissiper;
Le manque d'espoir même aidait à me tromper.
Je crus ce cœur tranquille, et mon devoir sévère
Le préparait sans peine aux lois du Roi mon père,
Au choix qu'il lui plairait. Mais, ô Dieux ! quel tourment,
S'il faut prendre un époux aux yeux de cet amant !

ORMÈNE

Aux yeux de votre amant !

EURYDICE

Il eſt temps de te dire
Et quel malheur m'accable, et pour qui je soupire.
Le mal qui s'évapore en devient plus léger,
Et le mien avec toi cherche à se soulager.
Quand l'avare Crassus, chef des troupes romaines,
Entreprit de dompter les Parthes dans leurs plaines,
Tu sais que de mon père il brigua le secours;
Qu'Orode en fit autant au bout de quelques jours;
Que pour ambassadeur il prit ce héros même,
Qui l'avait su venger et rendre au diadème.

ORMÈNE

Oui, je vis Suréna vous parler pour son Roi,
Et Cassius pour Rome avoir le même emploi.
Je vis de ces États l'orgueilleuse puissance
D'Artabase à l'envi mendier l'assiſtance,
Ces deux grands intérêts partager votre cour,
Et des ambassadeurs prolonger le séjour.

EURYDICE

Tous deux, ainsi qu'au Roi, me rendirent visite,
Et j'en connus bientôt le différent mérite.
L'un, fier et tout gonflé d'un vieux mépris des rois,
Semblait pour compliment nous apporter des lois;
L'autre, par les devoirs d'un respect légitime,
Vengeait le sceptre en nous de ce manque d'eſtime.
L'amour s'en mêla même; et tout son entretien
Sembla m'offrir son cœur, et demander le mien.
Il l'obtint; et mes yeux, que charmait sa présence,
Soudain avec les siens en firent confidence.
Ces muets truchements surent lui révéler
Ce que je me forçais à lui dissimuler;
Et les mêmes regards qui m'expliquaient sa flamme
S'inſtruisaient dans les miens du secret de mon âme.
Ses vœux y rencontraient d'aussi tendres désirs :
Un accord imprévu confondait nos soupirs,
Et d'un mot échappé la douceur hasardée
Trouvait l'âme en tous deux toute persuadée.

ORMÈNE

Cependant est-il roi, Madame?

EURYDICE

Il ne l'est pas;
Mais il sait rétablir les rois dans leurs États.
Des Parthes le mieux fait d'esprit et de visage,
Le plus puissant en biens, le plus grand en courage,
Le plus noble : joins-y l'amour qu'il a pour moi;
Et tout cela vaut bien un roi qui n'est que roi.
Ne t'effarouche point d'un feu dont je fais gloire,
Et souffre de mes maux que j'achève l'histoire.
L'amour, sous les dehors de la civilité,
Profita quelque temps des longueurs du traité :
On ne soupçonna rien des soins d'un si grand homme.
Mais il fallut choisir entre le Parthe et Rome.
Mon père eut ses raisons en faveur du Romain;
J'eus les miennes pour l'autre, et parlai même en vain;
Je fus mal écoutée, et dans ce grand ouvrage
On ne daigna peser ni compter mon suffrage.
Nous fûmes donc pour Rome; et Suréna confus
Emporta la douleur d'un indigne refus.
Il m'en parut ému, mais il sut se contraindre :
Pour tout ressentiment il ne fit que nous plaindre;
Et comme tout son cœur me demeura soumis,
Notre adieu ne fut point un adieu d'ennemis.
Que servit de flatter l'espérance détruite?
Mon père choisit mal : on l'a vu par la suite.
Suréna fit périr l'un et l'autre Crassus,
Et sur notre Arménie Orode eut le dessus :
Il vint dans nos États fondre comme un tonnerre.
Hélas ! j'avais prévu les maux de cette guerre,
Et n'avais pas compté parmi ses noirs succès
Le funeste bonheur que me gardait la paix.
Les deux rois l'ont conclue, et j'en suis la victime :
On m'amène épouser un prince magnanime;
Car son mérite enfin ne m'est point inconnu,
Et se ferait aimer d'un cœur moins prévenu;
Mais quand ce cœur est pris et la place occupée,
Des vertus d'un rival en vain l'âme est frappée :
Tout ce qu'il a d'aimable importune les yeux;
Et plus il est parfait, plus il est odieux.

Cependant j'obéis, Ormène; je l'épouse,
Et de plus...

ORMÈNE

Qu'auriez-vous de plus?

EURYDICE

Je suis jalouse.

ORMÈNE

Jalouse ! Quoi? pour comble aux maux dont je vous plains.

EURYDICE

Tu vois ceux que je souffre, apprends ceux que je crains.
Orode fait venir la princesse sa fille;
Et s'il veut de mon bien enrichir sa famille,
S'il veut qu'un double hymen honore un même jour,
Conçois mes déplaisirs : je t'ai dit mon amour.
C'est bien assez, ô ciel ! que le pouvoir suprême
Me livre en d'autres bras aux yeux de ce que j'aime :
Ne me condamne pas à ce nouvel ennui
De voir tout ce que j'aime entre les bras d'autrui.

ORMÈNE

Votre douleur, Madame, est trop ingénieuse.

EURYDICE

Quand on a commencé de se voir malheureuse,
Rien ne s'offre à nos yeux qui ne fasse trembler :
La plus fausse apparence a droit de nous troubler;
Et tout ce qu'on prévoit, tout ce qu'on s'imagine,
Forme un nouveau poison pour une âme chagrine.

ORMÈNE

En ces nouveaux poisons trouvez-vous tant d'appas
Qu'il en faille faire un d'un hymen qui n'est pas?

EURYDICE

La princesse est mandée, elle vient, elle est belle;
Un vainqueur des Romains n'est que trop digne d'elle;
S'il la voit, s'il lui parle, et si le Roi le veut...
J'en dis trop; et déjà tout mon cœur qui s'émeut...

ORMÈNE

A soulager vos maux appliquez même étude
Qu'à prendre un vain soupçon pour une certitude :
Songez par où l'aigreur s'en pourrait adoucir.

EURYDICE

J'y fais ce que je puis, et n'y puis réussir,
N'osant voir Suréna, qui règne en ma pensée,
Et qui me croit peut-être une âme intéressée.
Tu vois quelle amitié j'ai faite avec sa sœur :
Je crois le voir en elle, et c'est quelque douceur,
Mais légère, mais faible, et qui me gêne l'âme,
Par l'inutile soin de lui cacher ma flamme.
Elle la sait sans doute, et l'air dont elle agit
M'en demande un aveu dont mon devoir rougit :
Ce frère l'aime trop pour s'être caché d'elle.
N'en use pas de même, et sois-moi plus fidèle;
Il suffit qu'avec toi j'amuse mon ennui.
Toutefois tu n'as rien à me dire de lui
Tu ne sais ce qu'il fait, tu ne sais ce qu'il pense.
Une sœur est plus propre à cette confiance :
Elle sait s'il m'accuse, ou s'il plaint mon malheur,
S'il partage ma peine, ou rit de ma douleur,
Si du vol qu'on lui fait il m'estime complice,
S'il me garde son cœur, ou s'il me rend justice.
Je la vois : force-la, si tu peux, à parler;
Force-moi, s'il le faut, à ne lui rien celer.
L'oserai-je, grands Dieux ! ou plutôt le pourrai-je?

ORMÈNE

L'amour dès qu'il le veut, se fait un privilège;
Et quand de se forcer ses désirs sont lassés,
Lui-même à n'en rien taire il s'enhardit assez.

SCÈNE II

EURYDICE, PALMIS, ORMÈNE

PALMIS

J'apporte ici, Madame, une heureuse nouvelle :
Ce soir la Reine arrive.

EURYDICE

Et Mandane avec elle?

PALMIS

On n'en fait aucun doute.

EURYDICE

Et Suréna l'attend,
Avec beaucoup de joie et d'un esprit content?

PALMIS

Avec tout le respect qu'elle a lieu d'en attendre.

EURYDICE

Rien de plus?

PALMIS

Qu'a de plus un sujet à lui rendre?

EURYDICE

Je suis trop curieuse et devrais mieux savoir
Ce qu'aux filles des rois un sujet peut devoir;
Mais de pareils sujets, sur qui tout l'État roule,
Se font assez souvent distinguer de la foule;
Et je sais qu'il en est qui, si j'en puis juger,
Avec moins de respect savent mieux obliger.

PALMIS

Je n'en sais point, Madame, et ne crois pas mon frère
Plus savant que sa sœur en un pareil mystère.

EURYDICE

Passons. Que fait le prince?

PALMIS

En véritable amant,
Doutez-vous qu'il ne soit dans le ravissement?
Et pourrait-il n'avoir qu'une joie imparfaite
Quand il se voit toucher au bonheur qu'il souhaite?

EURYDICE

Peut-être n'est-ce pas un grand bonheur pour lui,
Madame; et j'y craindrais quelque sujet d'ennui.

PALMIS

Et quel ennui pourrait mêler son amertume
Au doux et plein succès du feu qui le consume?
Quel chagrin a de quoi troubler un tel bonheur?
Le don de votre main...

EURYDICE

La main n'est pas le cœur.

PALMIS

Il est maître du vôtre.

EURYDICE

Il ne l'est point, Madame;
Et même je ne sais s'il le sera de l'âme :
Jugez après cela quel bonheur est le sien.
Mais achevons, de grâce, et ne déguisons rien.
Savez-vous mon secret?

PALMIS

Je sais celui d'un frère.

EURYDICE

Vous savez donc le mien. Fait-il ce qu'il doit faire?
Me hait-il? et son cœur, justement irrité,
Me rend-il sans regret ce que j'ai mérité?

PALMIS

Oui, Madame, il vous rend tout ce qu'une grande âme
Doit au plus grand mérite et de zèle et de flamme.

EURYDICE

Il m'aimerait encor?

PALMIS

C'est peu de dire aimer :
Il souffre sans murmure; et j'ai beau vous blâmer,
Lui-même il vous défend, vous excuse sans cesse.
« Elle est fille, et de plus, dit-il, elle est princesse :
Je sais les droits d'un père, et connais ceux d'un roi;
Je sais de ses devoirs l'indispensable loi;
Je sais quel rude joug, dès sa plus tendre enfance,
Imposent à ses vœux son rang et sa naissance :

Son cœur n'est pas exempt d'aimer ni de haïr;
Mais qu'il aime ou haïsse, il lui faut obéïr.
Elle m'a tout donné ce qui dépendait d'elle,
Et ma reconnaissance en doit être éternelle. »

EURYDICE

Ah ! vous redoublez trop, par ce discours charmant,
Ma haine pour le prince et mes feux pour l'amant;
Finissons-le, Madame; en ce malheur extrême,
Plus je hais, plus je souffre, et souffre autant que j'aime.

PALMIS

N'irritons point vos maux, et changeons d'entretien.
Je sais votre secret, saçhez aussi le mien.
Vous n'êtes pas la seule à qui la destinée
Prépare un long supplice en ce grand hyménée :
Le prince...

EURYDICE

Au nom des Dieux, ne me le nommez pas :
Son nom seul me prépare à plus que le trépas.

PALMIS

Un tel excès de haine !

EURYDICE

Elle n'est que trop due
Aux mortelles douleurs dont m'accable sa vue.

PALMIS

Eh bien ! ce prince donc, qu'il vous plaît de haïr,
Et pour qui votre cœur s'apprête à se trahir,
Ce prince qui vous aime, il m'aimait.

EURYDICE

L'infidèle !

PALMIS

Nos vœux étaient pareils, notre ardeur mutuelle :
Je l'aimais.

EURYDICE

Et l'ingrat brise des nœuds si doux !

PALMIS

Madame, est-il des cœurs qui tiennent contre vous?
Est-il vœux ni serments qu'ils ne vous sacrifient?
Si l'ingrat me trahit, vos yeux le justifient,
Vos yeux qui sur moi-même ont un tel ascendant...

EURYDICE

Vous demeurez à vous, Madame, en le perdant;
Et le bien d'être libre aisément vous console
De ce qu'a d'injustice un manque de parole;
Mais je deviens esclave; et tels sont mes malheurs,
Qu'en perdant ce que j'aime, il faut que j'aime ailleurs.

PALMIS

Madame, trouvez-vous ma fortune meilleure?
Vous perdez votre amant, mais son cœur vous demeure;
Et j'éprouve en mon sort une telle rigueur,
Que la perte du mien m'enlève tout son cœur.
Ma conquête m'échappe où les vôtres grossissent;
Vous faites des captifs des miens qui s'affranchissent;
Votre empire s'augmente où se détruit le mien,
Et de toute ma gloire il ne me reste rien.

EURYDICE

Reprenez vos captifs, rassurez vos conquêtes,
Rétablissez vos lois sur les plus grandes têtes :
J'en serai peu jalouse, et préfère à cent rois
La douceur de ma flamme et l'éclat de mon choix.
La main de Suréna vaut mieux qu'un diadème.
Mais dites-moi, Madame? est-il bien vrai qu'il m'aime?
Dites; et s'il est vrai, pourquoi fuit-il mes yeux?

PALMIS

Madame, le voici qui vous le dira mieux.

EURYDICE

Juste ciel! à le voir déjà mon cœur soupire!
Amour, sur ma vertu prends un peu moins d'empire!

SCÈNE III

EURYDICE, SURÉNA

EURYDICE

Je vous ai fait prier de ne me plus revoir,
Seigneur : votre présence étonne mon devoir;
Et ce qui de mon cœur fit toutes les délices,
Ne saurait plus m'offrir que de nouveaux supplices.
Osez-vous l'ignorer? et lorsque je vous voi,
S'il me faut trop souffrir, souffrez-vous moins que moi?
Souffrons-nous moins tous deux pour soupirer ensemble?
Allez, contentez-vous d'avoir vu que j'en tremble;
Et du moins par pitié d'un triomphe douteux,
Ne me hasardez plus à des soupirs honteux.

SURÉNA

Je sais ce qu'à mon cœur coûtera votre vue;
Mais qui cherche à mourir doit chercher ce qui tue.
Madame, l'heure approche, et demain votre foi
Vous fait de m'oublier une éternelle loi :
Je n'ai plus que ce jour, que ce moment de vie.
Pardonnez à l'amour qui vous le sacrifie,
Et souffrez qu'un soupir exhale à vos genoux,
Pour ma dernière joie, une âme toute à vous.

EURYDICE

Et la mienne, Seigneur, la jugez-vous si forte,
Que vous ne craigniez point que ce moment l'emporte,
Que ce même soupir qui tranchera vos jours
Ne tranche aussi des miens le déplorable cours?
Vivez, Seigneur, vivez, afin que je languisse,
Qu'à vos feux ma langueur rende longtemps justice.
Le trépas à vos yeux me semblerait trop doux,
Et je n'ai pas encore assez souffert pour vous.
Je veux qu'un noir chagrin à pas lents me consume,
Qu'il me fasse à longs traits goûter son amertume;
Je veux, sans que la mort ose me secourir,
Toujours aimer, toujours souffrir, toujours mourir.
Mais pardonneriez-vous l'aveu d'une faiblesse
A cette douloureuse et fatale tendresse?

Vous pourriez-vous, Seigneur, résoudre à soulager
Un malheur si pressant par un bonheur léger?

SURÉNA

Quel bonheur peut dépendre ici d'un misérable
Qu'après tant de faveurs son amour même accable?
Puis-je encor quelque chose en l'état où je suis?

EURYDICE

Vous pouvez m'épargner d'assez rudes ennuis.
N'épousez point Mandane : exprès on l'a mandée;
Mon chagrin, mes soupçons m'en ont persuadée.
N'ajoutez point, Seigneur, à des malheurs si grands
Celui de vous unir au sang de mes tyrans;
De remettre en leurs mains le seul bien qui me reste,
Votre cœur : un tel don me serait trop funeste,
Je veux qu'il me demeure, et malgré votre roi,
Disposer d'une main qui ne peut être à moi.

SURÉNA

Plein d'un amour si pur et si fort que le nôtre,
Aveugle pour Mandane, aveugle pour toute autre,
Comme je n'ai plus d'yeux vers elles à tourner,
Je n'ai plus ni de cœur ni de main à donner.
Je vous aime et vous perds. Après cela, Madame,
Serait-il quelque hymen que pût souffrir mon âme?
Serait-il quelques nœuds où se pût attacher
Le bonheur d'un amant qui vous était si cher,
Et qu'à force d'amour vous rendez incapable
De trouver sous le ciel quelque chose d'aimable?

EURYDICE

Ce n'est pas là de vous, Seigneur, ce que je veux.
A la postérité vous devez des neveux;
Et ces illustres morts dont vous tenez la place
Ont assez mérité de revivre en leur race :
Je ne veux pas l'éteindre, et tiendrais à forfait
Qu'il m'en fût échappé le plus léger souhait.

SURÉNA

Que tout meure avec moi, Madame : que m'importe
Qui foule après ma mort la terre qui me porte?
Sentiront-ils percer par un éclat nouveau,

Ces illustres aïeux, la nuit de leur tombeau?
Respireront-ils l'air où les feront revivre
Ces neveux qui peut-être auront peine à les suivre,
Peut-être ne feront que les déshonorer,
Et n'en auront le sang que pour dégénérer?
Quand nous avons perdu le jour qui nous éclaire,
Cette sorte de vie est bien imaginaire,
Et le moindre moment d'un bonheur souhaité
Vaut mieux qu'une si froide et vaine éternité.

EURYDICE

Non, non, je suis jalouse; et mon impatience
D'affranchir mon amour de toute défiance,
Tant que je vous verrai maître de votre foi,
La croira réservée aux volontés du Roi;
Mandane aura toujours un plein droit de vous plaire;
Ce sera l'épouser que de le pouvoir faire;
Et ma haine sans cesse aura de quoi trembler,
Tant que par là mes maux pourront se redoubler.
Il faut qu'un autre hymen me mette en assurance.
N'y portez, s'il se peut, que de l'indifférence;
Mais par de nouveaux feux dussiez-vous me trahir,
Je veux que vous aimiez afin de m'obéir;
Je veux que ce grand choix soit mon dernier ouvrage,
Qu'il tienne lieu vers moi d'un éternel hommage,
Que mon ordre le règle, et qu'on me voie enfin
Reine de votre cœur et de votre destin;
Que Mandane, en dépit de l'espoir qu'on lui donne,
Ne pouvant s'élever jusqu'à votre personne,
Soit réduite à descendre à ces malheureux rois
A qui, quand vous voudrez, vous donnerez des lois.
Et n'appréhendez point d'en regretter la perte :
Il n'est cour sous les cieux qui ne vous soit ouverte;
Et partout votre gloire a fait de tels éclats,
Que les filles de roi ne vous manqueront pas.

SURÉNA

Quand elles me rendraient maître de tout un monde,
Absolu sur la terre et souverain sur l'onde,
Mon cœur...

EURYDICE

N'achevez point : l'air dont vous commencez
Pourrait à mon chagrin ne plaire pas assez;

Et d'un cœur qui veut être encor sous ma puissance
Je ne veux recevoir que de l'obéissance.

SURÉNA

A qui me donnez-vous?

EURYDICE

Moi? que ne puis-je, hélas !
Vous ôter à Mandane, et ne vous donner pas !
Et contre les soupçons de ce cœur qui vous aime
Que ne m'eſt-il permis de m'assurer moi-même !
Mais adieu : je m'égare.

SURÉNA

Où dois-je recourir,
O ciel ! s'il faut toujours aimer, souffrir, mourir?

ACTE II

SCÈNE PREMIÈRE

PACORUS, SURÉNA

PACORUS

SURÉNA, votre zèle a trop servi mon père
Pour m'en laisser attendre un devoir moins sincère;
Et si près d'un hymen qui doit m'être assez doux,
Je mets ma confiance et mon espoir en vous.
Palmis avec raison de cet hymen murmure;
Mais je puis réparer ce qu'il lui fait d'injure;
Et vous n'ignorez pas qu'à former ces grands nœuds
Mes pareils ne sont point tout à fait maîtres d'eux.
Quand vous voudrez tous deux attacher vos tendresses,
Il est des rois pour elle, et pour vous des princesses,
Et je puis hautement vous engager ma foi
Que vous ne vous plaindrez du prince ni du Roi.

SURÉNA

Cessez de me traiter, Seigneur, en mercenaire :
Je n'ai jamais servi par espoir de salaire;
La gloire m'en suffit, et le prix que reçoit...

PACORUS

Je sais ce que je dois quand on fait ce qu'on doit,
Et si de l'accepter ce grand cœur vous dispense,
Le mien se satisfait alors qu'il récompense.
J'épouse une princesse en qui les doux accords
Des grâces de l'esprit avec celles du corps
Forment le plus brillant et plus noble assemblage
Qui puisse orner une âme et parer un visage.
Je n'en dis que ce mot; et vous savez assez
Quels en sont les attraits, vous qui la connaissez.
Cette princesse donc, si belle, si parfaite,
Je crains qu'elle n'ait pas ce que plus je souhaite :

Qu'elle manque d'amour, ou plutôt que ses vœux
N'aillent pas tout à fait du côté que je veux.
Vous qui l'avez tant vue, et qu'un devoir fidèle
A tenu si longtemps près de son père et d'elle,
Ne me déguisez point ce que dans cette cour
Sur de pareils soupçons vous auriez eu de jour.

SURÉNA

Je la voyais, Seigneur, mais pour gagner son père;
C'était tout mon emploi, c'était ma seule affaire;
Et je croyais par elle être sûr de son choix;
Mais Rome et son intrigue eurent le plus de voix.
Du reste, ne prenant intérêt à m'instruire
Que de ce qui pouvait vous servir ou vous nuire,
Comme je me bornais à remplir ce devoir,
Je puis n'avoir pas vu ce qu'un autre eût pu voir.
Si j'eusse pressenti que la guerre achevée,
A l'honneur de vos feux elle était réservée,
J'aurais pris d'autres soins, et plus examiné;
Mais j'ai suivi mon ordre, et n'ai point deviné.

PACORUS

Quoi? de ce que je crains, vous n'auriez nulle idée?
Par aucune ambassade on ne l'a demandée?
Aucun prince auprès d'elle, aucun digne sujet
Par ses attachements n'a marqué de projet?
Car il vient quelquefois du milieu des provinces
Des sujets en nos cours qui valent bien des princes;
Et par l'objet présent les sentiments émus
N'attendent pas toujours des rois qu'on n'a point vus.

SURÉNA

Durant tout mon séjour rien n'y blessait ma vue;
Je n'y rencontrais point de visite assidue,
Point de devoirs suspects, ni d'entretiens si doux
Que si j'avais aimé, j'en dusse être jaloux.
Mais qui vous peut donner cette importune crainte,
Seigneur?

PACORUS

Plus je la vois, plus j'y vois de contrainte :
Elle semble, aussitôt que j'ose en approcher,

Avoir je ne sais quoi qu'elle me veut cacher;
Non qu'elle ait jusqu'ici demandé de remise;
Mais ce n'est pas m'aimer, ce n'est qu'être soumise;
Et tout le bon accueil que j'en puis recevoir,
Tout ce que j'en obtiens ne part que du devoir.

SURÉNA

N'en appréhendez rien. Encor tout étonnée,
Toute tremblante encore au seul nom d'hyménée,
Pleine de son pays, pleine de ses parents,
Il lui passe en l'esprit cent chagrins différents.

PACORUS

Mais il semble, à la voir, que son chagrin s'applique
A braver par dépit l'allégresse publique :
Inquiète, rêveuse, insensible aux douceurs
Que par un plein succès l'amour verse en nos cœurs...

SURÉNA

Tout cessera, Seigneur, dès que sa foi reçue
Aura mis en vos mains la main qui vous est due :
Vous verrez ses chagrins détruits en moins d'un jour,
Et toute sa vertu devenir toute amour.

PACORUS

C'est beaucoup hasarder que de prendre assurance
Sur une si légère et douteuse espérance.
Et qu'aura cet amour d'heureux, de singulier,
Qu'à son trop de vertu je devrai tout entier?
Qu'aura-t-il de charmant, cet amour, s'il ne donne
Que ce qu'un triste hymen ne refuse à personne,
Esclave dédaigneux d'une odieuse loi
Qui n'est pour toute chaîne attaché qu'à sa foi?
Pour faire aimer ses lois, l'hymen ne doit en faire
Qu'afin d'autoriser la pudeur à se taire.
Il faut, pour rendre heureux, qu'il donne sans gêner,
Et prête un doux prétexte à qui veut tout donner.
Que sera-ce, grands Dieux ! si toute ma tendresse
Rencontre un souvenir plus cher à ma princesse,
Si le cœur pris ailleurs ne s'en arrache pas,
Si pour un autre objet il soupire en mes bras?
Il faut, il faut enfin m'éclaircir avec elle.

SURÉNA

Seigneur, je l'aperçois; l'occasion eſt belle.
Mais si vous en tirez quelque éclaircissement
Qui donne à votre crainte un juſte fondement,
Que ferez-vous?

PACORUS

J'en doute, et pour ne vous rien feindre,
Je crois m'aimer assez pour ne la pas contraindre;
Mais tel chagrin aussi pourrait me survenir,
Que je l'épouserais afin de la punir.
Un amant dédaigné souvent croit beaucoup faire
Quand il rompt le bonheur de ce qu'on lui préfère.
Mais elle approche. Allez, laissez-moi seul agir :
J'aurais peur devant vous d'avoir trop à rougir.

SCÈNE II

PACORUS, EURYDICE

PACORUS

Quoi? Madame, venir vous-même à ma rencontre !
Cet excès de bonté que votre cœur me montre...

EURYDICE

J'allais chercher Palmis, que j'aime à consoler
Sur un malheur qui presse et ne peut reculer.

PACORUS

Laissez-moi vous parler d'affaires plus pressées,
Et songez qu'il eſt temps de m'ouvrir vos pensées :
Vous vous abuseriez à les plus retenir.
Je vous aime, et demain l'hymen doit nous unir :
M'aimez-vous?

EURYDICE

Oui, Seigneur, et ma main vous eſt sûre.

PACORUS

C'eſt peu que de la main, si le cœur en murmure.

EURYDICE

Quel mal pourrait causer le murmure du mien,
S'il murmurait si bas qu'aucun n'en apprît rien?

PACORUS

Ah ! Madame, il me faut un aveu plus sincère.

EURYDICE

Épousez-moi, Seigneur, et laissez-moi me taire;
Un pareil doute offense, et cette liberté
S'attire quelquefois trop de sincérité.

PACORUS

C'est ce que je demande, et qu'un mot sans contrainte
Justifie aujourd'hui mon espoir ou ma crainte.
Ah ! si vous connaissiez ce que pour vous je sens !

EURYDICE

Je ferais ce que font les cœurs obéissants,
Ce que veut mon devoir, ce qu'attend votre flamme,
Ce que je fais enfin.

PACORUS

Vous feriez plus, Madame :
Vous me feriez justice, et prendriez plaisir
A montrer que nos cœurs ne forment qu'un désir.
Vous me diriez sans cesse : « Oui, prince, je vous aime,
Mais d'une passion comme la vôtre extrême;
Je sens le même feu, je fais les mêmes vœux;
Ce que vous souhaitez est tout ce que je veux;
Et cette illustre ardeur ne sera point contente,
Qu'un glorieux hymen n'ait rempli notre attente. »

EURYDICE

Pour vous tenir, Seigneur, un langage si doux,
Il faudrait qu'en amour j'en susse autant que vous.

PACORUS

Le véritable amour, dès que le cœur soupire,
Instruit en un moment de tout ce qu'on doit dire.
Ce langage à ses feux n'est jamais importun,
Et si vous l'ignorez, vous n'en sentez aucun.

EURYDICE

Suppléez-y, Seigneur, et dites-vous vous-même
Tout ce que sent un cœur dès le moment qu'il aime;
Faites-vous-en pour moi le charmant entretien :
J'avouerai tout, pourvu que je n'en dise rien.

PACORUS

Ce langage est bien clair, et je l'entends sans peine.
Au défaut de l'amour, auriez-vous de la haine?
Je ne veux pas le croire, et des yeux si charmants...

EURYDICE

Seigneur, sachez pour vous quels sont mes sentiments.
Si l'amitié vous plaît, si vous aimez l'estime,
A vous les refuser je croirais faire un crime;
Pour le cœur, si je puis vous le dire entre nous,
Je ne m'aperçois point qu'il soit encore à vous.

PACORUS

Ainsi donc ce traité qu'ont fait les deux couronnes...

EURYDICE

S'il a pu l'une à l'autre engager nos personnes,
Au seul don de la main son droit est limité,
Et mon cœur avec vous n'a point fait de traité.
C'est sans vous le devoir que je fais mon possible
A le rendre pour vous plus tendre et plus sensible :
Je ne sais si le temps l'y pourra disposer;
Mais qu'il le puisse ou non, vous pouvez m'épouser.

PACORUS

Je le puis, je le dois, je le veux; mais, Madame,
Dans ces tristes froideurs dont vous payez ma flamme,
Quelque autre amour plus fort...

EURYDICE

Qu'osez-vous demander,
Prince?

PACORUS

De mon bonheur ce qui doit décider.

EURYDICE

Est-ce un aveu qui puisse échapper à ma bouche?

PACORUS

Il eſt tout échappé, puisque ce mot vous touche.
Si vous n'aviez du cœur fait ailleurs l'heureux don,
Vous auriez moins de gêne à me dire que non;
Et pour me garantir de ce que j'appréhende,
La réponse avec joie eût suivi la demande.
Madame, ce qu'on fait sans honte et sans remords
Ne coûte rien à dire, il n'y faut point d'efforts;
Et sans que la rougeur au visage nous monte...

EURYDICE

Ah ! ce n'eſt point pour moi que je rougis de honte.
Si j'ai pu faire un choix, je l'ai fait assez beau
Pour m'en faire un honneur jusque dans le tombeau;
Et quand je l'avouerai, vous aurez lieu de croire
Que tout mon avenir en aimera la gloire.
Je rougis, mais pour vous, qui m'osez demander
Ce qu'on doit avoir peine à se persuader;
Et je ne comprends point avec quelle prudence
Vous voulez qu'avec vous j'en fasse confidence,
Vous qui près d'un hymen accepté par devoir,
Devriez sur ce point craindre de trop savoir.

PACORUS

Mais il eſt fait, ce choix qu'on s'obſtine à me taire,
Et qu'on cherche à me dire avec tant de myſtère?

EURYDICE

Je ne vous le dis point; mais si vous m'y forcez,
Il vous en coûtera plus que vous ne pensez.

PACORUS

Eh bien ! Madame, eh bien ! sachons, quoi qu'il en coûte,
Quel eſt ce grand rival qu'il faut que je redoute.
Dites, eſt-ce un héros? eſt-ce un prince? eſt-ce un roi?

EURYDICE

C'eſt ce que j'ai connu de plus digne de moi.

PACORUS

Si le mérite eſt grand, l'eſtime eſt un peu forte.

EURYDICE

Vous la pardonnerez à l'amour qui s'emporte :
Comme vous le forcez à se trop expliquer,
S'il manque de respect, vous l'en faites manquer.
Il est si naturel d'estimer ce qu'on aime,
Qu'on voudrait que partout on l'estimât de même;
Et la pente est si douce à vanter ce qu'il vaut,
Que jamais on ne craint de l'élever trop haut.

PACORUS

C'est en dire beaucoup.

EURYDICE

Apprenez davantage,
Et sachez que l'effort où mon devoir m'engage
Ne peut plus me réduire à vous donner demain
Ce qui vous était sûr, je veux dire ma main.
Ne vous la promettez qu'après que dans mon âme
Votre mérite aura dissipé cette flamme,
Et que mon cœur, charmé par des attraits plus doux,
Se sera répondu de n'aimer rien que vous;
Et ne me dites point que pour cet hyménée
C'est par mon propre aveu qu'on a pris la journée :
J'en sais la conséquence, et diffère à regret;
Mais puisque vous m'avez arraché mon secret,
Il n'est ni roi, ni père, il n'est prière, empire,
Qu'au péril de cent morts mon cœur n'ose en dédire.
C'est ce qu'il n'est plus temps de vous dissimuler,
Seigneur; et c'est le prix de m'avoir fait parler.

PACORUS

A ces bontés, Madame, ajoutez une grâce;
Et du moins, attendant que cette ardeur se passe,
Apprenez-moi le nom de cet heureux amant
Qui sur tant de vertu règne si puissamment,
Par quelles qualités il a pu la surprendre.

EURYDICE

Ne me pressez point tant, Seigneur, de vous l'apprendre.
Si je vous l'avais dit...

PACORUS

Achevons.

EURYDICE

Dès demain
Rien ne m'empêcherait de lui donner la main.

PACORUS

Il eſt donc en ces lieux, Madame?

EURYDICE

Il y peut être,
Seigneur, si déguisé qu'on ne le peut connaître.
Peut-être en domeſtique eſt-il auprès de moi;
Peut-être s'eſt-il mis de la maison du Roi;
Peut-être chez vous-même il s'eſt réduit à feindre.
Craignez-le dans tous ceux que vous ne daignez craindre,
Dans tous les inconnus que vous aurez à voir;
Et plus que tout encor, craignez de trop savoir.
J'en dis trop; il eſt temps que ce discours finisse.
A Palmis que je vois rendez plus de juſtice;
Et puissent de nouveau ses attraits vous charmer,
Jusqu'à ce que le temps m'apprenne à vous aimer!

SCÈNE III

PACORUS, PALMIS

PACORUS

Madame, au nom des Dieux, ne venez pas vous plaindre:
On me donne sans vous assez de gens à craindre;
Et je serais bientôt accablé de leurs coups,
N'était que pour asile on me renvoie à vous.
J'obéis, j'y reviens, Madame; et cette joie...

PALMIS

Que n'y revenez-vous sans qu'on vous y renvoie!
Votre amour ne fait rien ni pour moi ni pour lui,
Si vous n'y revenez que par l'ordre d'autrui.

PACORUS

N'eſt-ce rien que pour vous à cet ordre il défère?

PALMIS

Non, ce n'est qu'un dépit qu'il cherche à satisfaire.

PACORUS

Depuis quand le retour d'un cœur comme le mien
Fait-il si peu d'honneur qu'on ne le compte à rien?

PALMIS

Depuis qu'il est honteux d'aimer un infidèle,
Que ce qu'un mépris chasse, un coup d'œil le rappelle,
Et que les inconstants ne donnent point de cœurs
Sans être encor tous prêts de les porter ailleurs.

PACORUS

Je le suis, je l'avoue, et mérite la honte
Que d'un retour suspect vous fassiez peu de conte.
Montrez-vous généreuse; et si mon changement
A changé votre amour en vif ressentiment,
Immolez un courroux si grand, si légitime,
A la juste pitié d'un si malheureux crime.
J'en suis assez puni sans que l'indignité...

PALMIS

Seigneur, le crime est grand; mais j'ai de la bonté.
Je sais ce qu'à l'État ceux de votre naissance,
Tous maîtres qu'ils en sont, doivent d'obéissance :
Son intérêt chez eux l'emporte sur le leur,
Et du moment qu'il parle, il fait taire le cœur.

PACORUS

Non, Madame, souffrez que je vous désabuse;
Je ne mérite point l'honneur de cette excuse :
Ma légèreté seule a fait ce nouveau choix;
Nulles raisons d'État ne m'en ont fait de lois;
Et pour traiter la paix avec tant d'avantage,
On ne m'a point forcé de m'en faire le gage :
J'ai pris plaisir à l'être, et plus mon crime est noir
Plus l'oubli que j'en veux me fera vous devoir.
Tout mon cœur...

PALMIS

Entre amants qu'un changement sépare,
Le crime est oublié, sitôt qu'on le répare;

Et bien qu'il vous ait plu, Seigneur, de me trahir,
Je le dis malgré moi, je ne vous puis haïr.

PACORUS

Faites-moi grâce entière, et songez à me rendre
Ce qu'un amour si pur, ce qu'une ardeur si tendre...

PALMIS

Donnez-moi donc, Seigneur, vous-même, quelque jour,
Quelque infaillible voie à fixer votre amour;
Et s'il est un moyen...

PACORUS

S'il en est? Oui, Madame,
Il en est de fixer tous les vœux de mon âme;
Et ce joug qu'à tous deux l'amour rendit si doux,
Si je ne m'y rattache, il ne tiendra qu'à vous.
Il est, pour m'arrêter sous un si digne empire,
Un office à me rendre, un secret à me dire.
La princesse aime ailleurs, je n'en puis plus douter,
Et doute quel rival s'en fait mieux écouter.
Vous êtes avec elle en trop d'intelligence
Pour n'en avoir pas eu toute la confidence :
Tirez-moi de ce doute, et recevez ma foi
Qu'autre que vous jamais ne régnera sur moi.

PALMIS

Quel gage en est-ce, hélas ! qu'une foi si peu sûre?
Le ciel la rendra-t-il moins sujette au parjure?
Et ces liens si doux, que vous avez brisés,
A briser de nouveau seront-ils moins aisés?
Si vous voulez, Seigneur, rappeler mes tendresses,
Il me faut des effets et non pas des promesses;
Et cette foi n'a rien qui me puisse ébranler,
Quand la main seule a droit de me faire parler.

PACORUS

La main seule en a droit ! Quand cent troubles m'agitent,
Que la haine, l'amour, l'honneur me sollicitent,
Qu'à l'ardeur de punir je m'abandonne en vain,
Hélas ! suis-je en état de vous donner la main?

PALMIS

Et moi, sans cette main, Seigneur, suis-je maîtresse
De ce que m'a daigné confier la princesse,

Du secret de son cœur? Pour le tirer de moi,
Il me faut vous devoir plus que je ne lui doi,
Être une autre vous-même; et le seul hyménée
Peut rompre le silence où je suis enchaînée.

PACORUS

Ah ! vous ne m'aimez plus.

PALMIS

Je voudrais le pouvoir;
Mais pour ne plus aimer que sert de le vouloir?
J'ai pour vous trop d'amour; et je le sens renaître
Et plus tendre et plus fort qu'il n'a dû jamais être.
Mais si...

PACORUS

Ne m'aimez plus, ou nommez ce rival.

PALMIS

Me préserve le ciel de vous aimer si mal !
Ce serait vous livrer à des guerres nouvelles,
Allumer entre vous des haines immortelles...

PACORUS

Que m'importe? et qu'aurai-je à redouter de lui,
Tant que je me verrai Suréna pour appui?
Quel qu'il soit, ce rival, il sera seul à plaindre :
Le vainqueur des Romains n'a point de rois à craindre.

PALMIS

Je le sais; mais, Seigneur, qui vous peut engager
Aux soins de le punir et de vous en venger?
Quand son grand cœur charmé d'une belle princesse
En a su mériter l'estime et la tendresse,
Quel dieu, quel bon génie a dû lui révéler
Que le vôtre pour elle aimerait à brûler?
A quels traits ce rival a-t-il dû le connaître,
Respecter de si loin des feux encore à naître,
Voir pour vous d'autres fers que ceux où vous viviez,
Et lire en vos destins plus que vous n'en saviez?
S'il a vu la conquête à ses vœux exposée,
S'il a trouvé du cœur la sympathie aisée,
S'être emparé d'un bien où vous n'aspiriez pas,
Est-ce avoir fait des vols et des assassinats?

PACORUS

Je le vois bien, Madame, et vous et ce cher frère
Abondez en raisons pour cacher le myſtère :
Je parle, promets, prie, et je n'avance rien.
Aussi votre intérêt eſt préférable au mien;
Rien n'eſt plus juſte; mais...

PALMIS

Seigneur...

PACORUS

Adieu, Madame :
Je vous fais trop jouir des troubles de mon âme.
Le ciel se lassera de m'être rigoureux.

PALMIS

Seigneur, quand vous voudrez, il fera quatre heureux.

ACTE III

SCÈNE PREMIÈRE

ORODE, SILLACE

SILLACE

Je l'ai vu par votre ordre, et voulu par avance
Pénétrer le secret de son indifférence.
Il m'a paru, Seigneur, si froid, si retenu...
Mais vous en jugerez quand il sera venu.
Cependant je dirai que cette retenue
Sent une âme de trouble et d'ennuis prévenue;
Que ce calme paraît assez prémédité
Pour ne répondre pas de sa tranquillité;
Que cette indifférence a de l'inquiétude,
Et que cette froideur marque un peu trop d'étude.

ORODE

Qu'un tel calme, Sillace, a droit d'inquiéter
Un roi qui lui doit tant, qu'il ne peut s'acquitter !
Un service au-dessus de toute récompense
A force d'obliger tient presque lieu d'offense :
Il reproche en secret tout ce qu'il a d'éclat,
Il livre tout un cœur au dépit d'être ingrat.
Le plus zélé déplaît, le plus utile gêne,
Et l'excès de son poids fait pencher vers la haine.
Suréna de l'exil lui seul m'a rappelé;
Il m'a rendu lui seul ce qu'on m'avait volé,
Mon sceptre; de Crassus il vient de me défaire :
Pour faire autant pour lui, quel don puis-je lui faire?
Lui partager mon trône? Il serait tout à lui,
S'il n'avait mieux aimé n'en être que l'appui.
Quand j'en pleurais la perte, il forçait des murailles;
Quand j'invoquais mes dieux, il gagnait des batailles.
J'en frémis, j'en rougis, je m'en indigne, et crains
Qu'il n'ose quelque jour s'en payer par ses mains;

Et dans tout ce qu'il a de nom et de fortune,
Sa fortune me pèse, et son nom m'importune.
Qu'un monarque est heureux quand parmi ses sujets
Ses yeux n'ont point à voir de plus nobles objets,
Qu'au-dessus de sa gloire il n'y connaît personne,
Et qu'il est le plus digne enfin de sa couronne !

SILLACE

Seigneur, pour vous tirer de ces perplexités,
La saine politique a deux extrémités.
Quoi qu'ait fait Suréna, quoi qu'il en faille attendre,
Ou faites-le périr, ou faites-en un gendre.
Puissant par sa fortune, et plus par son emploi,
S'il devient par l'hymen l'appui d'un autre roi,
Si dans les différends que le ciel vous peut faire,
Une femme l'entraîne au parti de son père,
Que vous servira lors, Seigneur, d'en murmurer?
Il faut, il faut le perdre, ou vous en assurer :
Il n'est point de milieu.

ORODE

Ma pensée est la vôtre;
Mais s'il ne veut pas l'un, pourrai-je vouloir l'autre?
Pour prix de ses hauts faits, et de m'avoir fait roi,
Son trépas... Ce mot seul me fait pâlir d'effroi;
Ne m'en parlez jamais : que tout l'État périsse
Avant que jusque-là ma vertu se ternisse,
Avant que je défère à ces raisons d'État
Qui nommeraient justice un si lâche attentat !

SILLACE

Mais pourquoi lui donner les Romains en partage,
Quand sa gloire, Seigneur, vous donnait tant d'ombrage?
Pourquoi contre Artabase attacher vos emplois,
Et lui laisser matière à de plus grands exploits?

ORODE

L'événement, Sillace, a trompé mon attente.
Je voyais des Romains la valeur éclatante;
Et croyant leur défaite impossible sans moi,
Pour me la préparer, je fondis sur ce roi :
Je crus qu'il ne pourrait à la fois se défendre
Des fureurs de la guerre et de l'offre d'un gendre;

Et que par tant d'horreurs son peuple épouvanté
Lui ferait mieux goûter la douceur d'un traité;
Tandis que Suréna, mis aux Romains en butte,
Les tiendrait en balance, ou craindrait pour sa chute,
Et me réserverait la gloire d'achever,
Ou de le voir tombant, et de le relever.
Je réussis à l'un et conclus l'alliance;
Mais Suréna vainqueur prévint mon espérance.
A peine d'Artabase eus-je signé la paix,
Que j'appris Crassus mort et les Romains défaits.
Ainsi d'une si haute et si prompte victoire
J'emporte tout le fruit, et lui toute la gloire,
Et beaucoup plus heureux que je n'aurais voulu,
Je me fais un malheur d'être trop absolu,
Je tiens toute l'Asie et l'Europe en alarmes,
Sans que rien s'en impute à l'effort de mes armes;
Et quand tous mes voisins tremblent pour leurs États,
Je ne les fais trembler que par un autre bras.
J'en tremble enfin moi-même, et pour remède unique,
Je n'y vois qu'une basse et dure politique,
Si Mandane, l'objet des vœux de tant de rois,
Se doit voir d'un sujet le rebut ou le choix.

SILLACE

Le rebut! Vous craignez, Seigneur, qu'il la refuse?

ORODE

Et ne se peut-il pas qu'un autre amour l'amuse,
Et que rempli qu'il est d'une juste fierté,
Il n'écoute son cœur plus que ma volonté?
Le voici; laissez-nous.

SCÈNE II

ORODE, SURÉNA

ORODE

Suréna, vos services
(Qui l'aurait osé croire?) ont pour moi des supplices :
J'en ai honte, et ne puis assez me consoler
De ne voir aucun don qui les puisse égaler.

Suppléez au défaut d'une reconnaissance
Dont vos propres exploits m'ont mis en impuissance;
Et s'il en eſt un prix dont vous fassiez état,
Donnez-moi les moyens d'être un peu moins ingrat.

SURÉNA

Quand je vous ai servi, j'ai reçu mon salaire,
Seigneur, et n'ai rien fait qu'un sujet n'ait dû faire;
La gloire m'en demeure, et c'eſt l'unique prix
Que s'en eſt proposé le soin que j'en ai pris.
Si pourtant il vous plaît, Seigneur, que j'en demande
De plus dignes d'un roi dont l'âme eſt toute grande,
La plus haute vertu peut faire de faux pas;
Si la mienne en fait un, daignez ne le voir pas :
Gardez-moi des bontés toujours prêtes d'éteindre
Le plus juſte courroux que j'aurais lieu d'en craindre;
Et si...

ORODE

Ma gratitude oserait se borner
Au pardon d'un malheur qu'on ne peut deviner,
Qui n'arrivera point? et j'attendrais un crime
Pour vous montrer le fond de toute mon eſtime?
Le ciel m'eſt plus propice, et m'en ouvre un moyen
Par l'heureuse union de votre sang au mien :
D'avoir tout fait pour moi ce sera le salaire.

SURÉNA

J'en ai flatté longtemps un espoir téméraire;
Mais puisque enfin le prince...

ORODE

Il aima votre sœur,
Et le bien de l'État lui dérobe son cœur :
La paix de l'Arménie à ce prix eſt jurée.
Mais l'injure aisément peut être réparée;
J'y sais des rois tous prêts; et pour vous, dès demain,
Mandane, que j'attends vous donnera la main.
C'eſt tout ce qu'en la mienne ont mis les deſtinées
Qu'à force de hauts faits la vôtre a couronnées.

SURÉNA

A cet excès d'honneur rien ne peut s'égaler;
Mais si vous me laissiez liberté d'en parler,

Je vous dirais, Seigneur, que l'amour paternelle
Doit à cette princesse un trône digne d'elle;
Que l'inégalité de mon destin au sien
Ravalerait son rang sans élever le mien;
Qu'une telle union, quelque haut qu'on la mette,
Me laisse encor sujet, et la rendrait sujette;
Et que de son hymen, malgré tous mes hauts faits,
Au lieu de rois à naître, il naîtrait des sujets.
De quel œil voulez-vous, Seigneur, qu'elle me donne
Une main refusée à plus d'une couronne,
Et qu'un si digne objet des vœux de tant de rois
Descende par votre ordre à cet indigne choix?
Que de mépris pour moi ! que de honte pour elle !
Non, Seigneur, croyez-en un serviteur fidèle :
Si votre sang du mien veut augmenter l'honneur,
Il y faut l'union du prince avec ma sœur.
Ne le mêlez, Seigneur, au sang de vos ancêtres
Qu'afin que vos sujets en reçoivent des maîtres :
Vos Parthes dans la gloire ont trop longtemps vécu,
Pour attendre des rois du sang de leur vaincu.
Si vous ne le savez, tout le camp en murmure;
Ce n'est qu'avec dépit que le peuple l'endure.
Quelles lois eût pu faire Artabase vainqueur
Plus rudes, disent-ils, même à des gens sans cœur?
Je les fais taire; mais, Seigneur, à le bien prendre,
C'était moins l'attaquer que lui mener un gendre;
Et si vous en aviez consulté leurs souhaits,
Vous auriez préféré la guerre à cette paix.

ORODE

Est-ce dans le dessein de vous mettre à leur tête
Que vous me demandez ma grâce toute prête?
Et de leurs vains souhaits vous font-ils le porteur
Pour faire Palmis reine avec plus de hauteur?
Il n'est rien d'impossible à la valeur d'un homme
Qui rétablit son maître et triomphe de Rome;
Mais sous le ciel tout change, et les plus valeureux
N'ont jamais sûreté d'être toujours heureux.
J'ai donné ma parole : elle est inviolable.
Le prince aime Eurydice autant qu'elle est aimable;
Et s'il faut dire tout, je lui dois cet appui
Contre ce que Phradate osera contre lui;
Car tout ce qu'attenta contre moi Mithradate,

Pacorus le doit craindre à son tour de Phradate :
Cet esprit turbulent, et jaloux du pouvoir,
Quoique son frère...

SURÉNA

Il sait que je sais mon devoir,
Et n'a pas oublié que dompter des rebelles,
Détrôner un tyran...

ORODE

Ces actions sont belles;
Mais pour m'avoir remis en état de régner,
Rendent-elles pour vous ma fille à dédaigner?

SURÉNA

La dédaigner, Seigneur, quand mon zèle fidèle
N'ose me regarder que comme indigne d'elle !
Osez me dispenser de ce que je vous doi,
Et pour la mériter, je cours me faire roi.
S'il n'est rien d'impossible à la valeur d'un homme
Qui rétablit son maître et triomphe de Rome,
Sur quels rois aisément ne pourrais-je emporter,
En faveur de Mandane, un sceptre à la doter?
Prescrivez-moi, Seigneur, vous-même une conquête
Dont en prenant sa main je couronne sa tête;
Et vous direz après si c'est la dédaigner
Que de vouloir me perdre ou la faire régner.
Mais je suis né sujet, et j'aime trop à l'être
Pour hasarder mes jours que pour servir mon maître,
Et consentir jamais qu'un homme tel que moi
Souille par son hymen le pur sang de son roi.

ORODE

Je n'examine point si ce respect déguise;
Mais parlons une fois avec pleine franchise.
Vous êtes mon sujet, mais un sujet si grand,
Que rien n'est malaisé quand son bras l'entreprend.
Vous possédez sous moi deux provinces entières
De peuples si hardis, de nations si fières,
Que sur tant de vassaux je n'ai d'autorité
Qu'autant que votre zèle a de fidélité :
Ils vous ont jusqu'ici suivi comme fidèle,
Et quand vous le voudrez, ils vous suivront rebelle;

Vous avez tant de nom, que tous les rois voisins
Vous veulent, comme Orode, unir à leurs destins.
La victoire, chez vous passée en habitude,
Met jusque dans ses murs Rome en inquiétude :
Par gloire, ou pour braver au besoin mon courroux,
Vous traînez en tous lieux dix mille âmes à vous :
Le nombre est peu commun pour un train domestique;
Et s'il faut qu'avec vous tout à fait je m'explique,
Je ne vous saurais croire assez en mon pouvoir,
Si les nœuds de l'hymen n'enchaînent le devoir.

SURÉNA

Par quel crime, Seigneur, ou par quelle imprudence
Ai-je pu mériter si peu de confiance?
Si mon cœur, si mon bras pouvait être gagné,
Mithradate et Crassus n'auraient rien épargné :
Tous les deux...

ORODE

Laissons là Crassus et Mithradate.
Suréna, j'aime à voir que votre gloire éclate :
Tout ce que je vous dois, j'aime à le publier;
Mais quand je m'en souviens, vous devez l'oublier.
Si le ciel par vos mains m'a rendu cet empire,
Je sais vous épargner la peine de le dire;
Et s'il met votre zèle au-dessus du commun,
Je n'en suis point ingrat : craignez d'être importun.

SURÉNA

Je reviens à Palmis, Seigneur. De mes hommages
Si les lois du devoir sont de trop faibles gages,
En est-il de plus sûrs, ou de plus fortes lois,
Qu'avoir une sœur reine et des neveux pour rois?
Mettez mon sang au trône, et n'en cherchez point d'autres,
Pour unir à tel point mes intérêts aux vôtres,
Que tout cet univers, que tout notre avenir
Ne trouve aucune voie à les en désunir.

ORODE

Mais, Suréna, le puis-je après la foi donnée,
Au milieu des apprêts d'un si grand hyménée?
Et rendrai-je aux Romains qui voudraient me braver
Un ami que la paix vient de leur enlever?

Si le prince renonce au bonheur qu'il espère,
Que dira la princesse, et que fera son père?

SURÉNA

Pour son père, Seigneur, laissez-m'en le souci.
J'en réponds, et pourrais répondre d'elle aussi.
Malgré la triste paix que vous avez jurée,
Avec le prince même elle s'est déclarée;
Et si je puis vous dire avec quels sentiments
Elle attend à demain l'effet de vos serments,
Elle aime ailleurs.

ORODE

Et qui?

SURÉNA

C'est ce qu'elle aime à taire :
Du reste son amour n'en fait aucun mystère,
Et cherche à reculer les effets d'un traité
Qui fait tant murmurer votre peuple irrité.

ORODE

Est-ce au peuple, est-ce à vous, Suréna, de me dire
Pour lui donner des rois quel sang je dois élire?
Et pour voir dans l'État tous mes ordres suivis,
Est-ce de mes sujets que je dois prendre avis?
Si le prince à Palmis veut rendre sa tendresse,
Je consens qu'il dédaigne à son tour la princesse;
Et nous verrons après quel remède apporter
A la division qui peut en résulter.
Pour vous, qui vous sentez indigne de ma fille,
Et craignez par respect d'entrer en ma famille,
Choisissez un parti qui soit digne de vous,
Et qui surtout n'ait rien à me rendre jaloux :
Mon âme avec chagrin sur ce point balancée
En veut, et dès demain, être débarrassée.

SURÉNA

Seigneur, je n'aime rien.

ORODE

Que vous aimiez ou non,
Faites un choix vous-même, ou souffrez-en le don.

SURÉNA

Mais si j'aime en tel lieu qu'il m'en faille avoir honte,
Du secret de mon cœur puis-je vous rendre conte?

ORODE

A demain, Suréna. S'il se peut, dès ce jour,
Résolvons cet hymen avec ou sans amour.
Cependant allez voir la princesse Eurydice;
Sous les lois du devoir ramenez son caprice;
Et ne m'obligez point à faire à ses appas
Un compliment de roi qui ne lui plairait pas.
Palmis vient par mon ordre, et je veux en apprendre
Dans vos prétentions la part qu'elle aime à prendre.

SCÈNE III

ORODE, PALMIS

ORODE

Suréna m'a surpris, et je n'aurais pas dit
Qu'avec tant de valeur il eût eu tant d'esprit;
Mais moins on le prévoit, et plus cet esprit brille :
Il trouve des raisons à refuser ma fille,
Mais fortes, et qui même ont si bien succédé,
Que s'en disant indigne il m'a persuadé.
Savez-vous ce qu'il aime? Il eſt hors d'apparence
Qu'il fasse un tel refus sans quelque préférence,
Sans quelque objet charmant, dont l'adorable choix
Ferme tout son grand cœur au pur sang de ses rois.

PALMIS

J'ai cru qu'il n'aimait rien.

ORODE

Il me l'a dit lui-même.
Mais la princesse avoue, et hautement, qu'elle aime :
Vous êtes son amie, et savez quel amant
Dans un cœur qu'elle doit règne si puissamment.

PALMIS

Si la princesse en moi prend quelque confiance,
Seigneur, m'eſt-il permis d'en faire confidence?
Reçoit-on des secrets sans une forte loi...?

ORODE

Je croyais qu'elle pût se rompre pour un roi,
Et veux bien toutefois qu'elle soit si sévère
Qu'en mon propre intérêt elle oblige à se taire;
Mais vous pouvez du moins me répondre de vous.

PALMIS

Ah! pour mes sentiments, je vous les dirai tous.
J'aime ce que j'aimais, et n'ai point changé d'âme :
Je n'en fais point secret.

ORODE

L'aimer encor, Madame?
Ayez-en quelque honte, et parlez-en plus bas.
C'eſt faiblesse d'aimer qui ne vous aime pas.

PALMIS

Non, Seigneur : à son prince attacher sa tendresse,
C'eſt une grandeur d'âme et non une faiblesse;
Et lui garder un cœur qu'il lui plut mériter
N'a rien d'assez honteux pour ne s'en point vanter.
J'en ferai toujours gloire; et mon âme, charmée
De l'heureux souvenir de m'être vue aimée,
N'étouffera jamais l'éclat de ces beaux feux
Qu'alluma son mérite, et l'offre de ses vœux.

ORODE

Faites mieux, vengez-vous. Il eſt des rois, Madame,
Plus dignes qu'un ingrat d'une si belle flamme.

PALMIS

De ce que j'aime encor ce serait m'éloigner,
Et me faire un exil sous ombre de régner.
Je veux toujours le voir, cet ingrat qui me tue,
Non pour le triſte bien de jouir de sa vue :
Cette fausse douceur eſt au-dessous de moi,

Et ne vaudra jamais que je néglige un roi;
Mais il est des plaisirs qu'une amante trahie
Goûte au milieu des maux qui lui coûtent la vie :
Je verrai l'infidèle inquiet, alarmé
D'un rival inconnu, mais ardemment aimé,
Rencontrer à mes yeux sa peine dans son crime,
Par les mains de l'hymen devenir ma victime,
Et ne me regarder, dans ce chagrin profond,
Que le remords en l'âme, et la rougeur au front.
De mes bontés pour lui l'impitoyable image,
Qu'imprimera l'amour sur mon pâle visage,
Insultera son cœur; et dans nos entretiens
Mes pleurs et mes soupirs rappelleront les siens,
Mais qui ne serviront qu'à lui faire connaître
Qu'il pouvait être heureux et ne saurait plus l'être;
Qu'à lui faire trop tard haïr son peu de foi,
Et pour tout dire ensemble, avoir regret à moi.
Voilà tout le bonheur où mon amour aspire;
Voilà contre un ingrat tout ce que je conspire;
Voilà tous les plaisirs que j'espère à le voir,
Et tous les sentiments que vous vouliez savoir.

ORODE

C'est bien traiter les rois en personnes communes
Qu'attacher à leur rang ces gênes importunes,
Comme si pour vous plaire et les inquiéter
Dans le trône avec eux l'amour pouvait monter.
Il nous faut un hymen, pour nous donner des princes
Qui soient l'appui du sceptre et l'espoir des provinces :
C'est là qu'est notre force; et dans nos grands destins,
Le manque de vengeurs enhardit les mutins.
Du reste en ces grands nœuds l'État qui s'intéresse
Ferme l'œil aux attraits et l'âme à la tendresse :
La seule politique est ce qui nous émeut;
On la suit, et l'amour s'y mêle comme il peut :
S'il vient, on l'applaudit; s'il manque, on s'en console.
C'est dont vous pouvez croire un roi sur sa parole.
Nous ne sommes point faits pour devenir jaloux,
Ni pour être en souci si le cœur est à nous.
Ne vous repaissez plus de ces vaines chimères,
Qui ne font les plaisirs que des âmes vulgaires,
Madame; et que le prince aye ou non à souffrir,
Acceptez un des rois que je puis vous offrir.

PALMIS

Pardonnez-moi, Seigneur, si mon âme alarmée
Ne veut point de ces rois dont on n'est point aimée.
J'ai cru l'être du prince, et l'ai trouvé si doux,
Que le souvenir seul m'en plaît plus qu'un époux.

ORODE

N'en parlons plus, Madame; et dites à ce frère
Qui vous est aussi cher que vous me seriez chère,
Que parmi ses respects il n'a que trop marqué...

PALMIS

Quoi, Seigneur?

ORODE

Avec lui je crois m'être expliqué.
Qu'il y pense, Madame. Adieu.

PALMIS

Quel triste augure !
Et que ne me dit point cette menace obscure !
Sauvez ces deux amants, ô ciel ! et détournez
Les soupçons que leurs feux peuvent avoir donnés.

ACTE IV

SCÈNE PREMIÈRE

ORMÈNE, EURYDICE

ORMÈNE

Oui, votre intelligence à demi découverte
Met votre Suréna sur le bord de sa perte.
Je l'ai su de Sillace; et j'ai lieu de douter
Qu'il n'ait, s'il faut tout dire, ordre de l'arrêter.

EURYDICE

On n'oserait, Ormène; on n'oserait.

ORMÈNE

Madame,
Croyez-en un peu moins votre fermeté d'âme.
Un héros arrêté n'a que deux bras à lui,
Et souvent trop de gloire est un débile appui.

EURYDICE

Je sais que le mérite est sujet à l'envie,
Que son chagrin s'attache à la plus belle vie.
Mais sur quelle apparence oses-tu présumer
Qu'on pourrait...?

ORMÈNE

Il vous aime, et s'en est fait aimer.

EURYDICE

Qui l'a dit?

ORMÈNE

Vous et lui : c'est son crime et le vôtre.
Il refuse Mandane, et n'en veut aucune autre;
On sait que vous aimez; on ignore l'amant :
Madame, tout cela parle trop clairement.

EURYDICE

Ce sont de vains soupçons qu'avec moi tu hasardes.

SCÈNE II

EURYDICE, PALMIS, ORMÈNE

PALMIS

Madame, à chaque porte on a posé des gardes :
Rien n'entre, rien ne sort qu'avec ordre du Roi.

EURYDICE

Qu'importe? et quel sujet en prenez-vous d'effroi?

PALMIS

Ou quelque grand orage à nous troubler s'apprête,
Ou l'on en veut, Madame, à quelque grande tête :
Je tremble pour mon frère.

EURYDICE

A quel propos trembler?
Un roi qui lui doit tout voudrait-il l'accabler?

PALMIS

Vous le figurez-vous à tel point insensible,
Que de son alliance un refus si visible...?

EURYDICE

Un si rare service a su le prévenir
Qu'il doit récompenser avant que de punir.

PALMIS

Il le doit; mais après une pareille offense,
Il eſt rare qu'on songe à la reconnaissance,
Et par un tel mépris le service effacé
Ne tient plus d'yeux ouverts sur ce qui s'eſt passé.

EURYDICE

Pour la sœur d'un héros, c'eſt être bien timide.

PALMIS

L'amante a-t-elle droit d'être plus intrépide?

EURYDICE

L'amante d'un héros aime à lui ressembler,
Et voit ainsi que lui ses périls sans trembler.

PALMIS

Vous vous flattez, Madame : elle a de la tendresse
Que leur idée étonne, et leur image blesse;
Et ce que dans sa perte elle prend d'intérêt
Ne saurait sans désordre en attendre l'arrêt.
Cette mâle vigueur de constance héroïque
N'est point une vertu dont le sexe se pique,
Ou s'il peut jusque-là porter sa fermeté,
Ce qu'il appelle amour n'est qu'une dureté.
Si vous aimiez mon frère, on verrait quelque alarme :
Il vous échapperait un soupir, une larme,
Qui marquerait du moins un sentiment jaloux
Qu'une sœur se montrât plus sensible que vous.
Dieux ! je donne l'exemple, et l'on s'en peut défendre !
Je le donne à des yeux qui ne daignent le prendre !
Aurait-on jamais cru qu'on pût voir quelque jour
Les nœuds du sang plus forts que les nœuds de l'amour?
Mais j'ai tort, et la perte est pour vous moins amère :
On recouvre un amant plus aisément qu'un frère;
Et si je perds celui que le ciel me donna,
Quand j'en recouvrerais, serait-ce un Suréna?

EURYDICE

Et si j'avais perdu cet amant qu'on menace,
Serait-ce un Suréna qui remplirait sa place?
Pensez-vous qu'exposée à de si rudes coups,
J'en soupire au dedans, et tremble moins que vous?
Mon intrépidité n'est qu'un effort de gloire,
Que, tout fier qu'il paraît, mon cœur n'en veut pas croire.
Il est tendre, et ne rend ce tribut qu'à regret
Au juste et dur orgueil qu'il dément en secret.
Oui, s'il en faut parler avec une âme ouverte,
Je pense voir déjà l'appareil de sa perte,
De ce héros si cher; et ce mortel ennui
N'ose plus aspirer qu'à mourir avec lui.

PALMIS

Avec moins de chaleur, vous pourriez bien plus faire.
Acceptez mon amant pour conserver mon frère,
Madame; et puisque enfin il vous faut l'épouser
Tâchez, par politique, à vous y disposer.

EURYDICE

Mon amour est trop fort pour cette politique :
Tout entier on l'a vu, tout entier il s'explique;
Et le prince sait trop ce que j'ai dans le cœur,
Pour recevoir ma main comme un parfait bonheur.
J'aime ailleurs, et l'ai dit trop haut pour m'en dédire,
Avant qu'en sa faveur tout cet amour expire.
C'est avoir trop parlé; mais dût se perdre tout,
Je me tiendrai parole, et j'irai jusqu'au bout.

PALMIS

Ainsi donc vous voulez que ce héros périsse?

EURYDICE

Pourrait-on en venir jusqu'à cette injustice?

PALMIS

Madame, il répondra de toutes vos rigueurs,
Et du trop d'union où s'obstinent vos cœurs.
Rendez heureux le prince, il n'est plus sa victime;
Qu'il se donne à Mandane, il n'aura plus de crime.

EURYDICE

Qu'il s'y donne, Madame, et ne m'en dise rien,
Ou si son cœur encor peut dépendre du mien,
Qu'il attende à l'aimer que ma haine cessée
Vers l'amour de son frère ait tourné ma pensée.
Résolvez-le vous-même à me désobéir;
Forcez-moi, s'il se peut, moi-même à le haïr :
A force de raisons faites-m'en un rebelle;
Accablez-le de pleurs pour le rendre infidèle;
Par pitié, par tendresse, appliquez tous vos soins
A me mettre en état de l'aimer un peu moins :
J'achèverai le reste. A quelque point qu'on aime,
Quand le feu diminue, il s'éteint de lui-même.

PALMIS

Le prince vient, Madame, et n'a pas grand besoin,
Dans son amour pour vous, d'un odieux témoin :
Vous pourrez mieux sans moi flatter son espérance,
Mieux en notre faveur tourner sa déférence;
Et ce que je prévois me fait assez souffrir,
Sans y joindre les vœux qu'il cherche à vous offrir.

SCÈNE III

PACORUS, EURYDICE, ORMÈNE

EURYDICE

Est-ce pour moi, Seigneur, qu'on fait garde à vos portes?
Pour assurer ma fuite, ai-je ici des escortes?
Ou si ce grand hymen, pour ses derniers apprêts…

PACORUS

Madame, ainsi que vous chacun a ses secrets.
Ceux que vous honorez de votre confidence
Observent par votre ordre un généreux silence.
Le Roi suit votre exemple; et si c'est vous gêner,
Comme nous devinons, vous pouvez deviner.

EURYDICE

Qui devine est souvent sujet à se méprendre.

PACORUS

Si je devine mal, je sais à qui m'en prendre;
Et comme votre amour n'est que trop évident,
Si je n'en sais l'objet, j'en sais le confident.
Il est le plus coupable : un amant peut se taire;
Mais d'un sujet au Roi, c'est crime qu'un mystère.
Qui connaît un obstacle au bonheur de l'État,
Tant qu'il le tient caché commet un attentat.
Ainsi ce confident… Vous m'entendez, Madame,
Et je vois dans les yeux ce qui se passe en l'âme.

EURYDICE

S'il a ma confidence, il a mon amitié;
Et je lui dois, Seigneur, du moins quelque pitié.

PACORUS

Ce sentiment est juste, et même je veux croire
Qu'un cœur comme le vôtre a droit d'en faire gloire;
Mais ce trouble, Madame, et cette émotion,
N'ont-ils rien de plus fort que la compassion?
Et quand de ses périls l'ombre vous intéresse,
Qu'une pitié si prompte en sa faveur vous presse,
Un si cher confident ne fait-il point douter
De l'amant ou de lui qui les peut exciter?

EURYDICE

Qu'importe? et quel besoin de les confondre ensemble,
Quand ce n'est que pour vous, après tout, que je [tremble?

PACORUS

Quoi? vous me menacez moi-même à votre tour?
Et les emportements de votre aveugle amour...

EURYDICE

Je m'emporte et m'aveugle un peu moins qu'on ne pense:
Pour l'avouer vous-même, entrons en confidence.
Seigneur, je vous regarde en qualité d'époux :
Ma main ne saurait être et ne sera qu'à vous;
Mes vœux y sont déjà, tout mon cœur y veut être :
Dès que je le pourrai, je vous en ferai maître;
Et si pour s'y réduire il me fait différer,
Cet amant si chéri n'en peut rien espérer.
Je ne serai qu'à vous, qui que ce soit que j'aime,
A moins qu'à vous quitter vous m'obligiez vous-même;
Mais s'il faut que le temps m'apprenne à vous aimer,
Il ne me l'apprendra qu'à force d'estimer;
Et si vous me forcez à perdre cette estime,
Si votre impatience ose aller jusqu'au crime...
Vous m'entendez, Seigneur, et c'est vous dire assez
D'où me viennent pour vous ces vœux intéressés.
J'ai part à votre gloire, et je tremble pour elle
Que vous ne la souilliez d'une tache éternelle,
Que le barbare éclat d'un indigne soupçon
Ne fasse à l'univers détester votre nom,
Et que vous ne veuilliez sortir d'inquiétude
Par une épouvantable et noire ingratitude.
Pourrais-je après cela vous conserver ma foi,
Comme si vous étiez encor digne de moi;

Recevoir sans horreur l'offre d'une couronne,
Toute fumante encor du sang qui vous la donne,
Et m'exposer en proie aux fureurs des Romains,
Quand pour les repousser vous n'aurez plus de mains?
Si Crassus est défait, Rome n'est pas détruite :
D'autres ont ramassé les débris de sa fuite,
De nouveaux escadrons leur vont enfler le cœur;
Et vous avez besoin encor de son vainqueur.
Voilà ce que pour vous craint une destinée
Qui se doit bientôt voir à la vôtre enchaînée,
Et deviendrait infâme à se vouloir unir
Qu'à des rois dont on puisse aimer le souvenir.

PACORUS

Tout ce que vous craignez est en votre puissance,
Madame; il ne vous faut qu'un peu d'obéissance,
Qu'exécuter demain ce qu'un père a promis :
L'amant, le confident, n'auront plus d'ennemis.
C'est de quoi tout mon cœur de nouveau vous conjure,
Par les tendres respects d'une flamme si pure,
Ces assidus respects, qui sans cesse bravés,
Ne peuvent obtenir ce que vous me devez,
Par tout ce qu'a de rude un orgueil inflexible,
Par tous les maux que souffre...

EURYDICE

Et moi, suis-je insensible?
Livre-t-on à mon cœur de moins rudes combats?
Seigneur, je suis aimée, et vous ne l'êtes pas.
Mon devoir vous prépare un assuré remède,
Quand il n'en peut souffrir au mal qui me possède;
Et pour finir le vôtre, il ne veut qu'un moment,
Quand il faut que le mien dure éternellement.

PACORUS

Ce moment quelquefois est difficile à prendre,
Madame; et si le Roi se lasse de l'attendre,
Pour venger le mépris de son autorité,
Songez à ce que peut un monarque irrité.

EURYDICE

Ma vie est en ses mains, et de son grand courage
Il peut montrer sur elle un glorieux ouvrage.

PACORUS

Traitez-le mieux, de grâce, et ne vous alarmez
Que pour la sûreté de ce que vous aimez.
Le Roi sait votre faible et le trouble que porte
Le péril d'un amant dans l'âme la plus forte.

EURYDICE

C'est mon faible, il est vrai; mais si j'ai de l'amour,
J'ai du cœur, et pourrai le mettre en son plein jour.
Ce grand roi cependant prend une aimable voie
Pour me faire accepter ses ordres avec joie !
Pensez-y mieux, de grâce; et songez qu'au besoin
Un pas hors du devoir nous peut mener bien loin.
Après ce premier pas, ce pas qui seul nous gêne,
L'amour rompt aisément le reste de sa chaîne;
Et tyran à son tour du devoir méprisé,
Il s'applaudit longtemps du joug qu'il a brisé.

PACORUS

Madame...

EURYDICE

Après cela, Seigneur, je me retire;
Et s'il vous reste encor quelque chose à me dire,
Pour éviter l'éclat d'un orgueil imprudent,
Je vous laisse achever avec mon confident.

SCÈNE IV

PACORUS, SURÉNA

PACORUS

Suréna, je me plains, et j'ai lieu de me plaindre.

SURÉNA

De moi, Seigneur?

PACORUS

De vous. Il n'est plus temps de feindre :
Malgré tous vos détours on sait la vérité;

Et j'attendais de vous plus de sincérité,
Moi qui mettais en vous ma confiance entière,
Et ne voulais souffrir aucune autre lumière.
L'amour dans sa prudence est toujours indiscret;
A force de se taire il trahit son secret :
Le soin de le cacher découvre ce qu'il cache,
Et son silence dit tout ce qu'il craint qu'on sache.
Ne cachez plus le vôtre, il est connu de tous,
Et toute votre adresse a parlé contre vous.

SURÉNA

Puisque vous vous plaignez, la plainte est légitime,
Seigneur; mais après tout j'ignore encor mon crime.

PACORUS

Vous refusez Mandane avec tant de respect,
Qu'il est trop raisonné pour n'être point suspect.
Avant qu'on vous l'offrît vos raisons étaient prêtes,
Et jamais on n'a vu de refus plus honnêtes;
Mais ces honnêtetés ne font pas moins rougir :
Il fallait tout promettre, et la laisser agir;
Il fallait espérer de son orgueil sévère
Un juste désaveu des volontés d'un père,
Et l'aigrir par des vœux si froids, si mal conçus,
Qu'elle usurpât sur vous la gloire du refus.
Vous avez mieux aimé tenter un artifice
Qui pût mettre Palmis où doit être Eurydice,
En me donnant le change attirer mon courroux,
Et montrer quel objet vous réservez pour vous.
Mais vous auriez mieux fait d'appliquer tant d'adresse
A remettre au devoir l'esprit de la princesse :
Vous en avez eu l'ordre, et j'en suis plus haï.
C'est pour un bon sujet avoir bien obéi.

SURÉNA

Je le vois bien, Seigneur : qu'on m'aime, qu'on vous aime,
Qu'on ne vous aime pas, que je n'aime pas même,
Tout m'est compté pour crime; et je dois seul au Roi
Répondre de Palmis, d'Eurydice et de moi :
Comme si je pouvais sur une âme enflammée
Ce qu'on me voit pouvoir sur tout un corps d'armée,
Et qu'un cœur ne fût pas plus pénible à tourner
Que les Romains à vaincre, ou qu'un sceptre à donner.

Sans faire un nouveau crime, oserai-je vous dire
Que l'empire des cœurs n'est pas de votre empire,
Et que l'amour, jaloux de son autorité,
Ne reconnaît ni roi ni souveraineté?
Il hait tous les emplois où la force l'appelle :
Dès qu'on le violente, on en fait un rebelle;
Et je suis criminel de ne pas triompher,
Quand vous-même, Seigneur, ne pouvez l'étouffer !
Changez-en par votre ordre à tel point le caprice,
Qu'Eurydice vous aime, et Palmis vous haïsse;
Ou rendez votre cœur à vos lois si soumis,
Qu'il dédaigne Eurydice, et retourne à Palmis.
Tout ce que vous pourrez ou sur vous ou sur elles
Rendra mes actions d'autant plus criminelles;
Mais sur elles, sur vous si vous ne pouvez rien,
Des crimes de l'amour ne faites plus le mien.

PACORUS

Je pardonne à l'amour les crimes qu'il fait faire;
Mais je n'excuse point ceux qu'il s'obstine à taire,
Qui cachés avec soin se commettent longtemps,
Et tiennent près des rois de secrets mécontents.
Un sujet qui se voit le rival de son maître,
Quelque étude qu'il perde à ne le point paraître,
Ne pousse aucun soupir sans faire un attentat;
Et d'un crime d'amour il en fait un d'État.
Il a besoin de grâce, et surtout quand on l'aime
Jusqu'à se révolter contre le diadème,
Jusqu'à servir d'obstacle au bonheur général.

SURÉNA

Oui; mais quand de son maître on lui fait un rival :
Qu'il aimait le premier; qu'en dépit de sa flamme,
Il cède, aimé qu'il est, ce qu'adore son âme;
Qu'il renonce à l'espoir, dédit sa passion :
Est-il digne de grâce, ou de compassion?

PACORUS

Qui cède ce qu'il aime est digne qu'on le loue;
Mais il ne cède rien, quand on l'en désavoue;
Et les illusions d'un si faux compliment
Ne méritent qu'un long et vrai ressentiment.

SURÉNA

Tout à l'heure, Seigneur, vous me parliez de grâce,
Et déjà vous passez jusques à la menace!
La grâce est aux grands cœurs honteuse à recevoir;
La menace n'a rien qui les puisse émouvoir.
Tandis que hors des murs ma suite est dispersée,
Que la garde au dedans par Sillace est placée,
Que le peuple s'attend à me voir arrêter,
Si quelqu'un en a l'ordre, il peut l'exécuter.
Qu'on veuille mon épée, ou qu'on veuille ma tête,
Dites un mot, Seigneur, et l'une et l'autre est prête :
Je n'ai goutte de sang qui ne soit à mon roi;
Et si l'on m'ose perdre, il perdra plus que moi.
J'ai vécu pour ma gloire autant qu'il fallait vivre,
Et laisse un grand exemple à qui pourra me suivre;
Mais si vous me livrez à vos chagrins jaloux,
Je n'aurai pas peut-être assez vécu pour vous.

PACORUS

Suréna, mes pareils n'aiment point ces manières :
Ce sont fausses vertus que des vertus si fières.
Après tant de hauts faits et d'exploits signalés,
Le Roi ne peut douter de ce que vous valez;
Il ne veut point vous perdre : épargnez-vous la peine
D'attirer sa colère et mériter ma haine;
Donnez à vos égaux l'exemple d'obéir,
Plutôt que d'un amour qui cherche à vous trahir.
Il sied bien aux grands cœurs de paraître intrépides,
De donner à l'orgueil plus qu'aux vertus solides;
Mais souvent ces grands cœurs n'en font que mieux leur [cour
A paraître au besoin maîtres de leur amour.
Recevez cet avis d'une amitié fidèle.
Ce soir la Reine arrive, et Mandane avec elle.
Je ne demande point le secret de vos feux;
Mais songez bien qu'un roi, quand il dit : « Je le veux... »
Adieu : ce mot suffit, et vous devez m'entendre.

SURÉNA

Je fais plus, je prévois ce que j'en dois attendre :
Je l'attends sans frayeur; et quel qu'en soit le cours,
J'aurai soin de ma gloire; ordonnez de mes jours.

ACTE V

SCÈNE PREMIÈRE

Orode, Eurydice

Orode

Ne me l'avouez point : en cette conjoncture,
Le soupçon m'est plus doux que la vérité sûre;
L'obscurité m'en plaît, et j'aime à n'écouter
Que ce qui laisse encor liberté d'en douter.
Cependant par mon ordre on a mis garde aux portes,
Et d'un amant suspect dispersé les escortes,
De crainte qu'un aveugle et fol emportement
N'allât, et malgré vous, jusqu'à l'enlèvement.
La vertu la plus haute alors cède à la force;
Et pour deux cœurs unis l'amour a tant d'amorce,
Que le plus grand courroux qu'on voie y succéder
N'aspire qu'aux douceurs de se raccommoder.
Il n'est que trop aisé de juger quelle suite
Exigerait de moi l'éclat de cette fuite;
Et pour n'en pas venir à ces extrémités,
Que vous l'aimiez ou non, j'ai pris mes sûretés.

Eurydice

A ces précautions je suis trop redevable;
Une prudence moindre en serait incapable,
Seigneur; mais dans le doute où votre esprit se plaît,
Si j'ose en ce héros prendre quelque intérêt,
Son sort est plus douteux que votre incertitude,
Et j'ai lieu plus que vous d'être en inquiétude.
Je ne vous réponds point sur cet enlèvement :
Mon devoir, ma fierté, tout en moi le dément.
La plus haute vertu peut céder à la force,
Je le sais : de l'amour je sais quelle est l'amorce;
Mais contre tous les deux l'orgueil peut secourir,

Et rien n'en est à craindre alors qu'on sait mourir.
Je ne serai qu'au prince.

ORODE

Oui; mais à quand, Madame,
A quand cet heureux jour, que de toute son âme...

EURYDICE

Il se verrait, Seigneur, dès ce soir mon époux,
S'il n'eût point voulu voir dans mon cœur plus que vous :
Sa curiosité s'est trop embarrassée
D'un point dont il devait éloigner sa pensée.
Il sait que j'aime ailleurs, et l'a voulu savoir :
Pour peine il attendra l'effort de mon devoir.

ORODE

Les délais les plus longs, Madame, ont quelque terme.

EURYDICE

Le devoir vient à bout de l'amour le plus ferme :
Les grands cœurs ont vers lui des retours éclatants;
Et quand on veut se vaincre, il y faut peu de temps.
Un jour y peut beaucoup, une heure y peut suffire,
Un de ces bons moments qu'un cœur n'ose en dédire;
S'il ne suit pas toujours nos souhaits et nos soins
Il arrive souvent quand on l'attend le moins.
Mais je ne promets pas de m'y rendre facile,
Seigneur, tant que j'aurai l'âme si peu tranquille;
Et je ne livrerai mon cœur qu'à mes ennuis,
Tant qu'on me laissera dans l'alarme où je suis.

ORODE

Le sort de Suréna vous met donc en alarme?

EURYDICE

Je vois ce que pour tous ses vertus ont de charme,
Et puis craindre pour lui ce qu'on voit craindre à tous,
Ou d'un maître en colère, ou d'un rival jaloux.
Ce n'est point toutefois l'amour qui m'intéresse,
C'est... Je crains encor plus que ce mot ne vous blesse,
Et qu'il ne vaille mieux s'en tenir à l'amour,
Que d'en mettre, et sitôt, le vrai sujet au jour.

ORODE

Non, Madame, parlez, montrez toutes vos craintes :
Puis-je sans les connaître en guérir les atteintes,
Et dans l'épaisse nuit où vous vous retranchez,
Choisir le vrai remède aux maux que vous cachez?

EURYDICE

Mais si je vous disais que j'ai droit d'être en peine
Pour un trône où je dois un jour monter en reine;
Que perdre Suréna, c'est livrer aux Romains
Un sceptre que son bras a remis en vos mains;
Que c'est ressusciter l'orgueil de Mithradate;
Exposer avec vous Pacorus et Phradate;
Que je crains que sa mort, enlevant votre appui,
Vous renvoie à l'exil où vous seriez sans lui :
Seigneur, ce serait être un peu trop téméraire.
J'ai dû le dire au prince, et je dois vous le taire;
J'en dois craindre un trop long et trop juste courroux;
Et l'amour trouvera plus de grâce chez vous.

ORODE

Mais, Madame, est-ce à vous d'être si politique?
Qui peut se taire ainsi, voyons comme il s'explique.
Si votre Suréna m'a rendu mes États,
Me les a-t-il rendus pour ne m'obéir pas?
Et trouvez-vous par là sa valeur bien fondée
A ne m'estimer plus son maître qu'en idée,
A vouloir qu'à ses lois j'obéisse à mon tour?
Ce discours irait loin : revenons à l'amour,
Madame; et s'il est vrai qu'enfin...

EURYDICE

Laissez-m'en faire,
Seigneur; je me vaincrai, j'y tâche, je l'espère;
J'ose dire encor plus, je m'en fais une loi;
Mais je veux que le temps en dépende de moi.

ORODE

C'est bien parler en reine, et j'aime assez, Madame,
L'impétuosité de cette grandeur d'âme :
Cette noble fierté que rien ne peut dompter
Remplira bien ce trône où vous devez monter.
Donnez-moi donc en reine un ordre que je suive.

Phradate eſt arrivé, ce soir Mandane arrive;
Ils sauront quels respects a montrés pour sa main
Cet intrépide effroi de l'empire romain.
Mandane en rougira, le voyant auprès d'elle;
Phradate eſt violent, et prendra sa querelle.
Près d'un esprit si chaud et si fort emporté,
Suréna dans ma cour eſt-il en sûreté?
Puis-je vous en répondre, à moins qu'il se retire?

EURYDICE

Bannir de votre cour l'honneur de votre empire!
Vous le pouvez, Seigneur, et vous êtes son roi;
Mais je ne puis souffrir qu'il soit banni pour moi.
Car enfin les couleurs ne font rien à la chose;
Sous un prétexte faux je n'en suis pas moins cause;
Et qui craint pour Mandane un peu trop de rougeur
Ne craint pour Suréna que le fond de mon cœur;
Qu'il parte, il vous déplaît; faites-vous-en juſtice;
Punissez, exilez : il faut qu'il obéisse.
Pour remplir mes devoirs j'attendrai son retour,
Seigneur; et jusque-là point d'hymen ni d'amour.

ORODE

Vous pourriez épouser le prince en sa présence?

EURYDICE

Je ne sais; mais enfin je hais la violence.

ORODE

Empêchez-la, Madame, en vous donnant à nous;
Ou faites qu'à Mandane il s'offre pour époux.
Cet ordre exécuté, mon âme satisfaite
Pour ce héros si cher ne veut plus de retraite.
Qu'on le fasse venir. Modérez vos hauteurs :
L'orgueil n'eſt pas toujours la marque des grands cœurs.
Il me faut un hymen : choisissez l'un ou l'autre,
Ou lui dites adieu pour le moins jusqu'au vôtre.

EURYDICE

Je sais tenir, Seigneur, tout ce que je promets,
Et promettrais en vain de ne le voir jamais,
Moi qui sais que bientôt la guerre rallumée
Le rendra pour le moins nécessaire à l'armée.

ORODE

Nous ferons voir, Madame, en cette extrémité,
Comme il faut obéir à la nécessité.
Je vous laisse avec lui.

SCÈNE II

EURYDICE, SURÉNA

EURYDICE

Seigneur, le Roi condamne
Ma main à Pacorus, ou la vôtre à Mandane;
Le refus n'en saurait demeurer impuni :
Il lui faut l'une ou l'autre, ou vous êtes banni.

SURÉNA

Madame, ce refus n'eſt point vers lui mon crime;
Vous m'aimez : ce n'eſt point non plus ce qui l'anime.
Mon crime véritable eſt d'avoir aujourd'hui
Plus de nom que mon roi, plus de vertu que lui;
Et c'eſt de là que part cette secrète haine
Que le temps ne rendra que plus forte et plus pleine.
Plus on sert des ingrats, plus on s'en fait haïr :
Tout ce qu'on fait pour eux ne fait que nous trahir.
Mon visage l'offense, et ma gloire le blesse.
Jusqu'au fond de mon âme il cherche une bassesse,
Et tâche à s'ériger par l'offre ou par la peur,
De roi que je l'ai fait, en tyran de mon cœur;
Comme si par ses dons il pouvait me séduire,
Ou qu'il pût m'accabler, et ne se point détruire.
Je lui dois en sujet tout mon sang, tout mon bien;
Mais si je lui dois tout, mon cœur ne lui doit rien,
Et n'en reçoit de lois que comme autant d'outrages,
Comme autant d'attentats sur de plus doux hommages.
Cependant pour jamais il faut nous séparer,
Madame.

EURYDICE

Cet exil pourrait toujours durer?

SURÉNA

En vain pour mes pareils leur vertu sollicite :
Jamais un envieux ne pardonne au mérite.
Cet exil toutefois n'est pas un long malheur;
Et je n'irai pas loin sans mourir de douleur.

EURYDICE

Ah ! craignez de m'en voir assez persuadée
Pour mourir avant vous de cette seule idée.
Vivez, si vous m'aimez.

SURÉNA

Je vivrais pour savoir
Que vous aurez enfin rempli votre devoir,
Que d'un cœur tout à moi, que de votre personne
Pacorus sera maître, ou plutôt sa couronne !
Ce penser m'assassine, et je cours de ce pas
Beaucoup moins à l'exil, Madame, qu'au trépas.

EURYDICE

Que le ciel n'a-t-il mis en ma main et la vôtre,
Ou de n'être à personne, ou d'être l'un à l'autre !

SURÉNA

Fallait-il que l'amour vît l'inégalité
Vous abandonner toute aux rigueurs d'un traité !

EURYDICE

Cette inégalité me souffrait l'espérance.
Votre nom, vos vertus valaient bien ma naissance,
Et Crassus a rendu plus digne encor de moi
Un héros dont le zèle a rétabli son roi.
Dans les maux où j'ai vu l'Arménie exposée,
Mon pays désolé m'a seul tyrannisée.
Esclave de l'État, victime de la paix,
Je m'étais répondu de vaincre mes souhaits,
Sans songer qu'un amour comme le nôtre extrême
S'y rend inexorable aux yeux de ce qu'on aime.
Pour le bonheur public j'ai promis; mais, hélas !
Quand j'ai promis, Seigneur, je ne vous voyais pas.
Votre rencontre ici m'ayant fait voir ma faute,
Je diffère à donner le bien que je vous ôte;

Et l'unique bonheur que j'y puis espérer,
C'est de toujours promettre et toujours différer.

SURÉNA

Que je serais heureux ! Mais qu'osé-je vous dire?
L'indigne et vain bonheur où mon amour aspire !
Fermez les yeux aux maux où l'on me fait courir :
Songez à vivre heureuse, et me laissez mourir.
Un trône vous attend, le premier de la terre,
Un trône où l'on ne craint que l'éclat du tonnerre,
Qui règle le destin du reste des humains,
Et jusque dans leurs murs alarme les Romains.

EURYDICE

J'envisage ce trône et tous ses avantages,
Et je n'y vois partout, Seigneur, que vos ouvrages;
Sa gloire ne me peint que celle de mes fers,
Et dans ce qui m'attend je vois ce que je perds.
Ah ! Seigneur.

SURÉNA

Épargnez la douleur qui me presse;
Ne la ravalez point jusques à la tendresse;
Et laissez-moi partir dans cette fermeté
Qui fait de tels jaloux, et qui m'a tant coûté.

EURYDICE

Partez, puisqu'il le faut, avec ce grand courage
Qui mérita mon cœur et donne tant d'ombrage.
Je suivrai votre exemple, et vous n'aurez point lieu...
Mais j'aperçois Palmis qui vient vous dire adieu,
Et je puis, en dépit de tout ce qui me tue,
Quelques moments encor jouir de votre vue.

SCÈNE III

EURYDICE, SURÉNA, PALMIS

PALMIS

On dit qu'on vous exile à moins que d'épouser,
Seigneur, ce que le Roi daigne vous proposer.

SURÉNA

Non; mais jusqu'à l'hymen que Pacorus souhaite,
Il m'ordonne chez moi quelques jours de retraite.

PALMIS

Et vous partez?

SURÉNA

Je pars.

PALMIS

Et malgré son courroux,
Vous avez sûreté d'aller jusque chez vous?
Vous êtes à couvert des périls dont menace
Les gens de votre sorte une telle disgrâce,
Et s'il faut dire tout, sur de si longs chemins
Il n'eſt point de poisons, il n'eſt point d'assassins?

SURÉNA

Le Roi n'a pas encore oublié mes services,
Pour commencer par moi de telles injuſtices :
Il eſt trop généreux pour perdre son appui.

PALMIS

S'il l'eſt, tous vos jaloux le sont-ils comme lui?
Eſt-il aucun flatteur, Seigneur, qui lui refuse
De lui prêter un crime et lui faire une excuse?
En eſt-il que l'espoir d'en faire mieux sa cour
N'expose sans scrupule à ces courroux d'un jour,
Ces courroux qu'on affecte alors qu'on désavoue
De lâches coups d'État dont en l'âme on se loue,
Et qu'une absence élude, attendant le moment
Qui laisse évanouir ce faux ressentiment?

SURÉNA

Ces courroux affectés que l'artifice donne
Font souvent trop de bruit pour abuser personne.
Si ma mort plaît au Roi, s'il la veut tôt ou tard,
J'aime mieux qu'elle soit un crime qu'un hasard;
Qu'aucun ne l'attribue à cette loi commune
Qu'impose la nature et règle la fortune;

Que son perfide auteur, bien qu'il cache sa main,
Devienne abominable à tout le genre humain;
Et qu'il en naisse enfin des haines immortelles
Qui de tous ses sujets lui fassent des rebelles.

PALMIS

Je veux que la vengeance aille à son plus haut point;
Les morts les mieux vengés ne ressuscitent point,
Et de tout l'univers la fureur éclatante
En consolerait mal et la sœur et l'amante.

SURÉNA

Que faire donc, ma sœur?

PALMIS

Votre asile est ouvert.

SURÉNA

Quel asile?

PALMIS

L'hymen qui vous vient d'être offert.
Vos jours en sûreté dans les bras de Mandane,
Sans plus rien craindre...

SURÉNA

Et c'est ma sœur qui m'y condamne!
C'est elle qui m'ordonne avec tranquillité
Aux yeux de ma princesse une infidélité!

PALMIS

Lorsque d'aucun espoir notre ardeur n'est suivie,
Doit-on être fidèle aux dépens de sa vie?
Mais vous ne m'aidez point à le persuader,
Vous qui d'un seul regard pourriez tout décider?
Madame, ses périls ont-ils de quoi vous plaire?

EURYDICE

Je crois faire beaucoup, Madame, de me taire;
Et tandis qu'à mes yeux vous donnez tout mon bien,
C'est tout ce que je puis que de ne dire rien.
Forcez-le, s'il se peut, au nœud que je déteste;
Je vous laisse en parler, dispensez-moi du reste

Je n'y mets point d'obstacles, et mon esprit confus...
C'est m'expliquer assez : n'exigez rien de plus.

SURÉNA

Quoi? vous vous figurez que l'heureux nom de gendre,
Si ma perte est jurée, a de quoi m'en défendre,
Quand malgré la nature, en dépit de ses lois,
Le parricide a fait la moitié de nos rois,
Qu'un frère pour régner se baigne au sang d'un frère,
Qu'un fils impatient prévient la mort d'un père?
Notre Orode lui-même, où serait-il sans moi?
Mithradate pour lui montrait-il plus de foi?
Croyez-vous Pacorus bien plus sûr de Phradate?
J'en connais mal le cœur, si bientôt il n'éclate,
Et si de ce haut rang, que j'ai vu l'éblouir,
Son père et son aîné peuvent longtemps jouir.
Je n'aurai plus de bras alors pour leur défense;
Car enfin mes refus ne font pas mon offense;
Mon vrai crime est ma gloire, et non pas mon amour :
Je l'ai dit, avec elle il croîtra chaque jour;
Plus je les servirai, plus je serai coupable;
Et s'ils veulent ma mort, elle est inévitable.
Chaque instant que l'hymen pourrait la reculer
Ne les attacherait qu'à mieux dissimuler;
Qu'à rendre, sous l'appas d'une amitié tranquille,
L'attentat plus secret, plus noir et plus facile.
Ainsi dans ce grand nœud chercher ma sûreté,
C'est inutilement faire une lâcheté,
Souiller en vain mon nom et vouloir qu'on m'impute
D'avoir enseveli ma gloire sous ma chute.
Mais, Dieux ! se pourrait-il qu'ayant si bien servi,
Par l'ordre de mon roi le jour me fut ravi?
Non, non : c'est d'un bon œil qu'Orode me regarde;
Vous le voyez, ma sœur, je n'ai pas même un garde;
Je suis libre.

PALMIS

Et j'en crains d'autant plus son courroux :
S'il vous faisait garder, il répondrait de vous.
Mais pouvez-vous, Seigneur, rejoindre votre suite?
Êtes-vous libre assez pour choisir une fuite?
Garde-t-on chaque porte à moins d'un grand dessein?
Pour en rompre l'effet, il ne faut qu'une main.

Par toute l'amitié que le sang doit attendre,
Par tout ce que l'amour a pour vous de plus tendre...

SURÉNA

La tendresse n'est point de l'amour d'un héros :
Il est honteux pour lui d'écouter des sanglots;
Et parmi la douceur des plus illustres flammes,
Un peu de dureté sied bien aux grandes âmes.

PALMIS

Quoi? vous pourriez...

SURÉNA

Adieu : le trouble où je vous voi
Me fait vous craindre plus que je ne crains le Roi.

SCÈNE IV

EURYDICE, PALMIS

PALMIS

Il court à son trépas, et vous en serez cause,
A moins que votre amour à son départ s'oppose.
J'ai perdu mes soupirs, et j'y perdrais mes pas;
Mais il vous en croira, vous ne les perdrez pas.
Ne lui refusez point un mot qui le retienne,
Madame.

EURYDICE

S'il périt, ma mort suivra la sienne.

PALMIS

Je puis en dire autant; mais ce n'est pas assez.
Vous avez tant d'amour, Madame, et balancez !

EURYDICE

Est-ce le mal aimer que de le vouloir suivre?

PALMIS

C'est un excès d'amour qui ne fait point revivre.
De quoi lui servira notre mortel ennui?
De quoi nous servira de mourir après lui?

EURYDICE

Vous vous alarmez trop : le Roi dans sa colère
Ne parle...

PALMIS

Vous dit-il tout ce qu'il prétend faire?
D'un trône où ce héros a su le replacer,
S'il en veut à ses jours, l'ose-t-il prononcer?
Le pourrait-il sans honte? et pourrez-vous attendre
A prendre soin de lui qu'il soit trop tard d'en prendre?
N'y perdez aucun temps, partez : que tardez-vous?
Peut-être en ce moment on le perce de coups;
Peut-être...

EURYDICE

Que d'horreurs vous me jetez dans l'âme !

PALMIS

Quoi? vous n'y courez pas !

EURYDICE

Et le puis-je, Madame?
Donner ce qu'on adore à ce qu'on veut haïr,
Quel amour jusque-là put jamais se trahir?
Savez-vous qu'à Mandane envoyer ce que j'aime,
C'est de ma propre main m'assassiner moi-même?

PALMIS

Savez-vous qu'il le faut, ou que vous le perdez?

SCÈNE V

EURYDICE, PALMIS, ORMÈNE

EURYDICE

Je n'y résiste plus, vous me le défendez.
Ormène vient à nous, et lui peut aller dire
Qu'il épouse... Achevez tandis que je soupire.

PALMIS

Elle vient tout en pleurs.

ORMÈNE

Qu'il vous en va coûter !
Et que pour Suréna...

PALMIS

L'a-t-on fait arrêter?

ORMÈNE

A peine du palais il sortait dans la rue,
Qu'une flèche a parti d'une main inconnue;
Deux autres l'ont suivie; et j'ai vu ce vainqueur,
Comme si toutes trois l'avaient atteint au cœur,
Dans un ruisseau de sang tomber mort sur la place.

EURYDICE

Hélas !

ORMÈNE

Songez à vous, la suite vous menace;
Et je pense avoir même entendu quelque voix
Nous crier qu'on apprît à dédaigner les rois.

PALMIS

Prince ingrat ! lâche roi ! Que fais-tu du tonnerre,
Ciel, si tu daignes voir ce qu'on fait sur la terre?
Et pour qui gardes-tu tes carreaux embrasés,
Si de pareils tyrans n'en sont point écrasés?
Et vous, Madame, et vous dont l'amour inutile,
Dont l'intrépide orgueil paraît encor tranquille,
Vous qui brûlant pour lui, sans vous déterminer,
Ne l'avez tant aimé que pour l'assassiner,
Allez d'un tel amour, allez voir tout l'ouvrage,
En recueillir le fruit, en goûter l'avantage.
Quoi? vous causez sa perte, et n'avez point de pleurs !

EURYDICE

Non, je ne pleure point, Madame, mais je meurs.
Ormène, soutiens-moi.

ORMÈNE

Que dites-vous, Madame?

EURYDICE

Généreux Suréna, reçois toute mon âme.

ORMÈNE

Emportons-la d'ici pour la mieux secourir.

PALMIS

Suspendez ces douleurs qui pressent de mourir,
Grands Dieux ! et dans les maux où vous m'avez plongée,
Ne souffrez point ma mort que je ne sois vengée[3] !

NOTES ET VARIANTES

NOTES ET VARIANTES

THÉODORE

P 9.

1. *On ne put souffrir dans* Théodore *la seule idée du péril de la prostitution, et si le public était devenu si délicat à qui M. Corneille devait-il s'en prendre qu'à lui-même. Avant lui le viol réussissait.* (Fontenelle, *Vie de Corneille.*)

2. C'est dans son *Discours de la Tragédie* que Corneille fait cette citation d'Aristote.

3. Ces deux vers exposent déjà ce thème d'*Andromaque* que Corneille développera au second acte de *Pertharite.*

4. *Racine a heureusement imité ce vers dans* Iphigénie (acte IV, sc. VI) :

Un bienfait reproché tient toujours lieu d'offense.
(Voltaire.)

5. Jules Levallois, qui fut secrétaire de Sainte-Beuve et qui, dans son *Corneille Inconnu* (Paris, 1875), soutient comme nous qu'il n'y a point d'ouvrages de Corneille qu'on puisse traiter négligemment, estime ces vers dignes de *Polyeucte* et que, dans notre théâtre classique, rien ne les surpasse.

6. Voici une variante de ce vers :

Pour le suivre Seigneur prêtez donc cette épée.

qui fait plus que lui-même, étrangement penser à cet illustre vers de Racine :

A défaut de ton bras prête-moi ton épée
(*Phèdre*, acte II, sc. v.)

7. Ces vers se rencontrent encore avec ceux que Racine met dans la bouche d'Andromaque :

N'est-ce point à vos yeux un spectacle assez doux
Que la veuve d'Hector pleurante à vos genoux.
(*Andromaque,* acte III, sc. IV.)

8. *Faire une querelle,* se plaindre.

9. Voir *Pompée,* note 8.

10. Corneille qui a eu ici la hardiesse de ramener sur la scène Placide sanglant, n'ose point cependant le faire expirer aux yeux des spectateurs, tant est impérieux encore dans son esprit le respect des bienséances théâtrales.

RODOGUNE

P. 83.

1. Il suffit de se reporter à notre *Table chronologique et de concordance* pour voir que les divers exploits rappelés ici par Corneille étaient de date fort récente. Rocroi, Thionville, 1643; Philippsbourg, 1644; Nordlingen, 1645.

2. Les *Examens* furent publiés pour la première fois dans l'édition de 1660. Ils remplacèrent les *Avertissements* qui accompagnaient les précédentes. C'est ce qui explique qu'ils les répètent parfois d'une façon plus ou moins étendue.

3. Il est assez curieux de citer ici le sentiment que Stendhal exprime cursivement dans son journal : Rodogune, *le triomphe de la manière ferme du grand Corneille, vient, ce me semble, en cet instant, après* le Cid *en rangeant ces pièces de cette manière :* Cinna, le Cid, Rodogune, les Horaces, Polyeucte, *etc... Je la mettrais immédiatement après* Andromaque *et* Phèdre, *de manière que c'est, dans le rang de beauté, la quatrième ou cinquième pièce française.* (26 juillet 1804.)

4. *On appelle proprement protatique un personnage qui ne paraît qu'à la protase, c'est-à-dire dans les scènes d'exposition.* (Marty-Laveaux.)

5. *Celle* représente le mot *narration* exprimé neuf lignes plus haut.

6. Voyez l'*Examen de Médée* (tome I, p. 558).

7. Il est à remarquer que l'amitié fraternelle qui dans *Rodogune* est assurément l'un des ressorts essentiels de la tragédie, est un sentiment que, dans le cours entier de son œuvre, Corneille a présenté avec une insistance qui indique bien quel prestige avait à ses yeux ce sentiment. Rien qu'en consultant la liste des acteurs de chacune de ses pièces, on voit que dans dix-neuf d'entre elles figurent des couples de frères, de sœurs ou de frère et sœur. Et je ne parle point des sœurs de *Psyché.* Dans *Mélite,* Tircis a une sœur Cloris; dans *la Veuve,* Philiste en a une, Doris; et Dorante, dans *la Place Royale,* a Phylis. On sait quel rôle joue la fraternité dans *Horace.* Dans *Pompée* on voit Cléopâtre, sœur de Ptolémée; dans *la Suite du Menteur,* Mélisse, sœur de Cléandre. Dans *Rodogune,* dont nous nous occupons ici, outre Seleucus et Antiochus, fils jumeaux de Cléopâtre, Rodogune est sœur de Phraates et Laonice de Timagène. Héraclius a une sœur, Pulchérie; Nicomède, un demi-frère, Attale; Pertharite une sœur, Edüige et Œdipe une sœur aussi, Dircé. Dans *la Toison d'Or,* Médée et Chalciope sont sœurs. Dans *Sertorius* on voit Arcas frère d'Aristie; dans *Othon,* Albin frère d'Albiane; dans *Agésilas,* Mandane sœur de Spitridate; et dans *Attila,* Ildione, sœur de Mérouée. Tite, dans *Tite et Bérénice,* a un frère, Domitian; dans *Pulchérie,* Irène est la sœur de Léon; et Suréna, pour finir, est le frère de Palmis.

8. Bel exemple de cette fermeté cornélienne dans l'amour, qui fut exposée pour la première fois dans *la Place Royale* (t. I, note 3).

9. *Il semble que Racine ait pris en quelque chose ce discours pour modèle du grand discours d'Agrippine à Néron, dans* Britannicus (acte IV, sc. II). (Voltaire.)

10. C'est une habitude constante chez les héros cornéliens de vouloir s'offrir à la mort pour qu'un personnage à qui ils s'intéressent en soit préservé. Don Diègue s'offrant pour que Rodrigue soit épargné, Sabine s'offrant aux lieu et place de son époux, se comportent comme fait ici Antiochus, se proposant en échange de sa mère.

11. C'est comme une autre Médée, et plus terrible, que Cléopâtre projette le meurtre de ses enfants.

12. Au spectacle d'un pareil caractère, on s'étonne qu'on ait pu hasarder, avec précaution, il est vrai, l'idée que Corneille a peint les hommes *comme ils devraient être.* Il semble que la série de personnages sublimes qu'il a peinte soit la seule qui demeure en lumière et l'on ne remarque pas qu'il se meut avec une pareille aisance dans la société de monstres exceptionnels, dont il a peint une seconde série aussi affreuse que la première est éclatante. Le conformisme moral des héros de Corneille semble un de ces lieux communs dont l'histoire littéraire ne se défait que lentement.

HÉRACLIUS

P. 157.

1. Depuis la mort de Richelieu, le chancelier Séguier était le protecteur de l'Académie, où Corneille venait d'être nommé, au moment qu'il écrivit cette dédicace. Séguier avait laissé toute liberté aux membres de la Compagnie, de le choisir préférablement à un de ses protégés.

2. C'est là ce que Racine a reproché si aigrement à Corneille dans la préface de *Britannicus : Mais, disent-ils, ce Prince n'entrait que dans sa quinzième année lorsqu'il mourut. On le fait vivre, lui et Narcisse, deux ans de plus qu'ils n'ont vécu. Je n'aurais point parlé de cette objection si elle n'avait été faite avec chaleur par un homme qui s'est donné la liberté de faire régner vingt ans un Empereur qui n'en a régné que huit, quoique ce changement soit bien plus considérable dans la chronologie, où l'on suppute les temps par les années des Empereurs.*

3. On pourrait dire cependant que tout le roman historique à la Dumas père s'est inspiré de pareils exemples, et que Corneille en indique ici même la méthode.

4. *Ce sont ici mes humeurs et opinions : je les donne pour ce qui est en ma créance non pour ce qui est à croire.* (Montaigne, *Essais,* livre I, chap. XXV.)

5. Voilà ce que dans l'*Examen* (ci-dessus, p. 163), Corneille appelle d'ingénieuses équivoques. Il faut en effet se souvenir, comme le faisait remarquer Voltaire, que dans cette scène, Héraclius

sait bien qu'il n'est pas le fils de Phocas, mais qu'il n'a point confié ce secret à sa sœur Pulchérie.

6. Voici encore le tour baudelairien que nous avons déjà signalé. (Voir tome I, *Mélite,* note 12.)

7. C'est ce petit récit que Corneille, au même lieu (p. 163), dans l'*Examen,* considère comme une des choses les plus spirituelles qui soient sorties de sa plume. Il est évident qu'il n'entend point le mot spirituel comme nous le faisons aujourd'hui et ce qu'il veut dire, c'est que cette narration complexe est conduite d'une manière si fine et si déliée que la situation qu'elle expose apparaît avec tout ce qu'elle peut admettre d'évidence.

8. En écrivant de tels vers, Corneille exalte d'une façon détournée le pouvoir personnel.

9. Autre exemple de ces équivoques indiquées ci-dessus, note 5.

10. Le doute où ce personnage se trouve plongé quant à sa véritable personnalité n'est pas sans analogie avec les thèmes que Luigi Pirandello s'est complu à développer dans une série de ses ouvrages. Le titre de la pièce où Calderon a traité le même sujet affecte d'ailleurs une tournure extrêmement pirandéllienne : *En cette vie tout est vérité et tout mensonge.* Il y a eu longtemps une contestation sur le point de savoir qui de Corneille ou de Calderon avait imité l'autre. Corneille, dont la bonne foi en toutes choses est patente, a toujours indiqué ses sources avec sincérité. On l'a vu au début de l'*Examen* (ci-dessus, p. 163) se vanter de l'invention d'Héraclius. Bien que Voltaire, cet étrange commentateur, ait prétendu qu'elle était de Calderon, on a dû restituer à notre auteur l'arrangement de cet imbroglio complexe qui touche parfois le magnifique.

11. *Ce sera déjà bien assez que je m'apprenne à ne plus l'aimer.* (Paul Hervieu, *Les Tenailles,* acte III, sc. VIII.)

ANDROMÈDE

P. 235.

1. L'intérêt des considérations sur les stances que Corneille expose ici n'échappera à personne. A vrai dire tous les raisonnements qu'il fait pour justifier leur emploi ne tiennent pas contre le simple fait que, par son tempérament, il était quant à lui essentiellement lyrique et que les grandes effusions où pouvaient l'abandonner ses personnages offraient à son inspiration poétique un heureux moyen de se répandre. Dans onze de ses pièces il a placé des stances. Dans *la Veuve* on voit celles de Philiste, puis celles de Clarice. Dans *la Galerie du Palais,* celles de Célidée. Dans *la Suivante,* Florame, Daphnis, puis Amarante en prononcent et dans *la Place Royale,* Cléandre et Angélique. Dans *Médée,* stances d'Egée. Dans *le Cid,* stances de Rodrigue et stances de l'Infante. Dans

Polyeucte on rencontre celles de Polyeucte, dans *la Suite du Menteur* celles de Dorante, dans *Héraclius* celles d'Héraclius, dans *Œdipe* enfin et dans *la Toison d'Or,* respectivement celles de Dircé (qui ont avec la poésie de M. Paul Valéry un air de famille si marqué) et celles de Médée. En outre, comme prétexte à l'emploi de mètres variés, Corneille se sert de l'occasion que lui fournissent des billets qui doivent être lus en scène ou des oracles qu'il faut y prononcer, et il en fait souvent de brefs poèmes qui, du point de vue de la prosodie, sont de ravissants chefs-d'œuvre (témoin celui que l'on rencontre au cinquième acte de *Don Sanche d'Aragon*). Enfin l'on doit tenir aussi pour des explosions de lyrisme les longues suites d'alexandrins qui constituent les grands monologues tels que celui par quoi commence *Cinna,* et qu'en tant d'occasions prononcent les personnages cornéliens. Dire que ces morceaux n'étaient écrits que pour servir le goût des acteurs qui se complaisaient alors à occuper seuls la scène en y déclamant, serait une explication un peu courte de cette abondance de strophes dont il a parsemé ses ouvrages. En fait, c'était une joie pour lui de composer ces poèmes dont le rythme et la cadence sont toujours magnifiques et dont les beautés extérieures l'emportent quelquefois sur la signification profonde.

D'ailleurs l'éloquence de Corneille est encore un signe de ce lyrisme intérieur qui cherchait continuellement à jaillir hors de lui, et la précipitation des répliques qui se suivent souvent avec une flamme que l'on n'a vue nulle part ailleurs en est une autre manifestation.

Au reste on sait bien que sa traduction de *l'Imitation* présente une sorte de vaste répertoire de strophes et que le lyrisme du poète y jaillit en liberté.

2. C'est encore là une de ces affirmations que Corneille avance pour qu'on les contredise, et je pense qu'il eût été bien fâché qu'on se rangeât à son avis. (Voir tome I, *Préface,* p. XIX.)

3. *Et réduisit la Muse aux règles du devoir*

(Boileau, *Art Poétique.*)

4. Rapprocher de cette pensée de Pascal : *La mort est plus aisée à supporter sans y penser, que la pensée de la mort sans péril.* (Article VI, 58.)

5. Enlèvement par surprise.

6. *Un bruit assez étrange est venu jusqu'à moi.*

(Racine, *Iphigénie,* acte IV, sc. VI.)

7. *Quoi, sans qu'elle employât une seule prière,*
Ma mère en sa faveur arma la Grèce entière.
Ses yeux, pour leur querelle, en dix ans de combats,
Virent périr vingt rois qu'ils ne connaissaient pas.

(Racine, *Andromaque,* acte V, sc. II.)

8. Cette explication par la grâce paraît d'autant plus remar-

quable dans l'atmosphère de paganisme où Corneille s'est maintenu jusqu'alors comme il a pu, c'est-à-dire par un effort de volonté, plutôt que par une intime compréhension. Corneille n'a point l'âme païenne. Les théologies antiques peuvent lui fournir des prétextes de machines mais non point le sentiment d'un mystère. Il ne sent pas que ce qu'il lit dans les *Métamorphoses* d'Ovide ait pu jamais être un article de foi.

DON SANCHE D'ARAGON

P. 315.

1. *Scédase* ou *l'Hospitalité violée,* tragédie en cinq actes d'Alexandre Hardy, 1604.

2. Avec *Don Sanche,* le nombre des pièces imitées par Corneille de l'espagnol se trouve porté à quatre, les trois précédentes étant *le Cid, le Menteur* qu'il écrivit d'après *la Vérité suspecte* (*la Verdad Sospechosa*) d'Alarcon et *la Suite du Menteur* d'après *Aimer sans savoir qui* (*Amar sin saber à quien*) de Lope de Vega.

Il en ajoutait volontiers à cette liste une cinquième, prétendant voir un auteur espagnol en Lucain dont il avait imité *la Pharsale* en maint endroit de *Pompée.* C'est qu'il nourrissait une singulière prédilection pour ce poète. Il ne craignait point de dire qu'il le préférait à Virgile.

Cette inclination tenait peut-être à une certaine analogie de situation personnelle qui pouvait le frapper. En effet entre Lucain et Néron s'était établie une rivalité littéraire assez ressemblante à celle que l'on put voir entre Richelieu et lui. Mais il y a surtout entre le tempérament de Lucain et le sien de telles concordances qu'il devait se retrouver dans cet écrivain que l'on peut opposer à Virgile en usant des mêmes mots dont on se servit depuis lors pour lui opposer Racine. L'allure mâle, le ton fier, souvent douloureux et âpre, le débit tumultueux, précipité, parfois heurté de Lucain, forment un contraste analogue avec la douceur, l'oraison melliflue, le débit toujours également harmonieux, parfait et nivelé de Virgile. On comprend que les vers déclamatoires mais vibrants et humains de ce jeune homme, aient trouvé dans l'esprit de Corneille et dans son cœur plus de résonance et d'écho que les accents mesurés du divin cygne de Mantoue.

3. C'est la Reine Mère qui désapprouva *Don Sanche. Elle trouva* (dit Levallois dans son ouvrage déjà cité) *que Corneille faisait une infidélité aux rois en faveur des sujets glorieux. Elle craignit peut-être que les éloges donnés au héros ne rejaillissent sur Cromwell, dont l'usurpation était alors pour toutes les têtes couronnées un sujet de consternation et de scandale.*

4. *Vous m'appelez soldat, et je le suis sans doute.*

(Voltaire, *Don Pèdre,* acte IV, sc. II.)

5. Il semble que Victor Hugo se soit souvenu de ces vers étour-

dissants quand au quatrième acte d'*Hernani* il fait Don Carlos s'adresser ainsi à Dona Sol :

Allons, relevez-vous, duchesse de Segorbe,
Comtesse Albatera, marquise de Monroy...

6. On reconnaîtra dans ce vers admirable un emploi du mot *pur* comparable à celui qu'en a si souvent fait M. Valéry.

7. Il semble que cette maxime s'oppose à ce que Corneille a dit dans *Cinna* de l'état populaire. C'est sur elle que pourrait s'établir ce qu'on appela le républicanisme de Corneille; on l'utiliserait facilement pour justifier tous les plébiscites; on pourrait même en tirer une sorte de mystique de la démocratie. Mais il faut se souvenir que ce n'est point Corneille qui se contredit, ce sont ses personnages qui s'opposent, entre eux, et à lui-même.

NICOMÈDE

P. 387.

1. Le 24 octobre 1658, lorsque Molière âgé de trente-six ans parut pour la première fois devant le roi et la cour, il choisit pour son spectacle *Nicomède,* dont le succès se soutenait depuis sept ans (puisqu'on l'avait créé en 1651). La représentation eut lieu dans la salle des gardes, qui est aujourd'hui la salle des Cariatides du musée des Antiques. C'est là que Henri IV avait épousé sa première femme, et qu'on l'avait ramené mourant le vendredi 14 mai 1610. *Nicomède* fut suivi du *Docteur Amoureux* et, à partir de ce jour, la troupe de Molière s'établit à Paris.

2. A vrai dire ce n'est pas quarante mille vers que Corneille alors a fait réciter, c'est exactement trente cinq mille sept cent quarante-sept. L'ensemble de ses œuvres théâtrales en compte le chiffre imposant de cinquante huit mille quatre cent cinquante-six (non compris *la Comédie des Tuileries* — qu'il ne range pas dans les vingt pièces auxquelles succède *Nicomède* — ni *Psyché*). Les pièces de Corneille comptent en moyenne mille huit cent vingt vers. La plus longue est *la Toison d'Or,* avec deux mille deux cent trente-sept vers, et la plus courte est *la Place Royale* avec quinze cent vingt-neuf vers. On remarquera que ces deux pièces présentent cette particularité — et ce sont les seules qui l'affectent — de compter un nombre impair de vers. Je rappelle, ce que j'ai déjà souligné à plusieurs reprises, que les dix sept cents vers de *la Suivante* sont répartis en cinq actes égaux de trois cent quarante vers.

3. Corneille insiste ici lui-même sur le dessein qu'il a de peindre la politique romaine *au dehors.*

4. Le Flaminius qui fut vaincu au lac Trasimène n'est point le père de celui que nous voyons ici. Ou Corneille, malgré sa vaste érudition commit une erreur, ou bien il prit avec la réalité une liberté que la forme romanesque et poétique de ses ouvrages peut faire admettre.

5. Si l'on veut se souvenir qu'au moment des premières représentations de *Nicomède* on était en pleine Fronde, on sentira comment l'esprit du public pouvait appliquer de telles sentences à Condé et aux Princes.

6. C'est ce vers dont Molière, en 1663, use en premier lieu lorsque dans *l'Impromptu de Versailles,* voulant railler les acteurs contemporains, il se livre à l'imitation de quelques-uns d'entre eux. Il le récite en contrefaisant Montfleury, comédien de l'Hôtel de Bourgogne. Les imitations plaisaient sans doute à la cour de Louis XIV autant qu'aux gens de notre vingtième siècle, et Molière pour procurer ce divertissement, n'use que de textes empruntés à Corneille. A la manière de Mlle Beauchâteau, il dit une tirade de Camille dans *Horace : Iras-tu, ma chère âme, à ce combat funeste.* Il imite Beauchâteau dans les Stances du *Cid* et Hauteroche dans *Sertorius.*

7. Araspe semble avoir dicté à Mathan sa maxime :

Dès qu'on leur est suspect on n'est plus innocent.

(*Athalie,* acte II, sc. v.)

8. Comme devait vivre en France Henriette, veuve de Charles Ier d'Angleterre dont l'exécution avait eu lieu deux ans avant la représentation de *Nicomède.*

9. Les grands politiques de Racine, Mathan, Narcisse, ne sont pas d'une hypocrisie plus raffinée. On pourrait croire qu'ils ont ici pris leurs leçons.

10. Molière a pu se souvenir de ce vers quand il a écrit en 1672 dans *les Femmes Savantes* le sonnet de Trissotin : *Votre prudence est endormie,* etc...

11. Se souvenir ici du premier vers de l'ambassade d'Oreste, dans *Andromaque :*

Avant que tous les Grecs vous parlent par ma voix.

12. Voici un élément frappant de la théorie royale de Corneille.

13. Il y a un comique sinistre dans l'attitude de Prusias qui prononce de telles paroles après avoir, quant à lui, confessé, six répliques plus haut, son amour pour sa femme en ces termes :

J'ai tendresse pour toi, j'ai passion pour elle.

14. Cette indication nous apprend que la journée où se déroule la tragédie est déjà fort avancée et que, comme *Cinna,* cette autre conspiration de palais s'achève aux flambeaux.

15. *Comparez le discours de Mithridate, dans la pièce de Racine qui porte ce nom* (acte III, sc. 1) :

Annibal l'a prédit, croyons-en ce grand homme :
Jamais on ne vaincra les Romains que dans Rome.

(Marty-Laveaux.)

PERTHARITE

P. 463.

1. Corneille n'avait cependant alors que quarante-six ans; il n'avait donc pas encore atteint l'âge où Stendhal devait entreprendre *le Rouge et le Noir.*

2. *Brinde,* terme bachique qui veut dire santé. (*Dictionnaire* de Richelet, 1680.)

3. *Vie,* comme voie, de *via.* Faire vie, faire du chemin, partir.

4. Corneille ici semble ne plus songer à la maxime qu'il a formulée dans *Nicomède :*

Un véritable roi n'est ni mari, ni père.
(Ci-dessus, p. 440.)

5. Examen d'*Horace,* tome I, p. 780.

6. *Il me paraît prouvé que Racine a puisé toute l'ordonnance de sa tragédie d'*Andromaque *dans ce second acte de* Pertharite. *Dès la première scène vous voyez Edwige qui est avec son Garibalde précisément dans la même situation qu'Hermione avec Oreste. Elle est abandonnée par un Grimoald comme Hermione par Pyrrhus; et si Grimoald aime sa prisonnière Rodelinde, Pyrrhus aime Andromaque sa captive. Vous voyez qu'Edwige dit à Garibalde les mêmes choses qu'Hermione dit à Oreste; elle a des ardents souhaits de voir punir le change de Grimoald, elle assure sa conquête à son vengeur, il faut servir sa haine pour venger son amour. C'est ainsi qu'Hermione dit à Oreste* (*Andromaque,* acte IV, sc. III) :

Vengez-moi, je crois tout...
. . . .
Qu'Hermione est le prix d'un tyran opprimé ;
Que je le hais; enfin... que je l'aimai.

Oreste, en un autre endroit, dit à Hermione tout ce que dit ici Garibalde à Edwige (acte II, sc. II) :

Le cœur est pour Pyrrhus et les vœux pour Oreste...
Et vous le haïssez! Avouez-le, Madame,
L'amour n'est pas un feu qu'on renferme en son âme :
Tout nous trahit, la voix, le silence, les yeux;
Et les feux mal couverts n'en éclatent que mieux.

Hermione parle exactement comme Edwige quand elle dit (acte II, sc. II) :

Mais cependant ce jour il épouse Andromaque.
Seigneur, je le vois bien, votre âme prévenue
Répand sur mes discours le poison qui la tue.

Enfin l'intention d'Edwige est que Garibalde la serve en détachant le parjure Grimoald de sa rivale Rodelinde; et Hermione veut qu'Oreste en demandant Astyanax, dégage Pyrrhus de son amour pour Andromaque.

Voyez avec attention la scène cinquième du second acte, vous trouverez une ressemblance non moins marquée entre Andromaque et Rodelinde. (Voltaire.)

7. Autre trait ajouté à l'idée que se fait Corneille du pouvoir royal.

8. Voici comment Voltaire poursuit à propos de ce vers la comparaison qu'il a établie entre *Andromaque* et *Pertharite : Andromaque dit à Pyrrhus* (acte I, sc. IV) :

> *Seigneur, que faites-vous, et que dira la Grèce?*
> *Faut-il qu'un si grand cœur montre tant de faiblesse?*
> *Et qu'un dessein si beau, si grand, si généreux*
> *Passe pour le transport d'un esprit amoureux?*
> *Non, non, d'un ennemi respecter la misère,*
> *Sauver des malheureux, rendre un fils à sa mère,*
> *De cent peuples pour lui combattre la rigueur,*
> *Sans me faire payer son salut de mon cœur.*
> *Malgré moi, s'il le faut, lui donner un asile,*
> *Seigneur, voilà des soins dignes du fils d'Achille.*

On reconnaît dans Racine la même idée, les mêmes nuances que dans Corneille; mais avec cette douceur, cette mollesse, cette sensibilité et cet heureux choix de mots qui porte l'attendrissement dans l'âme. Grimoald dit à Rodelinde :

> *Vous la craindrez peut-être en quelque autre personne.*

Grimoald entend par là le fils de Rodelinde, et il veut punir par la mort du fils le mépris de la mère; c'est ce qui se développe au troisième acte. Ainsi Pyrrhus menace toujours Andromaque d'immoler Astyanax, si elle ne se rend à ses désirs :

> *Songez-y bien, il faut désormais que mon cœur*
> *S'il n'aime avec transport, haïsse avec fureur.*
> *Je n'épargnerai rien, dans ma juste colère;*
> *Le fils me répondra des mépris de la mère.*

On remarquera qu'il y a toujours quelque inexactitude dans les citations de Voltaire. Peut-être citait-il de mémoire, comme Marcel Proust.

9. Rodelinde ici s'exprime comme Chimène.

10. *Vous couronner, Madame, ou le perdre à vos yeux.*

(*Andromaque,* acte III, sc. VII.)

11. Attitré signifie ici suborné.

12. C'est ainsi que Pyrrhus charge Oreste d'annoncer à Hermione qu'il lui revient :

> *Puisqu'en vous Ménélas voit revivre son frère.*
> *Voyez-la donc. Allez. Dites-lui que demain*
> *J'attends avec la paix, son cœur de votre main.*

(*Andromaque,* acte II, sc. IV.)

13. C'est toujours, mise en acte, la grande théorie cornélienne de l'amour soumis à la volonté. (Voir tome I, *la Place Royale*, note 3.)

14. Voir ci-dessus, note 7.

15. Le souvenir de Charles Ier exécuté, et de Cromwell, devait s'imposer à l'esprit des contemporains lorsqu'ils entendaient de tels vers.

ŒDIPE

P. 533.

1. On aperçoit ici quelque chose de l'inflexion de Bossuet parlant *des restes d'une voix qui tombe et d'une ardeur qui s'éteint.*

2. Depuis *Pertharite* jusqu'à *Œdipe,* la retraite de Corneille dura environ sept ans. C'est dans cet intervalle, nous l'avons déjà dit (tome I, *Préface,* p. xv) qu'il acheva sa traduction en vers français de l'*Imitation de Jésus-Christ.* On sait que c'était une énorme entreprise, puisque cet ouvrage compte 13.205 vers dont à lui seul le troisième livre en absorbe 6.572. C'est en 1651, l'année qui suivit *Andromède,* qu'il publia les vingt premiers chapitres du livre I. En 1652, il termina le premier livre et donna les six premiers chapitres du livre II. En 1653, première année de sa retraite, il achève le second livre. En 1654, il donne les trente premiers chapitres du livre III et il accomplit en 1656 la publication de l'ensemble.

3. *De ces divers personnages Œdipe et Jocaste seuls sont empruntés à l'*Œdipe-Roi *de Sophocle; Thésée figure dans l'*Œdipe à Colonne. *Phorbas dans l'*Œdipe *de Sénèque. Dircé est un nom thébain, celui d'une ancienne reine de Thèbes mentionnée par Plutarque, et dont l'époux d'après Apollodore, s'appelait Lycas, autre nom que Corneille a employé dans sa pièce* (acte IV, sc. III, p. 590). (Marty-Laveaux.)

4. Æmon, fils de Créon, est un des personnages de l'*Antigone* de Sophocle.

5. Nous retrouvons ici les maximes de Machiavel : si les Princes doivent tenir leur parole. (*Le Prince,* chapitre 18.) *Un prince prudent ne doit point tenir sa parole quand cela lui tourne à dommage.*

6. Dans le sens où Tacite a dit : *imbecillum... sexum,* le sexe faible. (*Annales,* livre III, chapitre 33.)

7. *J'oubliais de dire,* écrit Voltaire dans une des lettres à M. de Genouville, *que j'ai pris deux vers dans l'*Œdipe *de Corneille. L'un est au premier acte :*

Ce monstre à voix humaine, aigle, femme, lion.

L'autre est au dernier acte, c'est une traduction de Sénèque :

Des morts et des vivants semble le séparer.

Je n'ai point fait scrupule de voler ces deux vers, parce qu'ayant précisément la même chose à dire que Corneille, il m'était impossible de l'exprimer mieux ; et j'ai mieux aimé donner deux bons vers de lui, que d'en donner deux mauvais de moi.

8. La confusion que Corneille établit ici en raison d'un oracle entre Œdipe et Dircé, fait songer à celle que Racine établira plus tard dans des circonstances analogues entre Iphigénie et Eriphile. Les deux auteurs doublent de la même façon un grand personnage mythique par une figure humaine de leur invention, et ils agissent de la sorte pour se conformer aux conventions de leur époque et pour ajouter un thème amoureux à une donnée dont ils craignaient que l'austère dépouillement et la sévérité presque inhumaine rebutassent leurs auditeurs habituels. Sans doute les hommes du vingtième siècle sont-ils plus proches des Athéniens que ne l'étaient ceux du dix-septième, puisqu'ils peuvent mieux qu'eux partager leurs antiques divertissements dans toute leur gravité. Bien plus, c'est à cause de cette complaisance que l'on y voit au goût de l'époque que les œuvres comme *Iphigénie* et *Œdipe* (*Œdipe* que La Bruyère mettait au même rang que *le Cid*) ne nous semblent avoir que des parties de chef-d'œuvre, tandis qu'elles ont vieilli en telles autres de leurs parties.

9. Le mot *énigme* est ici du masculin.

10. *Ce morceau contribua beaucoup au succès de la pièce. Les disputes sur le libre arbitre agitaient alors les esprits. Cette tirade de Thésée, belle en elle-même, acquit un nouveau prix par les querelles du temps, et plus d'un amateur la sait encore par cœur.* (Voltaire.)

11. Jocaste est ici dans une situation analogue à celle où se trouve Chimène.

12. Ci-dessus, note 9.

13. *Théramène est-ce toi? Qu'as-tu fait de ton fils?* (Racine.)

LA CONQUÊTE DE LA TOISON D'OR

P. 613.

1. Voltaire, qui a remarqué que ces vers que dit la France personnifiée plurent à tout le monde dans leur nouveauté, ajoute cette réflexion : *Longtemps après, il arriva, sur la fin du règne de Louis XIV, que cette pièce ayant disparu du théâtre, et n'étant lue tout au plus que par un petit nombre de gens de lettres, un de nos poètes dans une tragédie nouvelle mit ces quatre vers dans la bouche d'un de ses personnages : ils furent défendus par la police. C'est une chose singulière qu'ayant été bien reçus en* 1660, *ils déplurent trente ans après, et qu'après avoir été regardés comme la noble expression d'une vérité importante, ils furent pris dans un autre auteur comme un trait de satire ; ils ne devaient être regardés que comme un plagiat.*

C'est Campistron qui dans son *Tiridate,* acte II, sc. II, modifie comme suit les vers de Corneille :

Je sais qu'en triomphant les états s'affaiblissent :
Le monarque est vainqueur et les peuples gémissent ;
Dans le rapide cours de ses vastes projets,
La gloire dont il brille accable ses sujets.

2. Anne d'Autriche, sœur de Philippe IV, roi d'Espagne, et mère de Louis XIV.

3. Marie-Thérèse d'Autriche, fille de Philippe IV.

4. Allusion au Traité des Pyrénées.

5. Philippe, frère de Louis XIV, qui prit le titre de duc d'Orléans à la mort de Gaston, son oncle.

6. Allusion au mariage du duc d'Orléans avec Henriette d'Angleterre, sœur de Charles II dont la restauration avait eu lieu en 1660. Ces vers durent être composés non pas au moment de la représentation en 1660, mais au moment de l'impression en 1661.

7. *Brosser,* signifie : *courir à travers les bois et les pays de bruyères et de brossailles.* (*Dictionnaire* de Furetière.)

8. Se souvenir du *Cid :*

Je reconnais mon sang à ce noble courroux.

SERTORIUS

P. 699.

1. A partir de *Sertorius,* Corneille n'a plus composé d'*Examens.*

2. Ici Corneille souligne bien lui-même combien désormais tout ce qui est politique passe à ses yeux avant tout le reste.

3. Corneille a cinquante-cinq ou cinquante-six ans, quand il compose ces vers où pour la première fois il laisse entendre ce timbre mélancolique. Cependant il avait antérieurement exprimé pour son propre compte et non pas en la prêtant à un de ses personnages, la tristesse d'aimer quand on en a passé l'âge, lorsqu'il composait dix-huit mois ou deux ans plus tôt les vers que lui suggérait son sentiment pour la Duparc.

4. Voltaire rangeait la conférence de *Sertorius* et de *Pompée* parmi les plus beaux morceaux que Corneille ait écrits, parmi ceux qui lui *assureront une place parmi les plus grands hommes jusqu'à la dernière postérité.* Cependant Corneille s'était effrayé lui-même de la longueur de cette scène et voici ce qu'il écrivait à ce propos le 3 novembre 1661 à l'abbé de Pure : *J'espère dans trois ou quatre jours avoir achevé le troisième acte. J'y fais un entretien de Pompée avec Sertorius que les deux premiers préparent assez bien mais je ne sais si on en pourra souffrir la longueur. Il est de deux cent cinquante-deux vers* (dont huit furent supprimés pour la représentation). *Il me semble que deux*

hommes tels qu'eux, généraux de deux armées ennemies, ne peuvent achever en deux mots une conférence si attendue durant une trêve. On a souffert Cinna et Maxime, qui en ont consumé d'avantage à consulter avec Auguste. Les vers de ceux-ci me semblent bien aussi forts, et plus pointilleux, ce qui aide souvent, au théâtre, où les picoteries soutiennent et réveillent l'attention de l'auditeur.

5. *Pompée avait triomphé n'étant encore que simple chevalier et : « avant que la barbe lui fût venue ». Voyez Plutarque,* Vie de Sertorius, *Chapitre XVIII, traduction d'Amyot.* (Marty-Laveaux.)

6. *C'est un fait que Rome, par son nom seul et par les circonstances où ce nom est prononcé, occupe dans les tragédies romaines de P. Corneille, une position centrale qui suffit à en faire pour nous une réalité physique que notre imagination accepte pour telle et autour de laquelle se rassemblent, parfois avec une étrange netteté, nos propres souvenirs romains.*

Un de ces vers de Corneille qui me semblent avoir au plus haut degré cette puissance d'incantation, et qui l'ont pour moi au point que leur lecture, ou plutôt leur récitation mentale, me ramène, me replace dans Rome, dans les rues de la Rome moderne, au centre de leurs perspectives, c'est celui-ci :

Il est doux de revoir les murs de la patrie.

J'avoue qu'isolé ce vers n'a rien de particulièrement romain ; l'expression est presque banale, et l'image est abstraite et générale. Mais sa position dans la grande scène de Sertorius, *la place où il se produit (oui : un événement) dans le discours du jeune Pompée, et la reprise des expressions : « murailles... ces murs... » dans la réplique de Sertorius, font que nous revoyons à cet instant-là, les murs de Rome tels que nous les connaissons et les aimons.* (Valéry-Larbaud, *Technique,* p. 149. Gallimard, 1932.)

Toute l'étude dont ce fragment est extrait est à lire.

7. Il y a évidemment lieu de rappeler à propos de ce vers, celui que Molière a mis dans la bouche de Tartuffe quand il dit à Elmire (acte III, sc. III) :

Ah ! pour être dévot je n'en suis pas moins homme.

Mais on aurait tort de discuter sur le point de savoir s'il y eut là imitation concertée, parodie volontaire, simple réminiscence, ou plus simplement encore rencontre fortuite. Et lorsque l'on se trouve ainsi chez Molière en présence de réminiscences analogues, on ne doit jamais oublier que ses métiers d'acteur et de metteur en scène, l'obligeaient à avoir une masse de textes dans la mémoire, et qu'il est tout naturel que les vers d'autrui se soient présentés parfois à lui comme siens propres.

SOPHONISBE

P. 769.

1. « Scipion et Asdrubal vinrent le même jour réclamer l'alliance et l'amitié de Syphax. Le hasard les ayant réunis sous son toit, il les

invita tous deux à s'asseoir à sa table. Scipion et Asdrubal, parce que tel était le désir du roi se placèrent sur le même lit. *Eodem lecto Scipio atque Asdrubal* (*quia ita cordi erat regi*) *accubuerunt.* » (Tite-Live, livre 28, chapitre XVIII.)

2. Frédéric II, le roi de Prusse, a imité ces paroles et cette pensée de Sophonisbe dans le plus célèbre de ses poèmes — qu'il écrivit en français comme chacun le sait :

Pour moi, menacé du naufrage,
Je dois en affrontant l'orage
Penser, vivre et mourir en roi.

Il composa ces vers en octobre 1757, un mois avant Rossbach, quand au cours d'une campagne qui ne semblait point devoir finir par un succès, il tentait d'impressionner ses adversaires et l'Europe par l'annonce de son suicide. (Hegemann, *Le Grand Frédéric,* chapitre L. Gallimard.)

3. Voltaire, afin d'éviter une diérèse qui le choquait sans doute, et pour ne point faire le mot *ancien* de trois syllabes, a, dans son édition, corrigé ce vers de la sorte :

Et vous vois maintenant comme un ancien ami

4. Dans ces vers où Corneille exprime une fois de plus les sentiments du vieillard amoureux, on croit voir repasser le thème que Molière a développé un an plus tôt dans l'*École des Femmes.*

5. *Nous lisons un vers à peu près semblable dans l'* Adélaïde du Guesclin *de Voltaire,* acte III, sc. III :

Je lui cède avec joie un poison qu'il m'arrache.

(Marty-Laveaux.)

6. Le caractère autoritaire de ce que Rome nommait amitié est un des traits que Corneille s'est particulièrement complu à mettre en lumière.

7. Le ton de ce discours ne fut pas sans frapper les contemporains qui pensèrent y voir des allusions aux amours de Louis XIV. La hardiesse avec laquelle Corneille, en toute occasion, faisait suivant ses moyens de la morale au roi *ne contribua pas à lui concilier les bonnes grâces de la jeune cour.* (Levallois.)

8. C'est peut-être en ce vers que se révèle, sinon la moralité de l'ouvrage, du moins son secret dessein, et rien n'empêche de supposer que Corneille voulût prouver ici qu'un idéal aussi élevé que le romain, et que des âmes aussi fortes ne pouvaient se rencontrer autre part qu'à Rome.

OTHON

P. 835.

1. Comme le potentat Louis XIII s'était laissé gouverner par Richelieu, Corneille y songeait toujours, et toute occasion lui était

bonne de plaider pour le pouvoir personnel et de le mettre en avant.

2. *Il y a peu de pièces,* a dit Voltaire, *qui commencent plus heureusement que celle-ci. Je crois même que de toutes les expositions, celle d'*Othon *peut passer pour la plus belle ; et je ne connais que l'exposition de* Bajazet *qui lui soit supérieure.* Il ajoute à propos des quatre vers dont celui-ci est le dernier : *Corneille n'a jamais fait quatre vers plus forts, plus pleins, plus sublimes ; et c'est en partie ce qui justifie la liberté que je prends de préférer cette exposition à celles de toutes ses autres pièces. A la vérité il y a quelques vers familiers et négligés dans cette première scène, quelques expressions vicieuses comme* le mérite et le sang font un éclat en vous : *on ne dit point : faire un éclat dans quelqu'un.*

Puis examinant ce dernier vers en lui-même, voici les réflexions qu'il en tire : *Sa beauté consiste dans cette métaphore du mot dévora ; tout autre terme eût été faible : c'est là un de ces mots que Despréaux appelait trouvés. Racine est plein de ces expressions dont il a enrichi la langue. Mais qu'arrive-t-il? Bientôt ces termes neufs et originaux, employés par les écrivains médiocres perdent leur premier éclat qui les distinguait ; ils deviennent familiers ; alors les hommes de génie sont obligés de chercher d'autres expressions qui souvent ne sont pas si heureuses. C'est ce qui produit le style forcé et sauvage dont nous sommes inondés. Il en est à peu près comme des modes : on invente pour une princesse une parure nouvelle, toutes les femmes l'adoptent ; on veut ensuite renchérir et on invente du bizarre plutôt que l'agréable.*

Afin de donner une idée exacte de la position de Voltaire en face d'*Othon,* disons qu'après en avoir tant loué l'exposition, ses préjugés l'empêchent de plus rien remarquer de valable dans cette pièce si curieuse.

3. On pense voir dans ce touchant discours de Plautine une allusion aux sentiments qu'était capable d'exprimer Mlle de la Vallière.

4. *Racine a encore pris entièrement cette situation dans sa tragédie de* Bajazet (acte III, sc. 1). *Atalide a envoyé son amant à Roxane ; elle s'informe en tremblant du succès de cette entrevue qu'elle a ordonnée elle-même, et qui doit causer sa mort.* (Voltaire.)

5. Dans ce vers, comme dans tout ce discours de Lacus, on remarque une nouvelle apologie indirecte du pouvoir personnel. Ces politiciens, en montrant qu'ils souhaitent un souverain qui, tel que Galba, ne règne pas par lui-même, inspirent au public le désir d'en voir un d'une autre sorte.

6. En rédigeant et en stigmatisant ces maximes qu'ont pratiquées en tout temps les naufrageurs de l'État, Corneille s'est véritablement montré un moraliste politique d'une perspicacité exemplaire. On ne le connaît pas assez sous ce jour.

7. Au temps de Corneille le genre du mot *idole* était douteux.

AGÉSILAS

1. La dénomination de *Tragi-Comédie,* ou de *Comédie héroïque,* conviendrait mieux à cet ouvrage, que celle de Tragédie.

2. M. Paul Valéry semble estimer que les vers variés, tels que ceux d'*Agésilas,* sont plus difficiles à faire que les vers symétriques. *La Fontaine,* dit-il dans la préface d'« Adonis », *qui a su faire un peu plus tard de si admirables vers variés, ne les saura faire qu'au bout de vingt ans qu'il aura dédiés aux vers symétriques.* Corneille pour sa part n'aborde les vers variés qu'après trente-sept ans de vers symétriques. Ils furent admirables aussitôt quoiqu'ils aient demeuré méconnus, de la postérité sinon des contemporains. L'instrument qui devait servir à Molière pour écrire *Amphitryon* était forgé et les deux poètes devaient l'utiliser ensemble quand ils écrivirent *Psyché.*

3. Que l'on remarque le jeu de rimes suivant lequel les mêmes mots se suivent ici, tantôt au masculin, tantôt au féminin.

4. Voici un vers qui rappelle une fois encore la fameuse ode de Malherbe dont nous avons deux fois déjà noté la similitude avec des expressions de Corneille. (Voir tome I, *Horace,* note 6, et *le Menteur,* note 13.)

5. *Les* représente ici Lysander et Cléon d'Halicarnasse.

6. C'est à Louis XIV même que Corneille propose en exemple Agésilas, roi modèle, souverain idéal, qui met, comme dit Jules Levallois, *son étude constante et son légitime orgueil à connaître son devoir, à le suivre, à se maîtriser, et surtout à résister à l'amour.* De quelque admirable façon que le poète ait osé de la sorte donner des conseils au souverain, ce ne fut point *Agésilas* qui put mettre obstacle à la faveur de Mme de Montespan.

ATTILA

P. 985.

1. Corneille fait allusion ici à la traduction de *Térence,* de Port-Royal, qui, publiée sous le pseudonyme de S. Aubin, fut attribuée à Le Maistre de Sacy.

2. Voici tracé poétiquement le portrait du héros tel qu'il a été annoncé dès les premières lignes de l'*Avis au Lecteur.* (Ci-dessus, p. 987.)

3. C'est ainsi qu'en style noble on parle des saignements de nez d'Attila.

4. *Lorsque Boileau quelques années plus tard traduisait ce vers d'Horace :*

In vitium ducit culpae fuga, si caret arte,

par

Souvent la peur d'un mal nous conduit dans un pire,

il se rapprochait de Corneille au moins autant que de son modèle. (Marty-Laveaux.)

5. *Hésiter* commençant par un *h* aspiré, la dernière syllabe de *semble* est tonique, l'*e* n'est pas muet, par conséquent ne s'élide point et le vers a bien ses douze pieds. Cependant Voltaire dans son édition ajoute une syllabe et dit :

Et bien que sur le choix il me semble hésiter,

en élidant la finale de *semble.*

6. *C'est Louis XIV lui-même dont le portrait est fait ici sous les traits de Mérovée, et le souverain ne put qu'être flatté de se voir ainsi idéalisé dans cette large et chaude peinture, une des belles pages de Corneille.* (Levallois.)

7. Si les vers précédents peignent Louis XIV, ceux-ci s'appliquent au Grand Dauphin qui, né en 1661, avait alors cinq ans — tout juste un lustre.

8. Rapprocher ce vers de ces deux-ci de Victor Hugo qui se trouvent l'un et l'autre dans *Hernani* (acte IV, sc. II) :

Sur leurs têtes de rois que ses pieds courberont.
. . . .
Les rois, et sur leur tête essuyer ses sandales.

9. *Nous ne sommes plus chez les Huns, mais en France, au moment où l'on ose dire enfin sa pensée sur un illustre ministre disparu depuis quelques années de la scène du monde... Les allusions sont tellement évidentes qu'on ne peut s'y méprendre. La colère, longtemps étouffée, du poète prend à peine le soin de se contenir, et gronde en une altière sourdine.* (Levallois.)

10. *Bandolier,* de l'espagnol *bandolero : voleur de campagne, qui vole en troupe et avec armes à feu.* (*Dictionnaire* de Furetière.)

11. Stendhal qui avait lu cette tragédie disait : *Le caractère d'Attila est supérieurement peint, c'est une espèce de tigre.* (*Pensées,* t. I, p. 298. Édition du Divan.)

12. Ces vers dont la diction est beaucoup plus unie que celle que Corneille faisait voir autrefois, et qui n'est pas moins savante ni moins étudiée, semblent avoir acquis une simplicité où l'on voit quelque ressemblance avec le style de Racine.

13. *A peine nous sortions des portes de Trézène.*

(Racine.)

TITE ET BÉRÉNICE

P. 1051.

1. Le souvenir de La Rochefoucauld s'impose à qui lit ce vers. En 1670, date de la représentation de *Tite et Bérénice,* il y avait eu déjà deux éditions des *Maximes* données par l'auteur, mais il

y avait six ou sept ans qu'on en parlait et qu'il en courait des copies.

2. *Inconnue* est ici exactement employé dans le sens d'incognito. Corneille d'ailleurs use lui-même du mot incognito à deux reprises, dans *le Menteur.*

3. *Après avoir peint Louis XIV dans* Attila (*sous les traits de Mérovée*) *il ne restait plus à Corneille,* dit Levallois, *qu'à le faire parler lui-même. C'est ce qu'ici, sous le plus transparent des voiles il osa tenter. On a rarement prêté à la Majesté royale un style plus digne d'elle.*

4. *Contre-temps* signifie inopportunité.

5. Au cinquième acte, sc. VI, de la *Bérénice* de Racine, on voit les vers suivants qui semblent une contrepartie de ce discours :

> *Je dois vous épouser encor moins que jamais.*
> *Oui, Madame ; et je dois moins encore vous dire*
> *Que je suis prêt pour vous d'abandonner l'empire,*
> *De vous suivre, et d'aller, trop content de mes fers,*
> *Soupirer avec vous au bout de l'univers.*
> *Vous-même rougiriez de ma lâche conduite :*
> *Vous verriez à regret marcher à votre suite*
> *Un indigne empereur, sans empire, sans cour,*
> *Vil spectacle aux humains des faiblesses d'Amour.*

L'opposition que l'on voit entre ces deux morceaux n'est pas l'une des moindres énigmes que propose l'aventure des deux *Bérénice* qui, dues à nos deux plus grands auteurs dramatiques, parurent sur la scène, au mois de novembre 1670, à huit jours d'intervalle. L'explication facile que fournissait autrefois le prétendu concours institué entre eux par Henriette d'Angleterre, se voit tantôt abandonnée et tantôt reprise. Mais que l'anecdote soit ou non légendaire, les choses ne se montrent pas plus claires.

A vrai dire, on a vu d'autres concurrences analogues en ce temps où la propriété littéraire n'était pas ce qu'elle est devenue depuis, où l'on ne retenait pas un titre dix-huit mois à l'avance, et où aucun auteur ne fit de procès à un confrère qui désignait un ouvrage nouveau du nom qu'il avait employé déjà et même rendu célèbre.

On ne saurait avancer, si on ne les soutient d'arguments efficaces, les hypothèses selon quoi, ou Corneille, ou Racine se serait procuré une copie de l'ouvrage l'un de l'autre. Les analogies que l'on peut remarquer entre les deux tragédies s'expliquent assez par l'unité de leur sujet. Mais elles sont profondément dissemblables dans leur esprit, car l'on peut dire que celle qui fut la première produite, celle de Racine, est essentiellement un drame d'amour, qui peut se résumer dans ces vers-ci :

> *Nous séparer ! Qui ? Moi ? Titus de Bérénice !*
> (*Bérénice,* acte III, sc. III.)

Tandis que la seconde, la nôtre est fondée sur la politique, et que Bérénice s'y peint elle-même quand elle dit ces mots :

Et pour tout dire enfin, je veux que Bérénice
Ait une créature en leur impératrice.

(*Tite et Bérénice,* acte IV, sc. 1, p. 1091.)

6. Corneille a tenu à traduire le fameux mot de Suétone : ... *statim ab Urbe dimisit invitus invitam* que Racine s'était borné à rappeler dans sa préface.

PULCHÉRIE

P. 1115.

1. En 1671, après *Tite et Bérénice* et avant *Pulchérie,* Corneille alors âgé de soixante-cinq ans, et qui devait cesser d'écrire pour le théâtre trois ans plus tard, céda aux sollicitations de Molière et consentit à collaborer à sa *Psyché* qu'il devait monter pour le Carnaval et qu'il craignait de ne pas avoir terminée à temps. Quinault avait écrit les paroles qui s'y chantent en musique, Molière fit le prologue, le premier acte, la première scène du second et la première du troisième M. Corneille l'aîné a employé une quinzaine de jours au reste.

Nous ne publions pas ici *Psyché* qui est mieux à sa place dans les Œuvres complètes de Molière où on peut la lire.

2. Corneille avait alors l'expérience de ce qu'est l'amour en un cœur d'homme âgé.

3. *A en croire Fontenelle, ce personnage de Martian, qui fut le plus goûté de l'ouvrage, n'était autre que Corneille : « Il s'est dépeint de lui-même, disait-il, dans Martian qui est un vieillard amoureux. » Beaucoup de vieux gentilshommes de la cour spirituelle et élégante de Versailles se reconnaissaient sans l'avouer dans ce portrait. L'un d'eux plus sincère que les autres osa féliciter Corneille de l'avoir tracé : « M. le maréchal de Gramont lui dit qu'il lui savait bon gré d'avoir trouvé un caractère d'amant pour les vieillards dont on ne s'était pas encore avisé, et qu'il lui en était obligé pour la part qu'il y pouvait avoir. »* (Marty-Laveaux.)

4. Théodose le Grand et Arcadius.

5. *J'ai ouï dire plus d'une fois à M. Corneille que ce vers :*

Prêtez-moi votre main, je vous donne l'Empire

était un des plus beaux vers qu'il eût jamais fait. (*Observations de* M. Ménage *sur la Langue française.*)

SURÉNA

P. 1179.

1. Il y a quelque chose d'assez mélancolique à voir Corneille prendre si peu de soin de présenter au public ses derniers ouvrages. Lui qui, autrefois, profitait des dédicaces et des avis au lecteur pour

faire de véritables déclarations de principes, lui qui préparait les esprits à recevoir ses nouvelles pièces et qui ne manquait point de les défendre si le besoin s'en faisait sentir, quelques lignes brèves et négligentes lui suffisent maintenant pour les lancer dans le monde. Et même il lui arrive, comme pour *Tite et Bérénice,* de ne point leur prêter ce secours. Après avoir répandu tant d'idées dans tous ces écrits préliminaires qui formaient l'accompagnement de ses œuvres, il se montre avare de discours comme de pensées, ou bien il remet à plus tard le soin de s'expliquer, et ce *plus tard* ne survient jamais.

On doit voir beaucoup de lassitude ou de désenchantement dans cette attitude.

2. C'est dans la préface qu'il a écrite pour *Suréna* que Voltaire entre tant d'appréciations désobligeantes a écrit ces lignes qui constituent une appréciation qui peut cependant servir de conclusion à tout ce que l'on voudra dire sur Corneille : *Son grand mérite est d'avoir trouvé la France agreste, grossière, ignorante, sans esprit, sans goût, vers le temps du Cid, et de l'avoir changée — car l'esprit qui règne au théâtre, est l'image fidèle de l'esprit d'une nation. Non seulement on doit à Corneille la tragédie et la comédie, mais on lui doit l'art de penser.*

3. Le dernier vers que Corneille ait écrit pour le théâtre mérite qu'on s'y arrête. Il est fort beau. Les idées de mort et de vengeance qu'il renferme lui donnent une couleur pathétique et violente. Il termine la pièce autrement que de cette façon dilatoire dont usa si souvent le poète depuis *le Cid.* (*Laisse faire le temps, ta vaillance et ton roi*) et qui laissait croire qu'après les catastrophes tragiques, les héros ne pouvaient plus agir mais avaient besoin de reprendre haleine. Ici le drame est effectivement achevé. Sa conclusion n'est pas reportée dans un avenir incertain, et cependant le cri de vengeance que le poète fait jaillir de la bouche de son héroïne est une sorte d'appel qu'il jette lui-même vers l'avenir comme pour réclamer de lui un nouveau jugement.

L'HISTOIRE ROMAINE

DANS LE

THÉÂTRE DE CORNEILLE

HORACE		VIIe siècle avant J.-C.
SOPHONISBE		203 —
RODOGUNE	vers	140 —
NICOMÈDE	vers	115 —
SERTORIUS		73 —
SURÉNA		53 —
POMPÉE		48 —
CINNA	vers	20 —
OTHON		69 après J.-C.
TITE ET BÉRÉNICE		79 —
POLYEUCTE	vers	259 —
THÉODORE		304 —
PULCHÉRIE		450 —
ATTILA		453 —
HÉRACLIUS	vers	610 —
PERTHARITE	vers	665 après J.-C.

NOTE BIBLIOGRAPHIQUE

I

ÉDITIONS ORIGINALES DES PIÈCES PUBLIÉES PAR CORNEILLE LUI-MÊME

I. CLITANDRE OU L'INNOCENCE DÉLIVRÉE. TRAGI-COMÉDIE. *Dédiée à Monseigneur le Duc de Longueville. A Paris, chez François Targa, au premier pilier de la Grand'Salle du Palais, au Soleil d'Or, M. D. C. XXXII.* — MESLANGES POËTIQUES du mesme. In-8°.

II. MÉLITE OU LES FAUSSES LETTRES. PIÈCE COMIQUE. Même éditeur, 1633. In-4°.

III. LA VEFVE, OU LE TRAISTRE TRAHY. COMÉDIE. Même éditeur, 1634. In-4°.

Ce volume contient en outre 23 pages d'hommages en vers adressés à Corneille au sujet de sa pièce par 26 différents auteurs, parmi qui l'on trouve : Scudéry, Mairet, Rotrou, Du Ryer, Bois-Robert, Claveret.

IV. LA GALERIE DU PALAIS OU L'AMIE RIVALE. COMÉDIE. Même éditeur, et *A Paris, chez Augustin Courbé, Imprimeur et Libraire de Monseigneur frère du Roy, dans la petite Salle du Palais, à la Palme. M. D. C. XXXVII.* In-4°.

V. LA PLACE ROYALE OU L'AMOUREUX EXTRAVAGANT. COMÉDIE. Mêmes éditeurs, 1637. L'achevé d'imprimer porte la même date que *La Galerie du Palais :* 20 Février. In-4°.

VI. LE CID. TRAGI-COMÉDIE. Mêmes éditeurs, 1637. L'achevé d'imprimer est du 23 mars. In-4°.

Le Cid a encore été publié du vivant de Corneille en 1637 in-12, 1639 in-4°, 1642 in-12, 1644 in-4°, 1682 in-12.

VII. LA SUIVANTE. COMÉDIE. Mêmes éditeurs, 1637. L'achevé d'imprimer est du 9 septembre In-4°.

VIII. MÉDÉE. TRAGÉDIE. Chez F. Targa, 1639. In-4°.

IX. L'ILLUSION COMIQUE. COMÉDIE. Même éditeur, 1639. In-4°.

Imprimée en même temps que *Médée.*

X. HORACE. Tragédie. Chez Augustin Courbé, 1641. In-4°.

Horace a encore été publié du vivant de Corneille en 1641 in-4° (fautive), 1641 in-12, 1647 in-12, 1682 in-12.

XI. CINNA ou LA CLÉMENCE D'AUGUSTE. Tragédie. *Horat, cui lecta potenter erit res. Nec facundia deseret hunc, nec luicidus ordo. Imprimé à Rouen aux dépens de l'Autheur, et se vendent à Paris, chez Toussaint et Quinet, au Palais, soubs la montée de la Cour des Aydes. M.D.C.XLIII.* In-4°.

La pièce est précédée d'extraits de Sénèque et de Montaigne.

Autres éditions de *Cinna* du vivant de Corneille : 1643 in-12, 1646 in-4° (contenant la lettre de Balzac), 1646 in-12, 1648 in-12, 1664 in-12, 1682 in-12.

XII. POLYEUCTE MARTYR. Tragédie. *A Paris, chez Antoine de Sommaville, en la gallerie des Merciers, à l'Escu de France. Au Palais. Et Augustin Courbé, en la mesme Gallerie, à la Palme. M.D.C.XLIII.* In-4°.

Autres éditions du vivant de Corneille : 1644 in-12, 1648 in-4°, 1648 in-12, 1664 in-12, 1682 in-12.

XIII. LA MORT DE POMPÉE. Tragédie. Même éditeur, 1644. In-4°.

Pompée a été réimprimé du vivant de Corneille en 1644 in-12, en 1682 in-12.

XIV. LE MENTEUR. Comédie. Même éditeur, imprimé à Rouen, 1644. In-4°.

Réimpressions du vivant de Corneille : 1644 in-12, 1653 in-4°, 1664 in-12, 1682 in-12.

XV. LA SUITE DU MENTEUR. Comédie. Même éditeur, 1645. In-4°.

Réimpression du vivant de Corneille en 1645 in-12, 1648 in-12, 1682 in-12.

XVI. THÉODORE VIERGE ET MARTYRE. Tragédie chrestienne. Mêmes éditeurs (Quinet, Sommaville, Courbé), 1646 ou 1647. In-4°.

Réimprimée en 1646 in-12, 1682 in-12.

XVII. RODOGUNE PRINCESSE DES PARTHES. Tragédie. Mêmes éditeurs, 1647. In-4°.

Réimprimée en 1647 in-12, 1682 in-12.

XVIII. HÉRACLIUS EMPEREUR D'ORIENT. Tragédie. Mêmes éditeurs, 1647. In-4°.

Réimprimée en 1647 in-12, 1652 in-12, 1682 in-12.

XIX. DESSEIN DE LA TRAGÉDIE D'ANDROMÈDE. *Représentée sur le Théâtre Royal de Bourbon. Contenant l'ordre des scènes, la description des Théâtres et des Machines, et les paroles qui se chantent en musique.* Chez Courbé, imprimé aux dépens de l'auteur, 1650. In-8°.

ANDROMÈDE. TRAGÉDIE. *Représentée avec les Machines sur le Théâtre Royal de Bourbon. A Rouen, chez Laurens Maurry, près le Palais. M.D.C.LI. Avec Privilège du Roy. Et se vend à Paris, chez Charles de Sercy, au Palais, dans la salle Dauphine, à la bonne Foy Couronnée.* In-12.

Réimprimée en 1651 in-4°, avec 6 grandes figures pliées; en 1655 in-12, 1682 in-12, 1682 in-4°. Cette dernière édition eSt seulement un programme contenant les décorations et les vers chantés, avec d'importantes variantes.

XX. D. SANCHE D'ARAGON. COMÉDIE HÉROIQUE. Chez Courbé, 1650. In-4°.

Réimprimée en 1650 in-12, 1653 in-12, 1655 in-12, 1682 in-12.

XXI. NICOMÈDE. TRAGÉDIE. A Rouen chez L. Maurry et à Paris chez Ch. de Sercy, 1651. In-4°.

Réimprimée en 1652 et 53 in-12, 1682 in-12.

XXII. PERTHARITE ROY DES LOMBARDS. TRAGÉDIE. *A Rouen chez Laurens Maurry, près le Palais, et se vend à Paris, chez Guillaume de Luyne, au Palais sous la montée de la Cour des Aydes,* 1653. In-12.

Réimprimée en 1654 in-12, 1656 in-12, 1682 in-12.

XXIII. ŒDIPE. TRAGÉDIE. PAR P. CORNEILLE. Chez A. Courbé et G. de Luyne, 1659. In-12.

Réimprimée en 1682 in-12.

XXIV. DESSEINS DE LA TOISON D'OR. TRAGÉDIE. *Représentée par la Troupe Royale du MareSts, Chez M. le Marquis de Sourdeac, en son château de Neufbourg, pour réjoüissance publique du Mariage du Roy, et de la Paix avec l'ESpagne, et ensuite sur le Théâtre Royal du MareSts.* Chez A. Courbé et G. de Luyne, 1661. In-4°.

Réimprimés en 1661 in-8°.

LA TOISON D'OR. TRAGÉDIE. *Représentée* etc. Chez A. Courbé et G. de Luyne, 1661. In-12.

Réimprimée en 1682 in-12, en 1683 in-4° sous forme de programme.

XXV. SERTORIUS. TRAGÉDIE. Mêmes éditeurs, 1661. In-12.

Réimprimée en 1662. In-12.

XXVI. SOPHONISBE. TRAGÉDIE. PAR P. CORNEILLE. Chez G. de Luyne, Thomas Jolly et Louys Billaine, 1663. In-12.

Réimprimée en 1663 in-12.

XXVII. OTHON [qq. exempl. portent OTON]. TRAGÉDIE. PAR P. CORNEILLE. Mêmes éditeurs, 1665. In-12.

XXVIII. AGÉSILAS. TRAGÉDIE. *En vers libres rimez.* PAR P. CORNEILLE. Mêmes éditeurs, 1666. In-12.

XXIX. ATTILA ROY DES HUNS. TRAGÉDIE. PAR P. [qq. exempl. portent T.] CORNEILLE. Mêmes éditeurs, 1668. In-12.

XXX. TITE ET BÉRÉNICE. COMÉDIE HÉROIQUE. PAR P. CORNEILLE. Mêmes éditeurs, 1671. In-12.

Réimprimée en 1679 in-12.

XXXI. PULCHÉRIE. COMÉDIE HÉROIQUE. Chez G. de Luyne, 1673. In-12.

XXXII. SURÉNA GÉNÉRAL DES PARTHES. TRAGÉDIE. Même éditeur, 1675. In-12.

II

PIÈCES ÉCRITES AVEC LA COLLABORATION DE CORNEILLE

I. LA COMÉDIE DES TUILERIES. *Par les cinq Autheurs.* Chez A. Courbé, 1638. In-4°.

Réimprimée in-12 la même année.

II. L'AVEUGLE DE SMYRNE. TRAGÉDIE. *Par les cinq Autheurs.* Chez A. Courbé, 1638. In-4°.

Réimprimée la même année, in-12. Il est presque certain que Corneille n'a pas donné de collaboration effective à cette pièce.

III. PSICHÉ. TRAGÉDIE-BALLET. PAR I. B. P. MOLIÈRE. *Chez Pierre Le Monnier,* 1671. In-12.

Réimprimée en 1671 in-12, 1673 in-12.

III

ÉTUDES COLLECTIVES PUBLIÉES AU SU DE CORNEILLE

I. ŒUVRES DE CORNEILLE. Première partie. Chez Sommaville et A. Courbé, 1644. In-12.

Ce volume contient 8 pièces de *Mélite* à *L'Illusion Comique.* Corneille a refait pour cette édition, qui en prend une grande importance, des centaines de vers. En même temps, les libraires ont relié en un seul volume des exemplaires des éditions originales in-4° de *Mélite* à *Polyeucte,* et l'ont mis en vente sous le titre LE THÉATRE DE CORNEILLE.

ŒUVRES DE CORNEILLE. Tome II. Chez Augustin Courbé. 1647. In-12.

On y trouve reliées les éditions in-12 du *Cid,* 1637; d'*Horace,* 1641; de *Cinna,* 1643; de *Polyeucte,* 1644; de *Pompée,* 1644; du *Menteur,* 1644; de la *Suite du Menteur,* 1645; de *Théodore,* 1646; de *Rodogune,* 1647. Par conséquent aucun intérêt pour les variantes. Par le même procédé qu'en 1644, le libraire a publié un recueil factice en deux volumes in-4°.

II. ŒUVRES DE CORNEILLE. En deux parties. Chez A. Courbé, Sommaville et Quinet, 1648. 2 vol. in-12.

Le premier volume est semblable à celui de 1644, sauf qq. fautes d'impression. Le second tient sept pièces, du *Cid* à la *Suite du Menteur* précédées d'un *Au Lecteur* dont les premières lignes sont : *Voici une Seconde Partie de pièces de Théâtre un peu plus supportables que celles de la première.*

ŒUVRES DE CORNEILLE. En trois parties. Chez les mêmes, 1652. 3 vol. in-12.

Deux premières parties semblables aux précédentes, la troisième contient *Théodore, Rodogune* et *Héraclius.*

ŒUVRES DE CORNEILLE. En trois parties. Chez A. Courbé et G. de Luyne, 1654. 3 vol. in-12.

Le troisième volume contient de plus que les précédents *Andromède, D. Sanche, Nicomède* et *Pertharite.*

ŒUVRES DE CORNEILLE. En trois parties, chez A. de Sommaville, Edme Pépingué, Louys Chanhoudry, J.-B. Loyson, 1655. 3 vol. in-12.

Cette édition s'arrête à *Héraclius* comme celle de 1652.

ŒUVRES DE CORNEILLE. Chez A. Courbé et G. de Luyne, 1656 et 1657. 3 vol. in-12.

Texte de 1648, répartition des pièces de l'édition de 1654.

III. LE THÉATRE DE P. CORNEILLE. *Reveu et corrigé par l'Autheur.* En trois parties, chez A. Courbé et G. de Luyne, 1660. 3 vol. in-8°.

Le vol. I comprend le *Discours de l'Utilité et des Parties du Poème dramatique,* ainsi que les *Examens* qui apparaissent ici pour la première fois, et 8 pièces de *Mélite* à *L'Illusion,* avec une figure à chacune.

Le vol. II comprend *Le Discours de la Tragédie et des moyens de la traiter selon le vray-semblable ou le nécessaire,* et les *Examens,* 8 pièces du *Cid* à *La Suite du Menteur,* avec une figure chacune.

Le vol. III comprend le *Discours des trois Unitez d'Actions, de Jour et de Lieu,* les *Examens* et 7 pièces de *Rodogune* à *Œdipe,* avec une figure chacune.

Alors que les éditions précédentes reproduisaient, nonobstant qq. fautes d'impression le texte de 1648, celle-ci comporte de très importantes corrections.

IV. LE THÉATRE DE P. CORNEILLE. *Imprimé du vivant de l'Auteur.* A Rouen chez Laurent Maurry, 1663. 2 vol. in-fol.

Édition semblable à la suivante, moins les planches.

LE THÉATRE DE P. CORNEILLE. *Reveu et corrigé par l'Autheur.* En deux parties. Imprimé à Rouen. Vendu à Paris chez G. de Luyne, T. Jolly, L. Billaine, 1663-1664-1665. 2 vol. in-fol.

Le vol. I contient un portrait et un frontispice avec le buste de Corneille, un *Au Lecteur,* le 1er *Discours,* les *Examens* et 12 pièces de *Mélite* à *Polyeucte.*

Le vol. II contient le 2° *Discours,* les *Examens* et 12 pièces de *Pompée* à *La Toison d'Or,* puis le 3° *Discours.* Le texte a été à nouveau revisé par Corneille. Il essaye ici un nouveau système orthographique (distinction d'i et j, d'f et s, d'u et v, etc.) dont il explique l'utilité dans son avis *Au Lecteur;* (mais les typographes l'ont trahi à maintes reprises).

V. LE THÉATRE DE P. CORNEILLE. *Reveu et corrigé par l'Autheur.* 1664 en trois parties et 1666 pour le vol. IV. Chez les mêmes. 4 vol. in-8°.

Les trois premiers reproduisent l'édition de 1660 avec de plus un *Au Lecteur* au début du 1er et *La Toison d'Or* à la fin du 3°. Le 4° vol. contient *Sertorius, Sophonisbe* et *Othon.*

VI. LE THÉATRE DE P. CORNEILLE. *Reveu et corrigé par l'Autheur.* En quatre parties. Chez les mêmes, 1668. 4 vol. in-12.

Les trois premiers reproduisent l'édition de 1664. Le IVe contient de plus *Agésilas* et *Attila,* les préfaces des cinq pièces et un *Au Lecteur* du Libraire.

Il existe une réédition de la même année, dans laquelle le texte étant beaucoup plus compact, le nombre des pages est réduit. Cette réédition a elle-même été reprise en 1680 par le libraire Trabouillet.

VII. LE THÉATRE DE P. CORNEILLE. *Reveu et corrigé par l'Autheur.* En quatre parties chez G. de Luyne, Est. Loyson, P. Trabouillet, 1682. 4 vol. in-12.

Le vol. I contient un portrait de Corneille. Chaque vol. contient 8 pièces; les *Discours* et les *Examens* sont groupés en tête de chacun des trois premiers, comme dans les éditions précédentes. Le IVe a la même composition que celui de 1668, mais contient de plus *Tite et Bérénice, Pulchérie, Suréna.*

Cette édition étant la dernière publiée par Corneille, son texte a été souvent considéré comme définitif. Cependant elle contient de si nombreuses fautes typographiques qu'il n'eśt pas possible de la suivre aveuglément.

IV

QUELQUES ÉDITIONS COLLECTIVES PUBLIÉES DEPUIS LA MORT DE CORNEILLE

I. LE THÉATRE DE P. CORNEILLE. *Reveu et corrigé par l'autheur*. Chez G. de Luyne, P. Trabouillet et A. Besoigne, 1692. 5 vol. in-12.

C'eśt l'édition revisée par Thomas. Il a non seulement corrigé des fautes d'impression de l'édition de 1682, mais y a ajouté de son cru, des variantes inutiles et peu judicieuses que Voltaire s'eśt empressé de presque toutes reproduire.

II. LE THÉATRE DE P. CORNEILLE. *Nouvelle édition*. Paris, chez David l'aîné, 1738. 5 vol. in-12.

C'eśt la première édition donnant des renseignements sur la représentation et l'impression de chaque pièce. Ils ont été recueillis par F.-A. Jolly, censeur royal. Il en exiśte une réimpression de 1747 chez David père, avec des exemplaires en grand papier, dont l'un a appartenu à Mme de Pompadour.

III. THÉATRE DE PIERRE CORNEILLE, *avec des Commentaires, etc., etc., par Voltaire*. Genève, 1764. 12 vol. in-8°.

Voltaire entreprit cette édition au profit de Mlle Corneille, petite-nièce du poète. Il ne s'eśt pas contenté de commenter les œuvres de Corneille, il y a de plus apporté des retouches regrettables. La plupart des éditions qui suivent reproduisent ces commentaires, mais toutes reproduisent les retouches. Réédition par Voltaire en 1765 et en 1774, celle-ci augmentée.

IV. THÉATRE DE P. CORNEILLE, *avec les commentaires de Voltaire*. Paris, F. Didot l'aîné, 1786. 10 vol. gr. in-4°.

Édition dite du Louvre, tirée à 256 exemplaires.

V. ŒUVRES DE P. CORNEILLE, *avec les commentaires de Voltaire*. A Paris, chez Antoine-Auguśtin Renouard, 1817. 12 vol. in-8°.

Cette édition de luxe eśt intéressante pour les 23 gravures d'après Moreau et Prudhon.

VI. ŒUVRES DE P. CORNEILLE, *avec les notes de tous les commentateurs*. 1824-1825. 12 vol. in-12.

Édition établie par M. Parelle sur le texte de 1682, avec variantes. Elle est plus complète que les précédentes.

VII. ŒUVRES DES DEUX CORNEILLE (PIERRE et THOMAS). *Édition variorum collationnée sur les meilleurs textes. Précédée de la vie de Pierre Corneille, etc., etc..., avec les variantes et les corrections de Pierre Corneille, ses Dédicaces, ses Avertissements et ses Examens, ses trois Discours; accompagnées de notices, etc., etc..., formant le résumé des travaux de Voltaire, du père Brumoy, Palissot, l'empereur Napoléon, Guizot, Saint-Marc Girardin, Sainte-Beuve, etc..., par Charles Louandre*. Paris, Charpentier, 1853. 2 vol. in-12.

Plusieurs réimpressions.

L'intérêt de cette édition ne répond pas au titre.

VIII. ŒUVRES DE P. CORNEILLE, *avec les notes de tous les Commentateurs*. Paris, F. Didot, 1854-1855. 12 vol. in-8°.

C'est la meilleure et la plus complète des éditions précédant celle de Marty-Laveaux.

IX. ŒUVRES COMPLÈTES DE P. CORNEILLE. *Nouvelle édition, revue et annotée par M. Taschereau*. Paris chez P. Jannet, 1857. 2 vol. in-12.

Cette édition a été interrompue par les mauvaises affaires du libraire, c'est pourquoi elle ne contient que 13 pièces. On y trouve une minutieuse bibliographie des éditions des *Œuvres* publiées du vivant de Corneille. Taschereau était secondé par Marty-Laveaux.

X. ŒUVRES DE P. CORNEILLE. *Nouvelle édition revue sur les plus anciennes impressions et les autographes, et augmentée de morceaux inédits, etc., etc..., par M. Ch. Marty-Laveaux*. Paris, Librairie de L. Hachette et Cie, 1862-1868. 12 vol. in-8° et un album, gr. in-8°.

C'est l'édition des *Grands Écrivains de la France*, édition capitale à laquelle il faut toujours se reporter et que la présente suit presque constamment. On relève pourtant des fautes d'impression assez graves, dans les dernières pièces.

XI. ŒUVRES COMPLÈTES DE P. CORNEILLE. Paris, Henri Plon, édit. Brière Bibliophile, 1865-1869. 12 vol. in-32.

Collection du Prince Impérial, dédiée à Son Altesse Impériale avec l'autorisation de l'Empereur. Charmante petite édition bien imprimée. A quelques virgules et à quelques différences d'orthographe près, Brière a reproduit dans ses onze premiers volumes, le texte de Marty-Laveaux.

XII. ŒUVRES DE P. CORNEILLE. THÉATRE COMPLET, *précédées de la vie de l'auteur par Fontenelle, et suivies d'un Dictionnaire donnant l'explication des mots qui ont vieilli. Nouvelle édition, imprimée d'après celle de* 1682, *etc., etc... Dessins de M. Geffroy, sociétaire de la Comédie française, etc...* Paris, Laplace et Cie, 1869. Gr. in-8°.

Seule édition du *Théâtre* vraiment complète en un vol. un peu embarrassant il est vrai, mais illustré et d'une impression lisible et agréable. Le texte est établi d'*après* l'édition de 1682. — Cette édition a été reprise par *Laplace, Sanchez et Cie* en 3 vol. in-18 jésus, en 1873, en gr. in-8° jés. de 780 pp. en 1873 et 1884, et enfin, par Garnier en 3 vol. in-12. Les figures de toutes ces éditions sont coloriées, et le texte en est très fautif.

XIII. THÉATRE DE P. CORNEILLE. *Notices et notes d'Alphonse Pauly.* Paris, Lemerre, 1881. 8 vol. in-16 et un album de 35 eaux-fortes.

Édition maniable, très bien imprimée et consciencieuse comme toutes celles de la même série.

XIV. THÉATRE COMPLET DE CORNEILLE, *portraits et illustrations gravés d'après des documents anciens.* Paris, Albin Michel, 1930-1932. 4 vol. in-8°.

V

TRAVAUX CONSACRÉS AU THÉATRE DE CORNEILLE

On ne peut citer toutes les éditions *classiques* soit de pièces séparées, soit du *Théâtre* dont se servent les élèves des Lycées; malgré la pléthore de notes, elles sont pour la plupart excellentes parce qu'elles utilisent les travaux de Marty-Laveaux.

Les COMMENTAIRES de Voltaire ont été édités séparément en 1764, 1765 et 1851. Ils présentent plus d'intérêt pour l'étude de Voltaire et du classicisme au XVIIIe siècle, que pour celle de Corneille, à qui Voltaire cherche des chicanes mesquines et ridiculement primaires.

La BIBLIOGRAPHIE CORNÉLIENNE par Émile Picot (Paris, 1876), augmentée en 1908 par P. Leverdier et E. Pelay, forme un précieux ouvrage de documentation non seulement sur toutes les publications qui concernent Corneille, mais encore sur l'histoire de chacune de ses œuvres. Elle résume et complète l'indispensable édition de Marty-Laveaux. Nous l'avons suivie pour l'établissement de cette *Note Bibliographique.*

CORNEILLE par Gustave Lanson. (Hachette, *Grands Écrivains français.*)

OCTAVE NADAL, *Le sentiment de l'amour dans l'Œuvre de Pierre Corneille* suivi de *De quelques mots de la langue cornélienne ou d'une éthique de la gloire,* Gallimard, 1948.

ROBERT BRASILLACH, *Pierre Corneille,* Paris, Fayard, 1938.

R. CRÉTIN, *Les images dans l'Œuvre de Pierre Corneille,* Caen, A. Olivier édit., 1927.

PAUL DESJARDINS, *La méthode des Classiques français : Corneille, Poussin, Pascal,* Paris, Armand Colin.

LOUIS RIVAILLE, *Les débuts de Pierre Corneille,* Paris, Boivin édit., 1936.

JEAN SCHLUMBERGER, *Plaisir à Corneille,* Paris, Gallimard, 1936.

REINHOLD SCHNEIDER, *Grandeur de Corneille et de son temps,* traduit par M. de Gandillac, Paris, Ed. Alsatia, 1943.

ANDRÉ ROUSSEAUX, *Corneille ou le Mensonge héroïque,* Revue de Paris, 1er juillet 1937, pp. 50-73.

F.-J. TANQUEREY, *Le héros cornélien,* Revue des Cours et Conférences, 15 et 30 juillet 1934, pp. 577-594, 687-696.

TABLE DES MATIÈRES

TABLE DES MATIÈRES

against one of my three enemies. That would lead to developments. I felt that I wanted enormously to have a vulgar scrap with those gentry, where I could hit out and flatten something. I was rapidly getting into a very bad temper.

I didn't feel like going back to my flat. That had to be faced sometime, but as I still had sufficient money, I thought I would put it off till next morning and go to a hotel for the night.

My irritation lasted through dinner, which I had at a restaurant in Jermyn Street. I was no longer hungry, and let several courses pass untasted. I drank the best part of a bottle of Burgundy, but it did nothing to cheer me. An abominable restlessness had taken possession of me. Here was I, a very ordinary fellow with no particular brains, and yet I was convinced that somehow I was needed to help this business through—that without me it would all go to blazes. I told myself it was sheer, silly conceit, that four or five of the cleverest people living, with all the might of the British Empire at their back, had the job in hand. Yet I couldn't be convinced. It seemed as if a voice kept speaking in my ear, telling me to be up and doing or I would never sleep again.

The upshot was that about half-past nine I made up my mind to go to Queen Anne's Gate. Very likely I would not be admitted, but it would ease my conscience to try.

I walked down Jermyn Street and at the corner of Duke Street passed a group of young men. They were in evening dress, had been dining somewhere, and were going on to a music-hall. One of them was Mr. Marmaduke Jopley.

He saw me and stopped short.

"By God, the murderer!" he cried. "Here, you fellows, hold him! That's Hannay, the man who did the Portland Place murder!" He gripped me by the arm and the others crowded around.

I wasn't looking for any trouble, but my ill temper made me play the fool. A policeman came up, and I should have told him the truth and, if he didn't believe it, demanded to be taken to Scotland Yard or, for that matter, to the nearest police station. But a delay at that moment seemed to me unendurable, and the sight of Marmie's imbecile face was more than I could bear. I let out with my left, and had the satisfaction of seeing him measure his length in the gutter.

Then began an unholy row. They were all on me at once, and the policeman took me in the rear. I got in one or two good blows, for I think with fair play I could have licked the lot of them, but the policeman pinned me behind, and one of them got his fingers on my throat.

Through a black cloud of rage I heard the officer of the law asking what was the matter, and Marmie, between his broken teeth, declaring that I was Hannay, the murderer.

"Oh, damn it all," I cried, "make the fellow shut up. I advise you to leave me alone, constable. Scotland Yard knows all about me, and you'll get a proper wigging if you interfere with me."

"You've got to come along of me, young man," said the policeman. "I saw you strike that gentleman crool 'ard. You began it, too, for he wasn't doing nothing. I seen you. Best go quietly or I'll have to fix you up."

Exasperation and an overwhelming sense that at no cost must I delay gave me the strength of a bull elephant. I fairly wrenched the constable off his feet, floored the man who was gripping my collar, and set off at my best pace down Duke Street. I heard a whistle being blown, and the rush of men behind me.

I have a very fair turn of speed and that night I had wings. In a jiffy I was in Pall Mall and had turned down towards St. James' Park. I dodged the policeman at the Palace Gates, dived through a press of carriages at the entrance to the Mall, and was making for the bridge before my pursuers had crossed the roadway. In the open ways of the park I put on a spurt. Happily there were few people about and no one tried to stop me. I was staking all on getting to Queen Anne's Gate.

When I entered that quiet thoroughfare it seemed deserted. Sir Walter's house was in the narrow part and outside it three or four motor-cars were drawn up. I slackened speed some yards off and walked briskly up to the door. If the butler refused me admission, or if he even delayed to open the door, I was done.

He didn't delay. I had scarcely rung before the door opened.

"I must see Sir Walter," I panted. "My business is desperately important."

That butler was a great man. Without moving a muscle he held the door open, and then shut it behind me. "Sir Walter is engaged, sir, and I have orders to admit no one. Perhaps you will wait."

The house was of the old-fashioned kind, with a wide hall and rooms on both sides of it. At the far end was an alcove with a telephone and a couple of chairs, and there the butler offered me a seat.

"See here," I whispered. "There's trouble about and I'm in it. But Sir Walter knows and I'm working for him. If any one comes and asks if I am here, tell him a lie."

He nodded, and presently there was a noise of voices in the street and a furious ringing at the bell. I never admired a man more than that butler. He opened the door and with a face like a graven image waited to be questioned.

Then he gave it them. He told them whose house it was and what his orders were and simply froze them off the doorstep. I could see it all from my alcove, and it was better than any play.

I hadn't waited long till there came another ring at the bell. The butler made no bones about admitting this new visitor.

While he was taking off his coat I saw who it was. You couldn't open a newspaper or a magazine without seeing that face—the grey beard cut like a spade, the firm fighting mouth, the blunt square nose, and the keen blue eyes. I recognised the First Sea Lord, the man, they say, that made the new British Navy.

He passed my alcove and was ushered into a room at the back of the hall. As the door opened I could hear the sound of low voices. It shut, and I was left alone again.

For twenty minutes I sat there, wondering what I was to do next. I was still perfectly convinced that I was wanted, but when or how I had no notion. I kept looking at my watch, and as the time crept on to half-past ten I began to think that the conference must soon end. In a quarter of an hour Royer should be speeding along the road to Portsmouth.

Then I heard a bell ring and the butler appeared. The door of the back room opened, and the First Sea Lord came out. He walked past me, and in passing he glanced in my direction, and for a second we looked each other in the face.

Only for a second, but it was enough to make my heart jump. I had never seen the great man before, and he had never seen me. But in that fraction of time something sprang into his eyes, and that something was recognition. You can't mistake it. It is a flicker, a spark of light, a minute shade of difference, which means one thing and one thing only. It came involuntarily, for in a moment it died, and he passed on. In a maze of wild fancies I heard the street door close behind him.

I picked up the telephone-book and looked up the number of his house. We were connected at once and I heard a servant's voice.

"Is his lordship at home?" I asked.

"His lordship returned half an hour ago," said the voice, "and has gone to bed. He is not very well to-night. Will you leave a message, sir?"

I rang off and sat down numbly in a chair. My part in this business was not yet ended. It had been a close shave, but I had been in time.

Not a moment could be lost, so I marched boldly to the door of that back room and entered without knocking. Five surprised faces looked up from a round table. There was Sir Walter, and Drew, the war minister, whom I knew from his photographs. There was a slim, elderly man, who was probably

Whittaker, the Admiralty official, and there was General Winstanley, conspicuous from the long scar on his forehead. Lastly there was a short stout man with an iron-grey moustache and bushy eyebrows, who had been arrested in the middle of a sentence.

Sir Walter's face showed surprise and annoyance.

"This is Mr. Hannay, of whom I have spoken to you," he said apologetically to the company. "I'm afraid, Hannay, this visit is ill-timed."

I was getting back my coolness. "That remains to be seen, sir," I said, "but I think it may be in the nick of time. For God's sake, gentlemen, tell me who went out a minute ago?"

"Lord Alloa," Sir Walter said, reddening with anger.

"It was not," I cried. "It was his living image, but it was not Lord Alloa. It was some one who recognised me, some one I have seen in the last month. He had scarcely left the doorstep when I rang up Lord Alloa's house and was told he had come in half an hour before and had gone to bed."

"Who—who——" some one stammered.

"The Black Stone," I cried, and I sat down in the chair so recently vacated and looked round at five badly scared gentlemen.

CHAPTER IX

THE THIRTY-NINE STEPS

"NONSENSE!" said the official from the Admiralty.

Sir Walter got up and left the room, while we looked blankly at the table. He came back in ten minutes with a long face. "I have spoken to Alloa," he said. "Had him out of bed—very grumpy. He went straight home after Mulross's dinner."

"But it's madness," broke in General Winstanley. "Do you mean to tell me that that man came here and sat beside me for the best part of half an hour, and that I didn't detect the imposture? Alloa must be out of his mind."

"Don't you see the cleverness of it?" I said. "You were too interested in other things to have the use of your eyes. You took Lord Alloa for granted. If it had been anybody else you might have looked more closely, but it was natural for him to be here, and that put you all to sleep."

Then the Frenchman spoke, very slowly and in good English.

"The young man is right. His psychology is good. Our enemies have not been foolish!"

"But I don't see," went on Winstanley. "Their object was to get these dispositions without our knowing it. Now it only required one of us to mention to Alloa our meeting to-night for the whole fraud to be exposed."

Sir Walter laughed drily. "The selection of Alloa shows their acumen. Which of us was likely to speak to him about to-night? Or was he likely to open the subject?" I remembered the First Sea Lord's reputation for taciturnity and shortness of temper.

"The one thing that puzzles me," said the General, "is what good his visit here would do that spy fellow? He could not carry away several pages of figures and strange names in his head."

"That is not difficult," the Frenchman replied. "A good spy is trained to have a photographic memory. Like your own Macaulay. You noticed he said nothing, but went through these papers again and again. I think we may assume that he has every detail stamped on his mind. When I was younger I could do the same trick."

"Well, I suppose there is nothing for it but to change the plans," said Sir Walter ruefully.

Whittaker was looking very glum. "Did you tell Lord Alloa what had happened?" he asked. "No! I can't speak with absolute assurance, but I'm nearly certain we can't make any serious change unless we alter the geography of England."

"Another thing must be said," it was Royer who spoke. "I talked freely when that man was here. I told something of the military plans of my Government. I was permitted to say so much. But that information would be worth many millions to our enemies. No, my friends, I see no other way. The man who came here and his confederates must be taken and taken at once."

"Good God," I cried, "and we have not a rag of a clue."

"Besides," said Whittaker, "there is the post. By this time the news will be on its way."

"No," said the Frenchman. "You do not understand the habits of the spy. He receives personally his reward, and he delivers personally his intelligence. We in France know something of the breed. There is still a chance, *mes amis*. These men must cross the sea, and there are ships to be searched and ports to be watched. Believe me, the need is desperate for both France and Britain."

Royer's grave good sense seemed to pull us together. He was the man of action among fumblers. But I saw no hope in any face, and I felt none. Where among the fifty millions of these islands and within a dozen hours were we to lay hands on the three cleverest rogues in Europe?

Then suddenly I had an inspiration.

"Where is Scudder's book?" I asked Sir Walter. "Quick, man, I remember something in it."

He unlocked the drawer of a bureau and gave it to me.

I found the place. *"Thirty-nine steps,"* I read, and again *"Thirty-nine steps—I counted them—High tide 10.17 p.m."*

The Admiralty man was looking at me as if he thought I had gone mad.

"Don't you see it's a clue," I cried. "Scudder knew where these fellows laired—he knew where they were going to leave the country; though he kept the name to himself. To-morrow was the day, and it was some place where high tide was at 10.17."

"They may have gone to-night," some one said.

"Not them. They have their own snug secret way, and they won't be hurried. I know Germans, and they are mad about working to a plan. Where the devil can I get a book of Tide Tables?"

Whittaker brightened up. "It's a chance," he said. "Let's go over to the Admiralty."

We got into two of the waiting motor-cars —all but Sir Walter, who went off to Scotland Yard—to "mobilise MacGillivray," so he said.

We marched through empty corridors and big bare chambers where the charwomen were busy, till we reached a little room lined with books and maps. A resident clerk was unearthed, who presently fetched from the library the Admiralty Tide Tables. I sat at the desk and the others stood round, for somehow or other I had got charge of this outfit.

It was no good. There were hundreds of entries, and as far as I could see 10.17 might cover fifty places. We had to find some way of narrowing the possibilities.

I took my head in my hands and thought. There must be some way of reading this riddle. What did Scudder mean by steps? I thought of dock steps, but if he had meant that I didn't think he would have mentioned the number. It must be some place where there were several staircases and one marked out from the others by having thirty-nine steps.

Then I had a sudden thought and hunted up all the steamer sailings. There was no boat which left for the Continent at 10.17 P. M.

Why was high tide important? If it was a harbour it must be some little place where the tide mattered, or else it was a heavy-draught boat. But there was no regular steamer sailing at that hour, and somehow I didn't think they would travel by a big boat from a regular harbour. So it must be some little harbour where the tide was important, or perhaps no harbour at all.

But if it was a little port I couldn't see what the steps signified. There were no sets of staircases at any harbour that I had ever seen. It must be some place which a particular staircase identified, and where the tide was full at 10.17. On the whole it seemed to me that the place must be a bit of open coast. But the staircases kept puzzling me.

Then I went back to wider considerations. Whereabouts would a man be likely to leave for Germany, a man in a hurry who wanted a speedy and a secret passage? Not from any of the big harbours. And not from the Channel or the west coast or the north or Scotland, for, remember, he was starting from London. I measured the distance on the map, and tried to put myself in the enemy's shoes. I should try for Ostend or Antwerp or Rotterdam and I should sail from somewhere on the east coast between Cromer and Dover.

All this was very loose guessing and I don't pretend it was ingenious or scientific. I wasn't any kind of Sherlock Holmes. But I have always fancied I had a kind of instinct about questions like this. I don't know if I can explain myself, but I used to use my brains as far as they went, and after they came to a blank wall I guessed, and I usually found my guesses pretty right.

So I set out all my conclusions on a bit of Admiralty paper. They ran like this:

FAIRLY CERTAIN.

(1) Place where there are several sets of stairs: one that matters distinguished by having thirty-nine steps.

(2) Full tide at 10.17 P.M. Leaving shore only possible at full tide.

(3) Steps not dock-steps and so place probably not harbour.

(4) No regular night steamer at 10.17. Means of transport must be tramp (unlikely), yacht or fishing-boat.

There my reasoning stopped. I made another list, which I headed "Guessed," but I was just as sure of the one as the other.

GUESSED.

(1) Place not harbour but open coast.

(2) Boat small—trawler, yacht or launch.

(3) Place somewhere on east coast between Cromer and Dover.

It struck me as odd that I should be sitting at that desk with a Cabinet Minister, a Field Marshal, two high Government officials, and a French General watching me, while from the scribble of a dead man I was trying to drag a secret which meant life or death for us.

Sir Walter had joined us, and presently MacGillivray arrived. He had sent out instructions to watch the ports and railway stations for the three gentlemen whom I had described to Sir Walter. Not that he or anybody else thought that that would do much good.

"Here's the most I can make of it," I said. "We have got to find a place where there are several staircases down to the beach, one of which has thirty-nine steps. I think it's a piece of open coast with biggish cliffs somewhere between the Wash and the Channel. Also it's a place where full tide is at 10.17 to-morrow night."

Then an idea struck me. "Is there no Inspector of Coastguards or some fellow like that who knows the east coast?"

Whittaker said there was and that he lived in Clapham. He went off in a car to fetch him, and the rest of us sat about the little room and talked of anything that came into our heads. I lit a pipe and went over the whole thing again till my brain grew weary.

About one in the morning the coastguard man arrived. He was a fine old fellow with the look of a naval officer, and was desperately respectful to the company. I left the War Minister to cross-examine him, for I felt he would think it cheek in me to talk.

"We want you to tell us the places you know on the east coast where there are cliffs, and where several sets of steps run down to the beach."

He thought for a bit. "What kind of steps do you mean, sir? There are plenty of places with roads cut down through the cliffs, and most roads have a step or two in them. Or do you mean regular staircases—all steps, so to speak?"

Sir Arthur looked towards me. "We mean regular staircases," I said.

He reflected a minute or two. "I don't know that I can think of any. Wait a second. There's a place in Norfolk—Brattlesham—beside a golf course, where there are a couple of staircases to let the gentlemen get a lost ball."

"That's not it," I said.

"Then there are plenty of Marine Parades, if that's what you mean. Every seaside resort has them."

I shook my head.

"It's got to be more retired than that," I said.

"Well, gentlemen, I can't think of anywhere else. Of course, there's the Ruff——"

"What's that?" I asked.

"The big chalk headland in Kent, close to Bradgate. It's got a lot of villas on the top, and some of the houses have staircases down to a private beach. It's a very high-toned sort of place, and the residents there like to keep by themselves."

I tore open the "Tide Tables" and found Bradgate. High tide there was at 10.27 P.M. on the 15th of June.

"We're on the scent at last!" I cried excitedly. "How can I find out what is the tide at the Ruff?"

"I can tell you that, sir," said the coastguard man. "I once was lent a house there in this very month, and I used to go out at night to the deep-sea fishing. The tide's ten minutes before Bradgate."

I closed the book and looked round at the company.

"If one of those staircases has thirty-nine steps we have solved the mystery, gentlemen," I said. "I want the loan of your car, Sir Walter, and a map of the roads. If Mr. MacGillivray will spare me ten minutes I think we can prepare something for to-morrow."

It was ridiculous in me to take charge of the business like this, but they didn't seem to mind, and after all I had been in the show from the start. Besides, I was used to rough jobs, and these eminent gentlemen were too clever not to see it.

It was General Royer who gave me my commission.

"I for one," he said, "am content to leave the matter in Mr. Hannay's hands."

By half-past three I was tearing past the moonlit hedgerows of Kent with MacGillivray's best man on the seat beside me.

CHAPTER X

VARIOUS PARTIES CONVERGING ON THE SEA

A PINK and blue June morning found me at Bradgate looking from the Griffin Hotel over a smooth sea to the lightship on the Cock sands which seemed the size of a bell-buoy. A couple of miles further south and much nearer the shore a small destroyer was anchored. Scaife, MacGillivray's man, who had been in the navy, knew the boat and told me her name and her commander's, so I sent off a wire to Sir Walter.

After breakfast Scaife got from a house-agent a key for the gates of the staircases on the Ruff. I walked with him along the sands, and sat down in a nook of the cliffs while he investigated the half dozen of them. I didn't want to be seen, but the place at this hour was quite deserted, and all the time I was on that beach I saw nothing but the sea-gulls.

It took him more than an hour to do the job, and when I saw him coming towards me, conning a bit of paper, I can tell you my heart was in my mouth. Everything depended, you see, on my guess proving right.

He read aloud the number of steps in the different stairs. "Thirty-four, thirty-five, thirty-nine, forty-two, forty-seven, and twenty-one," where the cliffs grew lower. I almost got up and shouted.

We hurried back to the town and sent a wire to MacGillivray. I wanted half a dozen men and I directed them to divide themselves among different specified hotels. Then Scaife set out to prospect the house at the head of the thirty-nine steps.

He came back with news that both puzzled and reassured me. The house was called Trafalgar Lodge, and belonged to an old gentleman called Appleton—a retired stockbroker, the house-agent said. Mr. Appleton was there a good deal in the summer time, and was in residence now—had been for the better part of a week. Scaife could pick up very little information about him, except that he was a decent old fellow, who paid his bills regularly and was always good for a fiver for a local charity. Then Scaife seems to have penetrated to the back door of the house, pretending he was an agent for sewing machines. Only three servants were kept, a cook, a parlour-maid, and a housemaid, and they were just the sort that you would find in a respectable middle-class household. The cook was not the gossiping kind, and had pretty soon shut the door in his face, but Scaife said he was positive she knew nothing. Next door there was a new house building which would give good cover for observation, and the villa on the other side was to let, and its garden was rough and shrubby.

I borrowed Scaife's telescope, and before lunch went for a walk along the Ruff. I kept well behind the rows of villas, and found a good observation point on the edge of the golf course. There I had a view of the line of turf along the cliff top, with seats placed at intervals and the little square plots, railed in and planted with bushes, whence the staircases descended to the beach. I saw Trafalgar Lodge very plainly, a red-brick villa with a verandah, a tennis lawn behind, and in front the ordinary seaside flower-garden full of marguerites and scraggy geraniums. There was a flagstaff from which an enormous union jack hung limply in the still air.

Presently I observed some one leave the house and saunter along the cliff. When I got my glasses on him I saw it was an old man, wearing white flannel trousers, a blue serge jacket and a straw hat. He carried field-glasses and a newspaper, and sat down on one of the iron seats and began to read. Sometimes he would lay down the paper and turn his glasses on the sea. He looked for a long time at the destroyer. I watched him for half an hour, till he got up and went back to the house for his luncheon, when I returned to the hotel for mine.

I wasn't feeling very confident. This decent commonplace dwelling was not what I had expected. The man might be the bald archæologist of that horrible moorland farm, or he might not. He was exactly the kind of satisfied old bird you will find in every suburb and every holiday place. If you wanted a type of the perfectly harmless person you would probably pitch on that.

But after lunch as I sat in the hotel porch I perked up, for I saw the thing I had hoped for and dreaded to miss. A yacht came up from the south and dropped anchor pretty well opposite the Ruff. She seemed about a hundred and fifty tons and I saw she belonged to the Squadron from the white ensign. So Scaife and I went down to the harbour and hired a boatman for an afternoon's fishing.

I spent a warm and peaceful afternoon. We caught between us about twenty pounds of cod and lythe, and out in that dancing blue sea I took a cheerier view of things. Above the white cliffs of the Ruff I saw the green and red of the villas, and especially the great flagstaff of Trafalgar Lodge. About four o'clock when we had fished enough I made the boatman row us round the yacht, which lay like a delicate white bird, ready at a moment to flee. Scaife said she must be a fast boat from her build, and that she was pretty heavily engined.

Her name was the *Ariadne,* as I discovered from the cap of one of the men who was polishing brass-work. I spoke to him and got an answer in the soft dialect of Essex. Another hand that came along passed me the time of day in an unmistakable English tongue. Our boatman had an argument with one of them about the weather, and for a few minutes we lay on our oars close to the starboard bow.

Then the men suddenly disregarded us and bent their heads to their work as an officer came along the deck. He was a pleasant, clean-looking young fellow, and he put a question to us about our fishing in very good English. But there could be no doubt about him. His close-cropped head and the cut of his collar and tie never came out of England.

That did something to reassure me, but as

we rowed back to Bradgate my obstinate doubts would not be dismissed. The thing that worried me was the reflection that my enemies knew that I had got my knowledge from Scudder, and it was Scudder who had given me the clue to this place. If they knew that Scudder had this clue would they not be certain to change their plans? Too much depended on their success for them to take any risks. The whole question was how much they understood about Scudder's knowledge. I had talked confidently last night about Germans always sticking to a scheme, but if they had any suspicions that I was on their track they would be fools not to cover it. I wondered if the man last night had seen that I recognised him. Somehow I did not think he had, and to that I clung. But the whole business had never seemed so difficult as that afternoon when by all calculations I should have been rejoicing in assured success.

In the hotel I met the commander of the destroyer, to whom Scaife introduced me and with whom I had a few words. Then I thought I would put in an hour or two watching Trafalgar Lodge.

I found a place further up the hill in the garden of an empty house. From there I had a full view of the court, on which two figures were having a game of tennis. One was the old man, whom I had already seen; the other was a younger fellow, wearing some club colours in the scarf round his middle. They played with tremendous zest, like two city gents who wanted hard exercise to open their pores. You couldn't conceive a more innocent spectacle. They shouted and laughed and stopped for drinks, when a maid brought out two tankards on a salver. I rubbed my eyes and asked myself if I was not the most immortal fool on earth. Mystery and darkness had hung about the men who hunted me over the Scotch moors in aeroplane and motor-car, and notably about that infernal antiquarian. It was easy enough to connect these folk with the knife that pinned Scudder to the floor, and with fell designs on the world's peace. But here were two guileless citizens, taking their innocuous exercise, and soon about to go indoors to a humdrum dinner, where they would talk of market prices and the last cricket scores and the gossip of their native Surbiton. I had been making a net to catch vultures and falcons, and lo and behold! two plump thrushes had blundered into it.

Presently a third figure arrived, a young man on a bicycle, with a bag of golf-clubs slung on his back. He strolled round to the tennis lawn and was welcomed riotously by the players. Evidently they were chaffing him, and their chaff sounded horribly English. Then the plump man, mopping his brow with a silk handkerchief, announced that he must have a tub. I heard his very words—"I've got into a proper lather," he said. "This will bring down my weight and my handicap, Bob. I'll take you on to-morrow and give you a stroke a hole." You couldn't find anything much more English than that.

They all went into the house, and left me feeling a precious idiot. I had been barking up the wrong tree this time. These men might be acting; but if they were where was their audience? They didn't know I was sitting thirty yards off in a rhododendron. It was simply impossible to believe that these three hearty fellows were anything but what they seemed—three ordinary, game-playing, suburban Englishmen, wearisome, if you like, but sordidly innocent.

And yet there were three of them; and one was old, and one was plump, and one was lean and dark; and their house chimed in with Scudder's notes; and half a mile off was lying a steam yacht with at least one German officer. I thought of Karolides lying dead and all Europe trembling on the edge of an earthquake, and the men I had left behind me in London, who were waiting anxiously on the events of the next hours. There was no doubt that hell was afoot somewhere. The Black Stone had won, and if it survived this June night would bank its winnings.

There seemed only one thing to do—go forward as if I had no doubts, and if I was going to make a fool of myself to do it handsomely. Never in my life have I faced a job with greater disinclination. I would rather in my then mind have walked into a den of anarchists, each with his Browning handy, or faced a charging lion with a popgun, than enter the happy home of three cheerful Englishmen and tell them that their game was up. How they would laugh at me!

But suddenly I remembered a thing I once heard in Rhodesia from old Peter Pienaar. I have quoted Peter already in this narrative. He was the best scout I ever knew, and before he had turned respectable he had been pretty often on the windy side of the law, when he had been wanted badly by the authorities. Peter once discussed with me the question of disguises, and he had a theory which struck me at the time. He said, barring absolute certainties like finger-prints, mere physical traits were very little use for identification if the fugitive really knew his business. He laughed at things like dyed hair and false beards and such childish follies.

The only thing that mattered was what Peter called "atmosphere." If a man could get into perfectly different surroundings from those in which he had been first observed, and —this is the important part—really play up to these surroundings and behave as if he had never been out of them, he would puzzle the cleverest detectives on earth. And he used to tell a story of how he once borrowed a black coat and went to church and shared the same hymn-book with the man that was looking for him. If that man had seen him in decent company before he would have recognised him; but he had only seen him snuffing the lights in a public-house with a revolver.

The recollection of Peter's talk gave me the first real comfort I had had that day. Peter had been a wise old bird, and these fellows I was after were about the pick of the aviary. What if they were playing Peter's game? A fool tries to look different; a clever man looks the same and *is* different.

Again, there was that other maxim of Peter's, which had helped me when I had been a roadman. "If you are playing a part, you will never keep it up unless you convince yourself that you are *it*." That would explain the game of tennis. Those chaps didn't need to act, they just turned a handle and passed into another life, which came as naturally to them as the first. It sounds a platitude, but Peter used to say that it was the big secret of all the famous criminals.

It was now getting on for eight o'clock, and I went back and saw Scaife to give him his instructions. I arranged with him how to place his men, and then I went for a walk, for I didn't feel up to any dinner. I went round the deserted golf-course, and then to a point on the cliffs further north, beyond the line of the villas. On the little, trim, newly made roads I met people in flannels coming back from tennis and the beach, and a coastguard from the wireless station, and donkeys and pierrots padding homewards. Out at sea in the blue dusk I saw lights appear on the *Ariadne* and on the destroyer away to the south, and beyond the Cock sands the bigger lights of steamers making for the Thames. The whole scene was so peaceful and ordinary that I got more dashed in spirits every second. It took all my resolution to stroll towards Trafalgar Lodge about half-past nine.

On the way I got a piece of solid comfort from the sight of a greyhound that was swinging along at a nursemaid's heels. He reminded me of a dog I used to have in Rhodesia, and of the time when I took him hunting with me in the Pali hills. We were after rhebok, the dun kind, and I recollected how we had followed one beast, and both he and I had clean lost it. A greyhound works by sight, and my eyes are good enough, but that buck simply leaked out of the landscape. Afterwards I found out how it managed it. Against the grey rock of the kopjes it showed no more than a crow against a thundercloud. It didn't need to run away; all it had to do was to stand still and melt into the background. Suddenly as these memories chased across my brain I thought of my present case and applied the moral. The Black Stone didn't need to bolt.

They were quietly absorbed into the land-scape. I was on the right track, and I jammed that down in my mind and vowed never to for-get it. The last word was with Peter Pienaar.

Scaife's men would be posted now, but there was no sign of a soul. The house stood as open as a market-place for anybody to ob-serve. A three-foot railing separated it from the cliff road; the low sound of voices revealed where the occupants were finishing dinner. Everything was as public and above-board as a charity bazaar. Feeling the greatest fool on earth, I opened the gate and rang the bell.

A man of my sort, who has travelled about the world in rough places, gets on perfectly well with two classes, what you may call the upper and the lower. He understands them and they understand him. I was at home with herds and tramps and roadmen, and I was sufficiently at my ease with people like Sir Walter and the men I had met the night be-fore. I can't explain why, but it is a fact. But what fellows like me don't understand is the great comfortable, satisfied middle-class world, the folk that live in villas and suburbs. He doesn't know how they look at things, he doesn't understand their conventions, and he is as shy of them as of a black mamba. When a trim parlour-maid opened the door, I could hardly find my voice.

I asked for Mr. Appleton and was ushered in. My plan had been to walk straight into the dining-room and by a sudden appearance wake in the men that start of recognition which would confirm my theory. But when I found myself in that neat hall the place mastered me. There were the golf-clubs and tennis-rackets, the straw hats and caps, the rows of gloves, the sheaf of walking-sticks which you will find in ten thousand British homes. A stack of neatly folded coats and waterproofs covered the top of an old oak chest; there was a grandfather clock ticking; and some polished brass warming-pans on the walls, and a barometer, and a print of Chiltern winning the St. Leger. The place was as orthodox as an Anglican Church. When the maid asked me for my name I gave it automatically, and was shown into the smoking-room on the right side of the hall. That room was even worse. I hadn't time to examine it, but I could see some framed group photographs above the mantelpiece and I could have sworn they were English public-school or college. I had only one glance, for I managed to pull myself together, and go after the maid. But I was too late. She had already entered the dining-room and given my name to her master, and I had missed the chance of seeing how the three took it.

When I walked into the room the old man at the head of the table had risen and turned round to meet me. He was in evening dress —a short coat and black tie, as was the other whom I called in my own mind the plump one. The third, the dark fellow, wore a blue serge suit and a soft white collar and the colours of some club or school.

The old man's manner was perfect. "Mr. Hannay?" he said, hesitatingly. "Did you wish to see me? One moment, you fellows, and I'll rejoin you. We had better go to the smoking-room."

Though I hadn't an ounce of confidence in me I forced myself to play the game. I pulled up a chair and sat down on it.

"I think we have met before," I said, "and I guess you know my business."

The light in the room was dim, but so far as I could see their faces they played the part of mystification very well.

"Maybe, maybe," said the old man. "I haven't a very good memory, but I'm afraid you must tell me your errand, for I really don't know it."

"Well, then," I said, and all the time I seemed to myself to be talking pure foolishness—"I have come to tell you that the game's up. I have here a warrant for the arrest of you three gentlemen."

"Arrest," said the old man, and he looked really shocked. "Arrest! Good God, what for?"

"For the murder of Franklin Scudder, in London, on the 23d day of last month."

"I never heard the name before," said the old man in a dazed voice.

One of the others spoke up. "That was the Portland Place murder. I read about it. Good Heavens, you must be mad, sir! Where do you come from?"

"Scotland Yard," I said.

After that, for a minute there was utter silence. The old man was staring at his plate and fumbling with a nut, the very model of innocent bewilderment.

Then the plump one spoke up. He stammered a little, like a man picking his words.

"Don't get flustered, uncle," he said. "It is all a ridiculous mistake, but these things happen sometimes, and we can easily set it right. It won't be hard to prove our innocence. I can show that I was out of the country on the 23d of May, and Bob was in a nursing-home. You were in London, but you can explain what you were doing."

"Right, Percy! Of course that's easy enough. The 23d! That was the day after

Agatha's wedding. Let me see. What was I doing? I came up in the morning from Woking, and lunched at the club with Charlie Symons. Then—— Oh, yes, I dined with the Fishmongers. I remember, for the punch didn't agree with me, and I was seedy next morning. Hang it all, there's the cigar-box I brought back from the dinner."

He pointed to an object on the table, and laughed nervously.

"I think, sir," said the young man, addressing me respectfully, "you will see you are mistaken. We want to assist the law like all Englishmen, and we don't want Scotland Yard to be making fools of themselves. That's so, uncle?"

"Certainly, Bob." The old fellow seemed to be recovering his voice. "Certainly, we'll do anything in our power to assist the authorities. But—but this is a bit too much. I can't get over it."

"How Nellie will chuckle," said the plump man. "She always said that you would die of boredom because nothing ever happened to you. And now you've got it thick and strong," and he began to laugh very pleasantly.

"By Jove, yes. Just think of it! What a story to tell at the club. Really, Mr. Hannay, I suppose I should be angry, to show my innocence, but it's too funny! I almost forgive you the fright you gave me! You looked so glum I thought I might have been walking in my sleep and killing people."

It couldn't be acting, it was too confoundedly genuine. My heart went into my boots, and my first impulse was to apologise and clear out. But I told myself I must see it through, even though I was to be the laughing-stock of Britain. The light from the dinner-table candlesticks was not very good, and to cover my confusion I got up, walked to the door and switched on the electric light. The sudden glare made them blink, and I stood scanning the three faces.

Well, I made nothing of it. One was old and bald, one was stout, one was dark and thin. There was nothing in their appearance to prevent them being the three who had hunted me in Scotland, but there was nothing to identify them. I simply can't explain why I, who, as a roadman, had looked into two pairs of eyes, and as Ned Ainslie into another pair, why I, who have a good memory and reasonable powers of observation, could find no satisfaction. They seemed exactly what they professed to be, and I could not have sworn to one of them. There in that pleasant dining-room, with etchings on the walls, and a picture of an old lady in a bib above the mantelpiece, I could see nothing to connect them with the moorland desperadoes. There was a silver cigarette-box beside me and I saw that it had been won by Percival Appleton, Esq., of the St. Bede's Club, in a golf tournament. I had to keep firm hold of Peter Pienaar to prevent myself bolting out of that house.

"Well," said the old man politely, "are you reassured by your scrutiny, sir? I hope you'll find it consistent with your duty to drop this ridiculous business. I make no complaint, but you see how annoying it must be to respectable people."

I shook my head.

"Oh, Lord," said the young man, "this is a bit too thick!"

"Do you propose to march us off to the police station?" asked the plump one. "That might be the best way out of it, but I suppose you won't be content with the local branch. I have the right to ask to see your warrant, but I don't wish to cast any aspersions upon you. You are only doing your duty. But you'll admit it's horribly awkward. What do you propose to do?"

There was nothing to do except to call in my men and have them arrested or to confess my blunder and clear out. I felt mesmerised by the whole place, by the air of obvious innocence—not innocence merely, but frank, honest bewilderment and concern in the three faces.

"Oh, Peter Pienaar," I groaned inwardly, and for a moment I was very near damning myself for a fool and asking their pardon.

"Meantime I vote we have a game of bridge," said the plump one. "It will give

Mr. Hannay time to think over things, and you know we have been wanting a fourth player. Do you play, sir?"

I accepted as if it had been an ordinary invitation at the club. The whole business had mesmerised me. We went into the smoking-room, where a card-table was set out, and I was offered things to smoke and drink. I took my place at the table in a kind of dream. The window was open and the moon was flooding the cliffs and sea with a great tide of yellow light. There was moonshine, too, in my head. The three had recovered their composure, and were talking easily—just the kind of slangy talk you will hear in any golf club-house. I must have cut a rum figure, sitting there knitting my brows with my eyes wandering.

My partner was the young, dark one. I play a fair hand at bridge but I must have been rank bad that night. They saw that they had got me puzzled, and that put them more than ever at their ease. I kept looking at their faces, but they conveyed nothing to me.

It was not that they looked different; they *were* different. I clung desperately to the words of Peter Pienaar.

Then something awoke me. The old man laid down his hand to light a cigar. He didn't pick it up at once, but sat back for a moment in his chair, with his fingers tapping on his knees.

It was the movement I remembered when I had stood before him in the moorland farm with the pistols of his servants behind me.

A little thing, lasting only a second, and the odds were a thousand to one that I might have had my eyes on my cards at the time and missed it. But I didn't and, in a flash, the air seemed to clear. Some shadow lifted from my brain and I was looking at the three men with full and absolute recognition.

The clock on the mantelpiece struck ten o'clock.

The three faces seemed to change before my eyes and reveal their secrets. The young one was the murderer. Now I saw cruelty and ruthlessness where before I had only seen good-humour. His knife I made certain had skewered Scudder to the floor. His kind had put the bullet in Karolides. The plump man's features seemed to dislimn and form again, as I looked at them. He hadn't a face, only a hundred masks that he could assume when he pleased. That chap must have been a superb actor. Perhaps he had been Lord Alloa of the night before; perhaps not; it didn't matter. I wondered if he was the fellow who had first tracked Scudder and left his card on him. Scudder had said he lisped, and I could imagine how the adoption of a lisp might add terror.

But the old man was the pick of the lot. He was sheer brain, icy, cool, calculating, as ruthless as a steam hammer. Now that my eyes were opened I wondered where I had seen the benevolence. His jaw was like chilled steel, and his eyes had the inhuman luminosity of a bird's. I went on playing, and every second a greater hate welled up in my heart. It almost choked me, and I couldn't answer when my partner spoke. Only a little longer could I endure their company.

"Whew! Bob! Look at the time," said the old man. "You'd better think about catching your train. Bob's got to go to town tonight," he added, turning to me. The voice rang now as false as hell.

I looked at the clock and it was nearly half-past ten.

"I am afraid you must put off your journey," I said.

"O damn!" said the young man. "I thought you had dropped that rot. I've simply got to go. You can have my address and I'll give any security you like."

"No," I said, "you must stay."

At that I think they must have realised that the game was desperate. Their only chance had been to convince me that I was playing the fool, and that had failed. But the old man spoke again.

"I'll go bail for my nephew. That ought to content you, Mr. Hannay." Was it fancy, or did I detect some halt in the smoothness of that voice.

There must have been, for, as I glanced at him, his eyelids fell in that hawk-like hood which fear had stamped on my memory.

I blew my whistle.

In an instant the lights were out. A pair of strong arms gripped me round the waist, covering the pockets in which a man might be expected to carry a pistol.

"Schnell, Franz," cried a voice, *"der bott, der bott!"* As it spoke I saw two of my fellows emerge on the moonlit lawn.

The young dark man leaped for the window, was through it, and over the low fence before a hand could touch him. I grappled the old chap, and the room seemed to fill with figures. I saw the plump one collared, but my eyes were all for the out-of-doors, where Franz sped on over the road towards the railed entrance to the beach stairs. One man followed him but he had no chance. The gate locked behind the fugitive, and I stood staring, with my hands on the old boy's throat, for such a time as a man might take to descend those steps to the sea.

Suddenly my prisoner broke from me and flung himself on the wall. There was a click as if a lever had been pulled. Then came a low rumbling far, far below the ground, and through the window I saw a cloud of chalky dust pouring out of the shaft of the stairway.

Some one switched on the light.

The old man was looking at me with blazing eyes.

"He is safe!" he cried. "You cannot follow him in time. He is gone. He has triumphed! *Der Schwarzestein ist in der Siegeskrone.*"

There was more in those eyes than any common triumph. They had been hooded like a bird of prey, and now they flamed with a hawk's pride. A white fanatic heat burned in them, and I realised for the first time the terrible thing I had been up against. This man was more than a spy; in his foul way he had been a patriot.

As the handcuffs clinked on his wrists I said my last word to him.

"I hope Franz will bear his triumph well. I ought to tell you that the *Ariadne* for the last hour has been in our hands."

Three weeks later, as all the world knows, we went to war. I joined the New Army the first week, and owing to my Matabele experience got a captain's commission straight off. But I had done my best service, I think, before I put on khaki.

THE END

Greenmantle

TO

CAROLINE GROSVENOR

During the past year, in the intervals of an active life, I have amused myself with constructing this tale. It has been scribbled in every kind of odd place and moment—in England and abroad, during long journeys, in half-hours between graver tasks; and it bears, I fear, the mark of its gipsy begetting. But it has amused me to write, and I shall be well repaid if it amuses you—and a few others—to read.

Let no man or woman call its events improbable. The war has driven that word from our vocabulary, and melodrama has become the prosiest realism. Things unimagined before happen daily to our friends by sea and land. The one chance in a thousand is habitually taken, and as often as not succeeds. Coincidence, like some new Briareus, stretches a hundred long arms hourly across the earth. Some day, when the full history is written—sober history with ample documents—the poor romancer will give up business and fall to reading Miss Austin in a hermitage.

The characters of the tale, if you think hard, you will recall. Sandy you know well. That great spirit was last heard of at Basra, where he occupies the post which once was Harry Bullivant's. Richard Hannay is where he longed to be, commanding his battalion on the ugliest bit of front in the West. Mr. John S. Blenkiron, full of honour and wholly cured of dyspepsia, has returned to the States, after vainly endeavouring to take Peter with him. As for Peter, he has attained the height of his ambition. He has shaved his beard and joined the Flying Corps.

J. B.

CONTENTS

GREENMANTLE

CHAPTER I

A MISSION IS PROPOSED

I HAD just finished breakfast and was filling my pipe when I got Bullivant's telegram. It was at Furling, the big country house in Hampshire where I had come to convalesce after Loos, and Sandy, who was in the same case, was hunting for the marmalade. I flung him the flimsy with the blue strip pasted down on it, and he whistled.

"Hullo, Dick, you've got the battalion. Or maybe it's a staff billet. You'll be a blighted brass-hat, coming it heavy over the hard-working regimental officer. And to think of the language you've wasted on brass-hats in your time!"

I sat and thought for a bit, for that name "Bullivant" carried me back eighteen months to the hot summer before the war. I had not seen the man since, though I had read about him in the papers. For more than a year I had been a busy battalion officer, with no other thought than to hammer a lot of raw stuff into good soldiers. I had succeeded pretty well, and there was no prouder man on earth than Richard Hannay when he took his Lennox Highlanders over the parapets on that glorious and bloody 25th day of September. Loos was no picnic, and we had had some ugly bits of scrapping before that, but the worst bit of the campaign I had seen was a tea-party to the show I had been in with Bullivant before the war started.

The sight of that name on a telegram form seemed to change all my outlook on life. I had been hoping for the command of the battalion, and looking forward to being in at the finish with Brother Boche. But this message jerked my thoughts on a new road. There might be other things in the war than straightforward fighting. Why on earth should the Foreign Office want to see an obscure Major of the New Army, and want to see him in double-quick time?

"I'm going up to town by the ten train," I announced; "I'll be back in time for dinner."

"Try my tailor," said Sandy. "He's got a very nice taste in red tabs. You can use my name."

An idea struck me. "You're pretty well all right now. If I wire for you, will you pack your own kit and mine and join me?"

"Right-o! I'll accept a job on your staff if they give you a corps. If so be as you come down to-night, be a good chap and bring a barrel of oysters from Sweeting's."

I travelled up to London in a regular November drizzle, which cleared up about Wimbledon to watery sunshine. I never could stand London during the war. It seemed to have lost its bearings and broken out into all manner of badges and uniforms which did not fit in with my notion of it. One felt the war more in its streets than in the field, or rather one felt the confusion of war without feeling the purpose. I dare say it was all right; but since August 1914 I never spent a day in town without coming home depressed to my boots.

I took a taxi and drove straight to the Foreign Office. Sir Walter did not keep me waiting long. But when his secretary took me to his room I would not have recognised the man I had known eighteen months before.

His big frame seemed to have dropped flesh and there was a stoop in the square shoulders. His face had lost its rosiness and was red in patches like a man who gets too little fresh air. His hair was much greyer and very thin about the temples, and there were lines of overwork below the eyes. But the eyes were the same as before, keen and kindly and shrewd, and there was no change in the firm set of the jaw.

"We must on no account be disturbed for the next hour," he told his secretary. When the young man had gone he went across to both doors and turned the key in them.

"Well, Major Hannay," he said, flinging himself into a chair beside the fire. "How do you like soldiering?"

"Right enough," I said, "though this isn't just the kind of war I would have picked myself. It's a comfortless, bloody business. But we've got the measure of the old Boche now, and it's dogged as does it. I count on getting back to the Front in a week or two."

"Will you get the battalion?" he asked. He seemed to have followed my doings pretty closely.

"I believe I've a good chance. I'm not in this show for honour and glory, though. I want to do the best I can, but I wish to Heaven it was over. All I think of is coming out of it with a whole skin."

He laughed. "You do yourself an injustice. What about the forward observation post at the Lone Tree? You forgot about the whole skin then."

I felt myself getting red. "That was all rot," I said, "and I can't think who told you about it. I hated the job, but I had to do it to prevent my subalterns going to glory. They were a lot of fire-eating young lunatics. If I had sent one of them he'd have gone on his knees to Providence and asked for trouble."

Sir Walter was still grinning.

"I'm not questioning your caution. You have the rudiments of it, or our friends of the Black Stone would have gathered you in at our last merry meeting. I would question it as little as your courage. What exercises my mind is whether it is best employed in the trenches."

"Is the War Office dissatisfied with me?" I asked sharply.

"They are profoundly satisfied. They propose to give you command of your battalion. Presently, if you escape a stray bullet, you will no doubt be a Brigadier. It is a wonderful war for youth and brains. But . . . I take it you are in this business to serve your country, Hannay?"

"I reckon I am," I said. "I am certainly not in it for my health."

He looked at my leg, where the doctors had dug out the shrapnel fragments, and smiled quizzically. "Pretty fit again?" he asked.

"Tough as a sjambok. I thrive on the racket and eat and sleep like a schoolboy."

He got up and stood with his back to the fire, his eyes staring abstractedly out of the window at the wintry park.

"It is a great game, and you are the man for it, no doubt. But there are others who can play it, for soldiering to-day asks for the average rather than the exception in human nature. It is like a big machine where the parts are standardised. You are fighting, not because you are short of a job, but because you want to help England. How if you could help her better than by commanding a battalion—or a brigade—or, if it comes to that, a division? How if there is a thing which you alone can do? Not some *embusqué* business in an office, but a thing compared to which your fight at Loos was a Sunday-school picnic. You are not afraid of danger? Well, in this job you would not be fighting with an army around you, but alone. You are fond of tackling difficulties? Well, I can give you a task which will try all your powers. Have you anything to say?"

My heart was beginning to thump uncomfortably. Sir Walter was not the man to pitch a case too high.

"I am a soldier," I said, "and under orders."

"True; but what I am about to propose does not come by any conceivable stretch within the scope of a soldier's duties. I shall perfectly understand if you decline. You will be acting as I should act myself—as any sane man would. I would not press you for worlds. If you wish it, I will not even make the proposal, but let you go here and now, and wish you good luck with your battalion. I do not wish to perplex a good soldier with impossible decisions."

This piqued me and put me on my mettle.

"I am not going to run away before the guns fire. Let me hear what you propose."

Sir Walter crossed to a cabinet, unlocked it with a key from his chain, and took a piece of paper from a drawer. It looked like an ordinary half-sheet of note-paper.

"I take it," he said, "that your travels have not extended to the East."

"No," I said, "barring a shooting trip in East Africa."

"Have you by any chance been following the present campaign there?"

"I've read the newspapers pretty regularly since I went to hospital. I've got some pals in the Mesopotamia show, and of course I'm keen to know what is going to happen at Gallipoli and Salonika. I gather that Egypt is pretty safe."

"If you will give me your attention for ten minutes I will supplement your newspaper reading."

Sir Walter lay back in an arm-chair and spoke to the ceiling. It was the best story, the clearest and the fullest, I had ever got of any bit of the war. He told me just how and why and when Turkey had left the rails. I heard about her grievances over our seizure of her ironclads, of the mischief the coming of the *Goeben* had wrought, of Enver and his precious Committee and the way they had got a cinch on the old Turk. When he had spoken for a bit, he began to question me.

"You are an intelligent fellow, and you will ask how a Polish adventurer, meaning Enver, and a collection of Jews and gipsies, should have got control of a proud race. The ordinary man will tell you that it was German organisation backed up with German money and German arms. You will inquire again how, since Turkey is primarily a religious power, Islam has played so small a part in it all. The Sheikh-ul-Islam is neglected, and though the Kaiser proclaims a Holy War and calls himself Hadji Mahomet Guilliamo, and says the Hohenzollerns are descended from the Prophet. that seems to have fallen pretty flat. The ordinary man again will answer that Islam in Turkey is becoming a back number, and that Krupp guns are the new gods. Yet—I don't know. I do not quite believe in Islam becoming a back number.

"Look at it in another way," he went on. "If it were Enver and Germany alone dragging Turkey into a European war for purposes that no Turk cared a rush about, we might expect to find the regular army obedient, and Constantinople. But in the provinces, where Islam is strong, there would be trouble. Many of us counted on that. But we have been disappointed. The Syrian army is as fanatical as the hordes of the Mahdi. The Senussi have taken a hand in the game. The Persian Moslems are threatening trouble. There is a dry wind blowing through the East, and the parched grasses wait the spark. And the wind is blowing towards the Indian border. Whence comes that wind, think you?"

Sir Walter had lowered his voice and was speaking very slow and distinct. I could hear the rain dripping from the eaves of the window, and far off the hoot of taxis in Whitehall.

"Have you an explanation, Hannay?" he asked again.

"It looks as if Islam had a bigger hand in the thing than we thought," I said. "I fancy religion is the only thing to knit up such a scattered empire."

"You are right," he said. "You must be right. We have laughed at the Holy War, the Jehad that old Von der Goltz prophesied. But I believe that stupid old man with the big spectacles was right. There is a Jehad preparing. The question is, How?"

"I'm hanged if I know," I said; "but I'll bet it won't be done by a pack of stout German officers in *pickelhaubes*. I fancy you can't manufacture Holy Wars out of Krupp guns alone and a few staff officers and a battle-cruiser with her boilers burst."

"Agreed. They are not fools, however much we try to persuade ourselves of the contrary. But supposing they had got some tremendous sacred sanction—some holy thing, some book or gospel or some new prophet from the desert, something which would cast over the whole ugly mechanism of German war the glamour of the old torrential raids which crumpled the Byzantine Empire and shook the walls of Vienna? Islam is a fighting creed, and the mullah still stands in the pulpit with the Koran in one hand and a drawn sword in the other. Supposing there is some Ark of the Covenant which will madden the remotest Moslem peasant with dreams of Paradise? What then, my friend?"

"Then there will be hell let loose in those parts pretty soon."

"Hell which may spread. Beyond Persia, remember, lies India."

"You keep to suppositions. How much do you know?" I asked.

"Very little, except the fact. But the fact is beyond dispute. I have reports from agents everywhere—pedlars in South Russia, Afghan horse-dealers, Turcoman merchants, pilgrims on the road to Mecca, sheikhs in North Africa, sailors on the Black Sea coasters, sharp-skinned Mongols, Hindu fakirs, Greek traders in the Gulf, as well as respectable Consuls who use cyphers. They tell the same story. The East is waiting for a revelation. It has been promised one. Some star—man, prophecy, or trinket—is coming out of the West. The Germans know, and that is the card with which they are going to astonish the world."

"And the mission you spoke of for me is to go and find out?"

He nodded gravely. "That is the crazy and impossible mission."

"Tell me one thing, Sir Walter," I said. "I know it is the fashion in this country if a man has special knowledge to set him to some job exactly the opposite. I know all about Damaraland, but instead of being put on Botha's staff, as I applied to be, I was kept in Hampshire mud till the campaign in German South West Africa was over. I know a man who could pass as an Arab, but do you think they would send him to the East? They left him in my battalion—a lucky thing for me, for he saved my life at Loos. I know the fashion, but isn't this just carrying it a bit too far? There must be thousands of men who have spent years in the East and talk any language. They're the fellows for this job. I never saw a Turk in my life except a chap who did wrestling turns in a show at Kimberley. You've picked about the most useless man on earth."

"You've been a mining-engineer, Hannay," Sir Walter said. "If you wanted a man to prospect for gold in Barotseland you would of course like to get one who knew the country and the people and the language. But the first thing you would require in him would be that he had a nose for finding gold and knew his business. That is the position now. I believe that you have a nose for finding out what our enemies try to hide. I know that you are brave and cool and resourceful. That is why I tell you the story. Besides . . ."

He unrolled a big map of Europe on the wall.

"I can't tell you where you'll get on the track of the secret, but I can put a limit to the quest. You won't find it east of the Bosphorus—not yet. It is still in Europe. It may be in Constantinople, or in Thrace. It may be farther west. But it is moving eastwards. If you are in time you may cut into its march to Constantinople. That much I can tell you. The secret is known in Germany, too, to those whom it concerns. It is in Europe that the seeker must search—at present."

"Tell me more," I said. "You can give me no details and no instructions. Obviously you can give me no help if I come to grief."

He nodded. "You would be beyond the pale."

"You give me a free hand."

"Absolutely. You can have what money you like, and you can get what help you like. You can follow any plan you fancy, and go anywhere you think fruitful. We can give no directions."

"One last question. You say it is important. Tell me just how important."

"It is life and death," he said solemnly. "I can put it no higher and no lower. Once we know what is the menace we can meet it. As long as we are in the dark it works unchecked and we may be too late. The war must be won or lost in Europe. Yes; but if the East blazes up, our effort will be distracted from Europe and the great *coup* may fail. The stakes are no less than victory and defeat, Hannay."

I got out of my chair and walked to the window. It was a difficult moment in my life. I was happy in my soldiering; above all, happy in the company of my brother officers. I was asked to go off into the enemy's lands on a quest for which I believed I was manifestly unfitted—a business of lonely days and nights, of nerve-racking strain, of deadly peril shrouding me like a garment. Looking out on the bleak weather I shivered. It was too grim a business, too inhuman for flesh and blood. But Sir Walter had called it a matter of life and death, and I had told him that I was out to serve my country. He could not give me orders, but was I not under orders—higher orders than my Brigadier's? I thought myself incompetent, but cleverer men than me thought me competent, or at least competent enough for a sporting chance. I knew in my soul that if I declined I should never be quite at peace in the world again. And yet Sir Walter had called the scheme madness, and said that he himself would never have accepted.

How does one make a great decision? I swear that when I turned round to speak I meant to refuse. But my answer was Yes, and I had crossed the rubicon. My voice sounded cracked and far away.

Sir Walter shook hands with me and his eyes blinked a little. "I may be sending you to your death, Hannay.—Good God, what a damned taskmistress duty is!—If so, I shall be haunted with regrets, but *you* will never repent. Have no fear of that. You have chosen the roughest road, but it goes straight to the hill-tops."

He handed me the half-sheet of note-paper. On it were written three words—"*Kasredin*," "*cancer*," and "*v.* I."

"That is the only clue we possess," he said. "I cannot construe it, but I can tell you the story. We have had our agents working in Persia and Mesopotamia for years—mostly young officers of the Indian Army. They carry their lives in their hand, and now and then one disappears, and the sewers of Bagdad might tell a tale. But they find out many things, and they count the game worth the candle. They have told us of the star rising in the West, but they could give us no details. All but one—the best of them. He had been working between Mosul and the Persian frontier as a muleteer, and had been south into the Bakhtiari hills. He found out something, but his enemies knew that he knew and he was pursued. Three months ago, just before Kut, he staggered into Delamain's camp with ten bullet holes in him and a knife slash on his forehead. He mumbled his name, but beyond that and the fact that there was a Something coming from the west he told them nothing. He died in ten minutes. They found this paper on him, and since he cried out the word "Kasredin" in his last moments, it must have had something to do with his quest. It is for you to find out if it has any meaning."

I folded it up and placed in it my pocket-book.

"What a great fellow! What was his name?" I asked.

Sir Walter did not answer at once. He was looking out of the window. "His name," he said at last, "was Harry Bullivant. He was my son. God rest his brave soul!"

CHAPTER II

THE GATHERING OF THE MISSIONARIES

I WROTE out a wire to Sandy, asking him to come up by the two-fifteen train and meet me at my flat. "I have chosen my colleague," I said.

"Billy Arbuthnot's boy? His father was at Harrow with me. I know the fellow—Harry used to bring him down to fish—tallish, with a lean, high-boned face and a pair of brown eyes like a pretty girl's. I know his record, too. There's a good deal about him in this office. He rode through Yemen, which no white man ever did before. The Arabs let him pass, for they thought him stark mad and argued that the hand of Allah was heavy enough on him without their efforts. He's blood-brother to every kind of Albanian bandit. Also he used to take a hand in Turkish politics, and got a huge reputation. Some Englishman was once complaining to old Mahmoud Shevkat about the scarcity of statesmen in Western Europe, and Mahmoud broke in with, 'Have you got the Honourable Arbuthnot?' You say he's in your battalion. I was wondering what had become of him, for we tried to get hold of him here, but he had left no address. Ludovick Arbuthnot—yes, that's the man. Buried deep in the commissioned ranks of the New Army? Well, we'll get him out pretty quick!"

"I knew he had knocked about the East, but I didn't

know he was that kind of swell. Sandy's not the chap to buck about himself."

"He wouldn't," said Sir Walter. "He had always a more than Oriental reticence. I've got another colleague for you, if you like him."

He looked at his watch. "You can get to the Savoy Grill Room in five minutes in a taxi-cab. Go in from the Strand, turn to your left, and you will see in the alcove on the right-hand side a table with one large American gentleman sitting at it. They know him there, so he will have the table to himself. I want you to go and sit down beside him. Say you come from me. His name is Mr. John Scantlebury Blenkiron, and a citizen of Boston, Mass., but born in Carolina and raised in Indiana. Put this envelope in your pocket, but don't read its contents till you have talked to him. I want you to form your own opinion about Mr. Blenkiron."

I went out of the Foreign Office in as muddled a frame of mind as any diplomatist who ever left its portals. I was most desperately depressed. To begin with, I was in a complete funk. I've always thought I was about as brave as the average man, but there's courage and courage, and mine was certainly not the impassive kind. Stick me down in a trench and I could stand being shot at as well as most people, and my blood could get hot if it were given a chance. But I think I had too much imagination. I couldn't shake off the beastly forecasts that kept crowding my mind.

In about a fortnight I calculated I would be dead. Shot as a spy—a rotten sort of ending! At the moment I was quite safe, looking for a taxi in the middle of Whitehall, but the sweat broke on my forehead. I felt as I had felt in my adventure before the war.

But this was far worse, for it was more cold-blooded and premeditated, and I didn't seem to have even a sporting chance. I watched the figures in khaki passing on the pavement, and thought what a nice safe prospect they had compared to mine. Yes, even if next week they were in the Hohenzollern, or the Hairpin trench at the Quarries, or that ugly angle at Hooge. I wondered why I had not been happier that morning before I got that infernal wire. Suddenly all the trivialities of English life seemed to me inexpressibly dear and terribly far away. I was very angry with Bullivant, till I remembered how fair he had been. My fate was my own choosing.

When I was hunting the Black Stone the interest of the problem had helped to keep me going. But now I could see no problem. My mind had nothing to work on but three words of gibberish on a sheet of paper and a mystery of which Sir Walter had been convinced, but to which he couldn't give a name. It was like a story I had read of St. Theresa setting off at the age of ten with her small brother to convert the Moors. I sat huddled in the taxi with my chin on my breast, wishing that I had lost a leg at Loos and been comfortably tucked away for the rest of the war.

Sure enough I found my man in the Grill Room. There he was, feeding solemnly, with a napkin tucked under his chin. He was a big fellow with a fat, sallow, clean-shaven face. I disregarded the hovering waiter and pulled up a chair beside the American at the little table. He turned on me a pair of full sleepy eyes, like a ruminating ox.

"Mr. Blenkiron?" I asked.

"You have my name, sir," he said. "Mr. John Scantlebury Blenkiron. I would wish you good morning if I saw anything good in this darned British weather."

"I come from Sir Walter Bullivant," I said, speaking low.

"So?" said he. "Sir Walter is a very good friend of mine. Pleased to meet you, Mr.—or I guess it's Colonel——"

"Hannay," I said; "Major Hannay." I was wondering what this sleepy Yankee could do to help me.

"Allow me to offer you luncheon, Major. Here, waiter, bring the *carte*. I regret that I cannot join you in sampling the efforts of the management of this ho-tel. I suffer, sir, from dyspepsia—duo-denal dyspepsia. It gets me two hours after a meal and gives me hell just below the breast-bone. So I am obliged to adopt a diet. My nourishment is fish, sir, and boiled milk and a little dry toast. It's a melancholy descent from the days when I could do justice to a lunch at Sherry's and sup off oyster-crabs and devilled bones." He sighed from the depths of his capacious frame.

I ordered an omelette and a chop, and took another look at him. The large eyes seemed to be gazing steadily at me without seeing me. They were as vacant as an abstracted child's; but I had an uncomfortable feeling that they saw more than mine.

"You have seen fighting, Major? The Battle of Loos? Well, I guess that must have been some battle. We in America respect the fighting of the British soldier, but we don't quite catch on to the de-vices of the British Generals. We opine that there is more bellicosity than science among your highbrows. That is so? My father fought at Chattanooga, but these eyes have seen nothing gorier than a Presidential election. Say, is there any way I could be let into a scene of real bloodshed?"

His serious tone made me laugh. "There are plenty of your countrymen in the present show," I said. "The French Foreign Legion is full of young Americans, and so is our Army Service Corps. Half the chauffeurs you strike in France seem to come from the States."

He sighed. "I did think of some belligerent stunt a year back. But I reflected that the good God had not given John S. Blenkiron the kind of martial figure that would do credit to the tented field. Also I recollected that we Americans were nootrals—benevolent nootrals—and that it did not become me to be butting into the struggles of the effete monarchies of Europe. So I stopped at home. It was a big renunciation, Major, for I was lying sick during the Philippines business, and I have never seen the lawless passions of men let loose on a battlefield. And, as a stoodent of humanity, I hankered for the experience."

"What have you been doing?" I asked. The calm gentleman had begun to interest me.

"Wall," he said, "I just waited. The Lord has blessed me with money to burn, so I didn't need to go scrambling like a wild cat for war contracts. But I reckoned I would get let into the game somehow, and I was. Being a nootral, I was in an advantageous position to take a hand. I had a pretty hectic time for a while, and then I reckoned I would leave God's country and see what was doing in Europe. I have counted myself out of the bloodshed business, but, as your poet sings, peace has its victories not less renowned than war, and I reckon that means that a nootral can have a share in a scrap as well as a belligerent."

"That's the best kind of neutrality I've ever heard of," I said.

"It's the right kind," he replied solemnly. "Say, Major, what are your lot fighting for? For your own skins and your Empire and the peace of Europe. Wall, those ideals don't concern us one cent. We're not Europeans, and there aren't any German trenches on Long Island yet. You've made the ring in Europe, and if we came butting in it wouldn't be the rules of the game. You wouldn't welcome us, and I guess you'd be right. We're that delicate-minded we can't interfere, and that was what my friend, President Wilson, meant when he opined that America was too proud to fight. So we're nootrals. But likewise we're benevolent nootrals. As I follow events, there's a skunk been let loose in the world, and the odour of it is going to make life none too sweet till it is cleared away. It wasn't us that stirred up that skunk, but we've got to take a hand in disinfecting this planet. See? We can't fight, but, by God! some of us are going to sweat blood to sweep the mess up. Officially we do nothing except give off Notes as a leaky boiler gives off steam. But as individooal citizens we're in it up to the neck. So, in the spirit of Jefferson Davis and Woodrow Wilson, I'm going to be the nootralist kind of nootral till Kaiser will wish to God he had declared war on America at the beginning."

I was completely recovering my temper. This fellow was a perfect jewel, and his spirit put purpose into me.

"I guess you British were the same kind of nootral when your Admiral warned off the German fleet from interfering with Dewey in Manila Bay in '98." Mr. Blenkiron drank up the last drop of the boiled milk, and lit a thin black cigar.

I leaned forward. "Have you talked to Sir Walter?" I asked.

"I have talked to him, and he has given me to understand that there's a deal ahead which you're going to boss. There are no flies on that big man, and if he says it's good business then you can count me in."

"You know that it's uncommonly dangerous?"

"I judged so. But it don't do to begin counting risks. I believe in an all-wise and beneficent Providence, but you have got to trust Him and give Him a chance. What's life anyhow? For me, it's living on a strict diet and having frequent pains in my stomach. It isn't such an almighty lot to give up, provided you get a good price in the deal. Besides, how big is the risk? About one o'clock in the morning, when you can't sleep, it will be the size of Mount Everest, but if you run out to meet it, it will be a hillock you can jump over. The grizzly looks very fierce when you're taking your ticket for the Rockies and wondering if you'll come back, but he's just an ordinary bear when you've got the sight of your rifle on him. I won't think about risks till I'm up to my neck in them and don't see the road out."

I scribbled my address on a piece of paper and handed it to the stout philosopher. "Come to dinner to-night at eight," I said.

"I thank you, Major. A little fish, please, plain-boiled, and some hot milk. You will forgive me if I borrow your couch after the meal and spend the evening on my back That is the advice of my noo doctor."

I got a taxi and drove to my club. On the way I opened the envelope Sir Walter had given me. It contained a number of jottings, the *dossier* of Mr. Blenkiron. He had done wonders for the Allies in the States. He had nosed out the Dumba plot, and had been instrumental in getting the portfolio of Dr. Albert. Von Papen's spies had tried to murder him, after he had defeated an attempt to blow up one of the big gun factories. Sir Walter had written at the end: "The best man we ever had. Better than Scudder. He would go through hell with a box of bismuth tablets and a pack of Patience cards."

I went into the little back smoking-room, borrowed an atlas from the library, poked up the fire, and sat down to think. Mr. Blenkiron had given me the fillip I needed. My mind was beginning to work now, and was running wide over the whole business. Not that I hoped to find anything by my cogitations. It wasn't thinking in an arm-chair that would solve the mystery. But I was getting a sort of grip on a plan of operations. And to my relief I had stopped thinking about the risks. Blenkiron had shamed me out of that. If a sedentary dyspeptic could show that kind of nerve, I wasn't going to be behind him.

I went back to my flat about five o'clock. My man Paddock had gone to the wars long ago, so I had shifted to one of these new blocks in Park Lane where they provide food and service. I kept the place on to have a home to go to when I got leave. It's a miserable business holidaying in a hotel.

Sandy was devouring tea-cakes with the serious resolution of a convalescent.

"Well, Dick, what's the news? Is it a brass hat or the boot?"

"Neither," I said. "But you and I are going to disappear from His Majesty's forces. Seconded for special service."

"O my sainted aunt!" said Sandy. "What is it? For Heaven's sake put me out of pain. Have we to tout deputations of suspicious neutrals over munition works or take the shivering journalist in a motor-car where he can imagine he sees a Boche?"

"The news will keep. But I can tell you this much. It's about as safe and easy as to go through the German lines with a walking-stick."

"Come, that's not so dusty," said Sandy, and began cheerfully on the muffins.

I must spare a moment to introduce Sandy to the reader, for he cannot be allowed to slip into this tale by a side-door. If you will consult the Peerage you will find that to Edward Cospatrick, fifteenth Baron Clanroyden, there was born in the year 1882, as his second son, Ludovick Gustavus Arbuthnot, commonly called the Honourable etc. The said son was educated at Eton and New College, Oxford, was a captain in the Tweeddale Yeomanry, and served for some years as honorary attaché at various embassies. The Peerage will stop short at this point, but that is by no means the end of the story. For the rest you must consult very different authorities. Lean brown men from the ends of the earth may be seen on the London pavements now and then in creased clothes, walking with the light outland step, slinking into clubs as if they could not remember whether or not they belonged to them. From them you may get news of Sandy. Better still, you will hear of him at little forgotten fishing ports where the Albanian mountains dip to the Adriatic. If you struck a Mecca pilgrimage the odds are you would meet a dozen of Sandy's friends in it. In shepherds' huts in the Caucasus you will find bits of his cast-off clothing, for he has a knack of shedding garments as he goes. In the caravanserais of Bokhara and Samarkand he is known, and there are shikaris in the Pamirs who still speak of him round their fires. If you were going to visit Petrograd or Rome or Cairo it would be no use asking him for introductions; if he gave them, they would lead you into strange haunts. But if Fate compelled you to go to Llasa or Yarkand or Seistan he could map out your road for you and pass the word to potent friends. We call ourselves insular, but the truth is that we are the only race on earth that can produce men capable of getting inside the skin of remote peoples. Perhaps the Scotch are better than the English, but we're all a thousand per cent. better than anybody else. Sandy was the wandering Scot carried to the pitch of genius. In old days he would have led a crusade or discovered a new road to the Indies. To-day he merely roamed as the spirit moved him, till the war swept him up and dumped him down in my battalion.

I got out Sir Walter's half-sheet of note-paper. It was not the original—naturally he wanted to keep that—but it was a careful tracing. I took it that Harry Bullivant had not written down the words as a memo. for his own use. People who follow his career have good memories. He must have written them in order that, if he perished and his body was found, his friends might get a clue. Wherefore, I argued, the words must be intelligible to somebody or other of our persuasion, and likewise they must be pretty well gibberish to any Turk or German that found them.

The first, *"Kasredin,"* I could make nothing of.

I asked Sandy.

"You mean Nasr-ed-din," he said, still munching crumpets.

"What's that?" I asked sharply.

"He's the General believed to be commanding against us in Mesopotamia. I remember him years ago in Aleppo. He talked bad French and drank the sweetest of sweet champagne."

I looked closely at the paper. The "K" was unmistakable.

"Kasredin is nothing. It means in Arabic the House of Faith, and might cover anything from Hagia Sofia to a suburban villa. What's your next puzzle, Dick? Have you entered for a prize competition in a weekly paper?"

"Cancer," I read out.

"It is the Latin for a crab. Likewise it is the name of a painful disease. It is also a sign of the Zodiac."

"v. I," I read.

"There you have me. It sounds like the number of a motor-car. The police would find out for you. I call this rather a difficult competition. What's the prize?"

I passed him the paper. "Who wrote it? It looks as if he had been in a hurry."

"Harry Bullivant," I said.

Sandy's face grew solemn. "Old Harry. He was at my tutor's. The best fellow God ever made. I saw his name in the casualty list before Kut . . . Harry didn't do things without a purpose. What's the story of this paper?"

"Wait till after dinner," I said. "I'm going to

change and have a bath. There's an American coming to dine, and he's part of the business."

Mr. Blenkiron arrived punctual to the minute in a fur coat like a Russian prince's. Now that I saw him on his feet I could judge him better. He had a fat face, but was not too plump in figure, and very muscular wrists showed below his shirt-cuffs. I fancied that, if the occasion called, he might be a good man with his hands.

Sandy and I ate a hearty meal, but the American picked at his boiled fish and sipped his milk a drop at a time. When the servant had cleared away, he was as good as his word and laid himself out on my sofa. I offered him a good cigar, but he preferred one of his own lean black abominations. Sandy stretched his length in an easy chair and lit his pipe. "Now for your story, Dick," he said.

I began, as Sir Walter had begun with me, by telling them about the puzzle in the Near East. I pitched a pretty good yarn, for I had been thinking a lot about it, and the mystery of the business had caught my fancy. Sandy got very keen.

"It is possible enough. Indeed, I've been expecting it, though I'm hanged if I can imagine what card the Germans have got up their sleeve. It might be any one of twenty things. Thirty years ago there was a bogus prophecy that played the devil in Yemen. Or it might be a flag such as Ali Wad Helu had, or a jewel like Solomon's necklace in Abyssinia. You never know what will start off a Jehad! But I rather think it's a man."

"Where could he get his purchase?" I asked.

"It's hard to say. If it were merely wild tribesmen like the Bedawin he might have got a reputation as a saint and miracle-worker. Or he might be a fellow that preached a pure religion, like the chap that founded the Senussi. But I'm inclined to think he must be something extra special if he can put a spell on the whole Moslem world. The Turk and the Persian wouldn't follow the ordinary new theology game. He must be of the Blood. Your Mahdis and Mullahs and Imams were nobodies, but they had only a local prestige. To capture all Islam—and I gather that is what we fear—the man must be of the Koreish, the tribe of the Prophet himself."

"But how could any impostor prove that? for I suppose he's an impostor."

"He would have to combine a lot of claims. His descent must be pretty good to begin with, and there are families, remember, that claim the Koreish blood. Then he'd have to be rather a wonder on his own account—saintly, eloquent, and that sort of thing. And I expect he'd have to show a sign, though what that could be I haven't a notion."

"You know the East about as well as any living man. Do you think that kind of thing is possible?" I asked.

"Perfectly," said Sandy, with a grave face.

"Well, there's the ground cleared to begin with. Then there's the evidence of pretty well every secret agent we possess. That all seems to prove the fact. But we have no details and no clues except that bit of paper." I told them the story of it.

Sandy studied it with wrinkled brows. "It beats me. But it may be the key for all that. A clue may be dumb in London and shout aloud at Bagdad."

"That's just the point I was coming to. Sir Walter says this thing is about as important for our cause as big guns. He can't give me orders, but he offers the job of going out to find what the mischief is. Once he knows that, he says he can checkmate it. But it's got to be found out soon, for the mine may be sprung at any moment. I've taken on the job. Will you help?"

Sandy was studying the ceiling.

"I should add that it's about as safe as playing chuck-farthing at the Loos Cross-roads, the day you and I went in. And if we fail nobody can help us."

"Oh, of course, of course," said Sandy in an abstracted voice.

Mr. Blenkiron, having finished his after-dinner recumbency, had sat up and pulled a small table towards him. From his pocket he had taken a pack of Patience cards and had begun to play the game called the Double Napoleon. He seemed to be oblivious of the conversation.

Suddenly I had a feeling that the whole affair was stark lunacy. Here were we three simpletons sitting in a London flat and projecting a mission into the enemy's citadel without an idea what we were to do or how we were to do it. And one of the three was looking at the ceiling, and whistling softly through his teeth, and another was playing Patience. The farce of the thing struck me so keenly that I laughed.

Sandy looked at me sharply.

"You feel like that? Same with me. It's idiocy, but all war is idiotic, and the most whole-hearted idiot is apt to win. We're to go on this mad trail wherever we think we can hit it. Well, I'm with you. But I don't mind admitting that I'm in a blue funk. I had got myself adjusted to this trench business and was quite happy. And now you have hoicked me out, and my feet are cold."

"I don't believe you know what fear is," I said.

"There you're wrong, Dick," he said earnestly. "Every man who isn't a maniac knows fear. I have done some daft things, but I never started on them without wishing they were over. Once I'm in the show I get easier, and by the time I'm coming out I'm sorry to leave it. But at the start my feet are icy."

"Then I take it you're coming?"

"Rather," he said. "You didn't imagine I would go back on you?"

"And you, sir?" I addressed Blenkiron.

His game of Patience seemed to be coming out. He was completing eight little heaps of cards with a contented grunt. As I spoke, he raised his sleepy eyes and nodded.

"Why, yes," he said. "You gentlemen mustn't think that I haven't been following your most engrossing conversation. I guess I haven't missed a syllable. I find that a game of Patience stimulates the digestion after meals and conduces to quiet reflection. John S. Blenkiron is with you all the time."

He shuffled the cards and dealt for a new game.

I don't think I ever expected a refusal, but this ready assent cheered me wonderfully. I couldn't have faced the thing alone.

"Well, that's settled. Now for ways and means. We three have got to put ourselves in the way of finding out Germany's secret, and we have to go where it is known. Somehow or other we have to get to Constantinople, and to beat the biggest area of country we must go by different roads. Sandy, my lad, you've got to get into Turkey. You're the only one of us that knows that engaging people. You can't get in by Europe very easily, so you must try Asia. What about the coast of Asia Minor?"

"It could be done," he said. "You'd better leave that entirely to me. I'll find out the best way. I suppose the Foreign Office will help me to get to the jumping-off place?"

"Remember," I said, "it's no good getting too far east. The secret, so far as concerns us, is still west of Constantinople."

"I see that. I'll blow in on the Bosporus by a short tack."

"For you, Mr. Blenkiron, I would suggest a straight journey. You're an American, and can travel through Germany direct. But I wonder how far your activities in New York will allow you to pass as a neutral?"

"I have considered that, sir," he said. "I have given some thought to the pecooliar psychology of the great German nation. As I read them they're as cunning as cats, and if you play the feline game they will outwit you every time. Yes, sir, they are no slouches at sleuth-work. If I were to buy a pair of false whiskers and dye my hair and dress like a Baptist parson and go into Germany on the peace racket, I guess they'd be on my trail like a knife, and I should be shot as a spy inside of a week or doing solitary in the Moabit prison. But they lack the larger vision. They can be bluffed, sir. With your approval I shall visit the Fatherland as John S. Blenkiron, once a thorn in the side of their brightest boys on the other side. But it will be a different John S. I guess he will have experienced a change of heart. He will have come to appreciate the great, pure, noble soul of Germany, and he will be sorrowing for his past like a converted gun-man at a camp meeting. He will be a victim of the meanness and perfidy of the British Government. I am going to have a first-class row with your Foreign Office about my passport, and I am going to speak harsh words about them up and down this Metropolis. I am going to be shadowed by your sleuths at my port of embarkation, and I guess I shall run up hard against the British Le-gations in Scandinavia. By that time our Teutonic friends will have begun to wonder what has happened to John S., and to think that maybe they have been mistaken in that child. So, when I get to Germany they will be waiting for me with an open mind. Then I reckon my conduct will surprise and encourage them. I will confide to them valuable secret information about British preparations, and I will show up the British lion as the meanest kind of cur. You may trust me to make a good impression. Then I guess I shall move eastwards, to see the de-molition of the British Empire in those parts. By the way, where is the *rendezvous?*"

"This is the 17th day of November. If we can't find out what we want in two months we may chuck the job. On the 17th of January we should fore-gather in Constantinople. Whoever gets there first waits for the others. If by that date we're not all present, it will be considered that the missing man has got into trouble and must be given up. If ever we get there we'll be coming from different points and in different characters, so we want a rendezvous where all kinds of odd folk assemble. Sandy, you know Con-stantinople. You fix the meeting-place."

"I've already thought of that," he said, and going to the writing-table he drew a little plan on a sheet of paper. "That lane runs down from the Kurdish Bazaar in Galata to the ferry of Ratchik. Half-way down on the left-hand side is a café kept by a Greek called Kuprasso. Behind the café is a garden, surrounded by high walls which were parts of the old Byzantine Theatre. At the end of the garden is a shanty called the Garden-house of Suliman the Red. It has been in its time a dancing-hall and a gambling hell, and God knows what else. It's not a place for respectable people, but the ends of the earth converge there and no questions are asked. That's the best spot I can think of for a meeting-place."

The kettle was simmering by the fire, the night was raw, and it seemed the hour for whisky-punch. I made a brew for Sandy and myself and boiled some milk for Blenkiron.

"What about language?" I asked. "You're all right, Sandy?"

"I know German fairly well; and I can pass anywhere as a Turk. The first will do for eavesdropping and the second for ordinary business."

"And you?" I asked Blenkiron.

"I was left out at Pentecost," he said. "I regret to confess I have no gift of tongues. But the part I have chosen for myself don't require the polyglot. Never forget I'm plain John S. Blenkiron, a citizen of the great American Republic."

"You haven't told us your own line, Dick," Sandy said.

"I am going to the Bosporus through Germany, and, not being a neutral, it won't be a very cushioned journey."

Sandy looked grave.

"That sounds pretty desperate. Is your German good enough?"

"Pretty fair; quite good enough to pass as a native. But officially I shall not understand one word. I shall be a Boer from Western Cape Colony: one of Maritz's old lot who after a bit of trouble has got through Angola and reached Europe. I shall talk Dutch and nothing else. And, my hat! I shall be pretty bitter about the British. There's a powerful lot of good swear-words in the Taal. I shall know all about Africa, and be panting to get another whack at the *verdommt rooinek*. With luck they may send me to the Uganda show or to Egypt, and I shall take care to go by Constantinople. If I'm to deal with Mohammedan natives they're bound to show me what hand they hold. At least, that's the way I look at it."

We filled our glasses—two of punch and one of milk—and drank to our next merry meeting. Then Sandy began to laugh, and I joined in. The sense of hopeless folly again descended on me. The best plans we could make were like a few buckets of water to ease the drought of the Sahara or the old lady who would have stopped the Atlantic with a broom. I thought with sympathy of little Saint Theresa.

CHAPTER III

PETER PIENAAR

OUR various departures were unassuming, all but the American's. Sandy spent a busy fortnight in his subterranean fashion, now in the British Museum, now running about the country to see old exploring companions, now at the War Office, now at the Foreign Office, but mostly in my flat, sunk in an armchair and meditating. He left finally on December 1 as a King's Messenger for Cairo. Once there I knew the King's Messenger would disappear, and some queer Oriental ruffian take his place. It would have been impudence in me to inquire into his plans. He was the real professional, and I was only the dabbler.

Blenkiron was a different matter. Sir Walter told me to look out for squalls, and the twinkle in his eye gave me a notion of what was coming. The first thing the sportsman did was to write a letter to the papers signed with his name. There had been a debate in the House of Commons on foreign policy, and the speech of some idiot there gave him his cue. He declared that he had been heart and soul with the British at the start, but that he was reluctantly compelled to change his views. He said our blockade of Germany had broken all the laws of God and humanity, and he reckoned that Britain was now the worst exponent of Prussianism going. That letter made a fine racket, and the paper that printed it had a row with the Censor.

But that was only the beginning of Mr. Blenkiron's campaign. He got mixed up with some mountebanks called the League of Democrats against Aggression, gentlemen who thought that Germany was all right if we would only keep from hurting her feelings. He addressed a meeting under their auspices, which was broken up by the crowd, but not before John S. had got off his chest a lot of amazing stuff. I wasn't there, but a man who was told me that he never heard such a speech. He said that Germany was right in wanting the freedom of the seas, and that America would back her up, and that the British Navy was a bigger menace to the peace of the world than the Kaiser's army. He admitted that he had once thought differently, but he was an honest man and not afraid to face facts. The oration closed suddenly, when he got a brussels-sprout in the eye, at which my friend said he swore in a very unpacifist style.

After that he wrote other letters to the press, saying that there was no more liberty of speech in England, and a lot of scallywags backed him up. Some Americans wanted to tar and feather him, and he got kicked out of the Savoy. There was an agitation to get him deported, and questions were asked in Parliament, and the Under-Secretary for Foreign Affairs said his department had the matter in hand. I was beginning to think that Blenkiron was carrying his tomfoolery too far, so I went to see Sir Walter, but he told me to keep my mind easy. "Our friend's motto is 'Thorough,'" he said, "and he knows very well what he is about. We have officially requested him to leave, and he sails from Newcastle on Monday.

He will be shadowed wherever he goes, and we hope to provoke more outbreaks. He is a very capable fellow."

The last I saw of him was on the Saturday afternoon when I met him in St. James's Street and offered to shake hands. He told me that my uniform was a pollution, and made a speech to a small crowd about it. They hissed him and he had to get into a taxi. As he departed there was just the suspicion of a wink in his left eye. On Monday I read that he had gone off, and the papers observed that our shores were well quit of him.

I sailed on December 3 from Liverpool in a boat bound for the Argentine that was due to put in at Lisbon. I had of course to get a Foreign Office passport to leave England, but after that my connection with the Government ceased. All the details of my journey were carefully thought out. Lisbon would be a good jumping-off place, for it was the rendezvous of scallywags from most parts of Africa. My kit was an old Gladstone bag, and my clothes were the relics of my South African wardrobe. I let my beard grow for some days before I sailed, and, since it grows fast, I went on board with the kind of hairy chin you will see on the young Boer. My name was now Brandt, Cornelis Brandt—at least so my passport said, and the Foreign Office does not lie.

There were just two other passengers on that beastly boat, and they never appeared till we were out of the Bay. I was pretty bad myself, but managed to move about all the time, for the frowst in my cabin would have sickened a hippo. The old tub took two days and a night to waddle from Ushant to Finisterre. Then the weather changed and we came out of snow-squalls into something very like summer. The hills of Portugal were all blue and yellow like the Kalahari, and before we made the Tagus I was beginning to forget I had ever left Rhodesia. There was a Dutchman among the sailors with whom I used to patter the *taal,* and but for "Good morning" and "Good evening" in broken English to the captain, that was about all the talking I did on the cruise.

We dropped anchor off the quays of Lisbon on a shiny blue morning, pretty near warm enough to wear flannels. I had now got to be very wary. I did not leave the ship with the shore-going boat, but made a leisurely breakfast. Then I strolled on deck, and there, just casting anchor in the middle of the stream, was another ship with the blue and white funnel I knew so well. I calculated that a month before she had been smelling the mangrove swamps of Angola. Nothing better could answer my purpose. I proposed to board her, pretending I was looking for a friend, and come on shore from her, so that any one in Lisbon who chose to be curious would think I had landed straight from Portuguese Africa.

I hailed one of the adjacent ruffians, and got into his row-boat, with my kit. We reached the vessel—they called her the *Henry the Navigator*—just as the first shore-boat was leaving. The crowd in it were all Portuguese, which suited my book.

But when I went up the ladder the first man I met was old Peter Pienaar.

Here was a piece of sheer monumental luck. Peter had opened his eyes and his mouth, and had got as far as "Allemachtig," when I shut him up.

"Brandt," I said, "Cornelis Brandt. That's my

name now, and don't you forget it. Who is the captain here? Is it still old Sloggett?"

"*Ja,*" said Peter, pulling himself together. "He was speaking about you yesterday."

This was better and better. I sent Peter below to get hold of Sloggett, and presently I had a few words with that gentleman in his cabin with the door shut.

"You've got to enter my name on the ship's books. I came aboard at Mossamedes. And my name's Cornelis Brandt."

At first Sloggett was for objecting. He said it was a felony. I told him that I dared say it was, but he had got to do it, for reasons which I couldn't give, but which were highly creditable to all parties. In the end he agreed and I saw it done. I had a pull on old Sloggett, for I had known him ever since he owned a dissolute tug-boat at Delagoa Bay.

Then Peter and I went ashore and swaggered into Lisbon as if we owned De Beers. We put up at the big hotel opposite the railway station, and looked and behaved like a pair of low-bred South Africans home for a spree. It was a fine bright day, so I hired a motor-car and said I would drive it myself. We asked the name of some beauty-spot to visit, and were told Cintra and shown the road to it. I wanted a quiet place to talk, for I had a good deal to say to Peter Pienaar.

I christened that car the Lusitanian Terror, and it was a marvel that we did not smash ourselves up. There was something immortally wrong with its steering-gear. Half a dozen times we slewed across the road, inviting destruction. But we got there in the end, and had luncheon in an hotel opposite the Moorish palace. There we left the car and wandered up the slopes of a hill, where, sitting among scrub very like the veld, I told Peter the situation of affairs.

But first a word must be said about Peter. He was the man that taught me all I ever knew of veld-craft, and a good deal about human nature besides. He was out of the Old Colony—Burgersdorp, I think—but he had come to the Transvaal when the Lydenburg goldfields started. He was prospector, transport-rider, and hunter in turns, but principally hunter. In those early days he was none too good a citizen. He was in Swaziland with Bob Macnab, and you know what that means. Then he took to working off bogus gold propositions on Kimberley and Johannesburg magnates, and what he didn't know about salting a mine wasn't knowledge. After that he was in the Kalahari, where he and Scotty Smith were familiar names. An era of comparative respectability dawned for him with the Matabele War, when he did uncommon good scouting and transport work. Cecil Rhodes wanted to establish him on a stock farm down Salisbury way, but Peter was an independent devil and would call no man master. He took to big-game hunting, which was what God intended him for, for he could track a tsessebe in thick bush, and was far the finest shot I have seen in my life. He took parties to the Pungwe flats, and Barotseland, and up to Tanganyika. Then he made a specialty of the Ngami region, where I once hunted with him, and he was with me when I went prospecting in Damaraland.

When the Boer War started, Peter, like many of the very great hunters, took the British side and did most of our intelligence work in the North Transvaal. Beyers would have hanged him if he could have caught him, and there was no love lost between Peter and his own people for many a day. When it was all over and things had calmed down a bit, he settled in Bulawayo and used to go with me when I went on trek. At the time when I left Africa two years before, I had lost sight of him for months, and heard that he was somewhere on the Congo poaching elephants. He had always a great idea of making things hum so loud in Angola that the Union Government would have to step in and annex it. After Rhodes Peter had the biggest notions south of the Line.

He was a man of about five foot ten, very thin and active, and as strong as a buffalo. He had pale blue eyes, a face as gentle as a girl's, and a soft sleepy voice. From his present appearance it looked as if he had been living hard lately. His clothes were of the cut you might expect to get at Lobito Bay, he was as lean as a rake, deeply browned with the sun, and there was a lot of grey in his beard. He was fifty-six years old, and used to be taken for forty. Now he looked about his age.

I first asked him what he had been up to since the war began. He spat, in the Kaffir way he had, and said he had been having hell's time.

"I got hung up on the Kafue," he said. "When I heard from old Letsitela that the white men were fighting I had a bright idea that I might get into German South West from the north. You see I knew that Botha couldn't long keep out of the war. Well, I got into German territory all right, and then a *skellum* of an officer came along, and commandeered all my mules, and wanted to commandeer me with them for his fool army. He was a very ugly man with a yellow face." Peter filled a deep pipe from a koodoo-skin pouch.

"Were you commandeered?" I asked.

"No. I shot him—not so as to kill, but to wound badly. It was all right, for he fired first on me. Got me too in the left shoulder. But that was the beginning of bad trouble. I trekked east pretty fast, and got over the border among the Ovamba. I have made many journeys, but that was the worst. Four days I went without water, and six without food. Then by bad luck I fell in with 'Nkitla—you remember, the half-caste chief. He said I owed him money for cattle which I bought when I came there with Carowab. It was a lie, but he held to it, and would give me no transport. So I crossed the Kalahari on my feet. Ugh, it was as slow as a vrouw coming from *nachtmaal*. It took weeks and weeks, and when I came to Lechwe's kraal, I heard that the fighting was over and that Botha had conquered the Germans. That, too, was a lie, but it deceived me, and I went north into Rhodesia, where I learned the truth. But by then I judged the war had gone too far for me to get any profit out of it, so I went into Angola to look for German refugees. By that time I was hating Germans worse than hell."

"But what did you propose to do with them?" I asked.

"I had a notion they would make trouble with the Government in those parts. I don't specially love the Portugoose, but I'm for him against the Germans every day. Well, there was trouble, and I had a merry time for a month or two. But by and by it petered out, and I thought I had better clear for Europe, for South Africa was settling down just as the big show was getting really interesting. So here I am, Cornelis, my old friend. If I shave my beard, will they let me join the Flying Corps?"

I looked at Peter sitting there smoking, as imperturbable as if he had been growing mealies in Natal all his life and had run home for a month's holiday with his people in Peckham.

"You're coming with me, my lad," I said. "We're going into Germany."

Peter showed no surprise. "Keep in mind that I don't like the Germans," was all he said. "I'm a quiet Christian man, but I've the devil of a temper."

Then I told him the story of our mission.

"You and I have got to be Maritz's men. We got into Angola, and now we're trekking for the Fatherland to get a bit of our own back from the infernal English. Neither of us knows a syllable of German—publicly. We'd better plan out the fighting we were in—Kakamas will do for one, and Schuit Drift. You were a Ngamiland hunter before the war. They won't have your *dossier*, so you can tell any lie you like. I'd better be an educated Afrikander, one of Beyers's bright lads, and a pal of old Hertzog. We can let our imagination loose about that part, but we must stick to the same yarn about the fighting."

"*Ja*, Cornelis," said Peter. (He had called me Cornelis ever since I had told him my new name. He was a wonderful chap for catching on to any game.) "But after we get into Germany, what then? There can't be much difficulty about the beginning. But once we're among the beer-swillers I don't quite see our line. We're to find out about something that's going on in Turkey? When I was a boy the predikant used to preach about Turkey. I wish I was better educated and remembered whereabouts in the map it was."

"You leave that to me," I said; "I'll explain it all to you before we get there. We haven't got much of a spoor, but we'll cast about, and with luck will pick it up. I've seen you do it often enough when we hunted koodoo on the Kafue."

Peter nodded. "Do we sit still in a German town?" he asked anxiously. "I shouldn't like that, Cornelis."

"We move gently eastward to Constantinople," I said.

Peter grinned. "We should cover a lot of new country. You can reckon on me, friend Cornelis. I've always had a hankering to see Europe."

He rose to his feet and stretched his long arms.

"We'd better begin at once. God, I wonder what's happened to old Solly Maritz, with his bottle face? Yon was a fine battle at the drift when I was sitting up to my neck in the Orange praying that Brits' lads would take my head for a stone."

Peter was as thorough a mountebank, when he got started, as Blenkiron himself. All the way back to Lisbon he yarned about Maritz and his adventures in German South West till I half believed they were true. He made a very good story of our doings, and by his constant harping on it I pretty soon got it into my memory. That was always Peter's way. He said if you were going to play a part, you must think yourself into it, convince yourself that you were *it,* till you really were it and didn't act but behaved naturally. The two men who had started that morning from the hotel door had been bogus enough, but the two that returned were genuine desperadoes, itching to get a shot at England.

We spent that evening piling up evidence in our favour. Some kind of republic had been started in Portugal, and ordinarily the cafés would have been full of politicians, but the war had quieted all these local squabbles, and the talk was of nothing but what was doing in France and Russia. The place we went to was a big, well-lighted show on a main street, and there were a lot of sharp-eyed fellows wandering about that I guessed were spies and police agents. I knew that Britain was the one country that doesn't bother about this kind of game, and that it would be safe enough to let ourselves go.

I talked Portuguese fairly well, and Peter spoke it like a Lourenç Marques bar-keeper, with a lot of Shangaan words to fill up. He started on coraçoa, which I reckoned was a new drink to him, and presently his tongue ran freely. Several neighbours pricked up their ears, and soon we had a small crowd round our table.

We talked to each other of Maritz and our doings. It didn't seem to be a popular subject in that café. One big blue-black fellow said that Maritz was a dirty swine who would soon be hanged. Peter quickly caught his knife-wrist with one hand and his throat with the other, and demanded an apology. He got it. The Lisbon *boulevardiers* have not lost any lions.

After that there was a bit of a squash in our corner. Those near us were very quiet and polite, but the outer fringe made remarks. When Peter said that if Portugal, which he admitted he loved, was going to stick to England she was backing the wrong horse, there was a murmur of disapproval. One decent-looking old fellow, who had the air of a ship's captain, flushed all over his honest face, and stood up looking straight at

Peter. I saw that we had struck an Englishman, and mentioned it to Peter in Dutch.

Peter played his part perfectly. He suddenly shut up, and, with furtive looks around him, began to jabber to me in a low voice. He was the very picture of the stage conspirator.

The old fellow stood staring at us. "I don't very well understand this damned lingo," he said; "but if so be you dirty Dutchmen are sayin' anything against England, I'll ask you to repeat it. And if so be as you repeats it I'll take either of you on and knock the face off him."

He was a chap after my own heart, but I had to keep the game up. I said in Dutch to Peter that we mustn't get brawling in a public house. "Remember the big thing," I said darkly. Peter nodded, and the old fellow, after staring at us for a bit, spat scornfully, and walked out.

"The time is coming when the Englander will sing small," I observed to the crowd. We stood drinks to one or two, and then swaggered into the street. At the door a hand touched my arm, and looking down, I saw a little scrap of a man in a fur coat.

"Will the gentlemen walk a step with me and drink a glass of beer?" he said in very stiff Dutch.

"Who the devil are you?" I asked.

"Gott strafe England!" was his answer, and, turning back the lapel of his coat, he showed some kind of ribbon in his bottonhole.

"Amen," said Peter. "Lead on, friend. We don't mind if we do."

He led us to a back street and then up two pairs of stairs to a very snug little flat. The place was full of fine red lacquer, and I guessed that art-dealing was his nominal business. Portugal, since the republic broke up the convents and sold up the big royalist grandees, was full of bargains in the lacquer and curio line.

He filled us two long tankards of very good Munich beer.

"Prosit," he said, raising his glass. "You are from South Africa. What make you in Europe?"

We both looked sullen and secretive.

"That's our own business," I answered. "You don't expect to buy our confidence with a glass of beer."

"So?" he said. "Then I will put it differently. From your speech in the café I judge you do not love the English."

Peter said something about stamping on their grandmothers, a Kaffir phrase which sounded gruesome in Dutch.

The man laughed. "That is all I want to know. You are on the German side?"

"That remains to be seen," I said. "If they treat me fair I'll fight for them, or for anybody else that makes war on England. England has stolen my country and corrupted my people and made me an exile. We Afrikanders do not forget. We may be slow but we win in the end. We two are men worth a great price. Germany fights England in East Africa. We know the natives as no Englishmen can ever know them. They are too soft and easy and the Kaffirs laugh at them. But we can handle the blacks so that they will fight like devils for fear of us. What is the reward, little man, for our services? I will tell you. There will be no reward. We ask none. We fight for hate of England."

Peter grunted a deep approval.

"That is good talk," said our entertainer, and his close-set eyes flashed. "There is room in Germany for such men as you. Where are you going now, I beg to know."

"To Holland," I said. "Then maybe we will go to Germany. We are tired with travel and may rest a bit. This war will last long and our chance will come."

"But you may miss your market," he said significantly. "A ship sails to-morrow for Rotterdam. If you take my advice, you will go with her."

This was what I wanted, for if we stayed in Lisbon some real soldier of Maritz might drop in any day and blow the gaff.

"I recommend you to sail in the *Machado*," he repeated. "There is work for you in Germany—oh, yes, much work; but if you delay the chance may pass. I will arrange your journey. It is my business to help the allies of my fatherland."

He wrote down our names and an epitome of our doings contributed by Peter, who required two mugs of beer to help him through. He was a Bavarian, it seemed, and we drank to the health of Prince Rupprecht, the same blighter I was trying to do in at Loos. That was an irony which Peter unfortunately could not appreciate. If he could he would have enjoyed it.

The little chap saw us back to our hotel, and was with us next morning after breakfast, bringing the steamer tickets. We got on board about two in the afternoon, but on my advice he did not see us off. I told him that, being British subjects, and rebels at that, we did not want to run any risks on board, assuming a British cruiser caught us up and searched us. But Peter took twenty pounds off him for travelling expenses, it being his rule never to miss an opportunity of spoiling the Egyptians.

As we were dropping down the Tagus we passed the old *Henry the Navigator*.

"I met Sloggett in the street this morning," said Peter, "and he told me a little German man had been off in a boat at daybreak looking up the passenger list. Yon was a right notion of yours, Cornelis. I am glad we are going among Germans. They are careful people whom it is a pleasure to meet."

CHAPTER IV

ADVENTURES OF TWO DUTCHMEN ON THE LOOS

THE Germans, as Peter said, are a careful people. A man met us on the quay at Rotterdam. I was a bit afraid that something might have turned up in Lisbon to discredit us, and that our little friend might have warned his pals by telegram. But apparently all was serene.

Peter and I had made our plans pretty carefully on the voyage. We had talked nothing but Dutch, and had kept up between ourselves the rôle of Maritz's men, which Peter said was the only way to play a part well. Upon my soul, before we got to Holland I was not very clear in my own mind what my past had been. Indeed the danger was that the other side of my mind, which should be busy with the great problem, would get atrophied, and that I should soon be mentally on a par with the ordinary backveld desperado. We had agreed that it would be best to get into Germany at once, and when the agent on the quay told us of a train at midday we decided to take it.

I had another fit of cold feet before we got over the frontier. At the station there was a King's messenger whom I had seen in France, and a war correspondent who had been trotting round our part of the front before Loos. I heard a woman speaking pretty clean-cut English, which amid the hoarse Dutch jabber sounded like a lark among crows. There were copies of the English papers for sale, and English cheap editions. I felt pretty bad about the whole business, and wondered if I should ever see these homely sights again.

But the mood passed when the train started. It was a clear blowing day, and as we crawled through the flat pastures of Holland my time was taken up answering Peter's questions. He had never been in Europe before, and formed a high opinion of the farming. He said he reckoned that such land would carry four sheep a morgen. We were thick in talk when we reached the frontier station and jolted over a canal bridge into Germany.

I had expected a big barricade with barbed wire and entrenchments. But there was nothing to see on the German side but half a dozen sentries in the field-grey I had hunted at Loos. An under-officer with the black-and-gold button of the Landsturm, hoicked us out of the train, and we were all shepherded in a big bare waiting-room, where a large stove burned. They took us two at a time into an inner room for examination. I had explained to Peter all about this formality, but I was glad we went in together, for they made us strip to the skin, and I had to curse him pretty seriously to make him keep quiet. The men who did the job were fairly civil, but they were mighty thorough. They took down a list of all we had in our pockets and bags, and all the details from the passports the Rotterdam agent had given us.

We were dressing when a man in a lieutenant's uniform came in with a paper in his hand. He was a fresh-faced lad of about twenty, with short-sighted spectacled eyes.

"Herr Brandt," he called out.

I nodded.

"And this is Herr Pienaar?" he asked in Dutch.

He saluted. "Gentlemen, I apologise. I am late because of the slowness of the Herr Commandant's motor-car. Had I been in time you would not have been required to go through this ceremony. We have been advised of your coming, and I am instructed to attend you on your journey. The train for Berlin leaves in half an hour. Pray do me the honour to join me in a bock."

With a feeling of distinction we stalked out of the ordinary ruck of passengers and followed the lieutenant to the station restaurant. He plunged at once into conversation, talking the Dutch of Holland, which Peter, who had forgotten his schooldays, found a bit hard to follow. He was unfit for active service, because of his eyes and a weak heart, but he was a desperate fire-eater in that stuffy restaurant. By his way of it Germany could gobble up the French and the Russians whenever she cared, but she was aiming at getting all the Middle East in her hands first, so that she could come out conqueror with the practical control of half the world. "Your friends the English," he said grinning, "will come last. When we have starved them and destroyed their commerce with our under-sea boats we will show them what our navy can do. For a year they have been wasting their time in brag and politics, and we have been building great ships—oh, so many! My cousin at Kiel——" and he looked over his shoulder.

But we never heard about that cousin at Kiel. A short, sunburnt man came in and our friend sprang up and saluted, clicking his heels like a pair of tongs.

"These are the South African Dutch, Herr Captain," he said.

The new-comer looked us over with bright intelligent eyes, and started questioning Peter in the *taal.* It was well that we had taken some pains with our story, for this man had been years in German South West, and knew every mile of the borders. Zorn was his name, and both Peter and I thought we remembered hearing him spoken of.

I am thankful to say that we both showed up pretty well. Peter told his story to perfection, not pitching it too high, and asking me now and then for a name or to verify some detail. Captain Zorn looked satisfied.

"You seem the right kind of fellows," he said. "But remember"—and he bent his brows on us—"we do not understand slimness in this land. If you are honest you will be rewarded, but if you dare to play a double game you will be shot like dogs. Your race has produced over many traitors for my taste."

"I ask no reward," I said gruffly. "We are not Germans or Germany's slaves. But so long as she fights against England we will fight for her."

"Bold words," he said; "but you must bow your stiff necks to discipline first. Discipline has been the weak point of you Boers, and you have suffered for it. You are no more a nation. In Germany we put discipline first and last, and therefore we will conquer the world. Off with you now. Your train starts in three minutes. We will see what von Stumm will make of you."

That fellow gave me the best "feel" of any German I had yet met. He was a white man and I could have worked with him. I liked his stiff chin and steady blue eyes.

My chief recollection of our journey to Berlin was its commonplaceness. The spectacled lieutenant fell asleep, and for the most part we had the carriage to ourselves. Now and again a soldier on leave would drop in, most of them tired men with heavy eyes. No wonder, poor devils, for they were coming back from the Yser or the Ypres salient. I would have liked to talk to them, but officially of course I knew no German, and the conversation I overheard did not signify much. It was mostly about regimental details, though one chap, who was in better spirits than the rest, observed that this was the last Christmas of misery, and that next year he would be holidaying at home with full pockets. The others assented, but without much conviction.

The winter day was short, and most of the journey was made in the dark. I could see from the window the lights of little villages, and now and then the blaze of ironworks and forges. We stopped at a town for dinner, where the platform was crowded with drafts waiting to go westwards. We saw no signs of any scarcity of food, such as the English newspapers wrote about. We had an excellent dinner at the station restaurant, which, with a bottle of white wine, cost just three shillings apiece. The bread, to be sure, was poor, but I can put up with the absence of bread if I get a juicy fillet of beef and as good vegetables as you will see in the Savoy.

I was a little afraid of our giving ourselves away in our sleep, but I need have had no fear, for our escort slumbered like a hog with his mouth wide open. As we roared through the darkness I kept pinching myself to make me feel that I was in the enemy's land on a wild mission. The rain came on, and we passed through dripping towns, with the lights shining from the wet streets. As we went eastward the lighting seemed to grow more generous. After the murk of London it was queer to slip through garish stations with a hundred arc lights glowing, and to see long lines of lamps running to the horizon. Peter dropped off early, but I kept awake till midnight, trying to focus thoughts that persistently strayed. Then I too dozed, and did not awake till about five in the morning, when we ran into a great busy terminus as bright as midday. It was the easiest and most unsuspicious journey I ever made.

The lieutenant stretched himself and smoothed his rumpled uniform. We carried our scanty luggage to a *droschke,* for there seemed to be no porters. Our escort gave the address of some hotel and we rumbled out into brightly lit empty streets.

"A mighty dorp," said Peter. "Of a truth the Germans are a great people."

The lieutenant nodded good-humouredly.

"The greatest people on earth," he said, "as their enemies will soon bear witness."

I would have given a lot for a bath, but I felt that it would be outside my part, and Peter was not of the washing persuasion. But we had a very good breakfast of coffee and eggs, and then the lieutenant started on the telephone. He began by being dictatorial, then he seemed to be switched on to higher authorities, for he grew more polite, and at the end he fairly crawled. He made some arrangements, for he informed us that in the afternoon we would see some fellow whose title he could not translate into Dutch. I judged he was a great swell, for his voice became reverential at the mention of him.

He took us for a walk that morning after Peter and I had attended to our toilets. We were an odd pair of scallywags to look at, but as South African as a wait-a-bit bush. Both of us had ready-made tweed suits, grey flannel shirts with flannel collars, and felt hats with broader brims than they like in Europe. I had strong nailed brown boots, Peter a pair of those mustard-coloured abominations which the Portuguese affect and which made him hobble like a Chinese lady. He had a scarlet satin tie which you could hear a mile off. My beard had grown to quite a respectable length, and I trimmed it like General Smuts'. Peter's was the kind of loose flapping thing the *taakhaar* loves, which has scarcely ever been shaved, and is combed once in a blue moon. I must say we made a pretty solid pair. Any South African would have set us down as a Boer from the back-veld who had bought a suit of clothes in the nearest store, and his cousin from some one-horse dorp who had been to school and thought himself the devil of a fellow. We fairly reeked of the sub-continent, as the papers call it.

It was a fine morning after the rain, and we wandered about in the streets for a couple of hours. They were busy enough, and the shops looked rich and bright with their Christmas goods, and one big store where I went to buy a pocket-knife was packed with customers. One didn't see very many young men, and most of the women wore mourning. Uniforms were everywhere, but their wearers generally looked like dug-outs or office fellows. We had a look at the squat building which housed the General Staff and took off our hats to it. Then we stared at the Marinamt, and

I wondered what plots were hatching there behind old Tirpitz's whiskers. The capital gave one an impression of ugly cleanness and a sort of dreary effectiveness. And yet I found it depressing—more depressing than London. I don't know how to put it, but the whole big concern seemed to have no soul in it, to be like a big factory instead of a city. You won't make a factory look like a house, though you decorate its front and plant rose-bushes all round it. The place depressed and yet cheered me. It somehow made the German people seem smaller.

At three o'clock the lieutenant took us to a plain white building in a side street with sentries at the door. A young Staff officer met us and made us wait for five minutes in an ante-room. Then we were ushered into a big room with a polished floor on which Peter nearly sat down. There was a log fire burning, and seated at a table was a little man in spectacles with his hair brushed back from his brow like a popular violinist. He was the boss, for the lieutenant saluted him and announced our names. Then he disappeared, and the man at the table motioned us to sit down in two chairs before him.

"Herr Brandt and Herr Pienaar?" he asked, looking over his glasses.

But it was the other man that caught my eye. He stood with his back to the fire leaning his elbows on the mantelpiece. He was a perfect mountain of a fellow, six and a half feet if he was an inch, with shoulders on him like a shorthorn bull. He was in uniform, and the black-and-white ribbon of the Iron Cross showed at a buttonhole. His tunic was all wrinkled and strained as if it could scarcely contain his huge chest, and mighty hands were clasped over his stomach. That man must have had the length of reach of a gorilla. He had a great, lazy, smiling face, with a square cleft chin which stuck out beyond the rest. His brow retreated and the stubbly back of his head ran forward to meet it, while his neck below bulged out over his collar. His head was exactly the shape of a pear with the sharp end topmost.

He stared at me with his small bright eyes and I stared back. I had struck something I had been looking for for a long time, and till that moment I wasn't sure that it existed. Here was the German of caricature, the real German, the fellow we were up against. He was as hideous as a hippopotamus, but effective. Every bristle on his odd head was effective.

The man at the table was speaking. I took him to be a civilian official of sorts, pretty high up, from his surroundings, perhaps an Under-Secretary. His Dutch was slow and careful, but good—too good for Peter. He had a paper before him and was asking us questions from it. They did not amount to much, being pretty well a repetition of those Zorn had asked us at the frontier. I answered fluently, for I had all our lies by heart.

Then the man on the hearthrug broke in. "I'll talk to them, Excellency," he said in German. "You are too academic for these outland swine."

He began in the *taal*, with the thick guttural accent that you get in German South West. "You have heard of me," he said. "I am the Colonel von Stumm who fought the Heraros."

Peter pricked up his ears. "*Ja,* Baas, you cut off the chief Baviaan's head and sent it in pickle about the country. I have seen it."

The big man laughed. "You see I am not forgotten," he said to his friend, and then to us: "So I treat my enemies, and so will Germany treat hers. You, too, if you fail me by a fraction of an inch." And he laughed loud again.

There was something horrible in that boisterousness. Peter was watching him from below his eyelids, as I have seen him watch a lion about to charge.

He flung himself on a chair, put his elbows on the table, and thrust his face forward.

"You have come from a damned muddled show. If I had Maritz in my power I would have him flogged at a wagon's end. Fools and pig-dogs, they had the game in their hands and they flung it away. We could have raised a fire that would have burned the English into the sea, and for lack of fuel they let it die down. Then they try to fan it when the ashes are cold." He rolled a paper pellet and flicked it into the air. "That is what I think of your idiot general," he said, "and of all you Dutch. As slow as a fat vrouw and as greedy as an aasvogel."

We looked very glum and sullen.

"A pair of dumb dogs," he cried. "A thousand Brandenburgers would have won in a fortnight. Seitz hadn't much to boast of, mostly clerks and farmers and half-castes, and no soldier worth the name to lead them, but it took Botha and Smuts and a dozen generals to hunt him down. But Maritz!" His scorn came like a gust of wind.

"Maritz did all the fighting there was," said Peter sulkily. "At any rate he wasn't afraid of the sight of khaki like your lot."

"Maybe he wasn't," said the giant in a cooing voice; "maybe he had his reasons for that. You Dutchmen have always a feather-bed to fall on. You can always turn traitor. Maritz now calls himself Robinson, and has a pension from his friend Botha."

"That," said Peter, "is a very damned lie."

"I asked for information," said Stumm with a sudden politeness. "But that is all past and done with. Maritz matters no more than your old Cronjes and Krugers. The show is over, and you are looking for safety. For a new master perhaps? But, man, what can you bring? What can you offer? You and your Dutch are lying in the dust with the yoke on your necks. The Pretoria lawyers have talked you round. You see that map," and he pointed to a big one on the wall. "South Africa is coloured green. Not red for the English, or yellow for the Germans. Some day it will be yellow, but for a little it will be green—the colour of neutrals, of nothings, of boys and young ladies and chicken-hearts."

I kept wondering what he was playing at.

Then he fixed his eyes on Peter. "What do you come here for? The game's up in your own country. What can you offer us Germans? If we gave you ten million marks and sent you back you could do nothing. Stir up a village row, perhaps, and shoot a policeman. South Africa is counted out in this war. Botha is a cleverish man and has beaten you calves'-heads of rebels. Can you deny it?"

Peter couldn't. He was terribly honest in some things, and these were for certain his opinions.

"No," he said, "that is true, Baas."

"Then what in God's name can you do?" shouted Stumm.

Peter mumbled some foolishness about nobbling Angola for Germany and starting a revolution among the natives. Stumm flung up his arms and cursed, and the Under-Secretary laughed.

It was high time for me to chip in. I was beginning to see the kind of fellow this Stumm was, and as he talked I thought of my mission, which had got overlaid by my Boer past. It looked as if he might be useful.

"Let me speak," I said. "My friend is a great hunter, but he fights better than he talks. He is no politician. You speak truth. South Africa is a closed door for the present, and the key to it is elsewhere. Here in Europe, and in the East, and in other parts of Africa. We have come to help you to find the key."

Stumm was listening. "Go on, my little Boer. It will be a new thing to hear a *taakhaar* on world-politics."

"You are fighting," I said, "in East Africa; and soon you may fight in Egypt. All the east coast north of the Zambesi will be your battle-ground. The English run about the world with little expeditions. I do not know where the places are, though I read of them in the papers. But I know my Africa. You want to beat them here in Europe and on the seas. Therefore, like wise generals, you try to divide them and have them scattered throughout the globe while you stick at home. That is your plan?"

"A second Falkenhayn," said Stumm, laughing.

"Well, England will not let East Africa go. She fears for Egypt and she fears too for India. If you press her there she will send armies and more armies till she is so weak in Europe that a child can crush her. That is England's way. She cares more for her Empire than for what may happen to her allies. So I say press and still press there, destroy the railway to the Lakes, burn her capital, pen up every Englishman in Mombasa island. At this moment it is worth for you a thousand Damaralands."

The man was really interested and the Under-Secretary too pricked up his ears.

"We can keep our territory," said the former; "but as for pressing, how the devil are we to press? The accursed English hold the sea. We cannot ship men or guns there. South are the Portuguese and west the Belgians. You cannot move a mass without a lever."

"The lever is there, ready for you," I said.

"Then for God's sake show it me," he cried.

I looked at the door to see that it was shut, as if what I had to say was very secret.

"You need men, and the men are waiting. They are black, but they are the stuff of warriors. All round your borders you have the remains of great fighting tribes, the Angoni, the Masai, the Manyumwezi, and above all the Somalis of the north, and the dwellers on the Upper Nile. The British recruit their black regiments there, and so do you. But to get recruits is not enough. You must set whole nations moving, as the Zulu under Tchaka flowed over South Africa."

"It cannot be done," said the Under-Secretary.

"It can be done," I said quietly. "We two are here to do it."

This kind of talk was jolly difficult for me, chiefly because of Stumm's asides in German to the official. I had above all things to get the credit of knowing no German, and, if you understand a language well, it is not very easy when you are interrupted not to show that you know it, either by a direct answer, or by referring to the interruption in what you say next. I had to be always on my guard, and yet it was up to me to be very persuasive and convince these fellows that I would be useful. Somehow or other I had to get into their confidence.

"I have been for years up and down in Africa—Uganda and the Congo and the Upper Nile. I know the ways of the Kaffir as no Englishman does. We Afrikanders see into the black man's heart, and though he may hate us he does our will. You Germans are like the English; you are too big folk to understand plain men. 'Civilise,' you cry. 'Educate,' say the English. The black man obeys and puts away his gods, but he worships them all the time in his soul. We must get his gods on our side, and then he will move mountains. We must do as John Laputa did with Sheba's necklace."

"That's all in the air," said Stumm, but he did not laugh.

"It is sober common sense," I said. "But you must begin at the right end. First find the race that fears its priests. It is waiting for you—the Mussulmans of Somaliland and the Abyssinian border and the Blue and White Nile. They would be like dried grasses to catch fire if you used the flint and steel of their religion. Look what the English suffered from a crazy Mullah who ruled only a dozen villages. Once get the flames going and they will lick up the pagans of the west and south. That is the way of Africa. How many thousands, think you, were in the Mahdi's army who never heard of the Prophet till they saw the black flags of the Emirs going into battle?"

Stumm was smiling. He turned his face to the official and spoke with his hand over his mouth, but I caught his words. They were: "This is the man for Hilda." The other pursed his lips and looked a little scared.

Stumm rang a bell and the lieutenant came in and clicked his heels. He nodded towards Peter. "Take this man away with you. We have done with him. The other fellow will follow presently."

Peter went out with a puzzled face and Stumm turned to me.

"You are a dreamer, Brandt," he said. "But I do not reject you on that account. Dreams sometimes come true, when an army follows the visionary. But who is going to kindle the flame?"

"You," I said.

"What the devil do you mean?" he asked.

"That is your part. You are the cleverest people in the world. You have already half the Mussulman lands in your power. It is for you to show us how to kindle a holy war, for clearly you have the secret of it. Never fear, but we will carry out your order."

"We have no secret," he said shortly, and glanced at the official, who stared out of the window.

I dropped my jaw and looked the picture of disappointment. "I do not believe you," I said slowly. "You play a game with me. I have not come six thousand miles to be made a fool of."

"Discipline, by God," Stumm cried. "This is none of your ragged commandos." In two strides he was above me and had lifted me out of my seat. His great hands clutched my shoulder, and his thumbs gouged my armpits. I felt as if I were in the grip of a big ape. Then very slowly he shook me so that my teeth seemed loosened and my head swam. He let me go and I dropped limply back in the chair.

"Now, go! *Futsack!* And remember that I am your master. I, Ulric von Stumm, who owns you as a Kaffir owns his mongrel. Germany may have some use for you, my friend, when you fear me as you never feared your God."

As I walked dizzily away the big man was smiling in his horrible way, and that little official was blinking and smiling too. I had struck a dashed queer country, so queer that I had had no time to remember that for the first time in my life I had been bullied without hitting back. When I realised it I nearly choked with anger. But I thanked Heaven I had shown no temper, for I remembered my mission. Luck seemed to have brought me into useful company.

CHAPTER V

FURTHER ADVENTURES OF THE SAME

NEXT morning there was a touch of frost and a nip in the air which stirred my blood and put me in buoyant spirits. I forgot my precarious position and the long road I had still to travel. I came down to breakfast in great form, to find Peter's even temper badly ruffled. He had remembered Stumm in the night and disliked the memory; this he muttered to me as we rubbed shoulders at the dining-room door. Peter and I got no opportunity for private talk. The lieutenant was with us all the time, and at night we were locked in our rooms. Peter discovered this through trying to get out to find matches, for he had the bad habit of smoking in bed.

Our guide started on the telephone, and announced that we were to be taken to see a prisoners' camp. In the afternoon I was to go somewhere with Stumm, but the morning was for sightseeing. "You will see," he told us, "how merciful is a great people. You will also see some of the hated English in our power. That will delight you. They are the forerunners of all their nation."

We drove in a taxi through the suburbs and then over a stretch of flat market-garden-like country to a low rise of wooded hills. After an hour's ride we entered the gate of what looked like a big reformatory or hospital. I believe it had been a home for destitute children. There were sentries at the gate and massive concentric circles of barbed wire through which we passed under an arch which was let down like a portcullis at nightfall. The lieutenant showed his permit, and we ran the car into a brick-paved yard and marched through a lot more sentries to the office of the commandant.

He was away from home, and we were welcomed by his deputy, a pale young man with a head nearly bald. There were introductions in German which our guide translated into Dutch, and a lot of elegant speeches about how Germany was foremost in humanity as well as martial valour. Then they stood us sandwiches and beer, and we formed a procession for a tour of inspection. There were two doctors, both mild-looking men in spectacles, and a couple of warders—under-officers of the good old burly, bullying sort I knew well. That is the cement which has kept the German Army together. Her men were nothing to boast of on the average; no more were the officers, even in crack corps like the Guards and the Brandenburgers; but they seemed to have an inexhaustible supply of hard, competent N.C.O.'s.

We marched round the wash-houses, the recreation-ground, the kitchens, the hospital—with nobody in it save one chap with the "flu." It didn't seem to be badly done. This place was entirely for officers, and I expect it was the show place where American visitors were taken. If half the stories one heard were true there were some pretty ghastly prisons away in South and East Germany.

I didn't half like the business. To be a prisoner has always seemed to me about the worst thing that could happen to a man. The sight of German prisoners used to give me a bad feeling inside, whereas I looked at dead Boches with nothing but satisfaction. Besides, there was the off-chance that I might be recognised. So I kept very much in the shadow whenever we passed anybody in the corridors.

The few we met passed us incuriously. They saluted the deputy-commandant, but scarcely wasted a glance on us. No doubt they thought we were inquisitive Germans come to gloat over them. They looked fairly fit, a little puffy about the eyes, like men who get too little exercise. They seemed thin, too. I expect the food, for all the commandant's talk, was nothing to boast of. In one room people were writing letters. It was a big place with only a tiny stove to warm it, and the windows were shut so that the atmosphere was a cold frowst. In another room a fellow was lecturing on something to a dozen hearers and drawing figures on a blackboard. Some were in ordinary khaki, others in any old thing they could pick up, and most wore greatcoats. Your blood gets thin when you have nothing to do but hope against hope and think of your pals and the old days.

I was moving along, listening with half an ear to the lieutenant's prattle and the loud explanations of the deputy commandant, when I pitchforked into what might have been the end of my business. We were going through a sort of convalescent room, where people were sitting who had been in hospital. It was a big place, a little warmer than the rest of the building, but still abominably fuggy. There were about half a dozen men in the room, reading and playing games. They looked at us with lack-lustre eyes for a moment, and then returned to their occupations. Being convalescents I suppose they were not expected to get up and salute.

All but one, who was playing Patience at a little table by which we passed. I was feeling very bad about the thing, for I hated to see these good fellows locked away in this infernal German hole when they might have been giving the Boche his deserts at the front. The commandant went first with Peter, who had developed a great interest in prisons. Then came our lieutenant with one of the doctors; then a couple of warders; and then the second doctor and myself. I was absent-minded at the moment and was last in the queue.

The Patience-player suddenly looked up and I saw his face. I'm hanged if it wasn't Dolly Riddell, who was our brigade machine-gun officer at Loos. I had heard that the Germans had got him when they blew up a mine at the Quarries.

I had to act pretty quick, for his mouth was agape, and I saw he was going to speak. The doctor was a yard ahead of me.

I stumbled and spilt his cards on the floor. Then I kneeled to pick them up and gripped his knee. His head bent to help me and I spoke low in his ear. "I'm Hannay all right. For God's sake don't wink an eye; I'm here on a secret job."

The doctor had turned to see what was the matter. I got a few more words in. "Cheer up, old man. We're winning hands down."

Then I began to talk excited Dutch and finished the collection of the cards. Dolly was playing his part well, smiling as if he were amused by the antics of a monkey. The others were coming back, the deputy-commandant with an angry light in his dull eye.

"Speaking to the prisoners is forbidden," he shouted.

I looked blankly at him till the lieutenant translated.

"What kind of fellow is he?" said Dolly in English to the doctor. "He spoils my game and then jabbers High-Dutch at me."

Officially I knew English, and that speech of Dolly's gave me my cue. I pretended to be very angry with the very damned Englishman, and went out of the room close by the deputy-commandant, grumbling like a sick jackal. After that I had to act a bit. The last place we visited was the close-confinement part where prisoners were kept as a punishment for some breach of the rules. They looked cheerless enough, but I pretended to gloat over the sight, and said so to the lieutenant, who passed it on to the others. I have rarely in my life felt such a cad.

On the way home the lieutenant discoursed a lot about prisoners and detention-camps, for at one time he had been on duty at Ruhleben. Peter, who had been in quod more than once in his life, was deeply interested and kept on questioning him. Among other things he told us was that they often put bogus prisoners among the rest, who acted as spies. If any plot to escape was hatched these fellows got into it and encouraged it. They never interfered till the attempt was actually made and then they had them on toast. There was nothing the Boche liked so much as an excuse for sending a poor devil to "solitary."

That afternoon Peter and I separated. He was left behind with the lieutenant and I was sent off to the station with my bag in the company of a Landsturm sergeant. Peter was very cross, and I didn't care for the look of things; but I brightened up when I heard I was going somewhere with Stumm. If he wanted to see me again he must think me of some use, and if he was going to use me he was bound to let me into his game. I liked Stumm about as much as a dog likes a scorpion, but I hankered for his society.

At the station platform, where the ornament of the Landsturm saved me all trouble about tickets, I could not see my companion. I stood waiting, while a great crowd, mostly of soldiers, swayed past me and filled all the front carriages. An officer spoke to me gruffly and told me to stand aside behind a wooden rail. I obeyed, and suddenly found Stumm's eyes looking down at me.

"You know German?" he asked sharply.

"A dozen words," I said carelessly. "I've been to Windhuk and learned enough to ask for my dinner. Peter—my friend—speaks it a bit."

"So," said Stumm. "Well, get into the carriage. Not that one! There, thickhead!"

I did as I was bid, he followed, and the door was locked behind us. The precaution was needless, for the sight of Stumm's profile at the platform end would have kept out the most brazen. I wondered if I had woke up his suspicions. I must be on my guard to show no signs of intelligence if he suddenly tried me in German, and that wouldn't be easy, for I knew it as well as I knew Dutch.

We moved into the country, but the windows were blurred with frost, and I saw nothing of the landscape. Stumm was busy with papers and let me alone. I read on a notice that one was forbidden to smoke, so to show my ignorance of German I pulled out my pipe. Stumm raised his head, saw what I was doing, and gruffly bade me put it away, as if he were an old lady that disliked the smell of tobacco.

In half an hour I got very bored, for I had nothing to read and my pipe was *verboten.* People passed now and then in the corridors, but no one offered to enter. No doubt they saw the big figure in uniform and thought he was the deuce of a Staff swell who wanted solitude. I thought of stretching my legs in the corridor, and was just getting up to do it when somebody slid the door open and a big figure blocked the light.

He was wearing a heavy ulster and a green felt hat. He saluted Stumm, who looked up angrily, and smiled pleasantly on us both.

"Say, gentlemen," he said, "have you room in here for a little one? I guess I'm about smoked out of my car by your brave soldiers. I've gotten a delicate stomach. . . ."

Stumm had risen with a brow of wrath, and looked as if he were going to pitch the intruder off the train. Then he seemed to halt and collect himself, and the other's face broke into a friendly grin.

"Why, it's Colonel Stumm," he cried. (He pronounced it like the first syllable in "stomach"). "Very pleased to meet you again, Colonel. I had the honour of making your acquaintance at our Embassy. I reckon Ambassador Gerard didn't cotton to our conversation that night." And the new-comer plumped himself down in the corner opposite me.

I had been pretty certain I would run across Blenkiron somewhere in Germany, but I didn't think it would be so soon. There he sat staring at me with his full unseeing eyes, rolling out platitudes to Stumm, who was nearly bursting in his effort to keep civil. I looked moody and suspicious, which I took to be the right line.

"Things are getting a bit dead at Salonika," said Mr. Blenkiron by way of a conversational opening.

Stumm pointed to a notice which warned officers to refrain from discussing military operations with mixed company in a railway carriage.

"Sorry," said Blenkiron, "I can't read that tombstone language of yours. But I reckon that that notice to trespassers, whatever it signifies, don't apply to you and me. I take it this gentleman is in your party."

I sat and scowled, fixing the American with suspicious eyes.

"He is a Dutchman," said Stumm; "South African Dutch, and he is not happy, for he doesn't like to hear English spoken."

"We'll shake on that," said Blenkiron cordially. "But who said I spoke English? It's good American. Cheer up, friend, for it isn't the call that makes the big wapiti, as they say out west in my country. I hate John Bull worse than a poison rattle. The Colonel can tell you that."

I dare say he could, but at that moment we slowed down at a station and Stumm got up to go out. "Good-day to you, Herr Blenkiron," he cried over his shoulder. "If you consider your comfort, don't talk English to strange travellers. They don't distinguish between the different brands."

I followed him in a hurry, but was recalled by Blenkiron's voice.

"Say, friend," he cried, "you've left your grip," and he handed me my bag from the luggage rack. But he showed no sign of recognition, and the last I saw of him was sitting sunk in a corner with his head on his chest as if he were going to sleep. He was a man who kept up his parts well.

There was a motor-car waiting—one of the grey military kind—and we started at a terrific pace over bad forest roads. Stumm had put away his papers in a portfolio, and flung me a few sentences on the journey.

"I haven't made up my mind about you, Brandt," he announced. "You may be a fool or a knave or a good man. If you are a knave, we will shoot you."

"And if I am a fool?" I asked.

"Send you to the Yser or the Dvina. You will be respectable cannon-fodder."

"You cannot do that unless I consent," I said.

"Can't we?" he said, smiling wickedly. "Remember you are a citizen of nowhere. Technically you are a rebel, and the British, if you go to them, will hang you, supposing they have any sense. You are in our power, my friend, to do precisely what we like with you."

He was silent for a second, and then he said meditatively:

"But I don't think you are a fool. You may be a scoundrel. Some kinds of scoundrel are useful enough. Other kinds are strung up with a rope. Of that we shall know more soon."

"And if I am a good man?"

"You will be given a chance to serve Germany, the proudest privilege a mortal can have." The strange man said this with a ringing sincerity in his voice that impressed me.

The car swung out from the trees into a park lined with saplings, and in the twilight I saw before me a biggish house like an overgrown Swiss chalet. There was a kind of archway, with a sham portcullis, and a terrace with battlements which looked as if they were made of stucco. We drew up at a Gothic front door, where a thin middle-aged man in a shooting jacket was waiting.

As we moved into the lighted hall I got a good look at our host. He was very lean and brown, with the stoop in the shoulder that a man gets from being constantly on horseback. He had untidy grizzled hair and a ragged beard, and a pair of pleasant, short-sighted brown eyes.

"Welcome, my Colonel," he said. "Is this the friend you spoke of?"

"This is the Dutchman," said Stumm. "His name is Brandt. Brandt, you see before you Herr Gaudian."

I knew the name of course; there weren't many in my profession that didn't. He was one of the biggest railway engineers in the world, the man who had built the Bagdad and Syrian railways, and the new lines in German East. I suppose he was about the greatest living authority on tropical construction. He knew the East and he knew Africa; clearly I had been brought down for him to put me through my paces.

A blonde maidservant took me to my room, which had a bare polished floor, a stove, and windows that, unlike most of the German kind I had sampled, seemed made to open. When I had washed I descended to the hall, which was hung round with trophies of travel, like Dervish jibbahs and Masai shields and one or two good buffalo heads. Presently a bell was rung. Stumm appeared with his host, and we went in to supper.

I was jolly hungry and would have made a good meal if I hadn't constantly had to keep jogging my wits. The other two talked in German, and when a question was put to me Stumm translated. The first thing I had to do was to pretend I didn't know German and look listlessly round the room while they were talking. The second was to miss not a word, for there lay my chance. The third was to be ready to answer questions at any moment, and to show in the answering that I had not followed the previous conversation. Likewise I must not prove myself a fool in these answers, for I had to convince them that I was useful. It took some doing, and I felt like a witness in the box under a stiff cross-examination, or a man trying to play three games of chess at once.

I heard Stumm telling Gaudian the gist of my plan. The engineer shook his head.

"Too late," he said. "It should have been done at the beginning. We neglected Africa. You know the reason why."

Stumm laughed. "The von Einem! Perhaps, but her charm works well enough."

Gaudian glanced towards me while I was busy with an orange salad. "I have much to tell you of that. But it can wait. Your friend is right in one thing. Uganda is a vital spot for the English, and a blow there will make their whole fabric shiver. But how can we strike? They have still the coast, and our supplies grow daily smaller."

"We can send no reinforcements, but have we used all the local resources? That is what I cannot satisfy myself about. Zimmerman says we have, but Tressler thinks differently, and now we have this fellow coming out of the void with a story which confirms my doubt. He seems to know his job. You try him."

Thereupon Gaudian set about questioning me, and his questions were very thorough. I knew just enough and no more to get through, but I think I came out with credit. You see I have a capacious memory, and in my time I had met scores of hunters and pioneers and listened to their yarns, so I could pretend to knowledge of a place even when I hadn't been there. Besides, I had once been on the point of undertaking a job up Tanganyika way, and I had got up that countryside pretty accurately.

"You say that with our help you can make trouble for the British on the three borders?" Gaudian asked at length.

"I can spread the fire if some one else will kindle it," I said.

"But there are thousands of tribes with no affinities."

"They are all African. You can bear me out. All African peoples are alike in one thing—they can go mad, and the madness of one infects the others. The English know this well enough."

"Where would you start the fire?" he asked.

"Where the fuel is dryest. Up in the North among the Mussulman peoples. But there you must help me. I know nothing about Islam, and I gather that you do."

"Why?" he asked.

"Because of what you have done already," I answered.

Stumm had translated all this time, and had given the sense of my words very fairly. But with my last answer he took liberties. What he gave was: "Because the Dutchman thinks that we have some big card in dealing with the Moslem world." Then, lowering his voice, and raising his eyebrows he said some word like "Uhnmantl."

The other looked with a quick glance of apprehension at me. "We had better continue our talk in private, Herr Colonel," he said. "If Herr Brandt will forgive us, we will leave him for a little to entertain himself." He pushed the cigar-box towards me and the two got up and left the room.

I pulled my chair up to the stove, and would have liked to drop off to sleep. The tension of the talk at supper had made me very tired. I was accepted by these men for exactly what I professed to be. Stumm might suspect me of being a rascal, but it was a Dutch rascal. But all the same I was skating on thin ice. I could not sink myself utterly in the part, for if I did I would get no good out of being there. I had to keep my wits going all the time, and join the appearance and manners of a back-veld Boer with the mentality of a British intelligence-officer. Any moment the two parts might clash and I would be faced with the most alert and deadly suspicion.

There would be no mercy from Stumm. That large man was beginning to fascinate me, even though I hated him. Gaudian was clearly a good fellow, a white man and a gentleman. I could have worked with him, for he belonged to my own totem. But the other was an incarnation of all that makes Germany detested, and yet he wasn't altogether the ordinary German, and I couldn't help admiring him. I noticed he neither smoked nor drank. His grossness was apparently not in the way of fleshly appetites. Cruelty, from all I had heard of him in German South West, was his hobby; but there were other things in him, some of them good, and he had that kind of crazy patriotism which becomes a religion. I wondered why he had not some high command in the field, for he had had the name of a good soldier. But propably he was a big man in his own line, whatever it was, for the Under-Secretary fellow had talked small in his presence, and so great a man as Gaudian clearly respected him. There must be no lack of brains inside that funny pyramidal head.

As I sat beside the stove I was casting back to think if I had got the slightest clue to my real job. There seemed to be nothing so far. Stumm had talked of a von Einem woman who was interested in his department, perhaps the same woman as the Hilda he had mentioned the day before to the Under-Secretary. There was not much in that. She was probably some minister's or ambassador's wife who had a finger in high politics. If I could have caught the word Stumm had whispered to Gaudian which made him start and look askance at me! But I had only heard a gurgle of something like "Ünmantl," which wasn't any German word that I knew.

The heat put me into a half-doze and I began dreamily to wonder what other people were doing. Where had Blenkiron been posting to in that train, and what was he up to at this moment? He had been hobnobbing with ambassadors and swells—I wondered if he had found out anything. What was Peter doing? I fervently hoped he was behaving himself, for I doubted if Peter had really tumbled to the delicacy of our job. Where was Sandy, too? As like as not bucketing in the hold of some Greek coaster in the Ægean. Then I thought of my battalion somewhere on the line between Hulluch and La Bassée, hammering at the Boche, while I was five hundred miles or so inside the Boche frontier.

It was a comic reflection, so comic that it woke me

up. After trying in vain to find a way of stoking that stove, for it was a cold night, I got up and walked about the room. There were portraits of two decent old fellows, probably Gaudian's parents. There were enlarged photographs, too, of engineering works, and a good picture of Bismarck. And close to the stove there was a case of maps mounted on rollers.

I pulled out one at random. It was a geological map of Germany, and with some trouble I found out where I was. I was an enormous distance from my goal, and moreover I was clean off the road to the East. To go there I must first go to Bavaria and then into Austria. I noticed the Danube flowing eastwards and remembered that that was one way to Constantinople.

Then I tried another map. This one covered a big area, all Europe from the Rhine and as far east as Persia. I guessed that it was meant to show the Bagdad railway and the through routes from Germany to Mesopotamia. There were markings on it; and, as I looked closer, I saw that there were dates scribbled in blue pencil, as if to denote the stages of a journey. The dates began in Europe, and continued right on into Asia Minor and then south to Syria.

For a moment my heart jumped, for I thought I had fallen by accident on the clue I wanted. But I never got that map examined. I heard footsteps in the corridor, and very gently I let the map roll up and turned away. When the door opened I was bending over the stove trying to get a light for my pipe.

It was Gaudian, to bid me join him and Stumm in his study.

On our way there he put a kindly hand on my shoulder. I think he thought I was bullied by Stumm and wanted to tell me that he was my friend, and he had no other language than a pat on the back.

The soldier was in his old position with his elbows on the mantelpiece and his formidable great jaw stuck out.

"Listen to me," he said. "Herr Gaudian and I are inclined to make use of you. You may be a charlatan, in which case you will be in the devil of a mess and have yourself to thank for it. If you are a rogue you will have little scope for roguery. We will see to that. If you are a fool, you will yourself suffer for it. But if you are a good man, you will have a fair chance, and if you succeed we will not forget it. To-morrow I go home and you will come with me and get your orders."

I made shift to stand at attention and salute.

Gaudian spoke in a pleasant voice, as if he wanted to atone for Stumm's imperiousness. "We are men who love our Fatherland, Herr Brandt," he said. "You are not of that Fatherland, but at least you hate its enemies. Therefore we are allies, and trust each other like allies. Our victory is ordained by God, and we are none of us more than His instruments."

Stumm translated in a sentence, and his voice was quite solemn. He held up his right hand and so did Gaudian, like a man taking an oath or a parson blessing his congregation.

Then I realised something of the might of Germany. She produced good and bad, cads and gentlemen, but she could put a bit of the fanatic into them all.

CHAPTER VI

THE INDISCRETIONS OF THE SAME

I WAS standing stark naked next morning in that icy bedroom, trying to bathe in about a quart of water, when Stumm entered. He strode up to me and stared me in the face. I was half a head shorter than he to begin with, and a man does not feel his stoutest when he has no clothes, so he had the pull of me every way.

"I have reason to believe that you are a liar," he growled.

I pulled the bed-cover round me, for I was shivering with cold, and the German idea of a towel is a pocket-handkerchief. I own I was in a pretty blue funk.

"A liar!" he repeated. "You and that swine Pienaar."

With my best effort at surliness I asked what we had done.

"You lied, because you said you knew no German. Apparently your friend knows enough to talk treason and blasphemy."

This gave me back some heart.

"I told you I knew a dozen words. But I told you Peter could talk it a bit. I told you that yesterday at the station." Fervently I blessed my luck for that casual remark.

He evidently remembered, for his tone became a trifle more civil.

"You are a precious pair. If one of you is a scoundrel, why not the other?"

"I take no responsibility for Peter," I said. I felt I was a cad in saying it but that was the bargain we had made at the start. "I have known him for years as a great hunter and a brave man. I know he fought well against the English. But more I cannot tell you. You have to judge him for yourself. What has he done?"

I was told, for Stumm had got it that morning on the telephone. While telling it he was kind enough to allow me to put on my trousers.

It was just the sort of thing I might have foreseen. Peter, left alone, had become first bored and then reckless. He had persuaded the lieutenant to take him out to supper at a big Berlin restaurant. There, inspired by the lights and music—novel things for a backveld hunter—and no doubt bored stiff by his company, he had proceeded to get drunk. That had happened in my experience with Peter about once in three years, and it always happened for the same reason. Peter, bored and solitary in a town, went on the spree. He had a head like a rock, but he got to the required condition by wild mixing. He was quite a gentleman in his cups, and not in the least violent, but he was apt to be very free with his tongue. And that was what occurred at the Franciscana.

He had begun by insulting the Emperor, it seemed. He drank his health, but said he reminded him of a wart-hog, and thereby scarified the lieutenant's soul. Then an officer—some tremendous swell—at an adjoining table had objected to his talking so loud, and Peter had replied insolently in respectable German. After that things became mixed. There was some kind of a fight, during which Peter calumniated the German army and all its female ancestry. How he wasn't shot or run through I can't imagine, except that the lieutenant loudly proclaimed that he was a crazy Boer. Anyhow the upshot was that Peter was marched off to gaol, and I was left in a pretty pickle.

"I don't believe a word of it," I said firmly. I had most of my clothes on now and felt more courageous. "It is all a plot to get him into disgrace and draft him off to the front."

Stumm did not storm as I expected, but smiled.

"That was always his destiny," he said, "ever since I saw him. He was no use to us except as a man with a rifle. Cannon-fodder, nothing else. Do you imagine, you fool, that this great Empire in the thick of a world-war is going to trouble its head to lay snares for an ignorant *traakhaar*?"

"I wash my hands of him," I said. "If what you say of his folly is true I have no part in it. But he was my companion and I wish him well. What do you propose to do with him?"

"We shall keep him under our eye," he said, with a wicked twist of the mouth. "I have a notion that there is more at the back of this than appears. We will investigate the antecedents of Herr Pienaar. And you, too, my friend. On you also we have our eye."

I did the best thing I could have done, for what with anxiety and disgust I lost my temper.

"Look here, sir," I cried, "I've had about enough of this. I came to Germany abominating the English and burning to strike a blow for you. But you haven't given me much cause to love you. For the last two days I've had nothing from you but suspicion and insult. The only decent man I've met is Herr Gaudian.

It's because I believe that there are many in Germany like him that I'm prepared to go on with this business and do the best I can. But, by God, I wouldn't raise my little finger for your sake."

He looked at me very steadily for a minute. "That sounds like honesty," he said at last in a civil voice. "You had better come down and get your coffee."

I was safe for the moment but in very low spirits. What on earth would happen to poor old Peter? I could do nothing even if I wanted, and, besides, my first duty was to my mission. I had made this very clear to him at Lisbon and he had agreed, but all the same it was a beastly reflection. Here was that ancient worthy left to the tender mercies of the people he most detested on earth. My only comfort was that they couldn't do very much with him. If they sent him to the front, which was the worst they could do, he would escape, for I would have backed him to get through any mortal lines. It wasn't much fun for me either. Only when I was to be deprived of it did I realise how much his company had meant to me. I was absolutely alone now, and I didn't like it. I seemed to have about as much chance of joining Blenkiron and Sandy as of flying to the moon.

After breakfast I was told to get ready. When I asked where I was going Stumm advised me to mind my own business, but I remembered that last night he had talked of taking me home with him and giving me my orders. I wondered where his home was.

Gaudian patted me on the back when we started and wrung my hand. He was a capital good fellow, and it made me feel sick to think that I was humbugging him. We got into the same big grey car, with Stumm's servant sitting beside the chauffeur. It was a morning of hard frost, the bare fields were white with rime, and the fir-trees powdered like a wedding-cake. We took a different road from the night before, and after a run of half a dozen miles came to a little town with a big railway station. It was a junction on some main line, and after five minutes' waiting we found our train.

Once again we were alone in the carriage. Stumm must have had some colossal graft, for the train was crowded.

I had another three hours of complete boredom. I dared not smoke, and could do nothing but stare out of the window. We soon got into hilly country, where a good deal of snow was lying. It was the 23rd day of December, and even in war time one had a sort of feel of Christmas. You could see girls carrying evergreens, and when we stopped at a station the soldiers on leave had all the air of holiday making. The middle of Germany was a cheerier place than Berlin or the western parts. I liked the look of the old peasants, and the women in their neat Sunday best, but I noticed, too, how pinched they were. Here in the country, where no neutral tourists came, there was not the same stage-management as in the capital.

Stumm made an attempt to talk to me on the journey. I could see his aim. Before this he had cross-examined me, but now he wanted to draw me into ordinary conversation. He had no notion how to do it. He was either peremptory and provocative, like a drill-sergeant, or so obviously diplomatic that any fool would have been put on his guard. That is the weakness of the German. He has no gift for laying himself alongside different types of men. He is such a hard-shell being that he cannot put out feelers to his kind. He may have plenty of brains, as Stumm had, but he has the poorest notion of psychology of any of God's creatures. In Germany only the Jew can get outside himself, and that is why, if you look into the matter, you will find that the Jew is at the back of most German enterprises.

After midday we stopped at a station for luncheon. We had a very good meal in the restaurant, and when we were finishing two officers entered. Stumm got up and saluted and went aside to talk to them. Then he came back and made me follow him to a waiting-room, where he told me to stay till he fetched me. I noticed that he called a porter and had the door locked when he went out.

It was a chilly place with no fire, and I kicked my heels there for twenty minutes. I was living by the hour now, and did not trouble to worry about this strange behaviour. There was a volume of time-tables on a shelf, and I turned the pages idly till I struck a big railway map. Then it occurred to me to find out where we were going. I had heard Stumm take my ticket for a place called Schwandorf, and after a lot of searching I found it. It was away south in Bavaria, and so far as I could make out less than fifty miles from the Danube. That cheered me enormously. If Stumm lived there he would most likely start me off on my travels by the railway which I saw running to Vienna and then on to the East. It looked as if I might get to Constantinople after all. But I feared it would be a useless achievement, for what could I do when I got there? I was being hustled out of Germany without picking up the slenderest clue.

The door opened and Stumm entered. He seemed

to have got bigger in the interval and to carry his head higher. There was a proud light, too, in his eye.

"Brandt," he said, "you are about to receive the greatest privilege which ever fell to one of your race. His Imperial Majesty is passing through here, and has halted for a few minutes. He has done me the honour to receive me, and when he heard my story he expressed a wish to see you. You will follow me to his presence. Do not be afraid. The All-Highest is merciful and gracious. Answer his questions like a man."

I followed him with a quickened pulse. Here was a bit of luck I had never dreamed of. At the far side of the station a train had drawn up, a train consisting of three big coaches, chocolate-coloured and picked out with gold. On the platform beside it stood a small group of officers, tall men in long grey-blue cloaks. They seemed to be mostly elderly, and one or two of the faces I thought I remembered from photographs in the picture papers. As we approached they drew apart, and left us face to face with one man. He was a little below middle height, and all muffled in a thick coat with a fur collar. He wore a silver helmet with an eagle atop of it, and kept his left hand resting on his sword. Below the helmet was a face the colour of grey paper, from which shone curious sombre restless eyes with dark pouches beneath them. There was no fear of my mistaking him. These were the features which, since Napoleon, have been best known to the world.

I stood as stiff as a ramrod and saluted. I was perfectly cool and most desperately interested. For such a moment I would have gone through fire and water.

"Majesty, this is the Dutchman I spoke of," I heard Stumm say.

"What language does he speak?" the Emperor asked.

"Dutch," was the reply; "but being a South African he also talks English."

A spasm of pain seemed to flit over the face before me. Then he addressed me in English.

"You have come from a land which will yet be ours to offer your sword to our service? I accept the gift and hail it as a good omen. I would have given your race its freedom, but there were fools and traitors among you who misjudged me. But that freedom I shall yet give you in spite of yourselves. Are there many like you in your country?"

"There are thousands, sire," I said, lying cheerfully. "I am one of many who think that my race's life lies in your victory. And I think that that victory must be won not in Europe alone. In South Africa for the moment there is no chance, so we look to other parts of the continent. You will win in Europe. You have won in the East, and it now remains to strike the English where they cannot fend the blow. If we take Uganda, Egypt will fall. By your permission I go there to make trouble for your enemies."

A flicker of a smile passed over the worn face. It was the face of one who slept little and whose thoughts rode him like a nightmare.

"That is well," he said. "Some Englishman once said that he would call in the New World to redress the balance of the Old. We Germans will summon the whole earth to suppress the infamies of England. Serve us well, and you will not be forgotten."

Then he suddenly asked: "Did you fight in the last South African War?"

"Yes, sire," I said. "I was in the commando of that Smuts who has now been bought by England."

"What were your countrymen's losses?" he asked eagerly.

I did not know, but I hazarded a guess. "In the field some twenty thousand. But many more by sickness and in the accursed prison-camps of the English."

Again a spasm of pain crossed his face.

"Twenty thousand," he repeated huskily. "A mere handful. To-day we lose as many in a skirmish in the Polish marshes."

Then he broke out fiercely.

"I did not seek the war. . . . It was forced on me. . . . I laboured for peace. . . . The blood of millions is on the heads of England and Russia, but England most of all. God will yet avenge it. He that takes the sword will perish by the sword. Mine was forced from the scabbard in self-defence, and I am guiltless. Do they know that among your people?"

"All the world knows it, sire," I said.

He gave his hand to Stumm and turned away. The last I saw of him was a figure moving like a sleep-walker, with no spring in his step, amid his tall suite. I felt that I was looking on at a far bigger tragedy than any I had seen in action. Here was one that had losed Hell, and the furies of Hell had got hold of him. He was no common man, for in his presence I felt an attraction which was not merely the mastery of one used to command. That would not have impressed me, for I had never owned a master. But here was a human being who, unlike Stumm and his kind, had the power of laying himself alongside other men. That was the irony of it. Stumm would not have cared a tinker's curse for all the massacres in history. But this man, the chief of a nation of Stumms, paid the price in war for the gifts that had made him successful in peace. He had imagination and nerves, and the one was white hot and the others were quivering. I would not have been in his shoes for the throne of the Universe. . . .

All afternoon we sped southward, mostly in a country of hills and wooded valleys. Stumm, for him, was very pleasant. His Imperial master must have been gracious to him, and he passed a bit of it on to me. But he was anxious to see that I had got the right impression.

"The All-Highest is merciful, as I told you," he said.

I agreed with him.

"Mercy is the prerogative of kings," he said sententiously, "but for us lesser folks it is a trimming we can well do without."

I nodded my approval.

"I am not merciful," he went on, as if I needed telling that. "If any man stands in my way I trample the life out of him. That is the German fashion. That is what has made us great. We do not make war with lavender gloves and fine phrases, but with hard steel and hard brains. We Germans will cure the green-sickness of the world. The nations rise against us. Pouf! They are soft flesh, and flesh cannot resist iron. The shining ploughshare will cut its way through acres of mud."

I hastened to add that these were also my opinions.

"What the hell do your opinions matter? You are a thick-headed boor of the veld. . . . Not but what," he added, "there is metal in you slow Dutchmen once we Germans have had the forging of it!"

The winter evening closed in, and I saw that we had come out of the hills and were in a flat country. Sometimes a big sweep of river showed, and, looking out at one station, I saw a funny church with a thing like an onion on the top of its spire. It might almost have been a mosque, judging from the pictures I remembered of mosques. I wished to heaven I had given geography more attention in my time.

Presently we stopped, and Stumm led the way out. The train must have been specially halted for him, for it was a one-horse little place whose name I could not make out. The station-master was waiting, bowing and saluting, and outside was a motor-car with big head-lights. Next minute we were sliding through dark woods where the snow lay far deeper than in the north. There was a mild frost in the air, and the tyres slipped and skidded at the corners.

We hadn't far to go. We climbed a little hill and on the top of it stopped at the door of a big black castle. It looked enormous in the winter night, with not a light showing anywhere on its front. The door was opened by an old fellow who took a long time about it and got well cursed for his slowness. Inside the place looked very noble and ancient. Stumm switched on the electric light, and there was a great hall with black tarnished portraits of men and women in old-fashioned clothes, and mighty horns of deer on the walls.

There seemed to be no superfluity of servants. The old fellow said that food was ready, and without more ado we went into the dining-room—another vast chamber with rough stone walls above the paneling—and found some cold meats on a table beside a big fire. The servant presently brought in a ham omelette, and on that and the cold stuff we dined. I remember there was nothing to drink but water. It puzzled me how Stumm kept his great body going on the very moderate amount of food he ate. He was the type you expect to swill beer by the bucket and put away a pie at a sitting.

When we had finished, he rang for the old man and told him that we should be in the study for the rest of the evening. "You can lock up and go to bed when you like," he said, "but see you have coffee ready at seven sharp in the morning."

Ever since I entered that house I had the uncomfortable feeling of being in a prison. Here was I alone in this great place with a fellow who would, and could, wring my neck if he wanted. Berlin and all the rest of it had seemed comparatively open country; I had felt that I could move freely and at the worst make a bolt for it. But here I was trapped, and I had to tell myself every minute that I was there as a friend and colleague. The fact is, I was afraid of Stumm, and I don't mind admitting it. He was a new thing in my experience and I didn't like it. If only he had drunk and guzzled a bit I should have been happier.

We went up a staircase to a room at the end of a long corridor. Stumm locked the door behind him and laid the key on a table. That room took my breath away, it was so unexpected. In place of the grim bareness of downstairs here was a place all luxury and colour and light. It was very large, but low in the ceiling, and the walls were full of little recesses with statues in them. A thick grey carpet of velvet pile covered the floor, and the chairs were low and soft and upholstered like a lady's boudoir. A pleasant fire burned on the hearth and there was a flavour of scent in the air, something like incense or burnt sandalwood. A French clock on the mantelpiece told me that it was ten minutes past eight. Everywhere on little tables and in cabinets was a profusion of nicknacks, and there was some beautiful embroidery framed on screens. At first sight you would have said it was a woman's drawing-room.

But it wasn't. I soon saw the difference. There had never been a woman's hand in that place. It was the room of a man who had a passion for frippery, who had a perverted taste for soft delicate things. It was the complement to his bluff brutality. I began to see the queer other side to my host, that evil side which gossip had spoken of as not unknown in the German army. The room seemed a horribly unwholesome place, and I was more than ever afraid of Stumm.

The hearthrug was a wonderful old Persian thing, all faint greens and pinks. As he stood on it he looked uncommonly like a bull in a china-shop. He seemed to bask in the comfort of it, and sniffed like a satisfied animal. Then he sat down at an escritoire, unlocked a drawer and took out some papers.

"We will now settle your business, friend Brandt," he said. "You will go to Egypt and there take your orders from one whose name and address are in this envelope. This card," and he lifted a square piece of grey pasteboard with a big stamp at the corner and some code words stencilled on it, "will be your passport. You will show it to the man you seek. Keep it jealously, and never use it save under orders or in the last necessity. It is your badge as an accredited agent of the German Crown."

I took the card and the envelope and put them in my pocket-book.

"Where do I go after Egypt?" I asked.

"That remains to be seen. Probably you will go up the Blue Nile. Riza, the man you will meet, will direct you. Egypt is a nest of our agents who work peacefully under the nose of the English Secret Service."

"I am willing," I said. "But how do I reach Egypt?"

"You will travel by Holland and London. Here is your route," and he took a paper from his pocket. "Your passports are ready and will be given you at the frontier."

This was a pretty kettle of fish. I was to be packed off to Cairo by sea, which would take weeks, and God knows how I would get from Egypt to Constantinople. I saw all my plans falling in pieces about my ears, and just when I thought they were shaping nicely.

Stumm must have interpreted the look on my face as fear.

"You have no cause to be afraid," he said. "We have passed the word to the English police to look out for a suspicious South African named Brandt, one of Maritz's rebels. It is not difficult to have that kind of hint conveyed to the proper quarter. But the description will not be yours. Your name will be Van der Linden, a respectable Java merchant going home to his plantations after a visit to his native shores. You had better get your *dossier* by heart, but I guarantee you will be asked no questions. We manage these things well in Germany."

I kept my eyes on the fire, while I did some savage thinking. I knew they would not let me out of their sight till they saw me in Holland, and, once there, there would be no possibility of getting back. When I left this house I would have no chance of giving them the slip. And yet I was well on my way to the East, the Danube could not be fifty miles off, and that way ran the road to Constantinople. It was a fairly desperate position. If I tried to get away Stumm would prevent me, and the odds were that I would go to join Peter in some infernal prison-camp.

Those moments were some of the worst I ever spent. I was absolutely and utterly baffled, like a rat in a trap. There seemed nothing for it but to go back to London and tell Sir Walter the game was up. And that was about as bitter as death.

He saw my face and laughed.

"Does your heart fail you, my little Dutchman? You funk the English? I will tell you one thing for your comfort. There is nothing in the world to be feared except me. Fail, and you have cause to shiver. Play me false and you had far better never have been born."

His ugly sneering face was close above mine. Then he put out his hands and gripped my shoulders as he had done the first afternoon.

I forget if I mentioned that part of the damage I got at Loos was a shrapnel bullet low down at the back of my neck. The wound had healed well enough, but I had pains there on a cold day. His fingers found the place and it hurt like hell.

There is a very narrow line between despair and

black rage. I had about given up the game, but the sudden ache of my shoulder gave me purpose again. He must have seen the rage in my eyes, for his own became cruel.

"The weasel would like to bite," he said, "but the poor weasel has found its master. Stand still, vermin. Smile, look pleasant, or I will make pulp of you. Do you dare to frown at me?"

I shut my teeth and said never a word. I was choking in my throat and could not have uttered a syllable if I had tried.

Then he let me go, grinning like an ape.

I stepped back a pace and gave him my left between the eyes.

For a second he did not realise what had happened, for I don't suppose any one had dared to lift a hand to him since he was a child. He blinked at me mildly. Then his face grew red as fire.

"God in Heaven," he said quietly. "I am going to kill you," and he flung himself on me like a mountain.

I was expecting him and dodged the attack. I was quite calm now, but pretty hopeless. The man had a gorilla's reach and could give me at least a couple of stone. He wasn't soft either, but looked as hard as granite. I was only just from hospital and absurdly out of training. He would certainly kill me if he could, and I saw nothing to prevent him.

My only chance was to keep him from getting to grips, for he could have squeezed in my ribs in two seconds. I fancied I was lighter on my legs than he, and I had a good eye. Black Monty at Kimberley had taught me to fight a bit, but there is no art on earth which can prevent a big man in a narrow space from sooner or later cornering a lesser one. That was the danger.

Backwards and forwards we padded on the soft carpet. He had no notion of guarding himself, and I got in a good few blows. Then I saw a queer thing. Every time I hit him he blinked and seemed to pause. I guessed the reason for that. He had gone through life keeping the crown of the causeway, and nobody had ever stood up to him. He wasn't a coward by a long chalk, but he was a bully, and had never been struck in his life. He was getting struck now in real earnest, and he didn't like it. He had lost his bearings and was growing as mad as a hatter.

I kept half an eye on the clock. I was hopeful now, and was looking for the right kind of chance. The risk was that I might tire sooner than he and be at his mercy.

Then I learned a truth I have never forgotten. If you are fighting a man who means to kill you, he will be apt to down you unless you mean to kill him too. Stumm did not know any rules to this game, and I forgot to allow for that. Suddenly, when I was watching his eyes, he launched a mighty kick at my stomach. If he had got me, this yarn would have had an abrupt ending. But by the mercy of God I was moving sideways when he let out, and his heavy boot just grazed my left thigh.

It was the place where most of the shrapnel had lodged, and for a second I was sick with pain, and stumbled. Then I was on my feet again but with a new feeling in my blood. I had to smash Stumm or never sleep in my bed again.

I got a wonderful power from this new cold rage of mine. I felt I couldn't tire, and I danced round and dotted his face till it was streaming with blood. His bulky padded chest was no good to me, so I couldn't try for the mark.

He began to snort now and his breath came heavily. "You infernal cad," I said in good round English, "I'm going to knock the stuffing out of you," but he didn't know what I was saying.

Then at last he gave me my chance. He half tripped over a little table and his face stuck forward. I got him on the point of the chin, and put every ounce of weight I possessed behind the blow. He crumpled up in a heap and rolled over, upsetting a lamp and knocking a big China jar in two. His head, I remember, lay under the escritoire from which he had taken my passport.

I picked up the key and unlocked the door. In one of the gilded mirrors I smoothed my hair and tidied up my clothes. My anger had completely gone and I had no particular ill-will left against Stumm. He was a man of remarkable qualities, which would have brought him to the highest distinction in the Stone Age. But for all that he and his kind were back numbers.

I stepped out of the room, locked the door behind me, and started out on the second stage of my travels.

CHAPTER VII

CHRISTMASTIDE

EVERYTHING depended on whether the servant was in the hall. I had put Stumm to sleep for a bit, but I couldn't flatter myself he would long be quiet, and when he came to he would kick the locked door to matchwood. I must get out of the house without a minute's delay, and if the door was shut and the old man gone to bed I was done.

I met him at the foot of the stairs, carrying a candle.

"Your master wants me to send off an important telegram. Where is the nearest office? There's one in the village, isn't there?" I spoke in my best German, the first time I had used the tongue since I crossed the frontier.

"The village is five minutes off at the foot of the avenue," he said. "Will you be long, sir?"

"I'll be back in a quarter of an hour," I said. "Don't lock up till I get in."

I put on my ulster and walked out into a clear starry night. My bag I left lying on a settle in the hall. There was nothing in it to compromise me, but I wished I could have got a toothbrush and some tobacco out of it.

So began one of the craziest escapades you can well imagine. I couldn't stop to think of the future yet, but must take one step at a time. So I ran down the avenue, my feet crackling on the hard snow, planning hard my programme for the next hour.

I found the village—half a dozen houses with one biggish place that looked like an inn. The moon was rising, and as I approached I saw that it was some kind of a store. A funny little two-seated car was purring before the door, and I guessed this was also the telegraph office.

I marched in and told my story to a stout woman with spectacles on her nose who was talking to a young man.

"It is too late," she shook her head. "The Herr Burgrave knows that well. There is no connection from here after eight o'clock. If the matter is urgent you must go to Schwandorf."

"How far is that?" I asked, looking for some excuse to get decently out of the shop.

"Seven miles," she said, "but here is Franz and the post-wagon. Franz, you will be glad to give the gentleman a seat beside you."

The sheepish-looking youth muttered something which I took to be assent, and finished off a glass of beer. From his eyes and manner he looked as if he were half drunk.

I thanked the woman, and went out to the car, for I was in a fever to take advantage of this unexpected bit of luck. I could hear the postmistress enjoining Franz not to keep the gentleman waiting, and presently he came out and flopped into the driver's seat. We started in a series of voluptuous curves, till his eyes got accustomed to the darkness.

At first we made good going along the straight, broad highway lined with woods on one side and on the other snowy fields melting into haze. Then he began to talk, and, as he talked, he slowed down. This by no means suited my book, and I seriously wondered whether I should pitch him out and take charge of the thing. He was obviously a weakling, left behind in the conscription, and I could have done it with one hand. But by a fortunate chance I left him alone.

"That is a fine hat of yours, mein Herr," he said. He took off his own blue peaked cap, the uniform, I suppose, of the driver of the post-wagon, and laid it on his knee. The night air ruffled a shock of tow-coloured hair.

Then he calmly took my hat and clapped it on his head.

"With this thing I should be a gentleman," he said.

I said nothing, but put on his cap and waited.

"That is a noble overcoat, mein Herr," he went on. "It goes well with the hat. It is the kind of garment I have always desired to own. In two days it will be the holy Christmas, when gifts are given. Would that the good God sent me such a coat as yours!"

"You can try it on to see how it looks," I said good-humouredly.

He stopped the car with a jerk, and pulled off his blue coat. The exchange was soon effected. He was about my height, and my ulster fitted not so badly. I put on his overcoat, which had a big collar that buttoned round the neck.

The idiot preened himself like a girl. Drink and vanity had primed him for any folly. He drove so carelessly for a bit that he nearly put us into a ditch.

We passed several cottages and at the last he slowed down.

"A friend of mine lives here," he announced. "Gertrud would like to see me in the fine clothes which the most amiable Herr has given me. Wait for me, I will not be long." And he scrambled out of the car and lurched into the little garden.

I took his place and moved very slowly forward. I heard the door open and the sound of laughing and loud voices. Then it shut, and looking back I saw that my idiot had been absorbed into the dwelling of his Gertrud. I waited no longer, but sent the car forward at its best speed.

Five minutes later the infernal thing began to give trouble—a nut loose in the antiquated steering-gear. I unhooked a lamp, examined it, and put the mischief right, but I was a quarter of an hour doing it. The highway ran now in a thick forest and I noticed branches going off every now and then to the right. I was just thinking of turning up one of them, for I had no anxiety to visit Schwandorf, when I heard behind me the sound of a great car driven furiously.

I drew in to the right side—thank goodness I remembered the rule of the road—and proceeded decorously, wondering what was going to happen. I could hear the brakes being clapped on and the car slowing down. Suddenly a big grey bonnet slipped past me and as I turned my head I heard a familiar voice.

It was Stumm, looking like something that has been run over. He had his jaw in a sling, so that I wondered if I had broken it, and his eyes were beautifully bunged up. It was that that saved me, that and his raging temper. The collar of the postman's coat was round my chin, hiding my beard, and I had his cap pulled well down on my brow. I remembered what Blenkiron had said—that the only way to deal with the Germans was naked bluff. Mine was naked enough, and it was all that was left to me.

"Where is the man you brought from Andersbach?" he roared, as well as his jaw would allow him.

I pretended to be mortally scared, and spoke in the best imitation I could manage of the postman's high cracked voice.

"He got out a mile back, Herr Burgrave," I quavered. "He was a rude fellow who wanted to go to Schwandorf, and then changed his mind."

"Where, you fool? Say exactly where he got down or I will wring your neck."

"In the wood this side of Gertrud's cottage . . . on the left hand. . . . I left him running among the trees." I put all the terror I knew into my pipe, and it wasn't all acting.

"He means the Heinrichs' cottage, Herr Colonel," said the chauffeur. "This man is courting the daughter."

Stumm gave an order and the great car backed, and, as I looked round, I saw it turning. Then as it gathered speed it shot forward, and presently was lost in the shadows. I had got over the first hurdle.

But there was no time to be lost. Stumm would meet the postman and would be tearing after me any minute. I took the first turning, and bucketed along a narrow woodland road. The hard ground would show very few tracks, I thought, and I hoped the pursuit would think I had gone on to Schwandorf. But it wouldn't do to risk it, and I was determined very soon to get the car off the road, leave it, and take to the forest. I took out my watch and calculated I could give myself ten minutes.

I was very nearly caught. Presently I came on a bit of rough heath, with a slope away from the road and here and there a patch of shade which I took to be a sandpit. Opposite one of these I slewed the car to the edge, got out, started it again and saw it pitch head-foremost into the darkness. There was a splash of water and then silence. Craning over I could see nothing but murk, and the marks at the lip where the wheels had passed. They would find my tracks in day-light but scarcely at this time of night.

Then I ran across the road to the forest. I was only just in time, for the echoes of the splash had hardly died away when I heard the sound of another car. I lay flat in a hollow below a tangle of snow-laden brambles and looked between the pine-trees at the moonlit road. It was Stumm's car again and to my consternation it stopped just a little short of the sandpit.

I saw an electric torch flashed, and Stumm himself got out and examined the tracks on the highway. Thank God, they would be still there for him to find, but had he tried half a dozen yards on he would have seen them turn towards the sandpit. If that had hap-pened he would have beaten the adjacent woods and most certainly found me. There was a third man in the car, with my hat and coat on him. That poor devil of a postman had paid dear for his vanity.

They took a long time before they started again, and I was jolly relieved when they went scouring down the road. I ran deeper into the woods till I struck a track which—as I judged from the sky which I saw in a clearing—took me pretty well due west. That wasn't the direction I wanted, so I bore off at right angles, and presently struck another road which I crossed in a hurry. After that I got entangled in some confounded kind of enclosure and had to climb paling after paling of rough stakes plaited with osiers. Then came a rise in the ground and I was on a low hill of pines which seemed to last for miles. All the time I was going at a good pace, and before I stopped to rest I calculated I had put six miles between me and the sandpit.

My mind was getting a little more active now; for the first part of the journey I had simply staggered from impulse to impulse. These impulses had been uncommon lucky, but I couldn't go on like that for ever. *Ek sal 'n plan maak,* says the old Boer when he gets into trouble, and it was up to me now to make a plan.

As soon as I began to think I saw the desperate business I was in for. Here was I, with nothing except what I stood up in—including a coat and cap that weren't mine—alone in mid-winter in the heart of South Germany. There was a man behind me looking for my blood, and soon there would be a hue-and-cry for me up and down the land. I had heard that the German police were pretty efficient, and I couldn't see that I stood the slimmest chance. If they caught me they would shoot me beyond doubt. I asked myself on what charge, and answered, "For knocking about a German officer." They couldn't have me up for espionage, for as far as I knew they had no evidence. I was simply a Dutchman that had got riled and had run amok. But if they cut down a cobbler for laughing at a second lieutenant—which is what happened at Zabern—I calculated that hanging would be too good for a man that had broken a colonel's jaw.

To make things worse my job was not to escape—though that would have been hard enough—but to get to Constantinople, more than a thousand miles off, and I reckoned I couldn't get there as a tramp. I had to be sent there, and now I had flung away my chance. If I had been a Catholic I would have said a prayer to St. Theresa, for she would have understood my troubles.

My mother used to say that when you felt down on your luck it was a good cure to count your mercies. So I set about counting mine. The first was that I was well started on my journey, for I couldn't be above two score miles from the Danube. The second was that I had Stumm's pass. I didn't see how I could use it, but there it was. Lastly I had plenty of money—fifty-three English sovereigns and the equivalent of three pounds in German paper which I had changed at the hotel. Also I had squared accounts with old Stumm. That was the biggest mercy of all.

I thought I'd better get some sleep, so I found a dryish hole below an oak root and squeezed myself into it. The snow lay deep in these woods and I was sopping wet up to the knees. All the same I managed to sleep for some hours, and got up and shook myself just as the winter's dawn was breaking through the tree tops. Breakfast was the next thing, and I must find some sort of dwelling.

Almost at once I struck a road, a big highway running north and south. I trotted along in that bitter morning to get my circulation started, and presently I began to feel a little better. In a little I saw a church spire, which meant a village. Stumm wouldn't be likely to have got on my tracks yet, I calculated, but there was always the chance that he had warned all the villages round by telephone and that they might be on the look-out for me. But that risk had to be taken, for I must have food.

It was the day before Christmas, I remembered, and people would be holidaying. The village was quite a big place, but at this hour—just after eight o'clock—there was nobody in the street except a wandering dog. I chose the most unassuming shop I could find, where a little boy was taking down the shutters—one of those general stores where they sell everything. The boy fetched a very old woman, who hobbled in from the back, fitting on her spectacles.

"Grüss Gott," she said in a friendly voice, and I took off my cap. I saw from my reflection in a saucepan that I looked moderately respectable in spite of my night in the woods.

I told her a story of how I was walking from Schwandorf to see my mother at an imaginary place called Judenfeld, banking on the ignorance of villagers about any place five miles from their homes. I said my luggage had gone astray, and I hadn't time to wait for it, since my leave was short. The old lady was sympathetic and unsuspecting. She sold me a pound of chocolate, a box of biscuits, the better part of a ham, two tins of sardines and a rucksack to carry them. I also bought some soap, a comb and a cheap razor, and a small Tourists' Guide, published by a Leipsic firm. As I was leaving I saw what looked like garments hanging up in the back shop, and turned to have a look at them. They were the kind of thing that Germans wear on their summer walking-tours—long shooting capes made of a green stuff they call *loden*. I bought one, and a green felt hat and an alpenstock to keep it company. Then wishing the old woman and her belongings a merry Christmas, I departed and took the shortest cut out of the village. There were one or two people about now, but they did not seem to notice me.

I went into the woods again and walked for two miles till I halted for breakfast. I was not feeling quite so fit now, and I did not make much of my provisions, beyond eating a biscuit and some chocolate. I felt very thirsty and longed for hot tea. In an icy pool I washed and with infinite agony shaved my beard. That razor was the worst of its species, and my eyes were running all the time with the pain of the operation. Then I took off the postman's coat and cap, and buried them below some bushes. I was now a clean-shaven German pedestrian with a green cape and hat, and an absurd walking-stick with an iron-shod end—the sort of person who roams in thousands over the Fatherland in summer, but is a rarish bird in mid-winter.

The Tourists' Guide was a fortunate purchase, for it contained a big map of Bavaria which gave me my bearings. I was certainly not forty miles from the Danube—more like thirty. The road through the village I had left would have taken me to it. I had only to walk due south and I would reach it before night. So far as I could make out there were long tongues of forest running down to the river, and I resolved to keep to the woodlands. At the worst I would meet a forester or two, and I had a good enough story for them. On the highroad there might be awkward questions.

When I started out again I felt very stiff and the cold seemed to be growing intense. This puzzled me, for I had not minded it much up to now, and, being warm-blooded by nature, it never used to worry me. A sharp winter night on the high-veld was a long sight chillier than anything I had struck so far in Europe. But now my teeth were chattering and the marrow seemed to be freezing in my bones. The day had started bright and clear, but a wrack of grey clouds soon covered the sky, and a wind from the east began to whistle. As I stumbled along through the snowy undergrowth I kept longing for bright warm places. I thought of those long days in the veld when the earth was like a great yellow bowl with white roads running to the horizon and a tiny white farm basking in the heart of it, with its blue dam and patches of bright green lucerne. I thought of those baking days on the east coast when the sea was like mother-of-pearl and the sky one burning turquoise. But most of all I thought of warm scented noons on trek, when one dozed in the shadow of the wagon and sniffed the wood-smoke from the fire where the boys were cooking dinner.

From these pleasant pictures I returned to the beastly present—the thick snowy woods, the lowering sky, wet clothes, a hunted present, and a dismal future. I felt miserably depressed, and I couldn't think of any mercies to count. It struck me that I might be falling sick.

About midday I awoke with a start to the belief that I was being pursued. I cannot explain how or why the feeling came, except that it is a kind of instinct that men get who have lived much in wild countries. My senses, which had been numbed, suddenly grew keen, and my brain began to work double quick.

I asked myself what I would do if I were Stumm,

with hatred in my heart, a broken jaw to avenge, and pretty well limitless powers. He must have found the car in the sandpit and seen my tracks in the wood opposite. I didn't know how good he and his men might be at following a spoor, but I knew that any ordinary Kaffir could have nosed it out easily. But he didn't need to do that. This was a civilised country full of roads and railways. I must some time and somewhere come out of the woods. He could have all the roads watched, and the telephone would set every one on my track within a radius of fifty miles. Besides, he would soon pick up my trail in the village I had visited that morning. From the map I learned that it was called Greif, and it was likely to live up to that name with me.

Presently I came to a rocky knoll which rose out of the forest. Keeping well in shelter I climbed to the top and cautiously looked around me. Away to the east I saw the vale of a river with broad fields and church-spires. West and south the forest rolled unbroken in a wilderness of snowy tree-tops. There was no sign of life anywhere, not even a bird, but I knew very well that behind me in the woods were men moving swiftly on my track, and that it was pretty well impossible for me to get away.

There was nothing for it but to go on till I dropped or was taken. I shaped my course south with a shade of west in it, for the map showed me that in that direction I would soonest strike the Danube. What I was going to do when I got there I didn't trouble to think. I had fixed the river as my immediate goal and the future must take care of itself.

I was now pretty certain that I had fever on me. It was still in my bones, as a legacy from Africa, and had come out once or twice when I was with the battalion in Hampshire. The bouts had been short, for I had known of their coming and dosed myself. But now I had no quinine, and it looked as if I were in for a heavy go. It made me feel desperately wretched and stupid, and I all but blundered into capture.

For suddenly I came on a road and was going to cross it blindly, when a man rode slowly past on a bicycle. Luckily I was in the shade of a clump of hollies and he was not looking my way, though he was not three yards off. I crawled forward to reconnoitre. I saw about half a mile of road running straight through the forest and every two hundred yards was a bicyclist. They wore uniform and appeared to be acting as sentries.

This could only have one meaning. Stumm had picketed all the roads and cut me off in an angle of the woods. There was no chance of getting across unobserved. As I lay there with my heart sinking, I had the horrible feeling that the pursuit might be following me from behind, and that at any moment I would be enclosed between two fires.

For more than an hour I stayed there with my chin in the snow. I didn't see any way out, and I was feeling so ill that I didn't seem to care. Then my chance came suddenly out of the skies.

The wind rose, and a great gust of snow blew from the east. In five minutes it was so thick that I couldn't see across the road. At first I thought it a new addition to my troubles, and then very slowly I saw the opportunity. I slipped down the bank and made ready to cross.

I almost blundered into one of the bicyclists. He

cried out and fell off his machine, but I didn't wait to investigate. A sudden access of strength came to me and I darted into the woods on the farther side. I knew I would be soon swallowed from sight in the drift, and I knew that the falling snow would hide my tracks. So I put my best foot forward.

I must have run miles before the hot fit passed, and I stopped from sheer bodily weakness. There was no sound except the crunch of falling snow, the wind seemed to have gone, and the place was very solemn and quiet. But Heavens! how the snow fell! It was partly screened by the branches, but all the same it was piling itself up deep everywhere. My legs seemed made of lead, my head burned, and there were fiery pains over all my body. I stumbled on blindly, without a notion of any direction, determined only to keep going to the last. For I knew that if I once lay down I would never rise again.

When I was a boy I was fond of fairy tales, and most of the stories I remembered had been about great German forests and snow and charcoal burners and woodmen's huts. Once I had longed to see these things; and now I was fairly in the thick of them. There had been wolves too, and I wondered idly if I should fall in with a pack. I felt myself getting light-headed. I fell repeatedly and laughed sillily every time. Once I dropped into a hole and lay for some time at the bottom giggling. If any one had found me then he would have taken me for a madman.

The twilight of the forest grew dimmer, but I scarcely noticed it. Evening was falling, and soon it would be night, a night without morning for me. My body was going on without the direction of my brain, for my mind was filled with craziness. I was like a drunk man who keeps running, for he knows that if he stops he will fall, and I had a sort of bet with myself not to lie down—not at any rate just yet. If I lay down I should feel the pain in my head worse. Once I had ridden for five days down country with fever on me and the flat bush trees had seemed to melt into one big mirage and dance quadrilles before my eyes. But then I had more or less kept my wits. Now I was fairly daft, and every minute growing dafter.

Then the trees seemed to stop and I was walking on flat ground. It was a clearing, and before me twinkled a little light. The change restored me to consciousness, and suddenly I felt with horrid intensity the fire in my head and bones and the weakness of my limbs. I longed to sleep, and I had a notion that a place to sleep was before me. I moved towards the light and presently saw through a screen of snow the outline of a cottage.

I had no fear, only an intolerable longing to lie down. Very slowly I made my way to the door and knocked. My weakness was so great that I could hardly lift my hand for the purpose.

There were voices within, and a corner of the curtain was lifted from the window. Then the door opened and a woman stood before me, a woman with a thin, kindly face.

"Grüss Gott," she said, while children peeped from behind her skirts.

"Grüss Gott," I replied. I leaned against the doorpost, and speech forsook me.

She saw my condition. "Come in, sir," she said. "You are sick and it is no weather for a sick man."

I stumbled after her and stood dripping in the centre of the little kitchen, while three wondering children stared at me. It was a poor place, scantily furnished, but a good log-fire burned on the hearth. The shock of warmth gave me one of those minutes of self-possession which come sometimes in the middle of a fever.

"I am sick, mother, and I have walked far in the storm and lost my way. I am from Africa, where the climate is hot, and your cold brings me fever. It will pass in a day or two if you can give me a bed."

"You are welcome," she said; "but first I will make you coffee."

I took off my dripping cloak, and crouched close to the hearth. She gave me coffee—poor washy stuff, but blessedly hot. Poverty was spelled large in everything I saw. I felt the tides of fever beginning to overflow my brain again, and I made a great attempt to set my affairs straight before I was overtaken. With difficulty I took out Stumm's pass from my pocket-book.

"That is my warrant," I said. "I am a member of the Imperial Secret Service and for the sake of my work I must move in the dark. If you will permit it, mother, I will sleep till I am better, but no one must know that I am here. If any one comes, you must deny my presence."

She looked at the big seal as if it were a talisman.

"Yes, yes," she said, "you will have the bed in the garret and be left in peace till you are well. We have no neighbors near, and the storm will shut the roads. I will be silent, I and the little ones."

My head was beginning to swim, but I made one more effort.

"There is food in my rucksack—biscuits and ham and chocolate. Pray take it for your use. And here is some money to buy Christmas fare for the little ones." And I gave her some of the German notes.

After that my recollection became dim. She helped me up a ladder to the garret, undressed me, and gave me a thick coarse nightgown. I seem to remember that she kissed my hand, and that she was crying. "The good Lord has sent you," she said. "Now the little ones will have their prayers answered and the Christkind will not pass by our door."

CHAPTER VIII

THE ESSEN BARGES

I LAY for four days like a log in that garret bed. The storm died down, the thaw set in, and the snow melted. The children played about the doors and told stories at night round the fire. Stumm's myrmidons no doubt beset every road and troubled the lives of innocent wayfarers. But no one came near the cottage, and the fever worked itself out while I lay in peace.

It was a bad bout, but on the fifth day it left me, and I lay, as weak as a kitten, staring at the rafters and the little skylight. It was a leaky, draughty old place, but the woman of the cottage had heaped deerskins and blankets on my bed and kept me warm. She came in now and then, and once she brought me a brew of some bitter herbs which greatly refreshed me. A little thin porridge was all the food I could eat, and some chocolate made from the slabs in my rucksack.

I lay and dozed through the day, hearing the faint chatter of children below, and getting stronger hourly. Malaria passes as quickly as it comes and leaves a man little the worse, though this was one of the sharpest turns I ever had. As I lay I thought, and my thoughts followed curious lines. One queer thing was that Stumm and his doings seemed to have been shot back into a lumber-room of my brain and the door locked. He didn't seem to be a creature of the living present, but a distant memory on which I could look calmly. I thought a good deal about my battalion and the comedy of my present position. You see I was getting better, for I called it comedy now, not tragedy.

But chiefly I thought of my mission. All that wild day in the snow it had seemed the merest farce. The three words Harry Bullivant had scribbled had danced through my head in a crazy fandango. They were present to me now, but coolly and sanely in all their meagreness.

I remember that I took each one separately and chewed on it for hours. *Kasredin*—there was nothing to be got out of that. *Cancer*—there were too many meanings, all blind. *v.* I—that was the worst gibberish of all.

Before this I had always taken the I as the letter of the alphabet. I had thought the *v.* must stand for *von,* and I had considered the German names beginning with I—Ingolstadt, Ingeburg, Ingenohl, and all the rest of them. I had made a list of about seventy at the British Museum before I left London.

Now I suddenly found myself taking the I as the numeral One. Idly, not thinking what I was doing, I put it into German.

Then I nearly fell out of the bed. *Von Einem*—the name I had heard at Gaudian's house, the name Stumm had spoken behind his hand, the name to which Hilda was probably the prefix. It was a tremendous discovery—the first real bit of light I had found. Harry Bullivant knew that some man or woman called von Einem was at the heart of the mystery. Stumm had spoken of the same personage with respect and in connection with the work I proposed to do in raising the Moslem Africans. If I found von Einem I would be getting very warm. What was the word that Stumm had whispered to Gaudian and scared that worthy? It had sounded like *Ünmantl.* If I could only get that clear, I would solve the riddle.

I think that discovery completed my cure. At any rate on the evening of the fifth day—it was Wednesday, the 29th of December—I was well enough to get up. When the dark had fallen and it was too late to fear a visitor, I came downstairs and, wrapped in my green cape, took a seat by the fire.

As we sat there in the firelight, with the three white-headed children staring at me with saucer eyes, and smiling when I looked their way, the woman talked. Her man had gone to the wars on the Eastern front, and the last she had heard from him he was in a Polish bog and longing for his dry native woodlands. The struggle meant little to her. It was an act of God, a thunderbolt out of the sky, which had taken a husband from her, and might soon make her a widow and her children fatherless. She knew nothing of its causes and purposes, and thought of the Russians as a gigantic nation of savages, heathens who had never been converted, and who would eat up German homes if the good Lord and the brave German soldiers did not stop them. I tried hard to find out if she had any notion of affairs in the West, but she hadn't, beyond the fact that there was trouble with the French. I doubt if she knew of England's share in it. She was a decent soul, with no bitterness against anybody, not even the Russians if they would spare her man.

That night I realised the crazy folly of war. When I saw the splintered shell of Ypres and heard hideous tales of German doings, I used to want to see the whole land of the Boches given up to fire and sword. I thought we could never end the war properly without giving the Huns some of their own medicine. But that woodcutter's cottage cured me of such nightmares. I was for punishing the guilty but letting the innocent go free. It was our business to thank God and keep our hands clean from the ugly blunders to which Germany's madness had driven her. What good would it do Christian folk to burn poor little huts like this and leave children's bodies by the wayside? To be able to laugh and to be merciful are the only things that make man better than the beasts.

The place, as I have said, was desperately poor. The woman's face had the skin stretched tight over the bones, and that transparency which means underfeeding; I fancied she did not have the liberal allowance that soldiers' wives get in England. The children looked better nourished, but it was by their mother's sacrifice. I did my best to cheer them up. I told them long yarns about Africa and lions and tigers, and I got some pieces of wood and whittled them into toys. I am fairly good with a knife, and I carved very presentable likenesses of a monkey, a springbok, and a rhinoceros. The children went to bed hugging the first toys, I expect, they ever possessed.

It was pretty clear to me that I must leave as soon as possible. I had to get on with my business, and besides, it was not fair to the woman. Any moment I might be found here, and she would get into trouble for harbouring me. I asked her if she knew where the Danube was, and her answer surprised me. "You will reach it in an hour's walk," she said. "The track through the wood runs straight to the ferry."

Next morning after breakfast I took my departure. It was drizzling weather, and I was feeling very lean. Before going I presented my hostess and the children with two sovereigns apiece. "It is English gold," I said, "for I have to travel among our enemies and use our enemies' money. But the gold is good, and if you go to any town they will change it for you. But I advise you to put it in your stocking-foot and use it only if all else fails. You must keep your home going, for some day there will be peace, and your man will come back from the wars."

I kissed the children, shook the woman's hand, and went off down the clearing. They had cried "Auf wiedersehen," but it wasn't likely I would ever see them again.

The snow had all gone, except in patches in the deep hollows. The ground was like a full sponge, and a cold rain drifted in my eyes. After half an hour's steady trudge, the trees thinned and presently I came out on a knuckle of open ground cloaked in dwarf junipers. And there before me lay the plain, and a mile off a broad brimming river.

I sat down and looked dismally at the prospect. The exhilaration of my discovery the day before had gone. I had stumbled on a worthless piece of knowledge, for I could not use it. Hilda von Einem, if such a person existed and possessed the great secret, was probably living in some big house in Berlin, and I was about as likely to get anything out of her as to be asked to dine with the Kaiser. Blenkiron might do something, but where on earth was Blenkiron? I dared say Sir Walter would value the information, but

I could not get to Sir Walter. I was to go on to Constantinople, running away from the people who really pulled the ropes. But if I stayed I could do nothing, and I could not stay. I must go on and I didn't see how I could go on. Every course seemed shut to me, and I was in as pretty a tangle as any man ever stumbled into.

For I was morally certain that Stumm would not let the thing drop. I knew too much, and besides I had outraged his pride. He would beat the countryside till he got me, and he undoubtedly would get me if I waited much longer. But how was I to get over the border? My passport would be no good, for the number of that pass would long ere this have been wired to every police-station in Germany, and to produce it would be to ask for trouble. Without it I could not cross the borders by any railway. My studies of the Tourists' Guide had suggested that once I was in Austria I might find things slacker and move about easier. I thought of having a try at the Tyrol and I also thought of Bohemia. But these places were a long way off, and there were several thousand chances each day that I would be caught on the road.

This was Thursday, the 30th of December, the second last day of the year. I was due in Constantinople on the 17th of January. Constantinople! I had thought myself a long way from it in Berlin, but now it seemed as distant as the moon.

But that big sullen river in front of me led to it. And as I looked my attention was caught by a curious sight. On the far eastern horizon, where the water slipped round a corner of hill, there was a long trail of smoke. The streamers thinned out, and seemed to come from some boat well round the corner, but

I could see at least two boats in view. Therefore there must be a long train of barges, with a tug in tow.

I looked to the west and saw another such procession coming into sight. First went a big river steamer—it can't have been much less than 1,000 tons—and after came a string of barges. I counted no less than six besides the tug. They were heavily loaded and their draught must have been considerable, but there was plenty of depth in the flooded river.

A moment's reflection told me what I was looking at. Once Sandy, in one of the discussions you have in hospital, had told us just how the Germans munitioned their Balkan campaign. They were pretty certain of dishing Serbia at the first go, and it was up to them to get through guns and shells to the old Turk, who was running pretty short in his first supply. Sandy said that they wanted the railway, but they wanted still more the river, and they could make certain of that in a week. He told us how endless strings of barges, loaded up at the big factories of Westphalia, were moving through the canals from the Rhine or the Elbe to the Danube. Once the first reached Turkey, there would be regular delivery, you see—as quick as the Turks could handle the stuff. And they didn't return empty, Sandy said, but came back full of Turkish cotton, and Bulgarian beef, and Rumanian corn. I don't know where Sandy got the knowledge, but there was the proof of it before my eyes.

It was a wonderful sight, and I could have gnashed my teeth to see those loads of munitions going snugly off to the enemy. I calculated they would give our poor chaps hell in Gallipoli. And then, as I looked, an idea came into my head, and with it an eighth part of a hope.

There was only one way for me to get out of Germany, and that was to leave in such good company that I would be asked no questions. That was plain enough. If I travelled to Turkey, for instance, in the Kaiser's suite, I would be as safe as the mail; but if I went on my own I was done. I had, so to speak, to get my passport *inside* Germany, to join some caravan which had free marching powers. And there was the kind of caravan before me—the Essen barges.

It sounded lunacy, for I guessed that munitions of war would be as jealously guarded as von Hindenburg's health. All the safer, I replied to myself, once I got there. If you are looking for a deserter you don't seek him at the favourite regimental public-house. If you're after a thief, among the places you'd be apt to leave unsearched would be Scotland Yard.

It was sound reasoning, but how was I to get on board? Probably the beastly things did not stop once in a hundred miles, and Stumm would get me long before I struck a halting-place. And even if I did get a chance like that, how was I to get permission to travel?

One step was clearly indicated—to get down to the river bank at once. So I set off at a sharp walk across squelchy fields, till I struck a road where the ditches had overflowed so as almost to meet in the middle. The place was so bad that I hoped travellers might be few. And as I trudged, my thoughts were busy with my opportunities as a stowaway. If I bought food, I might get a chance to lie snug on one of the barges. They would not break bulk till they got to their journey's end.

Suddenly I noticed that the steamer, which was now abreast me, began to move towards the shore, and as I came over a low rise I saw on my left a straggling village with a church, and a small landing-stage. The houses stood about a quarter of a mile from the stream, and between them was a straight, poplar-fringed road.

Soon there could be no doubt about it. The procession was coming to a standstill. The big tug nosed her way in and lay up alongside the pier, where in that season of flood there was enough depth of water. She signalled to the barges and they also started to drop anchors, which showed that there must be at least two men aboard each. Some of them dragged a bit and it was rather a cock-eyed train that lay in mid-stream. The tug got out a gangway, and from where I lay I saw half a dozen men leave it, carrying something on their shoulders.

It could be only one thing—a dead body. Some one of the crew must have died, and this halt was to bury him. I watched the procession move towards the village and I reckoned they would take some time there, though they might have wired ahead for a grave to be dug. Anyhow, they would be long enough to give me a chance.

For I had decided upon the brazen course. Blenkiron had said you couldn't cheat the Boche, but you could bluff him. I was going to put up the most monstrous bluff. If the whole countryside was hunting for Richard Hannay, Richard Hannay would walk through as a pal of the hunters. For I remembered the pass Stumm had given me. If that was worth a tinker's curse it should be good enough to impress a ship's captain.

Of course there were a thousand risks. They might have heard of me in the village and told the ship's party the story. For that reason I resolved not to go there but to meet the sailors when they were returning to the boat. Or the captain might have been warned and got the number of my pass, in which case Stumm would have his hands on me pretty soon. Or the captain might be an ignorant fellow who had never seen a Secret Service pass and did not know what it meant, and would refuse me transport by the letter of his instructions. In that case I might wait on another convoy.

I had shaved and made myself a fairly respectable figure before I left the cottage. It was my cue to wait for the men when they left the church, wait on that quarter-mile of straight highway. I judged the captain must be in the party. The village, I was glad to observe, seemed very empty. I have my own notions about the Bavarians as fighting men, but I am bound to say that, judging by my observations, very few of them stayed at home.

That funeral took hours. They must have had to dig the grave, for I waited near the road in a clump of cherry-trees, with my feet in two inches of mud and water, till I felt chilled to the bone. I prayed to God it would not bring back my fever, for I was only one day out of bed. I had very little tobacco left in my pouch, but I stood myself one pipe, and I ate one of the three cakes of chocolate I still carried.

At last, well after midday, I could see the ship's party returning. They marched two by two, and I was thankful that they had no villagers with them. I walked to the road, turned it, and met the vanguard, carrying my head as high as I knew how.

"Where's your captain?" I asked, and a man jerked his thumb over his shoulder. The others wore thick jerseys and knitted caps, but there was one man at the rear in uniform.

He was a short, broad man with a weather-beaten face and an anxious eye.

"May I have a word with you, Herr Captain?" I said, with what I hoped was a judicious blend of authority and conciliation.

He nodded to his companion, who walked on.

"Yes?" he asked rather impatiently.

I proffered him my pass. Thank Heaven he had seen the kind of thing before, for his face at once took on that curious look which one person in authority always wears when he is confronted with another. He studied it closely and then raised his eyes.

"Well, sir?" he said. "I observe your credentials. What can I do for you?"

"I take it you are bound for Constantinople?" I asked.

"The boats go as far as Rustchuk," he replied. "There the stuff is transferred to the railway."

"And you reach Rustchuk when?"

"In ten days, bar accidents. Let us say twelve to be safe."

"I want to accompany you," I said. "In my profession, Herr Captain, it is necessary sometimes to make journeys by other than the common route. That is now my desire. I have the right to call upon some other branch of our country's service to help me. Hence my request."

Very plainly he did not like it.

"I must telegraph about it. My instructions are to let no one aboard, not even a man like you. I am sorry, sir, but I must get authority first before I can fall in with your desire. Besides, my boat is ill-found. You had better wait for the next batch and ask Dreyser to take you. I lost Walter to-day. He was ill when he came aboard—a disease of the heart—but he would not be persuaded. And last night he died."

"Was that he you have been burying?" I asked.

"Even so. He was a good man and my wife's cousin, and now I have no engineer. Only a fool of a boy from Hamburg. I have just come from wiring to my owners for a fresh man, but even if he comes by the quickest train he will scarcely overtake us before Vienna or even Buda."

I saw light at last.

"We will go together," I said, "and cancel that wire. For behold, Herr Captain, I am an engineer, and will gladly keep an eye on your boilers till we get to Rustchuk."

He looked at me doubtfully.

"I am speaking truth," I said. "Before the war I was an engineer in Damaraland. Mining was my branch, but I had a good general training, and I know enough to run a river-boat. Have no fear. I promise you I will earn my passage."

His face cleared, and he looked what he was, an honest, good-humoured North German seaman.

"Come then in God's name," he cried, "and we will make a bargain. I will let the telegraph sleep. I want authority from the Government to take a passenger, but I need none to engage a new engineer."

He sent one of the hands back to the village to cancel his wire. In ten minutes I found myself on board, and ten minutes later we were out in mid-stream and our tows were lumbering into line. Coffee was being made ready in the cabin, and while I waited for it I picked up the captain's binoculars and scanned the place I had left.

I saw some curious things. On the first road I had struck on leaving the cottage there were men on bicycles moving rapidly. They seemed to wear uniform. On the next parallel road, the one that ran through the village, I could see others. I noticed, too, that several figures appeared to be beating the intervening fields.

Stumm's cordon had got busy at last, and I thanked my stars that not one of the villagers had seen me. I had not got away much too soon, for in another half-hour he would have had me.

CHAPTER IX

THE RETURN OF THE STRAGGLER

BEFORE I turned in that evening I had done some good hours' work in the engine-room. The boat was oil-fired, and in very fair order, so my duties did not look as if they would be heavy. There was nobody who could be properly called an engineer; only, besides the furnace-men, a couple of lads from Hamburg who had been a year ago apprentices in a shipbuilding yard. They were civil fellows, both of them consumptive, who did what I told them and said little. By bed-time, if you had seen me in my blue jumpers, a pair of carpet slippers, and a flat cap—all the property of the deceased Walter—you would have sworn I had been bred to the firing of river-boats, whereas I had acquired most of my knowledge on one run down the Zambesi, when the proper engineer got drunk and fell overboard among the crocodiles.

The captain—they called him Schenk—was out of his bearings in the job. He was a Frisian and a first-class deep-water seaman, but, since he knew the Rhine delta, and because the German mercantile marine was laid on the ice till the end of war, they had turned him on to this show. He was bored by the business, you could see, and didn't understand it very well. The river charts puzzled him, and though it was pretty plain going for hundreds of miles, yet he was in a perpetual fidget about the pilotage. You could see that he would have been far more in his element smelling his way through the shoals of the Ems mouth, or beating against a north-easter in the shallow Baltic. He had six barges in tow, but the heavy flood of the Danube made it an easy job except when it came to going slow. There were two men on each barge, who came aboard every morning to draw rations. That was a funny business, for we never lay to if we could help it. There was a dinghy belonging to each barge, and the men used to row to the next and get a lift in that barge's dinghy, and so forth. Six men would appear in the dinghy of the barge nearest us and carry off supplies for the rest. The men were mostly Frisians, slow-spoken, sandy-haired lads, very like the breed you strike on the Essex coast.

It was the fact that Schenk was really a deep-water sailor, and so a novice to the job, that made me get on with him. He was a good fellow and quite willing to take a hint, so before I had been twenty-four hours on board he was telling me all his difficulties, and I was doing my best to cheer him. And difficulties came thick, because the next night was New Year's Eve.

I knew that that night was a season of gaiety in Scotland, but Scotland wasn't in it with the Fatherland. Even Schenk, though he was in charge of valuable stores and was voyaging against time, was quite clear that the men must have permission for some kind of beano. Just before darkness we came abreast a fair-sized town, whose name I never discovered, and decided to lie to for the night. The arrangement was that one man should be left on guard in each barge, and the other get four hours' leave ashore.

Then he would return and relieve his friend, who should proceed to do the same thing. I foresaw that there would be some fun when the first batch returned, but I did not dare to protest. I was desperately anxious to get past the Austrian frontier, for I had a half-notion we might be searched there, but Schenk took this *Sylvesterabend* business so seriously that I would have risked a row if I had tried to argue.

The upshot was what I expected. We got the first batch aboard about midnight, blind to the world, and the others straggled in at all hours next morning. I stuck to the boat for obvious reasons, but next day it became too serious, and I had to go ashore with the captain to try and round up the stragglers. We got them all in but two, and I am inclined to think these two had never meant to come back. If I had a soft job like a river-boat I shouldn't be inclined to run away in the middle of Germany with the certainty that my best fate would be to be scooped up for the trenches, but your Frisian has no more imagination than a haddock. The absentees were both watchmen from the barges, and I fancy the monotony of the life had got on their nerves.

The captain was in a raging temper, for he was short-handed to begin with. He would have started a press-gang, but there was no superfluity of men in that township: nothing but boys and grandfathers. As I was helping to run the trip I was pretty annoyed also, and I sluiced down the drunkards with icy Danube water, using all the worst language I knew in Dutch and German. It was a raw morning, and as we raged through the river-side streets I remember I heard the dry crackle of wild geese going overhead, and wished I could get a shot at them. I told one fellow—he was the most troublesome—that he was a disgrace to a great Empire, and was only fit to fight with the filthy English.

"God in Heaven!" said the captain, "we can delay no longer. We must make shift the best we can. I can spare one man from the deck hands, and you must give up one from the engine-room."

That was arranged, and we were tearing back rather short in the wind when I espied a figure sitting on a bench beside the booking-office on the pier. It was a slim figure, in an old suit of khaki; some cast-off duds which had long lost the semblance of a uniform. It had a gentle face, and was smoking peacefully, looking out upon the river and the boats and us noisy fellows with meek philosophical eyes. If I had seen General French sitting there and looking like nothing on earth I couldn't have been more surprised.

The man stared at me without recognition. He was waiting for his cue.

I spoke rapidly in Sesutu, for I was afraid the captain might know Dutch.

"Where have you come from?" I asked.

"They shut me up in *tronk,*" said Peter, "and I ran away. I am tired, Cornelis, and want to continue the journey by boat."

"Remember you have worked for me in Africa," I said. "You are just home from Damaraland. You are a German who has lived thirty years away from home. You can tend a furnace and have worked in mines."

Then I spoke to the captain:

"Here is a fellow who used to be in my employ, Captain Schenk. It's almighty luck we've struck him. He's old, and not very strong in the head, but I'll go bail he's a good worker. He says he'll come with us and I can use him in the engine-room."

"Stand up," said the captain.

Peter stood up, light and slim and wiry as a leopard. A sailor does not judge men by girth and weight.

"He'll do," said Schenk, and the next minute he was readjusting his crews and giving the strayed revellers the rough side of his tongue. As it chanced, I couldn't keep Peter with me, but had to send him to one of the barges, and I had the chance of no more than five words with him, when I told him to hold his tongue and live up to his reputation as a half-wit. That accursed *Sylvesterabend* had played havoc with the whole outfit, and the captain and I were weary men before we got things straight.

In one way it turned out well. That afternoon we passed the frontier and I never knew it till I saw a man in a strange uniform come aboard, who copied some figures on a schedule, and brought us a mail. With my dirty face and general air of absorption in duty, I must have been an unsuspicious figure. He took down the names of the men in the barges, and Peter's name was given as it appeared on the ship's roll—Anton Blum.

"You must feel it strange, Herr Brandt," said the captain, "to be scrutinised by a policeman, you who give orders, I doubt not, to many policemen."

I shrugged my shoulders. "It is my profession. It is my business to go unrecognised often by my own servants." I could see that I was becoming rather a figure in the captain's eyes. He liked the way I kept the men up to their work, for I hadn't been a nigger-driver for nothing.

Late on that Sunday night we passed through a

great city which the captain told me was Vienna. It seemed to last for miles and miles, and to be as brightly lit as a circus. After that, we were in big plains and the air grew perishing cold. Peter had come aboard once for his rations, but usually he left it to his partner, for he was lying very low. But one morning—I think it was the 5th of January, when we had passed Buda and were moving through great sodden flats just sprinkled with snow—the captain took it into his head to get me to overhaul the barge loads. Armed with a mighty type-written list, I made a tour of the barges, beginning with the hindmost. There was a fine old stock of deadly weapons—mostly machine-guns and some field-pieces, and enough shells to blow up the Gallipoli peninsula. All kinds of shell were there, from the big 14-inch crumps to rifle grenades and trench-mortars. It made me fairly sick to see all these good things preparing for our own fellows, and I wondered whether I would not be doing my best service if I engineered a big explosion. Happily I had the common sense to remember my job, and my duty to stick to it.

Peter was in the middle of the convoy, and I found him pretty unhappy, principally through not being allowed to smoke. His companion was an ox-eyed lad, whom I ordered to the look-out while Peter and I went over the lists.

"Cornelis, my old friend," he said, "there are some pretty toys here. With a spanner and a couple of clear hours I could make these maxims about as deadly as bicycles. What do you say to a try?"

"I've considered that," I said, "but it won't do. We're on a bigger business than wrecking munition convoys. I want to know how you got here."

He smiled with that extraordinary Sunday-school docility of his.

"It was very simple, Cornelis. I was foolish in the café—but they have told you of that. You see I was angry, and did not reflect. They had separated us, and I could see would treat me as dirt. Therefore my bad temper came out, for, as I have told you, I do not like Germans."

Peter gazed lovingly at the little bleak farms which dotted the Hungarian plain.

"All night I lay in *tronk* with no food. In the morning they fed me, and took me hundreds of miles in a train to a place which I think is called Neuburg. It was a great prison, full of English officers. . . . I asked myself many times on the journey what was the reason of this treatment, for I could see no sense in it. If they wanted to punish me for insulting them they had the chance to send me off to the trenches. No one could have objected. If they thought me useless they could have turned me back to Holland. I could not have stopped them. But they treated me as if I were a dangerous man, whereas all their conduct hitherto had shown that they thought me a fool. I could not understand it.

"But I had not been one night in that Neuburg place before I found out the reason. They wanted to keep me under observation as a check upon you, Cornelis. I figured it out this way. They had given you some very important work which required them to let you into some big secret. So far, good. They evidently thought much of you, even yon Stumm man, though he was as rude as a buffalo. But they did not know you fully, and they wanted a check on you. That check they found in Peter Pienaar. Peter was a fool, and if there was anything to blab, sooner or later Peter would blab it. Then they would stretch out a long arm and nip you short, wherever you were. Therefore they must keep old Peter under their eye."

"That sounds likely enough," I said.

"It was God's truth," said Peter. "And when it was all clear to me I settled that I must escape. Partly because I am a free man and do not like to be in prison, but mostly because I was not sure of myself. Some day my temper would go again, and I might say foolish things for which Cornelis would suffer. So it was very certain that I must escape.

"Now, Cornelis, I noticed pretty soon that there were two kinds among the prisoners. There were the real prisoners, mostly English and French, and there were humbugs. The humbugs were treated apparently like the others, but not really, as I soon perceived. There was one man who passed as an English officer, one as a French Canadian, and the others called themselves Russians. None of the honest men suspected them, but they were there as spies to hatch plots for escape and get the poor devils caught in the act, and to worm out confidences which might be of value. That is the German notion of good business. I am not a British soldier to think all men are gentlemen. I know that amongst men are desperate *skellums,* so I soon picked up this game. It made me very angry, but it was a good thing for my plan. I made my resolution to escape the day I arrived at Neuburg, and on Christmas Day I had a plan made."

"Peter, you're an old marvel. Do you mean to say you were quite certain of getting away whenever you wanted?"

"Quite certain, Cornelis. You see, I have been

wicked in my time and know something about the inside of prisons. You may build them like great castles, or they may be like a backveld *tronk,* only mud and corrugated iron, but there is always a key and a man who keeps it, and that man can be bested. I knew I could get away, but I did not think it would be so easy. That was due to the bogus prisoners, my friends the spies.

"I made great pals with them. On Christmas night we were very jolly together. I think I spotted every one of them the first day. I bragged about my past and all I had done, and I told them I was going to escape. They backed me up and promised to help. Next morning I had a plan. In the afternoon, just after dinner, I had to go to the commandant's room. They treated me a little differently from the others, for I was not a prisoner of war, and I went there to be asked questions and to be cursed as a stupid Dutchman. There was no strict guard kept there, for the place was on the second floor, and distant by many yards from any staircase. In the corridor outside the commandant's room there was a window which had no bars, and four feet from the window the limb of a great tree. A man might reach that limb, and if he were active as a monkey might descend to the ground. Beyond that I knew nothing, but I am a good climber, Cornelis.

"I told the others of my plan. They said it was good, but no one offered to come with me. They were very noble; they declared that the scheme was mine and I should have the fruit of it, for if more than one tried detection was certain. I agreed and thanked them—thanked them with tears in my eyes. Then one of them very secretly produced a map. We planned out my road, for I was going straight to Holland. It was a long road, and I had no money, for they had taken all my sovereigns when I was arrested, but they promised to get a subscription up among themselves to start me. Again I wept tears of gratitude. This was on Sunday, the day after Christmas. I settled to make the attempt on the Wednesday afternoon."

"Now, Cornelis, when the lieutenant took us to see the British prisoners, you remember, he told us many things about the ways of prisons. He told us how they loved to catch a man in the act of escape, so that they could use him harshly with a clear conscience. I thought of that, and calculated that now my friends would have told everything to the commandant, and that they would be waiting to bottle me on the Wednesday. Till then I reckoned I would be slackly guarded, for they would look on me as safe in the net. . . .

"So I went out of the window next day. It was the Monday afternoon. . . ."

"That was a bold stroke," I said admiringly.

"The plan was bold, but it was not skilful," said Peter modestly. "I had no money beyond seven marks, and I had but one stick of chocolate. I had no overcoat, and it was snowing hard. Further, I could not get down the tree, which had a trunk as smooth and branchless as a blue gum. For a little I thought I should be compelled to give in, and I was not happy.

"But I had leisure, for I did not think I would be missed before nightfall, and given time a man can do most things. By and by I found a branch which led beyond the outer wall of the yard and hung above the river. This I followed, and then dropped from it into the stream. It was a drop of some yards, and the water was very swift, so that I nearly drowned. I would rather swim the Limpopo, Cornelis, among all the crocodiles, than that icy river. Yet I managed to reach the shore and get my breath lying in the bushes. . . .

"After that it was plain going, though I was very cold. I knew that I would be sought on the northern roads, as I had told my friends, for no one would dream of an ignorant Dutchman going south away from his kinsfolk. But I had learned enough from the map to know that our road lay south-east, and I had marked this big river."

"Did you hope to pick me up?" I asked.

"No, Cornelis. I thought you would be travelling in first-class carriages while I should be plodding on foot. But I was set on getting to the place you spoke of (how do you call it? Constant Nople), where our big business lay. I thought I might be in time for that."

"You're an old Trojan, Peter," I said; "but go on. How did you get to that landing-stage where I found you?"

"It was a hard journey," he said meditatively. "It was not easy to get beyond the barbed wire entanglements which surrounded Neuburg—yes, even across the river. But in time I reached the woods and was safe, for I did not think any German could equal me in wild country. The best of them, even their foresters, are but babes in veldcraft compared with such as me. . . . My troubles came only from hunger and cold. Then I met a Peruvian smouse,* and sold him

* Peter meant a Polish-Jew fellow.

my clothes and bought from him these. I did not want to part with my own, which were better, but he gave me ten marks on the deal. After that I went into a village and ate heavily."

"Were you pursued?" I asked.

"I do not think so. They had gone north, as I expected, and were looking for me at the railway stations which my friends had marked for me. I walked happily and put a bold face on it. If I saw a man or woman look at me suspiciously I went up to them at once and talked. I told a sad tale, and all believed it. I was a poor Dutchman travelling home on foot to see a dying mother, and I had been told that by the Danube I should find the main railway to take me to Holland. There were kind people who gave me food, and one woman gave me half a mark, and wished me God speed. . . . Then on the last day of the year I came to the river and found many drunkards."

"Was that when you resolved to get on one of the river boats?"

"*Ja,* Cornelis. As soon as I heard of the boats I saw where my chance lay. But you might have knocked me over with a straw when I saw you come on shore. That was good fortune, my friend. . . . I have been thinking much about the Germans, and I will tell you the truth. It is only boldness that can baffle them. They are a most diligent people. They will think of all likely difficulties, but not of all possible ones. They have not much imagination. They are like steam engines which must keep to prepared tracks. There they will hunt any man down, but let him trek for open country and they will be at a loss. Therefore boldness, my friend; for ever boldness.

Remember as a nation they wear spectacles, which means that they are always peering."

Peter broke off to gloat over the wedges of geese and the strings of wild swans that were always winging across those plains. His tale had bucked me up wonderfully. Our luck had held beyond all belief, and I had a kind of hope in the business now which had been wanting before. That afternoon, too, I got another fillip.

I came on deck for a breath of air and found it pretty cold after the heat of the engine room. So I called to one of the deck hands to fetch me up my cloak from the cabin—the same I had bought that first morning in the Greif village.

"Der grüne Mantel?" the man shouted up, and I cried, Yes. But the words seemed to echo in my ears, and long after he had given me the garment I stood staring abstractedly over the bulwarks.

His tone had awakened a chord of memory, or, to be accurate, they had given emphasis to what before had been only blurred and vague. For he had spoken the words which Stumm had uttered behind his hand to Gaudian. I had heard something like "Ühnmantl" and could make nothing of it. Now I was as certain of those words as of my own existence. They had been *"Grüne Mantel." Grüne Mantel,* whatever it might be, was the name which Stumm had not meant me to hear, which was some talisman for the task I had proposed, and which was connected in some way with the mysterious von Einem.

This discovery put me in high fettle. I told myself that, considering the difficulties, I had managed to find out a wonderful amount in a very few days.

It only shows what a man can do with the slenderest evidence if he keeps chewing and chewing on it. . . .

Two mornings later we lay alongside the quays at Belgrade, and I took the opportunity of stretching my legs. Peter had come ashore for a smoke, and we wandered among the battered riverside streets, and looked at the broken arches of the great railway bridge which the Germans were working at like beavers. There was a big temporary pontoon affair to take the railway across, but I calculated that the main bridge would be ready inside a month. It was a clear, cold, blue day, and as one looked south one saw ridge after ridge of snowy hills. The upper streets of the city were still fairly whole, and there were shops open where food could be got. I remember hearing English spoken, and seeing some Red Cross nurses in the custody of Austrian soldiers coming from the railway station.

It would have done me a lot of good to have had a word with them. I thought of the gallant people whose capital this had been, how three times they had flung the Austrians back over the Danube, and then had only been beaten by the black treachery of their so-called allies. Somehow that morning in Belgrade gave both Peter and me a new purpose in our task. It was our business to put a spoke in the wheel of this monstrous bloody Juggernaut that was crushing out the little heroic nations.

We were just getting ready to cast off when a distinguished party arrived at the quay. There were all kinds of uniforms—German, Austrian, and Bulgarian, and amid them one stout gentleman in a fur coat and a black felt hat. They watched the barges up-anchor, and, before we began to jerk into line I could hear their conversation. The fur coat was talking English.

"I reckon that's pretty good noos, General," it said; "if the English have run away from Gally-poly we can use these noo consignments for the bigger game. I guess it won't be long before we see the British lion moving out of Egypt with sore paws."

They all laughed. "The privilege of that spectacle may soon be ours," was the reply.

I did not pay much attention to the talk; indeed I did not realise till weeks later that that was the first tidings of the great evacuation of Cape Helles. What rejoiced me was the sight of Blenkiron, as bland as a barber among those swells. Here were two of the missionaries within reasonable distance of their goal.

CHAPTER X

THE GARDEN-HOUSE OF SULIMAN THE RED

WE reached Rustchuk on January 10, but by no means landed on that day. Something had gone wrong with the unloading arrangements, or more likely with the railway behind them, and we were kept swinging all day well out in the turbid river. On the top of this Captain Schenk got an ague, and by that evening was a blue and shivering wreck. He had done me well and I reckoned I would stand by him. So I got his ship's papers and the manifests of cargo, and undertook to see to the transhipment. It wasn't the first time I had tackled that kind of business, and I hadn't much to learn about steam cranes. I told him I was going on to Constantinople and would take Peter with me, and he was agreeable. He would have to wait at Rustchuk to get his return cargo, and could easily inspan a fresh engineer.

I worked about the hardest twenty-four hours of my life getting the stuff ashore. The landing officer was a Bulgarian, quite a competent man if he could have made the railways give him the trucks he needed. There was a collection of hungry German transport officers always putting in their oars, and being infernally insolent to everybody. I took the high and mighty line with them; and as I had the Bulgarian commandant on my side, after about two hours' blasphemy got them quieted.

But the big trouble came the next morning when I had got nearly all the stuff aboard the trucks.

A young officer in what I took to be a Turkish uniform rode up with an aide-de-camp. I noticed the German guards saluting him, so I judged he was rather a swell. He came up to me and asked me very civilly in German for the way-bills. I gave him them and he looked carefully through them, marking certain items with a blue pencil. Then he coolly handed them to his aide-de-camp and spoke to him in Turkish.

"Look here, I want these back," I said. "I can't do without them, and we've no time to waste."

"Presently," he said, smiling, and went off.

I said nothing, reflecting that the stuff was for the Turks and they naturally had to have some say in its handling. The loading was practically finished when my gentleman returned. He handed me a neatly typed new set of way-bills. One glance at them showed that some of the big items had been left out.

"Here, this won't do," I cried. "Give me back the right set. This thing's no good to me."

For answer he winked gently, smiled like a dusky seraph, and held out his hand. In it I saw a roll of money.

"For yourself," he said. "It is the usual custom."

It was the first time any one had ever tried to bribe me, and it made me boil up like a geyser. I saw his game clearly enough. Turkey would pay for the lot to Germany; probably had already paid the bill; but she would pay double for the things not on the way-bills, and pay to this fellow and his friends. This struck me as rather steep even for Oriental methods of doing business.

"Now look here, sir," I said, "I don't stir from

this place till I get the correct way-bills. If you won't give me them, I will have every item out of the trucks and make a new list. But a correct list I have, or the stuff stays here till Doomsday."

He was a slim, foppish fellow, and he looked more puzzled than angry.

"I offer you enough," he said, again stretching out his hand.

At that I fairly roared. "If you try to bribe me, you damned little haberdasher, I'll have you off that horse and chuck you in the river."

He no longer misunderstood me. He began to curse and threaten, but I cut him short.

"Come along to the commandant, my boy," I said, and I marched away, tearing up his typewritten sheets as I went and strewing them behind me like a paper chase.

We had a fine old racket in the commandant's office. I said it was my business, as representing the German Government, to see the stuff delivered to the consignee at Constantinople ship-shape and Bristol-fashion. I told him it wasn't my habit to proceed with cooked documents. He couldn't but agree with me, but there was that wrathful Oriental with his face as fixed as a Buddha.

"I am sorry, Rasta Bey," he said; "but this man is in the right."

"I have authority from the Committee to receive the stores," he said sullenly.

"Those are not my instructions," was the answer. "They are consigned to the Artillery commandant at Chataldja, General von Oesterzee."

The man shrugged his shoulders. "Very well. I will have a word to say to General von Oesterzee, and many to this fellow who flouts the Committee." And he strode away like an impudent boy.

The harassed commandant grinned. "You've offended his lordship, and he is a bad enemy. All those damned Comitajis are. You would be well advised not to go on to Constantinople."

"And have that blighter in the red hat loot the trucks on the road. No, thank you. I am going to see them safe at Chataldja, or whatever they call the artillery depot."

I said a good deal more, but that is an abbreviated translation of my remarks. My word for "blighter" was *trottel,* but I used some other expressions which would have ravished my young Turkish friend to hear. Looking back, it seems pretty ridiculous to have made all this fuss about guns which were going to be used against my own people. But I didn't see that at the time. My professional pride was up in arms, and I couldn't bear to have a hand in a crooked deal.

"Well, I advise you to go armed," said the commandant. "You will have a guard for the trucks, of course, and I will pick you good men. They may hold you up all the same. I can't help you once you are past the frontier, but I'll send a wire to Oesterzee and he'll make trouble if anything goes wrong. I still think you would have been wiser to humour Rasta Bey."

As I was leaving he gave me a telegram. "Here's a wire for your Captain Schenk." I slipped the envelope in my pocket and went out.

Schenk was pretty sick, so I left a note for him. At one o'clock I got the train started, with a couple of German landwehr in each truck and Peter and I in a horse-box. Presently I remembered Schenk's telegram, which still reposed in my pocket. I took it out and opened it, meaning to wire it from the first station we stopped at. But I changed my mind when I read it. It was from some official at Regensburg, asking him to put under arrest and send back by the first boat a man called Brandt, who was believed to have come aboard at Absthafen on the 30th of December.

I whistled and showed it to Peter. The sooner we were at Constantinople the better, and I prayed we would get there before the fellow who sent this wire repeated it and got the commandant to send on the message and have us held up at Chataldja. For my back had got fairly stiffened about these munitions, and I was going to take any risk to see them safely delivered to their proper owner. Peter couldn't understand me at all. He still hankered after a grand destruction of the lot somewhere down the railway. But then, this wasn't the line of Peter's profession, and his pride was not at stake.

We had a mortally slow journey. It was bad enough in Bulgaria, but when we crossed the frontier at a place called Mustafa Pasha we struck the real supineness of the East. Happily I found a German officer there who had some notion of hustling, and, after all, it was his interest to get the stuff moved. It was the morning of the 16th, after Peter and I had been living like pigs on black bread and condemned tinned stuff, that we came in sight of a blue sea on our right hand and knew we couldn't be very far from the end.

It was jolly near the end in another sense. We stopped at a station and were stretching our legs on the platform, when I saw a familiar figure approaching. It was Rasta, with half a dozen Turkish gendarmes.

I called to Peter, and we clambered into the truck next our horse-box. I had been half expecting some move like this and had made a plan.

The Turk swaggered up and addressed us. "You can get back to Rustchuk," he said. "I take over from you here. Hand me the papers."

"Is this Chataldja?" I asked innocently.

"It is the end of your affair," he said haughtily. "Quick, or it will be the worse for you."

"Now, look here, my son," I said; "you're a kid and know nothing. I hand over to General von Oesterzee and to no one else."

"You are in Turkey," he cried, "and will obey the Turkish Government."

"I'll obey the Government right enough," I said; "but if you're the Government I could make a better one with a bib and a rattle."

He said something to his men, who unslung their rifles.

"Please don't begin shooting," I said; "there are twelve armed guards in this train who will take their orders from me. Besides, I and my friend can shoot a bit."

"Fool!" he cried, getting very angry. "I can order up a regiment in five minutes."

"Maybe you can," I said; "but observe the situation. I am sitting on enough toluol to blow up this countryside. If you dare to come aboard I will shoot you. If you call in your regiment I will tell you what I'll do. I'll fire this stuff, and I reckon they'll be picking up the bits of you and your regiment off the Gallipoli Peninsula."

He had put up a bluff—a poor one—and I had called it. He saw I meant what I said, and became silken.

"Good-bye, sir," he said. "You have had a fair chance and rejected it. We shall meet again soon, and you will be sorry for your insolence."

He strutted away, and it was all I could do to keep from running after him. I wanted to lay him over my knee and spank him.

We got safely to Chataldja, and were received by von Oesterzee like long-lost brothers. He was the regular gunner-officer, not thinking about anything except his guns and shells. I had to wait about three hours while he was checking the stuff with the invoices, and then he gave me a receipt which I still possess. I told him about Rasta, and he agreed that I had done right. It didn't make him as mad as I expected, because, you see, he got his stuff safe in any case. It was only that the wretched Turks had to pay twice for a lot of it.

He gave Peter and me luncheon, and was altogether very civil and inclined to talk about the war. I would have liked to hear what he had to say, for it would have been something to get the inside view of Germany's eastern campaign, but I did not dare to wait. Any moment there might arrive an incriminating wire from Rustchuk. Finally he lent us a car to take us the few miles to the city.

So it came about that at five minutes past three on the 16th day of January, with only the clothes we stood up in, Peter and I entered Constantinople.

I was in considerable spirits, for I had got the final lap successfully over, and I was looking forward madly to meeting my friends; but all the same, the first sight was a mighty disappointment. I don't quite know what I had expected—a sort of fairyland Eastern city, all white marble and blue water, and stately Turks in surplices and veiled houris, and roses and nightingales, and some sort of string band discoursing sweet music. I had forgotten that winter is pretty much the same everywhere. It was a drizzling day, with a south-east wind blowing, and the streets were long troughs of mud. The first part I struck looked like a dingy colonial suburb—wooden houses and corrugated iron roofs, and endless dirty, sallow children. There was a cemetery I remember, with Turks' caps stuck at the head of each grave. Then we got into narrow steep streets which descended to a kind of big canal. I saw what I took to be mosques and minarets, and they were about as impressive as factory chimneys. By and by we crossed a bridge, and paid a penny for the privilege. If I had known it was the famous Golden Horn I would have looked at it with more interest, but I saw nothing save a lot of moth-eaten barges and some queer little boats like gondolas. Then we came into busier streets, where ramshackle cabs drawn by lean horses spluttered through the mud. I saw one old fellow who looked like my notion of a Turk, but most of the population had the appearance of London old-clothes men. All but the soldiers, Turk and German, who seemed well-set-up fellows.

Peter had paddled along at my side like a faithful dog, not saying a word, but clearly not approving of this wet and dirty metropolis.

"Do you know that we are being followed, Cornelis," he said suddenly, "ever since we came into this evil-smelling dorp?"

Peter was infallible in a thing like that. The news scared me badly, for I feared that the telegram had come to Chataldja. Then I thought it couldn't be that, for if von Oesterzee had wanted me he wouldn't have taken the trouble to stalk me. It was more likely my friend Rasta.

I found the ferry of Ratchik by asking a soldier, and a German sailor there told me where the Kurdish Bazaar was. He pointed up a steep street which ran past a high block of warehouses with every window broken. Sandy had said the left-hand side coming down, so it must be the right-hand side going up. We plunged into it, and it was the filthiest place of all. The wind whistled up it and stirred the garbage. It seemed densely inhabited, for at all the doors there were groups of people squatting, with their heads covered, though scarcely a window showed in the blank walls.

The street corkscrewed endlessly. Sometimes it seemed to stop; then it found a hole in the opposing masonry and edged its way in. Often it was almost pitch dark; then would come a greyish twilight where it opened out to the width of a decent lane. To find a house in that murk was no easy job, and by the time we had gone a quarter of a mile I began to fear we had missed it. It was no good asking any of the crowd we met. They didn't look as if they understood any civilised tongue.

At last we stumbled on it—a tumble-down coffee house, with A. Kuprasso above the door in queer amateur lettering. There was a lamp burning inside, and two or three men smoking at small wooden tables.

We ordered coffee, thick black stuff like treacle, which Peter anathematised. A negro brought it, and

I told him in German I wanted to speak to Mr. Kuprasso. He paid no attention, so I shouted louder at him, and the noise brought a man out of the back parts.

He was a fat, oldish fellow with a long nose, very like the Greek traders you see on the Zanzibar coast. I beckoned to him and he waddled forward, smiling oilily. Then I asked him what he would take, and he replied, in very halting German, that he would have a sirop.

"You are Mr. Kuprasso," I said. "I wanted to show this place to my friend. He has heard of your garden-house and the fun there."

"The Signor is mistaken. I have no garden-house."

"Rot," I said; "I've been here before, my friend. I recall your shanty at the back and many merry nights there. What was it you called it? Oh, I remember—the Garden-House of Suliman the Red."

He put his finger to his lip and looked incredibly sly. "The Signor remembers that. But that was in the old happy days before war came. The place is long since shut. The people here are too poor to dance and sing."

"All the same I would like to have another look at it," I said, and I slipped an English sovereign into his hand.

He glanced at it in surprise and his manner changed. "The Signor is a Prince, and I will do his will." He clapped his hands and the negro appeared, and at his nod took his place behind a little side-counter.

"Follow me," he said, and led us through a long, noisome passage, which was pitch dark and very unevenly paved. Then he unlocked a door and with a swirl the wind caught it and blew it back on us.

We were looking into a mean little yard, with on one side a high curving wall, evidently of great age, with bushes growing in the cracks of it. Some scraggy myrtles stood in broken pots, and nettles flourished in a corner. At one end was a wooden building like a dissenting chapel, but painted a dingy scarlet. Its windows and skylights were black with dirt, and its door, tied up with rope, flapped in the wind.

"Behold the Pavilion," Kuprasso said proudly.

"That is the old place," I observed with feeling. "What times I've seen there! Tell me, Mr. Kuprasso, do you ever open it now?"

He put his thick lips to my ear.

"If the Signor will be silent I will tell him. It is sometimes open—not often. Men must amuse themselves even in war. Some of the German officers come here for their pleasure, and but last week we had the ballet of Mademoiselle Cici. The police approve—but not often, for this is no time for too much gaiety. I will tell you a secret. To-morrow afternoon there will be dancing—wonderful dancing! Only a few of my patrons know. Who, think you, will be there?"

He bent his head closer and said in a whisper—

"The Compagnie des Heures Roses."

"Oh, indeed," I said with a proper tone of respect, though I hadn't a notion what he meant.

"Will the Signor wish to come?"

"Sure," I said. "Both of us. We're all for the rosy hours."

"Then the fourth hour after midday. Walk straight through the café and one will be there to unlock the door. You are new-comers here! Take the advice of Angelo Kuprasso and avoid the streets after nightfall. Stamboul is no safe place nowadays for quiet men."

I asked him to name an hotel, and he rattled off a list from which I chose one that sounded modest and in keeping with our get-up. It was not far off, only a hundred yards to the right at the top of the hill.

When we left his door the night had begun to drop. We hadn't gone twenty yards before Peter drew very near to me and kept turning his head like a hunted stag.

"We are being followed close, Cornelis," he said calmly.

Another ten yards and we were at a cross-road, where a little *place* faced a biggish mosque. I could see in the waning light a crowd of people who seemed to be moving towards us. I heard a high-pitched voice cry out a jabber of excited words, and it seemed to me that I had heard the voice before.

CHAPTER XI

THE COMPANIONS OF THE ROSY HOURS

WE battled to a corner, where a jut of building stood out into the street. It was our only chance to protect our backs, to stand up with the rib of stone between us. It was only the work of seconds. One moment we were groping our solitary way in the darkness, the next we were pinned against a wall with a throaty mob surging round us.

It took me a moment or two to realise that we were attacked. Every man has one special funk in the back of his head, and mine was to be the quarry of an angry crowd. I hated the thought of it—the mess, the blind struggle, the sense of unleashed passions different from those of any single blackguard. It was a dark world to me, and I don't like darkness. But in my nightmares I had never imagined anything just like this. The narrow, fetid street, with the icy winds fanning the filth, the unknown tongue, the hoarse savage murmur, and my utter ignorance as to what it might all be about, made me cold in the pit of my stomach.

"We've got it in the neck this time, old man," I said to Peter, who had out the pistol the commandant at Rustchuk had given him. These pistols were our only weapons. The crowd saw them and hung back, but if they chose to rush us it wasn't much of a barrier two pistols would make.

Rasta's voice had stopped. He had done his work, and had retired to the background. There were shouts from the crowd. "*Alleman*" and a word "*Khafiyeh*" constantly repeated. I didn't know what it meant at the time, but now I know that they were after us because we were Boches and spies. There was no love lost between the Constantinople scum and their new masters. It seemed an ironical end for Peter and me to be done in because we were Boches. And done in we should be. I had heard of the East as a good place for people to disappear in; there were no inquisitive newspapers or incorruptible police.

I wished to Heaven I had a word of Turkish. But I made my voice heard for a second in a pause of the din, and shouted that we were German sailors who had brought down big guns for Turkey, and were going home next day. I asked them what the devil they thought we had done? I don't know if any fellow there understood German; anyhow, it only brought a pandemonium of cries in which that ominous word *Khafiyeh* was predominant.

Then Peter fired over their heads. He had to, for a chap was pawing at his throat. The answer was a clatter of bullets on the wall above us. It looked as if they meant to take us alive, and that I was very clear should not happen. Better a bloody end in a street scrap than the tender mercies of that bandbox bravo.

I don't quite know what happened next. A press drove down at me and I fired. Some one squealed, and I looked the next moment to be strangled. And then suddenly the scrimmage eased, and there was a wavering splash of light in that pit of darkness.

I never went through many worse minutes than

these. When I had been hunted in the past weeks there had been mystery enough, but no immediate peril to face. When I had been up against a real, urgent, physical risk, like Loos, the danger at any rate had been clear. One knew what one was in for. But here was a threat I couldn't put a name to, and it wasn't in the future, but pressing hard at our throats.

And yet I couldn't feel it was quite real. The patter of the pistol bullets against the wall, like so many crackers, the faces felt rather than seen in the dark, the clamour which to me was pure gibberish, had all the madness of a nightmare. Only Peter, cursing steadily in Dutch by my side, was real. And then the light came, and made the scene more eerie!

It came from one or two torches carried by wild fellows with long staves who drove their way into the heart of the mob. The flickering glare ran up the steep wall and made monstrous shadows. The wind swung the flame into long streamers, dying away in a fan of sparks.

And now a new word was heard in the crowd. It was *Chinganeh,* shouted not in anger but in fear.

At first I could not see the new-comers. They were hidden in the deep darkness under their canopy of light, for they were holding their torches high at the full stretch of their arms. They were shouting, too, wild shrill cries ending sometimes in a gush of rapid speech. Their words did not seem to be directed against us, but against the crowd. A sudden hope came to me that for some unknown reason they were on our side.

The press was no longer heavy against us. It was thinning rapidly and I could hear the scuffle as men made off down the side streets. My first notion was that these were the Turkish police. But I changed my mind when the leader came out into a patch of light. He carried no torch, but a long stave with which he belaboured the heads of those who were too tightly packed to flee.

It was the most eldritch apparition you can conceive. A tall man dressed in skins, with bare legs and sandal-shod feet. A wisp of scarlet cloth clung to his shoulders, and, drawn over his head down close to his eyes, was a skull-cap of some kind of pelt with the tail waving behind it. He capered like a wild animal, keeping up a strange high monotone that fairly gave me the creeps.

I was suddenly aware that the crowd had gone. Before us was only this figure and his half-dozen companions, some carrying torches and all wearing clothes of skin. But only the one who seemed to be their leader wore the skull-cap; the rest had bare heads and long tangled hair.

The fellow was shouting gibberish at me. His eyes were glassy, like a man who smokes hemp, and his legs were never still a second. You would think such a figure no better than a mountebank, and yet there was nothing comic in it. Fearful and sinister and uncanny it was; and I wanted to do anything but laugh.

As he shouted he kept pointing with his stave up a street which climbed the hillside.

"He means us to move," said Peter. "For God's sake let's get away from this witch-doctor."

I couldn't make sense of it, but one thing was clear. These maniacs had delivered us for the moment from Rasta and his friends.

Then I did a dashed silly thing. I pulled out a sovereign and offered it to the leader. I had some kind of notion of showing gratitude, and as I had no words I had to show it by deed.

He brought his stick down on my wrist and sent the coin spinning in the gutter. His eyes blazed, and he made his weapon sing round my head. He cursed me—oh, I could tell cursing well enough, though I didn't follow a word; and he cried to his followers and they cursed me too. I had offered him a mortal insult and stirred up a worse hornet's nest than Rasta's push.

Peter and I, with a common impulse, took to our heels. We were not looking for any trouble with demoniacs. Up that steep narrow lane we ran with that bedlamite crowd at our heels. The torches seemed to have gone out, for the place was black as pitch, and we tumbled over heaps of offal and splashed through running drains. The men were close behind us, and more than once I felt a stick on my shoulder. But fear lent us wings, and suddenly before us was a blaze of light and we saw the debouchment of our street in a main thoroughfare. The others saw it too, for they slackened off. Just before we reached the light we stopped and looked round. There was no sound or sight behind us in the black lane which dipped to the harbour.

"This is a queer country, Cornelis," said Peter, feeling his limbs for bruises. "Too many things happen in too short a time. I am breathless."

The big street we had struck seemed to run along the crest of the hill. There were lamps in it, and crawling cabs, and quite civilised-looking shops. We soon found the hotel to which Kuprasso had directed us, a big place in a courtyard with a very tumble-down-looking portico, and green sun shutters which rattled drearily in the winter's wind. It proved, as I had feared, to be packed to the door, mostly with German officers. With some trouble I got an interview with the proprietor, the usual Greek, and told him that we had been sent there by Mr. Kuprasso. That didn't affect him in the least, and we would have been shot into the street if I hadn't remembered about Stumm's pass.

So I explained that we had come from Germany with munitions and only wanted rooms for one night. I showed him the pass and blustered a good deal, till he became civil and said he would do the best he could for us.

That best was pretty poor. Peter and I were doubled up in a small room which contained two camp beds and little else, and had broken windows through which the wind whistled. We got a wretched dinner of stringy mutton boiled with vegetables, and a white cheese strong enough to raise the dead. But I got a bottle of whisky, for which I paid a sovereign, and we managed to light the stove in our room, fasten the shutters, and warm our hearts with a brew of toddy. After that we went to bed and slept like logs for twelve hours. On the road from Rustchuk we had had uneasy slumbers.

I woke next morning and, looking out from the broken window, saw that it was snowing. With a lot of trouble I got hold of a servant and made him bring us some of the treacly Turkish coffee. We were both in pretty low spirits. "Europe is a poor cold place," said Peter, "not worth fighting for. There is only one white man's land, and that is South Africa." At the time I heartily agreed with him.

I remember that, sitting on the edge of my bed, I took stock of our position. It was not very cheering. We seemed to have been amassing enemies at a furious pace. First of all, there was Rasta, whom I had insulted and who wouldn't forget it in a hurry. He had his crowd of Turkish riff-raff and was bound to get us sooner or later. Then there was the maniac in the skin hat. He didn't like Rasta, and I made a guess that he and his weird friends were of some party hostile to the Young Turks. But, on the other hand, he didn't like us, and there would be bad trouble the next time we met him. Finally, there was Stumm and the German Government. It could only be a matter of hours at the best before he got the Rustchuk authorities on our trail. It would be easy to trace us from Chataldja, and once they had us we were absolutely done. There was a big black *dossier* against us, which by no conceivable piece of luck could be upset.

It was very clear to me that, unless we could find sanctuary and shed all our various pursuers during this day, we should be done in for good and all. But where on earth were we to find sanctuary? We had neither of us a word of the language, and there was no way I could see of taking on new characters. For that we wanted friends and help, and I could think of none anywhere. Somewhere, to be sure, there was Blenkiron, but how could we get in touch with him? As for Sandy, I had pretty well given him up. I always thought his enterprise the craziest of the lot, and bound to fail. He was probably somewhere in Asia Minor, and a month or two later would get to

Constantinople and hear in some pot-house the yarn of the two wretched Dutchmen who had disappeared so soon from men's sight.

That rendezvous at Kuprasso's was no good. It would have been all right if we had got here unsuspected, and could have gone on quietly frequenting the place till Blenkiron picked us up. But to do that we wanted leisure and secrecy, and here we were with a pack of hounds at our heels. The place was horribly dangerous already. If we showed ourselves there we should be gathered in by Rasta, or by the German military police, or by the madman in the skin cap. It was a stark impossibility to hang about on the off-chance of meeting Blenkiron.

I reflected with some bitterness that this was the 17th day of January, the day of our assignation. I had had high hopes all the way down the Danube of meeting with Blenkiron—for I knew he would be in time—of giving him the information I had had the good fortune to collect, of piecing it together with what he had found out, and of getting the whole story which Sir Walter hungered for. After that, I thought it wouldn't be hard to get away by Rumania, and to get home through Russia. I had hoped to be back with my battalion in February, having done as good a bit of work as anybody in the war. As it was, it looked as if my information would die with me, unless I could find Blenkiron before the evening.

I talked the thing over with Peter, and he agreed that we were fairly up against it. We decided to go to Kuprasso's that afternoon, and to trust to luck for the rest. It wouldn't do to wander about the streets, so we sat tight in our room all morning, and swopped old hunting yarns to keep our minds from the beastly present. We got some food at midday—cold mutton and the same cheese, and finished our whisky. Then I paid the bill, for I didn't dare to stay there another night. About half-past three we went into the street, without the foggiest notion where we would find our next quarters.

It was snowing heavily, which was a piece of luck for us. Poor old Peter had no greatcoat, and mine was nothing to boast of, so we went into a Jew's shop and bought two ready-made abominations, which looked as if they might have been meant for dissenting parsons. It was no good saving my money, when the future was so black. The snow made the streets deserted, and we turned down the long lane which led to Ratchik ferry and found it perfectly quiet. I do not think we met a soul till we got to Kuprasso's shop.

We walked straight through the café, which was empty, and down the dark passage, till we were stopped by the garden door. I knocked and it swung open. There was the bleak yard, now puddled with snow, and a blaze of light from the pavilion at the other end. There was a scraping of fiddles too, and the sound of human talk. We paid the negro at the door, and passed from the bitter afternoon into a garish saloon.

There were forty or fifty people there, drinking coffee and sirops and filling the air with the fumes of latakia. Most of them were Turks in European clothes and the fez, but there were some German officers and what looked like German civilians—Army Service Corps clerks, probably, and mechanics from the Arsenal. A woman in cheap finery was tinkling at the piano, and there were several shrill females with the officers. Peter and I sat down modestly in the nearest corner, where old Kuprasso saw us and sent us coffee. A girl who looked like a Jewess came over to us and talked French, but I shook my head and she went off again.

Presently a girl came on the stage and danced, a silly affair, all a clashing of tambourines and wriggling. I have seen native women do the same thing better in a Mozambique kraal. Another sang a German song, a simple, sentimental thing about golden hair and rainbows, and the Germans present applauded. The place was so tinselly and common that, coming to it from weeks of rough travelling, it made me impatient. I forgot that, while for the others it might be a vulgar little dancing-hall, for us it was as perilous as a brigands' den.

Peter did not share my mood. He was quite interested in it, as he was interested in everything new. He had a genius for living in the moment.

I remember there was a drop-scene on which was daubed a blue lake with very green hills in the distance. As the tobacco smoke grew thicker and the fiddles went on squealing, this tawdry picture began to mesmerise me. I seemed to be looking out of a window at a lovely summer landscape where there were no wars or dangers. I seemed to feel the warm sun and to smell the fragrance of blossom from the islands. And then I became aware that a queer scent had stolen into the heavy atmosphere.

There were braziers burning at both ends to warm the room, and the thin smoke from these smelt like incense. Somebody had been putting a powder in the flames, for suddenly the place became very quiet. The fiddles still sounded, but far away like an echo. The lights went down, all but a circle on the stage, and into that circle stepped my enemy of the skin cap.

He had three others with him. I heard a whisper behind me, and the words were those which Kuprasso had used the day before. These bedlamites were called the Companions of the Rosy Hours, and Kuprasso had promised great dancing.

I hoped to goodness they would not see us, for they had fairly given me the horrors. Peter felt the same, and we both made ourselves very small in that dark corner. But the newcomers had no eyes for us.

In a twinkling the pavilion changed from a common saloon, which might have been in Chicago or Paris, to a place of mystery—yes, and of beauty. It became the garden-house of Suliman the Red, whoever that sportsman might have been. Sandy had said that the ends of the earth converged there, and he had been right. I lost all consciousness of my neighbours—stout German, frock-coated Turk, frowsy Jewess—and saw only strange figures leaping in a circle of light, figures that came out of the deepest darkness to make big magic.

The leader flung some stuff into the brazier and a great fan of blue light flared up. He was weaving circles, and he was singing something shrill and high, whilst his companions made a chorus with their deep monotone. I can't tell you what the dance was. I had seen the Russian ballet just before the war, and one of the men in it reminded me of this man. But the dancing was the least part of it. It was neither sound nor movement nor scent that wrought the spell, but something far more potent. In an instant I found myself reft away from the present, with its dull dangers, and looking at a world all young and fresh and beautiful. The gaudy drop-scene had vanished. It was a window I was looking from, and I was gazing at the finest landscape on earth, lit by the pure clear light of morning.

It seemed to be part of the veld, but like no veld I had ever seen. It was wider and wilder and more gracious. Indeed, I was looking at my first youth. I was feeling the kind of unspeakable light-heartedness which only a boy knows in the dawning of his days. I had no longer any fear of these magic-makers. They were kindly wizards, who had brought me into fairy-land.

Then slowly from the silence there distilled drops of music. They came like water falling a long way into a cup, each the essential quality of pure sound. We, with our elaborate harmonies, have forgotten the charm of single notes. The African natives know it, and I remember a learned man once telling me that the Greeks had the same art. These silver bells broke out of infinite space, so exquisite and perfect that no mortal words could have been fitted to them. That was the music, I expect, that the morning stars made when they sang together.

Slowly, very slowly, it changed. The glow passed from blue to purple, and then to an angry red. Bit by bit the notes spun together till they had made a harmony—a fierce, restless harmony. And I was conscious again of the skin-clad dancers beckoning out of their circle.

There was no mistake about the meaning now. All the daintiness and youth had fled, and passion was beating in the air—terrible, savage passion, which belonged neither to day nor night, life nor death, but to the half-world between them. I suddenly felt the dancers as monstrous, inhuman, devilish. The thick scents that floated from the brazier seemed to have a tang of new-shed blood. Cries broke from the hearers —cries of anger and lust and terror. I heard a woman sob, and Peter, who is as tough as any mortal, took tight hold of my arm.

I now realised that these Companions of the Rosy Hours were the only thing in the world to fear. Rasta and Stumm seemed feeble simpletons by contrast. The window I had been looking out of was changed to a prison wall—I could see the mortar between the massive blocks. In a second these devils would be smelling out their enemies like some foul witch-doctors. I felt the burning eyes of their leader looking for me in the gloom. Peter was praying audibly beside me, and I could have choked him. His infernal chatter would reveal us, for it seemed to me that there was no one in the place beside us and the magic-workers.

Then suddenly the spell was broken. The door was flung open and a great gust of icy wind swirled through the hall, driving clouds of ashes from the braziers. I heard loud voices without, and a hubbub began inside. For a moment it was quite dark, and then some one lit one of the flare lamps by the stage. It revealed nothing but the common squalor of a low saloon—white faces, sleepy eyes, and frowsy heads. The drop-scene was there in all its tawdriness.

The Companions of the Rosy Hours had gone. But at the door stood men in uniform; I heard a German a long way off murmur, "Enver's bodyguards," and I heard him distinctly; for though I could not see clearly, my hearing was desperately acute. That is often the way when you suddenly come out of a swoon.

The place emptied like magic. Turk and German tumbled over each other, while Kuprasso wailed and wept. No one seemed to stop them, and then I saw the reason. Those Guards had come for us. This must be Stumm at last. The authorities had tracked us down, and it was all up with Peter and me.

A sudden revulsion leaves a man with low vitality. I didn't seem to care greatly. We were done, and there was an end of it. It was Kismet, the act of God, and there was nothing for it but to submit. I hadn't a flicker of a thought of escape or resistance. The game was utterly and absolutely over.

A man who seemed to be a sergeant pointed to us and said something to Kuprasso, who nodded. We got heavily to our feet and stumbled towards them. With one on each side of us we crossed the yard, walked through the dark passage and the empty shop, and out into the snowy street. There was a closed cab waiting which they motioned us to get into. It looked exactly like the Black Maria.

Both of us sat still, like truant schoolboys, with our hands on our knees. I didn't know where I was going and I didn't care. We seemed to be rumbling up the hill, and then I caught the glare of lighted streets.

"This is the end of it, Peter," I said.

"*Ja,* Cornelis," he replied, and that was all our talk.

By and by—hours later it seemed—we stopped. Some one opened the door and we got out, to find ourselves in a courtyard with a huge dark building around. The prison, I guessed, and I wondered if they would give us blankets, for it was perishing cold.

We entered a door, and found ourselves in a big

stone hall. It was quite warm, which made me more hopeful about our cells. A man in some kind of uniform pointed to the staircase, up which we plodded wearily. My mind was too blank to take impressions, or in any way to forecast the future. Another warder met us and took us down a passage till we halted at a door. He stood aside and motioned us to enter.

I guessed that was the governor's room, and we should be put through our first examination. My head was too stupid to think, and I made up my mind to keep perfectly mum. Yes, even if they tried thumbscrews. I had no kind of story, but I resolved not to give anything away. As I turned the handle I wondered idly what kind of sallow Turk or bulging-necked German we should find inside.

It was a pleasant room, with a polished wood floor and a big fire burning on the hearth. Beside the fire a man lay on a couch, with a little table drawn up beside him. On that table was a small glass of milk and a number of Patience cards spread in rows.

I stared blankly at the spectacle, till I saw a second figure. It was the man in the skin-cap, the leader of the dancing maniacs. Both Peter and I backed sharply at the sight and then stood stock still.

For the dancer crossed the room in two strides and gripped both of my hands.

"Dick, old man," he cried, "I'm most awfully glad to see you again!"

CHAPTER XII

FOUR MISSIONARIES SEE LIGHT IN THEIR MISSION

A SPASM of incredulity, a vast relief, and that sharp joy which comes of reaction chased each other across my mind. I had come suddenly out of very black waters into an unbelievable calm. I dropped into the nearest chair and tried to grapple with something far beyond words.

"Sandy," I said, as soon as I got my breath, "you're an incarnate devil. You've given Peter and me the fright of our lives."

"It was the only way, Dick. If I hadn't come mewing like a tom-cat at your heels yesterday, Rasta would have had you long before you got to your hotel. You two have given me a pretty anxious time, and it took some doing to get you safe here. However, that is all over now. Make yourselves at home, my children."

"Over!" I cried incredulously, for my wits were still wool-gathering. "What place is this?"

"You may call it my humble home"—it was Blenkiron's sleek voice that spoke. "We've been preparing for you, Major, but it was only yesterday I heard of your friend."

I introduced Peter.

"Mr. Pienaar," said Blenkiron. "Pleased to meet you. Well, as I was observing, you're safe enough here, but you've cut it mighty fine. Officially, a Dutchman called Brandt was to be arrested this afternoon and handed over to the German authorities. When Germany begins to trouble about that Dutchman she will find difficulty in getting the body; but such are the languid ways of an Oriental despotism. Meantime the Dutchman will be no more. He will have ceased upon the midnight without pain, as your poet sings."

"But I don't understand," I stammered. "Who arrested us?"

"My men," said Sandy. "We have a bit of a graft here, and it wasn't difficult to manage it. Old Moellendorff will be nosing after the business to-morrow, but he will find the mystery too deep for him. That is the advantage of a Government run by a pack of adventurers. But, by Jove, Dick, we hadn't any time to spare. If Rasta had got you, or the Germans had had the job of lifting you, your goose would have been jolly well cooked. I had some unquiet hours this morning."

The thing was too deep for me. I looked at Blenkiron, shuffling his Patience cards with his old sleepy smile, and Sandy, dressed like some bandit in melodrama, his lean face as brown as a nut, his bare arms all tattooed with crimson rings, and the fox pelt drawn tight over brow and ears. It was still a nightmare world, but the dream was getting pleasanter. Peter said not a word, but I could see his eyes heavy with his own thoughts.

Blenkiron hove himself from the sofa and waddled to a cupboard.

"You boys must be hungry," he said. "My duodenum has been giving me hell as usual, and I don't eat no more than a squirrel. But I laid in some stores, for I guessed you would want to stoke up some after your travels."

He brought out a couple of Strassburg pies, a cheese, a cold chicken, a loaf, and three bottles of champagne.

"Fizz," said Sandy rapturously. "And a dry Heidsieck too! We're in luck, Dick, old man."

I never ate a more welcome meal, for we had starved in that dirty hotel. But I had still the old feeling of the hunted, and before I began I asked about the door.

"That's all right," said Sandy. "My fellows are on the stair and at the gate. If the Metreb are in possession, you may bet that other people will keep off. Your past is blotted out, clean vanished away, and you begin to-morrow morning with a new sheet. Blenkiron's the man you've got to thank for that. He was pretty certain you'd get here, but he was also certain that you'd arrive in a hurry with a good many inquiries behind you. So he arranged that you should leak away and start fresh."

"Your name is Richard Hanau," Blenkiron said, "born in Cleveland, Ohio, of German parentage on both sides. One of our brightest mining-engineers, and the apple of Guggenheim's eye. You arrived this afternoon from Constanza, and I met you at the packet. The clothes for the part are in your bedroom next door. But I guess all that can wait, for I'm anxious to get to business. We're not here on a joy-ride, Major, so I reckon we'll leave out the dime-novel adventures. I'm just dying to hear them, but they'll keep. I want to know how our mutual inquiries have prospered."

He gave Peter and me cigars, and we sat ourselves

in arm-chairs in front of the blaze. Sandy squatted cross-legged on the hearthrug and lit a foul old briar pipe, which he extricated from some pouch among his skins. And so began that conversation which had never been out of my thoughts for four hectic weeks.

"If I presume to begin," said Blenkiron, "it's because I reckon my story is the shortest. I have to confess to you, gentlemen, that I have failed."

He drew down the corners of his mouth till he looked a cross between a music-hall comedian and a sick child.

"If you were looking for something in the root of the hedge, you wouldn't want to scour the road in a high-speed automobile. And still less would you want to get a bird's-eye view in an aeroplane. That parable about fits my case. I have been in the clouds and I've been scorching on the pikes, but what I was wanting was in the ditch all the time, and I naturally missed it. . . . I had the wrong stunt, Major. I was too high up and refined. I've been processing through Europe like Barnum's Circus, and living with generals and transparencies. Not that I haven't picked up a lot of noos, and got some very interesting sidelights on high politics. But the thing I was after wasn't to be found in my beat, for those that knew it weren't going to tell. In that kind of society they don't get drunk and blab after their tenth cocktail. So I guess I've no contribution to make to quieting Sir Walter Bullivant's mind, except that he's dead right. Yes, sir, he has hit the spot and rung the bell. There is a mighty miracle-working proposition being floated in these parts, but the promoters are keeping it to themselves. They aren't taking more than they can help in on the ground-floor."

Blenkiron stopped to light a fresh cigar. He was leaner than when he left London and there were pouches below his eyes. I fancy his journey had not been as fur-lined as he made out.

"I've found out one thing, and that is, that the last dream Germany will part with is the control of the Near East. That is what your statesmen don't figure enough on. She'll give up Belgium and Alsace-Lorraine and Poland, but by God! she'll never give up the road to Mesopotamia till you have her by the throat and make her drop it. Sir Walter is a pretty bright-eyed citizen, and he sees it right enough. If the worst happens, Kaiser will fling overboard a lot of ballast in Europe, and it will look like a big victory for the Allies, but he won't be beaten if he has the road to the East safe. Germany's like a scorpion: her sting's in her tail, and that tail stretches way down into Asia.

"I got that clear, and I also made out that it wasn't going to be dead easy for her to keep that tail healthy. Turkey's a bit of an anxiety, as you'll soon discover. But Germany thinks she can manage it, and I won't say she can't. It depends on the hand she holds, and she reckons it a good one. I tried to find out, but they gave me nothing but eyewash. I had to pretend to be satisfied, for the position of John S. wasn't so strong as to allow him to take liberties. If I asked one of the highbrows, he looked wise, and spoke of the might of German arms and German organisation and German staff-work. I used to nod my head and get enthusiastic about these stunts, but it was all soft soap. She has a trick in hand—that much I know, but I'm darned if I can put a name to it. I pray to God you boys have been cleverer."

His tone was quite melancholy, and I was mean enough to feel rather glad. He had been the professional with the best chance. It would be a good joke if the amateur succeeded where the expert failed.

I looked at Sandy. He filled his pipe again, and pushed back his skin cap from his brows. What with his long dishevelled hair, his high-boned face, and stained eyebrows he had the appearance of some mad mullah.

"I went straight to Smyrna," he said. "It wasn't difficult, for you see I had laid down a good many lines in former travels. I reached the town as a Greek money-lender from the Fayoum, but I had friends there I could count on, and the same evening I was a Turkish gipsy, a member of the most famous fraternity in Western Asia. I had long been a member, and I'm blood-brother of the chief boss, so I stepped into the part ready made. But I found out that the Company of the Rosy Hours was not what I had known it in 1910. Then it had been all for the Young Turks and reform; now it hankered after the old regime and was the last hope of the Orthodox. It had no use for Enver and his friends, and it did not regard with pleasure the *beaux yeux* of the Teuton. It stood for Islam and the old ways, and might be described as a Conservative-Nationalist caucus. But it was uncommon powerful in the provinces, and Enver and Talaat daren't meddle with it. The dangerous thing about it was that it said nothing and apparently did nothing. It just bided its time and took notes.

"You can imagine that this was the very kind of crowd for my purpose. I knew of old its little ways, for with all its orthodoxy it dabbled a good deal in magic, and owed half its power to its atmosphere of the uncanny. The Companions could dance the hearts out of the ordinary Turk. You saw a bit of one of our dances this afternoon, Dick—pretty good, wasn't it? They could go anywhere, and no question asked. They knew what the ordinary man was thinking, for they were the best intelligence department in the Ottoman Empire—far better than Enver's *Khafiyeh*. And they were popular too, for they had never bowed the knee to the *Nemseh*—the Germans who are squeezing out the life-blood of the Osmanli for their own ends. It would have been as much as the life of the Committee or its German masters was worth to lay a hand on us, for we clung together like leeches and we were not in the habit of sticking at trifles.

"Well, you may imagine it wasn't difficult for me to move where I wanted. My dress and the password franked me anywhere. I travelled from Smyrna by the new railway to Panderma on the Marmora, and got there just before Christmas. That was after Anzac and Suvla had been evacuated, but I could hear the guns going hard at Cape Helles. From Panderma I started to cross to Thrace in a coasting steamer. And there an uncommon funny thing happened—I got torpedoed.

"It must have been about the last effort of a British submarine in these waters. But she got us all right. She gave us ten minutes to take to the boats, and then sent the blighted old packet and a fine cargo of 6-inch shells to the bottom. There weren't many passengers, so it was easy enough to get ashore in the ship's boats. The submarine sat on the surface watching us, as we wailed and howled in the true Oriental way, and I saw the captain quite close in the conning-tower. Who do you think it was? Tommy Elliot, who lives on the other side of the hill from me at home.

"I gave Tommy the surprise of his life. As we bumped past him, I started the 'Flowers of the Forest'—the old version—on the antique stringed instrument I carried, and I sang the words very plain. Tommy's eyes bulged out of his head, and he shouted at me in English to know who the devil I was. I replied in the broadest Scots, which no man in the submarine or in our boat could have understood a word of. 'Maister Tammy,' I cried, 'what for wad ye skail a dacent tinkler lad intil a cauld sea? I'll gie ye your kail through the reek for this ploy the next time I forgaither wi' ye on the tap o' Caerdon.'

"Tommy spotted me in a second. He laughed till he cried, and as we moved off shouted to me in the same language to 'pit a stoot hert tae a stey brae.' I hope to Heaven he had the sense not to tell my father, or the old man will have had a fit. He never much approved of my wanderings, and thought I was safely anchored in the battalion.

"Well, to make a long story short, I got to Constantinople, and pretty soon found touch with Blenkiron. The rest you know. . . . And now for business. I have been fairly lucky—but no more, for I haven't got to the bottom of the thing nor anything like it. But I've solved the first of Harry Bullivant's riddles. I know the meaning of *Kasredin*.

"Sir Walter was right, as Blenkiron has told us. There's a great stirring in Islam, something moving on the face of the waters. They make no secret of it. These religious revivals come in cycles, and one was due about now. And they are quite clear about the details. A seer has arisen of the blood of the

Prophet, who will restore the Khalifate to its old glories and Islam to its old purity. His sayings are everywhere in the Moslem world. All the orthodox believers have them by heart. That is why they are enduring grinding poverty and preposterous taxation, and that is why their young men are rolling up to the armies and dying without complaint in Gallipoli and Transcaucasia. They believe they are on the eve of a great deliverance.

"Now the first thing I found out was that the Young Turks had nothing to do with this. They are unpopular and unorthodox, and no true Turks. But Germany has. How, I don't know, but I could see quite plainly that in some subtle way Germany was regarded as a collaborator in the movement. It is that belief that is keeping the present regime going. The ordinary Turk loathes the Committee, but he has some queer perverted expectation from Germany. It is not a case of Enver and the rest carrying on their shoulders the unpopular Teuton; it is a case of the Teuton carrying the unpopular Committee. And Germany's graft is just this and nothing more—that she has some hand in the coming of the new deliverer.

"They talk about the thing quite openly. It is called the *Kaába-i-hurriyeh,* the Palladium of Liberty. The prophet himself is known as Zimrud—"the Emerald" —and his four ministers are called also after jewels—Sapphire, Ruby, Pearl, and Topaz. You will hear their names as often in the talk of the towns and villages as you will hear the names of generals in England. But no one knew where Zimrud was or when he would reveal himself, though every week came his messages to the faithful. All that I could learn was that he and his followers were coming from the West.

"You will say, what about *Kasredin?* That puzzled me dreadfully, for no one used the phrase. The Home of the Spirit! It is an obvious cliché, just as in England some new sect might call itself the Church of Christ. Only no one seemed to use it.

"But by and by I discovered that there was an inner and an outer circle in this mystery. Every creed has an esoteric side which is kept from the common herd. I struck this side in Constantinople. Now there is a very famous Turkish *shaka* called *Kasredin,* one of those old half-comic miracle-plays with an allegorical meaning which they call *orta oyun,* and which take a week to read. That tale tells of the coming of a prophet, and I found that the select of the faith spoke of the new revelation in terms of it. The curious thing is that in that tale the prophet is aided by one of the few women who play much part in the hagiology of Islam. That is the point of the tale, and it is partly a jest, but mainly a religious mystery. The prophet, too, is not called Emerald."

"I know," I said; "he is called Greenmantle."

Sandy scrambled to his feet, letting his pipe drop in the fireplace.

"Now how on earth did you find out that?" he cried.

Then I told them of Stumm and Gaudian and the whispered words I had not been meant to hear. Blenkiron was giving me the benefit of a steady stare, unusual from one who seemed always to have his eyes abstracted, and Sandy had taken to ranging up and down the room.

"Germany's in the heart of the plan. That is what I always thought. If we're to find the Kaába-i-hurriyeh it is no good fossicking among the Committee or in the Turkish provinces. The secret's in Germany. Dick, you should not have crossed the Danube."

"That's what I half feared," I said. "But on the other hand it is obvious that the thing must come east, and sooner rather than later. I take it they can't afford to delay too long before they deliver the goods. If we can stick it out here we must hit the trail. . . . I've got another bit of evidence. I have solved Harry Bullivant's third puzzle."

Sandy's eyes were very bright and I had an audience on wires.

"Did you say that in the tale of *Kasredin* a woman is the ally of the prophet?"

"Yes," said Sandy; "what of that?"

"Only that the same thing is true of Greenmantle. I can give you her name."

I fetched a piece of paper and a pencil from Blenkiron's desk and handed it to Sandy.

"Write down Harry Bullivant's third word."

He promptly wrote down "*v*. I."

Then I told them of the other name Stumm and Gaudian had spoken. I told of my discovery as I lay in the woodman's cottage.

"The 'I' is not the letter of the alphabet, but the numeral. The name is von Einem—Hilda von Einem."

"Good old Harry," said Sandy softly. "He was a dashed clever chap. Hilda von Einem! Who and where is she? for if we find her we have done the trick."

Then Blenkiron spoke. "I reckon I can put you wise on that, gentlemen," he said. "I saw her no later than yesterday. She is a lovely lady. She happens also to be the owner of this house."

Both Sandy and I began to laugh. It was too comic to have stumbled across Europe and lighted on the very headquarters of the puzzle we had set out to unriddle.

But Blenkiron did not laugh. At the mention of Hilda von Einem he had suddenly become very solemn, and the sight of his face pulled me up short.

"I don't like it, gentlemen," he said. "I would rather you had mentioned any other name on God's earth. I haven't been long in this city, but I have been long enough to size up the various political bosses. They haven't much to them. I reckon they wouldn't stand up against what we could show them in the U-nited States. But I have met the Frau von Einem, and that lady's a very different proposition. The man that will understand her has got to take a biggish size in hats."

"Who is she?" I asked.

"Why, that is just what I can't tell you. She was a great excavator of Babylonish and Hittite ruins, and she married a diplomat who went to glory three years back. It isn't what she has been, but what she is, and that's a mighty clever woman."

Blenkiron's respect did not depress me. I felt as if at last we had got our job narrowed to a decent compass, for I had hated casting about in the dark. I asked where she lived.

"That I don't know," said Blenkiron. "You won't find people unduly anxious to gratify your natural curiosity about Frau von Einem."

"I can find that out," said Sandy. "That's the advantage of having a push like mine. Meantime, I've got to clear, for my day's work isn't finished. Dick, you and Peter must go to bed at once."

"Why?" I asked in amazement. Sandy spoke like a medical adviser.

"Because I want your clothes—the things you've got on now. I'll take them off with me and you'll never see them again."

"You've a queer taste in souvenirs," I said.

"Say rather the Turkish police. The current in the Bosporus is pretty strong, and these sad relics of two misguided Dutchmen will be washed up to-morrow about Seraglio Point. In this game you must drop the curtain neat and pat at the end of each scene, if you don't want trouble later with the missing heir and the family lawyer."

CHAPTER XIII

I MOVE IN GOOD SOCIETY

I WALKED out of that house next morning with Blenkiron's arm in mine, a different being from the friendless creature who had looked vainly the day before for sanctuary. To begin with, I was splendidly dressed. I had a navy-blue suit with square padded shoulders, a neat black bow-tie, shoes with a hump at the toe, and a brown bowler. Over that I wore a greatcoat lined with wolf fur. I had a smart malacca cane, and one of Blenkiron's cigars in my mouth. Peter had been made to trim his beard, and, dressed in unassuming pepper-and-salt, looked with his docile eyes and quiet voice a very respectable servant. Old Blenkiron had done the job in style, for, if you'll believe it, he had brought the clothes all the way from London. I realised now why he and Sandy had been fossicking in my wardrobe. Peter's suit had been of Sandy's procuring, and it was not the fit of mine. I had no difficulty about the accent. Any man brought up in the colonies can get his tongue round American, and I flattered myself I made a very fair shape at the lingo of the Middle West.

The wind had gone to the south and the snow was melting fast. There was a blue sky over Asia, and away to the north masses of white cloud drifting over the Black Sea. What had seemed the day before the dingiest of cities now took on a strange beauty, the beauty of unexpected horizons and tongues of grey water winding below cypress-studded shores. A man's mind has a lot to do with the appreciation of scenery. I felt a free man once more, and could use my eyes.

That street was a jumble of every nationality on earth. There were Turkish regulars in their queer, comical khaki helmets, and wild-looking levies who had no kin with Europe. There were squads of Germans in flat forage-caps, staring vacantly at novel sights, and quick to salute any officer on the side-walk. Turks in closed carriages passed, and Turks on good Arab horses, and Turks who looked as if they had come out of the ark. But it was the rabble that caught the eye—a very wild, pinched, miserable rabble. I never in my life saw such swarms of beggars, and you walked down that street to the accompaniment of entreaties for alms in all the tongues of the Tower of Babel. Blenkiron and I behaved as if we were interested tourists. We would stop and laugh at one fellow and give a penny to a second, passing comments in high-pitched Western voices.

We went into a café and had a cup of coffee. A beggar came in and asked alms. Hitherto Blenkiron's purse had been closed, but now he took out some small nickels and planked five down on the table. The man cried down blessings and picked up three. Blenkiron very swiftly swept the other two into his pocket.

That seemed to me queer, and I remarked that I had never before seen a beggar who gave change. Blenkiron said nothing, and presently we moved on and came to the harbour-side.

There were a number of small tugs moored alongside, and one or two bigger craft—fruit boats I judged, which used to ply in the Ægean. They looked pretty well moth-eaten from disuse. We stopped at one of them and watched a fellow in a blue nightcap splicing ropes. He raised his eyes once and looked at us, and then kept on with his business.

Blenkiron asked him where he came from, but he shook his head, not understanding the tongue. A Turkish policeman came up and stared at us suspiciously, till Blenkiron opened his coat, as if by accident, and displayed a tiny square of ribbon, at which he saluted. Failing to make conversation with the sailor, Blenkiron flung him three of his black cigars. "I guess you can smoke, friend, if you can't talk," he said.

The man grinned and caught the three neatly in the air. Then to my amazement he tossed one of them back.

The donor regarded it quizzically as it lay on the pavement. "That boy's a connoisseur of tobacco," he said. As we moved away I saw the Turkish policeman pick it up and put it inside his cap.

We returned by the long street on the crest of the hill. There was a man selling oranges on a tray, and Blenkiron stopped to look at them. I noticed that the man shuffled fifteen into a cluster. Blenkiron felt the oranges, as if to see that they were sound, and pushed two aside. The man instantly restored them to the group, never raising his eyes.

"This ain't the time of year to buy fruit," said Blenkiron as we passed on. "Those oranges are rotten as medlars."

We were almost on our own doorstep before I guessed the meaning of the business.

"Is your morning's work finished?" I said.

"Our morning's walk?" he asked innocently.

"I said 'work.' "

He smiled blandly. "I reckoned you'd tumble to it. Why, yes, except that I've some figuring still to do. Give me half an hour and I'll be at your service, Major."

That afternoon, after Peter had cooked a wonderfully good luncheon, I had a heart-to-heart talk with Blenkiron.

"My business is to get noos," he said; "and before I start on a stunt I make considerable preparations. All the time in London when I was yelping at the British Government, I was busy with Sir Walter arranging things ahead. We used to meet in queer places and at all hours of the night. I fixed up a lot of connections in this city before I arrived, and especially a noos service with your Foreign Office by way of Rumania and Russia. In a day or two I guess our friends will know all about our discoveries."

At that I opened my eyes very wide.

"Why, yes. You Britishers haven't any notion how wide-awake your Intelligence Service is. I reckon it's easy the best of all the belligerents. You never talked about it in peace time, and you shunned the theatrical ways of the Teuton. But you had the wires laid good and sure. I calculate there isn't much that happens in any corner of the earth that you don't know within twenty-four hours. I don't say your highbrows use the noos well. I don't take much stock in your political push. They're a lot of silver-tongues, no doubt, but it ain't oratory that is wanted in this racket. The William Jennings Bryan stunt languishes in war-time. Politics is like a chicken-coop, and those inside get to behave as if their little run were all the world. But if the politicians make mistakes it isn't from lack of good instruction to guide their steps. If I had a big proposition to handle and could have my pick of helpers I'd plump for the Intelligence Department of the British Admiralty. Yes, sir, I take off my hat to your Government sleuths."

"Did they provide you with ready-made spies here?" I asked in astonishment.

"Why, no," he said. "But they gave me the key, and I could make my own arrangements. In Germany I buried myself deep in the local atmosphere, and never peeped out. That was my game, for I was looking for something in Germany itself, and didn't want any foreign cross-bearings. As you know, I failed where you succeeded. But so soon as I crossed the Danube I set about opening up my lines of communication, and I hadn't been two days in this metropolis before I had got my telephone exchange buzzing. Sometime I'll explain the thing to you, for it's a pretty little business. I've got the cutest cypher. . . . No, it ain't my invention. It's your Government's. Any one—babe, imbecile, or dotard, can carry my messages—you saw some of them to-day—but it takes some mind to set the piece, and it takes a lot of figuring at my end to work out the results. Some day you shall hear it all, for I guess it would please you."

"How do you use it?" I asked.

"Well, I get early noos of what is going on in this cabbage-patch. Likewise I get authentic noos of the rest of Europe, and I can send a message to Mr. X. in Petrograd and Mr. Y. in London, or, if I wish, to Mr. Z. in Noo York. What's the matter with that for a post-office? I'm the best informed man in Constantinople, for old General Liman only hears one side, and mostly lies at that, and Enver prefers not to listen at all. Also, I could give them points on what is happening at their very door, for our friend Sandy is a big boss in the best-run crowd of mountebanks that ever fiddled secrets out of men's hearts. Without their help I wouldn't have cut much ice in this city."

"I want you to tell me one thing, Blenkiron," I said. "I've been playing a part for the past month, and it wears my nerves to tatters. Is this job very tiring, for if it is, I doubt I may buckle up."

He looked thoughtful. "I can't call our business an absolute rest-cure any time. You've got to keep your eyes skinned, and there's always the risk of the little packet of dynamite going off unexpected. But as these things go, I rate this stunt as easy. We've only got to be natural. We wear our natural clothes, and talk English, and sport a Teddy Roosevelt smile, and there isn't any call for theatrical talent. Where I've found the job tight was when I had got to be natural, and my naturalness was the same brand as that of everybody round about, and all the time I had to do unnatural things. It isn't easy to be going down town to business and taking cocktails with Mr. Carl Rosenheim, and next hour being engaged trying to blow Mr. Rosenheim's friends sky high. And it isn't easy to keep up a part which is clean outside your ordinary life. I've never tried that. My stunt has always been to keep my normal personality. But you have, Major, and I guess you found it wearing."

"Wearing's a mild word," I said. "But I want to know another thing. It seems to me that the line you've picked is as good as could be. But it's a cast-iron line. It commits us pretty deep and it won't be a simple job to drop it."

"Why, that's just the point I was coming to," he said. "I was going to put you wise about that very thing. When I started out I figured on some situation like this. I argued that unless I had a very clear part with a big bluff in it I wouldn't get the confidences which I needed. We've got to be at the heart of the show, taking a real hand and not just looking on. So I settled I would be a big engineer—there was a time when there weren't many bigger in the United States than John S. Blenkiron. I talked large about what might be done in Mesopotamia in the way of washing the British down the river. Well, that talk caught on. They knew of my reputation as an hydraulic expert, and they were tickled to death to rope me in. I told them I wanted a helper, and I told them about my friend Richard Hanau, as good a German as ever supped sauerkraut, who was coming through Russia and Rumania as a benevolent neutral; but when he got to Constantinople would drop his neutrality and double his benevolence. They got reports on you by wire from the States—I arranged that before I left London. So you're going to be welcomed and taken to their bosoms just like John S. was. We've both got jobs we can hold down, and now you're in these pretty clothes you're the dead ringer of the brightest kind of American engineer. . . . But we can't go back on our tracks. If we wanted to leave for Constanza next week they'd be very polite, but they'd never let us. We've got to go on with this adventure and nose our way down into Mesopotamia, hoping that our luck will hold. . . . God knows how we will get out of it; but it's no good going out to meet trouble. As I observed before, I believe in an all-wise and beneficent Providence, but you've got to give Him a chance."

I am bound to confess the prospect staggered me. We might be let in for fighting—and worse than fighting—against our own side. I wondered if it wouldn't be better to make a bolt for it, and said so.

He shook his head. "I reckon not. In the first place we haven't finished our inquiries. We've got Greenmantle located right enough, thanks to you, but we still know mighty little about that holy man. In the second place it won't be as bad as you think. This show lacks cohesion, sir. It is not going to last for ever. I calculate that before you and I strike the site of the garden that Adam and Eve frequented there will be a queer turn of affairs. Anyhow, it's good enough to gamble on."

Then he got some sheets of paper and drew me a plan of the disposition of the Turkish forces. I had no notion he was such a close student of war, for his exposition was as good as a staff lecture. He made out that the situation was none too bright anywhere. The troops released from Gallipoli wanted a lot of refitment, and would be slow in reaching the Transcaucasian frontier, where the Russians were threatening. The Army of Syria was pretty nearly a rabble under the lunatic Djemal. There wasn't the foggiest chance of an invasion of Egypt being undertaken. Only in Mesopotamia did things look fairly cheerful, owing to the blunders of British strategy. "And you may take it from me," he said, "that if the old Turk mobilised a total of a million men, he has lost 40 per cent. of them already. And if I'm anything of a prophet he's going pretty soon to lose more."

He tore up the papers and enlarged on politics. "I reckon I've got the measure of the Young Turks and their precious Committee. Those boys aren't any good. Enver's bright enough, and for sure he's got sand. He'll stick out a fight like a Vermont game-chicken, but he lacks the larger vision, sir. He doesn't understand the intricacies of the job no more than a sucking-child, so the Germans play with him, till his temper goes and he bucks like a mule. Talaat is a sulky dog who wants to go for mankind with a club. Both these boys would have made good cow-punchers in the old days, and they might have got a living out West as the gun-men of a Labour Union. They're about the class of Jesse James or Bill the Kid, excepting that they're college-reared and can patter languages. But they haven't the organising power to manage the Irish vote in a ward election. Their one notion is to get busy with their firearms, and people are getting tired of the Black Hand stunt. Their hold on the country is just the hold that a man with a Browning has over a crowd with walking-sticks. The cooler heads in the Committee are growing shy of them, and an old fox like Djavid is lying low till his time comes. Now it doesn't want arguing that a gang of that kind has got to hang close together or they may hang separately. They've got no grip on the ordinary Turk, barring the fact that they are active and he is sleepy, and that they've got their guns loaded."

"What about the Germans here?" I asked.

Blenkiron laughed. "It is no sort of a happy family. But the Young Turks know that without the German boost they'll be strung up like Haman, and the Germans can't afford to neglect any ally. Consider what would happen if Turkey got sick of the game and made a separate peace. The road would be open for Russia to the Ægean. Ferdy of Bulgaria would take his depreciated goods to the other market, and not waste a day thinking about it. You'd have Rumania coming in on the Allies' side. Things would look pretty black for that control of the Near East on which Germany has banked her winnings. Kaiser says that's got to be prevented at all costs, but how is it going to be done?"

Blenkiron's face had become very solemn again. "It won't be done unless Germany's got a trump card to play. Her game's mighty near bust, but it's still got a chance. And that chance is a woman and an old man. I reckon our landlady has a bigger brain than Enver and Liman. She's the real boss of the show. When I came here I reported to her, and presently you've got to do the same. I am curious as to how she'll strike you, for I'm free to admit that she impressed me considerable."

"It looks as if our job was a long way from the end," I said.

"It's scarcely begun," said Blenkiron.

That talk did a lot to cheer my spirits, for I realised that it was the biggest of big game we were hunting this time. I'm an economical soul, and if I'm going to be hanged I want a good stake for my neck.

Then began some varied experiences. I used to wake up in the morning, wondering where I should be at night, and yet quite pleased at the uncertainty. Greenmantle became a sort of myth with me. Somehow I couldn't fix any idea in my head of what he was like. The nearest I got was a picture of an old man in a turban coming out of a bottle in a cloud of smoke, which I remembered from a child's edition of the *Arabian Nights*. But if he was dim, the lady was dimmer. Sometimes I thought of her as a fat old German crone, sometimes as a harsh-featured woman like a schoolmistress with thin lips and eyeglasses. But I had to fit the East into the picture, so I made her young and gave her a touch of the languid houri in a veil. I was always wanting to pump Blenkiron on the subject, but he shut up like a rat-trap. He was looking for bad trouble in that direction, and was disinclined to speak about it beforehand.

We led a peaceful existence. Our servants were two of Sandy's lot, for Blenkiron had very rightly cleared out the Turkish caretakers, and they worked like beavers under Peter's eye, till I reflected I had never been so well looked after in my life. I walked about the city with Blenkiron, keeping my eyes open, and speaking very civil. The third night we were bidden to dinner at Moellendorff's, so we put on our best clothes and set out in an ancient cab. Blenkiron had fetched a dress suit of mine, from which my own tailor's label had been cut and a New York one substituted.

General Liman and Metternich the Ambassador had gone up the line to Nish to meet the Kaiser, who was touring in those parts, so Moellendorff was the biggest German in the city. He was a thin, foxy-faced fellow, cleverish but monstrously vain, and he was not very popular either with the Germans or the Turks. He was very polite to both of us, but I am bound to say that I got a bad fright when I entered the room, for the first man I saw was Gaudian.

I doubt if he would have recognised me even in the clothes I had worn in Stumm's company, for his eyesight was wretched. As it was, I ran no risk in dress-clothes, with my hair brushed back and a fine American accent. I paid him high compliments as a fellow engineer, and translated part of a highly technical conversation between him and Blenkiron. Gaudian was in uniform, and I liked the look of his honest face better than ever.

But the great event was the sight of Enver. He was a slim fellow of Rasta's build, very foppish and precise in his dress, with a smooth oval face like a girl's, and rather fine straight black eyebrows. He spoke perfect German, and had the best kind of manners, neither pert nor overbearing. He had a pleasant trick, too, of appealing all round the table for confirmation, and so bringing everybody into the talk. Not that he spoke a great deal, but all he said was good sense, and he had a smiling way of saying it. Once or twice he ran counter to Moellendorff, and I could see there was no love lost between these two. I didn't think I wanted him as a friend—he was too cold-blooded and artificial; and I was pretty certain that I didn't want those steady black eyes as an enemy. But it was no good denying his quality. The little fellow was all cold courage, like the fine polished blue steel of a sword.

I fancy I was rather a success at that dinner. For one thing I could speak German, and so had a pull on Blenkiron. For another I was in a good temper, and really enjoyed putting my back into my part. They talked very high-flown stuff about what they had done and were going to do, and Enver was great on Gallipoli. I remember he said that he could have destroyed the whole British Army if it hadn't been for somebody's cold feet—at which Moellendorff looked daggers. They were so bitter about Britain and all her works that I gathered they were getting pretty panicky, and that made me as jolly as a sandboy. I'm afraid I was not free from bitterness myself on that subject. I said things about my own country that I sometimes wake in the night and sweat to think of.

Gaudian got on the use of water power in war, and that gave me a chance.

"In my country," I said, "when we want to get rid of a mountain we wash it away. There's nothing on earth that will stand against water. Now, speaking with all respect, gentlemen, and as an absolute novice in the military art, I sometimes ask why this God-given weapon isn't more used in the present war. I haven't been to any of the fronts, but I've studied them some from maps and the newspapers. Take your German position in Flanders, where you've got the high ground. If I were a British general I reckon I would very soon make it no sort of position."

Moellendorff asked, "How?"

"Why, I'd wash it away. Wash away the fourteen feet of soil down to the stone. There's a heap of coalpits behind the British front where they could generate power, and I judge there's an ample water supply from rivers and canals. I'd guarantee to wash you away in twenty-four hours—yes, in spite of all your big guns. It beats me why the British haven't got on to this notion. They used to have some bright engineers."

Enver was on the point like a knife, far quicker than Gaudian. He cross-examined me in a way that showed he knew how to approach a technical subject, though he mightn't have much technical knowledge. He was just giving me a sketch of the flooding in Mesopotamia when an aide-de-camp brought in a chit which fetched him to his feet.

"I have gossiped long enough," he said. "My kind

host, I must leave you. Gentlemen all, my apologies and farewells."

Before he left he asked my name and wrote it down. "This is an unhealthy city for strangers, Mr. Hanau," he said in very good English. "I have some small power of protecting a friend, and what I have is at your disposal." This with the condescension of a king promising his favour to a subject.

The little fellow amused me tremendously, and rather impressed me too. I said so to Gaudian after he had left, but that decent soul didn't agree.

"I do not love him," he said. "We are Allies—yes; but friends—no. He is no true son of Islam, which is a noble faith and which despises liars and boasters and betrayers of their salt."

That was the verdict of one honest man on this ruler in Israel. The next night I got another from Blenkiron on a greater than Enver.

He had been out alone and had come back pretty late, with his face grey and drawn with pain. The food we ate—not at all bad of its kind—and the cold east wind played havoc with his dyspepsia. I can see him yet, boiling milk on a spirit-lamp, while Peter worked at a Primus stove to get him a hot-water bottle. He was using horrid language about his inside.

"My God, Major, if I were you with a sound stomach I'd fairly conquer the world. As it is, I've got to do my work with half my mind, while the other half is dwelling in my intestines. I'm like the child in the Bible that had a fox gnawing at its vitals."

He got his milk boiling and began to sip it.

"I've been to see our pretty landlady," he said. "She sent for me and I hobbled off with a grip full of plans, for she's mighty set on Mesopotamy."

"Anything about Greenmantle?" I asked eagerly.

"Why, no, but I have reached one conclusion. I opine that the hapless prophet has no sort of time with that lady. I opine that he will soon wish himself in Paradise. For if Almighty God created a female devil it's Madame von Einem."

He sipped a little more milk with a grave face.

"That isn't my duo-denal dyspepsia, Major. It's the verdict of a ripe experience, for I have a cool and penetrating judgment, even if I've a deranged stomach. And I give it as my con-sidered conclusion that that woman's mad and bad—but principally bad."

CHAPTER XIV

THE LADY OF THE MANTILLA

SINCE that first night I had never clapped eyes on Sandy. He had gone clean out of the world, and Blenkiron and I waited anxiously for a word of news. Our own business was in good trim, for we were presently going east towards Mesopotamia, but unless we learned more about Greenmantle our journey would be a grotesque failure. And learn about Greenmantle we could not, for nobody by word or deed suggested his existence, and it was impossible of course for us to ask questions. Our only hope was Sandy, for what we wanted to know was the prophet's whereabouts and his plans. I suggested to Blenkiron that we might do more to cultivate Frau von Einem, but he shut his jaw like a rat-trap. "There's nothing doing for us in that quarter," he said. "That's the most dangerous woman on earth; and if she got any kind of notion that we were wise about her pet schemes I reckon you and I would very soon be in the Bosporus."

This was all very well; but what was going to happen if the two of us were bundled off to Bagdad with instructions to wash away the British? Our time was getting pretty short, and I doubted if we could spin out more than three days more in Constantinople. I felt just as I had felt with Stumm that last night when I was about to be packed off to Cairo and saw no way of avoiding it. Even Blenkiron was getting anxious. He played Patience incessantly, and was disinclined to talk. I tried to find out something from the servants, but they either knew nothing or wouldn't speak—the former, I think. I kept my eyes lifting, too, as I walked about the streets, but there was no sign anywhere of the skin coats or the weird stringed instruments. The whole company of the Rosy Hours seemed to have melted into the air, and I began to wonder if they had ever existed.

Anxiety made me restless, and restlessness made me want exercise. It was no good walking about the city. The weather had become foul again, and I was sick of the smells and the squalor and the flea-bitten crowds. So Blenkiron and I got horses, Turkish cavalry mounts with heads like trees, and went out through the suburbs into the open country.

It was a grey drizzling afternoon, with the beginnings of a sea fog which hid the Asiatic shores of the straits. It wasn't easy to find open ground for a gallop, for there were endless small patches of cultivation, and the gardens of country houses. We kept on the high land above the sea, and when we reached a bit of downland came on squads of Turkish soldiers digging trenches. Whenever we let the horses go we had to pull up sharp for a digging party or a stretch of barbed wire. Coils of the beastly wire were lying loose everywhere, and Blenkiron nearly took a nasty toss over one. Then we were always being stopped by sentries and having to show our passes. Still the ride did us good and shook up our livers, and by the time we turned for home I was feeling more like a white man.

We jogged back in the short winter twilight, past

the wooded grounds of white villas, held up every few minutes by transport-waggons and companies of soldiers. The rain had come on in real earnest, and it was two very bedraggled horsemen that crawled along the muddy lanes. As we passed one villa, shut in by a high white wall, a pleasant smell of wood smoke was wafted towards us, which made me sick for the burning veld. My ear, too, caught the twanging of a zither, which somehow reminded me of the afternoon in Kuprasso's garden-house.

I pulled up and proposed to investigate, but Blenkiron very testily declined.

"Zithers are as common here as fleas," he said. "You don't want to be fossicking around somebody's stables and find a horse-boy entertaining his friends. They don't like visitors in this country; and you'll be asking for trouble if you go inside those walls. I guess it's some old Buzzard's harem." Buzzard was his own private peculiar name for the Turk, for he said he had had as a boy a natural history book with a picture of a bird called the turkey-buzzard, and couldn't get out of the habit of applying it to the Ottoman people.

I wasn't convinced, so I tried to mark down the place. It seemed to be about three miles out from the city, at the end of a steep lane on the inland side of the hill coming from the Bosporus. I fancied somebody of distinction lived there, for a little farther on we met a big empty motor-car snorting its way up, and I had a notion that car belonged to the walled villa.

Next day Blenkiron was in grievous trouble with his dyspepsia. About midday he was compelled to lie down, and having nothing better to do I had out the horses again and took Peter with me. It was funny to see Peter in a Turkish army-saddle, riding with the long Boer stirrup and the slouch of the back-veld.

That afternoon was unfortunate from the start. It was not the mist and drizzle of the day before, but a stiff northern gale which blew sheets of rain in our faces and numbed our bridle hands. We took the same road, but pushed west of the trench-digging parties and got to a shallow valley with a white village among cypresses. Beyond that there was a very respectable road which brought us to the top of a crest which in clear weather must have given a fine prospect. Then we turned our horses, and I shaped our course so as to strike the top of the long lane that abutted on the down. I wanted to investigate the white villa.

But we hadn't gone far on our road back before we got into trouble. It arose out of a sheep-dog, a yellow mongrel brute that came at us like a thunderbolt. It took a special fancy to Peter, and bit savagely at his horse's heels and sent it capering off the road. I should have warned him, but I did not realise what was happening till too late. For Peter, being accustomed to mongrels in Kaffir kraals, took a summary way with the pest. Since it despised his whip, he out with his pistol and put a bullet through its head.

The echoes of the shot had scarcely died away when the row began. A big fellow appeared running towards us, shouting wildly. I guessed it was the dog's owner, and proposed to pay no attention. But his cries summoned two other fellows—soldiers by the look of them—who closed in on us, unslinging their rifles as they ran. My first idea was to show them our heels, but I had no desire to be shot in the back, and they looked like men who wouldn't stop short of shooting. So we slowed down and faced them.

They made as savage-looking a trio as you would want to avoid. The shepherd looked as if he had been dug up, a dirty ruffian with matted hair and a beard like a bird's nest. The two soldiers stood staring with sullen faces, fingering their guns, while the other chap raved and stormed and kept pointing at Peter, whose mild eyes stared unwinkingly at his assailant.

The mischief was that neither of us had a word of Turkish. I tried German, but it had no effect. We sat looking at them, and they stood storming at us, and it was fast getting dark. Once I turned my horse round as if to proceed, and the two soldiers jumped in front of me.

They jabbered among themselves, and then one said very slowly: "He . . . want . . . . pounds," and he held up five fingers. They evidently saw by the cut of our jib that we weren't Germans.

"I'll be hanged if he gets a penny," I said angrily, and the conversation languished.

The situation was getting serious, so I spoke a word to Peter. The soldiers had their rifles loose in their hands, and before they could lift them we had the pair covered with our pistols.

"If you move," I said, "you are dead." They understood that all right and stood stock still, while the shepherd stopped his raving and took to muttering like a gramaphone when the record is finished.

"Drop your guns," I said sharply. "Quick, or we shoot."

The tone, if not the words, conveyed my meaning. Still staring at us, they let the rifles slide to the ground. The next second we had forced our horses on the top of them, and the three were off like rabbits. I sent a shot over their heads to encourage them. Peter dismounted and tossed the guns into a bit of scrub where they would take some finding.

This hold-up had taken time. By now it was getting very dark, and we hadn't ridden a mile before it was black night. It was an annoying predicament, for I had completely lost my bearings and at the best I had only a foggy notion of the lie of the land. The best plan seemed to be to try and get to the top of a rise in the hope of seeing the lights of the city, but all the countryside was so pockety that it was hard to strike the right kind of rise.

We had to trust to Peter's instinct. I asked him where our line lay, and he sat very still for a minute sniffing the air. Then he pointed the direction. It wasn't what I would have taken myself, but on a point like that he was pretty near infallible.

Presently we came to a long slope which cheered me. But at the top there was no light visible anywhere—only a black void like the inside of a shell. As I stared into the gloom it seemed to me that there were patches of deeper darkness that might be woods.

"There is a house half-left in front of us," said Peter.

I peered till my eyes ached and saw nothing.

"Well, for Heaven's sake, guide me to it," I said, and with Peter in front we set off down the hill.

It was a wild journey, for darkness clung as close to us as a vest. Twice we stepped into patches of bog, and once my horse saved himself by a hair from going head forward into a gravel pit. We got tangled up in strands of wire, and often found ourselves rubbing our noses against tree trunks. Several times I had to get down and make a gap in barricades of loose stones. But after a ridiculous amount of slipping and stumbling we finally struck what seemed the level of a road, and a piece of special darkness in front which turned out to be a high wall.

I argued that all mortal walls had doors, so we set to groping along it, and presently struck a gap. There was an old iron gate, on broken hinges, which we easily pushed open, and found ourselves on a back path to some house. It was clearly disused, for masses of rotting leaves covered it, and by the feel of it underfoot it was grass-grown.

We were dismounted now, leading our horses, and after about fifty yards the path ceased and came out on a well-made carriage drive. So, at least, we guessed, for the place was as black as pitch. Evidently the house couldn't be far off, but in which direction I hadn't a notion.

Now I didn't want to be paying calls on any Turk at that time of day. Our job was to find where the road opened into the lane, for after that our way to Constantinople was clear. One side the lane lay, and the other the house, and it didn't seem wise to take the risk of tramping up with horses to the front door. So I told Peter to wait for me at the end of the back-road, while I would prospect a bit. I turned to the right, my intention being if I saw the light of a house to return, and with Peter take the other direction.

I walked like a blind man in that nether-pit of darkness. The road seemed well kept, and the soft wet gravel muffled the sounds of my feet. Great trees overhung it, and several times I wandered into dripping bushes. And then I stopped short in my tracks, for I heard the sound of whistling.

It was quite close, about ten yards away. And the strange thing was that it was a tune I knew, about the last tune you would expect to hear in this part of the world. It was the Scotch air: "Ca' the yowes to the knowes," which was a favourite of my father's.

The whistler must have felt my presence, for the air suddenly stopped in the middle of a bar. An unbounded curiosity seized me to know who the fellow could be. So I started in and finished it myself.

There was silence for a second, and then the unknown began again and stopped. Once more I chipped in and finished it.

Then it seemed to me that he was coming nearer. The air in that dank tunnel was very still, and I thought I heard a light foot. I think I took a step backward. Suddenly there was a flash of an electric torch from a yard off, so quick that I could see nothing of the man who held it.

Then a low voice spoke out of the darkness—a voice I knew well—and, following it, a hand was laid on my arm. "What the devil are you doing here, Dick?" it said, and there was something like consternation in the tone.

I told him in a hectic sentence, for I was beginning to feel badly rattled myself.

"You've never been in greater danger in your life," said the voice. "Great God, man, what brought you wandering here to-day of all days?"

You can imagine that I was pretty scared, for Sandy was the last man to put a case too high. And the next second I felt worse, for he clutched my arm and dragged me in a bound to the side of the road. I could see nothing, but I felt that his head was screwed round, and mine followed suit. And there, a dozen yards off, were the acetylene lights of a big motor-car.

It came along very slowly, purring like a great cat, while we pressed into the bushes. The head-lights seemed to spread a fan far to either side, showing the full width of the drive and its borders, and about half the height of the over-arching trees. There was a figure in uniform sitting beside the chauffeur, whom I saw dimly in the reflex glow, but the body of the car was dark.

It crept towards us, passed, and my mind was just getting easy again when it stopped. A switch was snapped within, and the limousine was brightly lit up. Inside I saw a woman's figure.

The servant had got out and opened the door and a voice came from within—a clear soft voice speaking in some tongue I did not understand. Sandy had started forward at the sound of it, and I followed him. It would never do for me to be caught skulking in the bushes.

I was so dazzled by the suddenness of the glare that at first I blinked and saw nothing. Then my eyes cleared and I found myself looking at the inside of a car upholstered in some soft dove-coloured fabric, and beautifully finished off in ivory and silver. The woman who sat in it had a mantilla of black lace over her head and shoulders, and with one slender jewelled hand she kept its folds over the greater part of her face. I saw only a pair of pale grey-blue eyes—these and the slim fingers.

I remember that Sandy was standing very upright with his hands on his hips, by no means like a servant in the presence of his mistress. He was a fine figure of a man at all times, but in those wild clothes, with his head thrown back and his dark brows drawn below his skull-cap, he looked like some savage king out of an older world. He was speaking Turkish, and glancing at me now and then as if angry and perplexed. I took the hint that he was not supposed to know any other tongue, and that he was asking who the devil I might be.

Then they both looked at me, Sandy with the slow unwinking stare of the gipsy, the lady with those curious beautiful pale eyes. They ran over my clothes, my brand-new riding-breeches, my splashed gaiters, my wide-brimmed hat. I took off the last and made my best bow.

"Madam," I said, "I have to ask pardon for trespassing in your garden. The fact is, I and my servant—he's down the road with the horses and I guess you noticed him—the two of us went for a ride this afternoon, and got good and well lost. We came in by your back gate, and I was prospecting for your front door to find some one to direct us, when I bumped into this brigand-chief who didn't understand my talk. I'm American, and I'm here on a big Government proposition. I hate to trouble you, but if you'd send a man to show us how to strike the city I'd be very much in your debt."

Her eyes never left my face. "Will you come into the car?" she said in English. "At the house I will give you a servant to direct you."

She drew in the skirts of her fur cloak to make room for me, and in my muddy boots and sopping clothes

I took the seat she pointed out. She said a word in Turkish to Sandy, switched off the light, and the car moved on.

Women have never come much my way, and I knew about as much of their ways as I knew about the Chinese language. All my life I have lived with men only, and rather a rough crowd at that. When I made my pile and came home I looked to see a little society, but I had first the business of the Black Stone on my hands, and then the war, so my education languished. I had never been in a motor-car with a lady before, and I felt like a fish on a dry sandbank. The soft cushions and the subtle scents filled me with acute uneasiness. I wasn't thinking now about Sandy's grave words, or about Blenkiron's warning, or about my job and the part this woman must play in it. I was thinking only that I felt mortally shy. The darkness made it worse. I was sure that my companion was looking at me all the time and laughing at me for a clown.

The car stopped and a tall servant opened the door. The lady was over the threshold before I was at the step. I followed her heavily, the wet squelching from my field-boots. At that moment I noticed that she was very tall.

She led me through a long corridor to a room where two pillars held lamps in the shape of torches. The place was dark but for their glow, and it was as warm as a hothouse from invisible stoves. I felt soft carpets underfoot, and on the walls hung some tapestry or rug of an amazingly intricate geometrical pattern, but with every strand as rich as jewels. There, between the pillars, she turned and faced me. Her furs were thrown back, and the black mantilla had slipped down to her shoulders.

"I have heard of you," she said. "You are called Richard Hanau, the American. Why have you come to this land?"

"To have a share in the campaign," I said. "I'm an engineer, and I thought I could help out with some business like Mesopotamia."

"You are on Germany's side?" she asked.

"Why, yes," I replied. "We Americans are supposed to be nootrals, and that means we're free to choose any side we fancy. I'm for the Kaiser."

Her cool eyes searched me, but not in suspicion. I could see she wasn't troubling with the question whether I was speaking the truth. She was sizing me up as a man. I cannot describe that calm appraising look. There was no sex in it, nothing even of that implicit sympathy with which one human being explores the existence of another. I was a chattel, a thing infinitely removed from intimacy. Even so I have myself looked at a horse which I thought of buying, scanning his shoulders and hocks and paces. Even so must the old lords of Constantinople have looked at the slaves which the chances of war brought to their markets, assessing their usefulness for some task or other with no thought of a humanity common to purchased and purchaser. And yet—not quite. This woman's eyes were weighing me, not for any special duty, but for my essential qualities. I felt that I was under the scrutiny of one who was a connoisseur in human nature.

I see I have written that I knew nothing about women. But every man has in his bones a consciousness of sex. I was shy and perturbed, but horribly fascinated. This slim woman, poised exquisitely like some statue between the pillared lights, with her fair cloud of hair, her long delicate face, and her pale bright eyes, had the glamour of a wild dream. I hated her instinctively, hated her intensely, but I longed to arouse her interest. To be valued coldly by those eyes was an offence to my manhood, and I felt antagonism rising within me. I am a strong fellow, well set up, and rather above the average height, and my irritation stiffened me from heel to crown. I flung my head back and gave her cool glance for cool glance, pride against pride.

Once, I remember, a doctor on board ship who dabbled in hypnotism told me that I was the most unsympathetic person he had ever struck. He said I was about as good a mesmeric subject as Table Mountain. Suddenly I began to realise that this woman was trying to cast some spell over me. The eyes grew large and luminous, and I was conscious for just an instant of some will battling to subject mine. I was aware, too, in the same moment of a strange scent which recalled that wild hour in Kuprasso's garden-house. It passed quickly, and for a second her eyes drooped. I seemed to read in them failure, and yet a kind of satisfaction too, as if they had found more in me than they expected.

"What life have you led?" the soft voice was saying.

I was able to answer quite naturally, rather to my surprise. "I have been a mining engineer up and down the world."

"You have faced danger many times?"

"I have faced danger."

"You have fought against men in battles?"

"I have fought in battles."

Her bosom rose and fell in a kind of sigh. A

smile—a very beautiful thing—flitted over her face. She gave me her hand.

"The horses are at the door now," she said, "and your servant is with them. One of my people will guide you to the city."

She turned away and passed out of the circle of light into the darkness beyond. . . .

Peter and I jogged home in the rain with one of Sandy's skin-clad Companions loping at our sides. We did not speak a word, for my thoughts were running like hounds on the track of the past hours. I had seen the mysterious Hilda von Einem, I had spoken to her, I had held her hand. She had insulted me with the subtlest of insults and yet I was not angry. Suddenly the game I was playing became invested with a tremendous solemnity. My old antagonists, Stumm and Rasta and the whole German Empire, seemed to shrink into the background, leaving only the slim woman with her inscrutable smile and devouring eyes. "Mad and bad," Blenkiron had called her, "but principally bad." I did not think they were the proper terms, for they belonged to the narrow world of our common experience. This was something beyond and above it, as a cyclone or an earthquake is outside the decent routine of nature. Mad and bad she might be, but she was also great.

Before we arrived our guide had plucked my knee and spoken some words which he had obviously got by heart. "The Master says," ran the message, "expect him at midnight."

CHAPTER XV

AN EMBARRASSED TOILET

I WAS soaked to the bone, and while Peter set off to look for dinner, I went to my room to change. I had a rub down and then got into pyjamas for some dumb-bell exercises with two chairs, for that long wet ride had stiffened my arms and shoulder muscles. They were a vulgar suit of primitive blue, which Blenkiron had looted from my London wardrobe. As Cornelis Brandt I had sported a flannel nightgown.

My bedroom opened off the sitting-room, and while I was busy with my gymnastics I heard the door open. I thought at first it was Blenkiron, but the briskness of the tread was unlike his measured gait. I had left the light burning there, and the visitor, whoever he was, had made himself at home. I slipped on a green dressing-gown Blenkiron had lent me, and sallied forth to investigate.

My friend Rasta was standing by the table, on which he had laid an envelope. He looked round at my entrance and saluted.

"I come from the Minister of War, sir," he said, "and bring your passports for to-morrow. You will travel by . . ." And then his voice tailed away and his black eyes narrowed to slits. He had seen something which switched him off the metals.

At that moment I saw it too. There was a mirror on the wall behind him, and as I faced him I could not help seeing my reflection. It was the exact image of the engineer on the Danube boat—blue jeans, *loden* cloak, and all. The accursed mischance of my costume had given him the clue to an identity which was otherwise buried deep in the Bosporus.

I am bound to say for Rasta that he was a man of quick action. In a trice he had whipped round to the other side of the table between me and the door, where he stood regarding me wickedly.

By this time I was at the table and stretched out a hand for the envelope. My one hope was nonchalance.

"Sit down, sir," I said, "and have a drink. It's a filthy night to move about in."

"Thank you, no, Herr Brandt," he said. "You may burn those passports, for they will not be used."

"Whatever's the matter with you?" I cried. "You've mistaken the house, my lad. I'm called Hanau—Richard Hanau—and my partner's Mr. John S. Blenkiron. He'll be here presently. Never knew any one of the name of Brandt, barring a tobacconist in Denver City."

"You have never been to Rustchuk?" he said with a sneer.

"Not that I know of. But, pardon me, sir, if I ask your name and your business here. I'm darned if I'm accustomed to be called by Dutch names or have my word doubted. In my country we consider that impolite as between gentlemen."

I could see that my bluff was having its effect. His stare began to waver, and when he next spoke it was in a more civil tone.

"I will ask pardon if I'm mistaken, sir, but you're the image of a man who a week ago was at Rustchuk, a man much wanted by the Imperial Government."

"A week ago I was tossing in a dirty little hooker coming from Constanza. Unless Rustchuk's in the middle of the Black Sea I've never visited the township. I guess you're barking up the wrong tree. Come to think of it, I was expecting passports. Say, do you come from Enver Damad?"

"I have that honour," he said.

"Well, Enver is a very good friend of mine. He's the brightest citizen I've struck this side of the Atlantic."

The man was calming down, and in another minute his suspicions would have gone. But at that moment, by the crookedest kind of luck, Peter entered with a tray of dishes. He did not notice Rasta, and walked straight to the table and plumped down his burden on it. The Turk had stepped aside at his entrance, and I saw by the look in his eyes that his suspicions had become a certainty. For Peter, stripped to shirt and breeches, was the identical shabby little companion of the Rustchuk meeting.

I had never doubted Rasta's pluck. He jumped for the door and had a pistol out in a trice pointing at my head.

"*Bonne fortune*," he cried. "Both the birds at one shot." His hand was on the latch, and his mouth was open to cry. I guessed there was an orderly waiting on the stairs.

He had what you call the strategic advantage, for he was at the door while I was at the other end of the table and Peter at the side of it at least two yards from him. The road was clear before him, and neither of us was armed. I made a despairing step forward, not knowing what I meant to do, for I saw no light. But Peter was before me.

He had never let go of the tray, and now, as a boy skims a stone on a pond, he skimmed it with its contents at Rasta's head. The man was opening the door with one hand while he kept me covered with the other, and he got the contrivance fairly in the face. A pistol shot cracked out, and the bullet went through the tray, but the noise was drowned in the crash of glasses and crockery. The next second Peter had wrenched the pistol from Rasta's hand and had gripped his throat.

A dandified young Turk, brought up in Paris and finished in Berlin, may be as brave as a lion, but he cannot stand in a rough-and-tumble against a backveld hunter, though more than double his age. There was no need for me to help. Peter had his own way, learned in a wild school, of knocking the sense out of a foe. He gagged him scientifically, and trussed him up with his own belt and two straps from a trunk in my bedroom.

"This man is too dangerous to let go," he said, as if his procedure were the most ordinary thing in the world. "He will be quiet now till we have time to make a plan."

At that moment there came a knocking at the door. That is the sort of thing that happens in melodrama, just when the villain has finished off his job neatly. The correct thing to do is to pale to the teeth, and with a rolling, conscience-stricken eye glare round the horizon. But that was not Peter's way.

"We'd better tidy up if we're to have visitors," he said calmly.

Now there was one of those big oak German cupboards against the wall which must have been brought in in sections, for complete it would never have got through the door. It was empty now, but for Blenkiron's hat-box. In it he deposited the unconscious Rasta, and turned the key. "There's enough ventilation through the top," he observed, "to keep the air good." Then he opened the door.

A magnificent kavass in blue and silver stood outside. He saluted and proffered a card on which was written in pencil, "Hilda von Einem."

I would have begged for time to change my clothes, but the lady was behind him. I saw the black mantilla and the rich sable furs. Peter vanished through my bedroom and I was left to receive my guest in a room littered with broken glass and a senseless man in the cupboard.

There are some situations so crazily extravagant that they key up the spirit to meet them. I was almost laughing when that stately lady stepped over my threshold.

"Madam," I said, with a bow that shamed my old dressing-gown and strident pyjamas. "You find me at a disadvantage. I came home soaking from my ride, and was in the act of changing. My servant has just upset a tray of crockery, and I fear this room's no fit place for a lady. Allow me three minutes to make myself presentable."

She inclined her head gravely and took a seat by the fire. I went into my bedroom, and as I expected found Peter lurking by the other door. In a hectic sentence I bade him get Rasta's orderly out of the place on any pretext, and tell him his master would return later. Then I hurried into decent garments and came out to find my visitor in a brown study.

At the sound of my entrance she started from her dream and stood up on the hearthrug, slipping the long robe of fur from her slim body.

"We are alone?" she said. "We will not be disturbed?"

Then an inspiration came to me. I remembered that Frau von Einem, according to Blenkiron, did not see eye to eye with the Young Turks; and I had a queer instinct that Rasta could not be to her liking. So I spoke the truth.

"I must tell you that there's another guest here tonight. I reckon he's feeling pretty uncomfortable. At present he's trussed up on a shelf in that cupboard."

She did not trouble to look round.

"Is he dead?" she asked calmly.

"By no means," I said, "but he's fixed so he can't speak, and I guess he can't hear much."

"He was the man who brought you this?" she asked, pointing to the envelope on the table which bore the big blue stamp of the Minister of War.

"The same," I said. "I'm not perfectly sure of his name, but I think they call him Rasta."

Not a flicker of a smile crossed her face, but I had a feeling that the news pleased her.

"Did he thwart you?" she asked.

"Why, yes. He thwarted me some. His head is a bit swelled, and an hour or two on the shelf will do him good."

"He is a powerful man," she said, "a jackal of Enver's. You have made a dangerous enemy."

"I don't value him at two cents," said I, though I thought grimly that as far as I could see the value of him was likely to be about the price of my neck.

"Perhaps you are right," she said with abstracted eyes. "In these days no enemy is dangerous to a bold man. I have come to-night, Mr. Hanau, to talk business with you, as they say in your country. I have heard well of you, and to-day I have seen you. I may have need of you, and you assuredly will have need of me. . . ."

She broke off, and again her strange potent eyes fell on my face. They were like a burning searchlight which showed up every cranny and crack of the soul. I felt it was going to be horribly difficult to act a part under that compelling gaze. She could not mesmerise me, but she could strip me of my fancy dress and set me naked in the masquerade.

"What came you forth to seek?" she asked. "You are not like the stout American Blenkiron, a lover of shoddy power and a devotee of a feeble science. There is something more than that in your face. You are on our side, but you are not of the Germans with their hankerings for a rococo Empire. You come from America, the land of pious follies, where man worships gold and words. I ask, what came you forth to seek?"

As she spoke I seemed to get a vision of a figure, like one of the old gods looking down on human nature from a great height, a figure disdainful and passionless, but with its own magnificence. It kindled my imagination, and I answered with the words I had often cogitated when I had tried to explain to myself just how a case could be made out against the Allied cause.

"I will tell you, Madam," I said. "I am a man who has followed a science, but I have followed it in wild places, and I have gone through it and come out at the other side. The world, as I see it, has become too easy and cushioned. Men have forgotten their manhood in soft speech, and they have imagined that the rules of their smug civilisation were the laws of the universe. But that is not the teaching of science, and it is not the teaching of life. We had forgotten the greater virtues, and we were becoming emasculated humbugs whose gods were our own weaknesses. Then came war, and the air was cleared. Germany, in spite of her blunders and her grossness, stood forth as the scourge of cant. She had the courage to cut through the bonds of humbug and to laugh at the fetishes of the herd. Therefore I am on Germany's side. But I came here for another reason. I know nothing of the East, but as I read history it is from the desert that the purification comes. When mankind is smothered with shams and phrases and painted idols a wind blows out of the wilds to cleanse and simplify life. The world needs space and fresh air. The civilisation we have boasted of is a toy-shop and a blind alley, and I hanker for open country."

This confounded nonsense was well received. Her pale eyes had the cold light of the fanatic. With her bright hair and the long exquisite oval of her face she looked like some destroying fury of a Norse legend. At that moment I think I first really feared her; before I had half hated and half admired. Thank Heaven, in her absorption she did not notice that I had forgotten the speech of Cleveland, Ohio.

"You are of the Household of Faith," she said. "You will presently learn many things, for the Faith marches to victory. Meantime I have one word for you. You and your companion travel eastward."

"We go to Mesopotamia," I said. "I reckon these are our passports," and I pointed to the envelope.

She picked it up, opened it, and then tore it in pieces and tossed it in the fire.

"The orders are countermanded," she said. "I have need of you and you go with me. Not to the flats of the Tigris, but to the great hills. To-morrow you shall receive new passports."

She gave me her hand and turned to go. At the threshold she paused, and looked towards the oak cupboard. "To-morrow I will relieve you of your prisoner. He will be safer in my hands."

She left me in a condition of pretty blank bewilderment. We were to be tied to the chariot-wheels of this fury, and started on an enterprise compared to which fighting against our friends at Kut seemed tame and reasonable. On the other hand, I had been spotted by Rasta, and had got the envoy of the most powerful man in Constantinople locked in a cupboard. At all costs we had to keep Rasta safe, but I was very determined that he should not be handed over to the lady. I was going to be no party to cold-blooded murder, which I judged to be her expedient. It was a pretty kettle of fish, but in the meantime I must have food, for I had eaten nothing for nine hours. So I went in search of Peter.

I had scarcely begun my long deferred meal when Sandy entered. He was before his time, and he looked as solemn as a sick owl. I seized on him as a drowning man clutches a spar.

He heard my story of Rasta with a lengthening face.

"That's bad," he said. "You say he spotted you, and your subsequent doings of course would not disillusion him. It's an infernal nuisance, but there's only one way out of it. I must put him in charge of my own people. They will keep him safe and sound till he's wanted. Only he mustn't see me." And he went out in a hurry.

I fetched Rasta out of his prison. He had come to his senses by this time, and lay regarding me with stony, malevolent eyes.

"I'm very sorry, sir," I said, "for what has happened. But you left me no alternative. I've got a big job on hand and I can't have it interfered with by you or any one. You're paying the price of a suspicious nature. When you know a little more you'll want to apologise to me. I'm going to see that you are kept quiet and comfortable for a day or two. You've no cause to worry, for you'll suffer no harm. I give you my word of honour as an American citizen."

Two of Sandy's miscreants came in and bore him off, and presently Sandy himself returned. When I asked where he was being taken, Sandy said he didn't know. "They've got their orders, and they'll carry them out to the letter. There's a big unknown area in Constantinople to hide a man, into which the *Khafiyeh* never enter."

Then he flung himself in a chair and lit his old pipe.

"Dick," he said, "this job is getting very difficult and very dark. But my knowledge has grown in the last few days. I've found out the meaning of the second word that Harry Bullivant scribbled."

"Cancer?" I asked.

"Yes. It means just what it reads and no more. Greenmantle is dying—has been dying for months.

This afternoon they brought a German doctor to see him, and the man gave him a few hours of life. By now he may be dead."

The news was a staggerer. For a moment I thought it cleared up things. "Then that busts the show," I said. "You can't have a crusade without a prophet."

"I wish I thought it did. It's the end of one stage, but the start of a new and blacker one. Do you think that woman will be beaten by such a small thing as the death of her prophet? She'll find a substitute—one of the four Ministers, or some one else. She's a devil incarnate, but she has the soul of a Napoleon. The big danger is only beginning."

Then he told me the story of his recent doings. He had found out the house of Frau von Einem without much trouble, and had performed with his ragamuffins in the servants' quarters. The prophet had a large retinue, and the fame of the minstrels—for the Companions were known far and wide in the land of Islam—came speedily to the ears of the Holy Ones. Sandy, a leader in this most orthodox coterie, was taken into favour and brought to the notice of the four Ministers. He and his half-dozen retainers became inmates of the villa, and Sandy, from his knowledge of Islamic lore and his ostentatious piety, was admitted to the confidence of the household. Frau von Einem welcomed him as an ally, for the Companions had been the most devoted propagandists of the new revelation.

As he described it, it was a strange business. Greenmantle was dying and often in great pain, but he struggled to meet the demands of his protectress. The four Ministers, as Sandy saw them, were unworldly ascetics; the prophet himself was a saint, though a practical saint with some notions of policy; but the controlling brain and will were those of the lady. Sandy seemed to have won his favour, even his affection. He spoke of him with a kind of desperate pity.

"I never saw such a man. He is the greatest gentleman you can picture, with a dignity like a high mountain. He is a dreamer and a poet, too—a genius if I can judge these things. I think I can assess him rightly, for I know something of the soul of the East, but it would be too long a story to tell now. The West knows nothing of the true Oriental. It pictures him as lapped in colour and idleness and luxury and gorgeous dreams. But it is all wrong. The *Kâf* he yearns for is an austere thing. It is the austerity of the East that is its beauty and its terror. . . . It always wants the same things at the back of its head. The Turk and the Arab came out of big spaces, and they have the desire of them in their bones. They settle down and stagnate, and by and by they degenerate into that appalling subtlety which is their ruling passion gone crooked. And then comes a new revelation and a great simplifying. They want to live face to face with God without a screen of ritual and images and priestcraft. They want to prune life of its foolish fringes and get back to the noble bareness of the desert. Remember, it is always the empty desert and the empty sky that cast their spell over them—these, and the hot, strong, antiseptic sunlight which burns up all rot and decay. . . . It isn't inhuman. It's the humanity of one part of the human race. It isn't ours, it isn't as good as ours, but it's damned good all the same. There are times when it grips me so hard that I'm inclined to forswear the gods of my fathers!

"Well, Greenmantle is the prophet of this great

simplicity. He speaks straight to the heart of Islam, and it's an honourable message. But for our sins it's been twisted into part of this damned German propaganda. His unworldliness has been used for a cunning political move, and his creed of space and simplicity for the furtherance of the last word in human degeneracy. My God, Dick, it's like seeing St. Francis run by Messalina."

"The woman has been here to-night," I said. "She asked me what I stood for, and I invented some infernal nonsense which she approved of. But I can see one thing. She and her prophet may run for different stakes, but it's the same course."

Sandy started. "She has been here!" he cried. "Tell me, Dick, what did you think of her?"

"I thought she was about two parts mad, but the third part was uncommon like inspiration."

"That's about right," he said. "I was wrong in comparing her to Messalina. She's something a jolly sight more complicated. She runs the prophet just because she shares his belief. Only what in him is sane and fine, in her is mad and horrible. You see, Germany also wants to simplify life."

"I know," I said. "I told her that an hour ago, when I talked more rot to the second than any mortal man ever achieved. It will come between me and my sleep for the rest of my days."

"Germany's simplicity is that of the neurotic not, the primitive. It is megalomania and egotism and the pride of the man in the Bible that waxed fat and kicked. But the results are the same. She wants to destroy and simplify; but it isn't the simplicity of the ascetic, which is of the spirit, but the simplicity of the madman which grinds down all the contrivances of civilisation to a featureless monotony. The prophet wants to save the souls of his people; Germany wants to rule the inanimate corpse of the world. But you can get the same language to cover both. And so you have the partnership of St. Francis and Messalina. Dick, did you ever hear of a thing called the Superman?"

"There was a time when the papers were full of nothing else," I answered. "I gather it was invented by a sportsman called Nietzsche."

"Maybe," said Sandy. "Old Nietzsche has been blamed for a great deal of rubbish he would have died rather than acknowledge. But it's a craze of the new, fatted Germany. It's a fancy type which could never really exist, any more than the Economic Man of the politicians. Mankind has a sense of humour which stops short of the final absurdity. There never has been and there never could be a real Superman, but there might be a Super-woman."

"You'll get into trouble, my lad, if you talk like that," I said.

"It's true all the same. Women have got a perilous logic which we never have, and some of the best of them don't see the joke of life like the ordinary man. They can be far greater than men, for they can go straight to the heart of things. There never was a man so near the divine as Joan of Arc. But I think too they can be more entirely damnable than anything that was ever breeched, for they don't stop still now and then and laugh at themselves. . . . There is no Superman. The poor old donkeys that fancy themselves in the part are either crack-brained professors who couldn't rule a Sunday-school class, or bristling soldiers with pint-pot heads who imagine that the shooting of a Duc d'Enghien made a Napoleon. But there is a Super-woman, and her name's Hilda von Einem."

"I thought our job was nearly over," I groaned, "and now it looks as if it hadn't well started. Bullivant said that all we had to do was to find out the truth."

"Bullivant didn't know. No man knows except you and me. I tell you, the woman has immense power. The Germans have trusted her with their trump card, and she's going to play it for all she is worth. There's no crime that will stand in her way. She has set the ball rolling, and if need be she'll cut all her prophets' throats and run the show herself. . . . I don't know about your job, for honestly I can't quite see what you and Blenkiron are going to do. But I'm very clear about my own duty. She's let me into the business, and I'm going to stick to it in the hope that I'll find a chance of wrecking it. . . . We're moving eastward to-morrow—with a new prophet if the old one is dead."

"Where are you going?" I asked.

"I don't know. But I gather it's a long journey, judging by the preparations. And it must be to a cold country, judging by the clothes provided."

"Well, wherever it is, we're going with you. You haven't heard our end of the yarn. Blenkiron and I have been moving in the best circles as skilled American engineers who are going to play Old Harry with the British on the Tigris. I'm a pal of Enver's now, and he has offered me his protection. The lamented Rasta brought our passports for the journey to Mesopotamia to-morrow, but an hour ago your lady tore them up and put them in the fire. We are going with her, and she vouchsafed the information that it was towards the great hills."

Sandy whistled long and low. "I wonder what the deuce she wants with you? This thing is getting damned complicated, Dick. . . . Where, more by token, is Blenkiron? He's the fellow to know about high politics."

The missing Blenkiron, as Sandy spoke, entered the room with his slow, quiet step. I could see by his carriage that for once he had no dyspepsia, and by his eyes that he was excited.

"Say, boys," he said, "I've got something pretty considerable in the way of noos. There's been big fighting on the Eastern border, and the Buzzards have taken a bad knock."

His hands were full of papers, from which he selected a map and spread it on the table.

"They keep mum about these things in this capital, but I've been piecing the story together these last days and I think I've got it straight. A fortnight ago old man Nicholas descended from his mountains and scuppered his enemies there—at Kuprikeui, where the main road eastwards crosses the Araxes. That is only the beginning of the stunt, for he pressed on on a broad front, and the gentleman called Kiamil, who commands in those parts, was not up to the job of holding him. The Buzzards were shepherded in from north and east and south, and now the Muscovite is sitting down outside the forts of Erzerum. I can tell you they're pretty miserable about the situation in the highest quarters. . . . Enver is sweating blood to get fresh divisions to Erzerum from Gallipoli, but it's a long road and it looks as if they would be too late for the fair. . . . You and I, Major, start for Mesopotamy to-morrow, and that's about the meanest bit of bad luck that ever happened to John S. We're missing the chance of seeing the gloriest fight of this campaign."

I picked up the map and pocketed it. Maps were my business, and I had been looking for one.

"We're not going to Mesopotamia," I said. "Our orders have been cancelled."

"But I've just seen Enver, and he said he had sent round our passports."

"They're in the fire," I said. "The right ones will come along to-morrow morning."

Sandy broke in, his eyes bright with excitement.

"The great hills! . . . We're going to Erzerum. . . . Don't you see that the Germans are playing their big card? They're sending Greenmantle to the point of danger in the hope that his coming will rally the Turkish defence. Things are beginning to move, Dick, old man. No more kicking the heels for us. We're going to be in it up to the neck, and Heaven help the best man. . . . I must be off now, for I've a lot to do. *Au revoir*. We meet some time soon in the hills."

Blenkiron still looked puzzled, till I told him the story of that night's doings. As he listened, all the satisfaction went out of his face, and that funny, childish air of bewilderment crept in.

"It's not for me to complain, for it's in the straight line of our dooty, but I reckon there's going to be big trouble ahead of this caravan. It's Kismet, and we've got to bow. But I won't pretend that I'm not considerable scared at the prospect."

"Oh, so am I," I said. "The woman frightens me into fits. We're up against it this time all right. All the same I'm glad we're to be let into the real star metropolitan performance. I didn't relish the idea of touring in the provinces."

"I guess that's correct. But I could wish that the good God would see fit to take that lovely lady to Himself. She's too much for a quiet man at my time of life. When she invites us to go in on the ground-floor I feel like taking the elevator to the roof-garden."

CHAPTER XVI

THE BATTERED CARAVANSERAI

TWO days later, in the evening, we came to Angora, the first stage in our journey.

The passports had arrived next morning, as Frau von Einem had promised, and with them a plan of our journey. More, one of the Companions, who spoke a little English, was detailed to accompany us—a wise precaution, for no one of us had a word of Turkish. These were the sum of our instructions. I heard nothing more of Sandy or Greenmantle or the lady. We were meant to travel in our own party.

We had the railway to Angora, a very comfortable German *schlafwagon,* tacked to the end of a troop-train. There wasn't much to be seen of the country, for after we left the Bosporus we ran into scuds of snow, and except that we seemed to be climbing on to a big plateau I had no notion of the landscape. It was a marvel that we made such good time, for that line was congested beyond anything I have ever seen. The place was crawling with the Gallipoli troops, and every siding was packed with supply trucks. When we stopped—which we did on an average about once an hour—you could see vast camps on both sides of the line, and often we struck regiments on the march along the railway track. They looked a fine, hardy lot of ruffians, but many were deplorably ragged, and

I didn't think much of their boots. I wondered how they would do the five hundred miles of road to Erzerum.

Blenkiron played Patience, and Peter and I took a hand at Picquette, but mostly we smoked and yarned. Getting away from that infernal city had cheered us up wonderfully. Now we were out on the open road, moving to the sound of the guns. At the worst we should not perish like rats in a sewer. We would be all together, too, and that was a comfort. I think we felt the relief which a man who has been on a lonely outpost feels when he is brought back to his battalion. Besides, the thing had gone clean beyond our power to direct. It was no good planning and scheming, for none of us had a notion what the next step might be. We were fatalists now, believing in Kismet, and that is a comfortable faith.

All but Blenkiron. The coming of Hilda von Einem into the business had put a very ugly complexion on it for him. It was curious to see how she affected the different members of our gang. Peter did not care a rush; man, woman, and hippogriff were the same to him; he met it all as calmly as if he were making plans to round up an old lion in a patch of bush, taking the facts as they came and working at them as if they were a sum in arithmetic. Sandy and I were impressed—it's no good denying it: horribly impressed—but we were too interested to be scared, and we weren't a bit fascinated. We hated her too much for that. But she fairly struck Blenkiron dumb. He said himself it was just like a rattlesnake and a bird.

I made him talk about her, for if he sat and brooded he would get worse. It was a strange thing that this man, the most imperturbable, and I think about the most courageous I have ever met, should be paralysed by a slim woman. There was no doubt about it. The thought of her made the future to him as black as a thunder cloud. It took the power out of his joints, and if she was going to be much around, it looked as if Blenkiron might be counted out.

I suggested that he was in love with her, but this he vehemently denied.

"No, sir; I haven't got no sort of affection for the lady. My trouble is that she puts me out of countenance, and I can't fit her in as an antagonist. I guess we Americans haven't got the right poise for dealing with that kind of female. We've exalted our womenfolk into little tin gods, and at the same time left them out of the real business of life. Consequently, when we strike one playing the biggest kind of man's game we can't place her. We aren't used to regarding them as anything except angels and children. I wish I had had you boys' upbringing."

Angora was like my notion of some place such as Amiens in the retreat from Mons. It was one mass of troops and transport—the neck of the bottle, for more arrived every hour, and the only outlet was the single eastern road. The town was pandemonium into which distracted German officers were trying to introduce some order. They didn't worry much about us, for the heart of Anatolia wasn't a likely hunting-ground for suspicious characters. We took our passport to the commandant, who viséd them readily, and told us he'd do his best to get us transport. We spent the night in a sort of hotel, where all four crowded into one little bedroom, and next morning I had my work cut out getting a motor-car. It took four hours, and the use of every great name in the Turkish Empire, to raise a dingy sort of Studebaker, and another two to get the petrol and spare tyres. As for a chauffeur, love or money couldn't find him, and I was compelled to drive the thing myself.

We left just after midday and swung out into bare bleak downs patched with scrubby woodlands. There was no snow here, but a wind was blowing from the East which searched the marrow. Presently we climbed up into hills, and the road, though not badly engineered to begin with, grew as rough as the channel of a stream. No wonder, for the traffic was like what one saw on that awful stretch between Cassel and Ypres, and there were no gangs of Belgian roadmakers to mend it up. We found troops by the thousands striding along with their impassive Turkish faces, ox convoys, mule convoys, wagons drawn by sturdy little Anatolian horses, and, coming in the contrary direction, many shabby Red Crescent cars and wagons of the wounded. We had to crawl for hours on end, till we got past a block. Just before the darkening we seemed to outstrip the first press, and had a clear run for about ten miles over a low pass in the hills. I began to get anxious about the car, for it was a poor one at the best, and the road was guaranteed sooner or later to knock even a Rolls-Royce into scrap iron.

All the same it was glorious to be out in the open again. Peter's face wore a new look, and he sniffed the bitter air like a stag. There floated up from little wayside camps the odour of wood-smoke and dung-fires. That, and the curious acrid winter smell of great wind-blown spaces, will always come to my memory as I think of that day. Every hour brought me peace of mind and resolution. I felt as I had felt when the battalion first marched from Aire towards the firing line, a kind of keying-up and wild expectation. I'm not used to cities, and lounging about Constantinople had slackened my fibre. Now, as the sharp wind buffeted us, I felt braced to any kind of risk. We were on the great road to the east and the border hills, and soon we should stand upon the farthest battle-front of the war. This was no commonplace intelligence job. That was all over, and we were going into the firing-line, going to take part in what might be the downfall of our enemies. I didn't reflect that we were among these enemies, and would probably share their downfall if we were not shot earlier. The truth is, I had got out of the way of regarding the thing as a struggle between armies and nations. I hardly bothered to think where my sympathies lay. First and foremost it was a contest between the four of us and a crazy woman, and this personal antagonism made the strife of armies only a dimly felt background.

We slept that night like logs on the floor of a dirty khan, and started next morning in a powder of snow. We were getting very high up now, and it was perishing cold. The Companion—his name sounded like Hussin—had travelled the road before and told me what the places were, but they conveyed nothing to me. All morning we wriggled through a big lot of troops, a brigade at least, who swung along at a great pace with a fine free stride that I don't think I have ever seen bettered. I must say I took a fancy to the Turkish fighting man: I remembered the testimonial our fellows gave him as a clean fighter, and I felt very bitter that Germany should have lugged him into this ugly business. They halted for a meal, and we stopped too and lunched off some brown bread and dried figs and a flask of very sour wine. I had a few words with one of the officers who spoke a little German. He told me they were marching straight for Russia, since there had been a great Turkish victory in the Caucasus. "We have beaten the French and the British, and now it is Russia's turn," he said stolidly, as if repeating a lesson. But he added that he was mortally sick of war.

In the afternoon we cleared the column and had an open road for some hours. The land now had a tilt eastward, as if we were moving towards the valley of a great river. Soon we began to meet little parties of men coming from the east with a new look in their faces. The first lots of wounded had been the ordinary thing you see on every front, and there had been some pretence at organisation. But these new lots were very weary and broken; they were often barefoot, and they seemed to have lost their transport and to be starving. You would find a group stretched by the roadside in the last stages of exhaustion. Then would come a party limping along, so tired that they never turned their heads to look at us. Almost all were wounded, some badly, and most were horribly thin. I wondered how my Turkish friend behind would explain the sight to his men, if he believed in a great victory. They had not the air of the backwash of a conquering army.

Even Blenkiron, who was no soldier, noticed it.

"These boys look mighty bad," he observed. "We've got to hustle, Major, if we're going to get seats for the last act."

That was my own feeling. The sight made me mad to get on faster, for I saw that big things were happening in the East. I had reckoned that four days would take us from Angora to Erzerum, but here was the second nearly over and we were not yet a third of the way. I pressed on recklessly, and that hurry was our undoing.

I have said that the Studebaker was a rotten old car. Its steering-gear was pretty dicky, and the bad surface and continual hairpin bends of the road didn't improve it. Soon we came into snow lying fairly deep, frozen hard and rutted by the big transport-wagons. We bumped and bounced horribly, and were shaken about like peas in a bladder. I began to be acutely anxious about the old bone-shaker, the more as we seemed a long way short of the village I had proposed to spend the night in. Twilight was falling and we were still in an unfeatured waste, crossing the shallow glen of a stream. There was a bridge at the bottom of a slope—a bridge of logs and earth which had apparently been freshly strengthened for heavy traffic. As we approached it at a good pace the car ceased to answer to the wheel.

I struggled desperately to keep it straight, but it swerved to the left and we plunged over a bank into a marshy hollow. There was a sickening bump as we struck the lower ground, and the whole party were shot out into the frozen slush. I don't yet know how I escaped, for the car turned over and by rights I should have had my back broken. But no one was hurt. Peter was laughing, and Blenkiron, after shaking the snow out of his hair, joined him. For myself I was feverishly examining the machine. It was about as ugly as it could be, for the front axle was broken.

Here was a piece of hopeless bad luck. We were stuck in the middle of Asia Minor with no means of conveyance, for to get a new axle there was as likely as to find snowballs on the Congo. It was all but dark and there was no time to lose. I got out the petrol tins and spare tyres and cached them among some rocks on the hillside. Then we collected our scanty baggage from the derelict Studebaker. Our only hope was Hussin. He had got to find us some lodging for the night, and next day we would have a try for horses or a lift in some passing wagon. I had no hope of another car. Every automobile in Anatolia would now be at a premium.

It was so disgusting a mishap that we all took it quietly. It was too bad to be helped by hard swearing. Hassin and Peter set off on different sides of the road to prospect for a house, and Blenkiron and I sheltered under the nearest rock and smoked savagely.

Hussin was the first to strike oil. He came back in twenty minutes with news of some kind of dwelling a couple of miles up the stream. He went off to collect Peter, and, humping our baggage, Blenkiron and I plodded up the waterside. Darkness had fallen thick by this time, and we took some bad tosses among the bogs. When Hussin and Peter made up on us they found a better road, and presently we saw a light twinkle in the hollow ahead.

It proved to be a wretched tumble-down farm in a grove of poplars—a foul-smelling, muddy yard, a two-roomed hovel of a house, and a barn which was tolerably dry and which we selected for our sleeping-place. The owner was a broken old fellow whose sons were all at the war, and he received us with the profound calm of one who expects nothing but unpleasantness from life.

By this time we had recovered our temper, and I was trying hard to put my new Kismet philosophy into practice. I reckoned that if risks were foreordained, so were difficulties, and both must be taken as part of the day's work. With the remains of our provisions and some curdled milk we satisfied our hunger and curled ourselves up among the pease straw of the barn. Blenkiron announced with a happy sigh that he had now been for two days quit of his dyspepsia.

That night, I remember, I had a queer dream. I seemed to be in a wild place among mountains, and I was being hunted, though who was after me I couldn't tell. I remember sweating with fright, for I seemed to be quite alone and the terror that was pursuing me was more than human. The place was horribly quiet and still, and there was deep snow lying everywhere, so that each step I took was heavy as lead. A very ordinary sort of nightmare, you will say. Yes, but there was one strange feature in this one. The night was pitch dark, but ahead of me in the throat of the pass there was one patch of light, and it showed a rum little hill with a rocky top: what we call in South Africa a *castrol* or saucepan. I had a notion that if I could get to that *castrol* I should be safe, and I panted through the drifts towards it with the avenger of blood at my heels. I woke gasping, to find the winter morning struggling through the cracked rafters, and to hear Blenkiron say cheerily that his duodenum had behaved all night like a gentleman. I lay still for a bit trying to fix the dream, but it all dissolved into haze except the picture of the little hill, which was quite clear in every detail. I told myself it was a reminiscence of the veld, some spot done in the Wakkerstroom country, though for the life of me I couldn't place it.

I pass over the next three days, for they were one

uninterrupted series of heart-breaks. Hussin and Peter scoured the country for horses, Blenkiron sat in the barn and played Patience, while I haunted the roadside near the bridge in the hope of picking up some kind of conveyance. My task was perfectly futile. The columns passed, casting wondering eyes on the wrecked car among the frozen rushes, but they could offer no help. My friend the Turkish officer promised to wire to Angora from some place or other for a fresh car, but, remembering the state of affairs at Angora, I had no hope from that quarter. Cars passed, plenty of them, packed with staff-officers, Turkish and German, but they were in far too big a hurry even to stop and speak. The only conclusion I reached from my roadside vigils was that things were getting very warm in the neighbourhood of Erzerum. Everybody on that road seemed to be in mad haste either to get there or to get away.

Hussin was the best chance, for, as I have said, the Companions had a very special and peculiar graft throughout the Turkish Empire. But the first day he came back empty-handed. All the horses had been commandeered for the war, he said; and though he was certain that some had been kept back and hidden away, he could not get on their track. The second day he returned with two—miserable screws and deplorably short in the wind from a diet of beans. There was no decent corn or hay left in that countryside. The third day he picked up a nice little Arab stallion: in poor condition, it is true, but perfectly sound. For these beasts we paid good money, for Blenkiron was well supplied and we had no time to spare for the interminable Oriental bargaining.

Hussin said he had cleaned up the countryside, and

I believed him. I dared not delay another day, even though it meant leaving him behind. But he had no notion of doing anything of the kind. He was a good runner, he said, and could keep up with such horses as ours for ever. If this was the manner of our progress, I reckoned we would be weeks in getting to Erzerum.

We started at dawn in the morning of the fourth day, after the old farmer had blessed us and sold us some stale rye-bread. Blenkiron bestrode the Arab, being the heaviest, and Peter and I had the screws. My worst forebodings were soon realised, and Hussin, loping along at my side, had an easy job to keep up with us. We were about as slow as an ox-wagon. The brutes were unshod, and with the rough roads I saw that their feet would very soon go to pieces. We jogged along like a tinker's caravan, about five miles to the hour, as feckless a party as ever disgraced a highroad.

The weather was now a cold drizzle, which increased my depression. Cars passed us and disappeared in the mist, going at thirty miles an hour to mock our slowness. None of us spoke, for the futility of the business clogged our spirits. I bit hard on my lips to curb my restlessness, and I think I would have sold my soul there and then for anything that could move fast. I don't know any sorer trial than to be mad for speed and have to crawl at a snail's pace. I was getting ripe for any kind of desperate venture.

About midday we descended on a wide plain full of the marks of rich cultivation. Villages became frequent, and the land was studded with olive groves and scarred with water furrows. From what I remembered of the map I judged that we were coming to that champaign country near Siwas, which is the granary of Turkey, and the home of the true Osmanli stock.

Then at a turning of the road we came to the caravanserai.

It was a dingy, battered place, with the pink plaster falling in patches from its walls. There was a courtyard abutting on the road, and a flat-topped house with a big hole in its side. It was a long way from any battle-ground, and I guessed that some explosion had wrought the damage. Behind it, a few hundred yards off, a detachment of cavalry were encamped beside a stream, with their horses tied up in long lines of pickets.

And by the roadside, quite alone and deserted, stood a large new motor-car.

In all the road before and behind there was no man to be seen except the troops by the stream. The owners, whoever they were, must be inside the caravanserai.

I have said I was in the mood for some desperate deed, and lo and behold Providence had given me the chance! I coveted that car as I have never coveted anything on earth. At the moment all my plans had narrowed down to a feverish passion to get to the battlefield. We had to find Greenmantle at Erzerum, and once there we should have Hilda von Einem's protection. It was a time of war, and a front of brass was the surest safety. But, indeed, I could not figure out any plan worth speaking of. I saw only one thing —a fast car which might be ours.

I said a word to the others, and we dismounted and tethered our horses at the near end of the courtyard. I heard the low hum of voices from the cavalrymen by the stream, but they were three hundred yards off and could not see us. Peter was sent forward to scout in the courtyard. In the building itself there was but one window looking on the road, and that was in the upper floor. Meantime I crawled along beside the wall to where the car stood, and had a look at it. It was a splendid six-cylinder affair, brand-new, with the tyres little worn. There were seven tins of petrol stacked behind, as well as spare tyres, and, looking in, I saw map-cases and field-glasses strewn on the seats as if the owners had only got out for a minute to stretch their legs.

Peter came back and reported that the courtyard was empty. "There are men in the upper room," he said; "more than one, for I heard their voices. They are moving about restlessly, and may soon be coming out."

I reckoned that there was no time to be lost, so I told the others to slip down the road fifty yards beyond the caravanserai and be ready to climb in as I passed. I had to start the infernal thing, and there might be shooting.

I waited by the car till I saw them reach the right distance. I could hear voices from the second floor of the house and footsteps moving up and down. I was in a fever of anxiety, for any moment a man might come to the window. Then I flung myself on the starting handle and worked like a demon.

The cold made the job difficult, and my heart was in my mouth, for the noise in that quiet place must have woke the dead. Then, by the mercy of Heaven, the engines started, and I sprang to the driving seat, released the clutch, and opened the throttle. The great car shot forward, and I seemed to hear behind me shrill voices. A pistol bullet bored through my hat, and another buried itself in a cushion beside me.

In a second I was clear of the place and the rest of the party were embarking. Blenkiron got on the step and rolled himself like a sack of coals into the tonneau. Peter nipped up beside me, and Hussin scrambled in from the back over the folds of the hood. We had our baggage in our pockets and had nothing to carry.

Bullets dropped round us, but did no harm. Then I heard a report at my ear, and out of a corner of my eye saw Peter lower his pistol. Presently we were out of range, and, looking back, I saw three man gesticulating in the middle of the road.

"May the devil fly away with this pistol," said Peter ruefully. "I never could make good shooting with a little gun. Had I had my rifle . . ."

"What did you shoot for?" I asked in amazement. "We've got the fellow's car, and we don't want to do them any harm."

"It would have saved trouble had I had my rifle," said Peter, quietly. "The little man you call Rasta was there, and he knew you. I heard him cry your name. He is an angry little man, and I observe that on this road there is a telegraph."

CHAPTER XVII

TROUBLE BY THE WATERS OF BABYLON

FROM that moment I date the beginning of my madness. Suddenly I forgot all cares and difficulties of the present and future, and became foolishly light-hearted. We were rushing towards the great battle where men were busy at my proper trade. I realised how much I had loathed the lonely days in Germany, and still more the dawdling week in Constantinople. Now I was clear of it all, and bound for the clash of armies. It didn't trouble me that we were on the wrong side of the battle line. I had a sort of instinct that the darker and wilder things grew the better chance for us.

"Seems to me," said Blenkiron, bending over me, "that this joy-ride is going to come to an untimely end pretty soon. Peter's right. That young man will set the telegraph going, and we'll be held up at the next township."

"He's got to get to a telegraph office first," I answered. "That's where we have the pull of him. He's welcome to the screws we left behind, and if he finds an operator before the evening I'm the worst kind of Dutchman. I'm going to break all the rules and bucket this car for what's she worth. Don't you see that the nearer we get to Erzerum the safer we are?"

"I don't follow," he said slowly. "At Erzerum I reckon they'll be waiting for us with the handcuffs. Why in thunder couldn't these hairy ragamuffins keep the little cuss safe? Your record's a bit too precipitous, Major, for the most innocent-minded military boss."

"Do you remember what you said about the Germans being open to bluff? Well, I'm going to put up the steepest kind of bluff. Of course they'll stop us. Rasta will do his damnedest. But remember that he and his friends are not very popular with the Germans, and Madame von Einem is. We're her protegés, and the bigger the German swell I get before the safer I'll feel. We've got our passports and our orders, and he'll be a bold man that will stop us once we get into the German zone. Therefore I'm going to hurry as fast as God will let me."

It was a ride that deserved to have an epic written about it. The car was good, and I handled her well, though I say it who shouldn't. The road in that big central plain was fair, and often I knocked fifty miles an hour out of her. We passed troops by a circuit over the veld, where we took some awful risks, and once we skidded by some transport with our off wheels almost over the lip of a ravine. We went through the narrow streets of Siwas like a fire-engine, while I shouted out in German that we carried despatches for head-quarters. We shot out of drizzling rain into brief spells of winter sunshine, and then into a snow blizzard which all but whipped the skin from our faces. And always before us the long road unrolled, with somewhere at the end of it two armies clinched in a death-grapple.

That night we looked for no lodging. We ate a sort of meal in the car with the hood up, and felt our way on in the darkness, for the headlights were in perfect order. Then we turned off the road for four hours' sleep, and I had a go at the map. Before dawn we started again, and came over a pass into the vale of a big river. The winter dawn showed its gleaming stretches, ice-bound among the sprinkled meadows. I called to Blenkiron:

"I believe that river is the Euphrates," I said.

"So," he said, acutely interested. "Then that's the waters of Babylon. Great snakes, that I should have lived to see the fields where King Nebuchadnezzar grazed! Do you know the name of that big hill, Major?"

"Ararat, as like as not," I cried, and he believed me.

We were among the hills now, great, rocky, black slopes, and, seen through side glens, a hinterland of snowy peaks. I remember I kept looking for the *castrol* I had seen in my dream. The thing had never left off haunting me, and I was pretty clear now that it did not belong to my South African memories. I am not a superstitious man, but the way that little *kranz* clung to my mind made me think it was a warning sent by Providence. I was pretty certain that when I clapped eyes on it I would be in for bad trouble.

All morning we travelled up that broad vale, and just before noon it spread out wider, the road dipped to the water's edge, and I saw before me the white roofs of a town. The snow was deep now, and lay down to the riverside, but the sky had cleared, and against a space of blue heaven some peaks to the south rose glittering like jewels. The arches of a bridge, spanning two forks of the stream, showed in front, and as I slowed down at the bend a sentry's challenge rang out from a block-house. We had reached the fortress of Erzinghjan, the head-quarters of a Turkish corps and the gate of Armenia.

I showed the man our passports, but he did not salute and let us move on. He called another fellow from the guard-house, who motioned us to keep pace with him as he stumped down a side lane. At the other end was a big barracks with sentries outside. The man spoke to us in Turkish, which Hussin interpreted. There was somebody in that barracks who wanted badly to see us.

"By the waters of Babylon we sat down and wept," quoted Blenkiron softly. "I fear, Major, we'll soon be remembering Zion."

I tried to persuade myself that this was merely the red tape of a frontier fortress, but I had an instinct that difficulties were in store for us. If Rasta had started wiring I was prepared to put up the brazenest bluff, for we were still eighty miles from Erzerum, and at all costs we were going to be landed there before night.

A fussy staff-officer met us at the door. At the sight of us he cried to a friend to come and look.

"Here are the birds safe. A fat man and two lean ones and a savage who looks like a Kurd. Call the guard and march them off. There's no doubt about their identity."

"Pardon me, sir," I said, "but we have no time to spare and we'd like to be in Erzerum before the dark. I would beg you to get through any formalities as soon as possible. This man," and I pointed to the sentry, "has our passports."

"Compose yourself," he said impudently, "you're not going on just yet, and when you do it won't be in a stolen car." He took the passports and fingered them casually. Then something he saw there made him cock his eyebrows.

"Where did you steal these?" he asked, but with less assurance in his tone.

I spoke very gently. "You seem to be the victim of a mistake, sir. These are our papers. We are under orders to report ourselves at Erzerum without an hour's delay. Whoever hinders us will have to answer to General von Liman. We will be obliged if you will conduct us at once to the Governor."

"You can't see General Posselt," he said; "this is my business. I have a wire from Siwas that four men stole a car belonging to one of Enver Damad's staff. It describes you all, and says that two of you are notorious spies wanted by the Imperial Government. What have you to say to that?"

"Only that it is rubbish. My good sir, you have seen our passes. Our errand is not to be cried over the housetops, but five minutes with General Posselt will make things clear. You will be exceedingly sorry for it if you delay us another minute."

He was impressed in spite of himself, and after pulling his moustache turned on his heel and left us. Presently he came back and said very gruffly that the Governor would see us. We followed him along a corridor into a big room looking out on the river, where an oldish fellow sat in an arm-chair by a stove, writing letters with a fountain pen.

This was Posselt, who had been Governor of Erzerum till he fell sick and Ahmed Fevgi took his place. He had a peevish mouth and big blue pouches below his eyes. He was supposed to be a good engineer and to have made Erzerum impregnable, but the look in his face gave me the impression that his reputation at the moment was a bit unstable.

The staff-officer spoke to him in an undertone.

"Yes, yes, I know," he said testily. "Are these the men? They look a pretty lot of scoundrels. What's that you say? They deny it. But they've got the car. They can't deny that. Here, you," and he fixed on Blenkiron, "who the devil are you?"

Blenkiron smiled sleepily at him, not understanding one word, and I took up the parable:

"Our passports, sir, give our credentials," I said.

He glanced through them, and his face lengthened.

"They're right enough. But what about this story of stealing the car?"

"It is quite true," I said. "But I would prefer to use a pleasanter word. You will see from our papers that every authority on the road is directed to give us the best transport. Our own car broke down, and after a long delay we got some wretched horses. It is vitally important that we should be in Erzerum without delay, so I took the liberty of appropriating an empty car we found outside an inn. I am sorry for the discomfort of the owners, but our business is too grave to wait."

"But the telegram says you are notorious spies!"

I smiled. "Who sent the telegram?"

"I see no reason why I shouldn't give you his name. It was Rasta Bey. You've picked an awkward fellow to make an enemy of."

I did not smile but laughed. "Rasta!" I cried. "He's one of Enver's satellites. That explains many things. I should like a word with you alone, sir."

He nodded to the staff-officer, and when he had

gone I put on my most Bible face and looked as important as a provincial mayor at a royal visit.

"I can speak freely," I said, "for I am speaking to a soldier of Germany. There is no love lost between Enver and those I serve. I need not tell you that. This Rasta thought he had found a chance of delaying us, so he invents this trash about spies. These Comitadjis have spies on the brain. . . . Especially he hates Frau von Einem."

He jumped at the name.

"You have orders from her?" he asked, in a respectful tone.

"Why, yes," I answered, "and those orders will not wait."

He got up and walked to a table, whence he turned a puzzled face on me. "I'm torn in two between the Turks and my own countrymen. If I please one I offend the other, and the result is a damnable confusion. You can go on to Erzerum, but I shall send a man with you to see that you report to headquarters there. I'm sorry, gentlemen, but I'm obliged to take no chances in this business. Rasta's got a grievance against you, but you can easily hide behind the lady's skirts. She passed through this town two days ago."

Ten minutes later we were coasting through the slush of the narrow streets with a stolid German lieutenant sitting beside me.

The afternoon was one of those rare days when in the pauses of snow you have a spell of weather as mild as May. I remembered several like it during our winter's training in Hampshire. The road was a fine one, well engineered, and well kept too, considering the amount of traffic. We were little delayed, for it was sufficiently broad to let us pass troops and transport without slacking pace. The fellow at my side was good-humoured enough, but his presence naturally put the lid on our conversation. I didn't want to talk, however. I was trying to piece together a plan, and making very little of it, for I had nothing to go upon. We must find Hilda von Einem and Sandy, and between us we must wreck the Greenmantle business. That done, it didn't matter so much what happened to us. As I reasoned it out, the Turks must be in a bad way, and, unless they got a fillip from Greenmantle, would crumple up before the Russians. In the rout I hoped we might get a chance to change our sides. But it was no good looking so far forward; the first thing was to get to Sandy.

Now I was still in the mood of reckless bravado which I had got from bagging the car. I did not realise how thin our story was, and how easily Rasta might have a big graft at head-quarters. If I had, I would have shot out the German lieutenant long before we got to Erzerum, and found some way of getting mixed up in the ruck of the population. Hussin could have helped me to that. I was getting so confident since our interview with Posselt that I thought I could bluff the whole outfit.

But my main business that afternoon was pure nonsense. I was trying to find my little hill. At every turn of the road I expected to see the *castrol* before us. You must know that ever since I could stand I have been crazy about high mountains. My father took me to Basutoland when I was a boy, and I reckon I have scrambled over almost every bit of upland south of the Zambesi, from the Hottentots Holland to the Zoutpansberg, and from the ugly yellow kopjes of Damaraland to the noble cliffs of Mont aux Sources. One of the things I had looked forward to in coming home was the chance of climbing the Alps. But now I was among peaks that I fancied were bigger than the Alps, and I could hardly keep my eyes on the road. I was pretty certain that my *castrol* was among them, for that dream had taken an almighty hold on my mind. Funnily enough, I was ceasing to think it a place of evil omen, for one soon forgets the atmosphere of nightmare. But I was convinced that it was a thing I was destined to see, and to see pretty soon.

Darkness fell when we were some miles short of the city; and the last part was difficult driving. On both sides of the road transport and engineer's stores were parked, and some of it strayed into the highway. I noticed lots of small details—machine-gun detachments, signalling parties, squads of stretcher-bearers—which mean the fringe of an army, and as soon as the night began the white fingers of searchlights began to grope in the skies.

And then, above the hum of the roadside, rose the voice of the great guns. The shells were bursting four or five miles away, and the guns must have been as many more distant. But in that upland pocket of plain in the frosty night they sounded most intimately near. They kept up their solemn litany, with a minute's interval between each—no *rafale* which rumbles like a drum, but the steady persistence of artillery exactly ranged on a target. I judged they must be bombarding the outer forts, and once there came a loud explosion and a red glare as if a magazine had suffered.

It was a sound I had not heard for five months, and it fairly crazed me. I remembered how I had first heard it on the ridge before Laventie. Then I had been half afraid, half solemnised, but every nerve had been quickened. Then it had been the new thing in my life that held me breathless with anticipation; now it was the old thing, the thing I had shared with so many good fellows, my proper work, and the only task for a man. At the sound of the guns I felt that I was moving in natural air once more. I felt that I was coming home.

We were stopped at a long line of ramparts, and a German sergeant stared at us till he saw the lieutenant beside me, when he saluted and we passed on. Almost at once we dipped into narrow twisting streets, choked with soldiers, where it was a hard business to steer. There were few lights—only now and then the flare of a torch which showed the grey stone houses, with every window latticed and shuttered. I had put out my head-lights and had only side lamps, so we had to pick our way gingerly through the labyrinth. I hoped we would strike Sandy's quarters soon, for we were all pretty empty, and a frost had set in which made our thick coats seem as thin as paper.

The lieutenant did the guiding. We had to present our passports, and I anticipated no more difficulty than in landing from the boat at Boulogne. But I wanted to get it over, for my hunger pinched me, and it was fearsome cold. Still the guns went on, like hounds baying before a quarry. The city was out of range, but there were strange lights on the ridge to the east.

At last we reached our goal and marched through a fine old carved archway into a courtyard, and thence into a draughty hall.

"You must see the *Sektionschef*," said our guide.

I looked round to see if we were all there, and noticed that Hussin had disappeared. It did not matter, for he was not on the passports.

We followed as we were directed through an open door. There was a man standing with his back towards us looking at a wall map, a very big man with a neck that bulged over his collar.

I would have known that neck among a million. At the sight of it I made a half-turn to bolt back. It was too late, for the door had closed behind us, and there were two armed sentries beside it.

The man slewed round and looked into my eyes. I had a despairing hope that I might bluff it out, for I was in different clothes and had shaved my beard. But you cannot spend ten minutes in a death-gripple without your adversary getting to know you.

He went very pale, then recollected himself and twisted his features into the old grin.

"So," he said, "the little Dutchman! We meet after many days."

It was no good lying or saying anything. I shut my teeth and waited.

"And you, Herr Blenkiron? I never liked the look of you. You babbled too much, like all your damned Americans."

"I guess your personal dislikes haven't got anything to do with the matter," said Blenkiron, calmly. "If you're the boss here, I'll thank you to cast your eye over these passports, for we can't stand waiting for ever."

This fairly angered him. "I'll teach you manners," he cried, and took a step forward to reach for his shoulder—the game he had twice played with me.

Blenkiron never took his hands from his coat

pockets. "Keep your distance," he drawled in a new voice. "I've got you covered, and I'll make a hole in your bullet head if you lay a hand on me."

With an effort Stumm recovered himself. He rang a bell and fell to smiling. An orderly appeared to whom he spoke in Turkish, and presently a file of soldiers entered the room.

"I'm going to have you disarmed, gentlemen," he said. "We can conduct our conversation more pleasantly without pistols."

It was idle to resist. We surrendered our arms, Peter almost in tears with vexation. Stumm swung his legs over a chair, rested his chin on the back and looked at me.

"Your game is up, you know," he said. "These fools of Turkish police said the Dutchmen were dead, but I had the happier inspiration. I believed the good God had spared them for me. When I got Rasta's telegram I was certain, for your doings reminded me of a little trick you once played me on the Schwandorf road. But I didn't think to find this plump old partridge," and he smiled at Blenkiron. "Two eminent American engineers and their servant bound for Mesopotamia on business of high Government importance! It was a good lie; but if I had been in Constantinople it would have had a short life. Rasta and his friends are no concern of mine. You can trick them as you please. But you have attempted to win the confidence of a certain lady, and her interests are mine. Likewise you have offended me, and I do not forgive. By God," he cried, his voice growing shrill with passion, "by the time I have done with you your mothers in their graves will weep that they ever bore you!"

It was Blenkiron who spoke. His voice was as

level as the chairman's of a bogus company and it fell on that turbid atmosphere like acid on grease.

"I don't take no stock in high-falutin'. If you're trying to scare me by that dime-novel talk I guess you've hit the wrong man. You're like the sweep that stuck in the chimney, a bit too big for your job. I reckon you've a talent for ro-mance that's just wasted in soldiering. But if you're going to play any ugly games on me I'd like you to know that I'm an American citizen, and pretty well considered in my own country and in yours, and you'll sweat blood for it later. That's a fair warning, Colonel Stumm."

I don't know what Stumm's plans were, but that speech of Blenkiron's put into his mind just the needed amount of uncertainty. You see, he had Peter and me right enough, but he hadn't properly connected Blenkiron with us, and was afraid either to hit out at all three, or to let Blenkiron go. It was lucky for us that the American had cut such a dash in the Fatherland.

"There is no hurry," he said blandly. "We shall have long happy hours together. I'm going to take you all home with me, for I am a hospitable soul. You will be safer with me than in the town gaol, for it's a trifle draughty. It lets things in, and it might let things out."

Again he gave an order, and we were marched out, each with a soldier at his elbow. The three of us were bundled into the back seat of the car, while two men sat before us with their rifles between their knees, one got up behind on the baggage rack, and one sat beside Stumm's chauffeur. Packed like sardines we moved into the bleak streets, above which the stars twinkled in ribbons of sky.

Hussin had disappeared from the face of the earth, and quite right too. He was a good fellow, but he had no call to mix himself up in our troubles.

CHAPTER XVIII

SPARROWS ON THE HOUSETOPS

I'VE often regretted," said Blenkiron, "that miracles have left off happening."

He got no answer, for I was feeling the walls for something in the nature of a window.

"For I reckon," he went on, "that it wants a good old-fashioned copper-bottomed miracle to get us out of this fix. It's plumb against all my principles. I've spent my life using the talents God gave me to keep things from getting to the point of rude violence, and so far I've succeeded. But now you come along, Major, and you hustle a respectable middle-aged citizen into an aboriginal mix-up. It's mighty indelicate. I reckon the next move is up to you, for I'm no good at the housebreaking stunt."

"No more am I," I answered; "but I'm hanged if I'll chuck up the sponge. Sandy's somewhere outside, and he's got a hefty crowd at his heels."

I simply could not feel the despair which by every law of common sense was due to the case. The guns had intoxicated me. I could still hear their deep voices, though yards of wood and stone separated us from the upper air.

What vexed us most was our hunger. Barring a few mouthfuls on the road we had eaten nothing since the morning, and as our diet for the past days had not been generous we had some leeway to make up. Stumm had never looked near us since we were shoved into the car. We had been brought to some kind of house and bundled into a place like a wine-cellar. It was pitch dark, and after feeling round the walls, first on my feet and then with Peter on my back, I decided that there were no windows. It must have been lit and ventilated by some lattice in the ceiling. There was not a stick of furniture in the place: nothing but a damp earth floor and bare stone sides. The door was a relic of the Iron Age, and I could hear the paces of a sentry outside it.

When things get to the pass that nothing you can do can better them, the only thing is to live for the moment. All three of us sought in sleep a refuge from our empty stomachs. The floor was the poorest kind of bed, but we rolled up our coats for pillows and made the best of it. Soon I heard by Peter's regular breathing that he was asleep, and I presently followed him. . . .

I was awakened by a light touch on my cheek. I thought it was Peter, for it was the old hunter's trick of waking a man so that he makes no noise. But another voice spoke in my ear. It told me that there was no time to lose and to rise and follow, and the voice was the voice of Hussin.

Peter was awake, and we stirred Blenkiron out of heavy slumber. We were bidden take off our boots and hang them by their laces round our neck as country boys do when they want to go barefoot. Then we tiptoed to the door, which was ajar.

Outside was a passage with a flight of steps at one end which led to the open air. On these steps lay a faint shine of starlight, and by its help I saw a man huddled up at the foot of them. It was our sentry, neatly and scientifically gagged and tied up.

The steps brought us to a little courtyard about which the walls of the houses rose like cliffs. We halted while Hussin listened intently. Apparently the coast was clear and our guide led us to one side, which was clothed by a stout wooden trellis. Once it may have supported fig-trees, but now the plants were dead and only withered tendrils and rotten stumps remained.

It was child's play for Peter and me to go up that trellis, but it was the deuce and all for Blenkiron. He was in poor condition and puffed like a grampus, and he seemed to have no sort of head for heights. But he was as game as a buffalo, and started in gallantly till his arms gave out and he fairly stuck. So Peter and I went up on both sides of him, taking an arm apiece, as I had once seen done to a man with vertigo in the Kloof Chimney on Table Mountain. I was mighty thankful when I got him panting on the top and Hussin had shinned up beside us.

We crawled along a broadish wall, with an inch or two of powdery snow on it, and then up a sloping buttress on to the flat roof of the house. It was a miserable business for Blenkiron, who would certainly have fallen if he could have seen what was below him, and Peter and I had to stand to attention all the time. Then began a more difficult job. Hussin pointed out a ledge which took us past a stack of chimneys to another building slightly lower, this being the route he fancied. At that I sat down resolutely and put on my boots, and the others followed. Frost-bitten feet would be a poor asset in this kind of travelling.

It was a bad step for Blenkiron, and we only got

him past it by Peter and I spread-eagling ourselves against the wall and passing him in front of us with his face towards us. We had no grip, and if he had stumbled we should all three have been in the courtyard. But we got it over, and dropped as softly as possible on the roof of the next house. Hussin had his finger to his lips, and I soon saw why. For there was a lighted window in the wall we had descended.

Some imp prompted me to wait behind and explore. The others followed Hussin and were soon at the far end of the roof, where a kind of wooden pavilion broke the line, while I tried to get a look inside. The window was curtained, and had two folding sashes which clasped in the middle. Through a gap in the curtain I saw a little lamp-lit room and a big man sitting at a table littered with papers.

I watched him, fascinated, as he turned to consult some paper and made a marking on the map before him. Then he suddenly rose, stretched himself, cast a glance at the window, and went out of the room, making a great clatter in descending the wooden staircase. He left the door ajar and the lamp burning.

I guessed he had gone to have a look at his prisoners, in which case the show was up. But what filled my mind was an insane desire to get a sight of his map. It was one of those mad impulses which utterly cloud right reason, a thing independent of any plan, a crazy leap in the dark. But it was so strong that I would have pulled that window out by its frame, if need be, to get to that table.

There was no need, for the flimsy clasp gave at the first pull, and the sashes swung open. I scrambled in, after listening for steps on the stairs. I crumpled up the map and stuck it in my pocket, as well as the paper from which I had seen him copying. Very carefully I removed all marks of my entry, brushed away the snow from the boards, pulled back the curtain and got out and refastened the window. Still there was no sound of his return. Then I started off to catch up to the others.

I found them shivering in the roof pavilion. "We've got to move pretty fast," I said, "for I've just been burgling old Stumm's private cabinet. Hussin, my lad, d'you hear that? They may be after us at any moment, so I pray Heaven we soon strike better going."

Hussin understood. He led us at a smart pace from one roof to another, for here they were all of the same height, and only low parapets and screens divided these. We never saw a soul, for a winter's night is not the time you choose to saunter on your house-top. I kept my ears open for trouble behind us, and in about five minutes I heard it. A riot of voices broke out, with one louder than the rest, and, looking back, I saw lanterns waving. Stumm had realised his loss and found the tracks of the thief.

Hussin gave one glance behind and then hurried us on at a break-neck pace, with old Blenkiron gasping and stumbling. The shouts behind us grew louder, as if some eye quicker than the rest had caught our movement in the starlit darkness. It was very evident that if they kept up the chase we should be caught, for Blenkiron was about as useful on a roof as a hippo.

Presently we came to a big drop, and with a kind of ladder down it, and at the foot a shallow ledge running to the left into a pit of darkness. Hussin gripped my arm and pointed down it. "Follow it," he whispered, "and you will reach a roof which spans a street.

Cross it, and on the other side is a mosque. Turn to the right there and you will find easy going for fifty metres, well screened from the higher roofs. For Allah's sake keep in the shelter of the screen. Somewhere there I will join you."

He hurried us along the ledge for a bit and then went back, and with snow from the corners covered up our tracks. After that he went straight on himself, taking strange short steps like a bird. I saw his game. He wanted to lead our pursuers after him, and he had to multiply the tracks, and trust to Stumm's fellows now spotting that they all were made by one man.

But I had quite enough to think of in getting Blenkiron along that ledge. He was pretty nearly foundered, he was in a sweat of terror, and as a matter of fact he was taking one of the biggest risks of his life, for we had no rope and his neck depended on himself. But he ventured gallantly, and we got to the roof which ran across the street. That was easier, though ticklish enough, but it was no joke skirting the cupola of that infernal mosque. Then we found the parapet and breathed more freely, for we were now under shelter from the direction of danger. I spared a moment to look round, and thirty yards off, across the street, I saw a weird spectacle.

The hunt was proceeding along the roofs parallel to the one we were lodged on. I saw the flicker of the lanterns, waved up and down as the bearers slipped in the snow, and I heard their cries like hounds on a trail. Stumm was not among them: he had not the shape for that sort of business. They passed us and continued to our left, now hid by a jutting chimney, now clear to view against the sky line. The roofs they were on were perhaps six feet higher than ours, so even from our shelter we could mark their course. If Hussin were going to be hunted across Erzerum it was a bad look-out for us, for I hadn't the foggiest notion where we were or where we were going to.

But as we watched we saw something more. The wavering lanterns were now three or four hundred yards away, but on the roofs just opposite us across the street there appeared a man's figure. I thought it was one of the hunters, and we all crouched lower, and then I recognised the lean agility of Hussin. He must have doubled back, keeping in the dusk to the left of the pursuit, and taking big risks in the open places. But there he was now, exactly in front of us, and separated only by the width of the narrow street.

He took a step backward, gathered himself for a spring, and leaped clean over the gap. Like a cat he lighted on the parapet above us, and stumbled forward with the impetus right on our heads.

"We are safe for the moment," he whispered, "but when they miss me they will return. We must make good haste."

The next half-hour was a maze of twists and turns, slipping down icy roofs and climbing icier chimney-stacks. The stir of the city had gone, and from the black streets below came scarcely a sound. But always the great tattoo of guns beat in the east. Gradually we descended to a lower level, till we emerged on the top of a shed in a courtyard. Hussin gave an odd sort of cry, like a demented owl, and something began to stir below us.

It was a big covered wagon, full of bundles of forage, and drawn by four mules. As we descended from the shed into the frozen litter of the yard, a man came out of the shade and spoke low to Hussin. Peter and I lifted Blenkiron into the cart, and scrambled in beside him, and I never felt anything more blessed than the warmth and softness of that place after the frosty roofs. I had forgotten all about my hunger, and only yearned for sleep. Presently the wagon moved out of the courtyard into the dark streets.

Then Blenkiron began to laugh, a deep internal rumble which shook him violently and brought down a heap of forage on his head. I thought it was hysterics, the relief from the tension of the past hour. But it wasn't. His body might be out of training, but there was never anything the matter with his nerves. He was consumed with honest merriment.

"Say, Major," he gasped, "I don't usually cherish dislikes for my fellow men, but somehow I didn't cotton to Colonel Stumm. But now I almost love him. You hit his jaw very bad in Germany, and now you've annexed his private file, and I guess it's important or he wouldn't have been so mighty set on steeple-chasing over those roofs. I haven't done such a thing since I broke into neighbour Brown's woodshed to steal his tame 'possum, and I guess that's forty years back. It's the first piece of genooine amusement I've struck in this game, and I haven't laughed as much since old Jim Hooker told the tale of 'Cousin Sally Dillard' when we were hunting ducks in Michigan and his wife's brother had an apoplexy in the night and died of it."

To the accompaniment of Blenkiron's chuckles I

did what Peter had done in the first minute, and fell asleep.

When I woke it was still dark. The wagon had stopped in a courtyard which seemed to be shaded by great trees. The snow lay deeper here, and by the feel of the air we had left the city and climbed to higher ground. There were big buildings on one side, and on the other what looked like the side of a hill. No lights were shown, the place was in profound gloom, but I felt the presence near me of others besides Hussin and the driver.

We were hurried, Blenkiron only half awake, into an outbuilding, and then down some steps to a roomy cellar. There Hussin lit a lantern, which showed what had once been a storehouse for fruit. Old husks still strewed the floor and the place smelt of apples. Straw had been piled in corners for beds, and there was a rude table and a divan of boards covered with sheepskins.

"Where are we?" I asked Hussin.

"In the house of the Master," he said. "You will be safe here, but you must keep still till the Master comes."

"Is the Frankish lady here?" I asked.

Hussin nodded, and from a wallet brought out some food—raisins and cold meat and a loaf of bread. We fell on it like vultures, and as we ate Hussin disappeared. I noticed that he locked the door behind him.

As soon as the meal was ended the others returned to their interrupted sleep. But I was wakeful now and my mind was sharp-set on many things. I got Blenkiron's electric torch and lay down on the divan to study Stumm's map.

The first glance showed me that I had lit on a treasure. It was the staff map of the Erzerum defences, showing the forts and the field trenches, with little notes scribbled in Stumm's neat small handwriting. I got out the big map which I had taken from Blenkiron, and made out the general lie of the land. I saw the horseshoe of Deve Boyun to the east which the Russian guns were battering. It was just like the kind of squared artillery map we used in France, 1 in 10,000, with spidery red lines showing the trenches, but with the difference that it was the Turkish trenches that were shown in detail and the Russian only roughly indicated. The thing was really a confidential plan of the whole Erzerum *enceinte,* and would be worth untold gold to the enemy. No wonder Stumm had been in a wax at its loss.

The Deve Boyun lines seemed to me monstrously strong, and I remembered the merits of the Turk as a fighter behind strong defences. It looked as if Russia were up against a second Plevna or a new Gallipoli.

Then I took to studying the flanks. South lay the Palantuken range of mountains, with forts defending the passes, where ran the roads to Mush and Lake Van. That side, too, looked pretty strong. North in the valley of the Euphrates I made out two big forts, Tafta and Kara Gubek, defending the road from Olti. On this part of the map Stumm's notes were plentiful, and I gave them all my attention. I remembered Blenkiron's news about the Russians advancing on a broad front, for it was clear that Stumm was taking pains about the flank of the fortress.

Kara Gubek was the point of interest. It stood on a rib of land between two peaks, which from the contour lines rose very steep. So long as it was held it was clear that no invader could move down the Euphrates glen. Stumm had appended a note to the peaks—"*not fortified*"; and about two miles to the north-east there was a red cross and the name "*Prjevalsky.*" I assumed that to be the farthest point yet reached by the right wing of the Russian attack.

Then I turned to the paper from which Stumm had copied the jottings on to his map. It was typewritten, and consisted of notes on different points. One was headed "*Kara Gubek*" and read: "*No time to fortify adjacent peaks. Difficult for enemy to get batteries there, but not impossible. This is the real point of danger, for if Prjevalsky wins the peaks Kara Gubek and Tafta must fall, and enemy will be on left rear of Deve Boyun main position.*"

I was soldier enough to see the tremendous importance of this note. On Kara Gubek depended the defence of Erzerum, and it was a broken reed if one knew where the weakness lay. Yet, searching the map again, I could not believe that any mortal commander would see any chance in the adjacent peaks, even if he thought them unfortified. That was information confined to the Turkish and German staff. But if it could be conveyed to the Grand Duke he would have Erzerum in his power in a day. Otherwise he would go on battering at the Deve Boyun ridge for weeks, and long ere he won it the Gallipoli divisions would arrive, he would be outnumbered by two to one, and his chance would have vanished.

My discovery set me pacing up and down that cellar in a perfect fever of excitement. I longed for wireless, a carrier pigeon, an aeroplane—anything to bridge over that space of half a dozen miles between me and the Russian lines. It was maddening to have stumbled on vital news and to be wholly unable to use it. How could three fugitives in a cellar, with the whole hornet's nest of Turkey and Germany stirred up against them, hope to send this message of life and death?

I went back to the map and examined the nearest Russian positions. They were carefully marked. Prjevalsky in the north, the main force beyond Deve Boyun, and the southern column up to the passes of the Palantuken but not yet across them. I could not know which was nearest to us till I discovered where we were. And as I thought of this I began to see the rudiments of a desperate plan. It depended on Peter, now slumbering like a tired dog on a couch of straw.

Hussin had locked the door and I must wait for information till he came back. But suddenly I noticed a trap in the roof, which had evidently been used for raising and lowering the cellar's stores. It looked ill-fitting and might be unbarred, so I pulled the table below it, and found that with a little effort I could raise the flap. I knew I was taking immense risks, but I was so keen on my plan that I disregarded them. After some trouble I got the thing prised open, and catching the edges of the hole with my fingers raised my body and got my knees on the edge.

It was the outbuilding of which our refuge was the cellar, and it was half filled with light. Not a soul was there, and I hunted about till I found what I wanted. This was a ladder leading to a sort of loft, which in turn gave access to the roof. Here I had to be very careful, for I might be overlooked from the high buildings. But by good luck there was a trellis for grape vines across the roof, which gave a kind of shelter. Lying flat on my face I stared over a great expanse of country.

Looking north I saw the city in a haze of morning smoke, and beyond, the plain of the Euphrates and the opening of the glen where the river left the hills. Up there, among the snowy heights, were Tafta and Kara Gubek. To the east was the ridge of Deve Boyun, where the mist was breaking before the winter's sun. On the roads up to it I saw transport moving, I saw the circle of the inner forts, but for a moment the guns were silent. South rose a great wall of white mountain, which I took to be the Palantuken. I could see the roads running to the passes, and the smoke of camps and horse-lines right under the cliffs.

I had learned what I needed. We were in the purlieus of a big country house two or three miles south of the city. The nearest point of the Russian front was somewhere in the foothills of the Palantuken.

As I descended I heard, thin and faint and beautiful, like the cry of a wild bird, the muezzin from the minarets of Erzerum.

When I dropped through the trap the others were awake. Hussin was setting food on the table, and viewing my descent with anxious disapproval.

"It's all right," I said; "I won't do it again, for I've found out all I wanted. Peter, old man, the biggest job of your life is before you!"

CHAPTER XIX

GREENMANTLE

PETER scarcely looked up from his breakfast.

"I'm willing, Dick," he said. "But you mustn't ask me to be friends with Stumm. He makes my stomach cold, that one."

"Not to be friends with him, but to bust him and all his kind."

"Then I'm ready," said Peter cheerfully. "What is it?"

I spread out the map on the divan. There was no light in the place but Blenkiron's electric torch, for Hussin had put out the lantern. Peter got his nose into the things at once, for his intelligence work in the Boer War had made him handy with maps. It didn't want much telling from me to explain to him the importance of the one I had looted.

"That news is worth many million pounds," said he, wrinkling his brows, and scratching delicately the tip of his left ear. It was a way he had when he was startled.

"How can we get it to our friends?"

Peter cogitated. "There is but one way. A man must take it. Once, I remember, when we fought the Matabele it was necessary to find whether the chief Makapan was living. Some said he had died, others that he'd gone over the Portuguese border, but I believed he lived. No native could tell us, and since his kraal was well defended no runner could get through. So it was necessary to send a man."

Peter lifted up his head and laughed. "The man found the chief Makapan. He was very much alive, and made good shooting with a shot-gun. But the man brought the chief Makapan out of his kraal and handed him over to the Mounted Police. You remember Captain Arcoll, Dick—Jim Arcoll? Well, Jim laughed so much that he broke open a wound in his head, and had to have the doctor."

"You were that man, Peter," I said.

"*Ja.* I was the man. There are more ways of getting into kraals than there are ways of keeping people out."

"Will you take this chance?"

"For certain, Dick. I am getting stiff with doing nothing, and if I sit in houses much longer I shall grow old. A man bet me five pounds on the ship that I could not get through a trench-line, and if there had been a trench-line handy I would have taken him on. I will be very happy, Dick, but I do not say I will succeed. It is new country to me, and I will be hurried, and hurry makes bad stalking."

I showed him what I thought the likeliest place—in the spurs of the Palantuken mountains. Peters' way of doing things was all his own. He scraped earth and plaster out of a corner and sat down to make a little model of a landscape on the table, following the contours of the map. He did it extraordinarily neatly, for, like all great hunters, he was as deft as a weaver-bird. He puzzled over it for a long time, and conned the map till he must have got it by heart. Then he took his field-glasses—a very good single

Zeiss which was part of the spoils from Rasta's motor-car—and announced that he was going to follow my example and get on the house-top. Presently his legs disappeared through the trap, and Blenkiron and I were left to our reflections.

Peter must have found something uncommon interesting, for he stayed on the roof the better part of the day. It was a dull job for us, since there was no light, and Blenkiron had not even the consolation of a game of Patience. But for all that he was in good spirits, for he had had no dyspepsia since we left Constantinople, and announced that he believed he was at last getting even with his darned duodenum. As for me I was pretty restless, for I could not imagine what was detaining Sandy. It was clear that our presence must have been kept secret from Hilda von Einem, for she was a pal of Stumm's, and he must by now have blown the gaff on Peter and me. How long could this secrecy last? I asked myself. We had now no sort of protection in the whole outfit. Rasta and the Turks wanted our blood: so did Stumm and the Germans; and once the lady found we were deceiving her she would want it most of all. Our only help was Sandy, and he gave no sign of his existence. I began to fear that with him, too, things had miscarried.

And yet I wasn't really depressed, only impatient. I could never again get back to the beastly stagnation of that Constantinople week. The guns kept me cheerful. There was the devil of a bombardment all day, and the thought that our Allies were thundering there half a dozen miles off gave me a perfectly groundless hope. If they burst through the defence Hilda von Einem and her prophet and all our enemies would be overwhelmed in the deluge. And that blessed chance depended very much on old Peter, now brooding like a pigeon on the house-tops.

It was not till the late afternoon that Hussin appeared again. He took no notice of Peter's absence, but lit a lantern and set it on the table. Then he went to the door and waited. Presently a light step fell on the stairs, and Hussin drew back to let some one enter. He promptly departed and I heard the key turn in the lock behind him.

Sandy stood there, but a new Sandy who made Blenkiron and me jump to our feet. The pelts and skin-cap had gone, and he wore instead a long linen tunic clasped at the waist by a broad girdle. A strange green turban adorned his head, and as he pushed it back I saw that his hair had been shaved. He looked like some acolyte—a weary acolyte, for there was no spring in his walk or nerve in his carriage. He dropped numbly on the divan and laid his head in his hands. The lantern showed his haggard eyes with dark lines beneath them.

"Good God, old man, have you been sick?" I cried.

"Not sick," he said hoarsely. "My body is right enough, but the last few days I have been living in hell."

Blenkiron nodded sympathetically. That was how he himself would have described the company of the lady.

I marched across to him and gripped both his wrists.

"Look at me," I said, "straight in the eyes."

His eyes were like a sleep-walker's, unwinking, unseeing. "Great heavens, man, you've been drugged!" I said.

"Drugged," he cried, with a weary laugh. "Yes, I have been drugged, but not by any physic. No one has been doctoring my food. But you can't go through hell without getting your eyes red-hot."

I kept my grip on his wrists. "Take your time, old chap, and tell us about it. Blenkiron and I are here, and old Peter's on the roof not far off. We'll look after you."

"It does me good to hear your voice, Dick," he said. "It reminds me of clean, honest things."

"They'll come back, never fear. We're at the last lap now. One more spurt and it's over. You've got to tell me what the new snag is. Is it that woman?"

He shivered like a frightened colt. "Woman!" he cried. "Does a woman drag a man through the nether-pit? She's a she-devil. Oh, it isn't madness that's wrong with her. She's as sane as you and as cool as Blenkiron. Her life is an infernal game of chess, and she plays with souls for pawns. She is evil —evil—evil. . . ." And once more he buried his head in his hands.

It was Blenkiron who brought sense into this hectic atmosphere. His slow, beloved drawl was an antiseptic against nerves.

"Say, boy," he said, "I feel just like you about the lady. But our job is not to investigate her character. Her Maker will do that good and sure some day. We've got to figure how to circumvent her, and for that you've got to tell us what exactly's been occurring since we parted company."

Sandy pulled himself together with a great effort.

"Greenmantle died that night I saw you. We buried him secretly by her order in the garden of the villa. Then came the trouble about his successor. . . . The four Ministers would be no party to a swindle. They were honest men, and vowed that their task now was to make a tomb for their master and pray for the rest of their days at his shrine. They were as immovable as a granite hill, and she knew it. . . . Then they too died."

"Murdered?" I gasped.

"Murdered . . . all four in one morning. I do not know how, but I helped to bury them. Oh, she has Germans and Kurds to do her foul work, but their hands were clean compared to hers. Pity me, Dick, for I have seen honesty and virtue put to the shambles and have abetted the deed when it was done. It will haunt me till my dying day."

I did not stop to console him, for my mind was on fire with his news.

"Then the prophet is gone, and the humbug is over," I cried.

"The prophet still lives. She has found a successor."

He stood up in his linen tunic.

"Why do I wear these clothes? Because I am Greenmantle. I am the Kaába-i-hurriyeh for all Islam. In three days' time I will reveal myself to my people and wear on my breast the green ephod of the prophet."

He broke off with an hysterical laugh.

"Only you see, I won't. I will cut my throat, first."

"Cheer up!" said Blenkiron soothingly. "We'll find some prettier way than that."

"There is no way," he said; "no way but death. We're done for, all of us. Hussin got you out of Stumm's clutches, but you're in danger every moment.

At the best you have three days, and then you, too, will be dead."

I had no words to reply. This change in the bold and unshakable Sandy took my breath away.

"She made me her accomplice," he went on. "I should have killed her on the graves of those innocent men. But instead I did all she asked, and joined in her game. . . . She was very candid, you know. . . . She cares no more than Enver for the faith of Islam. She can laugh at it But she has her own dreams, and they consume her as a saint is consumed by his devotion. She has told me them, and if the day in the garden was hell, the days since have been the innermost fires of Tophet. I think—it is horrible to say it—that she has got some kind of crazy liking for me. When we have reclaimed the East I am to be by her side when she rides on her milk-white horse into Jerusalem. . . . And there have been moments —only moments, I swear to God—when I have been fired myself by her madness. . . ."

Sandy's figure seemed to shrink and his voice grew shrill and wild. It was too much for Blenkiron. He indulged in a torrent of blasphemy such as I believe had never before passed his lips.

"I'm damned if I'll listen to this God-darned stuff. It isn't delicate. You get busy, Major, and pump some sense into your afflicted friend."

I was beginning to see what had happened. Sandy was a man of genius—more than anybody I ever struck—but he had the defects of such high-strung, fanciful souls. He would take more than mortal risks, and you couldn't scare him by any ordinary terror. But let his old conscience get cross-eyed, let him find himself in some situation which in his eyes involved his honour, and he might go stark crazy. The woman, who roused in me and Blenkiron only hatred, could catch his imagination and stir in him—for the moment only—an unwilling response. And then came bitter and morbid repentance, and the last desperation.

It was no time to mince matters. "Sandy, you old fool," I cried, "be thankful you have friends to keep you from playing the fool. You saved my life at Loos, and I'm jolly well going to get you through this show. I'm bossing the outfit now, and for all your damned prophetic manners you've got to take your orders from me. You aren't going to reveal yourself to your people, and still less are you going to cut your throat. Greenmantle will avenge the murder of his forerunners, and make that bedlamite woman sorry she was born. We're going to get clear away, and inside of a week we'll be having tea with the Grand Duke Nicholas."

I wasn't bluffing. Puzzled as I was about ways and means I had still the blind belief that we should win out. And as I spoke two legs dangled through the trap and a dusty and blinking Peter descended in our midst.

I took the maps from him and spread them on the table.

"First, you must know that we've had an almighty piece of luck. Last night Hussin took us for a walk over the roofs of Erzerum, and by the blessing of Providence I got into Stumm's room and bagged his staff map. . . . Look there . . . d'you see his notes? That's the danger-point of the whole defence. Once the Russians get that fort, Kara Gubek, they've turned the main position. And it can be got; Stumm knows it can; for these two adjacent hills are not held. . . . It looks a mad enterprise on paper, but Stumm knows that it is possible enough. The question is: Will the Russians guess that? I say no, not unless some one tells them. Therefore we've by hook or by crook got to get that information through to them."

Sandy's interest in ordinary things was beginning to flicker up again. He studied the map and began to measure distances.

"Peter's going to have a try for it. He thinks there's a sporting chance of his getting through the lines. If he does—if he gets this map to the Grand Duke's staff—then Stumm's goose is cooked. In three days the Cossacks will be in the streets of Erzerum."

"What are the chances?" Sandy asked.

I glanced at Peter. "We're hard-bitten fellows and can face the truth. I think the chances against success are about five to one."

"Two to one," said Peter modestly. "Not worse than that. I don't think you're fair to me, Dick, my old friend."

I looked at that lean, tight figure and the gentle, resolute face, and I changed my mind. "I'm hanged if I think there are any odds," I said. "With anybody else it would want a miracle, but with Peter I believe the chances are level."

"Two to one," Peter persisted. "If it was evens I wouldn't be interested."

"Let me go," Sandy cried. "I talk the lingo, and can pass as a Turk, and I'm a million times likelier to get through. For God's sake, Dick, let me go."

"Not you. You're wanted here. If you disappear the whole show's busted too soon, and the three of us left behind will be strung up before morning. . . . No, my son. You're going to escape, but it will be in company with Blenkiron and me. We've got to blow the whole Greenmantle business so high that the bits of it will never come to earth again. . . . First, tell me how many of your fellows will stick by you? I mean the Companions."

"The whole half-dozen. They are very worried already about what has happened. She made me sound them in her presence, and they were quite ready to accept me as Greenmantle's successor. But they have their suspicions about what happened at the villa, and they've no love for the woman. . . . They'd follow me through hell if I bade them, but they would rather it was my own show."

"That's all right," I cried. "It is the one thing I've been doubtful about. Now observe this map. Erzerum isn't invested by a long chalk. The Russians are round it in a broad half-moon. That means that all the west, south-west, and north-west is open and undefended by trench-lines. There are flanks far away to the north and south in the hills which can be turned, and once we get round a flank there's nothing between us and our friends. . . . I've figured out our road," and I traced it on the map. "If we can make that big circuit to the west and get over that pass unobserved we're bound to strike a Russian column the next day. It'll be a rough road, but I fancy we've all ridden as bad in our time. But one thing we must have, and that's horses. Can we and your six ruffians slip off in the darkness on the best beasts in this township? If you can manage that, we'll do the trick."

Sandy sat down and pondered. Thank Heaven, he

was thinking now of action and not of his own conscience.

"It must be done," he said at last, "but it won't be easy. Hussin's a great fellow, but as you know well, Dick, horses right up at the battle-front are not easy to come by. To-morrow I've got some kind of infernal fast to observe, and the next day that woman will be coaching me for my part. We'll have to give Hussin time. . . . I wish to Heaven it could be to-night." He was silent again for a bit, and then he said: "I believe the best time would be the third night, the eve of the Revelation. She's bound to leave me alone that night."

"Right-o," I said. "It won't be much fun sitting waiting in this cold sepulchre; but we must keep our heads and risk nothing by being in a hurry. Besides, if Peter wins through, the Turk will be a busy man by the day after to-morrow."

The key turned in the door and Hussin stole in like a shade. It was the signal for Sandy to leave.

"You fellows have given me a new lease of life," he said. "I've got a plan now, and I can set my teeth and stick it out."

He went up to Peter and gripped his hand. "Good luck. You're the bravest man I've ever met, and I've seen a few." Then he turned abruptly and went out, followed by an exhortation from Blenkiron to "Get busy about the quadrupeds."

. . . . .

Then we set about equipping Peter for his crusade. It was a simple job, for we were not rich in properties. His get-up, with his thick fur-collared greatcoat, was not unlike the ordinary Turkish officer seen in a dim light. But Peter had no intention of passing for a Turk, or indeed of giving anybody the chance of seeing him, and he was more concerned to fit in with the landscape. So he stripped off the great-coat and pulled a grey sweater of mine over his jacket, and put on his head a woollen helmet of the same colour. He had no need of the map, for he had long since got his route by heart, and what was once fixed in that mind stuck like wax; but I made him take Stumm's plan and paper, hidden below his shirt. The big difficulty, I saw, would be getting to the Russians without being shot, assuming he passed the Turkish trenches. He could only hope that he would strike some one with a smattering of English or German. Twice he ascended to the roof and came back cheerful, for there was promise of wild weather.

Hussin brought in our supper, and Peter made up a parcel of food. Blenkiron and I had both small flasks of brandy and I gave him mine.

Then he held out his hand quite simply, like a good child who is going off to bed. It was too much for Blenkiron. With large tears rolling down his face he announced that if we all came through, he was going to fit him into the softest berth that money could buy. I don't think he was understood, for old Peter's eyes had now that faraway absorption of the hunter who has found game. He was thinking only of his job.

Two legs and a pair of very shabby boots vanished through the trap, and suddenly I felt utterly lonely and desperately sad. The guns were beginning to roar again in the east, and in the intervals came the whistle of the rising storm.

CHAPTER XX

PETER PIENAAR GOES TO THE WARS

THIS chapter is the tale that Peter told me—long after, sitting beside a stove in the hotel at Bergen, where we were waiting for our boat.

He climbed on the roof and shinned down the broken bricks of the outer walls. The outbuilding we were lodged in abutted on a road, and was outside the proper *enceinte* of the house. At ordinary times I have no doubt there were sentries, but Sandy and Hussin had probably managed to clear them off this end for a little. Anyhow he saw nobody as he crossed the road and dived into the snowy fields.

He knew very well that he must do the job in the twelve hours of darkness ahead of him. The immediate front of a battle is a bit too public for any one to lie hidden in by day, especially when two or three feet of snow make everything kenspeckle. Now hurry in a job of this kind was abhorrent to Peter's soul, for, like all Boers, his tastes were for slowness and sureness, though he could hustle fast enough when haste was needed. As he pushed through the winter fields he reckoned up the things in his favour, and found the only one the dirty weather. There was a high, gusty wind, blowing scuds of snow but never coming to any great fall. The frost had gone, and the lying snow was as soft as butter. That was all to the good, he thought, for a clear, hard night would have been the devil.

The first bit was through farmlands, which were seamed with little snow-filled water-furrows. Now and then would come a house and a patch of fruit trees, but there was nobody abroad. The roads were crowded enough, but Peter had no use for roads. I can picture him swinging along with his bent back, stopping every now and then to sniff and listen, alert for the foreknowledge of danger. When he chose he could cover country like an antelope.

Soon he struck a big road full of transports. It was the road from Erzerum to the Palantuken pass, and he waited his chance and crossed it. After that the ground grew rough with boulders and patches of thorn-trees, splendid cover where he could move fast without worrying. Then he was pulled up suddenly on the bank of a river. The map had warned him of it, but not that it would be so big.

It was a torrent swollen with melting snow and rains in the hills, and it was running fifty yards wide. Peter thought he could have swum it, but he was very averse to a drenching. "A wet man makes too much noise," he said, and besides, there was the off-chance that the current would be too much for him. So he moved up stream to look for a bridge.

In ten minutes he found one, a new-made thing of trestles, broad enough to take transport wagons. It was guarded, for he heard the tramp of a sentry, and as he pulled himself up the bank he observed a couple of long wooden huts, obviously some kind of billets. These were on the near side of the stream, about a dozen yards from the bridge. A door stood open and a light showed in it, and from within came the sound of voices. . . . Peter had a sense of hearing like a wild animal, and he could detect even from the confused gabble that the voices were German.

As he lay and listened some one came over the bridge. It was an officer, for the sentry saluted. The man disappeared in one of the huts. Peter had struck the billets and repairing-shop of a squad of German sappers.

He was just going ruefully to retrace his steps and try to find a good place to swim the stream when it struck him that the officer who had passed him wore clothes very like his own. He, too, had had a grey sweater and a Balaclava helmet, for even a German officer ceases to be dressy on a mid-winter's night in Anatolia. The idea came to Peter to walk boldly across the bridge and trust to the sentry not seeing the difference.

He slipped round a corner of the hut and marched down the road. The sentry was now at the far end, which was lucky, for if the worst came to the worst he could throttle him. Peter, mimicking the stiff German walk, swung past him, his head down as if to protect him from the wind.

The man saluted. He did more, for he offered conversation. The officer must have been a genial soul. "It's a rough night, Captain," he said in German. "The wagons are late. Pray God, Michael hasn't got a shell in his lot. They've begun putting over some big ones."

Peter grunted good-night in German and strode on. He was just leaving the road when he heard a great hulloo behind him.

The real officer must have appeared on his heels,

and the sentry's doubts had been stirred. A whistle was blown, and, looking back, Peter saw lanterns waving in the gale. They were coming out to look for the duplicate.

He stood still for a second, and noticed the lights spreading out south of the road. He was just about to dive off it on the north side when he was aware of a difficulty. On that side a steep bank fell to a ditch, and the bank beyond bounded a big flood. He could see the dull ruffle of the water under the wind.

On the road itself he would soon be caught; south of it the search was beginning; and the ditch itself was no place to hide, for he saw a lantern moving up it. Peter dropped into it all the same and made a plan. The side below the road was a little undercut and very steep. He resolved to plaster himself against it, for he would be hidden from the road, and a searcher in the ditch would not be likely to explore the unbroken sides. It was always a maxim of Peter's that the best hiding-place was the worst, the least obvious to the minds of those who were looking for you.

He waited till the lights both in the road and the ditch came nearer, and then he gripped the edge with his left hand, where some stones gave him purchase, dug the toes of his boots into the wet soil, and stuck like a limpet. It needed some strength to keep the position for long, but the muscles of his arms and legs were like whipcord.

The searcher in the ditch soon got tired, for the place was very wet, and joined his comrades on the road. They came along, running, flashing the lanterns into the trench, and exploring all the immediate countryside.

Then rose a noise of wheels and horses from the opposite direction. Michael and the delayed wagons were approaching. They dashed up at a great pace, driven wildly, and for one horrid second Peter thought they were going to spill into the ditch at the very spot where he was concealed. The wheels passed so close to the edge that they almost grazed his fingers. Somebody shouted an order and they pulled up a yard or two nearer the bridge. The others came up and there was a consultation.

Michael swore he had passed no one on the road.

"That fool Hannus has seen a ghost," said the officer testily. "It's too cold for this child's play."

Hannus, almost in tears, repeated his tale. "The man spoke to me in good German," he cried.

"Ghost or no ghost he is safe enough up the road," said the officer. "Kind God, that was a big one!" He stopped and stared at a shell-burst, for the bombardment from the east was growing fiercer.

They stood discussing the fire for a minute and then moved off. Peter gave them two minutes' law and then clambered back to the highway and set off along it at a run. The noise of the shelling and the wind, together with the thick darkness, made it safe to hurry.

He left the road at the first chance and took to the broken country. The ground was now rising towards a spur of the Palantuken, on the far slope of which were the Turkish trenches. The night had begun by being pretty nearly as black as pitch; even the smoke from the shell explosions, which is often visible in darkness, could not be seen. But as the wind blew the snow-clouds athwart the sky patches of stars came out. Peter had a compass, but he didn't need to use it, for he had a kind of "feel" for landscape, a special sense which is born in savages and can be acquired after long experience by the white man. I believe he could smell where the north lay. He had settled roughly which part of the line he would try, merely because of its nearness to the enemy. But he might see reason to vary this, and as he moved he began to think that the safest place was where the shelling was hottest. He didn't like the notion, but it sounded sense.

Suddenly he began to puzzle over queer things in the ground, and, as he had never seen big guns before, it took him a moment to fix them. Presently one went off at his elbow with a roar like the Last Day. These were the Austrian howitzers—nothing over 8-inch, I fancy, but to Peter they looked like leviathans. Here, too, he saw for the first time a big and quite recent shell-hole, for the Russian guns were searching out the position. He was so interested in it all that he poked his nose where he shouldn't have been, and dropped plump into the pit behind a gun-emplacement.

Gunners all the world over are the same—shy people, who hide themselves in holes and hibernate and mortally dislike being detected.

A gruff voice cried "*Wer da?*" and a heavy hand seized his neck.

Peter was ready with his story. He belonged to Michael's wagon-team and had been left behind. He wanted to be told the way to the sappers' camp. He was very apologetic, not to say obsequious.

"It is one of those Prussian swine from the Marta Bridge," said a gunner. "Land him a kick to teach him sense. Bear to your right, mannikin, and you will find a road. And have a care when you get there, for the Russkoes are registering on it."

Peter thanked them and bore off to the right. After that he kept a wary eye on the howitzers, and was thankful when he got out of their area on to the slopes up the hill. Here was the type of country that was familiar to him, and he defied any Turk or Boche to spot him among the scrub and boulders. He was getting on very well, when once more, close to his ear, came a sound like the crack of doom.

It was the field-guns now, and the sound of a field-gun close at hand is bad for the nerves if you aren't expecting it. Peter thought he had been hit, and lay flat for a little to consider. Then he found the right explanation, and crawled forward very warily.

Presently he saw his first Russian shell. It dropped half a dozen yards to his right, making a great hole in the snow and sending up a mass of mixed earth, snow, and broken stones. Peter spat out the dirt and felt very solemn. You must remember that never in his life had he seen big shelling, and was now being landed in the thick of a first-class show without any preparation. He said he felt cold in his stomach, and very wishful to run away, if there had been anywhere to run to. But he kept on to the crest of the ridge, over which a big glow was broadening like a sunrise. There he got his face between two boulders and looked over into the true battle-field.

He told me it was exactly what the predikant used to say that Hell would be like. About fifty yards down the slope lay the Turkish trenches—they were quite dark against the snow, and now and then a black figure like a devil showed for an instant and disappeared. The Turks clearly expected an infantry attack, for they were sending up calcium rockets and Verey flares. The Russians were battering their line and spraying all the hinterland, not with shrapnel, but with good, solid high-explosives. The place would be as bright as day for a moment, all smothered in a scurry of smoke and snow and debris, and then a black pall would fall on it, when only the thunder of the guns told of the battle.

Peter felt very sick. He had not believed there could be so much noise in the world, and the drums of his ears were splitting. Now, for a man to whom courage is habitual, the taste of fear—naked, utter fear—is a horrible thing. It seems to wash away all his manhood. Peter lay on the crest; watching the shells burst, and confident that any moment he might be a shattered remnant. He lay and reasoned with himself, calling himself every name he could think of, but conscious that nothing would get rid of that lump of ice below his heart.

Then he could stand it no longer. He got up and ran for his life.

But he ran forward.

It was the craziest performance. He went hell-for-leather over a piece of ground which was being watered with H.E., but by the mercy of Heaven nothing hit him. He took some fearsome tosses in shell-holes, but partly erect and partly on all fours he did the fifty yards and tumbled into a Turkish trench right on the top of a dead man.

The contact with that body brought him to his senses. That men could die at all seemed a comforting, homely thing after that unnatural pandemonium.

The next moment a crump took the parapet of the trench some yards to his left, and he was half buried in an avalanche.

He crawled out of that, pretty badly cut about the head. He was quite cool now and thinking hard about his next step. There were men all around him, sullen dark faces as he saw them when the flares went up. They were manning the parapets and waiting tensely for something else than the shelling. They paid no attention to him, for I fancy in that trench units were pretty well mixed up, and under a bad bombardment no one bothers about his neighbour. He found himself free to move as he pleased. The ground of the trench was littered with empty cartridge-cases, and there were many bodies.

The last shell, as I have said, had played havoc with the parapet. In the next spell of darkness Peter crawled through the gap and twisted among some snowy hillocks. He was no longer afraid of shells, any more than he was afraid of a veld thunder-storm. But he was wondering very hard how he should ever get to the Russians. The Turks were behind him now, but there was the biggest danger in front.

Then the artillery ceased. It was so sudden that he thought he had gone deaf, and could hardly realise the blessed relief of it. The wind, too, seemed to have fallen, or perhaps he was sheltered by the lee of the hill. There were a lot of dead here also, and that he couldn't understand, for they were new dead. Had the Turks attacked and been driven back? When he had gone about thirty yards he stopped to take his bearings. On the right were the ruins of a large building set on fire by the guns. There was a blur of woods and the debris of walls round it. Away to the left another hill ran out farther to the east, and the place he was in seemed to be a kind of cup between the spurs. Just before him was a little ruined building, with the sky seen through its rafters, for the smouldering ruin on the right gave a certain light. He wondered if the Russian firing-line lay there.

Just then he heard voices—smothered voices—not a yard away and apparently below the ground. He instantly jumped to what this must mean. It was a Turkish trench—a communication trench. Peter didn't know much about modern war, but he had read in the papers, or heard from me, enough to make him draw the right moral. The fresh dead pointed to the same conclusion. What he had got through were the Turkish support trenches, not their firing-line. That was still before him.

He didn't despair, for the rebound from panic had made him extra courageous. He crawled forward, an inch at a time, taking no sort of risks, and presently found himself looking at the parados of a trench. Then he lay quiet to think out the next step.

The shelling had stopped, and there was that queer kind of peace which falls sometimes on two armies not a quarter of a mile distant. Peter said he could hear nothing but the far-off sighing of the wind. There seemed to be no movement of any kind in the trench before him, which ran through the ruined building. The light of the burning was dying, and he could just make out the mound of earth a yard in front. He began to feel hungry, and got out his packet of food and had a swig at the brandy flask. That comforted him, and he felt a master of his fate again. But the next step was not so easy. He must find out what lay behind that mound of earth.

Suddenly a curious sound fell on his ears. It was so faint that at first he doubted the evidence of his senses. Then as the wind fell it came louder. It was exactly like some hollow piece of metal being struck by a stick, musical and oddly resonant.

He concluded it was the wind blowing a branch of a tree against an old boiler in the ruin before him. The trouble was that there was scarcely enough wind now for that in this sheltered cup.

But as he listened he caught the note again. It was a bell, a fallen bell, and the place before him must have been a chapel. He remembered that an Armenian monastery had been marked on the big map, and he guessed it was the burned building on his right.

The thought of a chapel and a bell gave him the notion of some human agency. And then suddenly the notion was confirmed. The sound was regular and concerted—dot, dash, dot—dash, dot, dot. The branch of a tree and the wind may play strange pranks, but they do not produce the longs and shorts of the Morse Code.

This was where Peter's intelligence work in the Boer War helped him. He knew the Morse, he could read it, but he could make nothing of the signalling. It was either in some special code or in a strange language.

He lay still and did some calm thinking. There was a man in front of him, a Turkish soldier, who was in the enemy's pay. Therefore he could fraternise with him, for they were on the same side. But how was he to approach him without getting shot in the process? Again, how could a man send signals to the enemy from a firing-line without being detected?

Peter found an answer in the strange configuration of the ground. He had not heard a sound till he was a few yards from the place, and they would be inaudible to men in the reserve trenches and even in the communication trenches. If somebody moving up the latter caught the noise, it would be easy to explain it naturally. But the wind blowing down the cup would carry it far in the enemy's direction.

There remained the risk of being heard by those parallel with the bell in the firing trenches. Peter concluded that that trench must be very thinly held, probably only by a few observers, and the nearest might be a dozen yards off. He had read about that being the French fashion under a big bombardment.

The next thing was to find out how to make himself known to this ally. He decided that the only way was to surprise him. He might get shot, but he trusted to his strength and agility against a man who was almost certainly wearied. When he had got him safe, explanations might follow.

Peter was now enjoying himself hugely. If only those infernal guns kept silent he would play out the game in the sober, decorous way he loved. So very delicately he began to wriggle forward to where the sound was.

The night was now as black as ink round him, and very quiet, too, except for soughings of the dying gale. The snow had drifted a little in the lee of the ruined walls, and Peter's progress was naturally very slow. He could not afford to dislodge one ounce of snow. Still the tinkling went on, now in greater volume, and Peter was in terror lest it should cease before he got his man.

Presently his hand clutched at empty space. He

was on the lip of the front trench. The sound was now a yard to his right, and with infinite care he shifted his position. Now the bell was just below him, and he felt the big rafter of the woodwork from which it had fallen. He felt something else—a stretch of wire fixed in the ground with the far end hanging in the void. That would be the spy's explanation if any one heard the sound and came seeking the cause.

Somewhere in the darkness before and below him was the man, not a yard off. Peter remained very still, studying the situation. He could not see, but he could feel the presence, and he was trying to decide the relative position of man and bell and their exact distance from him. The thing was not so easy as it looked, for if he jumped for where he believed the figure was, he might miss it and get a bullet in the stomach. A man who played so risky a game was probably handy with his firearms. Besides, if he should hit the bell, he would make a hideous row and alarm the whole front.

Fate suddenly gave him the right chance. The unseen figure stood up and moved a step, till his back was against the parados. He actually brushed against Peter's elbow, who held his breath.

There is a catch which the Kaffirs have which would need several diagrams to explain. It is partly a neck hold, and partly a paralysing backward twist of the right arm, but if it is practised on a man from behind, it locks him as sure as if he were handcuffed. Peter slowly got his body raised and his knees drawn under him, and reached for his prey.

He got him. A head was pulled backward over the edge of the trench, and he felt in the air the motion of the left arm pawing feebly but unable to reach behind.

"Be still," whispered Peter in German; "I mean you no harm. We are friends of the same purpose. Do you speak German?"

"Nein," said a muffled voice.

"English?"

"Yes," said the voice.

"Thank God," said Peter. "Then we can understand each other. I've watched your notion of signalling, and a very good one it is. I've got to get through to the Russian lines somehow before morning, and I want you to help me. I'm English—a kind of English, so we're on the same side. If I let go your neck will you be good and talk reasonably?"

The voice assented. Peter let go, and in the same instant slipped to the side. The man wheeled round and flung out an arm but gripped vacancy.

"Steady, friend," said Peter; "you mustn't play tricks with me or I'll be angry."

"Who are you? Who sent you?" asked the puzzled voice.

Peter had a happy thought. "The Companions of the Rosy Hours," he said.

"Then are we friends indeed," said the voice. "Come out of the darkness, friend, and I will do you no harm. I am a good Turk, but I fought beside the English in Kordofan, and I learned their tongue. I live only to see the ruin of Enver, who has beggared my family and slain my twin brother. Therefore I serve the *Muscov ghiaours."*

"I don't know what the Musky Jaws are, but if you mean the Russians I'm with you. I've got news for them which will make Enver green. The question is, how I'm to get to them, and that is where you shall help me, my friend."

"How?"

"By playing that little tune of yours again. Tell them to expect within the next half-hour a deserter with an important message. Tell them, for God's sake, not to fire at anybody till they've made certain it isn't me."

The man took the blunt end of his bayonet and squatted beside the bell. The first stroke brought out a clear, searching note which floated down the valley. He struck three notes at slow intervals. For all the world, Peter said, he was like a telegraph operator calling up a station.

"Send the message in English," said Peter.

"They may not understand it," said the man.

"Then send it anyway you like. I trust you, for we are brothers."

After ten minutes the man ceased and listened. From far away came the sound of a trench-gong, the kind of thing they used on the Western Front to give the gas-alarm.

"They say they will be ready," he said. "I cannot take down messages in the darkness, but they have given me the signal which means 'Consent.'"

"Come, that is pretty good," said Peter. "And now I must be moving. You take a hint from me. When you hear big firing up to the north get ready to beat a quick retreat, for it will be all up with that city of yours. And tell your folk, too, that they're making a bad mistake letting these fool Germans rule their land. Let them hang Enver and his little friends, and we'll all be happy once more."

"May Satan receive his soul!" said the Turk. "There is wire before us, but I will show you a way through. The guns this evening made many rents in it. But haste, for a working party may be here presently to repair it. Remember there is much wire before the other lines."

Peter, with certain directions, found it pretty easy to make his way through the entanglement. There was one bit which scraped a hole in his back, but very soon he had come to the last posts and found himself in the open country. The place, he said, was a graveyard of the unburied dead that smelt horribly as he crawled among them. He had no inducements to delay, for he thought he could hear behind him the movement of the Turkish working party, and was in terror that a flare might reveal him and a volley accompany his retreat.

From one shell-hole to another he wormed his way, till he struck an old ruinous communication trench which led in the right direction. The Turks must have been forced back in the past week, and the Russians were now in their former trenches. The thing was half full of water, but it gave Peter a feeling of safety, for it enabled him to get his head below the level of the ground. Then it came to an end and he found before him a forest of wire.

The Turk in his signal had mentioned half an hour, but Peter thought it was nearer two hours before he got through that noxious entanglement. Shelling had made little difference to it. The uprights were all there, and the barbed strands seemed to touch the ground. Remember, he had no wire-cutter; nothing but his bare hands. Once again fear got hold of him. He felt caught in a net, with monstrous vultures waiting to pounce on him from above. At any moment a flare might go up and a dozen rifles find their mark. He had altogether forgotten about the message which had been sent, for no message could dissuade the ever-present death he felt around him. It was, he said, like following an old lion into bush when there was but one narrow way in, and no road out.

The guns began again—the Turkish guns from behind the ridge—and a shell tore up the wire a short way before him. Under cover of the burst he made good a few yards, leaving large portions of his clothing in the strands. Then quite suddenly, when hope had almost died in his heart, he felt the ground rise steeply. He lay very still, a star-rocket from the Turkish side lit up the place, and there in front was a rampart with the points of bayonets showing beyond it. It was the Russian hour for stand-to.

He raised his cramped limbs from the ground and shouted, "Friend! English!"

A face looked down at him, and then the darkness again descended.

"Friend," he said hoarsely. "English."

He heard speech behind the parapet. An electric torch was flashed on him for a second. A voice spoke, a friendly voice, and the sound of it seemed to be telling him to come over.

He was now standing up, and as he got his hands on the parapet he seemed to feel bayonets very near him. But the voice that spoke was kindly, so with a heave he scrambled over and flopped into the trench. Once more the electric torch was flashed and revealed to the eyes of the onlookers an indescribably dirty, lean, middle-aged man with a bloody head, and scarcely a rag of shirt on his back. The said man, seeing friendly faces around him, grinned cheerfully.

"That was a rough trek, friends," he said; "I want to see your general pretty quick, for I've got a present for him."

He was taken to an officer in a dug-out, who addressed him in French, which he did not understand. But the sight of Stumm's plan worked wonders. After that he was fairly bundled down communication trenches and then over swampy fields to a farm among trees. There he found staff officers, who looked at him and looked at his map, and then put him on a horse and hurried him eastwards. At last he came to a big ruined house, and was taken into a room which seemed to be full of maps and generals.

The conclusion must be told in Peter's words.

"There was a big man sitting at a table drinking coffee, and when I saw him my heart jumped out of my skin. For it was the man I hunted with on the Pungwe in '98—him whom the Kaffirs called 'Buck's Horn,' because of his long curled moustaches. He was a prince even then, and now he is a very great general. When I saw him, I ran forward and gripped his hand and cried, *"Hoe gat hat, Mynheer?'* and he knew me and shouted in Dutch, 'Damn, if it isn't old Peter Pienaar!' Then he gave me coffee and ham and good bread, and he looked at my map.

" 'What is this?' he cried, growing red in the face.

" 'It is the staff-map of one Stumm, a German *skellum* who commands in yon city,' I said.

"He looked at it close and read the markings, and then he read the other paper which you gave me, Dick. And then he flung up his arms and laughed. He took a loaf and tossed it into the air so that it fell on the head of another general. He spoke to them in their own tongue, and they too laughed, and one or two ran out as if on some errand. I have never seen such merrymaking. They were clever men, and knew the worth of what you gave me.

"Then he got to his feet and hugged me, all dirty as I was, and kissed me on both cheeks.

" 'Before God, Peter,' he said, 'you're the mightiest hunter since Nimrod. You've often found me game, but never game so big as this!' "

CHAPTER XXI

THE LITTLE HILL

IT was a wise man who said that the biggest kind of courage was to be able to sit still. I used to feel that when we were getting shelled in the reserve trenches before Vermelles. I felt it before we went over the parapets at Loos, but I never felt it so much as on the last two days in that cellar. I had simply to set my teeth and take a pull on myself. Peter had gone on a crazy errand which I scarcely believed could come off. There were no signs of Sandy; somewhere within a hundred yards he was fighting his own battles, and I was tormented by the thought that he might get jumpy again and wreck everything. A strange Companion brought us food, a man who spoke only Turkish and could tell us nothing; Hussin, I judged, was busy about the horses. If I could only have done something to help on matters I could have scotched my anxiety, but there was nothing to be done, nothing but wait and brood. I tell you I began to sympathise with the general behind the lines in a battle, the fellow who makes the plan which others execute. Leading a charge can be nothing like so nerve-shaking a business as sitting in an easy-chair and waiting on the news of it.

It was bitter cold, and we spent most of the day wrapped in our greatcoats and buried deep in the straw. Blenkiron was a marvel. There was no light for him to play Patience by, but he never complained. He slept a lot of the time, and when he was awake talked as cheerily as if he were starting out on a holiday. He had one great comfort, his dyspepsia was gone. He sang hymns constantly to the benign Providence that had squared his duo-denum.

My only occupation was to listen for the guns. The first day after Peter left they were very quiet on the front nearest us, but in the late evening they started a terrific racket. The next day they never stopped from dawn to dusk, so that it reminded me of that tremendous forty-eight hours before Loos. I tried to read into this some proof that Peter had got through, but it would not work. It looked more like the opposite, for this desperate hammering must mean that the frontal assault was still the Russian game.

Two or three times I climbed on the housetop for fresh air. The day was foggy and damp, and I could see very little of the countryside. Transport was still bumping southward along the road to the Palantuken, and the slow wagon-loads of wounded returning. One thing I noticed, however. There was a perpetual coming and going between the house and the city. Motors and mounted messengers were constantly arriving and departing, and I concluded that Hilda von Einem was getting ready for her part in the defence of Erzerum.

These ascents were all on the first day after Peter's going. The second day, when I tried the trap, I found it closed and heavily weighted. This must have been done by our friends, and very right too. If the house were becoming a place of public resort, it would never do for me to be journeying roofward.

Late on the second night Hussin reappeared. It was after supper, when Blenkiron had gone peacefully to sleep and I was beginning to count the hours till the morning. I could not close an eye during these days and not much at night.

Hussin did not light a lantern. I heard his key in the lock, and then his light step close to where we lay.

"Are you asleep?" he said, and when I answered he sat down beside me.

"The horses are found," he said, "and the Master bids me tell you that we start in the morning three hours before dawn."

It was welcome news. "Tell me what is happening," I begged; "we have been lying in this tomb for three days and heard nothing."

"The guns are busy," he said. "The Allemans come to this place every hour, I know not for what. Also there has been a great search for you. The searchers have been here, but they were sent away empty. . . . Sleep, my lord, for there is wild work before us."

I did not sleep much, for I was strung too high with expectation, and I envied Blenkiron his now eupeptic slumbers. But for an hour or so I dropped off, and my old nightmare came back. Once again I was in the throat of a pass, hotly pursued, straining for some sanctuary which I knew I could not reach. But I was no longer alone. Others were with me: how many I could not tell, for when I tried to see their faces they dissolved in mist. Deep snow was underfoot, a grey sky was over us, black peaks were on all sides, but ahead in the mist of the pass was that curious *castrol* which I had first seen in my dream on the Erzerum road.

I saw it distinct in every detail. It rose to the

left of the road through the pass, above a hollow where great boulders stood out in the snow. Its sides were steep, so that the snow had slipped off in patches, leaving stretches of glistening black shale. The *kranz* at the top did not rise sheer, but sloped at an angle of forty-five, and on the very summit there seemed a hollow, as if the earth within the rock-rim had been beaten by weather into a cup. That is often the way with a South African *castrol,* and I knew it was so with this. We were straining for it, but the snow clogged us, and our enemies were very close behind.

Then I was awakened by a figure at my side. "Get ready, my lord," it said; "it is the hour to ride."

Like sleep-walkers we moved into the sharp air. Hussin led us out of an old postern and then through a place like an orchard to the shelter of some tall evergreen trees. There horses stood, champing quietly from their nose-bags. "Good," I thought; "a feed of oats before a big effort."

There were nine beasts for nine riders. We mounted without a word and filed through a grove of trees to where a broken paling marked the beginning of cultivated land. There for the matter of twenty minutes Hussin chose to guide us through deep, clogging snow. He wanted to avoid any sound till we were well beyond earshot of the house. Then we struck a by-path which presently merged in a hard highway, running, as I judged, south-west by west. There we delayed no longer, but galloped furiously into the dark.

I had got back all my exhilaration. Indeed I was intoxicated with the movement, and could have laughed out loud and sung. Under the black canopy of the night perils are either forgotten or terribly alive. Mine were forgotten. The darkness I galloped into led me to freedom and friends. Yes, and success, which I had not dared to hope and scarcely even to dream of.

Hussin rode first, with me at his side. I turned my head and saw Blenkiron behind me, evidently mortally unhappy about the pace we rode and the mount he sat. He used to say that horse-exercise was good for his liver, but it was a gentle amble and a short gallop that he liked, and not this mad helter-skelter. His thighs were too round to fit a saddle-leather. We passed a fire in a hollow, the bivouac of some Turkish unit, and all the horses shied violently. I knew by Blenkiron's oaths that he had lost his stirrups and was sitting on his horse's neck.

Beside him rode a tall figure swathed to the eyes in wrappings, and wearing round his neck some kind of shawl whose ends floated behind him. Sandy, of course, had no European ulster, for it was months since he had worn proper clothes. I wanted to speak to him, but somehow I did not dare. His stillness forbade me. He was a wonderful fine horseman, with his firm English hunting seat, and it was as well, for he paid no attention to his beast. His head was still full of unquiet thoughts.

Then the air around me began to smell acrid and raw, and I saw that a fog was winding up from the hollows.

"Here's the devil's own luck," I cried to Hussin. "Can you guide us in a mist?"

"I do not know." He shook his head. "I had counted on seeing the shape of the hills."

"We've a map and a compass, anyhow. But those make slow travelling. Pray God it lifts!"

Presently the black vapour changed to grey, and the day broke. It was little comfort. The fog rolled in waves to the horses' ears, and riding at the head of the party I could but dimly see the next rank.

"It is time to leave the road," said Hussin, "or we may meet inquisitive folk."

We struck to the left, over ground which was for all the world like a Scotch moor. There were pools of rain on it, and masses of tangled snow-laden junipers, and long reefs of wet slaty stone. It was bad going, and the fog made it hopeless to steer a good course. I had out the map and the compass, and tried to fix our route so as to round the flank of a spur of the mountains which separated us from the valley we were aiming at.

"There's a stream ahead of us," I said to Hussin. "Is it fordable?"

"It is only a trickle," he said, coughing. "This accursed mist is from Eblis." But I knew long before we reached it that it was no trickle. It was a hill stream coming down in spate, and, as I soon guessed, in a deep ravine. Presently we were at its edge, one long whirl of yeasty falls and brown rapids. We could as soon get horses over it as to the topmost cliffs of the Palantuken.

Hussin stared at it in consternation. "May Allah forgive my folly, for I should have known. We must return to the highway and find a bridge. My sorrow, that I should have led my lords so ill."

Back over that moor we went with my spirits badly damped. We had none too long a start, and Hilda von Einem would rouse heaven and earth to catch us up. Hussin was forcing the pace, for his anxiety was as great as mine.

Before we reached the road the mist blew back and showed a wedge of country right across to the hills beyond the river. It was a clear view, every object standing out wet and sharp in the light of morning. It showed the bridge with horsemen drawn up across it, and it showed, too, cavalry pickets moving down the road.

They saw us at the same instant. A word was passed down the road, a shrill whistle blew, and the pickets put their horses at the bank and started across the moor.

"Did I not say this mist was from Eblis?" growled Hussin, as we swung round and galloped on our tracks. "These cursed Zaptiehs have seen us, and our road is cut."

I was for trying the stream at all costs, but Hussin pointed out that it would do us no good. The cavalry beyond the bridge were moving up the other bank. "There is a path through the hills that I know, but it must be travelled on foot. If we can increase our lead and the mist cloaks us, there is yet a chance."

It was a weary business plodding up to the skirts of the hills. We had the pursuit behind us now, and that put an edge on every difficulty. There were long banks of broken screes, I remember, where the snow slipped in wreaths from under our feet. Great boulders had to be circumvented, and patches of bog, where the streams from the snows first made contact with the plains, mired us to our girths. Happily the mist was down again, but this, though it hindered the chase, lessened the chances of Hussin finding the path.

He found it nevertheless. There was the gully and

the rough mule-track leading upwards. But there also had been a landslip, quite recent from the marks. A large scar of raw earth had broken across the hillside, which with the snow above it looked like a slice cut out of an iced chocolate-cake.

We stared blankly for a second, till we recognised its hopelessness.

"I'm for trying the crags," I said. "Where there once was a way another can be found."

"And be picked off at their leisure by these marksmen," said Hussin grimly. "Look!"

The mist had opened again, and a glance behind showed me the pursuit closing up on us. They were now less than three hundred yards off. We turned our horses and made off eastward along the skirts of the cliffs.

Then Sandy spoke for the first time. "I don't know how you fellows feel, but I'm not going to be taken. There's nothing much to do except to find a good place and put up a fight. We can sell our lives dearly."

"That's about all," said Blenkiron cheerfully. He had suffered such tortures on that gallop that he welcomed any kind of stationary fight.

"Serve out the arms," said Sandy.

The Companions all carried rifles slung across their shoulders. Hussin, from a deep saddle-bag, brought out rifles and bandoliers for the rest of us. As I laid mine across my saddle-bow I saw it was a German Mauser of the latest pattern.

"It's hell-for-leather till we find a place for a stand," said Sandy. "The game's against us this time."

Once more we entered the mist, and presently found better going on a long stretch of even slope. Then came a rise, and on the crest of it I saw the sun. Presently we dipped into bright daylight and looked down on a broad glen, with a road winding up it to a pass in the range. I had expected this. It was one way to the Palantuken pass, some miles south of the house where we had been lodged.

And then, as I looked southward, I saw what I had been watching for for days. A little hill split the valley, and on its top was a *kranz* of rocks. It was the *castrol* of my persistent dream.

On that I promptly took charge. "There's our fort," I cried. "If we once get there we can hold it for a week. Sit down and ride for it."

We bucketed down that hillside like men possessed, even Blenkiron sticking on manfully among the twists and turns and slithers. Presently we were on the road and were racing past marching infantry and gun teams and empty wagons. I noted that all seemed to be moving downward and none going up. Hussin screamed some words in Turkish that secured us a passage, but indeed our crazy speed left them staring. Out of a corner of my eye I saw that Sandy had flung off most of his wrappings and seemed to be all a dazzle of rich colour. But I had thought for nothing except the little hill, now almost fronting us across the shallow glen.

No horses could breast that steep. We urged them into the hollow, and then hastily dismounted, humped the packs, and began to struggle up the side of the *castrol.* It was strewn with great boulders, which gave a kind of cover that very soon was needed. For, snatching a glance back, I saw that our pursuers were on the road above us and were getting ready to shoot.

At normal times we would have been easy marks,

but, fortunately, wisps and streamers of mist now clung about that hollow. The rest could fend for themselves, so I stuck to Blenkiron and dragged him, wholly breathless, by the least exposed route. Bullets spattered now and then against the rocks, and one sang unpleasantly near my head. In this way we covered three-fourths of the distance, and had only the bare dozen yards where the gradient eased off up to the edge of the *kranz*.

Blenkiron got hit in the leg, our only casualty. There was nothing for it but to carry him, so I swung him on my shoulders, and with a bursting heart did that last lap. It was hottish work, and the bullets were pretty thick about us, but we all got safely to the *kranz* and a short scramble took us over the edge. I laid Blenkiron inside the *castrol* and started to prepare our defence.

We had little time to do it. Out of the thin fog figures were coming, crouching in cover. The place we were in was a natural redoubt, except that there were no loopholes or sandbags. We had to show our heads over the rim to shoot, but the danger was lessened by the superb field of fire given by those last dozen yards of glacis. I posted the men and waited, and Blenkiron, with a white face, insisted on taking his share, announcing that he used to be handy with a gun.

I gave the order that no man was to shoot till the enemy had come out of the rocks on to the glacis. The thing ran right round the top, and we had to watch all sides to prevent them getting us in flank or rear. Hussin's rifle cracked out presently from the back, so my precautions had not been needless.

We were all fair shots, though none of us up to

Peter's miraculous standard, and even the Companions made good practise. The Mauser was the weapon I knew best, and I didn't miss much. The attackers never had a chance, for their only hope was to rush us by numbers, and, the whole party being not above two dozen, they were far too few. I think we killed three, for their bodies were left lying, and wounded at least six, while the rest fell back towards the road. In a quarter of an hour it was all over.

"These are dogs of Kurds," I heard Hussin say fiercely. "Only a Kurdish *ghiaour* would fire on the livery of the Kaába."

Then I had a good look at Sandy. He had discarded shawls and turban and wrappings, and stood up in the strangest costume man ever wore in battle. Somehow he had procured field-boots and an old pair of riding-breeches. Above these, reaching well below his middle, he had a wonderful silken jibbah or ephod of a bright emerald. I call it silk, but it was like no silk I had ever known, so exquisite in the mesh, with such a sheen and depth in it. Some strange pattern was woven on the breast, which in the dim light I could not trace. I'll warrant no rarer or costlier garment was ever exposed to lead on a bleak winter hill.

Sandy seemed unconscious of his garb. His eye, listless no more, scanned the hollow. "That's only the overture," he cried. "The opera will soon begin. We must put a breastwork up in these gaps or they'll pick us off from a thousand yards."

I had meantime roughly dressed Blenkiron's wound with a linen rag which Hussin provided. It was a ricochet bullet which had chipped into his left shin. Then I took a hand with the others in getting up our earthwork to complete the circuit of the defence.

It was no easy job, for we wrought only with our knives and had to dig deep down below the snowy gravel. As we worked I took stock of our refuge.

The *castrol* was a rough circle about ten yards in diameter, its interior filled with boulders and loose stones, and its parapet about four feet high. The mist had cleared for a considerable space, and I could see the immediate surroundings. West, beyond the hollow was the road we had come, where now the remnants of the pursuit were clustered. North, the hill fell steeply to the valley bottom, but to the south, after a dip, there was a ridge which shut the view. East lay another fork of the stream, the chief fork I guessed, and it was evidently followed by the main road to the pass, for I saw it crowded with transport. The two roads seemed to converge somewhere farther south out of my sight.

I guessed we could not be very far from the front, for the noise of guns sounded very near, both the sharp crack of the field-pieces and the deeper boom of the howitzers. More, I could hear the chatter of the machine-guns, a magpie note among the baying of hounds. I even saw the bursting of Russian shells, evidently trying to reach the main road. One big fellow—an 8-inch—landed not two yards from a convoy to the east of us, and another in the hollow through which we had come. These were clearly ranging shots, and I wondered if the Russians had observation-posts on the heights to mark them. If so, they might soon try a curtain, and we would be very near its edge. It would be an odd irony if we were the target of friendly shells.

"By the soul of my ancestors," I heard Sandy say,

"if we had a brace of machine-guns we could hold this place against a division."

"What price shells?" I asked. "If they get a gun up they can blow us to atoms in ten minutes."

"Please God the Russians keep them too busy for that," was his answer.

With anxious eyes I watched our enemies on the road. They seemed to have grown in numbers. They were signalling, too, for a white flag fluttered. Then the mist rolled down on us again, and our prospect was limited to ten yards of vapour.

"Steady," I cried; "they may try to rush us at any moment. Every man keep his eye on the edge of the fog, and shoot at the first sign."

For nearly half an hour by my watch we waited in that queer white world, our eyes smarting with the strain of peering. The sound of the guns seemed to be hushed, and everything grown deathly quiet. Blenkiron's squeal, as he knocked his wounded leg against a rock, made every man start.

Then out of the mist there came a voice.

It was a woman's voice, high, penetrating, and sweet, but it spoke in no tongue I knew. Only Sandy understood. He made a sudden movement as if to defend himself against a blow.

The speaker came into clear sight on the glacis a yard or two away. Mine was the first face she saw.

"I come to offer terms," she said in English. "Will you permit me to enter?"

I could do nothing except take off my cap and say, "Yes, ma'am." Blenkiron, snuggled up against the parapet, was cursing furiously below his breath.

She climbed up the *kranz* and stepped over the

edge as lightly as a deer. Her clothes were strange—spurred boots and breeches over which fell a short green kirtle. A little cap skewered with a jewelled pin was on her head, and a cape of some coarse country cloth hung from her shoulders. She had rough gauntlets on her hands, and she carried for weapon a riding-whip. The fog-crystals clung to her hair I remember, and a silvery film of fog lay on her garments.

I had never before thought of her as beautiful. Strange, uncanny wonderful, if you like, but the word beauty had too kindly and human a sound for such a face. But as she stood with heightened colour, her eyes like stars, her poise like a wild bird's, I had to confess that she had her own loveliness. She might be a devil, but she was also a queen. I considered that there might be merits in the prospect of riding by her side into Jerusalem.

Sandy stood rigid, his face very grave and set. She held out both hands to him, speaking softly in Turkish. I noticed that the six Companions had disappeared from the *castrol* and were somewhere out of sight on the farther side.

I do not know what she said, but from her tone, and above all from her eyes, I judged that she was pleading—pleading for his return, for his partnership in her great adventure; pleading, for all I knew, for his love.

His expression was like a death-mask, his brows drawn tight in a little frown and his jaw rigid.

"Madam," he said, "I ask you to tell your business quick and to tell it in English. My friends must hear it as well as me."

"Your friends!" she cried. "What has a prince to

do with these hirelings? Your slaves, perhaps, but not your friends."

"My friends," Sandy repeated grimly. "You must know, Madam, that I am a British officer."

That was beyond doubt a clean, staggering stroke. What she had thought of his origin God knows, but she had never dreamed of this. Her eyes grew larger and more lustrous, her lips parted as if to speak, but her voice failed her. Then by an effort she recovered herself, and out of that strange face went all the glow of youth and ardour. It was again the unholy mask I had first known.

"And these others?" she asked in a level voice.

"One is a brother officer of my regiment. The other is an American. But all three of us are on the same errand. We came east to destroy Greenmantle and your devilish ambitions. You have yourself destroyed your prophets, and now it is your turn to fail and disappear. Make no mistake, Madam, that folly is over. I will tear this sacred garment into a thousand pieces and scatter them on the wind. The people wait to-day for the revelation, but none will come. You may kill us if you can, but we have at least crushed a lie and done service to our country."

I would not have taken my eyes from her face for a king's ransom. I have written that she was a queen, and of that there is no manner of doubt. She had the soul of a conqueror, for not a flicker of weakness or disappointment marred her air. Only pride and the stateliest resolution looked out of her eyes.

"I said I came to offer terms. I will still offer them, though they are other than I thought. For the fat American, I will send him home safely to his own country. I do not make war on such as he. He is Germany's foe, not mine. You," she said, turning fiercely on me, "I will hang before dusk."

Never in my life had I been so pleased. I had got my revenge at last. This woman had singled me out above the others as the object of her wrath, and I almost loved her for it. She turned to Sandy, and the fierceness went out of her face.

"You seek truth," she said. "So also do I, and if we use a lie it is only to break down a greater. You are of my household in spirit, and you alone of all men I have seen are fit to ride with me on my mission. Germany may fail, but I shall not fail. I offer you the greatest career that mortal has known. I offer you a task which will need every atom of brain and sinew and courage. Will you refuse that destiny?"

I do not know what effect this vapouring might have had in hot scented rooms, or in the languor of some rich garden; but up on that cold hill-top it was as unsubstantial as the mist around us. It sounded not even impressive, only crazy.

"I stay with my friends," said Sandy.

"Then I will offer more. I will save your friends. They, too, shall share in my triumph."

This was too much for Blenkiron. He scrambled to his feet to speak the protest that had been wrung from his soul, forgot his game leg, and rolled back on the ground with a groan.

Then she seemed to make a last appeal. She spoke in Turkish now, and I do not know what she said, but I judged it was the plea of a woman to her lover. Once more she was the proud beauty, but there was a tremor in her pride—I had about written tenderness. To listen to her was like horrid treachery, like eavesdropping on something pitiful. I know my cheeks grew scarlet and Blenkiron turned away his head.

Sandy's face did not move. He spoke in English.

"You can offer me nothing that I desire," he said. "I am the servant of my country, and her enemies are mine. I can have neither part nor lot with you. That is my answer, Madam von Einem."

Then her steely restraint broke. It was like a dam giving before a pent-up mass of icy water. She tore off one of her gauntlets and hurled it in his face. Implacable hate looked out of her eyes.

"I have done with you," she cried. "You have scorned me, but you have dug your own grave."

She leaped on the parapet and the next second was on the glacis. Once more the mist had fled, and across the hollow I saw a field-gun in place and men around it who were not Turkish. She waved her hand to them, and hastened down the hillside.

But at that moment I heard the whistle of a long-range shell. Among the boulders there was the dull shock of an explosion and a mushroom of red earth. It all passed in an instant of time: I saw the gunners on the road point their hands and I heard them cry; I heard too a kind of sob from Blenkiron—all this before I realised myself what had happened. The next thing I saw was Sandy, already beyond the glacis, leaping with great bounds down the hill. They were shooting at him, but he heeded them not. For the space of a minute he was out of sight, and his whereabouts was shown only by the patter of bullets.

Then he came back—walking quite slowly up the last slope, and he was carrying something in his arms. The enemy fired no more; they realised what had happened.

He laid his burden down gently in a corner of the *castrol.* The cap had fallen off, and the hair was breaking loose. The face was very white but there was no wound or bruise on it.

"She was killed at once," I heard him saying. "Her back was broken by a shell-fragment. Dick, we must bury her here. . . . You see, she . . . she liked me. I can make her no return but this."

We set the Companions to guard, and with infinite slowness, using our hands, and our knives, we made a shallow grave below the eastern parapet. When it was done we covered her face with the linen cloak which Sandy had worn that morning. He lifted the body and laid it reverently in its place.

"I did not know that anything could be so light," he said.

It wasn't for me to look on at that kind of scene. I went to the parapet with Blenkiron's field-glasses and had a look at our friends on the road. There was no Turk there, and I guessed why, for it would not be easy to use the men of Islam against the wearer of the green ephod. The enemy were German or Austrian, and they had a field-gun. They seemed to have got it laid on our fort; but they were waiting. As I looked I saw behind them a massive figure I seemed to recognise. Stumm had come to see the destruction of his enemies.

To the east I saw another gun in the fields just below the main road. They had got us on both sides, and there was no way of escape. Hilda von Einem was to have a noble pyre and goodly company for the dark road.

Dusk was falling now, a clear bright dusk where

the stars pricked through a sheen of amethyst. The artillery were busy all around the horizon, and towards the pass on the other road, where Fort Palantuken stood, there was the dust and smoke of a furious bombardment. It seemed to me, too, that the guns on the other fronts had come nearer. Deve Boyun was hidden by a spur of hill, but up in the north, white clouds, like the streamers of evening, were hanging over the Euphrates glen. The whole firmament hummed and twanged like a taut string that has been struck. . . .

As I looked, the gun to the west fired—the gun where Stumm was. The shell dropped ten yards to our right. A second later another fell behind us.

Blenkiron had dragged himself to the parapet. I don't suppose he had ever been shelled before, but his face showed curiosity rather than fear.

"Pretty poor shooting, I reckon," he said.

"On the contrary," I said, "they know their business. They're bracketing. . . ."

The words were not out of my mouth when one fell right among us. It struck the far rim of the *castrol,* shattering the rock, but bursting mainly outside. We all ducked, and barring some small scratches no one was a penny the worse. I remember that much of the debris fell on Hilda von Einem's grave.

I pulled Blenkiron over the far parapet, and called on the rest to follow, meaning to take cover on the rough side of the hill. But as we showed ourselves shots rang out from our front, shots fired from a range of a few hundred yards. It was easy to see what had happened. Riflemen had been sent to hold us in rear. They would not assault so long as we remained in the *castrol,* but they would block any attempt to find safety outside it. Stumm and his gun had us at their mercy.

We crouched below the parapet again. "We may as well toss for it," I said. "There's only two ways —to stay here and be shelled or try to break through those fellows behind. Either's pretty unhealthy."

But I knew there was no choice. With Blenkiron crippled we were pinned to the *castrol.* Our numbers were up all right.

CHAPTER XXII

THE GUNS OF THE NORTH

BUT no more shells fell.

The night grew dark and showed a field of glittering stars, for the air was sharpening again towards frost. We waited for an hour, crouching just behind the far parapets, but never came that ominous familiar whistle.

Then Sandy rose and stretched himself. "I'm hungry," he said. "Let's have out the food, Hussin. We've eaten nothing since before daybreak. I wonder what is the meaning of this respite?"

I fancied I knew. "It's Stumm's way. He wants to torture us. He'll keep us hours on tenterhooks, while he sits over yonder exulting in what he thinks we're enduring. He has just enough imagination for that. . . . He would rush us if he had the men. As it is, he's going to blow us to pieces, but to do it slowly and smack his lips over it."

Sandy yawned. "We'll disappoint him, for we won't be worried, old man. We three are beyond that kind of fear."

"Meanwhile we're going to do the best we can," I said. "He's got the exact range for his whizz-bangs. We've got to find a hole somewhere just outside the *castrol,* and some sort of head-cover. We're bound to get damaged whatever happens, but we'll stick it out to the end. When they think they have finished with us and rush the place, there may be one of us alive to put a bullet through old Stumm. What do you say?"

They agreed, and after our meal Sandy and I crawled out to prospect, leaving the others on guard in case there should be an attack. We found a hollow in the glacis a little south of the *castrol,* and, working very quietly, managed to enlarge it and cut a kind of shallow cave in the hill. It would be no use against a direct hit, but it would give some cover from flying fragments. As I read the situation, Stumm could land as many shells as he pleased in the *castrol* and wouldn't bother to attend to the flanks. When the bad shelling began there would be shelter for one or two in the cave.

Our enemies were watchful. The riflemen on the east burnt Verey flares at intervals, and Stumm's lot sent up a great star-rocket. I remember that just before midnight hell broke loose round Fort Palantuken. No more Russian shells came into our hollow, but all the road to the east was under fire, and at the Fort itself there was a shattering explosion and a queer scarlet glow which looked as if the magazine had been hit. For about two hours the firing was intense, and then it died down. But it was towards the north that I kept turning my head. There seemed to be something different in the sound there, something sharper in the report of the guns, as if shells were dropping in a narrow valley whose rock walls doubled the echo. Had the Russians by any blessed chance worked round that flank?

I got Sandy to listen, but he shook his head. "Those guns are a dozen miles off," he said. "They're no nearer than three days ago. But it looks as if the sportsmen on the south might have a chance. When they break through and stream down the valley, they'll be puzzled to account for what remains of us. . . . We're no longer three adventurers in the enemy's country. We're the advance guard of the Allies. They don't know about us, and we're going to be cut off, which has happened to advance guards before now. But all the same, we're in our own battle-line again. Doesn't that cheer you, Dick?"

It cheered me wonderfully, for I knew now what had been the weight on my heart ever since I accepted Sir Walter's mission. It was the loneliness of it. I was fighting far away from my friends, far away from the true fronts of battle. It was a side-show which, whatever its importance, had none of the exhilaration of the main effort. But now we had come back to familiar ground. We were like the Highlanders cut off at Cité St. Auguste on the first day of Loos, or those Scots Guards at Festubert of whom I had heard. Only, the others did not know of us, would never hear of it. If Peter succeeded he might tell the tale, but most likely he was lying dead somewhere in the no-man's-land between the lines. We should never be heard of again any more, but our work remained. Sir Walter would know that, and he would tell our few belongings that we had gone out in our country's service.

We were in the *castrol* again, sitting under the parapets. The same thought must have been in Sandy's mind, for he suddenly laughed.

"It's a queer ending, Dick. We simply vanish into the infinite. If the Russians get through they will never recognise what is left of us among so much of the wreckage of battle. The snow will soon cover us, and when the spring comes there will only be a few bleached bones. Upon my soul it is the kind of death I always wanted." And he quoted softly to himself a verse of an old Scots ballad:

"Mony's the ane for him maks mane,
But nane sall ken wha he is gane.
Ower his white banes, when they are bare,
The wind sall blaw for evermair."

"But our work lives," I cried, with a sudden great gasp of happiness. "It's the job that matters, not the men that do it. And our job's done. We have won, old chap—won hands down—and there is no going back on that. We have won anyway; and if Peter has had a slice of luck, we've scooped the pool. . . . After all, we never expected to come out of this thing with our lives."

Blenkiron, with his leg stuck out stiffly before him, was humming quietly to himself, as he often did when he felt cheerful. He had only one tune, "John Brown's Body"; usually only a line at a time, but now he got as far as a whole verse:

"He captured Harper's Ferry, with his nineteen men so true,
And he frightened old Virginny till she trembled through and through.
They hung him for a traitor, themselves the traitor crew,
But his soul goes marching along."

"Feeling good?" I asked.

"Fine. I'm about the luckiest man on God's earth, Major. I've always wanted to get into a big show, but I didn't see how it would come the way of a homely citizen like me, living in a steam-warmed house and going down town to my office every morning. I used to envy my old dad that fought at Chattanooga, and never forgot to tell you about it. But I guess Chattanooga was like a scrap in a Bowery bar compared to this. When I meet the old man in Glory he'll have to listen some to me. . . ."

It was just after Blenkiron spoke that we got a reminder of Stumm's presence. The gun was well laid, for a shell plumped on the near edge of the *castrol.* It made an end of one of the Companions who was on guard there, badly wounded another, and a fragment gashed my thigh. We took refuge in the shallow cave, but some wild shooting from the east side brought us back to the parapets, for we feared an attack. None came, nor any more shells, and once again the night was quiet.

I asked Blenkiron if he had any near relatives.

"Why, no, except a sister's son, a college-boy who has no need of his uncle. It's fortunate that we three have no wives. I haven't any regrets, neither, for I've had a mighty deal out of life. I was thinking this morning that it was a pity I was going out when I had just got my duo-denum to listen to reason. But I reckon that's another of my mercies. The good God took away the pain in my stomach so that I might go to Him with a clear head and a thankful heart."

"We're lucky fellows," said Sandy; "we've all had our whack. When I remember the good times I've had I could sing a hymn of praise. We've lived long enough to know ourselves, and to shape ourselves into some kind of decency. But think of those boys who have given their lives freely when they scarcely knew what life meant. They were just at the beginning of the road, and they didn't know what dreary bits lay before them. It was all sunshiny and bright-coloured, and yet they gave it up without a moment's doubt. And think of the men with wives and children and homes which were the biggest things in life to them. For fellows like us to shirk would be black cowardice. It's small credit for us to stick it out. But when those others shut their teeth and went forward, they were blessed heroes. . . ."

After that we fell silent. A man's thoughts at a time like that seem to be double-powered, and the memory becomes very sharp and clear. I don't know what was in the others' minds, but I know what filled my own. . . .

I don't think it is the men who get most out of the world and are always buoyant and cheerful that most fear to die. Rather it is the weak-engined souls, who go about with dull eyes, that cling most fiercely to life. They have not the joy of being alive which is a kind of earnest of immortality. . . . I know that my thoughts were chiefly about the jolly things that I had seen and done; not regret, but gratitude. The panorama of blue moons on the veld unrolled itself before me, and hunter's nights in the bush, the taste of food and sleep, the bitter stimulus of dawn, the joy of wild adventure, the voices of old staunch friends. Hitherto the war had seemed to make a break with all that had gone before, but now the war was only part of the picture. I thought of my battalion, and the good fellows there, many of them who had fallen on the Loos parapets. I had never looked to come out of that myself. But I had been spared, and given the chance of a greater business, and I had succeeded.

That was the tremendous fact, and my mood was humble gratitude to God and exultant pride. Death was a small price to pay for it. As Blenkiron would have said, I had got good value in the deal. . . .

The night was getting bitter cold, as happens before dawn. It was frost again, and the sharpness of it woke our hunger. I got out the remnants of the food and wine and we had a last meal. I remember pledged each other as we drank.

"We have eaten our Passover Feast," said Sandy. "When do you look for the end?"

"After dawn," I said. "Stumm wants daylight to get the full savour of his revenge."

Slowly the sky passed from ebony to grey, and black shapes of hill outlined themselves against it. A wind blew down the valley, bringing the bitter smell of burning, but something too of the freshness of morn. It stirred strange thoughts in me, and woke the old morning vigour of the blood which was never to be mine again. For the first time in that long vigil I was torn with a sudden regret.

"We must get into the cave before it is full light," I said. "We had better draw lots for the two to go."

The choice fell on one of the Companions and Blenkiron.

"You can count me out," said the latter. "If it's your wish to find a man to be alive when our friends come up to count their spoil, I guess I'm the worst of the lot. I'd prefer, if you don't mind, to stay here. I've made my peace with my Maker, and I'd like to wait quietly on His call. I'll play a game of Patience to pass the time."

He would take no denial, so we drew again, and the lot fell to Sandy.

"If I'm the last to go," he said, "I promise I don't miss. Stumm won't be long in following me."

He shook hands with his cheery smile, and he and the Companion slipped over the parapet in the final shadows before dawn.

Blenkiron spread his Patience cards on a flat rock, and dealt out for the Double Napoleon. He was perfectly calm, and hummed to himself his only tune. For myself I was drinking in the last draught of the hill air. My contentment was going. I suddenly felt bitterly loth to die.

I stood close to the parapet, watching every detail of the landscape as shown by the revealing daybreak. Up on the shoulders of the Palantuken, snowdrifts lipped over the edges of the cliffs. I wondered when they would come down as avalanches. There was a kind of croft on one hillside, and from a hut the smoke of breakfast was beginning to curl. Stumm's gunners were awake and apparently holding council. Far down on the main road a convoy was moving—I heard the creak of the wheels two miles away, for the air was deathly still.

Then, as if a spring had been loosened, the world suddenly leaped to a hideous life. With a growl the guns opened round all the horizon. They were especially fierce to the south, where a *rafale* beat as I had never heard it before. The one glance I cast behind me showed the gap in the hills choked with fumes and dust.

But my eyes were on the north. From Erzerum city tall tongues of flame leaped from a dozen quarters. Beyond, toward the opening of the Euphrates glen, there was the sharp crack of field-guns. I strained eyes and ears, mad with impatience, and I read the riddle.

"Sandy," I yelled, "Peter has got through. The Russians have won the flank. The town is burning. Glory to God, we've won, we've won!"

And as I spoke the earth seemed to split beside me, and I was flung forward on the gravel which covered Hilda von Einem's grave.

As I picked myself up, and to my amazement found myself uninjured, I saw Blenkiron rubbing the dust out of his eyes and arranging a disordered card. He had stopped humming, and was singing aloud:

"He captured Harper's Ferry, with his nineteen men so true,
And he frightened old Virginny . . .

"Say, Major," he cried, "I believe this game of mine is coming out."

I was now pretty well mad. The thought that old Peter had won, that *we* had won beyond our wildest dreams, that if we died there were those coming who would exact the uttermost vengeance, rode my brain like a fever. I sprang on the parapet and waved my hand to Stumm, shouting defiance. Rifle shots cracked out from behind, and I leaped back just in time for the next shell.

The charge must have been short, for it was a bad miss, landing somewhere on the glacis. The next was better and crashed on the near parapet, carving a great hole in the rocky *kranz*. This time my arm hung limp, broken by a fragment of stone, but I felt no pain. Blenkiron seemed to bear a charmed life, for he was smothered in dust, but unhurt. He blew the dust away from his cards very gingerly and went on playing.

Then came a dud which dropped neatly inside in the soft ground. I was determined to break for the open and chance the rifle fire, for if Stumm went on shooting the *castrol* was certain death. I caught Blenkiron round the middle, scattering his cards to the winds, and jumped over the parapet.

"Don't apologise, Major," said he. "The game was as good as won. But for God's sake drop me, for if you wave me like the banner of freedom I'll get plugged sure and good."

My one thought was to get cover for the next minutes, for I had an instinct that our vigil was near its end. The defences of Erzerum were crumbling like sand-castles, and it was a proof of the tenseness of my nerves that I seemed to be deaf to the sound. Stumm had seen us cross the parapet, and he started to sprinkle all the surroundings of the *castrol*. Blenkiron and I lay like a working-party between the lines caught by machine-guns, taking a pull on ourselves as best we could. Sandy had some kind of cover, but we were on the bare farther slope, and the riflemen on that side might have had us at their mercy.

But no shots came from them. As I looked east, the hillside, which a little before had been held by our enemies, was as empty as the desert; and then I saw on the main road a sight which for a second time made me yell like a maniac. Down the glen came a throng of men and galloping limbers—a crazy, jostling crowd, spreading away beyond the road to the steep slopes, and leaving behind it many black dots to darken the snows. The gates of the South had yielded, and our friends were through them.

At that sight I forgot all about our danger. I didn't give a cent for Stumm's shells. I didn't believe he could hit me. The fate which had mercifully preserved us for the first taste of victory would see us through to the end.

I remember bundling Blenkiron along the hill to find Sandy. But our news was anticipated. For down on our side-glen came the same broken tumult of men. More; for on their backs, far up at the throat of the pass, I saw horsemen—the horsemen of the pursuit. Old Nicholas had flung his cavalry in.

Sandy was on his feet, with his lips set and his eye abstracted. If his face hadn't been burned black by weather it would have been pale as a dish-clout. A man like him doesn't make up his mind for death and then be given his life again without being wrenched out of his bearings. I thought he didn't understand what had happened, so I beat him on the shoulders.

"Man, d'you see?" I cried. "The Cossacks! The Cossacks! God! how they're taking that slope! They're into them now. By Heaven, we'll ride with them! We'll get the gun horses!"

A little knoll prevented Stumm and his men from seeing what was happening farther up the glen, till the first wave of the rout was on them. He had gone on bombarding the *castrol* and its environs while the world was cracking over his head. The gun team was in the hollow below the road, and down the hill among the boulders we crawled, Blenkiron as lame as a duck, and me with a limp left arm.

The poor beasts were straining at their pickets and sniffing at the morning wind, which brought down the thick fumes of the great bombardment and the indescribable babbling cries of a beaten army. Before we reached them that maddened horde had swept down on them, men panting and gasping in their flight, many of them bloody from wounds, many tottering in the first stages of collapse and death. I saw the horses seized by a dozen hands, and a desperate fight for their possession. But as we halted there our eyes were fixed on the battery on the road above us, for round it was now sweeping the van of the retreat.

I had never seen a rout before, when strong men come to the end of their tether and only their broken shadows stumble towards the refuge they never find. No more had Stumm, poor devil. I had no ill-will left for him, though coming down that hill I was rather hoping that the two of us might have a final scrap. He was a brute and a bully, but, by God! he was a man. I heard his great roar when he saw the tumult, and the next I saw was his monstrous figure working at the gun. He swung it south and turned it on the fugitives.

But he never fired it. The press was on him, and the gun was swept sideways. He stood up, a foot higher than any of them, and he seemed to be trying to check the rush with his pistol. There is power in numbers, even though every unit is broken and fleeing. For a second, to that wild crowd Stumm was the enemy, and they had strength enough to crush him. The wave flowed round and then over him. I saw the butt-ends of rifles crash on his head and shoulders, and the next second the stream had passed over his body. . . .

That was God's judgment on the man who had set himself above his kind.

Sandy gripped my shoulder and was shouting in my ear:

"They're coming, Dick. Look at the grey devils! . . . Oh, God be thanked it's our friends!"

The next minute we were tumbling down the hill-side, Blenkiron hopping on one leg between us. I heard dimly Sandy crying, "Oh, well done our side!" and Blenkiron declaiming about Harper's Ferry, but I had no voice at all and no wish to shout. I know that tears were in my eyes, and that if I had been left alone I would have sat down and cried with pure thankfulness. For sweeping down the glen came a cloud of grey cavalry on little wiry horses, a cloud which stayed not for the rear of the fugitives, but swept on like a flight of rainbows, with the steel of their lance-heads glittering in the winter sun. They were riding for Erzerum.

Remember that for three months we had been with the enemy and had never seen the face of an Ally in arms. We had been cut off from the fellowship of a great cause, like a fort surrounded by an army. And now we were delivered, and there fell round us the warm joy of comradeship as well as the exultation of victory.

We flung caution to the winds and went stark mad. Sandy, still in his emerald coat, was scrambling up the farther slope of the hollow, yelling greetings in every language known to man. The leader saw him, checked his men for a moment, with a word—it was marvellous to see the horses reined in in such a break-neck ride—and from the squadrons half a dozen troopers swung loose and wheeled towards us. Then a man in a grey overcoat and a sheepskin cap was on the ground beside us wringing our hands.

"You are safe, my old friends"—it was Peter's

voice that spoke—"I will take you back to our army, and get you breakfast."

"No, by the Lord, you won't," cried Sandy. "We've had the rough end of the job and now we'll have the fun. Look after Blenkiron and these fellows of mine. I'm going to ride knee by knee with your sportsmen for the city."

Peter spoke a word, and two of the Cossacks dismounted. The next I knew I was mixed up in the cloud of greycoats, galloping down the road up which the morning before we had strained to the *castrol.*

That was the great hour of my life, and to live through it was worth a dozen years of slavery. With a broken left arm I had little hold on my beast, so I trusted my neck to him and let him have his will. Black with dirt and smoke, hatless, with no kind of uniform, I was a wilder figure than any Cossack. I soon was separated from Sandy, who had two hands and a better beast, and seemed resolute to press forward to the very van. That would have been suicide for me, and I had all I could do to keep my place in the bunch I rode with.

But, great God! what an hour it was! There was loose shooting on our flank, but nothing to trouble us, though the gun team of some Austrian howitzer, struggling madly at a bridge, gave us a bit of a scrap. Everything flitted past me like smoke, or like the mad *finale* of a dream just before waking. I knew the living movement under me, and the companionship of men, but all dimly, for at heart I was alone, grappling with the realisation of a new world. I felt the shadows of the Palantuken glen fading, and the great burst of light as we emerged on the wider valley. Somewhere before us was a pall of smoke seamed with red flames, and beyond the darkness of still higher hills. All that time I was dreaming, crooning daft catches of song to myself so happy, so deliriously happy that I dared not try to think. I kept muttering to myself a kind of prayer made up of Bible words to Him who had shown me His goodness in the land of the living.

But as we drew clear of the skirts of the hills and began the long slope to the city, I woke to clear consciousness. I felt the smell of sheepskin and lathered horses, and above all the bitter smell of fire. Down in the trough lay Erzerum, now burning in many places, and from the east, past the silent forts, horsemen were drawing in on it. I yelled to my comrades that we were nearest, that we would be first in the city, and they nodded happily and shouted their strange war-cries. As we topped the last ridge I saw below me the van of our charge—a dark mass on the snow—while the broken enemy on both sides were flinging away their arms and scattering in the fields.

In the very front, now nearing the city ramparts, was one man. He was like the point of the steel spear soon to be driven home. In the clear morning air I could see that he did not wear the uniform of the invaders. He was bare-headed, and rode like one possessed, and against the snow I caught the dark sheen of emerald. As he rode it seemed that the fleeing Turks were stricken still, and sank by the roadside with eyes strained after his unheeding figure. . . .

Then I knew that the prophecy had been true, and that their prophet had not failed them. The long-looked-for revelation had come. Greenmantle had appeared at last to an awaiting people.

THE END

Mr. Standfast

TO

THAT MOST GALLANT COMPANY

THE OFFICERS AND MEN OF THE
SOUTH AFRICAN INFANTRY BRIGADE
ON THE WESTERN FRONT

CONTENTS

PART I

PART II

PART I

MR. STANDFAST

CHAPTER I

THE WICKET-GATE

I SPENT one-third of my journey looking out of the window of a first-class carriage, the next in a local motor-car following the course of a trout stream in a shallow valley, and the last tramping over a ridge of down and through great beech-woods to my quarters for the night. In the first part I was in an infamous temper; in the second I was worried and mystified; but the cool twilight of the third stage calmed and heartened me, and I reached the gates of Fosse Manor with a mighty appetite and a quiet mind.

As we slipped up the Thames valley on the smooth Great Western line I had reflected ruefully on the thorns in the path of duty. For more than a year I had never been out of khaki, except the months I spent in hospital. They gave me my battalion before the Somme, and I came out of that weary battle after the first big September fighting with a crack in my head and a D.S.O. I had received a C.B. for the Erzerum business, so what with these and my Matabele and South African medals and the Legion of Honour, I had a chest like the High Priest's breastplate. I rejoined in January, and got a brigade on the eve of Arras. There we had a star turn, and took about as many prisoners as we put infantry over the top. After that we were hauled out for a month, and subsequently planted in a bad bit on the Scarpe with a hint that we would soon be used for a big push. Then suddenly I was ordered home to report to the War Office, and passed on by them to Bullivant and his merry men. So here I was sitting in a railway carriage in a grey tweed suit, with a neat new suit-case on the rack labelled C. B. The initials stood for Cornelius Brand, for that was my name now. And an old boy in the corner was asking me questions and wondering audibly why I wasn't fighting, while a young blood of a second lieutenant with a wound stripe was eyeing me with scorn.

The old chap was one of the cross-examining type, and after he had borrowed my matches he set to work to find out all about me. He was a tremendous fire-eater, and a bit of a pessimist about our slow progress in the west. I told him I came from South Africa and was a mining engineer.

"Been fighting with Botha?" he asked.

"No," I said. "I'm not the fighting kind."

The second lieutenant screwed up his nose.

"Is there no conscription in South Africa?"

"Thank God there isn't," I said, and the old fellow begged permission to tell me a lot of unpalatable things. I knew his kind and didn't give much for it. He was the sort who, if he had been under fifty, would have crawled on his belly to his tribunal to get exempted, but being over age was able to pose as a patriot. But I didn't like the second lieutenant's grin, for he seemed a good class of lad. I looked steadily out of the window for the rest of the way, and wasn't sorry when I got to my station.

I had had the queerest interview with Bullivant and Macgillivray. They asked me first if I was willing to serve again in the old game, and I said I was. I felt as bitter as sin, for I had got fixed in the military groove, and had made good there. Here was I—a brigadier and still under forty, and with another year of the war there was no saying where I might end. I had started out without any ambition, only a great wish to see the business finished. But now I had acquired a professional interest in the thing, I had a nailing good brigade, and I had got the hang of our new kind of war as well as any fellow from Sandhurst and Camberley. They were asking me to scrap all I had learned and start again in a new job. I had to agree, for discipline's discipline, but I could have knocked their heads together in my vexation.

What was worse they wouldn't, or couldn't, tell me anything about what they wanted me for. It was the old game of running me in blinkers. They asked me to take it on trust and put myself unreservedly in their hands. I would get my instructions later, they said.

I asked if it was important.

Bullivant narrowed his eyes. "If it weren't, do you suppose we could have wrung an active brigadier out of the War Office? As it was, it was like drawing teeth."

"Is it risky?" was my next question.

"In the long run—damnably," was the answer.

"And you can't tell me anything more?"

"Nothing as yet. You'll get your instructions soon enough. You know both of us, Hannay, and you know we wouldn't waste the time of a good man on folly. We are going to ask you for something which will make a big call on your patriotism. It will be a difficult and arduous task, and it may be a very grim one before you get to the end of it. But we believe you can do it, and that no one else can. . . . You know us pretty well. Will you let us judge for you?"

I looked at Bullivant's shrewd, kind old face and Macgillivray's steady eyes. These men were my friends and wouldn't play with me.

"All right," I said. "I'm willing. What's the first step?"

"Get out of uniform and forget you ever were a soldier. Change your name. Your old one, Cornelius Brandt, will do, but you'd better spell it 'Brand' this time. Remember that you are an engineer just back from South Africa, and that you don't care a rush about the war. You can't understand what all the fools are fighting about, and you think we might have peace at once by a little friendly business talk. You needn't be pro-German—if you like you can be rather severe on the Hun. But you must be in deadly earnest about a speedy peace."

I expect the corners of my mouth fell, for Bullivant burst out laughing.

"Hang it all, man, it's not so difficult. I feel sometimes inclined to argue that way myself, when my dinner doesn't agree with me. It's not so hard as to wander round the Fatherland abusing Britain, which was your last job."

"I'm ready," I said. "But I want to do one errand on my own first. I must see a fellow in my brigade who is in a shell-shock hospital in the Cotswolds. Isham's the name of the place."

The two men exchanged glances. "This looks like fate," said Bullivant. "By all means go to Isham. The place where your work begins is only a couple of miles off. I want you to spend next Thursday night as the guest of two maiden ladies called Wymondham at Fosse Manor. You will go down there as a lone South African visiting a sick friend. They are hospitable souls and entertain many angels unawares."

"And I get my orders there?"

"You get your orders, and you are under bond to obey them . . ." And Bullivant and Macgillivray smiled at each other.

I was thinking hard about that odd conversation as the small Ford car, which I had wired for to the inn, carried me away from the suburbs of the county town into a land of rolling hills and green water-meadows. It was a gorgeous afternoon and the blossom of early June was on every tree. But I had no eyes for landscape and the summer, being engaged in reprobating Bullivant and cursing my fantastic fate. I detested my new part and looked forward to naked shame. It was bad enough for anyone to have to pose as a pacificist, but for me, as strong as a bull and as sunburnt as a gipsy and not looking my forty years, it was a black disgrace. To go into Germany as an anti-British Afrikander was a stoutish adventure, but to lounge about at home talking rot was a very different-sized job. My stomach rose at the thought of it, and I had pretty well decided to wire to Bullivant and cry off. There are some things that no one has a right to ask of any white man.

When I got to Isham and found poor old Blaikie I didn't feel happier. He had been a friend of mine in Rhodesia, and after the German South-West affair was over had come home to a Fusilier battalion, which was in my brigade at Arras. He had been buried by a big crump just before we got our second objective, and was dug out without a scratch on him, but as daft as a hatter. I had heard he was mending, and had promised his family to look him up the first chance I got. I found him sitting on a garden seat staring steadily before him like a lookout at sea. He knew me all right and cheered up for a second, but very soon he was back at his staring, and every word he uttered was like the careful speech of a drunken man. A bird flew out of a bush, and I could see him holding himself tight to keep from screaming. The best I could do was to put a hand on his shoulder and stroke him as one strokes a frightened horse. The sight of the price my old friend had paid didn't put me in love with pacificism.

We talked of brother officers and South Africa, for I wanted to keep his thoughts off the war, but he kept edging round to it. "How long will the damned thing last?" he asked.

"Oh, it's practically over," I lied cheerfully. "No more fighting for you and precious little for me. The Boche is done in all right. . . . What you've got to do, my lad, is to sleep fourteen hours in the twenty-four and spend half the rest catching trout. We'll have a shot at the grouse-bird together this autumn, and we'll get some of the old gang to join us."

Someone put a tea-tray on the table beside us, and I looked up to see the very prettiest girl I ever set eyes on. She seemed little more than a child, and before the war would probably have still ranked as a flapper. She wore the neat blue dress and apron of a V.A.D. and her white cap was set on hair like spun gold. She smiled demurely as she arranged the tea-things, and I thought I had never seen eyes at once so merry and so grave. I stared after her as she walked across the lawn, and I remember noticing that she moved with the free grace of an athletic boy.

"Who on earth's that?" I asked Blaikie.

"That? Oh, one of the sisters," he said listlessly. "There are squads of them. I can't tell one from another."

Nothing gave me such an impression of my friend's sickness as the fact that he should have no interest in something so fresh and jolly as that girl. Presently my time was up and I had to go, and as I looked back I saw him sunk in his chair again, his eyes fixed on vacancy, and his hands gripping his knees.

The thought of him depressed me horribly. Here was I condemned to some rotten buffoonery in inglorious safety, while the salt of the earth like Blaikie was paying the ghastliest price. From him my thoughts flew to old Peter Pienaar, and I sat down on a roadside wall and read his last letter. It nearly made me howl.

Peter, you must know, had shaved his beard and joined the Royal Flying Corps the summer before when we got back from the Greenmantle affair. That was the only kind of reward he wanted, and, though he was absurdly over age, the authorities allowed it. They were wise not to stickle about rules, for Peter's eyesight and nerve were as good as those of any boy of twenty. I knew he would do well, but I was not prepared for his immediate blazing success. He got his pilot's certificate in record time and went out to France; and presently even we foot-sloggers, busy shifting ground before the Somme, began to hear rumours of his doings. He developed a perfect genius for air-fighting.

There were plenty better trick-flyers, and plenty who knew more about the science of the game, but there was no one with quite Peter's genius for an actual scrap. He was as full of dodges a couple of miles up in the sky as he had been among the rocks of the Berg. He apparently knew how to hide in the empty air as cleverly as in the long grass of the Lebombo Flats. Amazing yarns began to circulate among the infantry about this new airman, who could take cover below one plane of an enemy squadron while all the rest were looking for him. I remember talking about him with the South Africans when we were out resting next door to them after the bloody Delville Wood business. The day before we had seen a good battle in the clouds when the Boche plane had crashed, and a Transvaal machine-gun officer brought the report that the British airman had been Pienaar. "Well done, the old *takhaar!*" he cried, and started to yarn about Peter's methods. It appeared that Peter had a theory that every man has a blind spot, and that he knew just how to find that blind spot in the world of air. The best cover, he maintained, was not in cloud or a wisp of fog, but in the unseeing patch in the eye of your enemy. I recognised that talk for the real thing. It was on a par with Peter's doctrine of "atmosphere" and "the double bluff" and all the other principles that his queer old mind had cogitated out of his rackety life.

By the end of August that year Peter's was about the best-known figure in the Flying Corps. If the reports had mentioned names he would have been a national hero, but he was only "Lieutenant Blank," and the newspapers, which expatiated on his deeds, had to praise the Service and not the man. That was right enough, for half the magic of our Flying Corps was its freedom from advertisement. But the British Army knew all about him, and the men in the trenches used to discuss him as if he were a crack football-player. There was a very big German airman called Lensch, one of the Albatross heroes, who about the end of August claimed to have destroyed thirty-two Allied machines.

Peter had then only seventeen planes to his credit, but he was rapidly increasing his score. Lensch was a mighty man of valour and a good sportsman after his fashion. He was amazingly quick at manœuvring his machine in the actual fight, but Peter was supposed to be better at forcing the kind of fight he wanted. Lensch, if you like, was the tactician and Peter the strategist. Anyhow the two were out to get each other. There were plenty of fellows who saw the campaign as a struggle not between Hun and Briton, but between Lensch and Pienaar.

The 15th of September came, and I got knocked out and went to hospital. When I was fit to read the papers again and receive letters, I found to my consternation that Peter had been downed. It happened at the end of October when the south-west gales badly handicapped our airwork. When our bombing or reconnaissance jobs behind the enemy lines were completed, instead of being able to glide back into safety, we had to fight our way home slowly against a head-wind, exposed to Archies and Hun planes. Somewhere east of Bapaume on a return journey Peter fell in with Lensch—at least the German Press gave Lensch the credit. His petrol tank was shot to bits and he was forced to descend in a wood near Morchies. "The celebrated British airman, Pinner," in the words of the German *communiqué,* was made prisoner.

I had no letter from him till the beginning of the New Year, when I was preparing to return to France. It was a very contented letter. He seemed to have been fairly well treated, though he had always a low standard of what he expected from the world in the way of comfort. I inferred that his captors had not identified in the brilliant airman the Dutch miscreant who a year before had broken out of a German jail. He had discovered the pleasures of reading and had perfected himself in an art which he had once practised indifferently. Somehow or other he had got a *Pilgrim's Progress,* from which he seemed to extract enormous pleasure. And then at the end, quite casually, he mentioned that he had been badly wounded and that his left leg would never be much use again.

After that I got frequent letters, and I wrote to him every week and sent him every kind of parcel I could think of. His letters used to make me both ashamed and happy. I had always banked on old Peter, and here he was behaving like an early Christian martyr—never a word of complaint, and just as cheery as if it were a winter morning on the high veld and we were off to ride down springbok. I knew what the loss of a leg must mean to him, for bodily fitness had always been his pride. The rest of life must have unrolled itself before him very drab and dusty to the grave. But he wrote as if he were on the top of his form and kept commiserating me on the discomforts of my job. The picture of that patient, gentle old fellow, hobbling about his compound and puzzling over his *Pilgrim's Progress,* a cripple for life after five months of blazing glory, would have stiffened the back of a jellyfish.

This last letter was horribly touching, for summer had come and the smell of the woods behind his prison reminded Peter of a place in the Woodbush, and one could read in every sentence the ache of exile. I sat on that stone wall and considered how trifling were the crumpled leaves in my bed of life compared with the thorns Peter and Blaikie had to lie on. I thought of Sandy far off in Mesopotamia, and old Blenkiron groaning with dyspepsia somewhere in America, and I considered that they were the kind of fellows who did their jobs without complaining. The result was that when I got up to go on I had recovered a manlier temper. I wasn't going to shame my friends or pick and choose my duty. I would trust myself to Providence, for, as Blenkiron used to say, Providence was all right if you gave him a chance.

It was not only Peter's letter that steadied and calmed me. Isham stood high up in a fold of the hills away from the main valley, and the road I was taking brought me over the ridge and back to the stream-side. I climbed through great beech-woods, which seemed in the twilight like some green place far below the sea, and then over a short stretch of hill pasture to the rim of the vale. All about me were little fields enclosed with walls of grey stone and full of dim sheep. Below were dusky woods around what I took to be Fosse Manor, for the great Roman Fosse Way, straight as an arrow, passed over the hills to the south and skirted its grounds. I could see the stream slipping among its water-meadows and could hear the plash of the weir. A tiny village settled in a crook of the hill, and its church-tower sounded seven with a curiously sweet chime. Otherwise there was no noise but the twitter of small birds and the night wind in the tops of the beeches.

In that moment I had a kind of revelation. I had a vision of what I had been fighting for, what we all were fighting for. It was peace, deep and holy and ancient, peace older than the oldest wars, peace which would endure when all our swords were hammered into ploughshares. It was more; for in that hour England first took hold of me. Before my country had been South Africa, and when I thought of home it had been the wide sun-steeped spaces of the veld or some scented glen of the Berg. But now I realised that I had a new home. I understood what a precious thing this little England was, how old and kindly and comforting, how wholly worth striving for. The freedom of an acre of her soil was cheaply bought by the blood of the best of us. I knew what it meant to be a poet, though for the life of me I could not have made a line of verse. For in that hour I had a prospect as if from a hilltop which made all the present troubles of the road seem of no account. I saw not only victory after war, but a new and happier world after victory, when I should inherit something of this English peace and wrap myself in it till the end of my days.

Very humbly and quietly, like a man walking through a cathedral, I went down the hill to the Manor lodge, and came to a door in an old red-brick façade, smothered in magnolias which smelt like hot lemons in the June dusk. The car from the inn had brought on my baggage, and presently I was dressing in a room which looked out on a water-garden. For the first time for more than a year I put on a starched shirt and a dinner-jacket, and as I dressed I could have sung from pure lightheartednes. I was in for some arduous job, and sometime that evening in that place I should get my marching orders. Someone would arrive —perhaps Bullivant—and read me the riddle. But whatever it was, I was ready for it, for my whole being had found a new purpose. Living in the trenches, you are apt to get your horizon narrowed down to the front line of enemy barbed wire on one side and the nearest rest billets on the other. But now I seemed to see beyond the fog to a happy country.

High-pitched voices greeted my ears as I came down the broad staircase, voices which scarcely accorded with the panelled walls and the austere family portraits; and when I found my hostesses in the hall I thought their looks still less in keeping with the house. Both ladies were on the wrong side of forty, but their dress was that of young girls. Miss Doria Wymondham was tall and thin with a mass of nondescript pale hair confined by a black velvet fillet. Miss Claire Wymondham was shorter and plumper and had done her best by ill-applied cosmetics to make herself look like a foreign *demi-mondaine*. They greeted me with the friendly casualness which I had long ago discovered was the right English manner towards your guests; as if they had just strolled in and billeted themselves, and you were quite glad to see them but mustn't be asked to trouble yourself further. The next second they were cooing like pigeons round a picture which a young man was holding up in the lamplight.

He was a tallish, lean fellow of round about thirty years, wearing grey flannels and shoes dusty from the country roads. His thin face was sallow as if from living indoors and he had rather more hair on his head than most of us

In the glow of the lamp his features were very clear, and I examined them with interest, for, remember, I was expecting a stranger to give me orders. He had a long, rather strong chin and an obstinate mouth with peevish lines about its corners. But the remarkable feature was his eyes. I can best describe them by saying that they looked *hot*—not fierce or angry, but so restless that they seemed to ache physically and to want sponging with cold water.

They finished their talk about the picture—which was couched in a jargon of which I did not understand one word—and Miss Doria turned to me and the young man. "My cousin Launcelot Wake—Mr. Brand. . . ."

We nodded stiffly and Mr. Wake's hand went up to smooth his hair in a self-conscious gesture.

"Has Barnard announced dinner? By the way, where is Mary?"

"She came in five minutes ago and I sent her to change," said Miss Claire. "I won't have her spoiling the evening with that horrid uniform. She may masquerade as she likes out-of-doors, but this house is for civilised people."

The butler appeared and mumbled something. "Come along," cried Miss Doria, "for I'm sure you are starving, Mr. Brand. And Launcelot has bicycled ten miles."

The dining-room was very unlike the hall. The panelling had been stripped off, and the walls and ceiling were covered with a dead-black satiny paper on which hung the most monstrous pictures in large dull-gold frames. I could only see them dimly, but they seemed to be a mere riot of ugly colour. The young man nodded towards them. "I see you have got the Dégousses hung at last," he said.

"How exquisite they are!" cried Miss Claire. "How subtle and candid and brave! Doria and I warm our souls at their flame."

Some aromatic wood had been burned in the room, and there was a queer sickly scent about. Everything in that place was strained and uneasy and abnormal—the candle shades on the table, the mass of faked china fruit in the centre dish, the gaudy hangings and the nightmarish walls. But the food was magnificent. It was the best dinner I had eaten since 1914.

"Tell me, Mr. Brand," said Miss Doria, her long white face propped on a much-beringed hand. "You are one of us? You are in revolt against this crazy war?"

"Why, yes," I said, remembering my part. "I think a little common-sense would settle it right away."

"With a little common-sense it would never have started," said Mr. Wake.

"Launcelot's a C.O., you know," said Miss Doria.

I did not know, for he did not look any kind of soldier. . . . I was just about to ask him what he commanded, when I remembered that the letters stood also for "Conscientious Objector," and stopped in time.

At that moment someone slipped into the vacant seat on my right hand. I turned and saw the V.A.D. girl who had brought tea to Blaikie that afternoon at the hospital.

"He was exempted by his Department," the lady went on, "for he's a Civil Servant, and so he never had a chance of testifying in court, but no one has done better work for our cause. He is on the committee of the L.D.A., and questions have been asked about him in Parliament."

The man was not quite comfortable at this biography. He glanced nervously at me and was going to begin some kind of explanation, when Miss Doria cut him short. "Remember our rule, Launcelot. No turgid war controversy within these walls."

I agreed with her. The war had seemed closely knit to the summer landscape for all its peace, and to the noble old chambers of the Manor. But in that demented modish dining-room it was shriekingly incongruous.

Then they spoke of other things. Mostly of pictures or common friends, and a little of books. They paid no heed to me, which was fortunate, for I know nothing about these matters and didn't understand half the language. But once Miss Doria tried to bring me in. They were talking about some Russian novel—a name like *Leprous Souls*—and she asked me if I had read it. By a curious chance I had. It had drifted somehow into our dug-out on the Scarpe, and after we had all stuck in the second chapter it had disappeared in the mud to which it naturally belonged. The lady praised its " poignancy " and " grave beauty." I assented and congratulated myself on my second escape—for if the question had been put to me I should have described it as God-forgotten twaddle.

I turned to the girl, who welcomed me with a smile. I had thought her pretty in her V.A.D. dress, but now, in a filmy black gown and with her hair no longer hidden by a cap, she was the most ravishing thing you ever saw. And I observed something else. There was more than good looks in her young face. Her broad, low brow and her laughing eyes were amazingly intelligent. She had an uncanny power of making her eyes go suddenly grave and deep, like a glittering river narrowing into a pool.

" We shall never be introduced," she said, " so let me reveal myself. I'm Mary Lamington and these are my aunts. . . . Did you really like *Leprous Souls?*"

It was easy enough to talk to her. And oddly enough her mere presence took away the oppression I had felt in that room. For she belonged to the out-of-doors and to the old house and to the world at large. She belonged to the war, and to that happier world beyond it—a world which must be won by going through the struggle and not by shirking it, like those two silly ladies.

I could see Wake's eyes often on the girl, while he boomed and oraculated and the Misses Wymondham prattled. Presently the conversation seemed to leave the flowery paths of art and to verge perilously near forbidden topics. He began to abuse our generals in the field. I could not choose but listen. Miss Lamington's brows were slightly bent, as if in disapproval, and my own temper began to rise.

He had every kind of idiotic criticism—incompetence, faint-heartedness, corruption. Where he got the stuff I can't imagine, for the most grousing Tommy, with his leave stopped, never put together such balderdash. Worst of all he asked me to agree with him.

It took all my sense of discipline. "I don't know much about the subject," I said, "but out in South Africa I did hear that the British leading was the weak point. I expect there's a good deal in what you say."

It may have been fancy, but the girl at my side seemed to whisper "Well done!"

Wake and I did not remain long behind before joining the ladies. I purposely cut it short, for I was in mortal fear lest I should lose my temper and spoil everything. I stood up with my back against the mantelpiece for as long as a man may smoke a cigarette, and I let him yarn to me, while I looked steadily at his face. By this time I was very clear that Wake was not the fellow to give me my instructions. He wasn't playing a game. He was a perfectly honest crank, but not a fanatic, for he wasn't sure of himself. He had somehow lost his self-respect and was trying to argue himself back into it. He had considerable brains, for the reasons he gave for differing from most of his countrymen were good so far as they went. I shouldn't have cared to take him on in public argument. If you had told me about such a fellow a week before I should have been sick at the thought of him. But now I didn't dislike him. I was bored by him and I was also tremendously sorry for him. You could see he was as restless as a hen.

When we went back to the hall he announced that he must get on the road, and commandeered Miss Lamington to help him find his bicycle. It appeared he was staying at an inn a dozen miles off for a couple of days' fishing, and the news somehow made me like him better. Presently the ladies of the house departed to bed for their beauty sleep and I was left to my own devices.

For some time I sat smoking in the hall wondering when the messenger would arrive. It was getting late and there seemed to be no preparation in the house to receive anybody.

The butler came in with a tray of drinks and I asked him if he expected another guest that night. "I 'adn't 'eard of it, sir," was his answer. "There 'asn't been a telegram that I know of, and I 'ave received no instructions."

I lit my pipe and sat for twenty minutes reading a weekly paper. Then I got up and looked at the family portraits. The moon coming through the lattice invited me out-of-doors as a cure for my anxiety. It was after eleven o'clock, and I was still without any knowledge of my next step. It is a maddening business to be screwed up for an unpleasant job and to have the wheels of the confounded thing tarry.

Outside the house beyond a flagged terrace the lawn fell away, white in the moonshine, to the edge of the stream, which here had expanded into a miniature lake. By the water's edge was a little formal garden with grey stone parapets which now gleamed like dusky marble. Great wafts of scent rose from it, for the lilacs were scarcely over and the may was in full blossom. Out from the shade of it came suddenly a voice like a nightingale.

It was singing the old song "Cherry Ripe," a common enough thing which I had chiefly known from barrel-organs. But heard in the scented moonlight it seemed to hold all the lingering magic of an elder England and of this hallowed countryside. I stepped inside the garden bounds and saw the head of the girl Mary.

She was conscious of my presence, for she turned towards me.

"I was coming to look for you," she said, "now that the house is quiet. I have something to say to you, General Hannay."

She knew my name and must be somehow in the business. The thought entranced me.

"Thank God I can speak to you freely," I cried. "Who and what are you—living in that house in that kind of company?"

"My good aunts!" She laughed softly. "They talk a great deal about their souls, but they really mean their nerves. Why, they are what you call my camouflage, and a very good one too."

"And that cadaverous young prig?"

"Poor Launcelot! Yes—camouflage too—perhaps something a little more. You must not judge him too harshly."

"But . . . but——" I did not know how to put it, and stammered in my eagerness. "How can I tell that you are the right person for me to speak to? You see I am under orders, and I have got none about you."

"I will give you proof," she said. "Three days ago Sir Walter Bullivant and Mr. Macgillivray told you to come here to-night and to wait here for further instructions. You met them in the little smoking-room at the back of the Rota Club. You were bidden take the name of Cornelius Brand, and turn yourself from a successful general into a pacificist South African engineer. Is that correct?"

"Perfectly."

"You have been restless all evening looking for the messenger to give you these instructions. Set your mind at ease. No messenger is coming. You will get your orders from me."

"I could not take them from a more welcome source," I said.

"Very prettily put. If you want further credentials I can tell you much about your own doings in the past three years. I can explain to you, who don't need the explanation, every step in the business of the Black Stone. I think I could draw a pretty accurate map of your journey to Erzerum. You have a letter from Peter Pienaar in your pocket—I can tell you its contents. Are you willing to trust me?"

"With all my heart," I said.

"Good. Then my first order will try you pretty hard. For I have no orders to give except to bid you go and steep yourself in a particular kind of life. Your first duty is to get 'atmosphere,' as your friend Peter used to say. Oh, I will tell you where to go and how to behave. But I can't bid you *do* anything, only live idly with open eyes and ears till you have got the ' feel ' of the situation."

She stopped and laid a hand on my arm.

" It won't be easy. It would madden me, and it will be a far heavier burden for a man like you. You have got to sink down deep into the life of the half-baked, the people whom this war hasn't touched or has touched in the wrong way, the people who split hairs all day and are engrossed in what you and I would call selfish little fads. Yes. People like my aunts and Launcelot, only for the most part in a different social grade. You won't live in an old manor like this, but among gimcrack little ' arty ' houses. You will hear everything you regard as sacred laughed at and condemned, and every kind of nauseous folly acclaimed, and you must hold your tongue and pretend to agree. You will have nothing in the world to do except to let the life soak into you, and, as I have said, keep your eyes and ears open."

" But you must give me some clue as to what I should be looking for? "

" My orders are to give you none. Our chiefs—yours and mine—want you to go where you are going without any kind of *parti pris*. Remember we are still in the intelligence stage of the affair. The time hasn't yet come for a plan of campaign, and still less for action."

" Tell me one thing," I said. "Is it a really big thing we're after? "

" A—really—big—thing," she said slowly and very gravely. " You and I and some hundred others are hunting the most dangerous man in all the world. Till we succeed everything that Britain does is crippled. If we fail or succeed too late the Allies may never win the victory which is their right. I will tell you one thing to cheer you. It is in some sort a race against time, so your purgatory won't endure too long."

I was bound to obey, and she knew it, for she took my willingness for granted.

From a little gold satchel she selected a tiny box, and

opening it extracted a thing like a purple wafer with a white St. Andrew's Cross on it.

"What kind of watch have you? Ah, a hunter. Paste that inside the lid. Some day you may be called on to show it. . . . One other thing. Buy to-morrow a copy of the *Pilgrim's Progress* and get it by heart. You will receive letters and messages some day and the style of our friends is apt to be reminiscent of John Bunyan. . . . The car will be at the door to-morrow to catch the ten-thirty, and I will give you the address of the rooms that have been taken for you. . . . Beyond that I have nothing to say, except to beg you to play the part well and keep your temper. You behaved very nicely at dinner."

I asked one last question as we said good-night in the hall. "Shall I see you again?"

"Soon, and often," was the answer. "Remember we are colleagues."

I went upstairs feeling extraordinarily comforted. I had a perfectly beastly time ahead of me, but now it was all glorified and coloured with the thought of the girl who had sung "Cherry Ripe" in the garden. I commended the wisdom of that old serpent Bullivant in the choice of his intermediary, for I'm hanged if I would have taken such orders from anyone else.

CHAPTER II

" THE VILLAGE NAMED MORALITY "

UP on the high veld our rivers are apt to be strings of pools linked by muddy trickles—the most stagnant kind of watercourse you would look for in a day's journey. But presently they reach the edge of the plateau and are tossed down into the flats in noble ravines, and roll thereafter in full and sounding currents to the sea. So with the story I am telling. It began in smooth reaches, as idle as a mill-pond; yet the day soon came when I was in the grip of a torrent, flung breathless from rock to rock by a destiny which I could not control. But for the present I was in a backwater, no less than the Garden City of Biggleswick, where Mr. Cornelius Brand, a South African gentleman visiting England on holiday, lodged in a pair of rooms in the cottage of Mr. Tancred Jimson.

The house—or " home " as they preferred to name it at Biggleswick—was one of some two hundred others which ringed a pleasant Midland common. It was badly built and oddly furnished; the bed was too short, the windows did not fit, the doors did not stay shut; but it was as clean as soap and water and scrubbing could make it. The three-quarters of an acre of garden were mainly devoted to the culture of potatoes, though under the parlour window Mrs. Jimson had a plot of sweet-smelling herbs, and lines of lank sunflowers fringed the path that led to the front door. It was Mrs. Jimson who received me as I descended from the station fly—a large red woman with hair bleached by constant exposure to weather, clad in a gown which, both in shape and material, seemed to have been modelled on a chintz curtain. She was a good kindly soul, and as proud as Punch of her house. "We follow the simple life here, Mr. Brand," she said. "You must take us as you find us." I assured her that I asked for nothing better, and as I unpacked in my fresh little bedroom with a west wind blowing in at the window I considered that I had seen worse quarters.

I had bought in London a considerable number of books, for I thought that, as I would have time on my hands, I might as well do something about my education. They were mostly English classics, whose names I knew but which I had never read, and they were all in a little flat-backed series at a shilling apiece. I arranged them on the top of a chest of drawers, but I kept the *Pilgrim's Progress* beside my bed, for that was one of my working tools and I had got to get it by heart. Mrs. Jimson, who came in while I was unpacking to see if the room was to my liking, approved my taste. At our midday dinner she wanted to discuss books with me, and was so full of her own knowledge that I was able to conceal my ignorance. "We are all labouring to express our personalities," she informed me. "Have you found your medium, Mr. Brand? Is it to be the pen or the pencil? Or perhaps it is music? You have the brow of an artist, the frontal 'bar of Michaelangelo,' you remember!"

I told her that I concluded I would try literature, but before writing anything I would read a bit more.

It was a Saturday, so Jimson came back from town in the early afternoon. He was a managing clerk in some shipping office, but you wouldn't have guessed it from his appearance. His city clothes were loose dark-grey flannels, a soft collar, an orange tie, and a soft black hat. His wife went down the road to meet him, and they returned hand-in-hand, swinging their arms like a couple of school-children. He had a skimpy red beard streaked with grey, and mild blue eyes behind strong glasses. He was the most friendly creature in the world, full of rapid questions, and eager to make me feel one of the family. Presently he got into a tweed norfolk jacket, and started to cultivate his garden. I took off my coat and lent him a hand, and when he stopped to rest from his labours—which was every five minutes, for he had no kind of physique—he would mop his brow and rub his spectacles and declaim about the good smell of the earth and the joy of getting close to nature.

Once he looked at my big brown hands and muscular arms with a kind of wistfulness. " You are one of the *doers,* Mr. Brand," he said, " and I could find it in my heart to envy you. You have seen Nature in wild forms in far countries. Some day I hope you will tell us about your life. I must be content with my little corner, but happily there are no territorial limits for the mind. This modest dwelling is a watch-tower from which I look over all the world."

After that he took me for a walk. We met parties of returning tennis-players and here and there a golfer. There seemed to be an abundance of young men, mostly rather weedy-looking, but with one or two well-grown ones who should have been fighting. The names of some of them Jimson mentioned with awe. An unwholesome youth was Aronson, the great novelist; a sturdy, bristling fellow with a fierce moustache was Letchford, the celebrated leader-writer of the *Critic*. Several were pointed out to me as artists who had gone one better than anybody else, and a vast billowy creature was described as the leader of the new Orientalism in England. I noticed that these people, according to Jimson, were all " great," and that they all dabbled in something " new." There were quantities of young women, too, most of them rather badly dressed and inclining to untidy hair. And there were several decent couples taking the air like householders of an evening all the world over. Most of these last were Jimson's friends, to whom he introduced me. They were his own class—modest folk, who sought for a coloured background to their prosaic city lives and found it in this odd settlement.

At supper I was initiated into the peculiar merits of Biggleswick. " It is one great laboratory of thought," said

Mrs. Jimson. "It is glorious to feel that you are living among the eager-vital people who are at the head of all the newest movements, and that the intellectual history of England is being made in our studies and gardens. The war to us seems a remote and secondary affair. As someone has said, the great fights of the world are all fought in the mind."

A spasm of pain crossed her husband's face. "I wish I could feel it far away. After all, Ursula, it is the sacrifice of the young that gives people like us leisure and peace to think. Our duty is to do the best which is permitted to us, but that duty is a poor thing compared with what our young soldiers are giving! I may be quite wrong about the war. . . . I know I can't argue with Letchford. But I will not pretend to a superiority I do not feel."

I went to bed feeling that in Jimson I had struck a pretty sound fellow. As I lit the candles on my dressing-table I observed that the stack of silver which I had taken out of my pockets when I washed before supper was top-heavy. It had two big coins at the top and sixpences and shillings beneath. Now it is one of my oddities that ever since I was a small boy I have arranged my loose coins symmetrically, with the smallest uppermost. That made me observant and led me to notice a second point. The English classics on the top of the chest of drawers were not in the order I had left them. Izaak Walton had got to the left of Sir Thomas Browne, and the poet Burns was wedged disconsolately between two volumes of Hazlitt. Moreover a receipted bill which I had stuck in the *Pilgrim's Progress* to mark my place had been moved. Someone had been going through my belongings.

A moment's reflection convinced me that it couldn't have been Mrs. Jimson. She had no servant and did the housework herself, but my things had been untouched when I left the room before supper, for she had come to tidy up before I had gone downstairs. Someone had been here while we were at supper, and had examined elaborately everything I possessed. Happily I had little luggage, and no papers save the new books and a bill or two in the name of Cornelius Brand. The inquisitor, whoever he was, had found nothing. . . . The incident gave me a good deal of comfort. It had been hard to believe that any mystery could exist in this public place, where people lived brazenly in the open, and wore their hearts on their sleeves and proclaimed their opinions from the roof-tops. Yet mystery there must be, or an inoffensive stranger with a kit-bag would not have received these strange attentions. I made a practice after that of sleeping with my watch below my pillow, for inside the case was Mary Lamington's label.

Now began a period of pleasant idle receptiveness. Once a week it was my custom to go up to London for the day to receive letters and instructions, if any should come. I had moved from my chambers in Park Lane, which I leased under my proper name, to a small flat in Westminster taken in the name of Cornelius Brand. The letters addressed to Park Lane were forwarded to Sir Walter, who sent them round under cover to my new address. For the rest I used to spend my mornings reading in the garden, and I discovered for the first time what a pleasure was to be got from old books. They recalled and amplified that vision I had seen from the Cotswold ridge, the revelation of the priceless heritage which is England. I imbibed a mighty quantity of history, but especially I liked the writers, like Walton, who got at the very heart of the English countryside. Soon, too, I found the *Pilgrim's Progress* not a duty but a delight. I discovered new jewels daily in the honest old story, and my letters to Peter began to be as full of it as Peter's own epistles. I loved, also, the songs of the Elizabethans, for they reminded me of the girl who had sung to me in the June night.

In the afternoons I took my exercise in long tramps along the good dusty English roads. The country fell away from Biggleswick into a plain of wood and pasture-land, with low hills on the horizon. The place was sown with villages, each with its green and pond and ancient church. Most, too, had inns, and there I had many a draught of cool nutty ale, for the inn at Biggleswick was a reformed place which sold nothing but washy cider. Often, tramping home in the dusk, I was so much in love with the land that I could have sung with the pure joy of it. And in the evening, after a bath, there would be supper, when a rather fagged Jimson struggled between sleep and hunger, and the lady, with an artistic mutch on her untidy head, talked ruthlessly of culture.

Bit by bit I edged my way into local society. The Jimsons were a great help, for they were popular and had a nodding acquaintance with most of the inhabitants. They regarded me as a meritorious aspirant towards a higher life, and I was paraded before their friends with the suggestion of a vivid, if Philistine, past. If I had any gift for writing, I would make a book about the inhabitants of Biggleswick. About half were respectable citizens who came there for country air and low rates, but even these had a touch of queerness and had picked up the jargon of the place. The younger men were mostly Government clerks or writers or artists. There were a few widows with flocks of daughters, and on the outskirts were several bigger houses—mostly houses which had been there before the garden city was planted. One of them was brand-new, a staring villa with sham-antique timbering, stuck on the top of a hill among raw gardens. It belonged to a man called Moxon Ivery, who was a kind of academic pacificist and a great god in the place. Another, a quiet Georgian manor house, was owned by a London publisher, an ardent Liberal whose particular branch of business compelled him to keep in touch with the new movements. I used to see him hurrying to the station swinging a little black bag and returning at night with the fish for dinner.

I soon got to know a surprising lot of people, and they were the rummiest birds you can imagine. For example, there were the Weekeses, three girls who lived with their mother in a house so artistic that you broke your head whichever way you turned in it. The son of the family was a conscientious objector who had refused to do any sort of work whatever, and had got quodded for his pains. They were immensely proud of him and used to relate his sufferings in Dartmoor with a gusto which I thought rather heartless. Art was their great subject, and I am afraid they found me pretty heavy going. It was their fashion never to admire anything that was obviously beautiful, like a sunset or a pretty woman, but to find surprising loveliness in things which I thought hideous. Also they talked a language that was beyond me. This kind of conversation used to happen.—Miss Weekes: "Don't you admire Ursula Jimson?" Self: "Rather!" Miss W.: "She is so Johnesque in her lines." Self: "Exactly!" Miss W.: "And Tancred, too—he is so full of *nuances.*" Self: "Rather!" Miss W.: "He suggests one of Dégousse's countrymen." Self: "Exactly!"

They hadn't much use for books, except some Russian ones, and I acquired merit in their eyes for having read *Leprous Souls.* If you talked to them about that divine countryside, you found they didn't give a rap for it and had never been a mile beyond the village. But they admired greatly the sombre effect of a train going into Marylebone station on a rainy day.

But it was the men who interested me most. Aronson, the novelist, proved on acquaintance the worst kind of blighter. He considered himself a genius whom it was the duty of the country to support, and he sponged on his wretched relatives and anyone who would lend him money. He was always babbling about his sins, and pretty squalid they were. I should like to have flung him among a few good old-fashioned full-blooded sinners of my acquaintance; they would have scared him considerably. He told me that he sought "reality" and "life" and "truth," but it was hard to see how he could know much about them, for he spent half the day in bed smoking cheap cigarettes, and the rest sunning himself in the admiration of half-witted girls. The creature was tuberculous in mind and body, and the only novel of his I read pretty well turned my stomach. Mr. Aronson's strong point was jokes about the war. If he heard of any acquaintance who had joined up or was even doing war work his merriment knew no bounds. My fingers used to itch to box the little wretch's ears.

Letchford was a different pair of shoes. He was some kind of a man, to begin with, and had an excellent brain and the worst manners conceivable. He contradicted everything you said, and looked out for an argument as other people look for their dinner. He was a double-engined, high-speed pacificist, because he was the kind of cantankerous fellow who must always be in the minority. If Britain had stood out of the war he would have been a raving militarist, but since she was in it he had got to find reasons why she was wrong. And jolly good reasons they were, too. I couldn't have met his arguments if I had wanted to, so I sat docilely at his feet. The world was all crooked for Letchford, and God had created him with two left hands. But the fellow had merits. He had a couple of jolly children whom he adored, and he would walk miles with me on a Sunday, and spout poetry about the beauty and greatness of England. He was forty-five; if he had been thirty and in my battalion I could have made a soldier out of him.

There were dozens more whose names I have forgotten, but they had one common characteristic. They were puffed up with spiritual pride, and I used to amuse myself with finding their originals in the *Pilgrim's Progress*. When I tried to judge them by the standard of old Peter, they fell woefully short. They shut out the war from their lives, some out of funk, some out of pure levity of mind, and some because they were really convinced that the thing was all wrong. I think I grew rather popular in my rôle of the seeker after truth, the honest colonial who was against the war by instinct and was looking for instruction in the matter. They regarded me as a convert from an alien world of action which they secretly dreaded, though they affected to despise it. Anyhow they talked to me very freely, and before long I had all the pacificist arguments by heart. I made out that there were three schools. One objected to war altogether, and this had few adherents except Aronson and Weekes, C.O., now languishing in Dartmoor. The second thought that the Allies' cause was tainted, and that Britain had contributed as much as Germany to the catastrophe. This included all the adherents of the L.D.A.—or League of Democrats against Aggression,—a very proud body. The third and much the largest, which embraced everybody else, held that we had fought long enough and that the business could now be settled by negotiation, since Germany had learned her lesson. I was myself a modest member of the last school, but I was gradually working my way up to the second, and I hoped with luck to qualify for the first. My acquaintances approved my progress. Letchford said I had a core of fanaticism in my slow nature, and that I would end by waving the red flag.

Spiritual pride and vanity, as I have said, were at the bottom of most of them, and, try as I might, I could find nothing very dangerous in it all. This vexed me, for I began to wonder if the mission which I had embarked on so solemnly were not going to be a fiasco. Sometimes they worried me beyond endurance. When the news of Messines came nobody took the slightest interest, while I was aching to tooth every detail of that great fight. And when they talked on military affairs, as Letchford and others did sometimes, it was difficult to keep from sending them all to the devil, for their amateur cock-sureness would have riled Job. One had got to batten down the recollection of our fellows out there who were sweating blood to keep these fools snug. Yet I found it impossible to be angry with them for long, they were so babyishly innocent. Indeed, I couldn't help liking them, and finding a sort of quality in them. I had spent three years among soldiers, and the British regular, great fellow that he is, has his faults. His discipline makes him in a funk of red-tape and any kind of superior authority. Now these people were quite honest and in a perverted way courageous. Letchford was, at any rate. I could no more have done what he did and got hunted off platforms by the crowd and hooted at by women in the streets than I could have written his leading articles.

All the same I was rather low about my job. Barring the episode of the ransacking of my effects the first night, I had not a suspicion of a clue or a hint of any mystery. The place and the people were as open and bright as a Y.M.C.A. hut. But one day I got a solid wad of comfort. In a corner of Letchford's paper, the *Critic*, I found a letter which was one of the steepest pieces of invective I had ever met with. The writer gave tongue like a beagle pup about the prostitution, as he called it, of American republicanism to the vices of European aristocracies. He declared that Senator La Follette was a much-misundertood patriot, seeing that he alone spoke for the toiling millions who had no other friend. He was mad with President Wilson, and he prophesied a great awakening when Uncle Sam got up against John Bull in Europe and found out the kind of standpatter he was. The letter was signed "John S. Blenkiron" and dated "London, July 3rd."

The thought that Blenkiron was in England put a new complexion on my business. I reckoned I would see him soon, for he wasn't the man to stand still in his tracks. He had taken up the rôle he had played before he left in December, 1915, and very right too, for not more than half a dozen people knew of the Erzerum affair, and to the British public he was only the man who had been fired out of the Savoy for talking treason. I had felt a bit lonely before, but now somewhere within the four corners of the island the best companion God ever made was writing nonsense with his tongue in his old cheek.

There was an institution in Biggleswick which deserves mention. On the south of the common, near the station, stood a red-brick building called the Moot Hall, which was a kind of church for the very undevout population. Undevout in the ordinary sense, I mean, for I had already counted twenty-seven varieties of religious conviction, including three Buddhists, a Celestial Hierarch, five Latter-day Saints, and about ten varieties of Mystic whose names I could never remember. The hall had been the gift of the publisher I have spoken of, and twice a week it was used for lectures and debates. The place was managed by a committee and was surprisingly popular, for it gave all the bubbling intellects a chance of airing their views. When you asked where somebody was and were told he was "at Moot," the answer was spoken in the respectful tone in which you would mention a sacrament.

I went there regularly and got my mind broadened to cracking point. We had all the stars of the New Movements. We had Doctor Chirk, who lectured on "God," which, as far as I could make out, was a new name he had invented for himself. There was a woman, a terrible woman, who had come back from Russia with what she called a "message of healing." And to my joy, one night there was a great buck nigger who had a lot to say about "Africa and the Africans." I had a few words with him in Sesutu afterwards, and rather spoiled his visit. Some of the people were extraordinarily good, especially one jolly old fellow who talked about English folk songs and dances, and wanted us to set up a Maypole. In the debates which generally followed I began to join, very coyly at first, but presently with some confidence. If my time at Biggleswick did nothing else it taught me to argue on my feet.

The first big effort I made was on a full-dress occasion, when Launcelot Wake came down to speak. Mr. Ivery was in the chair—the first I had seen of him—a plump middle-aged man, with a colourless face and nondescript features. I was not interested in him till he began to talk, and then

I sat bolt upright and took notice. For he was the genuine silver-tongue, the sentences flowing from his mouth as smooth as butter and as neatly dovetailed as a parquet floor. He had a sort of man-of-the-world manner, treating his opponents with condescending geniality, deprecating all passion and exaggeration, and making you feel that his urbane statement must be right, for if he had wanted he could have put the case so much higher. I watched him, fascinated, studying his face carefully; and the thing that struck me was that there was nothing in it—nothing, that is to say, to lay hold on. It was simply nondescript, so almightily commonplace that that very fact made it rather remarkable.

Wake was speaking of the revelations of the Sukhomlinov trial in Russia, which showed that Germany had not been responsible for the war. He was jolly good at the job, and put up as clear an argument as a first-class lawyer. I had been sweating away at the subject and had all the ordinary case at my fingers' ends, so when I got a chance of speaking I gave them a long harangue, with some good quotations I had cribbed out of the *Vossische Zeitung,* which Letchford lent me. I felt it was up to me to be extra violent, for I wanted to establish my character with Wake, seeing that he was a friend of Mary and Mary would know that I was playing the game. I got tremendously applauded, far more than the chief speaker, and after the meeting Wake came up to me with his hot eyes, and wrung my hand. " You're coming on well, Brand," he said, and then he introduced me to Mr. Ivery. " Here's a second and a better Smuts," he said.

Ivery made me walk a bit of the road home with him. " I am struck by your grip on these difficult problems, Mr. Brand," he told me. " There is much I can tell you, and you may be of great value to our cause." He asked me a lot of questions about my past, which I answered with easy mendacity. Before we parted he made me promise to come one night to supper.

Next day I got a glimpse of Mary, and to my vexation she cut me dead. She was walking with a flock of bareheaded girls, all chattering hard, and though she saw me quite plainly she turned away her eyes. I had been waiting for my cue, so I did not lift my hat, but passed on as if we were strangers. I reckoned it was part of the game, but that trifling thing annoyed me, and I spent a morose evening.

The following day I saw her again, this time walking sedately with Mr. Ivery, and dressed in a very pretty summer gown, and a broad-brimmed straw hat with flowers in it. This time she stopped with a bright smile and held out her hand. "Mr. Brand, isn't it?" she asked with a pretty hesitation. And then, turning to her companion— "This is Mr. Brand. He stayed with us last month in Gloucestershire."

Mr. Ivery announced that he and I were already acquainted. Seen in broad daylight he was a very personable fellow, somewhere between forty-five and fifty, with a middle-aged figure and a curiously young face. I noticed that there were hardly any lines on it, and it was rather that of a very wise child than that of a man. He had a pleasant smile which made his jaw and cheeks expand like indiarubber. "You are coming to sup with me, Mr. Brand," he cried after me. "On Tuesday after Moot. I have already written." He whisked Mary away from me, and I had to content myself with contemplating her figure till it disappeared round a bend of the road.

Next day in London I found a letter from Peter. He had been very solemn of late, and very reminiscent of old days now that he concluded his active life was over. But this time he was in a different mood. *"I think,"* he wrote, *"that you and I will meet again soon, my old friend. Do you remember when we went after the big black-maned lion in the Rooirand and couldn't get on his track, and then one morning we both woke up and said we would get him to-day?—and we did, but he very near got you first. I've had a feel these last days that we're both going down into the Valley to meet with Apollyon, and that the devil will give us a bad time, but anyhow we'll be together."*

I had the same kind of feel myself, though I didn't see how Peter and I were going to meet, unless I went out to the Front again and got put in the bag and sent to the same Boche prison. But I had an instinct that my time in Biggleswick was drawing to a close, and that presently I would be in rougher quarters. I felt quite affectionate towards the place, and took all my favourite walks, and drank my own health in the brew of the village inns, with a consciousness of saying good-bye. Also I made haste to finish my English classics, for I concluded I wouldn't have much time in the future for miscellaneous reading.

The Tuesday came, and in the evening I set out rather late for the Moot Hall, for I had been getting into decent clothes after a long, hot stride. When I reached the place it was pretty well packed, and I could only find a seat on the back benches. There on the platform was Ivery, and beside him sat a figure that thrilled every inch of me with affection and a wild anticipation. "I have now the privilege," said the chairman, "of introducing to you the speaker whom we so warmly welcome, our fearless and indefatigable American friend, Mr. Blenkiron."

It was the old Blenkiron, but almightily changed. His stoutness had gone, and he was as lean as Abraham Lincoln. Instead of a puffy face, his cheek-bones and jaw stood out hard and sharp, and in place of his former pasty colour his complexion had the clear glow of health. I saw now that he was a splendid figure of a man, and when he got to his feet every movement had the suppleness of an athlete in training. In that moment I realised that my serious business had now begun. My senses suddenly seemed quicker, my nerves tenser, my brain more active. The big game had started, and he and I were playing it together.

I watched him with strained attention. It was a funny speech, stuffed with extravagance and vehemence, not very well argued and terribly discursive. His main point was that Germany was now in a fine democratic mood and might well be admitted into a brotherly partnership—that indeed she had never been in any other mood, but had been forced into violence by the plots of her enemies. Much of it, I should have thought, was in stark defiance of the Defense of the Realm Acts, but if any wise Scotland Yard officer had listened to it he would probably have considered it harmless because of its contradictions. It was full of a fierce earnestness, and it was full of humour—long-drawn American metaphors at which that most critical audience roared with laughter. But it was not the kind of thing that they were accustomed to, and I could fancy what Wake would have said of it. The conviction grew upon me that Blenkiron was deliberately trying to prove himself an honest idiot. If so, it was a huge success. He produced on one the impression of the type of sentimental revolutionary who ruthlessly knifes his opponent and then weeps and prays over his tomb.

Just at the end he seemed to pull himself together and to try a little argument. He made a great point of the Austrian socialists going to Stockholm, going freely and with their Government's assent, from a country which its critics called an autocracy, while the democratic western peoples held back. "I admit I haven't any real water-tight proof," he said, "but I will bet my bottom dollar that the influence which moved the Austrian Government to allow this embassy of freedom was the influence of Germany herself. And that is the land from which the Allied Pharisees draw in their skirts lest their garments be defiled!"

He sat down amid a good deal of applause, for his audience had not been bored, though I could see that some of them thought his praise of Germany a bit steep. It was all right in Biggleswick to prove Britain in the wrong, but it was a slightly different thing to extol the enemy. I was puzzled about his last point, for it was not of a piece with the rest of his discourse, and I was trying to guess at his purpose. The chairman referred to it in his concluding remarks. "I am in a position," he said, "to bear out all that the lecturer has said. I can go farther. I can assure him on the best authority that his surmise is correct, and that Vienna's decision to send delegates to Stockholm was largely dictated by representations from Berlin. I am given to understand that the fact has in the last few days been admitted in the Austrian Press."

A vote of thanks was carried, and then I found myself shaking hands with Ivery while Blenkiron stood a yard off, talking to one of the Misses Weekes. The next moment I was being introduced. "Mr. Brand, very pleased to meet you," said the voice I knew so well. "Mr. Ivery has been telling me about you, and I guess we've got something to say to each other. We're both from noo countries, and we've got to teach the old nations a little horse-sense."

Mr. Ivery's car—the only one left in the neighbourhood—carried us to his villa, and presently we were seated in a brightly-lit dining-room. It was not a pretty house, but it had the luxury of an expensive hotel, and the supper we had was as good as any London restaurant. Gone were the old days of fish and toast and boiled milk. Blenkiron squared his shoulders and showed himself a noble trencherman.

"A year ago," he told our host, "I was the meanest kind of dyspeptic. I had the love of righteousness in my heart, but I had the devil in my stomach. Then I heard stories about the Robson Brothers, the star surgeons way out west in White Springs, Nebraska. They were reckoned the neatest hands in the world at carving up a man and removing devilments from his intestines. Now, sir, I've always fought pretty shy of surgeons, for I considered that our Maker never intended His handiwork to be reconstructed like a bankrupt Dago railway. But by that time I was feeling so almighty wretched that I could have paid a man to put a bullet through my head. 'There's no other way,' I said to myself. 'Either you forget your religion and your miserable cowardice and get cut up, or it's you for the Golden Shore.' So I set my teeth and journeyed to White

Springs, and the Brothers had a look at my duodenum. They saw that the darned thing wouldn't do, so they side-tracked it and made a noo route for my noo-trition traffic. It was the cunningest piece of surgery since the Lord took a rib out of the side of our First Parent. They've got a mighty fine way of charging, too, for they take five per cent. of a man's income, and it's all one to them whether he's a Meat King or a clerk on twenty dollars a week. I can tell you I took some trouble to be a very rich man last year."

All through the meal I sat in a kind of stupor. I was trying to assimilate the new Blenkiron, and drinking in the comfort of his heavenly drawl, and I was puzzling my head about Ivery. I had a ridiculous notion that I had seen him before, but, delve as I might into my memory, I couldn't place him. He was the incarnation of the commonplace, a comfortable middle-class sentimentalist, who patronised pacificism out of vanity, but was very careful not to dip his hands too far. He was always damping down Blenkiron's volcanic utterances. "Of course, as you know, the other side have an argument which I find rather hard to meet. . . ." "I can sympathise with patriotism, and even with jingoism, in certain moods, but I always come back to this difficulty." . . . "Our opponents are not ill-meaning so much as ill-judging,"—these were the sort of sentences he kept throwing in. And he was full of quotations from private conversations he had had with every sort of person—including members of the Government. I remember that he expressed great admiration for Mr. Balfour.

Of all that talk I only recalled one thing clearly, and I recalled it because Blenkiron seemed to collect his wits and try to argue, just as he had done at the end of his lecture. He was speaking about a story he had heard from someone, who had heard it from someone else, that Austria in the last week of July, 1914, had accepted Russia's proposal to hold her hand and negotiate, and that the Kaiser had sent a message to the Tsar saying he agreed. According to his story this telegram had been received in Petrograd, and had been rewritten, like Bismarck's Ems telegram, before it reached the Emperor. He expressed his disbelief in the yarn. "I reckon if it had been true," he said, "we'd have had the right text out long ago. They'd have kept a copy in Berlin. All the same I did hear a sort of rumour that some kind of message of that sort was being published in a German paper."

Mr. Ivery looked wise. "You are right," he said. "I happen to know that it has been published. You will find it in the *Weser Zeitung*."

"You don't say?" he said admiringly. "I wish I could read the old tombstone language. But if I could they wouldn't let me have the papers."

"Oh yes they would." Mr. Ivery laughed pleasantly. "England has still a good share of freedom. Any respectable person can get a permit to import the enemy press. I'm not considered quite respectable, for the authorities have a narrow definition of patriotism, but happily I have respectable friends."

Blenkiron was staying the night, and I took my leave as the clock struck twelve. They both came into the hall to see me off, and, as I was helping myself to a drink, and my host was looking for my hat and stick, I suddenly heard Blenkiron's whisper in my ear. "London . . . the day after to-morrow," he said. Then he took a formal farewell. "Mr. Brand, it's been an honour for me, as an American citizen, to make your acquaintance, sir. I will consider myself fortunate if we have an early reunion. I am stopping at Claridge's Ho-tel, and I hope to be privileged to receive you there."

CHAPTER III

THE REFLECTIONS OF A CURED DYSPEPTIC

THIRTY-FIVE hours later I found myself in my rooms in Westminster. I thought there might be a message for me there, for I didn't propose to go and call openly on Blenkiron at Claridge's till I had his instructions. But there was no message—only a line from Peter, saying he had hopes of being sent to Switzerland. That made me realise that he must be pretty badly broken up.

Presently the telephone bell rang. It was Blenkiron who spoke. " Go down and have a talk with your brokers about the War Loan. Arrive there about twelve o'clock and don't go upstairs till you have met a friend. You'd better have a quick luncheon at your club, and then come to Traill's bookshop in the Haymarket at two. You can get back to Biggleswick by the 5.16."

I did as I was bid, and twenty minutes later, having travelled by Underground, for I couldn't raise a taxi, I approached the block of chambers in Leadenhall Street where dwelt the respected firm who managed my investments. It was still a few minutes before noon, and as I slowed down a familiar figure came out of the bank next door.

Ivery beamed recognition. " Up for the day, Mr. Brand? " he asked.

" I have to see my brokers," I said, " read the South African papers in my club, and get back by the 5.16. Any chance of your company? "

" Why, yes—that's my train. *Au revoir.* We meet at the station." He bustled off, looking very smart with his neat clothes and a rose in his buttonhole.

I lunched impatiently, and at two was turning over some new books in Traill's shop with an eye on the street-door behind me. It seemed a public place for an assignation. I had begun to dip into a big illustrated book on flower-gardens when an assistant came up. "The manager's compliments, sir, and he thinks there are some old works of travel upstairs that might interest you." I followed him obediently to an upper floor lined with every kind of volume and with tables littered with maps and engravings. "This way, sir," he said, and opened a door in the wall concealed by bogus book-backs, I found myself in a little study, and Blenkiron sitting in an armchair smoking.

He got up and seized both my hands. "Why, Dick, this is better than good noos. I've heard all about your exploits since we parted a year ago on the wharf at Liverpool. We've both been busy on our own jobs, and there was no way of keeping you wise about my doings, for after I thought I was cured I got worse than hell inside, and, as I told you, had to get the doctor-men to dig into me. After that I was playing a pretty dark game, and had to get down and out of decent society. But, holy Mike! I'm a new man. I used to do my work with a sick heart and a taste in my mouth like a graveyard, and now I can eat and drink what I like and frolic round like a colt. I wake up every morning whistling and thank the good God that I'm alive. It was a bad day for Kaiser when I got on the cars for White Springs."

"This is a rum place to meet," I said, "and you brought me by a roundabout road."

He grinned and offered me a cigar.

"There were reasons. It don't do for you and me to advertise our acquaintance in the street. As for the shop, I've owned it for five years. I've a taste for good reading, though you wouldn't think it, and it tickles me to hand it out across the counter. . . . First, I want to hear about Biggleswick."

"There isn't a great deal to it. A lot of ignorance, a

large slice of vanity, and a pinch or two of wrong-headed honesty—these are the ingredients of the pie. Not much real harm in it. There's one or two dirty literary gents who should be in a navvies' battalion, but they're about as dangerous as yellow Kaffir dogs. I've learned a lot and got all the arguments by heart, but you might plant a Biggleswick in every shire and it wouldn't help the Boche. I can see where the danger lies all the same. These fellows talked academic anarchism, but the genuine article is somewhere about and to find it you've got to look in the big industrial districts. We had faint echoes of it in Biggleswick. I mean that the really dangerous fellows are those who want to close up the war at once and so get on with their blessed class war, which cuts across nationalities. As for being spies and that sort of thing, the Biggleswick lads are too callow."

"Ye-es," said Blenkiron reflectively. "They haven't got as much sense as God gave to geese. You're sure you didn't hit against any heavier metal?"

"Yes. There's a man called Launcelot Wake, who came down to speak once. I had met him before. He has the makings of a fanatic, and he's the more dangerous because you can see his conscience is uneasy. I can fancy him bombing a Prime Minister merely to quiet his own doubts."

"So," he said. "Nobody else?"

I reflected. "There's Mr. Ivery, but you know him better than I. I shouldn't put much on him, but I'm not precisely certain, for I never had a chance of getting to know him."

"Ivery," said Blenkiron in surprise. "He has a hobby for half-baked youth, just as another rich man might fancy orchids or fast trotters. You sure can place him right enough."

"I dare say. Only I don't know enough to be positive."

He sucked at his cigar for a minute or so. "I guess, Dick, if I told you all I've been doing since I reached these shores you would call me a ro-mancer. I've been way down among the toilers. I did a spell as unskilled dilooted labour in the Barrow shipyards. I was barman in a ho-tel on the Portsmouth Road, and I put in a black month driving a taxicab in the city of London. For a while I was the accredited correspondent of the *Noo York Sentinel* and used to go with the rest of the bunch to the pow-wows of under-secretaries of State and War Office generals. They censored my stuff so cruel that the paper fired me. Then I went on a walking-tour round England and sat for a fortnight in a little farm in Suffolk. By and by I came back to Claridge's and this bookshop, for I had learned most of what I wanted.

"I had learned," he went on, turning his curious, full, ruminating eyes on me, "that the British working-man is about the soundest piece of humanity on God's earth. He grumbles a bit and jibs a bit when he thinks the Government are giving him a crooked deal, but he's gotten the patience of Job and the sand of a gamecock. And he's gotten humour too, that tickles me to death. There's not much trouble in that quarter, for it's he and his kind that's beating the Hun. . . . But I picked up a thing or two besides that."

He leaned forward and tapped me on the knee. "I reverence the British Intelligence Service. Flies don't settle on it to any considerable extent. It's got a mighty fine mesh, but there's one hole in that mesh, and it's our job to mend it. There's a high-powered brain in the game against us. I struck it a couple of years ago when I was hunting Dumba and Albert, and I thought it was in Noo York, but it wasn't. I struck its working again at home last year and located its head office in Europe. So I tried Switzerland and Holland, but only bits of it were there. The centre of the web where the old spider sits is right here in England, and for six months I've been shadowing that spider. There's a gang to help, a big gang and a clever gang and partly an innocent gang. But there's only one brain, and it's to match that that the Robson Brothers settled my duodenum."

I was listening with a quickened pulse, for now at last I was getting to business.

"What is he—international socialist, or anarchist, or what?" I asked.

"Pure-blooded Boche agent, but the biggest-sized brand in the catalogue—bigger than Steinmeier or old Bismarck's Staubier. Thank God I've got him located. . . . I must put you wise about some things."

He lay back in his rubbed leather armchair and yarned for twenty minutes. He told me how at the beginning of the war Scotland Yard had had a pretty complete register of enemy spies, and without making any fuss had just tidied them away. After that, the covey having been broken up, it was a question of picking off stray birds. That had taken some doing. There had been all kinds of inflammatory stuff around, Red Masons and international anarchists, and, worst of all, international finance-touts, but they had mostly been ordinary cranks and rogues, the tools of the Boche agents rather than agents themselves. However, by the middle of 1915 most of the stragglers had been gathered in. But there remained loose ends, and towards the close of last year somebody was very busy combining these ends into a net. Funny cases cropped up of the leakage of vital information. They began to be bad about October, 1916, when the Hun submarines started on a special racket. The enemy suddenly appeared possessed of a knowledge which we thought to be shared only by half a dozen officers. Blenkiron said he was not surprised at the leakage, for there's always a lot of people who hear things they oughtn't to. What surprised him was that it got so quickly to the enemy.

Then after last February, when the Hun submarines went in for frightfulness on a big scale, the thing grew desperate. Leakages occurred every week, and the business was managed by people who knew their way about, for they avoided all the traps set for them, and when bogus news was released on purpose, they never sent it. A convoy which had been kept a deadly secret would be attacked at the one place where it was helpless. A carefully prepared defensive plan would be checkmated before it could be tried. Blenkiron said that there was no evidence that a single brain was behind it all, for there was no similarity in the cases, but he had a strong impression all the time that it was the work of one man. We managed to close some of the bolt-holes, but we couldn't put our hands near the big ones.

"By this time," said he, "I reckoned I was about ready to change my methods. I had been working by what the high-brows call induction, trying to argue up from the deeds to the doer. Now I tried a new lay, which was to calculate down from the doer to the deeds. They call it de-duction. I opined that somewhere in this island was a gentleman whom we will call Mr. X, and that, pursuing the line of business he did, he must have certain characteristics. I considered very carefully just what sort of personage he must be. I had noticed that his device was apparently the Double Bluff. That is to say, when he had two courses open to him, A and B, he pretended he was going to take B, and so got us guessing that he would try A. Then he took B after all. So I reckoned that his camou-flage must correspond to this little idiosyncrasy. Being a Boche agent, he wouldn't pretend to be a hearty patriot, an honest old blood-and-bones Tory. That would be only the Single Bluff. I considered that he would be a pacificist, cunning enough just to keep inside the law, but with the eyes of the police on him. He would write books which would not be allowed to be exported. He would get himself disliked in the popular papers, but all the mugwumps would admire his moral courage. I drew a mighty fine picture to myself of just the man I expected to find. Then I started out to look for him."

Blenkiron's face took on the air of a disappointed child. "It was no good. I kept barking up the wrong tree and wore myself out playing the sleuth on white-souled innocents."

"But you've found him all right," I cried, a sudden suspicion leaping into my brain.

"He's found," he said sadly, "but the credit does not belong to John S. Blenkiron. That child merely muddied the pond. The big fish was left for a young lady to hook."

"I know," I cried excitedly. "Her name is Miss Mary Lamington."

He shook a disapproving head. "You've guessed right, my son, but you've forgotten your manners. This is a rough business and we won't bring in the name of a gently reared and pure-minded young girl. If we speak of her at all we call her by a pet name out of the *Pilgrim's Progress*. . . . Anyhow she hooked the fish, though he isn't landed. D'you see any light?"

"Ivery," I gasped.

"Yes. Ivery. Nothing much to look at, you say. A common, middle-aged, pie-faced, golf-playing high-brow, that you wouldn't keep out of a Sunday school. A touch of the drummer, too, to show he has no dealings with your effete aristocracy. A languishing silver-tongue that adores the sound of his own voice. As mild, you'd say, as curds and cream."

Blenkiron got out of his chair and stood above me. "I tell you, Dick, that man makes my spine cold. He hasn't a drop of good red blood in him. The dirtiest *apache* is a Christian gentleman compared to Moxon Ivery. He's as cruel as a snake and as deep as hell. But, by God, he's got a brain below his hat. He's hooked and we're playing him, but Lord knows if he'll ever be landed!"

"Why on earth don't you put him away?" I asked.

"We haven't the proof—legal proof, I mean; though there's buckets of the other kind. I could put up a morally certain case, but he'd beat me in a court of law. And half a hundred sheep would get up in Parliament and bleat about persecution. He has a graft with every collection of cranks in England, and with all the geese that cackle about the liberty of the individual when the Boche is ranging about to enslave the world. No, sir, that's too dangerous a game! Besides, I've a better in hand. Moxon Ivery is the best-accredited member of this State. His *dossier* is the completest thing outside the Recording Angel's little notebook. We've taken up his references in every corner of the globe and they're all as right as Morgan's balance sheet. From these it appears he's been a high-toned citizen ever since he was in short-clothes. He was raised in Norfolk, and there are people living who remember his father. He was educated at Melton School and his name's in the register. He was in business in Valparaiso, and there's enough evidence to write three volumes of his innocent life there. Then he came home with a modest competence two years before the war, and has been in the public eye ever since. He was Liberal candidate for a London constitooency and he has decorated the board of every institootion formed for the amelioration of mankind. He's got enough alibis to choke a boa constrictor, and they're water-tight and copper-bottomed, and they're mostly damned lies. . . . But you can't beat him at that stunt. The man's the superbest actor that ever walked the earth. You can see it in his face. It isn't a face, it's a mask. He could make himself look like Shakespeare or Julius Cæsar or Billy Sunday or Brigadier-General Richard Hannay if he wanted to. He hasn't got any personality either—he's got fifty, and there's no one he could call his own. I reckon when the devil gets the handling of him at last he'll have to put sand on his claws to keep him from slipping through."

Blenkiron was settled in his chair again, with one leg hoisted over the side.

"We've closed a fair number of his channels in the last few months. No, he don't suspect me. The world knows nothing of its greatest men, and to him I'm only a Yankee peace-crank, who gives big subscriptions to loony societies and will travel a hundred miles to let off steam before any kind of audience. He's been to see me at Claridge's and I've arranged that he shall know all my record. A darned bad record it is too, for two years ago I was violent pro-British before I found salvation and was requested to leave England. When I was home last I was officially anti-war, when I wasn't stretched upon a bed of pain. Mr. Moxon Ivery don't take any stock in John S. Blenkiron as a serious proposition. And while I've been here I've been so low down in the social scale and working in so many devious ways that he can't connect me up. . . . As I was saying, we've cut most of his wires, but the biggest we haven't got at. He's still sending stuff out, and mighty compromising stuff it is. Now listen close, Dick, for we're coming near your own business."

It appeared that Blenkiron had reason to suspect that the channel still open had something to do with the North. He couldn't get closer than that, till he heard from his people that a certain Abel Gresson had turned up in Glasgow from the States. This Gresson he discovered was the same as one Wrankester, who as a leader of the Industrial Workers of the World had been mixed up in some ugly cases of *sabotage* in Colorado. He kept his news to himself, for he didn't want the police to interfere, but he had his own lot get into touch with Gresson and shadow him closely. The man was very discreet but very mysterious, and he would disappear for a week at a time leaving no trace. For some unknown reason—he couldn't explain why—Blenkiron had arrived at the conclusion that Gresson was in touch with Ivery, so he made experiments to prove it.

"I wanted various cross-bearings to make certain, and I got them the night before last. My visit to Biggleswick was good business."

"I don't know what they meant," I said, "but I know where they came in. One was in your speech when you spoke of the Austrian socialists, and Ivery took you up about them. The other was after supper when he quoted the *Weser Zeitung*."

"You're no fool, Dick," he said, with his slow smile. "You've hit the mark first shot. You knew me and you could follow my process of thought in those remarks. Ivery, not knowing me so well, and having his head full of just that sort of argument, saw nothing unusual. Those bits of noos were pumped into Gresson that he might pass them. And he did pass them on—to Ivery. They completed my chain."

"But they were commonplace enough things which he might have guessed for himself."

"No, they weren't. They were the nicest tit-bits of political noos which all the cranks have been reaching after."

"Anyhow, they were quotations from German papers. He might have had the papers themselves earlier than you thought."

"Wrong again. The paragraph never appeared in the *Weser Zeitung.* But we faked up a torn bit of that noospaper, and a very pretty bit of forgery it was, and Gresson, who's a kind of a scholar, was allowed to have it. He passed it on. Ivery showed it me two nights ago. Nothing like it ever sullied the columns of Boche journalism. No, it was a perfectly final proof. . . . Now, Dick, it's up to you to get after Gresson."

"Right," I said. "I'm jolly glad I'm to start work again. I'm getting fat from lack of exercise. I suppose you want me to catch Gresson out in some piece of blackguardism and have him and Ivery snugly put away."

"I don't want anything of the kind," he said very slowly and distinctly. "You've got to attend very close to your instructions. I cherish these two beauties as if they were my own white-headed boys. I wouldn't for the world interfere with their comfort and liberty. I want them to go on corresponding with their friends. I want to give them every facility."

He burst out laughing at my mystified face.

"See here, Dick. How do we want to treat the Boche? Why, to fill him up with all the cunningest lies and get him to act on them. Now here is Moxon Ivery, who has always given them good information. They trust him absolutely, and we would be fools to spoil their confidence. Only, if we can find out Moxon's methods, we can arrange to use them ourselves and send noos in his name which isn't quite so genooine. Every word he dispatches goes straight to the Grand High Secret General Staff, and old Hindenburg and Ludendorff put towels round their heads and cipher it out. We want to encourage them to go on doing it. We'll arrange to send true stuff that don't matter, so as they'll continue to trust him, and a few selected falsehoods that'll matter like hell. It's a game you can't play for ever, but with luck I propose to play it long enough to confuse Fritz's little plans."

His face became serious and wore the air that our corps commander used to have at the big pow-wow before a push.

"I'm not going to give you instructions, for you're man enough to make your own. But I can give you the general hang of the situation. You tell Ivery you're going north to inquire into industrial disputes at first hand. That will seem to him natural and in line with your recent behaviour. He'll tell his people that you're a guileless colonial who feels disgruntled with Britain, and may come in useful. You'll go to a man of mine in Glasgow, a red-hot agitator who chooses that way of doing his bit for his country. It's a darned hard way and a darned dangerous. Through him you'll get in touch with Gresson, and you'll keep alongside that bright citizen. Find out what he is doing, and get a chance of following him. He must never suspect you, and for that purpose you must be very near the edge of the law yourself. You go up there as an unabashed pacificist and you'll live with folk that will turn your stomach. Maybe you'll have to break some of these two-cent rules the British Government has invented to defend the realm, and it's up to you not to get caught out. . . . Remember, you'll get no help from me. You've got to wise up about Gresson with the whole forces of the British State arrayed officially against you. I guess it's a steep proposition, but you're man enough to make good."

As we shook hands, he added a last word. "You must take you own time, but it's not a case for slouching. Every day that passes Ivery is sending out the worst kind of poison. The Boche is blowing up for a big campaign in the field, and a big effort to shake the nerve and confuse the judgment of our civilians. The whole earth's war-weary, and we've about reached the danger-point. There's pretty big stakes hung on you, Dick, for things are getting mighty delicate."

I purchased a new novel in the shop and reached St. Pancras in time to have a cup of tea at the buffet. Ivery was at the bookstall buying an evening paper. When we got into the carriage he seized my *Punch* and kept laughing and calling my attention to the pictures. As I looked at him, I thought he made a perfect picture of the citizen turned countryman, going back of an evening to his innocent home. Everything was right—his neat tweeds, his light spats, his spotted neckcloth, and his aquascutum.

Not that I dared look at him much. What I had learned made me eager to search his face, but I did not dare show any increased interest. I had always been a little off-hand with him, for I had never much liked him, so I had to keep on the same manner. He was as merry as a grig, full of chat and very friendly and amusing. I remember he picked up the book I had brought off that morning to read in the train—the second volume of Hazlitt's *Essays,* the last of my English classics, and discoursed so wisely about books that I wished I had spent more time in his company at Biggleswick. "Hazlitt was the academic Radical of his day," he said. "He is always lashing himself into a state of theoretical fury over abuses he had never encountered in person. Men who are up against the real thing save their breath for action."

That gave me my cue to tell him about my journey to the North. I said I had learned a lot in Biggleswick, but I wanted to see industrial life at close quarters. " Otherwise I might become like Hazlitt," I said.

He was very interested and encouraging. " That's the right way to set about it," he said. " Where were you thinking of going? "

I told him that I had half thought of Barrow, but decided to try Glasgow, since the Clyde seemed to be a warm corner.

" Right," he said. " I only wish I was coming with you. It'll take you a little while to understand the language. You'll find a good deal of senseless bellicosity among the workmen, for they've got parrot-cries about the war as they used to have parrot-cries about their labour politics. But there's plenty of shrewd brains and sound hearts too. You must write and tell me your conclusions."

It was a warm evening and he dozed the last part of the journey. I looked at him and wished I could see into the mind at the back of that mask-like face. I counted for nothing in his eyes, not even enough for him to want to make me a tool, and I was setting out to try to make a tool of him. It sounded a forlorn enterprise. And all the while I was puzzled with a persistent sense of recognition. I told myself it was idiocy, for a man with a face like that must have hints of resemblance to a thousand people. But the idea kept nagging at me till we reached our destination.

As we emerged from the station into the golden evening I saw Mary Lamington again. She was with one of the Weekes girls, and after the Biggleswick fashion was bare-headed, so that the sun glinted from her hair. Ivery swept his hat off and made her a pretty speech, while I faced her steady eyes with the expressionlessness of the stage conspirator.

" A charming child," he observed as we passed on. " Not

without a touch of seriousness, too, which may yet be touched to noble issues."

I considered, as I made my way to my final supper with the Jimsons, that the said child was likely to prove a sufficiently serious business for Mr. Moxon Ivery before the game was out.

CHAPTER IV

ANDREW AMOS

I TOOK the train three days later from King's Cross to Edinburgh. I went to the Pentland Hotel in Princes' Street and left there a suit-case containing some clean linen and a change of clothes. I had been thinking the thing out, and had come to the conclusion that I must have a base somewhere and a fresh outfit. Then, in well-worn tweeds and with no more luggage than a small trench kit-bag, I descended upon the city of Glasgow.

I walked from the station to the address which Blenkiron had given me. It was a hot summer evening, and the streets were filled with bareheaded women and weary-looking artisans. As I made my way down the Dumbarton Road I was amazed at the number of able-bodied fellows about, considering that you couldn't stir a mile on any British front without bumping up against a Glasgow battalion. Then I realised that there were such things as munitions and ships, and I wondered no more.

A stout and dishevelled lady at a close-mouth directed me to Mr. Amos's dwelling. "Twa stairs up. Andra will be in noo, havin' his tea. He's no yin for overtime. He's generally hame on the chap of six." I ascended the stairs with a sinking heart, for like all South Africans I have a horror of dirt. The place was pretty filthy, but at each landing there were two doors with well-polished handles and brass plates. On one I read the name of Andrew Amos.

A man in his shirt-sleeves opened to me, a little man, without a collar, and with an unbuttoned waistcoat. That was all I saw of him in the dim light, but he held out a paw like a gorilla's and drew me in.

The sitting-room, which looked over many chimneys to a pale yellow sky against which two factory stalks stood out sharply, gave me light enough to observe him fully. He was about five feet four, broad-shouldered, and with a great towsy head of grizzled hair. He wore spectacles, and his face was like some old-fashioned Scots minister's, for he had heavy eyebrows and whiskers which joined each other under his jaw, while his chin and enormous upper lip were clean-shaven. His eyes were steely grey and very solemn, but full of smouldering energy. His voice was enormous and would have shaken the walls if he had not had the habit of speaking with half-closed lips. He had not a sound tooth in his head.

A saucer full of tea and a plate which had once contained ham and eggs were on the table. He nodded towards them and asked me if I had fed.

"Ye'll no eat onything? Well, some would offer ye a dram, but this house is staunch teetotal. I doot ye'll have to try the nearest public if ye're thirsty."

I disclaimed any bodily wants, and produced my pipe, at which he started to fill an old clay. "Mr. Brand's your name?" he asked in his gusty voice. "I was expectin' ye, but Dod! man, ye're late!"

He extricated from his trousers pocket an ancient silver watch, and regarded it with disfavour. "The dashed thing has stoppit. What do ye make the time, Mr. Brand?"

He proceeded to prise open the lid of his watch with the knife he had used to cut his tobacco, and, as he examined the works, he turned the back of the case towards me. On the inside I saw pasted Mary Lamington's purple-and-white wafer.

I held my watch so that he could see the same token. His keen eyes, raised for a second, noted it, and he shut his own with a snap and returned it to his pocket. His manner lost its wariness and became almost genial.

"Ye've come up to see Glasgow, Mr. Brand? Well, it's a steerin' bit, and there's honest folk bides in it, and some not so honest. They tell me ye're from South Africa. That's a long gait away, but I ken something about South Africa, for I had a cousin's son oot there for his lungs. He was in a shop in Main Street, Bloomfountain. They called him Peter Dobson. Ye would maybe mind of him."

Then he discoursed of the Clyde. He was an incomer, he told me, from the Borders, his native place being the town of Galashiels, or, as he called it, "Gawly." "I began as a power-loom tuner in Stavert's mill. Then my father dee'd and I took up his trade of jiner. But it's no world nowadays for the sma' independent business, so I cam to the Clyde and learned a shipwright's job. I may say I've become a leader in the trade, for though I'm no an official of the Union, and not likely to be, there's no man's word carries more weight than mine. And the Goavernment kens that, for they've sent me on Commissions up and down the land to look at wuds and report on the nature of the timber. Bribery, they think it is, but Andrew Amos is not to be bribit. He'll have his say about ony Goavernment on earth, and tell them to their face what he thinks of them. Ay, and he'll fight the case of the workin'-man against his oppressor, should it be the Goavernment or the fatted calves they ca' Labour Members. Ye'll have heard tell o' the shop stewards, Mr. Brand?"

I admitted I had, for I had been well coached by Blenkiron in the current history of industrial disputes.

"Well, I'm a shop steward. We represent the rank and file against office-bearers that have lost the confidence o' the workin'-man. But I'm no socialist, and I would have ye keep mind of that. I'm yin o' the old Border radicals, and I'm not like to change. I'm for individual liberty and equal rights and chances for all men. I'll no more bow down before a Dagon of a Goavernment official than before the Baal of a feckless Tweedside laird. I've to keep my views to mysel', for thae young lads are all drucken-daft with their wee books about Cawpital and Collectivism and a wheen long senseless words I wouldna fyle my tongue with. Them and their socialism! There's more gumption in a page of John Stuart Mill than in all that foreign trash. But, as I say, I've got to keep a quiet sough, for the world is gettin' socialism now like the measles. It all comes of a defective eddication."

"And what does a Border radical say about the war?" I asked.

He took off his spectacles and cocked his shaggy brows at me. "I'll tell ye, Mr. Brand. All that was bad in all that I've ever wrestled with since I cam to years o' discretion—Tories and lairds and manufacturers and publicans and the Auld Kirk—all that was bad, I say, for there were orra bits of decency, ye'll find in the Germans full measure pressed down and running over. When the war started, I considered the subject calmly for three days, and then I said: 'Andra Amos, ye've found the enemy at last. The ones ye fought before were in a manner o' speakin' just misguided friends. It's either you or the Kaiser this time, my man!"

His eyes had lost their gravity and had taken on a sombre ferocity. "Ay, and I've not wavered. I got a word early in the business as to the way I could serve my country best. It's not been an easy job, and there's plenty of honest folk the day will give me a bad name. They think I'm stirrin' up the men at home and desertin' the cause o' the lads at the front. Man, I'm keepin' them straight. If I didna fight their battles on a sound economic isshue, they would take the dorts and be at the mercy of the first blagyird that preached revolution. Me and my like are safety-valves, if ye follow me. And dinna you make ony mistake, Mr. Brand. The men that are agitating for a rise in wages are not for peace. They're fighting for the lads overseas as much as for themselves. There's not yin in a thousand that wouldna sweat himself blind to beat the Germans. The Goavernment has made mistakes, and maun be made to pay for them. If it were not so, the men would feel like a moose in a trap, for they would have no way to make their grievance felt. What for should the big man double his profits and the small man be ill set to get his ham and egg on Sabbath mornin'? That's the meaning o' Labour unrest, as they call it, and it's a good thing, says I, for if Labour didna get its leg over the traces now and then, the spunk o' the land would be dead in it, and Hindenburg could squeeze it like a rotten aipple."

I asked if he spoke for the bulk of the men.

"For ninety per cent. in ony ballot. I don't say that there's not plenty of riff-raff—the pint-and-a-dram gentry and the soft-heads that are aye reading bits of newspapers, and muddlin' their wits with foreign whigmaleeries. But the average man on the Clyde, like the average man in ither places, hates just three things, and that's the Germans, the profiteers, as they call them, and the Irish. But he hates the Germans first."

"The Irish!" I exclaimed in astonishment.

"Ay, the Irish," cried the last of the old Border radicals. "Glasgow's stinkin' nowadays with two things, money and Irish. I mind the day when I followed Mr. Gladstone's Home Rule policy, and used to threep about the noble, generous, warm-hearted sister nation held in a foreign bondage. My Goad! I'm not speakin' about Ulster, which is a dour, ill-natured den, but our own folk all the same. But the men that will not do a hand's turn to help the war and take the chance of our necessities to set up a bawbee rebellion are hateful to Goad and man. We treated them like pet lambs and that's the thanks we get. They're coming over here in thousands to tak the jobs of the lads that are doing their duty. I was speakin' last week to a widow woman that keeps a wee dairy down the Dalmarnock Road. She has two sons, and both in the airmy, one in the Cameronians and one a prisoner in Germany. She was telling me that she could not keep goin' any more, lacking the help of the boys, though she had worked her fingers to the bone. 'Surely it's a crool job, Mr. Amos,' she says, 'that the

Goavernment should tak baith my laddies, and I'll maybe never see them again, and let the Irish gang free and tak the bread frae our mouth. At the gasworks across the road they took on a hundred Irish last week, and every yin o' them as young and well set up as you would ask to see. And my wee Davie, him that's in Germany, had aye a weak chest, and Jimmy was troubled wi' a bowel complaint. That's surely no justice!' . . ."

He broke off and lit a match by drawing it across the seat of his trousers. "It's time I got the gas lichtit. There's some men coming here at half-ten."

As the gas squealed and flickered in the lighting, he sketched for me the coming guests. "There's Macnab and Niven, two o' my colleagues. And there's Gilkison of the Boiler-fitters, and a lad Wilkie—he's got consumption, and writes wee bits in the papers. And there's a queer chap o' the name o' Tombs—they tell me he comes frae Cambridge and is a kind of a professor there—anyway he's more stuffed wi' havers than an egg wi' meat. He telled me he was here to get at the heart o' the workin'-man, and I said to him that he would hae to look a bit further than the sleeve o' the workin'-man's jaicket. There's no muckle in his head, poor soul. Then there'll be Tam Norie, him that edits our weekly paper—*Justice for All.* Tam's a humourist and great on Robert Burns, but he hasna the balance o' a dwinin' teetotum. . . . Ye'll understand, Mr. Brand, that I keep my mouth shut in such company, and don't express my own views more than is absolutely necessary. I criticise whiles, and that gives me a name for whunstane common-sense, but I never let my tongue wag. The feck o' the lads comin' the night are not the real workin'-man—they're just the froth on the pot, but it's the froth that will be useful to you. Remember they've heard tell o' ye already, and ye've some sort o' reputation to keep up."

"Will Mr. Abel Gresson be here?" I asked.

"No," he said. "No yet. Him and me havena yet got to the point o' payin' visits. But the men that come will be

Gresson's friends and they'll speak of ye to him. It's the best kind of introduction ye could seek."

The knocker sounded, and Mr. Amos hastened to admit the first comers. These were Macnab and Wilkie: the one a decent middle-aged man with a fresh-washed face and a celluloid collar; the other a round-shouldered youth, with lank hair and the large eyes and luminous skin which are the marks of phthisis. "This is Mr. Brand, boys, from South Africa," was Amos's presentation. Presently came Niven, a bearded giant, and Mr. Norie, the editor, a fat dirty fellow smoking a rank cigar. Gilkison of the Boiler-fitters, when he arrived, proved to be a pleasant young man in spectacles who spoke with an educated voice and clearly belonged to a slightly different social scale. Last came Tombs, the Cambridge "professor," a lean youth with a sour mouth and eyes that reminded me of Launcelot Wake.

"Ye'll no be a mawgnate, Mr. Brand, though ye come from South Africa," said Mr. Norie with a great guffaw.

"Not me. I'm a working engineer," I said. "My father was from Scotland, and this is my first visit to my native country, as my friend Mr. Amos was telling you."

The consumptive looked at me suspiciously. "We've got two-three of the comrades here that the cawpitalist Government expelled from the Transvaal. If ye're our way of thinking, ye will maybe ken them."

I said I would be overjoyed to meet them, but that at the time of the outrage in question I had been working on a mine a thousand miles farther north.

Then ensued an hour of extraordinary talk. Tombs in his sing-song namby-pamby University voice was concerned to get information. He asked endless questions, chiefly of Gilkison, who was the only one who really understood his language. I thought I had never seen anyone quite so fluent and so futile, and yet there was a kind of feeble violence in him like a demented sheep. He was engaged in venting some private academic spite against society, and I thought that in a revolution he would be the class of lad I would personally conduct to the nearest lamp-post. And all the while Amos and Macnab and Niven carried on their own conversation about the affairs of their society, wholly impervious to the tornado raging around them.

It was Mr. Norie, the editor, who brought me into the discussion.

"Our South African friend is very blate," he said in his boisterous way. "Andra, if this place of yours wasn't so damned teetotal and we had a dram apiece, we might get his tongue loosened. I want to hear what he's got to say about the war. You told me this morning he was sound in the faith."

"I said no such thing," said Mr. Amos. "As ye ken well, Tam Norie, I don't judge soundness on that matter as you judge it. I'm for the war myself, subject to certain conditions that I've often stated. I know nothing of Mr. Brand's opinions, except that he's a good democrat, which is more than I can say of some o' your friends."

"Hear to Andra," laughed Mr. Norie. "He's thinkin' the inspector in the Socialist State would be a waur kind of awristocrat then the Duke of Buccleugh. Weel, there's maybe something in that. But about the war he's wrong. Ye ken my views, boys. This war was made by the cawpitalists, and it has been fought by the workers, and it's the workers that maun have the ending of it. That day's comin' very near. There are those that want to spin it out till Labour is that weak it can be pit in chains for the rest o' time. That's the manœuvre we're out to prevent. We've got to beat the Germans, but it's the workers that has the right to judge when the enemy's beaten and not the cawpitalists. What do you say, Mr. Brand?"

Mr. Norie had obviously pinned his colours to the fence, but he gave me the chance I had been looking for. I let them have my views with a vengeance, and these views were that for the sake of democracy the war must be ended. I flatter myself I put my case well, for I had got up every rotten argument and I borrowed largely from Launcelot

Wake's armoury. But I didn't put it too well, for I had a very exact notion of the impression I wanted to produce. I must seem to be honest and in earnest, just a bit of a fanatic, but principally a hard-headed business man who knew when the time had come to make a deal. Tombs kept interrupting me with imbecile questions, and I had to sit on him. At the end Mr. Norie hammered with his pipe on the table.

"That'll sort ye, Andra. Ye're entertainin' an angel unawares. What do ye say to that, my man?"

Mr. Amos shook his head. "I'll no deny there's something in it, but I'm not convinced that the Germans have got enough of a wheepin'." Macnab agreed with him; the others were with me. Norie was for getting me to write an article for his paper, and the consumptive wanted me to address a meeting.

"Wull ye say a' that over again the morn's night down at our hall in Newmilns Street? We've got a lodge meeting o' the I.W.B., and I'll make them pit ye in the programme." He kept his luminous eyes, like a sick dog's, fixed on me, and I saw that I had made one ally. I told him I had come to Glasgow to learn and not to teach, but I would miss no chance of testifying to my faith.

"Now, boys, I'm for my bed," said Amos, shaking the dottle from his pipe. "Mr. Tombs, I'll conduct ye the morn over the Brigend works, but I've had enough clavers for one evening. I'm a man that wants his eight hours' sleep."

The old fellow saw them to the door, and came back to me with the ghost of a grin in his face.

"A queer crowd, Mr. Brand! Macnab didna like what ye said. He had a laddie killed in Gallypoly, and he's no lookin' for peace this side the grave. He's my best friend in Glasgow. He's an elder in the Gaelic kirk in the Cowcaddens, and I'm what ye call a free-thinker, but we're wonderful agreed on the fundamentals. Ye spoke your bit verra well, I must admit. Gresson will hear tell of ye as a promising recruit."

"It's a rotten job," I said.

"Ay, it's a rotten job. I often feel like voamiting over it mysel'. But it's no for us to complain. There's waur jobs oot in France for better men. . . . A word in your ear, Mr. Brand. Could ye not look a bit more sheepish? Ye stare folk ower straight in the een, like a Hieland sergeant-major up at Maryhill Barracks." And he winked slowly and grotesquely with his left eye.

He marched to a cupboard and produced a black bottle and a glass. "I'm blue-ribbon myself, but ye'll be the better of something to tak the taste out of your mouth. There's Loch Katrine water at the pipe there. . . . As I was saying, there's not much ill in that lot. Tombs is a black offence, but a dominie's a dominie all the world over. They may crack about their Industrial Workers and the braw things they're going to do, but there's a wholesome dampness about the tinder on Clydeside. They should try Ireland."

"Supposing," I said, "there was a really clever man who wanted to help the enemy. You think he could do little good by stirring up trouble in the shops here?"

"I'm positive."

"And if he were a shrewd fellow, he'd soon tumble to that?"

"Ay."

"Then if he still stayed on here he would be after bigger game—something really dangerous and damnable?"

Amos drew down his brows and looked me in the face. "I see what ye're ettlin' at. Ay! That would be my conclusion. I came to it weeks syne about the man ye'll maybe meet the morn's night."

Then from below the bed he pulled a box from which he drew a handsome flute. "Ye'll forgive me, Mr. Brand, but I aye like a tune before I go to my bed. Macnab says his prayers, and I have a tune on the flute, and the principle is just the same."

So that singular evening closed with music—very sweet

and true renderings of old Border melodies like " My Peggy is a young thing," and " When the kye come hame." I fell asleep with a vision of Amos, his face all puckered up at the mouth and a wandering sentiment in his eye, recapturing in his dingy world the emotions of a boy.

The widow-woman from next door, who acted as housekeeper, cook, and general factotum to the establishment, brought me shaving water next morning, but I had to go without a bath. When I entered the kitchen I found no one there, but while I consumed the inevitable ham and egg, Amos arrived back for breakfast. He brought with him the morning's paper.

" The *Herald* says there's been a big battle at Eepers," he announced.

I tore open the sheet and read of the great attack of July 31st which was spoiled by the weather. " My God! " I cried. " They've got St. Julien and that dirty Frezenberg ridge . . . and Hooge . . . and Sanctuary Wood. I know every inch of the damned place . . . "

" Mr. Brand," said a warning voice, " that'll never do. If our friends last night heard ye talk like that ye might as well tak the train back to London. . . . They're speakin' about ye in the yards this morning. Ye'll get a good turnout at your meeting the night, but they're sayin' that the polis will interfere. That mightna be a bad thing, but I trust ye to show discretion, for ye'll not be muckle use to onybody if they jyle ye in Duke Street. I hear Gresson will will be there with a fraternal message from his lunattics in America. . . . I've arranged that ye go down to Tam Norie this afternoon and give him a hand with his bit paper. Tam will tell ye the whole clash o' the West country, and I look to ye to keep him off the drink. He's aye arguin' that writin' and drinkin' gang thegither, and quotin' Robert Burns, but the creature has a wife and five bairns dependin' on him."

I spent a fantastic day. For two hours I sat in Norie's

dirty den, while he smoked and orated, and, when he remembered his business, took down in shorthand my impressions of the Labour situation in South Africa for his rag. They were fine breezy impressions, based on the most whole-hearted ignorance, and if they ever reached the Rand I wonder what my friends there made of Cornelius Brand, their author. I stood him dinner in an indifferent eating-house in a street off the Broomielaw, and thereafter had a drink with him in a public-house, and was introduced to some of his less reputable friends.

About tea-time I went back to Amos's lodgings, and spent an hour or so writing a long letter to Mr. Ivery. I described to him everybody I had met, I gave highly coloured views of the explosive material on the Clyde, and I deplored the lack of clear-headedness in the progressive forces. I drew an elaborate picture of Amos, and deduced from it that the Radicals were likely to be a bar to true progress. "They have switched their old militancy," I wrote, "on to another track, for with them it is a matter of conscience to be always militant." I finished up with some very crude remarks on economics culled from the table-talk of the egregious Tombs. It was the kind of letter which I hoped would establish my character in his mind as an industrious innocent.

Seven o'clock found me in Newmilns Street, where I was seized upon by Wilkie. He had put on a clean collar for the occasion and had partially washed his thin face. The poor fellow had a cough that shook him like the walls of a power-house when the dynamos are going.

He was very apologetic about Amos. "Andra belongs to a past worrld," he said. "He has a big repittation in his society, and he's a fine fighter, but he has no kind of Vision, if ye understand me. He's an auld Gladstonian, and that's done and damned in Scotland. He's not a Modern, Mr. Brand, like you and me. But to-night ye'll meet one or two chaps that'll be worth your while to ken. Ye'll maybe no go quite as far as them, but ye're on the same road. I'm hoping for the day when we'll have oor Councils of Workmen and Soldiers like the Russians all over the land and dictate our terms to the pawrasites in Pawrliament. They tell me, too, the boys in the trenches are comin' round to our side."

We entered the hall by a backdoor, and in a little waiting-room I was introduced to some of the speakers. They were a scratch lot as seen in that dingy place. The chairman was a shop-steward in one of the Societies, a fierce little rat of a man, who spoke with a cockney accent and addressed me as "Comrade." But one of them roused my liveliest interest. I heard the name of Gresson, and turned to find a fellow of about thirty-five, rather sprucely dressed, with a flower in his buttonhole. "Mr. Bland," he said, in a rich American voice which recalled Blenkiron's. "Very pleased to meet you, sir. We have come from remote parts of the globe to be present at this gathering." I noticed that he had reddish hair, and small bright eyes, and a nose with a droop like a Polish Jew's.

As soon as we reached the platform I saw that there was going to be trouble. The hall was packed to the door, and in all the front half there was the kind of audience I expected to see—working-men of the political type who before the war would have thronged to party meetings. But not all the crowd at the back had come to listen. Some were scallawags, some looked like better-class clerks out for a spree, and there was a fair quantity of khaki. There were also one or two gentlemen not strictly sober.

The chairman began by putting his foot in it. He said we were there to-night to protest against the continuation of the war and to form a branch of the new British Council of Workmen and Soldiers. He told them with a fine mixture of metaphors that we had got to take the reins into our own hands, for the men who were running the war had their own axes to grind and were marching to oligarchy through the blood of the workers. He added that we had no quarrel with Germany half as bad as we had with our own capitalists. He looked forward to the day when British soldiers would leap from their trenches and extend the hand of friendship to their German comrades.

"No me!" said a solemn voice. "I'm not seekin' a bullet in my wame,"—at which there was laughter and cat-calls.

Tombs followed and made a worse hash of it. He was determined to speak, as he would have put it, to democracy in its own language, so he said "hell" several times, loudly but without conviction. Presently he slipped into the manner of the lecturer, and the audience grew restless. "I propose to ask myself a question——" he began, and from the back of the hall came—"and a damned sully answer ye'll get." After that there was no more Tombs.

I followed with extreme nervousness, and to my surprise got a fair hearing. I felt as mean as a mangy dog on a cold morning, for I hated to talk rot before soldiers—especially before a couple of Royal Scots Fusiliers, who, for all I knew, might have been in my own brigade. My line was the plain, practical, patriotic man, just come from the colonies, who looked at things with fresh eyes, and called for a new deal. I was very moderate, but to justify my appearance there I had to put in a wild patch or two, and I got these by impassioned attacks on the Ministry of Munitions. I mixed up a little mild praise of the Germans, whom I said I had known all over the world for decent fellows. I received little applause, but no marked dissent, and sat down with deep thankfulness.

The next speaker put the lid on it. I believe he was a noted agitator, who had already been deported. Towards him there was no lukewarmness, for one half of the audience cheered wildly when he rose, and the other half hissed and groaned. He began with whirlwind abuse of the idle rich, then of the middle-classes (he called them the "rich man's flunkeys"), and finally of the Government. All that was fairly well received, for it is the fashion of the Briton to run down every Government and yet to be very averse to parting from it. Then he started on the soldiers and slanged the officers (" gentry pups " was his name for them), and the generals, whom he accused of idleness, of cowardice, and of habitual intoxication. He told us that our own kith and kin were sacrificed in every battle by leaders who had not the guts to share their risks. The Scots Fusiliers looked perturbed, as if they were in doubt of his meaning. Then he put it more plainly. " Will any soldier deny that the men are the barrage to keep the officers' skins whole ? "

" That's a bloody lee," said one of the Fusilier Jocks.

The man took no notice of the interruption, being carried away by the torrent of his own rhetoric, but he had not allowed for the persistence of the interrupter. The Jock got slowly to his feet, and announced that he wanted satisfaction. " If ye open your dirty gab to blagyird honest men, I'll come up on that platform and wring your neck."

At that there was a fine old row, some crying out " Order," some " Fair Play," and some applauding. A Canadian at the back of the hall started a song, and there was an ugly press forward. The hall seemed to be moving up from the back, and already men were standing in all the passages and right to the edge of the platform. I did not like the look in the eyes of these new-comers, and among the crowd I saw several who were obviously plain-clothes policemen.

The chairman whispered a word to the speaker, who continued when the noise had temporarily died down. He kept off the army and returned to the Government, and for a little sluiced out pure anarchism. But he got his foot in it again, for he pointed to the Sinn Feiners as examples of manly independence. At that pandemoninum broke loose, and he never had another look in. There were several fights going on in the hall between the public and courageous supporters of the orator.

Then Gresson advanced to the edge of the platform in a vain endeavour to retrieve the day. I must say he did it uncommonly well. He was clearly a practised speaker, and for a moment his appeal "Now, boys, let's cool down a bit and talk sense," had an effect. But the mischief had been done, and the crowd was surging round the lonely redoubt where we sat. Besides, I could see that for all his clever talk the meeting did not like the look of him. He was as mild as a turtle dove, but they wouldn't stand for it. A missile hurtled past my nose, and I saw a rotten cabbage envelop the baldish head of the ex-deportee. Someone reached out a long arm and grabbed a chair, and with it took the legs from Gresson. Then the lights suddenly went out, and we retreated in good order by the platform door with a yelling crowd at our heels.

It was here that the plain-clothes men came in handy. They held the door while the ex-deportee was smuggled out by some side entrance. That class of lad would soon cease to exist but for the protection of the law which he would abolish. The rest of us, having less to fear, were suffered to leak into Newmilns Street. I found myself next to Gresson, and took his arm. There was something hard in his coat pocket.

Unfortunately there was a big lamp at the point where we emerged, and there for our confusion were the Fusilier Jocks. Both were strung to fighting pitch, and were determined to have someone's blood. Of me they took no notice, but Gresson had spoken after their ire had been roused, and was marked out as a victim. With a howl of joy they rushed for him.

I felt his hand steal to his side-pocket. "Let that alone, you fool," I growled in his ear.

"Sure, mister," he said, and the next second we were in the thick of it.

It was like so many street fights I have seen—an immense crowd which surged up around us, and yet left a clear ring. Gresson and I got against the wall on the side-walk, and faced the furious soldiery. My intention was to do as little as possible, but the first minute convinced me that my companion had no idea how to use his fists, and I was mortally afraid that he would get busy with the gun in his pocket. It was that fear that brought me into the scrap. The Jocks were sportsmen every bit of them, and only one advanced to the combat. He hit Gresson a clip on the jaw with his left, and but for the wall would have laid him out. I saw in the lamplight the vicious gleam in the American's eye and the twitch of his hand to his pocket. That decided me to interfere and I got in front of him.

This brought the second Jock into the fray. He was a broad, thick-set fellow, of the adorable bandy-legged stocky type that I had seen go through the Railway Triangle at Arras as though it were blotting-paper. He had some notion of fighting, too, and gave me a rough time, for I had to keep edging the other fellow off Gresson.

" Go home, you fool," I shouted. " Let this gentleman alone. I don't want to hurt you."

The only answer was a hook-hit which I just managed to guard, followed by a mighty drive with his right which I dodged so that he barked his knuckles on the wall. I heard a yell of rage, and observed that Gresson seemed to have kicked his assailant on the shin. I began to long for the police.

Then there was that swaying of the crowd which betokens the approach of the forces of law and order. But they were too late to prevent trouble. In self-defence I had to take my Jock seriously, and got in my blow when he had overreached himself and lost his balance. I never hit anyone so unwillingly in my life. He went over like a poled ox, and measured his length on the causeway.

I found myself explaining things politely to the constables. " These men objected to this gentleman's speech at the meeting, and I had to interfere to protect him. No, no! I don't want to charge anybody. It was all a misunderstanding." I helped the stricken Jock to rise and offered him ten bob for consolation.

He looked at me sullenly and spat on the ground. " Keep

your dirty money," he said. "I'll be even with ye yet, my man—you and that red-headed scab. I'll mind the looks of ye the next time I see ye."

Gresson was wiping the blood from his cheek with a silk handkerchief. "I guess I'm in your debt, Mr. Brand," he said. "You may bet I won't forget it."

I returned to an anxious Amos. He heard my story in silence and his only comment was—"Well done the Fusiliers!"

"It might have been worse, I'll not deny," he went on. "Ye've established some kind of a claim upon Gresson, which may come in handy. . . . Speaking about Gresson, I've news for ye. He's sailing on Friday as purser in the *Tobermory*. The *Tobermory's* a boat that wanders every month up the West Highlands as far as Stornoway. I've arranged for ye to take a trip on that boat, Mr. Brand."

I nodded. "How did you find out that?" I asked.

"It took some finding," he said drily, "but I've ways and means. Now I'll not trouble ye with advice, for ye ken your job as well as me. But I'm going north myself the morn to look after some of the Ross-shire wuds, and I'll be in the way of getting telegrams at the Kyle. Ye'll keep that in mind. Keep in mind, too, that I'm a great reader of the *Pilgrim's Progress* and that I've a cousin of the name of Ochterlony."

CHAPTER V

VARIOUS DOINGS IN THE WEST

THE *Tobermory* was no ship for passengers. Its decks were littered with a hundred oddments, so that a man could barely walk a step without tacking, and my bunk was simply a shelf in the frowsty little saloon, where the odour of ham and eggs hung like a fog. I joined her at Greenock and took a turn on deck with the captain after tea, when he told me the names of the big blue hills to the north. He had a fine old copper-coloured face and side-whiskers like an archbishop, and, having spent all his days beating up the western seas, had as many yarns in his head as Peter himself.

" On this boat," he announced, " we don't ken what a day may bring forth. I may pit into Colonsay for twa hours and bide there three days. I get a telegram at Oban and the next thing I'm awa ayont Barra. Sheep's the difficult business. They maun be fetched for the sales, and they're dooms slow to lift. So ye see it's not what ye call a pleasure trip, Maister Brand."

Indeed it wasn't, for the confounded tub wallowed like a fat sow as soon as we rounded a headland and got the weight of the south-western wind. When asked my purpose, I explained that I was a colonial of Scots extraction, who was paying his first visit to his fatherland and wanted to explore the beauties of the West Highlands. I let him gather that I was not rich in this world's goods.

" You'll have a passport ? " he asked. " They'll no let ye go north o' Fort William without one."

Amos had said nothing about passports, so I looked blank.

"I could keep ye on board for the whole voyage," he went on, "but ye wouldna be permitted to land. If ye're seekin' enjoyment, it would be a poor job sittin' on this deck and admirin' the works o' God and no allowed to step on the pierhead. Ye should have applied to the military gentlemen in Glesca. But ye've plenty o' time to make up your mind afore we get to Oban. We've a heap o' calls to make Mull and Islay way."

The purser came up to inquire about my ticket, and greeted me with a grin.

"Ye're acquaint with Mr. Gresson, then?" said the captain. "Weel, we're a cheery wee ship's company, and that's the great thing on this kind o' job."

I made but a poor supper, for the wind had risen to half a gale, and I saw hours of wretchedness approaching. The trouble with me is that I cannot be honestly sick and get it over. Queasiness and headache beset me and there is no refuge but bed. I turned into my bunk, leaving the captain and the mate smoking shag not six feet from my head, and fell into a restless sleep. When I woke the place was empty, and smelt vilely of stale tobacco and cheese. My throbbing brows made sleep impossible, and I tried to ease them by staggering up on deck. I saw a clear windy sky, with every star as bright as a live coal, and a heaving waste of dark waters running to ink-black hills. Then a douche of spray caught me and sent me down the companion to my bunk again, where I lay for hours trying to make a plan of campaign.

I argued that if Amos had wanted me to have a passport he would have provided one, so I needn't bother my head about that. But it was my business to keep alongside Gresson, and if the boat stayed a week in some port and he went off ashore, I must follow him. Having no passport I would have to be always dodging trouble, which would handicap my movements and in all likelihood make me more conspicuous than I wanted. I guessed that Amos had denied me the passport for the very reason that he wanted Gresson to think me harmless. The area of danger would, therefore, be the passport country, somewhere north of Fort William.

But to follow Gresson I must run risks and enter that country. His suspicions, if he had any, would be lulled if I left the boat at Oban, but it was up to me to follow overland to the north and hit the place where the *Tobermory* made a long stay. The confounded tub had no plans; she wandered about the West Highlands looking for sheep and things; and the captain himself could give me no time-table of her voyage. It was incredible that Gresson should take all this trouble if he did not know that at some place—and the right place—he would have time to get a spell ashore. But I could scarcely ask Gresson for that information, though I determined to cast a wary fly over him. I knew roughly the *Tobermory's* course—through the Sound of Islay to Colonsay; then up the east side of Mull to Oban; then through the Sound of Mull to the islands with names like cocktails, Rum and Eigg and Coll; then to Skye; and then for the Outer Hebrides. I thought the last would be the place, and it seemed madness to leave the boat, for the Lord knew how I should get across the Minch. This consideration upset all my plans again, and I fell into a troubled sleep without coming to any conclusion.

Morning found us nosing between Jura and Islay, and about midday we touched at a little port, where we unloaded some cargo and took on a couple of shepherds who were going to Colonsay. The mellow afternoon and the good smell of salt and heather got rid of the dregs of my queasiness, and I spent a profitable hour on the pier-head with a guide-book called *Baddeley's Scotland,* and one of Bartholomew's maps. I was beginning to think that Amos might be able to tell me something, for a talk with the captain had suggested that the *Tobermory* would not dally long in the neighbourhood of Rum and Eigg. The big droving season was scarcely on yet, and sheep for the Oban market would be lifted on the return journey. In that case Skye was the first place to watch, and if I could get wind of any big cargo waiting there I would be able to make a plan. Amos was somewhere near the Kyle, and that was across the narrows from Skye. Looking at the map, it seemed to me that, in spite of being passportless, I might be able somehow to make my way up through Morvern and Arisaig to the latitude of Skye. The difficulty would be to get across the strip of sea, but there must be boats to beg, borrow, or steal.

I was poring over Baddeley when Gresson sat down beside me. He was in a good temper, and disposed to talk, and to my surprise his talk was all about the beauties of the countryside. There was a kind of apple-green light over everything; the steep heather hills cut into the sky like purple amethysts, while beyond the straits the western ocean stretched its pale molten gold to the sunset. Gresson waxed lyrical over the scene. "This just about puts me right inside, Mr. Brand. I've got to get away from that little old town pretty frequent or I begin to moult like a canary. A man feels a man when he gets to a place that smells as good as this. Why in hell do we ever get messed up in those stone and lime cages? I reckon some day I'll pull my freight for a clean location and settle down there and make little poems. This place would about content me. And there's a spot out in California in the Coast ranges that I've been keeping my eye on." The odd thing was that I believe he meant it. His ugly face was lit up with a serious delight.

He told me he had taken this voyage before, so I got out *Baddeley* and asked for advice. "I can't spend too much time on holidaying," I told him, "and I want to see all the beauty spots. But the best of them seem to be in the area that this fool British Government won't let you into without a passport. I suppose I shall have to leave you at Oban."

"Too bad," he said sympathetically. "Well, they tell me there's some pretty sights round Oban." And he thumbed the guide-book and began to read about Glencoe.

I said that was not my purpose, and pitched him a yarn

about Prince Charlie and how my mother's great-grandfather had played some kind of part in that show. I told him I wanted to see the place where the Prince landed and where he left for France. "So far as I can make out that won't take me into the passport country, but I'll have to do a bit of footslogging. Well, I'm used to padding the hoof. I must get the captain to put me off in Morvern, and then I can foot it round the top of Lochiel and get back to Oban through Appin. How's that for a holiday trek?"

He gave the scheme his approval. "But if it was me, Mr. Brand, I would have a shot at puzzling your gallant policemen. You and I don't take much stock in Governments and their two-cent laws, and it would be a good game to see just how far you could get into the forbidden land. A man like you could put up a good bluff on those hayseeds. I don't mind having a bet . . ."

"No," I said, "I'm out for a rest, and not for sport. If there was anything to be gained I'd undertake to bluff my way to the Orkney Islands. But it's a wearing job and I've better things to think about."

"So? Well, enjoy yourself your own way. I'll be sorry when you leave us, for I owe you something for that rough-house, and beside there's darned little company in the old moss-back captain."

That evening Gresson and I swopped yarns after supper to the accompaniment of the "Ma Goad!" and "Is't possible?" of captain and mate. I went to bed after a glass or two of weak grog, and made up for the last night's vigil by falling sound asleep. I had very little kit with me, beyond what I stood up in and could carry in my waterproof pockets, but on Amos's advice I had brought my little nickel-plated revolver. This lived by day in my hip pocket, but at night I put it behind my pillow. But when I woke next morning to find us casting anchor in a bay below rough low hills, which I knew to be the island of Colonsay, I could find no trace of the revolver. I searched every inch of the bunk and only shook out feathers from the mouldy ticking.

I remembered perfectly putting the thing behind my head before I went to sleep, and now it had vanished utterly. Of course I could not advertise my loss, and I didn't greatly mind it, for this was not a job where I could do much shooting. But it made me think a good deal about Mr. Gresson. He simply could not suspect me; if he had bagged my gun, as I was pretty certain he had, it must be because he wanted it for himself and not that he might disarm me. Every way I argued it I reached the same conclusion. In Gresson's eyes I must seem as harmless as a child.

We spent the better part of a day at Colonsay, and Gresson, so far as his duties allowed, stuck to me like a limpet. Before I went ashore I wrote out a telegram for Amos. I devoted a hectic hour to the *Pilgrim's Progress,* but I could not compose any kind of intelligible message with reference to its text. We had all the same edition—the one in the *Golden Treasury* series—so I could have made up a sort of cipher by referring to lines and pages, but that would have taken up a dozen telegraph forms and seemed to me too elaborate for the purpose. So I sent this message:

"Ochterlong, Post Office, Kyle.

"I hope to spend part of holiday near you and to see you if boat's programme permits. Are any good cargoes waiting in your neighbourhood? Reply Post Office, Oban."

It was highly important that Gresson should not see this, but it was the deuce of a business to shake him off. I went for a walk in the afternoon along the shore and passed the telegraph office, but the confounded fellow was with me all the time. My only chance was just before we sailed, when he had to go on board to check some cargo. As the telegraph office stood full in view of the ship's deck I did not go near it. But in the back-end of the clachan I found the schoolmaster, and got him to promise to send the wire. I also bought off him a couple of well-worn sevenpenny novels.

The result was that I delayed our departure for ten minutes and when I came on board faced a wrathful Gresson. "Where the hell have you been?" he asked. "The weather's blowing up dirty and the old man's mad to get off. Didn't you get your legs stretched enough this afternoon?"

I explained humbly that I had been to the schoolmaster to get something to read, and produced my dingy red volumes. At that his brow cleared. I could see that his suspicions were set at rest.

We left Colonsay about six in the evening with the sky behind us banking for a storm, and the hills of Jura to starboard an angry purple. Colonsay was too low an island to be any kind of breakwater against a western gale, so the weather was bad from the start. Our course was north by east, and when we had passed the butt-end of the island we nosed about in the trough of big seas, shipping tons of water and rolling like a buffalo. I know as much about boats as about Egyptian hieroglyphics, but even my landsman's eyes could tell that we were in for a rough night. I was determined not to get queasy again, but when I went below the smell of tripe and onions promised to be my undoing; so I dined off a slab of chocolate and a cabin biscuit, put on my waterproof, and resolved to stick it out on deck.

I took up position near the bows, where I was out of reach of the oily steamer smells. It was as fresh as the top of a mountain, but mighty cold and wet, for a gusty drizzle had set in, and I got the spindrift of the big waves. There I balanced myself, as we lurched into the twilight, hanging on with one hand to a rope which descended from the stumpy mast. I noticed that there was only an indifferent rail between me and the edge, but that interested me and helped to keep off sickness. I swung to the movement of the vessel, and though I was mortally cold it was rather pleasant than otherwise. My notion was to get the nausea whipped out of me by the weather, and, when I was properly tired, to go down and turn in.

I stood there till the dark had fallen. By that time I

was an automaton, the way a man gets on sentry-go, and I could have easily hung on till morning. My thoughts ranged about the earth, beginning with the business I had set out on, and presently—by way of recollections of Blenkiron and Peter—reaching the German forest where, in the Christmas of 1915, I had been nearly done in by fever and old Stumm. I remembered the bitter cold of that wild race, and the way the snow seemed to burn like fire when I stumbled and got my face into it. I reflected that sea-sickness was kitten's play to a good bout of malaria.

The weather was growing worse, and I was getting more than spindrift from the seas. I hooked my arm round the rope, for my fingers were numbing. Then I fell to dreaming again, principally about Fosse Manor and Mary Lamington. This so ravished me that I was as good as asleep. I was trying to reconstruct the picture as I had last seen her at Biggleswick station. . . .

A heavy body collided with me and shook my arm from the rope. I slithered across the yard of deck, engulfed in a whirl of water. One foot caught a stanchion of the rail, and it gave with me, so that for an instant I was more than half overboard. But my fingers clawed wildly and caught in the links of what must have been the anchor chain. They held, though a ton's weight seemed to be tugging at my feet. . . . Then the old tub rolled back, the waters slipped off, and I was sprawling on a wet deck with no breath in me and a gallon of brine in my windpipe.

I heard a voice cry out sharply, and a hand helped me to my feet. It was Gresson, and he seemed excited.

"God, Mr. Brand, that was a close call! I was coming up to find you, when this damned ship took to lying on her side. I guess I must have cannoned into you, and I was calling myself bad names when I saw you rolling into the Atlantic. If I hadn't got a grip on the rope I would have been down beside you. Say, you're not hurt? I reckon you'd better come below and get a glass of rum under your belt. You're about as wet as mother's dish-clouts."

There's one advantage about campaigning. You take your luck when it comes and don't worry about what might have been. I didn't think any more of the business, except that it had cured me of wanting to be sea-sick. I went down to the reeking cabin without one qualm in my stomach, and ate a good meal of welsh-rabbit and bottled Bass, with a tot of rum to follow up with. Then I shed my wet garments, and slept in my bunk till we anchored off a village in Mull in a clear blue morning.

It took us four days to crawl up that coast and make Oban, for we seemed to be a floating general store for every hamlet in those parts. Gresson made himself very pleasant, as if he wanted to atone for nearly doing me in. We played some poker, and I read the little books I had got in Colonsay, and then rigged up a fishing-line, and caught saithe and lythe and an occasional big haddock. But I found the time pass slowly, and I was glad when about noon one day we came into a bay blocked with islands and saw a clean little town sitting on the hills and the smoke of a railway engine.

I went ashore and purchased a better brand of hat in a tweed store. Then I made a bee-line for the post office, and asked for telegrams. One was given to me and as I opened it I saw Gresson at my elbow.

It ran thus:

"Brand, Post Office, Oban. Page 117, paragraph 3. Ochterlony."

I passed it to Gresson with a rueful face.

"There's a piece of foolishness," I said. "I've got a cousin who's a Presbyterian minister up in Ross-shire, and before I knew about this passport humbug I wrote to him and offered to pay him a visit. I told him to wire me here if it was convenient, and the old idiot has sent me the wrong telegram. This was likely as not meant for some brother parson, who's got my message instead."

"What's the guy's name?" Gresson asked curiously, peering at the signature.

"Ochterlony. David Ochterlony. He's a great swell at writing books, but he's no earthly use at handling the telegraph. However, it don't signify, seeing I'm not going near him." I crumpled up the pink form and tossed it on the floor. Gresson and I walked back to the *Tobermory* together.

That afternoon, when I got a chance, I had out my *Pilgrim's Progress.* Page 117, paragraph 3, read:

"Then I saw in my dream, that a little off the road, over against the Silver-mine, stood Demas (gentleman-like) to call to passengers to come and see: who said to Christian and his fellow, Ho, turn aside hither and I will show you a thing."

At tea I led the talk to my own past life. I yarned about my experiences as a mining engineer, and said I could never get out of the trick of looking at country with the eye of the prospector. "For instance," I said, "if this had been Rhodesia, I would have said there was a good chance of copper in these little kopjes above the town. They're not unlike the hills round the Messina mine." I told the captain that after the war I was thinking of turning my attention to the West Highlands and looking out for minerals.

"Ye'll make nothing of it," said the captain. "The costs are ower big, even if ye found the minerals, for ye'd have to import a' your labour. The West Hielandman is no fond o' hard work. Ye ken the psalm o' the crofter?

"O that the peats would cut themselves,
The fish chump on the shore,
And that I in my bed might lie
Henceforth for ever more!"

"Has it ever been tried?" I asked.

"Often. There's marble and slate quarries, and there was word o' coal in Benbecula. And there's the iron mines at Ranna."

"Where's that?" I asked.

"Up forenent Skye. We call in there, and generally bide a bit. There's a heap of cargo for Ranna, and we usually get a good load back. But as I tell ye, there's few Hielanders working there. Mostly Irish and lads frae Fife and Falkirk way."

I didn't pursue the subject, for I had found Demas's silver-mine. If the *Tobermory* lay at Ranna for a week, Gresson would have time to do his own private business. Ranna would not be the spot, for the island was bare to the world in the middle of a much-frequented channel. But Skye was just across the way, and when I looked in my map at its big, wandering peninsulas I concluded that my guess had been right, and that Skye was the place to make for.

That night I sat on deck with Gresson, and in a wonderful starry silence we watched the lights die out of the houses in the town, and talked of a thousand things. I noticed—what I had had a hint of before—that my companion was no common man. There were moments when he forgot himself and talked like an educated gentleman: then he would remember, and relapse into the lingo of Leadville, Colorado. In my character of the ingenuous inquirer I set him posers about politics and economics, the kind of thing I might have been supposed to pick up from unintelligent browsing among little books. Generally he answered with some slangy catchword, but occasionally he was interested beyond his discretion, and treated me to a harangue like an equal. I discovered another thing, that he had a craze for poetry, and a capacious memory for it. I forget how we drifted into the subject, but I remember he quoted some queer haunting stuff which he said was Swinburne, and verses by people I had heard of from Letchford at Biggleswick. Then he saw by my silence that he had gone too far, and fell back into the jargon of the West. He wanted to know about my plans, and we went down into the cabin and had a look at the map. I explained my route, up

Morvern and round the head of Lochiel, and back to Oban by the east side of Loch Linnhe.

"Got you," he said. "You've a hell of a walk before you. That bug never bit me, and I guess I'm not envying you any. And after that, Mr. Brand?"

"Back to Glasgow to do some work for the cause," I said lightly.

"Just so," he said, with a grin. "It's a great life if you don't weaken."

We steamed out of the bay next morning at dawn, and about nine o'clock I got on shore at a little place called Lochaline. My kit was all on my person, and my waterproof's pockets were stuffed with chocolates and biscuits I had bought in Oban. The captain was discouraging. "Ye'll get your bellyful o' Hieland hills, Mr. Brand, afore ye win round the Loch head. Ye'll be wishin' yerself back on the *Tobermory*." But Gresson speeded me joyfully on my way, and said he wished he were coming with me. He even accompanied me the first hundred yards, and waved his hat after me till I was round the turn of the road.

The first stage in that journey was pure delight. I was thankful to be rid of the infernal boat, and the hot summer scents coming down the glen were comforting after the cold, salt smell of the sea. The road lay up the side of a small bay, at the top of which a big white house stood among gardens. Presently I had left the coast and was in a glen where a brown salmon-river swirled through acres of bog-myrtle. It had its source in a loch, from which the mountain rose steeply—a place so glassy in that August forenoon that every scaur and wrinkle of the hillside were faithfully reflected. After that I crossed a low pass to the head of another sea-loch, and, following the map, struck over the shoulder of a great hill and ate my luncheon far up on its side, with a wonderful vista of wood and water below me.

All that morning I was very happy, not thinking about Gresson or Ivery, but getting my mind clear in those wide spaces, and my lungs filled with the brisk hill air. But I noticed one curious thing. On my last visit to Scotland, when I covered more moorland miles a day than any man since Claverhouse, I had been fascinated by the land, and had pleased myself with plans for settling down in it. But now, after three years of war and general racketing, I felt less drawn to that kind of landscape. I wanted something more green and peaceful and habitable, and it was to the Cotswolds that my memory turned with longing.

I puzzled over this till I realised that in all my Cotswold pictures a figure kept going and coming—a young girl with a cloud of gold hair and the strong, slim grace of a boy, who had sung " Cherry Ripe " in a moonlit garden. Up on that hillside I understood very clearly that I, who had been as careless of women as any monk, had fallen wildly in love with a child of half my age. I was loath to admit it, though for weeks the conclusion had been forcing itself on me. Not that I didn't revel in my madness, but that it seemed too hopeless a business, and I had no use for barren philandering. But, seated on a rock munching chocolate and biscuits, I faced up to the fact and resolved to trust my luck. After all we were comrades in a big job, and it was up to me to be man enough to win her. The thought seemed to brace any courage that was in me. No task seemed too hard with her approval to gain and her companionship somewhere at the back of it. I sat for a long time in a happy dream, remembering all the glimpses I had had of her, and humming her song to an audience of one black-faced sheep.

On the highroad half a mile below me, I saw a figure on a bicycle mounting the hill, and then getting off to mop its face at the summit. I turned my Zeiss glasses on to it, and observed that it was a country policeman. It caught sight of me, stared for a bit, tucked its machine into the side of the road, and then very slowly began to climb the hillside. Once it stopped, waved its hand and shouted something which I could not hear. I sat finishing my luncheon, till the features were revealed to me of a fat, oldish man, blowing like a grampus, his cap well on the back of a bald head, and his trousers tied about the shins with string.

There was a spring beside me and I had out my flask to round off my meal.

"Have a drink," I said.

His eye brightened, and a smile overran his moist face.

"Thank you, sir. It will be very warrm coming up the brae."

"You oughtn't to," I said. "You really oughtn't, you know. Scorching up hills and then doubling up a mountain are not good for your time of life."

He raised the cap of my flask in solemn salutation. "Your very good health." Then he smacked his lips, and had several cupfuls of water from the spring.

"You will haf come from Achranich way, maybe?" he said in his soft sing-song, having at last found his breath.

"Just so. Fine weather for the birds, if there was anybody to shoot them."

"Ach, no. There will be few shots fired to-day, for there are no gentlemen left in Morvern. But I wass asking you, if you come from Achranich, if you haf seen anybody on the road."

From his pocket he extricated a brown envelope and a bulky telegraph form. "Will you read it, sir, for I haf forgot my spectacles?"

It contained a description of one Brand, a South African and a suspected character, whom the police were warned to stop and return to Oban. The description wasn't bad, but it lacked any one good distinctive detail. Clearly the policeman took me for an innocent pedestrian, probably the guest of some moorland shooting-box, with my brown face and rough tweeds and hob-nailed shoes.

I frowned and puzzled a little. "I did see a fellow about three miles back on the hillside. There's a public-house just where the burn comes in, and I think he was making for it. Maybe that was your man. This wire says

'South African'; and now I remember the fellow had the look of a colonial."

The policeman sighed. "No doubt it will be the man. Perhaps he will haf a pistol and will shoot."

"Not him," I laughed. "He looked a mangy sort of chap, and he'll be scared out of his senses at the sight of you. But take my advice and get somebody with you before you tackle him. You're always the better of a witness."

"That's so," he said, brightening. "Ach, these are the bad times! In old days there wass nothing to do but watch the doors at the flower-shows and keep the yachts from poaching the sea-trout. But now it is spies, spies, and 'Donald, get out of your bed, and go off twenty mile to find a German.' I wass wishing the war wass by, and the Germans all dead."

"Hear, hear!" I cried, and on the strength of it gave him another dram.

I accompanied him to the road, and saw him mount his bicycle and zig-zag like a snipe down the hill towards Achranich. Then I set off briskly northward. It was clear that the faster I moved the better.

As I went I paid disgusted tribute to the efficiency of the Scottish police. I wondered how on earth they had marked me down. Perhaps it was the Glasgow meeting, or perhaps my association with Ivery at Biggleswick. Anyhow there was somebody somewhere mighty quick at compiling a *dossier*. Unless I wanted to be bundled back to Oban I must make good speed to the Arisaig coast.

Presently the road fell to a gleaming sea-loch which lay like the blue blade of a sword among the purple of the hills. At the head there was a tiny clachan, nestled among birches and rowans, where a tawny burn wound to the sea. When I entered the place it was about four o'clock in the afternoon, and peace lay on it like a garment. In the wide, sunny street there was no sign of life, and no sound except of hens clucking and of bees busy among the roses. There was a little grey box of a kirk, and close to the bridge a thatched cottage which bore the sign of a post and telegraph office.

For the past hour I had been considering that I had better prepare for mishaps. If the police of these parts had been warned they might prove too much for me, and Gresson would be allowed to make his journey unwatched. The only thing to do was to send a wire to Amos and leave the matter in his hands. Whether that was possible or not depended upon this remote postal authority.

I entered the little shop, and passed from bright sunshine to a twilight smelling of paraffin and black-striped peppermint balls. An old woman with a mutch sat in an arm-chair behind the counter. She looked up at me over her spectacles and smiled, and I took to her on the instant. She had the kind of old wise face that God loves.

Beside her I noticed a little pile of books, one of which was a Bible. Open on her lap was a paper, the *United Free Church Monthly*. I noticed these details greedily, for I had to make up my mind on the part to play.

" It's a warm day, mistress," I said, my voice falling into the broad Lowland speech, for I had an instinct that she was not of the Highlands.

She laid aside her paper. " It is that, sir. It is grand weather for the hairst, but here that's no till the hinner end o' September, and at the best it's a bit scart o' aits."

" Ay. It's a different thing down Annandale way," I said.

Her face lit up. " Are you from Dumfries, sir?"

" Not just from Dumfries, but I know the Borders fine."

" Ye'll no beat them," she cried. " Not that this is no a guid place and I've muckle to be thankfu' for since John Sanderson—that was ma man—brocht me here forty-seeven year syne come Martinmas. But the aulder I get the mair I think o' the bit whaur I was born. It was twae miles from Wamphray on the Lockerbie road, but they tell me the place is noo just a rickle o' stanes."

" I was wondering, mistress, if I could get a cup of tea in the village."

" Ye'll hae a cup wi' me," she said. " It's no often we see onybody frae the Borders hereaways. The kettle's just on the boil."

She gave me tea and scones and butter, and black-currant jam, and treacle biscuits that melted in the mouth. And as we ate we talked of many things—chiefly of the war and of the wickedness of the world.

" There's nae lads left here," she said. " They a' joined the Camerons, and the feck o' them fell at an awfu' place called Lowse. John and me never had no boys, jist the one lassie that's married on Donald Frew, the Strontian carrier. I used to vex mysel' about it, but now I thank the Lord that in His mercy He spared me sorrow. But I wad hae liked to have had one laddie fechtin' for his country. I whiles wish I was a Catholic and could pit up prayers for the sodgers that are deid. It maun be a great consolation."

I whipped out the *Pilgrim's Progress* from my pocket. " That is the grand book for a time like this."

" Fine I ken it," she said. " I got it for a prize in the Sabbath School when I was a lassie."

I turned the pages. I read out a passage or two, and then I seemed struck with a sudden memory.

" This is a telegraph office, mistress. Could I trouble you to send a telegram? You see I've a cousin that's a minister in Ross-shire at the Kyle, and him and me are great correspondents. He was writing about something in the *Pilgrim's Progress* and I think I'll send him a telegram in answer."

" A letter would be cheaper," she said.

" Ay, but I'm on holiday and I've no time for writing."

She gave me a form, and I wrote:

" Ochterlony. Post Office, Kyle.—Demas will be at his mine within the week. Strive with him, lest I faint by the way."

"Ye're unco lavish wi' the words, sir," was her only comment.

We parted with regret, and there was nearly a row when I tried to pay for the tea. I was bidden remember her to one Davie Tudhope, farmer in Nether Mirecleuch, the next time I passed by Wamphray.

The village was as quiet when I left it as when I had entered. I took my way up the hill with an easier mind, for I had got off the telegram, and I hoped I had covered my tracks. My friend the postmistress would, if questioned, be unlikely to recognise any South African suspect in the frank and homely traveller who had spoken with her of Annandale and the *Pilgrim's Progress*.

The soft mulberry gloaming of the west coast was beginning to fall on the hills. I hoped to put in a dozen miles before dark to the next village on the map, where I might find quarters. But ere I had gone far I heard the sound of a motor behind me, and a car slipped past bearing three men. The driver favoured me with a sharp glance, and clapped on the brakes. I noted that the two men in the tonneau were carrying sporting rifles.

"Hi, you sir," he cried. "Come here." The two rifle-bearers—solemn gillies—brought their weapons to attention.

"By God," he said, "it's the man. What's your name? Keep him covered, Angus." The gillies duly covered me, and I did not like the look of their wavering barrels. They were obviously as surprised as myself.

I had about half a second to make my plans. I advanced with a very stiff air, and asked him what the devil he meant. No Lowland Scots for me now. My tone was that of an adjutant of a Guard's battalion.

My inquisitor was a tall man in an ulster, with a green felt hat on his small head. He had a lean, well-bred face and very choleric blue eyes. I set him down as a soldier, retired, Highland regiment or cavalry, old style.

He produced a telegraph form, like the policeman.

"Middle height—strongly built—grey tweeds—brown hat

—speaks with a colonial accent—much sunburnt. What's your name, sir?"

I did not reply in a colonial accent, but with the *hauteur* of the British officer when stopped by a French sentry. I asked him again what the devil he had to do with my business. This made him angry and he began to stammer.

"I'll teach you what I have to do with it. I'm a deputy-lieutenant of this county, and I have Admiralty instructions to watch the coast. Damn it, sir I've a wire here from the Chief Constable describing you. You're Brand, a very dangerous fellow, and we want to know what the devil you're doing here."

As I looked at his wrathful eye and lean head, which could not have held much brains, I saw that I must change my tone. If I irritated him he would get nasty and refuse to listen and hang me up for hours. So my voice became respectful.

"I beg your pardon, sir, but I've not been accustomed to be pulled up suddenly and asked for my credentials. My name is Blaikie, Captain Robert Blaikie, of the Scots Fusiliers. I'm home on three weeks' leave, to get a little peace after Hooge. We were only hauled out five days ago." I hoped my old friend in the shell-shock hospital at Isham would pardon my borrowing his identity.

The man looked puzzled. "How the devil am I to be satisfied about that? Have you any papers to prove it?"

"Why, no. I don't carry passports about with me on a walking tour. But you can wire to the depot, or to my London address."

He pulled at his yellow moustache. "I'm hanged if I know what to do. I want to get home for dinner. I tell you what, sir, I'll take you on with me and put you up for the night. My boy's at home, convalescing, and if he says you're *pukka* I'll ask your pardon and give you a dashed good bottle of port. I'll trust him, and I warn you he's a keen hand."

There was nothing to do but consent, and I got in beside

him with an uneasy conscience. Supposing the son knew the real Blaikie! I asked the name of the boy's battalion, and was told the 10th Seaforths. That wasn't pleasant hearing, for they had been brigaded with us on the Somme. But Colonel Broadbury—for he told me his name—volunteered another piece of news which set my mind at rest. The boy was not yet twenty, and had only been out seven months. At Arras he had got a bit of shrapnel in his thigh, which had played the deuce with the sciatic nerve, and he was still on crutches.

We spun over ridges of moorland, always keeping northward, and brought up at a pleasant whitewashed house close to the sea. Colonel Broadbury ushered me into a hall where a small fire of peats was burning, and on a couch beside it lay a slim, pale-faced young man. He had dropped his policeman's manner, and behaved like a gentleman. "Ted," he said, "I've brought a friend home for the night. I went out to look for a suspect and found a British officer. This is Captain Blaikie, of the Scots Fusiliers."

The boy looked at me pleasantly. "I'm very glad to meet you, sir. You'll excuse me not getting up, but I've got a game leg." He was the copy of his father in features, but dark and sallow where the other was blond. He had just the same narrow head, and stubborn mouth, and honest, quick-tempered eyes. It is the type that makes dashing regimental officers, and earns V.C.'s, and gets done in wholesale. I was never that kind. I belonged to the school of the cunning cowards.

In the half-hour before dinner the last wisp of suspicion fled from my host's mind. For Ted Broadbury and I were immediately deep in "shop." I had met most of his senior officers, and I knew all about their doings at Arras, for his brigade had been across the river on my left. We fought the great fight over again, and yarned about technicalities and slanged the Staff in the way young officers have, the father throwing in questions that showed how mighty proud he was of his son. I had a bath before dinner, and as he led me to the bathroom he apologised very handsomely for his bad manners. " Your coming's been a godsend for Ted. He was moping a bit in this place. And, though I say it that shouldn't, he's a dashed good boy."

I had my promised bottle of port, and after dinner I took on the father at billiards. Then we settled in the smoking-room, and I laid myself out to entertain the pair. The result was that they would have me stay a week, but I spoke of the shortness of my leave, and said I must get on to the railway and then back to Fort William for my luggage.

So I spent that night between clean sheets, and ate a Christian breakfast, and was given my host's car to set me a bit on the road. I dismissed it after half a dozen miles, and, following the map, struck over the hills to the west. About midday I topped a ridge, and beheld the Sound of Sleat shining beneath me. There were other things in the landscape. In the valley on the right a long goods train was crawling on the Mallaig railway. And across the strip of sea, like some fortress of the old gods, rose the dark bastions and turrets of the hills of Skye.

CHAPTER VI

THE SKIRTS OF THE COOLIN

OBVIOUSLY I must keep away from the railway. If the police were after me in Morvern, that line would be warned, for it was a barrier I must cross if I were to go farther north. I observed from the map that it turned up the coast, and concluded that the place for me to make for was the shore south of that turn, where Heaven might send me some luck in the boat line. For I was pretty certain that every porter and station-master on that tin-pot outfit was anxious to make better acquaintance with my humble self.

I lunched off the sandwiches the Broadburys had given me, and in the bright afternoon made my way down the hill, crossed at the foot of a small fresh-water lochan, and pursued the issuing stream through midge-infested woods ot hazels to its junction with the sea. It was rough going, but very pleasant, and I fell into the same mood of idle contentment that I had enjoyed the previous morning. I never met a soul. Sometimes a roe deer broke out of the covert, or an old blackcock startled me with his scolding. The place was bright with heather, still in its first bloom, and smelt better than the myrrh of Arabia. It was a blessed glen, and I was as happy as a king, till I began to feel the coming of hunger, and reflected that the Lord alone knew when I might get a meal. I had still some chocolate and biscuits, but I wanted something substantial.

The distance was greater than I thought, and it was already twilight when I reached the coast. The shore was open and desolate—great banks of pebbles to which straggled alders and hazels from the hillside scrub. But as I marched northward and turned a little point of land I saw before me in a crook of the bay a smoking cottage. And, plodding along by the water's edge, was the bent figure of a man, laden with nets and lobster pots. Also, beached on the shingle was a boat,

I quickened my pace and overtook the fisherman. He was an old man with a ragged grey beard, and his rig was seaman's boots and a much-darned blue jersey. He was deaf, and did not hear me when I hailed him. When he caught sight of me he never stopped, though he very solemnly returned my good evening. I fell into step with him, and in his silent company reached the cottage.

He halted before the door and unslung his burdens. The place was a two-roomed building with a roof of thatch, and the walls all grown over with a yellow-flowered creeper. When he had straightened his back, he looked seaward and at the sky, as if to prospect the weather. Then he turned on me his gentle, absorbed eyes. "It will haf been a fine day, sir. Wass you seeking the road to anywhere?"

"I was seeking a night's lodging," I said. "I've had a long tramp on the hills, and I'd be glad of a chance of not going farther."

"We will haf no accommodation for a gentleman," he said gravely.

"I can sleep on the floor, if you can give me a blanket and a bite of supper."

"Indeed you will not," and he smiled slowly. "But I will ask the wife. Mary, come here!"

An old woman appeared in answer to his call, a woman whose face was so old that she seemed like his mother. In highland places one sex ages quicker than the other.

"This gentleman would like to bide the night. I wass telling him that we had a poor small house, but he says he will not be minding it."

She looked at me with the timid politeness that you find only in outland places.

"We can do our best, indeed, sir. The gentleman can

have Colin's bed in the loft, but he will haf to be doing with plain food. Supper is ready if you will come in now."

I had a scrub with a piece of yellow soap at an adjacent pool in the burn and then entered a kitchen blue with peat-reek. We had a meal of boiled fish, oatcakes and skim-milk cheese, with cups of strong tea to wash it down. The old folk had the manners of princes. They pressed food on me, and asked me no questions, till for very decency's sake I had to put up a story and give some account of myself.

I found they had a son in the Argylls and a younger boy in the Navy. But they seemed disinclined to talk of them or of the war. By a mere accident I hit on the old man's absorbing interest. He was passionate about the land. He had taken part in long-forgotten agitations, and had suffered eviction in some ancient landlords' quarrel farther north. Presently he was pouring out to me all the woes of the crofter—woes that seemed so antediluvian and forgotten that I listened as one would listen to an old song. "You who come from a new country will not haf heard of these things," he kept telling me, but by that peat fire I made up for my defective education. He told me of evictions in the year. One somewhere in Sutherland, and of harsh doings in the Outer Isles. It was far more than a political grievance. It was the lament of the conservative for vanished days and manners. "Over in Skye wass the fine land for black cattle, and every man had his bit herd on the hillside. But the lairds said it wass better for sheep, and then they said it wass not good for sheep, so they put it under deer, and now there is no black cattle anywhere in Skye." I tell you it was like sad music on the bagpipes hearing that old fellow. The war and all things modern meant nothing to him; he lived among the tragedies of his youth and his prime.

I'm a Tory myself and a bit of a land-reformer, so we agreed well enough. So well, that I got what I wanted without asking for it. I told him I was going to Skye, and he offered to take me over in his boat in the morning. "It will be no trouble. Indeed no. I will be going that way myself to the fishing."

I told him that after the war every acre of British soil would have to be used for the men that had earned the right to it. But that did not comfort him. He was not thinking about the land itself, but about the men who had been driven from it fifty years before. His desire was not for reform, but for restitution, and that was past the power of any Government. I went to bed in the loft in a sad, reflective mood, considering how in speeding our new-fangled plough we must break down a multitude of molehills and how desirable and unreplaceable was the life of the moles.

In brisk, shining weather, with a wind from the south-east, we put off next morning. In front was a brown line of low hills, and behind them, a little to the north, that black toothcomb of mountain which I had seen the day before from the Arisaig ridge.

"That is the Coolin," said the fisherman. "It is a bad place where even the deer cannot go. But all the rest of Skye wass the fine land for black cattle."

As we neared the coast, he pointed out many places. "Look there, sir, in that glen. I haf seen six cot houses smoking there, and now there is not any left. There were three men of my own name had crofts on the *machars* beyond the point, and if you go there you will only find the marks of their bit gardens. You will know the place by the gean trees."

When he put me ashore in a sandy bay between green ridges of bracken, he was still harping upon the past. I got him to take a pound—for the boat and not for the night's hospitality, for he would have beaten me with an oar if I had suggested that. The last I saw of him, as I turned round at the top of the hill, he had still his sail down, and was gazing at the lands which had once been full of human dwellings and now were desolate.

I kept for a while along the ridge, with the Sound of

Sleat on my right, and beyond it the high hills of Knoydart and Kintail. I was watching for the *Tobermory,* but saw no sign of her. A steamer put out from Mallaig, and there were several drifters crawling up the channel, and once I saw the white ensign and a destroyer bustled northward, leaving a cloud of black smoke in her wake. Then, after consulting the map, I struck across country, still keeping the higher ground, but, except at odd minutes, being out of sight of the sea. I concluded that my business was to get to the latitude of Ranna without wasting time.

So soon as I changed my course I had the Coolin for company. Mountains have always been a craze of mine, and the blackness and mystery of those grim peaks went to my head. I forgot all about Fosse Manor and the Cotswolds. I forgot, too, what had been my chief feeling since I left Glasgow, a sense of the absurdity of my mission. It had all seemed too far-fetched and whimsical. I was running apparently no great personal risk, and I had always the unpleasing fear that Blenkiron might have been too clever and that the whole thing might be a mare's nest. But that dark mountain mass changed my outlook. I began to have a queer instinct that that was the place, that something might be concealed there, something pretty damnable. I remember I sat on a top for half an hour raking the hills with my glasses. I made out ugly precipices, and glens which lost themselves in primeval blackness. When the sun caught them—for it was a gleamy day—it brought out no colours, only degrees of shade. No mountains I had ever seen—not the Drakensberg or the red kopjes of Damaraland or the cold, white peaks around Erzerum—ever looked so unearthly and uncanny.

Oddly enough, too, the sight of them set me thinking about Ivery. There seemed no link between a smooth, sedentary being, dwelling in villas and lecture-rooms, and that shaggy tangle of precipices. But I felt there was, for I had begun to realise the bigness of my opponent. Blenkiron had said that he spun his web wide. That was intelli gible enough among the half-baked youth of Biggleswick, and the pacificist societies, or even the toughs on the Clyde. I could fit him in all right to that picture. But that he should be playing his game among those mysterious black crags seemed to make him bigger and more desperate, altogether a different kind of proposition. I didn't exactly dislike the idea, for my objection to my past weeks had been that I was out of my proper job, and this was more my line of country. I always felt that I was a better bandit than a detective. But a sort of awe mingled with my satisfaction. I began to feel about Ivery as I had felt about the three devils of the Black Stone who had hunted me before the war, and as I never felt about any other Hun. The men we fought at the Front and the men I had run across in the Greenmantle business, even old Stumm himself, had been human miscreants. They were formidable enough, but you could gauge and calculate their capacities. But this Ivery was like a poison gas that hung in the air and got into unexpected crannies and that you couldn't fight in an upstanding way. Till then, in spite of Blenkiron's solemnity, I had regarded him simply as a problem. But now he seemed an intimate and omnipresent enemy, intangible, too, as the horror of a haunted house. Up on that sunny hillside, with the sea winds round me and the whaups calling, I got a chill in my spine when I thought of him.

I am ashamed to confess it, but I was also horribly hungry. There was something about the war that made me ravenous, and the less chance of food the worse I felt. If I had been in London with twenty restaurants open to me, I should as likely as not have gone off my feed. That was the cussedness of my stomach. I had still a little chocolate left, and I ate the fisherman's buttered scones for luncheon, but long before the evening my thoughts were dwelling on my empty interior.

I put up that night in a shepherd's cottage miles from anywhere. The man was called Macmorran, and he had come from Galloway when sheep were booming. He was a very good imitation of a savage, a little fellow with red hair and red eyes, who might have been a Pict. He lived with a daughter who had once been in service in Glasgow, a fat young woman with a face entirely covered with freckles and a pout of habitual discontent. No wonder, for that cottage was a pretty mean place. It was so thick with peat-reek that throat and eyes were always smarting. It was badly built, and must have leaked like a sieve in a storm. The father was a surly fellow, whose conversation was one long growl at the world, the high prices, the difficulty of moving his sheep, the meanness of his master, and the god-forsaken character of Skye. "Here's me no seen baker's bread for a month, and no company but a wheen ignorant Hielanders that yatter Gawlic. I wish I was back in the Glenkens. And I'd gang the morn if I could get paid what I'm awed."

However, he gave me supper—a braxy ham and oatcake, and I bought the remnants off him for use next day. I did not trust his blankets, so I slept the night by the fire in the ruins of an arm-chair, and woke at dawn with a foul taste in my mouth. A dip in the burn refreshed me, and after a bowl of porridge I took the road again. For I was anxious to get to some hill-top that looked over to Ranna.

Before midday I was close under the eastern side of the Coolin, on a road which was more a rockery than a path. Presently I saw a big house ahead of me that looked like an inn, so I gave it a miss and struck the highway that led to it a little farther north. Then I bore off to the east, and was just beginning to climb a hill which I judged stood between me and the sea, when I heard wheels on the road and looked back.

It was a farmer's gig carrying one man. I was about half a mile off, and something in the cut of his jib seemed familiar. I got my glasses on him and made out a short, stout figure clad in a mackintosh, with a woollen comforter round its throat. As I watched, it made a movement as if to rub its nose on its sleeve. That was the pet trick of one man I knew. Inconspicuously I slipped through the long heather so as to reach the road ahead of the gig. When I rose like a wraith from the wayside the horse started, but not the driver.

" So ye're there," said Amos's voice. " I've news for ye. The *Tobermory* will be in Ranna by now. She passed Broadford two hours syne. When I saw her I yoked this beast and came up on the chance of foregathering with ye."

" How on earth did you know I would be here?" I asked in some surprise.

" Oh, I saw the way your mind was workin' from your telegram. And says I to mysel'—that man Brand, says I, is not the chiel to be easy stoppit. But I was feared ye might be a day late, so I came up the road to hold the fort. Man, I'm glad to see ye. Ye're younger and soopler than me, and yon Gresson's a stirrin' lad."

" There's one thing you've got to do for me," I said. " I can't go into inns and shops, but I can't do without food. I see from the map there's a town about six miles on. Go there and buy me anything that's tinned—biscuits and tongue and sardines, and a couple of bottles of whisky if you can get them. This may be a long job, so buy plenty."

" Whaur'll I put them?" was his only question.

We fixed on a cache, a hundred yards from the highway in a place where two ridges of hill enclosed the view so that only a short bit of road was visible. " I'll get back to the Kyle," he told me, " and a'body there kens Andra Amos, if ye should find a way of sendin' a message or comin' yourself. Oh, and I've got a word to ye from a lady that we ken of. She says, the sooner ye're back in Vawnity Fair the better she'll be pleased, always provided ye've got over the Hill Difficulty."

A smile screwed up his old face and he waved his whip in farewell. I interpreted Mary's message as an incitement to speed, but I could not make the pace. That was Gresson's business. I think I was a little nettled, till I cheered myself by another interpretation. She might be anxious for my safety, she might want to see me again, anyhow the mere sending of the message showed I was not forgotten. I was in a pleasant muse as I breasted the hill, keeping discreetly in the cover of the many gullies. At the top I looked down on Ranna and the sea.

There lay the *Tobermory* busy unloading. It would be some time, no doubt, before Gresson could leave. There was no row-boat in the channel yet, and I might have to wait hours. I settled myself snugly between two rocks, where I could not be seen, and where I had a clear view of sea and shore. But presently I found that I wanted some long heather to make a couch, and I emerged to get some. I had not raised my head for a second when I flopped down again. For I had a neighbour on the hill-top.

He was about two hundred yards off, just reaching the crest, and, unlike me, walking quite openly. His eyes were on Ranna, so he did not notice me, but from my cover I scanned every line of him. He looked an ordinary countryman, wearing badly cut, baggy knickerbockers of the kind that gillies affect. He had a face like a Portuguese Jew, but I had seen that type before among people with Highland names; they might be Jews or not, but they could speak Gaelic. Presently he disappeared. He had followed my example and selected a hiding-place.

It was a clear, hot day, but very pleasant in that airy place. Good scents came up from the sea, the heather was warm and fragrant, bees droned about, and stray seagulls swept the ridge with their wings. I took a look now and then towards my neighbour, but he was deep in his hidy-hole. Most of the time I kept my glasses on Ranna, and watched the doings of the *Tobermory*. She was tied up at the jetty, but seemed in no hurry to unload. I watched the captain disembark and walk up to a house on the hillside. Then some idlers sauntered down towards her and stood talking and smoking close to her side. The captain returned, and left again. A man with papers in his hand appeared, and a woman with what looked like a telegram. The mate went ashore in his best clothes. Then at last, after midday, Gresson appeared. He joined the captain at the pier-master's office, and presently emerged on the other side of the jetty where some small boats were beached. A man from the *Tobermory* came in answer to his call, a boat was launched, and began to make its way into the channel. Gresson sat in the stern, placidly eating his luncheon.

I watched every detail of that crossing with some satisfaction that my forecast was turning out right. About halfway across Gresson took the oars, but soon surrendered them to the *Tobermory* man, and lit a pipe. He got out a pair of binoculars and raked my hillside. I tried to see if my neighbour was making any signal, but all was quiet. Presently the boat was hid from me by the bulge of the hill, and I caught the sound of her scraping on the beach.

Gresson was not a hill-walker like my neighbour. It took him the best part of an hour to get to the top, and he reached it at a point not two yards from my hiding-place. I could hear by his labouring breath that he was very blown. He walked straight over the crest till he was out of sight of Ranna, and flung himself on the ground. He was now about fifty yards from me, and I made shift to lessen the distance. There was a grassy trench skirting the north side of the hill, deep and thickly overgrown with heather. I wound my way along it till I was about twelve yards from him, where I stuck, owing to the trench dying away. When I peered out of the cover I saw that the other man had joined him and that the idiots were engaged in embracing each other.

I dared not move an inch nearer, and as they talked in a low voice I could hear nothing of what they said. Nothing except one phrase, which the strange man repeated twice, very emphatically. "To-morrow night," he said, and I noticed that his voice had not the Highland inflection which I looked for. Gresson nodded and glanced at his watch, and then the two began to move down hill towards the road I had travelled that morning.

I followed as best I could, using a shallow dry watercourse of which sheep had made a track, and which kept me well below the level of the moor. It took me down the hill, but some distance from the line the pair were taking, and I had to reconnoitre frequently to watch their movements. They were still a quarter of a mile or so from the road, when they stopped and stared, and I stared with them. On that lonely highway travellers were about as rare as road-menders, and what caught their eye was a farmer's gig driven by a thick-set elderly man with a woollen comforter round his neck.

I had a bad moment, for I reckoned that if Gresson recognised Amos he might take fright. Perhaps the driver of the gig thought the same, for he appeared to be very drunk. He waved his whip, he jiggoted the reins, and he made an effort to sing. He looked towards the figures on the hillside, and cried out something. The gig narrowly missed the ditch, and then to my relief the horse bolted. Swaying like a ship in a gale, the whole outfit lurched out of sight round the corner of hill where lay my cache. If Amos could stop the beast and deliver the goods there, he had put up a masterly bit of buffoonery.

The two men laughed at the performance, and then they parted. Gresson retraced his steps up the hill. The other man—I called him in my mind the Portuguese Jew—started off at a great pace due west, across the road, and over a big patch of bog towards the northern butt of the Coolin. He had some errand, which Gresson knew about, and he was in a hurry to perform it. It was clearly my job to get after him.

I had a rotten afternoon. The fellow covered the moorland miles like a deer, and under the hot August sun I toiled on his trail. I had to keep well behind, and as much as possible in cover, in case he looked back; and that meant that when he had passed over a ridge I had to double not to let him get too far ahead, and when we were in an open place I had to make wide circuits to keep hidden. We struck a road which crossed a low pass and skirted the flank of the mountains, and this we followed till we were on the western side and within sight of the sea. It was gorgeous weather, and out on the blue water I saw cool sails moving and little breezes ruffling the calm, while I was glowing like a furnace. Happily I was in fair training, and I needed it. The Portuguese Jew must have done a steady six miles an hour over abominable country.

About five o'clock we came to a point where I dared not follow. The road ran flat by the edge of the sea, so that several miles of it were visible. Moreover, the man had begun to look round every few minutes. He was getting near something and wanted to be sure that no one was in his neighbourhood. I left the road accordingly, and took to the hillside, which to my undoing was one long cascade of screes and tumbled rocks. I saw him drop over a rise which seemed to mark the rim of a little bay into which descended one of the big corries of the mountains. It must have been a good half-hour later before I at my greater altitude, and with far worse going, reached the same rim. I looked into the glen and my man had disappeared.

He could not have crossed it, for the place was wider than I had thought. A ring of black precipices came down to within half a mile of the shore, and between them was a big stream—long, shallow pools at the sea end and a chain of waterfalls above. He had gone to earth like a badger somewhere, and I dared not move in case he might be watching me from behind a boulder.

But even as I hesitated he appeared again, fording the stream, his face set on the road we had come. Whatever his errand was he had finished it, and was posting back to his master. For a moment I thought I should follow him, but another instinct prevailed. He had not come to this wild place for the scenery. Somewhere down in that glen there was something or somebody that held the key of the mystery. It was my business to stay there till I had unlocked it. Besides, in two hours it would be dark, and I had had enough walking for one day.

I made my way to the stream side and had a long drink. The corrie behind me was lit up with the western sun, and the bald cliffs were flushed with pink and gold. On each side of the stream was turf like a lawn, perhaps a hundred yards wide, and then a tangle of long heather and boulders right up to the edge of the great rocks. I had never seen a more delectable evening, but I could not enjoy its peace because of my anxiety about the Portuguese Jew. He had not been there more than half an hour, just about long enough for a man to travel to the first ridge across the burn and back. Yet he had found time to do his business. He might have left a letter in some prearranged place—in which case I would stay there till the man it was meant for turned up. Or he might have met someone, though I didn't think that possible. As I scanned the acres of rough moor and then looked at the sea lapping delicately on the grey sand I had the feeling that a knotty problem was before me. It was too dark to try to track his steps. That must be left for the morning, and I prayed that there would be no rain in the night.

I ate for supper most of the braxy ham and oatcake I had brought from Macmorran's cottage. It took some self-denial, for I was ferociously hungry, to save a little for breakfast next morning. Then I pulled heather and bracken and made myself a bed in the shelter of a rock which stood on a knoll above the stream. My bed-chamber was well hidden, but at the same time, if anything should appear in the early dawn, it gave me a prospect. With my waterproof I was perfectly warm, and, after smoking two pipes, I fell asleep.

My night's rest was broken. First it was a fox which came and barked at my ear and woke me to a pitch-black night, with scarcely a star showing. The next time it was nothing but a wandering hill-wind, but as I sat up and listened I thought I saw a spark of light near the edge of the sea. It was only for a second, but it disquieted me. I got out and climbed on the top of the rock, but all was still save for the gentle lap of the tide and the croak of some night bird among the crags. The third time I was suddenly quite wide awake, and without any reason, for I had not been dreaming. Now I have slept hundreds of times alone beside my horse on the veld, and I never knew any cause for such awakenings but the one, and that was the presence near me of some human being. A man who is accustomed to solitude gets this extra sense which announces like an alarm-clock the approach of one of his kind.

But I could hear nothing. There was a scraping and rustling on the moor, but that was only the wind and the little wild things of the hills. A fox, perhaps, or a blue hare. I convinced my reason, but not my senses, and for long I lay awake with my ears at full cock and every nerve tense. Then I fell asleep, and woke to the first flush of dawn.

The sun was behind the Coolin and the hills were black as ink, but far out in the western seas was a broad band of gold. I got up and went down to the shore. The mouth of the stream was shallow, but as I moved south I came to a place where two small capes enclosed an inlet. It must have been a fault in the volcanic rock, for its depth was portentous. I stripped and dived far into its cold abysses, but I did not reach the bottom. I came to the surface rather breathless, and struck out to sea, where I floated on my back and looked at the great rampart of crag. I saw that the place where I had spent the night was only a little oasis of green at the base of one of the grimmest corries the imagination could picture. It was as desert as Damaraland. I noticed, too, how sharply the cliffs rose from the level. There were chimneys and gullies by which a man might have made his way to the summit, but no one of them could have been scaled except by a mountaineer.

I was feeling better now, with all the frowsiness washed out of me, and I dried myself by racing up and down the heather. Then I noticed something. There were marks of human feet at the top of the deep-water inlet—not mine, for they were on the other side. The short sea-turf was bruised are trampled in several places, and there were broken stems of bracken. I thought that some fisherman had probably landed there to stretch his legs.

But that set me thinking of the Portuguese Jew. After breakfasting on my last morsels of food—a knuckle of braxy and a bit of oatcake—I set about tracking him from the place where he had first entered the glen. To get my bearings, I went back over the road I had come myself, and after a good deal of trouble I found his spoor. It was pretty clear as far as the stream, for he had been walking—or rather running—over ground with many patches of gravel on it. After that it was difficult, and I lost it entirely in the rough heather below the crags. All that I could make out for certain was that he had crossed the stream, and that his business, whatever it was, had been with the few acres of tumbled wilderness below the precipices.

I spent a busy morning there, but found nothing except the skeleton of a sheep picked clean by the ravens. It was a thankless job, and I got very cross over it. I had an ugly feeling that I was on a false scent and wasting my time. I wished to Heaven I had old Peter with me. He could follow spoor like a Bushman, and would have riddled the Portuguese Jew's track out of any jungle on earth. That was a game I had never learned, for in old days I had always left it to my natives. I chucked the attempt, and lay disconsolately on a warm patch of grass and smoked and thought about Peter. But my chief reflections were that I had breakfasted at five, that it was now eleven, that I was intolerably hungry, that there was nothing here to feed a grasshopper, and that I should starve unless I got supplies.

It was a long road to my cache, but there were no two ways of it. My only hope was to sit tight in the glen, and it might involve a wait of days. To wait I must have food, and, though it meant relinquishing guard for a matter of six hours, the risk had to be taken. I set off at a brisk pace with a very depressed mind.

From the map it seemed that a short cut lay over a pass in the range. I resolved to take it, and that short cut, like most of its kind, was unblessed by Heaven. I will not dwell upon the discomforts of the journey. I found myself slithering among screes, climbing steep chimneys, and travelling precariously along razor-backs. The shoes were nearly rent from my feet by the infernal rocks, which were all pitted as if by some geological small-pox. When at last I crossed the divide, I had a horrible business getting down from one level to another in a gruesome corrie, where each step was composed of smooth boiler-plates. But at last I was among the bogs on the east side, and came to the place beside the road where I had fixed my cache.

The faithful Amos had not failed me. There were the provisions—a couple of small loaves, a dozen tins, and a bottle of whisky. I made the best pack I could of them in my waterproof, swung it on my stick, and started back, thinking that I must be very like the picture of Christian on the title-page of my *Pilgrim's Progress*.

I was liker Christian before I reached my destination—Christian after he had got up the Hill Difficulty. The morning's walk had been bad, but the afternoon's was worse, for I was in a fever to get back, and, having had enough of the hills, chose the longer route I had followed the previous day. I was mortally afraid of being seen, for I cut a queer figure, so I avoided every stretch of road where I had not a clear view ahead. Many weary detours I made among moss-hags and screes and the stony channels of burns. But I got there at last, and it was almost with a sense of comfort that I flung my pack down beside the stream where I had passed the night.

I ate a good meal, lit my pipe, and fell into the equable mood which follows upon fatigue ended and hunger satisfied. The sun was westering, and its light fell upon the rock-wall above the place where I had abandoned my search for the spoor.

As I gazed at it idly I saw a curious thing.

It seemed to be split in two and a shaft of sunlight came through between. There could be no doubt about it. I saw the end of the shaft on the moor beneath, while all the rest lay in shadow. I rubbed my eyes, and got out my glasses Then I guessed the explanation. There was a rock tower close against the face of the main precipice and indistinguishable from it to anyone looking direct at the face. Only when the sun fell on it obliquely could it be discovered. And between the tower and the cliff there must be a substantial hollow.

The discovery brought me to my feet, and set me running towards the end of the shaft of sunlight. I left the heather, scrambled up some yards of screes, and had a difficult time on some very smooth slabs, where only the friction of tweed and rough rock gave me a hold. Slowly I worked my way towards the speck of sunlight, till I found a handhold, and swung myself into the crack. On one side was the main wall of the hill, on the other a tower some ninety feet high, and between them a long crevice varying in width from three to six feet. Beyond it there showed a small bright patch of sea.

There was more, for at the point where I entered it there was an overhang which made a fine cavern, low at the entrance but a dozen feet high inside, and as dry as tinder. Here, thought I, is the perfect hiding-place. Before going farther I resolved to return for food. It was not very easy descending, and I slipped the last twenty feet, landing on my head in a soft patch of screes. At the burnside I filled my flask from the whisky bottle, and put half a loaf, a tin of sardines, a tin of tongue, and a packet of chocolate in my waterproof pockets. Laden as I was, it took me some time to get up again, but I managed it, and stored my belongings in a corner of the cave. Then I set out to explore the rest of the crack.

It slanted down and then rose again to a small platform. After that it dropped in easy steps to the moor beyond the tower. If the Portuguese Jew had come here, that was the way by which he had reached it, for he would not have had the time to make my ascent. I went very cautiously, for I felt I was on the eve of a big discovery. The platform was partly hidden from my end by a bend in the crack, and it was more or less screened by an outlying bastion of the tower from the other side. Its surface was covered with fine powdery dust, as were the steps beyond it. In some excitement I knelt down and examined it.

Beyond doubt there was spoor here. I knew the Portuguese Jew's footsteps by this time, and I made them out clearly, especially in one corner. But there were other footsteps, quite different. The one showed the tackets of rough country boots, the others were from unnailed soles. Again I longed for Peter to make certain, though I was pretty sure of my conclusions. The man I had followed had come here, and he had not stayed long. Someone else had been here, probably later, for the unnailed shoes overlaid the tackets. The first man might have left a message for the second. Perhaps the second was that human presence of which I had been dimly conscious in the night-time.

I carefully removed all traces of my own footmarks, and went back to my cave. My head was humming with my discovery. I remembered Gresson's words to his friend: "To-morrow night." As I read it, the Portuguese Jew had taken a message from Gresson to someone, and that someone had come from somewhere and picked it up. The message contained an assignation for this very night. I had found a point of observation, for no one was likely to come near my cave, which was reached from the moor by such a toilsome climb. There I should bivouac and see what the darkness brought forth. I remember reflecting on the amazing luck which had so far attended me. As I looked from my refuge at the blue haze of twilight creeping over the waters, I felt my pulses quicken with a wild anticipation.

Then I heard a sound below me, and craned my neck round the edge of the tower. A man was climbing up the rock by the way I had come.

CHAPTER VII

I HEAR OF THE WILD BIRDS

I SAW an old green felt hat, and below it lean tweed-clad shoulders. Then I saw a knapsack with a stick slung through it, as the owner wriggled his way on to a shelf. Presently he turned his face upward to judge the remaining distance. It was the face of a young man, a face sallow and angular, but now a little flushed with the day's sun and the work of climbing. It was a face that I had first seen at Fosse Manor.

I felt suddenly sick and heartsore. I don't know why, but I had never really associated the intellectuals of Biggleswick with a business like this. None of them but Ivery, and he was different. They had been silly and priggish, but no more—I would have taken my oath on it. Yet here was one of them engaged in black treason against his native land. Something began to beat in my temples when I remembered that Mary and this man had been friends, that he had held her hand, and called her by her Christian name. My first impulse was to wait till he got up and then pitch him down among the boulders and let his German accomplices puzzle over his broken neck.

With difficulty I kept down that tide of fury. I had my duty to do, and to keep on terms with this man was part of it. I had to convince him that I was an accomplice, and that might not be easy. I leaned over the edge, and as he got to his feet on the ledge above the boiler-plates, I whistled so that he turned his face to me.

"Hullo, Wake," I said.

He started, stared for a second, and recognised me. He did not seem over-pleased to see me. "Brand!" he cried.

"How did you get here?" He swung himself up beside me, straightened his back and unbuckled his knapsack. "I thought this was my own private sanctuary, and that nobody knew it but me. Have you spotted the cave? It's the best bedroom in Skye." His tone was, as usual, rather acid.

That little hammer was beating in my head. I longed to get my hands on his throat and choke the smug treason in him. But I kept my mind fixed on one purpose—to persuade him that I shared his secret and was on his side. His off-hand self-possession seemed only the clever screen of the surprised conspirator who was hunting for a plan.

We entered the cave, and he flung his pack into a corner. "Last time I was here," he said, "I covered the floor with heather. We must get some more if we would sleep soft." In the twilight he was a dim figure, but he seemed a new man from the one I had last seen in the Moot Hall at Biggleswick. There was a wiry vigour in his body and a purpose in his face. What a fool I had been to set him down as no more than a conceited *flâneur!*

He went out to the shelf again and sniffed the fresh evening. There was a wonderful red sky in the west, but in the crevice the shades had fallen, and only the bright patches at either end told of the sunset.

"Wake," I said, "you and I have to understand each other. I'm a friend of Ivery and I know the meaning of this place. I discovered it by accident, but I want you to know that I'm heart and soul with you. You may trust me in to-night's job as if I were Ivery himself. I . . ."

He swung round and looked at me sharply. His eyes were hot again, as I remembered them at our first meeting.

"What do you mean? How much do you know?" The hammer was going hard in my forehead, and I had to pull myself together to answer.

"I know that at the end of this crack a message was left last night, and that someone came out of the sea and picked it up. That someone is coming again when the darkness falls, and there will be another message."

He had turned his head away. "You are talking nonsense. No submarine could land on this coast."

I could see that he was trying me.

"This morning," I said, "I swam in the deep-water inlet below us. It is the most perfect submarine shelter in Britain."

He still kept his face from me, looking the way he had come. For a moment he was silent, and then he spoke in the bitter, drawling voice which had annoyed me at Fosse Manor.

"How do you reconcile this business with your principles, Mr. Brand? You were always a patriot, I remember, though you didn't see eye to eye with the Government."

It was not quite what I expected and I was unready. I stammered in my reply. "It's because I am a patriot that I want peace. I think that . . . I mean . . ."

"Therefore you are willing to help the enemy to win?"

"They have already won. I want that recognised and the end hurried on." I was getting my mind clearer and continued fluently. "The longer the war lasts, the worse this country is ruined. We must make the people realise the truth, and——"

But he swung round suddenly, his eyes blazing.

"You blackguard!" he cried, "you damnable blackguard!" And he flung himself on me like a wild-cat.

I had got my answer. He did not believe me, he knew me for a spy, and he was determined to do me in. We were beyond finesse now, and back at the old barbaric game. It was his life or mine. The hammer beat furiously in my head as we closed, and a fierce satisfaction rose in my heart.

He never had a chance, for though he was in good trim and had the light, wiry figure of the mountaineer, he hadn't a quarter of my muscular strength. Besides, he was wrongly placed, for he had the outside station. Had be been on the inside he might have toppled me over the edge by his sudden assault. As it was, I grappled him and forced him to the ground, squeezing the breath out of his body in the process. I must have hurt him considerably, but he never gave a cry. With a good deal of trouble I lashed his hands behind his back with the belt of my waterproof, carried him inside the cave and laid him in the dark end of it. Then I tied his feet with the strap of his own knapsack. I would have to gag him, but that could wait.

I had still to contrive a plan of action for the night, for I did not know what part he had been meant to play in it. He might be the messenger instead of the Portuguese Jew, in which case he would have papers about his person. If he knew of the cave, others might have the same knowledge, and I had better shift him before they came. I looked at my wrist-watch, and the luminous dial showed that the hour was half-past nine.

Then I noticed that the bundle in the corner was sobbing. It was a horrid sound and it worried me. I had a little pocket electric torch and I flashed it on Wake's face. If he was crying, it was with dry eyes.

"What are you going to do with me?" he asked.

"That depends," I said grimly.

"Well, I'm ready. I may be a poor creature, but I'm damned if I'm afraid of you, or anything like you." That was a brave thing to say, for it was a lie; his teeth were chattering.

"I'm ready for a deal," I said.

"You won't get it," was his answer. "Cut my throat if you mean to, but for God's sake don't insult me. . . . I choke when I think about you. You come to us and we welcome you, and receive you in our houses, and tell you our inmost thoughts, and all the time you're a bloody traitor. You want to sell us to Germany. You may win now, but by God! your time will come! That is my last word to you . . . you swine!"

The hammer stopped beating in my head. I saw myself suddenly as a blind, preposterous fool. I strode over to Wake, and he shut his eyes as if he expected a blow. Instead I unbuckled the straps which held his legs and arms.

"Wake, old fellow," I said, "I'm the worst kind of idiot. I'll eat all the dirt you want. I'll give you leave to knock me black and blue, and I won't lift a hand. But not now. Now we've another job on hand. Man, we're on the same side and I never knew it. It's too bad a case for apologies, but if it's any consolation to you I feel the lowest dog in Europe at this moment."

He was sitting up rubbing his bruised shoulders. "What do you mean?" he asked hoarsely.

"I mean that you and I are allies. My name's not Brand. I'm a soldier—a general, if you want to know. I went to Biggleswick under orders, and I came chasing up here on the same job. Ivery's the biggest German agent in Britain and I'm after him. I've struck his communication lines, and this very night, please God, we'll get the last clue to the riddle. Do you hear? We're in this business together, and you've got to lend a hand."

I told him briefly the story of Gresson, and how I had tracked his man here. As I talked we ate our supper, and I wish I could have watched Wake's face. He asked questions, for he wasn't convinced in a hurry. I think it was my mention of Mary Lamington that did the trick. I don't know why, but that seemed to satisfy him. But he wasn't going to give himself away.

"You may count on me," he said, "for this is black, blackguardly treason. But you know my politics, and I don't change them for this. I'm more against your accursed war than ever, now that I know what war involves."

"Right-o," I said, "I'm a pacificist myself. You won't get any heroics about war from me. I'm all for peace, but we've got to down those devils first."

It wasn't safe for either of us to stick in that cave, so we cleared away the marks of our occupation, and hid our packs in a deep crevice of the rock. Wake announced his intention of climbing the tower, while there was still a faint afterglow of light. "It's broad on the top, and I can keep a watch out to sea if any light shows. I've been up it before. I found the way two years ago. No, I won't fall asleep and tumble off. I slept most of the afternoon on the top of Sgurr Vhiconnich, and I'm as wakeful as a bat now."

I watched him shin up the face of the tower, and admired greatly the speed and neatness with which he climbed. Then I followed the crevice southward to the hollow just below the platform where I had found the footmarks. There was a big boulder there, which partly shut off the view of it from the direction of our cave. The place was perfect for my purpose, for between the boulder and the wall of the tower was a narrow gap, through which I could hear all that passed on the platform. I found a stance where I could rest in comfort and keep an eye through the crack on what happened beyond.

There was still a faint light on the platform, but soon that disappeared and black darkness settled down on the hills. It was the dark of the moon, and, as had happened the night before, a thin wrack blew over the sky, hiding the stars. The place was very still, though now and then would come the cry of a bird from the crags that beetled above me, and from the shore the pipe of a tern or oyster-catcher. An owl hooted from somewhere up on the tower. That I reckoned was Wake, so I hooted back and was answered.

I unbuckled my wrist-watch and pocketed it, lest its luminous dial should betray me; and I noticed that the hour was close on eleven. I had already removed my shoes, and my jacket was buttoned at the collar so as to show no shirt. I did not think that the coming visitor would trouble to explore the crevice beyond the platform, but I wanted to be prepared for emergencies.

Then followed an hour of waiting. I felt wonderfully cheered and exhilarated, for Wake had restored my confidence in human nature. In that eerie place we were wrapped round with mystery like a fog. Some unknown figure was coming out of the sea, the emissary of that

Power we had been at grips with for three years. It was as if the war had just made contact with our own shores, and never, not even when I was alone in the South German forest, had I felt myself so much the sport of a whimsical fate. I only wished Peter could have been with me. And so my thoughts fled to Peter in his prison camp, and I longed for another sight of my old friend as a girl longs for her lover.

Then I heard the hoot of an owl, and presently the sound of careful steps fell on my ear. I could see nothing, but I guessed it was the Portuguese Jew, for I could hear the grinding of heavily nailed boots on the gritty rock.

The figure was very quiet. It appeared to be sitting down, and then it rose and fumbled with the wall of the tower just beyond the boulder behind which I sheltered. It seemed to move a stone and to replace it. After that came silence, and then once more the hoot of an owl. There were steps on the rock staircase, the steps of a man who did not know the road well and stumbled a little. Also they were the steps of one without nails in his boots.

They reached the platform and someone spoke. It was the Portuguese Jew and he spoke in good German:

"*Die vögelein schweigen im Walde,*" he said.

The answer came from a clear, authoritative voice.

"*Warte nur, balde ruhest du auch.*"

Clearly some kind of password, for sane men don't talk about little birds in that kind of situation. It sounded to me like indifferent poetry.

Then followed a conversation in low tones, of which I only caught odd phrases. I heard two names—*Chelius* and what sounded like a Dutch word, *Bommaerts.* Then to my joy I caught *Elfenbein,* and when uttered it seemed to be followed by a laugh. I heard too a phrase several times repeated, which seemed to me to be pure gibberish—*Die Stubenvögel verstehn.* It was spoken by the man from the sea. And then the word *Wildvögel.* The pair seemed demented about birds.

For a second an electric torch was flashed in the shelter of the rock, and I could see a tanned, bearded face looking at some papers. The light disappeared, and again the Portuguese Jew was fumbling with the stones at the base of the tower. To my joy he was close to my crack, and I could hear every word. "You cannot come here very often," he said, "and it may be hard to arrange a meeting. See, therefore, the place I have made to put the *Vögelfutter*. When I get a chance I will come here, and you will come also when you are able. Often there will be nothing, but sometimes there will be much."

My luck was clearly in, and my exultation made me careless. A stone, on which a foot rested, slipped, and though I checked myself at once, the confounded thing rolled down into the hollow, making a great clatter. I plastered myself in the embrasure of the rock and waited with a beating heart. The place was pitch dark, but they had an electric torch, and if they once flashed it on me I was gone. I heard them leave the platform and climb down into the hollow. There they stood listening, while I held my breath. Then I heard "*Nix, mein freund,*" and the two went back, the naval officer's boots slipping on the gravel.

They did not leave the platform together. The man from the sea bade a short farewell to the Portuguese Jew, listening, I thought, impatiently to his final message as if eager to be gone. It was a good half-hour before the latter took himself off, and I heard the sound of his nailed boots die away as he reached the heather of the moor.

I waited a little longer, and then crawled back to the cave. The owl hooted, and presently Wake descended lightly beside me; he must have known every foothold and handhold by heart to do the job in that inky blackness. I remember that he asked no question of me, but he used language rare on the lips of conscientious objectors about the men who had lately been in the crevice. We, who four hours earlier had been at deathgrips, now curled up on the hard floor like two tired dogs, and fell sound asleep.

I woke to find Wake in a thundering bad temper. The thing he remembered most about the night before was our scrap and the gross way I had insulted him. I didn't blame him, for if any man had taken me for a German spy I would have been out for his blood, and it was no good explaining that he had given me grounds for suspicion. He was as touchy about his blessed principles as an old maid about her age. I was feeling rather extra buckish myself and that didn't improve matters. His face was like a gargoyle as we went down to the beach to bathe, so I held my tongue. He was chewing the cud of his wounded pride.

But the salt water cleared out the dregs of his distemper. You couldn't be peevish swimming in that jolly, shining sea. We raced each other away beyond the inlet to the outer water, which a brisk morning breeze was curling. Then back to a promontory of heather, where the first beams of the sun coming over the Coolin dried our skins. He sat hunched up staring at the mountains while I prospected the rocks at the edge. Out in the Minch two destroyers were hurrying southward, and I wondered where in that waste of blue was the craft which had come here in the night watches.

I found the spoor of the man from the sea quite fresh on a patch of gravel above the tide-mark.

"There's our friend of the night," I said.

"I believe the whole thing was a whimsy," said Wake, his eyes on the chimneys of Sgurr Dearg. "They were only two natives—poachers, perhaps, or tinkers."

"They don't speak German in these parts."

"It was Gaelic probably."

"What do you make of this, then?" and I quoted the stuff about birds with which they had greeted each other.

Wake looked interested. "That's *Über allen Gipfeln.* Have you ever read Goethe?"

"Never a word. And what do you make of that?" I pointed to a flat rock below tide-mark covered with a tangle of seaweed. It was of a softer stone than the hard stuff in the hills and some heavy body had scraped off half the seaweed and a slice of the side. "That wasn't done yesterday morning, for I had my bath here."

Wake got up and examined the place. He nosed about in the crannies of the rocks lining the inlet, and got into the water again to explore better. When he joined me he was smiling. "I apologise for my scepticism," he said. "There's been some petrol-driven craft here in the night. I can smell it, for I've a nose like a retriever. I daresay you're on the right track. Anyhow, though you seem to know a bit about German, you could scarcely invent immortal poetry."

We took our belongings to a green crook of the burn, and made a very good breakfast. Wake had nothing in his pack but plasmon biscuits and raisins, for that, he said, was his mountaineering provender, but he was not averse to sampling my tinned stuff. He was a different-sized fellow out in the hills from the anæmic intellectual of Biggleswick. He had forgotten his beastly self-consciousness, and spoke of his hobby with a serious passion. It seemed he had scrambled about everywhere in Europe, from the Caucasus to the Pyrenees. I could see he must be good at the job, for he didn't brag of his exploits. It was the mountains that he loved, not wriggling his body up hard places. The Coolin, he said, were his favourites, for on some of them you could get two thousand feet of good rock. We got our glasses on the face of Sgurr Alasdair, and he sketched out for me various ways of getting to its grim summit. The Coolin and the Dolomites for him, for he had grown tired of the Chamonix *aiguilles.* I remember he described with tremendous gusto the joys of early dawn in Tyrol, when you ascended through acres of flowery meadows to a tooth of clean white limestone against a clean blue sky. He spoke, too, of the little wild hills in the Bavarian Wettersteingebirge, and of a guide he had picked up there and trained to the job.

"They called him Sebastian Buchwieser. He was the jolliest boy you ever saw, and as clever on crags as a chamois. He is probably dead by now, dead in a filthy Jäger battalion. That's you and your accursed war."

"Well, we've got to get busy to end it in the right way," I said. "And you've got to help, my lad."

He was a good draughtsman, and with his assistance I drew a rough map of the crevice where we had roosted for the night, giving its bearings carefully in relation to the burn and the sea. Then I wrote down all the details about Gresson and the Portuguese Jew, and described the latter in minute detail. I described, too, most precisely the cache where it had been arranged that the messages should be placed. That finished my stock of paper, and I left the record of the oddments overheard of the conversation for a later time. I put the thing in an old leather cigarette-case I possessed, and handed it to Wake.

"You've got to go straight off to the Kyle and not waste any time on the way. Nobody suspects you, so you can travel any road you please. When you get there you ask for Mr. Andrew Amos, who has some Government job in the neighbourhood. Give him that paper from me. He'll know what to do with it all right. Tell him I'll get somehow to the Kyle before midday the day after to-morrow. I must cover my tracks a bit, so I can't come with you, and I want that thing in his hands just as fast as your legs will take you. If anyone tries to steal it from you, for God's sake eat it. You can see for yourself that it's devilish important."

"I shall be back in England in three days," he said. "Any message for your other friends?"

"Forget all about me. You never saw me here. I'm still Brand, the amiable colonial studying social movements. If you meet Ivery, say you heard of me on the Clyde deep in sedition. But if you see Miss Lamington you can tell her I'm past the Hill Difficulty. I'm coming back as soon as God will let me, and I'm going to drop right into the Biggleswick push. Only this time I'll be a little more advanced in my views. . . . You needn't get cross. I'm not saying anything against your principles. The main point is that we both hate dirty treason."

He put the case in his waistcoat pocket. "I'll go round Garsbheinn," he said, "and over by Camasunary. I'll be at the Kyle long before evening. I meant anyhow to sleep at Broadford to-night. . . . Good-bye, Brand, for I've forgotten your proper name. You're not a bad fellow, but you've landed me in melodrama for the first time in my sober existence. I have a grudge against you for mixing up the Coolin with a shilling shocker. You've spoiled their sanctity."

"You've the wrong notion of romance," I said. "Why, man, last night for an hour you were in the front line—the place where the enemy forces touch our own. You were over the top—you were in No-man's-land."

He laughed. "That is one way to look at it"; and then he stalked off and I watched his lean figure till it was round the turn of the hill.

All that morning I smoked peacefully by the burn, and let my thoughts wander over the whole business. I had got precisely what Blenkiron wanted, a post office for the enemy. It would need careful handling, but I could see the juiciest lies passing that way to the *Grosses Hauptquartier*. Yet I had an ugly feeling at the back of my head that it had been all too easy, and that Ivery was not the man to be duped in this way for long. That set me thinking about the queer talk in the crevice. The poetry stuff I dismissed as the ordinary password, probably changed every time. But who were *Chelius* and *Bommaerts,* and what in the name of goodness were the Wild Birds and the Cage Birds? Twice in the past three years I had had two such riddles to solve—Scudder's scribble in his pocket-book, and Harry Bullivant's three words. I remembered how it had only been by constant chewing at them that I had got a sort of meaning, and I wondered if fate would some day expound this puzzle also.

Meantime I had to get back to London as inconspicuously

as I had come. It might take some doing, for the police who had been active in Morvern might be still on the track, and it was essential that I should keep out of trouble and give no hint to Gresson and his friends that I had been so far north. However, that was for Amos to advise me on, and about noon I picked up my waterproof with its bursting pockets and set off on a long detour up the coast. All that blessed day I scarcely met a soul. I passed a distillery which seemed to have quit business, and in the evening came to a little town on the sea where I had a bed and supper in a superior kind of public-house.

Next day I struck southward along the coast, and had two experiences of interest. I had a good look at Ranna, and observed that the *Tobermory* was no longer there. Gresson had only waited to get his job finished; he could probably twist the old captain any way he wanted. The second was that at the door of a village smithy I saw the back of the Portuguese Jew. He was talking Gaelic this time—good Gaelic it sounded, and in that knot of idlers he would have passed for the ordinariest kind of gillie.

He did not see me, and I had no desire to give him the chance, for I had an odd feeling that the day might come when it would be good for us to meet as strangers.

That night I put up boldly in the inn at Broadford, where they fed me nobly on fresh sea-trout and I first tasted an excellent liqueur made of honey and whisky. Next morning I was early afoot, and well before midday was in sight of the narrows of the Kyle, and the two little stone clachans which face each other across the strip of sea.

About two miles from the place at a turn of the road I came upon a farmer's gig, drawn up by the wayside, with the horse cropping the moorland grass. A man sat on the bank smoking, with his left arm hooked in the reins. He was on oldish man, with a short, square figure, and a woollen comforter enveloped his throat.

CHAPTER VIII

THE ADVENTURES OF A BAGMAN

"YE'RE punctual to time, Mr. Brand," said the voice of Amos. "But losh! man, what have ye done to your breeks? And your buits? Ye're no just very respectable in your appearance."

I wasn't. The confounded rocks of the Coolin had left their mark on my shoes, which moreover had not been cleaned for a week, and the same hills had rent my jacket at the shoulders, and torn my trousers above the right knee, and stained every part of my apparel with peat and lichen. I cast myself on the bank beside Amos and lit my pipe. "Did you get my message?" I asked.

"Ay. It's gone on by a sure hand to the destination we ken of. Ye've managed well, Mr. Brand, but I wish ye were back in London." He sucked at his pipe, and the shaggy brows were pulled so low as to hide the wary eyes. Then he proceeded to think aloud.

"Ye canna go back by Mallaig. I don't just understand why, but they're lookin' for you down that line. It's a vexatious business when your friends, meanin' the polis, are doing their best to upset your plans and you no able to enlighten them. I could send word to the Chief Constable and get ye through to London without a stop like a load of fish from Aiberdeen, but that would be spoilin' the fine character ye've been at such pains to construct. Na, na! Ye maun take the risk and travel by Muirtown without ony creedentials."

"It can't be a very big risk," I interpolated.

"I'm no so sure. Gresson's left the *Tobermory*. He went by here yesterday, on the Mallaig boat, and there was a wee blackavised man with him that got out at the Kyle. He's there still, stoppin' at the hotel. They ca' him Linklater and he travels in whisky. I don't like the looks of him."

"But Gresson does not suspect me?"

"Maybe no. But ye wouldna like him to see ye hereaways. Yon gentry don't leave muckle to chance. Be very certain that every man in Gresson's lot kens all about ye, and has your description down to the mole on your chin."

"Then they've got it wrong," I replied.

"I was speakin' feeguratively," said Amos. "I was considerin' your case the feck of yesterday, and I've brought the best I could do for ye in the gig. I wish ye were more respectable clad, but a good topcoat will hide defeecencies."

From behind the gig's seat he pulled out an ancient Gladstone bag and revealed its contents. There was a bowler of a vulgar and antiquated style; there was a ready-made overcoat of some dark cloth, of the kind that a clerk wears on the road to the office; there was a pair of detachable celluloid cuffs, and there was a linen collar and dickie. Also there was a small hand-case, such as bagmen carry on their rounds.

"That's your luggage," said Amos with pride. "That wee bag's full of samples. Ye'll mind I took the precaution of measurin' ye in Glasgow, so the things'll fit. Ye've got a new name, Mr. Brand, and I've taken a room for ye in the hotel on the strength of it. Ye're Archibald McCaskie, and ye're travellin' for the firm o' Todd, Sons & Brothers, of Edinburgh. Ye ken the folk? They publish wee releegious books, that ye've bin trying to sell for Sabbath-school prizes to the Free Kirk ministers in Skye."

The notion amused Amos, and he relapsed into the sombre chuckle which with him did duty for a laugh.

I put my hat and waterproof in the bag and donned the bowler and the top-coat. They fitted fairly well. Likewise the cuffs and collar, though here I struck a snag, for I had lost my scarf somewhere in the Coolin, and Amos, pelicanlike, had to surrender the rusty black tie which adorned his own person. It was a queer rig, and I felt like nothing on earth in it, but Amos was satisfied.

"Mr. McCaskie, sir," he said, "ye're the very model of a publisher's traveller. Ye'd better learn a few biographical details, which ye've maybe forgotten. Ye're an Edinburgh man, but ye were some years in London, which explains the way ye speak. Ye bide at 6, Russell Street, off the Meadows, and ye're an elder in the Nethergate U.F. Kirk. Have ye ony special taste ye could lead the crack on to, if ye're engaged in conversation?"

I suggested the English classics.

"And very suitable. Ye can try poalitics, too. Ye'd better be a Free-trader but convertit by Lloyd George. That's a common case, and ye'll need to be by-ordinar common. . . . If I was you, I would daunder about here for a bit, and no arrive at your hotel till after dark. Then ye can have your supper and gang to bed. The Muirtown train leaves at half-seven in the morning. . . . Na, ye can't come with me. It wouldna do for us to be seen thegither. If I meet ye in the street I'll never let on I know ye."

Amos climbed into the gig and jolted off home. I went down to the shore and sat among the rocks, finishing about tea-time the remains of my provisions. In the mellow gloaming I strolled into the clachan and got a boat to put me over to the inn. It proved to be a comfortable place, with a motherly old landlady who showed me to my room and promised ham and eggs and cold salmon for supper. After a good wash, which I needed, and an honest attempt to make my clothes presentable, I descended to the meal in a coffee-room lit by a single dim paraffin lamp.

The food was excellent, and, as I ate, my spirits rose. In two days I should be back in London beside Blenkiron and somewhere within a day's journey of Mary. I could picture no scene now without thinking how Mary fitted into it. For her sake I held Biggleswick delectable, because I had seen her there. I wasn't sure if this was love, but it was something I had never dreamed of before, something which I now hugged the thought of. It made the whole earth rosy and golden for me, and life so well worth living that I felt like a miser towards the days to come.

I had about finished supper, when I was joined by another guest. Seen in the light of that infamous lamp, he seemed a small, alert fellow, with a bushy, black moustache, and black hair parted in the middle. He had fed already and appeared to be hungering for human society.

In three minutes he had told me that he had come down from Portree and was on his way to Leith. A minute later he had whipped out a card on which I read "J. J. Linklater," and in the corner the name of Hatherwick Bros. His accent betrayed that he hailed from the west.

"I've been up among the distilleries," he informed me. "It's a poor business distillin' in these times, wi' the teetotallers yowlin' about the nation's shame and the way to lose the war. I'm a temperate man mysel', but I would think shame to spile decent folks' business. If the Government want to stop the drink, let them buy us out. They've permitted us to invest good money in the trade, and they must see that we get it back. The other way will wreck public credit. That's what I say. Supposin' some Labour Government takes the notion that soap's bad for the nation? Are they goin' to shut up Port Sunlight? Or good clothes? Or lum hats? There's no end to their daftness if they once start on that tack. A lawfu' trade's a lawfu' trade, says I, and it's contrary to public policy to pit it at the mercy of a wheen cranks. D'ye no agree, sir? By the way, I havena got your name?"

I told him and he rambled on.

"We're blenders and do a very high-class business, mostly foreign. The war's hit us wi' our export trade, of course, but we're no as bad as some. What's your line, Mr. McCaskie?"

When he heard he was keenly interested.

"D'ye say so? Ye're from Todd's! Man, I was in the

book business mysel', till I changed it for something a wee bit more lucrative. I was on the road for three years for Andrew Matheson. Ye ken the name—Paternoster Row—I've forgotten the number. I had a kind of ambition to start a book-sellin' shop of my own and to make Linklater o' Paisley a big name in the trade. But I got the offer from Hatherwick's, and I was wantin' to get married, so filthy lucre won the day. And I'm no sorry I changed. If it hadna been for this war, I would have been makin' four figures with my salary and commissions. . . . My pipe's out. Have you one of those rare and valuable curiosities called a spunk, Mr. McCaskie?"

He was a merry little grig of a man, and he babbled on, till I announced my intention of going to bed. If this was Amos's bagman, who had been seen in company with Gresson, I understood how idle may be the suspicions of a clever man. He had probably foregathered with Gresson on the Skye boat, and wearied that saturnine soul with his cackle.

I was up betimes, paid my bill, ate a breakfast of porridge and fresh haddock, and walked the few hundred yards to the station. It was a warm, thick morning, with no sun visible, and the Skye hills misty to their base. The three coaches on the little train were nearly filled when I had bought my ticket, and I selected a third-class smoking carriage which held four soldiers returning from leave.

The train was already moving when a late passenger hurried along the platform and clambered in beside me. A cheery "Mornin', Mr. McCaskie," revealed my fellow guest at the hotel.

We jolted away from the coast up a broad glen and then on to a wide expanse of bog with big hills showing towards the north. It was a drowsy day, and in that atmosphere of shag and crowded humanity I felt my eyes closing. I had a short nap, and woke to find that Mr. Linklater had changed his seat and was now beside me.

"We'll no get a *Scotsman* till Muirtown," he said.

"Have ye nothing in your samples ye could give me to read?"

I had forgotten about the samples. I opened the case and found the oddest collection of little books, all in gay bindings. Some were religious, with names like *Dew of Hermon* and *Cool Siloam;* some were innocent narratives, *How Tommy saved his Pennies, A Missionary Child in China,* and *Little Susie and her Uncle.* There was a *Life of David Livingstone,* a child's book on sea-shells, and a richly gilt edition of the poems of one James Montgomery. I offered the selection to Mr. Linklater, who grinned and chose the Missionary Child. "It's not the reading I'm accustomed to," he said. "I like strong meat—Hall Caine and Jack London. By the way, how d'ye square this business of yours wi' the booksellers? When I was in Matheson's there would have been trouble if we had dealt direct wi' the public like you."

The confounded fellow started to talk about the details of the book trade, of which I knew nothing. He wanted to know on what terms we sold "juveniles," and what discount we gave the big wholesalers, and what class of book we put out "on sale." I didn't understand a word of his jargon, and I must have given myself away badly, for he asked me questions about firms of which I had never heard, and I had to make some kind of answer. I told myself that the donkey was harmless, and that his opinion of me mattered nothing, but as soon as I decently could I pretended to be absorbed in the *Pilgrim's Progress,* a gaudy copy of which was among the samples. It opened at the episode of Christian and Hopeful in the Enchanted Ground, and in that stuffy carriage I presently followed the example of Heedless and Too-Bold and fell sound asleep.

I was awakened by the train rumbling over the points of a little moorland junction. Sunk in a pleasing lethargy, I sat with my eyes closed, and then covertly took a glance at my companion. He had abandoned the Missionary Child and was reading a little dun-coloured book, and marking passages with a pencil. His face was absorbed, and it was a new face, not the vacant, good-humoured look of the garrulous bagman, but something shrewd, purposeful, and formidable. I remained hunched up as if still sleeping, and tried to see what the book was. But my eyes, good as they are, could make out nothing of the text or title, except that I had a very strong impression that that book was not written in the English tongue.

I woke abruptly, and leaned over to him. Quick as lightning he slid his pencil up his sleeve and turned on me with a fatuous smile.

"What d'ye make o' this, Mr. McCaskie? It's a wee book I picked up at a roup along with fifty others. I paid five shillings for the lot. It looks like Gairman, but in my young days they didna teach us foreign languages."

I took the thing and turned over the pages, trying to keep any sign of intelligence out of my face. It was German right enough, a little manual of hydrography with no publisher's name on it. It had the look of the kind of textbook a Government department might issue to its officials.

I handed it back. "It's either German or Dutch. I'm not much of a scholar, barring a little French and the Latin I got at Heriot's Hospital. . . . This is an awful slow train, Mr. Linklater."

The soldiers were playing nap, and the bagman proposed a game of cards. I remembered in time that I was an elder in the Nethergate U.F. Church and refused with some asperity. After that I shut my eyes again, for I wanted to think out this new phenomenon.

The fellow knew German—that was clear. He had also been seen in Gresson's company. I didn't believe he suspected me, though I suspected him profoundly. It was my business to keep strictly to my part and give him no cause to doubt me. He was clearly practising his own part on me, and I must appear to take him literally on his professions. So, presently, I woke up and engaged him in a disputatious conversation about the morality of selling strong liquors. He responded readily, and put the case for alcohol with much point and vehemence. The discussion interested the soldiers, and one of them, to show he was on Linklater's side, produced a flask and offered him a drink. I concluded by observing morosely that the bagman had been a better man when he peddled books for Alexander Matheson, and that put the closure on the business.

That train was a record. It stopped at every station, and in the afternoon it simply got tired and sat down in the middle of a moor and reflected for an hour. I stuck my head out of the window now and then, and smelt the rooty fragrance of bogs, and when we halted on a bridge I watched the trout in the pools of the brown rivers. Then I slept and smoked alternately, and began to get furiously hungry.

Once I woke to hear the soldiers discussing the war. There was an argument between a lance-corporal in the Camerons and a sapper private about some trivial incident on the Somme.

" I tell ye I was there," said the Cameron. " We were relievin' the Black Watch, and Fritz was shellin' the road, and we didna get up to the line till one o'clock in the mornin'. Frae Frickout Circus to the south end o' High Wood is every bit o' five mile."

" Not abune three," said the sapper dogmatically.

" Man, I've trampit it."

" Same here. I took up wire every nicht for a week."

The Cameron looked moodily round the company. " I wish there was anither man here that kent the place. He wad bear me out. These boys are no good, for they didna join till later. I tell ye it's five mile."

" Three," said the sapper.

Tempers were rising, for each of the disputants felt his veracity assailed. It was too hot for a quarrel and I was so drowsy that I was heedless.

" Shut up, you fools," I said. " The distance is six kilometres, so you're both wrong."

My tone was so familiar to the men that it stopped the wrangle, but it was not the tone of a publisher's traveller. Mr. Linklater cocked his ears.

"What's a kilometre, Mr. McCaskie?" he asked blandly.

"Multiply by five and divide by eight and you get the miles."

I was on my guard now, and told a long story of a nephew who had been killed on the Somme, and how I had corresponded with the War Office about his case. "Besides," I said, "I'm a great student o' the newspapers, and I've read all the books about the war. It's a difficult time this for us all, and if you can take a serious interest in the campaign it helps a lot. I mean working out the places on the map and reading Haig's dispatches."

"Just so," he said drily, and I thought he watched me with an odd look in his eyes.

A fresh idea possessed me. This man had been in Gresson's company, he knew German, he was obviously something very different from what he professed to be. What if he were in the employ of our own Secret Service? I had appeared out of the void at the Kyle, and I had made but a poor appearance as a bagman, showing no knowledge of my own trade. I was in an area interdicted to the ordinary public, and he had good reason to keep an eye on my movements. He was going south, and so was I; clearly we must somehow part company.

"We change at Muirtown, don't we?" I asked. "When does the train for the south leave?"

He consulted a pocket time-table. "Ten-thirty-three. There's generally four hours to wait, for we're due in at six-fifteen. But this auld hearse will be lucky if it's in by nine."

His forecast was correct. We rumbled out of the hills into haughlands and caught a glimpse of the North Sea. Then we were hung up while a long goods train passed down the line. It was almost dark when at last we crawled into Muirtown station and disgorged our load of hot and weary soldiery.

I bade an ostentatious farewell to Linklater. "Very pleased to have met you. I'll see you later on the Edinburgh train. I'm for a walk to stretch my legs, and a bite o' supper." I was very determined that the ten-thirty for the south should leave without me.

My notion was to get a bed and a meal in some secluded inn, and walk out next morning and pick up a slow train down the line. Linklater had disappeared towards the guard's van to find his luggage, and the soldiers were sitting on their packs with that air of being utterly and finally lost and neglected which characterises the British fighting-man on a journey. I gave up my ticket and, since I had come off a northern train, walked unhindered into the town.

It was market night, and the streets were crowded. Bluejackets from the Fleet, country-folk in to shop and every kind of military detail thronged the pavements. Fish-hawkers were crying their wares, and there was a tatterdemalion piper making the night hideous at a corner. I took a tortuous route and finally fixed on a modest-looking public-house in a back street. When I inquired for a room I could find no one in authority, but a slatternly girl informed me that there was one vacant bed, and that I could have ham and eggs in the bar. So, after hitting my head violently against a cross-beam, I stumbled down some steps and entered a frowsty little place smelling of spilt beer and stale tobacco.

The promised ham and eggs proved impossible—there were no eggs to be had in Muirtown that night—but I was given cold mutton and a pint of indifferent ale. There was nobody in the place but two farmers drinking hot whisky and water and discussing with sombre interest the rise in the price of feeding-stuffs. I ate my supper, and was just preparing to find the whereabouts of my bedroom when through the street door there entered a dozen soldiers.

In a second the quiet place became a babel. The men

were strictly sober, but they were in that temper of friendliness which demands a libation of some kind. One was prepared to stand treat; he was the leader of the lot, and it was to celebrate the end of his leave that he was entertaining his pals. From where I sat I could not see him, but him voice was dominant. "What's your fancy, Jock? Beer for you, Andra? A pint and a dram for me. This is better than vongblong and vongrooge, Davie. Man, when I'm sittin' in those estamints, as they ca' them, I often long for a guid Scots public."

The voice was familiar. I shifted my seat to get a view of the speaker, and then I hastily drew back. It was the Scots Fusilier I had clipped on the jaw in defending Gresson after the Glasgow meeting.

But by a strange fatality he had caught sight of me.

"Whae's that i' the corner?" he cried, leaving the bar to stare at me. Now it is a queer thing, but if you have once fought with a man, though only for a few seconds, you remember his face, and the scrap in Glasgow had been under a lamp. The Jock recognised me well enough.

"By God!" he cried, "if this is no a bit o' luck! Boys, here's the man I feucht wi' in Glesca. Ye mind I telled ye about it. He laid me oot, and it's my turn to do the same wi' him. I had a notion I was gaun to mak' a nicht o't. There's naebody can hit Geordie Hamilton without Geordie gettin' his ain back some day. Get up, man, for I'm gaun to knock the heid off ye."

I duly got up, and with the best composure I could muster looked him in the face.

"You're mistaken, my friend. I never clapped eyes on you before, and I never was in Glasgow in my life."

"That's a damned lee," said the Fusilier. "Ye're the man, and if ye're no, ye're like enough him to need a hidin'!"

"Confound your nonsense!" I said. "I've no quarrel with you, and I've better things to do than be scrapping with a stranger in a public-house."

"Have ye sae? Well, I'll learn ye better. I'm gaun to hit ye, and then ye'll hae to fecht whether ye want it or no. Tam, haud my jacket, and see that my drink's no skailed."

This was an infernal nuisance, for a row here would bring in the police, and my dubious position would be laid bare. I thought of putting up a fight, for I was certain I could lay out the Jock a second time, but the worst of that was that I did not know where the thing would end. I might have to fight the lot of them, and that meant a noble public shindy. I did my best to speak my opponent fair. I said we were all good friends and offered to stand drinks for the party. But the Fusilier's blood was up and he was spoiling for a row, ably abetted by his comrades. He had his tunic off now and was stamping in front of me with doubled fists.

I did the best thing I could think of in the circumstances. My seat was close to the steps which led to the other part of the inn. I grabbed my hat, darted up them, and before they realised what I was doing had bolted the door behind me I could hear pandemonium break loose in the bar.

I slipped down a dark passage to another which ran at right angles to it, and which seemed to connect the street door of the inn itself with the back premises. I could hear voices in the little hall, and that stopped me short.

One of them was Linklater's, but he was not talking as Linklater had talked. He was speaking educated English. I heard another with a Scots accent, which I took to be the landlord's, and a third which sounded like some superior sort of constable's, very prompt and official. I heard one phrase, too, from Linklater—"He calls himself McCaskie." Then they stopped, for the turmoil from the bar had reached the front door. The Fusilier and his friends were looking for me by the other entrance.

The attention of the men in the hall was distracted, and that gave me a chance. There was nothing for it but the back door. I slipped through it into a courtyard and almost tumbled over a tub of water. I planted the thing so that anyone coming that way would fall over it. A door led me into an empty stable, and from that into a lane. It was all absurdly easy, but as I started down the lane I heard a mighty row and the sound of angry voices. Someone had gone into the tub and I hoped it was Linklater. I had taken a liking to the Fusilier Jock.

There was the beginning of a moon somewhere, but that lane was very dark. I ran to the left, for on the right it looked like a *cul-de-sac*. This brought me into a quiet road of two-storied cottages which showed at one end the lights of a street. So I took the other way, for I wasn't going to have the whole population of Muirtown on the hue-and-cry after me. I came into a country lane, and I also came into the van of the pursuit, which must have taken a short cut. They shouted when they saw me, but I had a small start, and legged it down that road in the belief that I was making for open country.

That was where I was wrong. The road took me round to the other side of the town, and just when I was beginning to think I had a fair chance I saw before me the lights of a signal box and a little to the left of it the lights of the station. In half an hour's time the Edinburgh train would be leaving, but I had made that impossible. Behind me I could hear the pursuers, giving tongue like hound puppies, for they had attracted some pretty drunken gentlemen to their party.

I was badly puzzled where to turn, when I noticed outside the station a long line of blurred lights, which could only mean a train with the carriage blinds down. It had an engine attached and seemed to be waiting for the addition of a couple of trucks to start. It was a wild chance, but the only one I saw. I scrambled across a piece of waste ground, climbed an embankment and found myself on the metals. I ducked under the couplings and got on the far side of the train, away from the enemy.

Then simultaneously two things happened. I heard the yells of my pursuers a dozen yards off, and the train jolted into motion. I jumped on the footboard, and looked into an open window. The compartment was packed with troops, six a side and two men sitting on the floor, and the door was locked. I dived headforemost through the window and landed on the neck of a weary warrior who had just dropped off to sleep.

While I was falling I made up my mind on my conduct. I must be intoxicated, for I knew the infinite sympathy of the British soldier towards those thus overtaken. They pulled me to my feet, and the man I had descended on rubbed his skull and blasphemously demanded explanations.

"Gen'lmen," I hiccoughed, "I 'pologise. I was late for this bl—blighted train and I mus' be in E'inburgh 'morrow or I'll get the sack. I 'pologise. If I've hurt my friend's head, I'll kiss it and make it well."

At this there was a great laugh. "Ye'd better accept, Pete," said one. "It's the first time onybody ever offered to kiss your ugly heid."

A man asked me who I was, and I appeared to be searching for a card-case.

"Losht," I groaned. "Losht, and so's my wee bag and I've bashed my po' hat. I'm an awful sight, gen'lmen—an awful warning to be in time for trains. I'm John Johnstone, managing clerk to Messrs. Watters, Brown & Elph'-stone, 923 Charl'tte Street, E'inburgh. I've been up north seein' my mamma."

"Ye should be in France," said one man.

"Wish't I was, but they wouldn't let me. 'Mr. Johnstone,' they said, 'ye're no dam good. Ye've var'cose veins and a bad heart,' they said. So I says, 'Good-mornin', gen'lmen. Don't blame me if the country's ru'ned.' That's what I said."

I had by this time occupied the only remaining space left on the floor. With the philosophy of their race the men had accepted my presence, and were turning again to their own talk. The train had got up speed, and as I judged it to be a special of some kind I looked for few stoppings. Moreover it was not a corridor carriage, but one of the old-fashioned kind, so I was safe for a time from the unwelcome attention of conductors. I stretched my legs below the seat, rested my head against the knees of a brawny gunner, and settled down to make the best of it.

My reflections were not pleasant. I had got down too far below the surface, and had the naked feeling you get in a dream when you think you have gone to the theatre in your nightgown. I had had three names in two days, and as many characters. I felt as if I had no home or position anywhere, and was only a stray dog with everybody's hand and foot against me. It was an ugly sensation, and it was not redeemed by any acute fear or any knowledge of being mixed up in some desperate drama. I knew I could easily go on to Edinburgh, and when the police made trouble, as they would, a wire to Scotland Yard would settle matters in a couple of hours. There wasn't a suspicion of bodily danger to restore my dignity. The worst that could happen would be that Ivery would hear of my being befriended by the authorities, and the part I had settled to play would be impossible. He would certainly hear. I had the greatest respect for his intelligence service.

Yet that was bad enough. So far I had done well. I had put Gresson off the scent. I had found out what Bullivant wanted to know, and I had only to return unostentatiously to London to have won out on the game. I told myself all that, but it didn't cheer my spirits. I was feeling mean and hunted and very cold about the feet.

But I have a tough knuckle of obstinacy in me which makes me unwilling to give up a thing till I am fairly choked off it. The chances were badly against me. The Scottish police were actively interested in my movements and would be ready to welcome me at my journey's end. I had ruined my hat, and my clothes, as Amos had observed, were not respectable. I had got rid of a four-days' beard the night before, but had cut myself in the process, and what with my weather-beaten face and tangled hair looked liker a tinker than a decent bagman. I thought with longing of my portmanteau in the Pentland Hotel, Edinburgh, and the neat blue serge suit and the clean linen that reposed in it. It was no case for a subtle game, for I held no cards. Still I was determined not to chuck in my hand till I was forced to. If the train stopped anywhere I would get out, and trust to my own wits and the standing luck of the British Army for the rest.

The chance came just after dawn, when we halted at a little junction. I got up yawning and tried to open the door, till I remembered it was locked. Thereupon I stuck my legs out of the window on the side away from the platform, and was immediately seized upon by a sleepy Seaforth who thought I contemplated suicide.

"Let me go," I said. "I'll be back in a jiffy."

"Let him gang, Jock," said another voice. "Ye ken what a man's like when he's been on the bash. The cauld air'll sober him."

I was released, and after some gymnastics dropped on the metals and made my way round the rear of the train. As I clambered on the platform it began to move, and a face looked out of one of the back carriages. It was Linklater and he recognised me. He tried to get out, but the door was promptly slammed to by an indignant porter. I heard him protest, and he kept his head out till the train went round the curve. That cooked my goose all right. He would wire to the police from the next station.

Meantime in that clean, bare, chilly place there was only one traveller. He was a slim young man, with a kit-bag and a gun-case. His clothes were beautiful, a green Homburg hat, a smart green tweed overcoat, and boots as brightly polished as a horse chestnut. I caught his profile as he gave up his ticket, and to my amazement I recognized it.

The station-master looked askance at me as I presented myself, dilapidated and dishevelled, to the official gaze. I tried to speak in a tone of authority.

"Who is the man who has just gone out?"

"Whaur's your ticket?"

"I had no time to get one at Muirtown, and as you see I have left my luggage behind me. Take it out of that pound and I'll come back for the change. I want to know if that was Sir Archibald Roylance."

He looked suspiciously at the note. "I think that's the name. He's a captain up at the Fleein' School. What was ye wantin' with him?"

I charged through the booking-office and found my man about to enter a big grey motor-car.

"Archie," I cried and beat him on the shoulders.

He turned round sharply. "What the devil——! Who are you?" And then recognition crept into his face and he gave a joyous shout. "My holy aunt! The General disguised as Charlie Chaplin! Can I drive you anywhere, sir?"

CHAPTER IX

I TAKE THE WINGS OF A DOVE

"DRIVE me somewhere to breakfast, Archie," I said, "for I'm perishing hungry."

He and I got into the tonneau, and the driver swung us out of the station road up a long incline of hill. Sir Archie had been one of my subalterns in the old Lennox Highlanders, and had left us before the Somme to join the Flying Corps. I had heard that he had got his wings and had done well before Arras, and was now training pilots at home. He had been a light-hearted youth, who had endured a good deal of rough-tonguing from me for his sins of omission. But it was the casual class of lad I was looking for now.

I saw him steal amused glances at my appearance.

"Been seein' a bit of life, sir?" he inquired respectfully.

"I'm being hunted by the police," I said.

"Dirty dogs! But don't worry, sir; we'll get you off all right. I've been in the same fix myself. You can lie snug in my little log hut, for that old image Gibbons won't blab. Or, tell you what, I've got an aunt who lives near here and she's a bit of a sportsman. You can hide in her moated grange till the bobbies get tired."

I think it was Archie's calm acceptance of my position as natural and becoming that restored my good temper. He was far too well bred to ask what crime I had committed, and I didn't propose to enlighten him much. But as we swung up the moorland road I let him know that I was serving the Government, but that it was necessary that I should appear to be unauthenticated and that therefore I must dodge the police. He whistled his appreciation.

"Gad, that's a deep game. Sort of camouflage? Speaking from my experience it is easy to overdo that kind of stunt. When I was at Misieux the French started out to camouflage the caravans where they keep their pigeons, and they did it so darned well that the poor little birds couldn't hit 'em off, and spent the night out."

We entered the white gates of a big aerodrome, skirted a forest of tents and huts, and drew up at a shanty on the far confines of the place. The hour was half-past four, and the world was still asleep. Archie nodded towards one of the hangars, from the mouth of which projected the propeller end of an aeroplane.

"I'm by way of flyin' that bus down to Farnton tomorrow," he remarked. "It's the new Shark-Gladas. Got a mouth like a tree."

An idea flashed into my mind.

"You're going this morning," I said.

"How did you know?" he exclaimed. "I'm due to go to-day, but the grouse up in Caithness wanted shootin' so badly that I decided to wangle another day's leave. They can't expect a man to start for the south of England when he's just off a frowsy journey."

"All the same you're going to be a stout fellow and start in two hours' time. And you're going to take me with you."

He stared blankly, and then burst into a roar of laughter. "You're the man to go tiger-shootin' with. But what price my commandant? He's not a bad chap, but a trifle shaggy about the fetlocks. He won't appreciate the joke."

"He needn't know. He mustn't know. This is an affair between you and me till it's finished. I promise you I'll make it all square with the Flying Corps. Get me down to Farnton before evening, and you'll have done a good piece of work for the country."

"Right-o! Let's have a tub and bit of breakfast, and then I'm your man. I'll tell them to get the bus ready."

In Archie's bedroom I washed and shaved and borrowed a green tweed cap and a brand-new aquascutum. The latter covered the deficiencies of my raiment, and when I commandeered a pair of gloves I felt almost respectable. Gibbons, who seemed to be a jack-of-all-trades, cooked us some bacon and an omelette, and as he ate Archie yarned. In the battalion his conversation had been mostly of race-meetings and the forsaken delights of town, but now he had forgotten all that, and, like every good airman I have ever known, wallowed enthusiastically in "shop." I have a deep respect for the Flying Corps, but it is apt to change its jargon every month, and its conversation is hard for the layman to follow. He was desperately keen about the war, which he saw wholly from the viewpoint of the air. Arras to him was over before the infantry crossed the top, and the tough bit of the Somme was October, not September. He calculated that the big air-fighting had not come along yet, and all he hoped for was to be allowed out to France to have his share in it. Like all good airmen, too, he was very modest about himself.

"I've done a bit of steeple-chasin' and huntin' and I've good hands for a horse, so I can handle a bus fairly well. It's all a matter of hands, you know. There ain't half the risk of the infantry down below you, and a million times the fun. Jolly glad I changed, sir."

We talked of Peter, and he put him about top. Voss, he thought, was the only Boche that could compare with him, for he hadn't made up his mind about Lensch. The Frenchman Guynemer he ranked high, but in a different way. I remember he had no respect for Richthofen and his celebrated circus.

At six sharp we were ready to go. A couple of mechanics had got out the machine, and Archie put on his coat and gloves and climbed into the pilot's seat, while I squeezed in behind in the observer's place. The aerodrome was waking up, but I saw no officers about. We were scarcely seated when Gibbons called our attention to a motor-car on the road, and presently we heard a shout and saw men waving in our direction.

"Better get off, my lad," I said. "These look like my friends."

The engine started and the mechanics stood clear. As we taxied over the turf I looked back and saw several figures running in our direction. The next second we had left the bumpy earth for the smooth highroad of the air.

I had flown several dozen times before, generally over the enemy lines when I wanted to see for myself how the land lay. Then we had flown low, and been nicely dusted by the Hun Archies, not to speak of an occasional machine-gun. But never till that hour had I realised the joy of a straight flight in a swift plane in perfect weather. Archie didn't lose time. Soon the hangars behind looked like a child's toys, and the world ran away from us till it seemed like a great golden bowl spilling over with the quintessence of light. The air was cold and my hands numbed, but I never felt them. As we throbbed and tore southward, sometimes bumping in eddies, sometimes swimming evenly in a stream of motionless ether, my head and heart grew as light as a boy's. I forgot all about the vexations of my job and saw only its joyful comedy. I didn't think that anything on earth could worry me again. Far to the left was a wedge of silver and beside it a cluster of toy houses. That must be Edinburgh, where reposed my portmanteau, and where a most efficient police force was now inquiring for me. At the thought I laughed so loud that Archie must have heard me. He turned round, saw my grinning face, and grinned back. Then he signalled to me to strap myself in. I obeyed, and he proceeded to practise "stunts"—the loop, the spinning nose-dive, and others I didn't know the names of. It was glorious fun, and he handled his machine as a good rider coaxes a nervous horse over a stiff hurdle. He had that extra something in his blood that makes the great pilot.

Presently the chessboard of green and brown had changed

to a deep purple with faint silvery lines like veins in a rock. We were crossing the Border hills, the place where I had legged it for weary days when I was mixed up in the Black Stone business. What a marvellous element was this air, which took one far above the fatigues of humanity! Archie had done well to change. Peter had been the wise man. I felt a tremendous pity for my old friend hobbling about a German prison-yard, when he had once flown like a hawk. I reflected that I had wasted my life hitherto. And then I remembered that all this glory had only one use in war and that was to help the muddy British infantryman to down his Hun opponent. He was the fellow, after all, that decided battles, and the thought comforted me.

A great exhilaration is often the precursor of disaster, and mine was to have a sudden downfall. It was getting on for noon and we were well into England—I guessed from the rivers we had passed that we were somewhere in the north of Yorkshire—when the machine began to make odd sounds, and we bumped in perfectly calm patches of air. We dived and then climbed, but the confounded thing kept sputtering. Archie passed back a slip of paper on which he had scribbled: " Engine conked. Must land at Micklegill. Very sorry." So we dropped to a lower elevation where we could see clearly the houses and roads and the long swelling ridges of a moorland country. I could never have found my way about, but Archie's practised eye knew every landmark. We were trundling along very slowly now, and even I was soon able to pick up the hangars of a big aerodrome.

We made Micklegill, but only by the skin of our teeth. We were so low that the smoky chimneys of the city of Bradfield seven miles to the east were half hidden by a ridge of down. Archie achieved a clever descent in the lee of a belt of firs, and got out full of imprecations against the Gladas engine. " I'll go up to the camp and report," he said, " and send mechanics down to tinker this darned gramophone. You'd better go for a walk, sir. I don't want to answer questions about you till we're ready to start. I reckon it'll be an hour's job."

The cheerfulness I had acquired in the upper air still filled me. I sat down in a ditch, as merry as a sand-boy, and lit a pipe. I was possessed by a boyish spirit of casual adventure, and waited on the next turn of fortune's wheel with only a pleasant amusement.

That turn was not long in coming. Archie appeared very breathless.

"Look here, sir, there's the deuce of a row up there. They've been wirin' about you all over the country, and they know you're with me. They've got the police, and they'll have you in five minutes if you don't leg it. I lied like billy-o and said I had never heard of you, but they're comin' to see for themselves. For God's sake get off. . . . You'd better keep in cover down that hollow and round the back of these trees. I'll stay here and try to brazen it out. I'll get strafed to blazes anyhow. . . . I hope you'll get me out of the scrape, sir."

"Don't you worry, my lad," I said. "I'll make it all square when I get back to town. I'll make for Bradfield, for this place is a bit conspicuous. Good-bye, Archie. You're a good chap and I'll see you don't suffer."

I started off down a hollow of the moor, trying to make speed atone for lack of strategy, for it was hard to know how much my pursuers commanded from that higher ground. They must have seen me, for I heard whistles blown and men's cries. I struck a road, crossed it, and passed a ridge from which I had a view of Bradfield six miles off. And as I ran I began to reflect that this kind of chase could not last long. They were bound to round me up in the next half-hour unless I could puzzle them. But in that bare green place there was no cover, and it looked as if my chances were pretty much those of a hare coursed by a good greyhound on a naked moor.

Suddenly from just in front of me came a familiar sound. It was the roar of guns—the slam of field-batteries and the boom of small howitzers. I wondered if I had gone off my head. As I plodded on the rattle of machine-guns was added, and over the ridge before me I saw the dust and fumes of bursting shells. I concluded that I was not mad, and that therefore the Germans must have landed. I crawled up the last slope, quite forgetting the pursuit behind me.

And then I'm blessed if I did not look down on a veritable battle.

There were two sets of trenches with barbed wire and all the fixings, one set filled with troops and the other empty. On these latter shells were bursting, but there was no sign of life in them. In the other lines there seemed the better part of two brigades, and the first trench was stiff with bayonets. My first thought was that Home Forces had gone dotty, for this kind of show could have no sort of training value. And then I saw other things—cameras and camera men on platforms on the flanks, and men with megaphones behind them on wooden scaffoldings. One of the megaphones was going full blast all the time.

I saw the meaning of the performance at last. Some movie-merchant had got a graft with the Government, and troops had been turned out to make a war film. It occurred to me that if I were mixed up in that push I might get the cover I was looking for. I scurried down the hill to the nearest camera-man.

As I ran, the first wave of troops went over the top. They did it uncommon well, for they entered into the spirit of the thing, and went over with grim faces and that slow, purposeful lope that I had seen in my own fellows at Arras. Smoke grenades burst among them, and now and then some resourceful mountebank would roll over. Altogether it was about the best show I have ever seen. The cameras clicked, the guns banged, a background of boy scouts applauded, and the dust rose in billows to the sky.

But all the same something was wrong. I could imagine that this kind of business took a good deal of planning from the point of view of the movie-merchant, for his purpose was not the same as that of the officer in command. You know how a photographer finicks about and is dissatisfied with a pose that seems all right to his sitter. I should have thought the spectacle enough to get any cinema audience off their feet, but the man on the scaffolding near me judged differently. He made his megaphone boom like the swan-song of a dying buffalo. He wanted to change something and didn't know how to do it. He hopped on one leg; he took the megaphone from his mouth to curse; he waved it like a banner and yelled at some opposite number on the other flank. And then his patience forsook him and he skipped down the ladder, dropping his megaphone, past the camera-men, on to the battle-field.

That was his undoing. He got in the way of the second wave and was swallowed up like a leaf in a torrent. For a moment I saw a red face and a loud-checked suit, and the rest was silence. He was carried on over the hill, or rolled into an enemy trench, but anyhow he was lost to my ken.

I bagged his megaphone and hopped up the steps to the platform. At last I saw a chance of first-class cover, for with Archie's coat and cap I made a very good appearance as a movie-merchant. Two waves had gone over the top, and the cinema-men, working like beavers, had filmed the lot. But there was still a fair amount of troops to play with, and I determined to tangle up that outfit so that the fellows who were after me would have better things to think about.

My advantage was that I knew how to command men. I could see that my opposite number with the megaphone was helpless, for the mistake which had swept my man into a shell-hole had reduced him to impotence. The troops seemed to be mainly in charge of N.C.O.'s (I could imagine that the officers would try to shirk this business), and an N.C.O. is the most literal creature on earth. So with my megaphone I proceeded to change the battle order.

I brought up the third wave to the front trenches. In

about three minutes the men had recognised the professional touch and were moving smartly to my orders. They thought it was part of the show, and the obedient cameras clicked at everything that came into their orbit. My aim was tc deploy the troops on too narrow a front so that they were bound to fan outward, and I had to be quick about it, for I didn't know when the hapless movie-merchant might be retrieved from the battle-field and dispute my authority.

It takes a long time to straighten a thing out, but it does not take long to tangle it, especially when the thing is so delicate a machine as disciplined troops. In about eight minutes I had produced chaos. The flanks spread out, in spite of all the shepherding of the N.C.O.'s, and the fringe engulfed the photographers. The cameras on their little platforms went down like ninepins. It was solemn to see the startled face of a photographer, taken unawares, supplicating the purposeful infantry, before he was swept off his feet into speechlessness.

It was no place for me to linger in, so I chucked away the megaphone and got mixed up with the tail of the third wave. I was swept on and came to anchor in the enemy trenches, where I found, as I expected, my profane and breathless predecessor, the movie-merchant. I had nothing to say to him, so I stuck to the trench till it ended against the slope of the hill.

On that flank, delirious with excitement, stood a knot of boy scouts. My business was to get to Bradfield as quick as my legs would take me, and as inconspicuously as the gods would permit. Unhappily I was far too great an object of interest to that nursery of heroes. Every boy scout is an amateur detective and hungry for knowledge. I was followed by several, who plied me with questions, and were told that I was off to Bradfield to hurry up part of the cinema outfit. It sounded lame enough, for that cinema outfit was already past praying for.

We reached the road and against a stone wall stood several bicycles. I selected one and prepared to mount.

"That's Mr. Emmott's machine," said one boy sharply. "He told me to keep an eye on it."

"I must borrow it, sonny," I said. "Mr. Emmott's my very good friend and won't object."

From the place where we stood I overlooked the back of the battle-field and could see an anxious congress of officers. I could see others, too, whose appearance I did not like. They had not been there when I operated on the megaphone. They must have come down hill from the aerodrome and in all likelihood were the pursuers I had avoided. The exhilaration which I had won in the air and which had carried me into the tomfoolery of the past half-hour was ebbing. I had the hunted feeling once more, and grew middle-aged and cautious. I had a baddish record for the day, what with getting Archie into a scrape and busting up an official cinema show—neither consistent with the duties of a brigadier-general. Besides, I had still to get to London.

I had not gone two hundred yards down the road when a boy scout, pedalling furiously came up abreast me.

"Colonel Edgeworth wants to see you," he panted. "You're to come back at once."

"Tell him I can't wait now," I said. "I'll pay my respects to him in an hour.

"He said you were to come at once," said the faithful messenger. "He's is an awful temper with you, and he's got bobbies with him."

I put on pace and left the boy behind. I reckoned I had the better part of two miles' start and could beat anything except petrol. But my enemies were bound to have cars, so I had better get off the road as soon as possible. I coasted down a long hill to a bridge which spanned a small discoloured stream that flowed in a wooded glen. There was nobody for the moment on the hill behind me, so I nipped into the covert, shoved the bicycle under the bridge, and hid Archie's aquascutum in a bramble thicket. I was now in my own disreputable tweeds and I hoped that the shedding of my most conspicuous garment would puzzle my pursuers if they should catch up with me.

But this I was determined they should not do. I made good going down that stream and out into a lane which led from the downs to the market-gardens round the city. I thanked Heaven I had got rid of the aquascutum, for the August afternoon was warm and my pace was not leisurely. When I was in secluded ground I ran, and when anyone was in sight I walked smartly.

As I went I reflected that Bradfield would see the end of my adventures. The police knew that I was there and would watch the stations and hunt me down if I lingered in the place. I knew no one there and had no chance of getting an effective disguise. Indeed I very soon began to wonder if I should get even as far as the streets. For at the moment when I had got a lift on the back of a fishmonger's cart and was screened by its flapping canvas, two figures passed on motor-cycles, and one of them was the inquisitive boy scout. The main road from the aerodome was probably now being patrolled by motor-cars. It looked as if there would be a degrading arrest in one of the suburbs.

The fish-cart, helped by half a crown to the driver, took me past the outlying small-villadom, between long lines of workmen's houses, to narrow cobbled lanes and the purlieus of great factories. As soon as I saw the streets well crowded I got out and walked. In my old clothes I must have appeared like some second-class bookie or seedy horse-coper. The only respectable thing I had about me was my gold watch. I looked at the time and found it half-past five.

I wanted food and was casting about for an eating-house when I heard the purr of a motor-cycle and across the road saw the intelligent boy scout. He saw me, too, and put on the brake with a sharpness which caused him to skid and all but come to grief under the wheels of a wool-waggon. That gave me time to efface myself by darting up a side street. I had an unpleasant sense that I was about to be trapped, for in a place I knew nothing of I had not a chance to use my wits.

I remember trying feverishly to think, and I suppose that my preoccupation made me careless. I was now in a veritable slum, and when I put my hand to my vest pocket I found that my watch had gone.

That put the top stone on my depression. The reaction from the wild humour of the forenoon had left me very cold about the feet. I was getting into the under-world again and there was no chance of a second Archie Roylance turning up to rescue me. I remember yet the sour smell of the factories and the mist of smoke in the evening air. It is a smell I have never met since without a sort of dulling of spirit.

Presently I came out into a market-place. Whistles were blowing, and there was a great hurrying of people back from the mills. The crowd gave me a momentary sense of security, and I was just about to inquire my way to the railway station when someone jostled my arm.

A rough-looking fellow in mechanic's clothes was beside me.

" Mate," he whispered, " I've got summat o' yours here." And to my amazement he slipped my watch into my hand.

" It was took by mistake. We're friends o' yours. You're right enough if you do what I tell you. There's a peeler over there got his eye on you. Follow me and I'll get you off."

I didn't much like the man's looks, but I had no choice, and anyhow he had given me back my watch. He sidled into an alley between tall houses and I sidled after him. Then he took to his heels, and led me a twisting course through smelly courts into a tanyard and then by a narrow lane to the back-quarters of a factory. Twice we doubled back, and once we climbed a wall and followed the bank of a blue-black stream with a filthy scum on it. Then we got into a very mean quarter of the town, and emerged in a dingy garden, strewn with tin cans and broken flower-pots. By a back door we entered one of the cottages and my guide very carefully locked it behind him.

He lit the gas and drew the blinds in a small parlour and looked at me long and quizzically. He spoke now in an educated voice.

"I ask no questions," he said, "but it's my business to put my services at your disposal. You carry the passport."

I stared at him, and he pulled out his watch and showed a white-and-purple cross inside the lid.

"I don't defend all the people we employ," he said, grinning. "Men's morals are not always as good as their patriotism. One of them pinched your watch, and when he saw what was inside it he reported to me. We soon picked up your trail, and observed you were in a bit of trouble. As I say, I ask no questions. What can we do for you?"

"I want to get to London without any questions asked. They're looking for me in my present rig, so I've got to change it."

"That's easy enough," he said. "Make yourself comfortable for a little and I'll fix you up. The night train goes at eleven-thirty. . . . You'll find cigars in the cupboard and there's this week's *Critic* on that table. It's got a good article on Conrad, if you care for such things."

I helped myself to a cigar and spent a profitable half-hour reading about the vices of the British Government. Then my host returned and bade me ascend to his bedroom. "You're Private Henry Tomkins of the 12th Gloucesters, and you'll find your clothes ready for you. I'll send on your present togs if you give me an address."

I did as I was bid, and presently emerged in the uniform of a British private, complete down to the shapeless boots and the dropsical puttees. Then my friend took me in hand and finished the transformation. He started on my hair with scissors and arranged a lock which, when well oiled, curled over my forehead. My hands were hard and rough and only needed some grubbiness and hacking about the nails to pass muster. With my cap on the side of my head, a pack on my back, a service rifle in my hands, and my pockets bursting with penny picture papers, I was the very model of the British soldier returning from leave. I had also a packet of Woodbine cigarettes and a hunch of bread-and-cheese for the journey. And I had a railway warrant made out in my name for London.

Then my friend gave me supper—bread and cold meat and a bottle of Bass, which I wolfed savagely, for I had had nothing since breakfast. He was a curious fellow, as discreet as a tombstone, very ready to speak about general subjects, but never once coming near the intimate business which had linked him and me and Heaven knew how many others by means of a little purple-and-white cross in a watchcase. I remember we talked about the topics that used to be popular at Biggleswick—the big political things that begin with capital letters. He took Amos's view of the soundness of the British workingman, but he said something which made me think. He was convinced that there was a tremendous lot of German spy work about, and that most of the practitioners were innocent. "The ordinary Briton doesn't run to treason, but he's not very bright. A clever man in that kind of game can make better use of a fool than of a rogue."

As he saw me off he gave me a piece of advice. "Get out of these clothes as soon as you reach London. Private Tomkins will frank you out of Bradfield, but it mightn't be a healthy *alias* in the metropolis."

At eleven-thirty I was safe in the train, talking the jargon of the returning soldier with half a dozen of my own type in a smoky third-class carriage. I had been lucky in my escape, for at the station entrance and on the platform I had noticed several men with the unmistakable look of plain-clothes police. Also—though this may have been my fancy —I thought I caught in the crowd a glimpse of the bagman who had called himself Linklater.

CHAPTER X

THE ADVANTAGES OF AN AIR RAID

THE train was abominably late. It was due at eight-twenty-seven, but it was nearly ten when we reached St. Pancras. I had resolved to go straight to my rooms in Westminster, buying on the way a cap and waterproof to conceal my uniform should anyone be near my door on my arrival. Then I would ring up Blenkiron and tell him all my adventures. I breakfasted at a coffee-stall, left my pack and rifle in the cloak-room, and walked out into the clear sunny morning.

I was feeling very pleased with myself. Looking back on my madcap journey, I seemed to have had an amazing run of luck and to be entitled to a little credit too. I told myself that persistence always pays and that nobody is beaten till he is dead. All Blenkiron's instructions had been faithfully carried out. I had found Ivery's post office, I had laid the lines of our own special communications with the enemy, and so far as I could see I had left no clue behind me. Ivery and Gresson took me for a well-meaning nincompoop. It was true that I had aroused profound suspicion in the breasts of the Scottish police. But that mattered nothing, for Cornelius Brand, the suspect, would presently disappear, and there was nothing against that rising soldier, Brigadier-General Richard Hannay, who would soon be on his way to France. After all this piece of service had not been so very unpleasant. I laughed when I remembered my grim forebodings in Gloucestershire. Bullivant had said it would be damnably risky in the long run, but here was the end and I had never been in danger of anything worse than making a fool of myself.

I remember that, as I made my way through Bloomsbury, I was not thinking so much of my triumphant report to Blenkiron as of my speedy return to the Front. Soon I would be with my beloved brigade again. I had missed Messines and the first part of Third Ypres, but the battle was still going on, and I had yet a chance. I might get a division, for there had been talk of that before I left. I knew the Army Commander thought a lot of me. But on the whole I hoped I would be left with the brigade. After all I was an amateur soldier, and I wasn't certain of my powers with a bigger command.

In Charing Cross Road I thought of Mary, and the brigade seemed suddenly less attractive. I hoped the war wouldn't last much longer, though with Russia heading straight for the devil I didn't know how it was going to stop very soon. I was determined to see Mary before I left, and I had a good excuse, for I had taken my orders from her. The prospect entranced me, and I was mooning along in a happy dream, when I collided violently with an agitated citizen.

Then I realised that something very odd was happening.

There was a dull sound like the popping of the corks of flat soda-water bottles. There was a humming, too, from very far up in the skies. People in the street were either staring at the heavens or running wildly for shelter. A motor-bus in front of me emptied its contents in a twinkling; a taxi pulled up with a jar and the driver and fare dived into a second-hand bookshop. It took me a moment or two to realise the meaning of it all, and I had scarcely done this when I got a very practical proof. A hundred yards away a bomb fell on a street-island, shivering every window-pane in a wide radius, and sending splinters of stone flying about my head. I did what I had done a hundred times before at the Front, and dropped flat on my face.

The man who says he doesn't mind being bombed or shelled is either a liar or a maniac. This London air raid seemed to me a singularly unpleasant business. I think it was the sight of the decent civilised life around one and the orderly streets, for what was perfectly natural in a rubble-heap like Ypres or Arras seemed an outrage here. I remember once being in billets in a Flanders village where I had the Maire's house and sat in a room upholstered in cut velvet, with wax flowers on the mantelpiece and oil paintings of three generations on the walls. The Boche took it into his head to shell the place with a long-range naval gun, and I simply loathed it. It was horrible to have dust and splinters blown into that smug, homely room, whereas if I had been in a ruined barn I wouldn't have given the thing two thoughts. In the same way bombs dropping in central London seemed a grotesque indecency. I hated to see plump citizens with wild eyes, and nursemaids with scared children, and miserable women scuttling like rabbits in a warren.

The drone grew louder, and, looking up, I could see the enemy planes flying in a beautiful formation, very leisurely as it seemed, with all London at their mercy. Another bomb fell to the right, and presently bits of our own shrapnel were clattering viciously around me. I thought it about time to take cover, and ran shamelessly for the best place I could see, which was a Tube station. Five minutes before the street had been crowded; now I left behind me a desert dotted with one bus and three empty taxicabs.

I found the Tube entrance filled with excited humanity. One stout lady had fainted, and a nurse had become hysterical, but on the whole people were behaving well. Oddly enough they did not seem inclined to go down the stairs to the complete security of underground; but preferred rather to collect where they could still get a glimpse of the upper world, as if they were torn between fear of their lives and interest in the spectacle. That crowd gave me a good deal of respect for my countrymen. But several were badly rattled, and one man a little way off, whose back was turned, kept twitching his shoulders as if he had the colic.

I watched him curiously, and a movement of the crowd brought his face into profile. Then I gasped with amazement, for I saw that it was Ivery.

And yet it was not Ivery. There were the familiar nondescript features, the blandness, the plumpness, but all, so to speak, in ruins. The man was in a blind funk. His features seemed to be dislimning before my eyes. He was growing sharper, finer, in a way younger, a man without grip on himself, a shapeless creature in process of transformation. He was being reduced to his rudiments. Under the spell of panic he was becoming a new man.

And the crazy thing was that I knew the new man better than the old.

My hands were jammed close to my sides by the crowd; I could scarcely turn my head, and it was not the occasion for one's neighbours to observe one's expression. If it had been, mine must have been a study. My mind was far away from air raids, back in the hot summer weather of 1914. . . . I saw a row of villas perched on a headland above the sea. In the garden of one of them two men were playing tennis, while I was crouching behind an adjacent bush. One of these was a plump young man who wore a coloured scarf round his waist and babbled of golf handicaps. . . . I saw him again in the villa dining-room, wearing a dinner-jacket, and lisping a little. . . . I sat opposite him at bridge, I beheld him collared by two of Macgillivray's men, when his comrade had rushed for the thirty-nine steps that led to the sea. . . . I saw, too, the sitting-room of my old flat in Portland Place and heard little Scudder's quick, anxious voice talking about the three men he feared most on earth, one of whom lisped in his speech. I had thought that all three had long ago been laid under the turf. . . .

He was not looking my way, and I could devour his face in safety. There was no shadow of doubt. I had always put him down as the most amazing actor on earth, for had he not played the part of the First Sea Lord and deluded that officer's daily colleagues? But he could do far more than any human actor, for he could take on a new personality and with it a new appearance, and live steadily in the character as if he had been born in it. . . . My mind was a blank, and I could only make blind gropings at conclusions. . . . How had he escaped the death of a spy and a murderer, for I had last seen him in the hands of justice? . . . Of course he had known me from the first day in Biggleswick. . . . I had thought to play with him, and he had played most cunningly and damnably with me. In that sweating sardine-tin of refugees I shivered in the bitterness of my chagrin.

And then I found his face turned to mine, and I knew that he recognised me.

More, I knew that he knew that I had recognised him—not as Ivery, but as that other man. There came into his eyes a curious look of comprehension, which for a moment overcame his funk.

I had sense enough to see that that put the final lid on it. There was still something doing if he believed that I was blind, but if he once thought that I knew the truth he would be through our meshes and disappear like a fog.

My first thought was to get at him and collar him and summon everybody to help me by denouncing him for what he was. Then I saw that that was impossible. I was a private soldier in a borrowed uniform, and he could easily turn the story against me. I must use surer weapons. I must get to Bullivant and Macgillivray and set their big machine to work. Above all I must get to Blenkiron.

I started to squeeze out of that push, for air raids now seemed far too trivial to give a thought to. Moreover the guns had stopped, but so sheeplike is human nature that the crowd still hung together, and it took me a good fifteen minutes to edge my way to the open air. I found that the trouble was over, and the street had resumed its usual appearance. Buses and taxis were running, and voluble knots of people were recounting their experiences. I started off for Blenkiron's bookshop, as the nearest harbour of refuge.

But in Piccadilly Circus I was stopped by a military policeman. He asked my name and battalion, and I gave him them, while his suspicious eye ran over my figure. I had no pack or rifle, and the crush in the Tube station had not improved my appearance. I explained that I was going back to France that evening, and he asked for my warrant. I fancy my preoccupation made me nervous and I lied badly. I said I had left it with my kit in the house of my married sister, but I fumbled in giving the address. I could see that the fellow did not believe a word I said.

Just then up came an A.P.M. He was a pompous dug-out, very splendid in his red tabs and probably bucked up at having just been under fire. Anyhow he was out to walk in the strict path of duty.

"Tomkins!" he said. "Tomkins! We've got some fellow of that name on our records. Bring him along, Wilson."

"But, sir," I said. "I must—I simply must meet my friend. It's urgent business, and I assure you I'm all right. If you don't believe me, I'll take a taxi and we'll do down to Scotland Yard and I'll stand by what they say."

His brow grew dark with wrath. "What infernal nonsense is this? Scotland Yard! What the devil has Scotland Yard to do with it? You're an impostor. I can see it in your face. I'll have your depot rung up, and you'll be in jail in a couple of hours. I know a deserter when I see him. Bring him along, Wilson. You know what to do if he tries to bolt."

I had a momentary thought of breaking away, but decided that the odds were too much against me. Fuming with impatience, I followed the A.P.M. to his office on the first floor in a side street. The precious minutes were slipping past; Ivery, now thoroughly warned, was making good his escape; and I, the sole repository of a deadly secret, was tramping in this absurd procession.

The A.P.M. issued his orders. He gave instructions that my depot should be rung up, and he bade Wilson remove me to what he called the guard room. He sat down at his desk, and busied himself with a mass of buff dockets.

In desperation I renewed my appeal. "I implore you to telephone to Mr. Macgillivray at Scotland Yard. It's a matter of life and death, sir. You're taking a very big responsibility if you don't."

I had hopelessly offended his brittle dignity. "Any more of your insolence and I'll have you put in irons. I'll attend to you soon enough for your comfort. Get out of this till I send for you."

As I looked at his foolish, irritable face I realised that I was fairly up against it. Short of assault and battery on everybody I was bound to submit. I saluted respectfully and was marched away.

The hours I spent in that bare anteroom are like a nightmare in my recollection. A sergeant was busy at a desk with more buff dockets and an orderly waited on a stool by a telephone. I looked at my watch and observed that it was one o'clock. Soon the slamming of a door announced that the A.P.M. had gone to lunch. I tried conversation with the fat sergeant, but he very soon shut me up. So I sat hunched up on the wooden form and chewed the cud of my vexation.

I thought with bitterness of the satisfaction which had filled me in the morning. I had fancied myself the devil of a fine fellow, and I had been no more than a mountebank. The adventures of the past days seemed merely childish. I had been telling lies and cutting capers over half Britain, thinking I was playing a deep game, and I had only been behaving like a schoolboy. On such occasions a man is rarely just to himself, and the intensity of my self-abasement would have satisfied my worst enemy. It didn't console me that the futility of it all was not my blame. I was not looking for excuses. It was the facts that cried out against me, and on the facts I had been an idiotic failure.

For of course Ivery had played with me, played with me since the first day at Biggleswick. He had applauded my speeches and flattered me, and advised me to go to the Clyde, laughing at me all the time. Gresson, too, had known. Now I saw it all. He had tried to drown me between Colonsay and Mull. It was Gresson who had set the police on me in Morvern. The bagman Linklater had been one of Gresson's creatures. The only meagre consolation was that the gang had thought me dangerous enough to attempt to murder me, and that they knew nothing about my doings in Skye. Of that I was positive. They had marked me down, but for several days I had slipped clean out of their ken.

As I went over all the incidents, I asked if everything was yet lost. I had failed to hoodwink Ivery, but I had found out his post office, and if he only believed I hadn't recognised him for the miscreant of the Black Stone he would go on in his old ways and play into Blenkiron's hands. Yes, but I had seen him in undress, so to speak, and he knew that I had so seen him. The only thing now was to collar him before he left the country, for there was ample evidence to hang him on. The law must stretch out its long arm and collect him and Gresson and the Portuguese Jew, try them by courtmartial, and put them decently underground.

But he had now had more than an hour's warning, and I was entangled with red-tape in this damned A.P.M.'s office. The thought drove me frantic, and I got up and paced the floor. I saw the orderly with rather a scared face making ready to press the bell, and I noticed that the fat sergeant had gone to lunch.

"Say, mate," I said, "don't you feel inclined to do a poor fellow a good turn? I know I'm for it all right, and

I'll take my medicine like a lamb. But I want badly to put a telephone call through."

"It ain't allowed," was the answer. "I'd get 'ell from the old man."

"But he's gone out," I urged. "I don't want you to do anything wrong, mate. I leave you to do the talkin' if you'll only send my message. I'm flush of money, and I don't mind handin' you a quid for the job."

He was a pinched little man with a weak chin, and he obviously wavered.

"'Oo d'ye want to talk to?" he asked.

"Scotland Yard," I said, "the home of the police. Lord bless you, there can't be no harm in that. Ye've only got to ring up Scotland Yard—I'll give you the number—and give the message to Mr. Macgillivray. He's the head bummer of all the bobbies."

"That sounds a bit of all right," he said. "The old man 'e won't be back for 'alf an hour, nor the sergeant neither. Let's see your quid, though."

I laid a pound note on the form beside me. "It's yours, mate, if you get through to Scotland Yard and speak the piece I'm goin' to give you."

He went over to the instrument. "What d'you want to say to the bloke with the long name?"

"Say that Richard Hannay is detained at the A.P.M.'s office in Claxon Street. Say he's got important news—say urgent and secret news—and ask Mr. Macgillivray to do something about it at once."

"But 'Annay ain't the name you gave."

"Lord bless you, no. Did you never hear of a man borrowin' another name? Anyhow that's the one I want you to give."

"But if this Mac man comes round 'ere, they'll know 'e's bin rung up, and I'll 'ave the old man down on me."

It took ten minutes and a second pound note to get him past this hurdle. By and by he screwed up courage and rang up the number. I listened with some nervousness while he gave my message—he had to repeat it twice—and waited eagerly on the next words.

"No, sir," I heard him say, "'e don't want you to come round 'ere. 'E thinks as 'ow—I mean to say, 'e wants——"

I took a long stride and twitched the receiver from him.

"Macgillivray," I said, "is that you? Richard Hannay! For the love of God come round here this instant and deliver me from the clutches of a tomfool A.P.M. I've got the most deadly news. There's not a second to waste. For God's sake, come quick!" Then I added: "Just tell your fellows to gather in Ivery at once. You know his lairs."

I hung up the receiver and faced a pale and indignant orderly. "It's all right," I said. "I promise you that you won't get into any trouble on my account. And there's your two quid."

The door in the next room opened and shut. The A.P.M. had returned from lunch. . . .

Ten minutes later the door opened again. I heard Macgillivray's voice, and it was not pitched in dulcet tones. He had run up against minor officialdom and was making hay with it.

I was my own master once more, so I forsook the company of the orderly. I found a most rattled officer trying to save a few rags of his dignity and the formidable figure of Macgillivray instructing him in manners.

"Glad to see you, Dick," he said. "This is General Hannay, sir. It may comfort you to know that your folly may have made just the difference between your country's victory and defeat. I shall have a word to say to your superiors."

It was hardly fair. I had to put in a word for the old fellow, whose red tabs seemed suddenly to have grown dingy.

"It was my blame wearing this kit. We'll call it a misunderstanding and forget it. But I would suggest that civility is not wasted even on a poor devil of a defaulting private soldier."

Once in Macgillivray's car, I poured out my tale. "Tell me it's a nightmare," I cried. "Tell me that the three men we collected on the Ruff were shot long ago."

"Two," he replied, "but one escaped. Heaven knows how he managed it, but he disappeared clean out of the world."

"The plump one who lisped in his speech?"

Macgillivray nodded.

"Well, we're in for it this time. Have you issued instructions?"

"Yes. With luck we shall have our hands on him within an hour. We've our net round all his haunts."

"But two hours' start! It's a big handicap, for you're dealing with a genius."

"Yet I think we can manage it. Where are you bound for?"

I told him my rooms in Westminster and then to my old flat in Park Lane. "The day of disguises is past. In half an hour I'll be Richard Hannay. It'll be a comfort to get into uniform again. Then I'll look up Blenkiron."

He grinned. "I gather you've had a riotous time. We've had a good many anxious messages from the north about a certain Mr. Brand. I couldn't discourage our men, for I fancied it might have spoiled your game. I heard that last night they had lost touch with you in Bradfield, so I rather expected to see you here to-day. Efficient body of men the Scottish police."

"Especially when they have various enthusiastic amateur helpers."

"So?" he said. "Yes, of course. They would have. But I hope presently to congratulate you on the success of your mission."

"I'll bet you a pony you don't," I said.

"I never bet on a professional subject. Why this pessimism?"

"Only that I know our gentleman better than you. I've been twice up against him. He's the kind of wicked that don't cease from troubling till they're stone-dead. And even then I'd want to see the body cremated and take the ashes into mid-ocean and scatter them. I've got a feeling that he's the biggest thing you or I will ever tackle."

CHAPTER XI

THE VALLEY OF HUMILIATION

I COLLECTED some baggage and a pile of newly arrived letters from my rooms in Westminster and took a taxi to my Park Lane flat. Usually I had gone back to that old place with a great feeling of comfort, like a boy from school who ranges about his room at home and examines his treasures. I used to like to see my hunting trophies on the wall and to sink into my own arm-chair. But now I had no pleasure in the thing. I had a bath, and changed into uniform, and that made me feel in better fighting trim. But I suffered from a heavy conviction of abject failure, and had no share in Macgillivray's optimism. The awe with which the Black Stone gang had filled me three years before had revived a thousandfold. Personal humiliation was the least part of my trouble. What worried me was the sense of being up against something inhumanly formidable and wise and strong. I believe I was willing to own defeat and chuck up the game.

Among the unopened letters was one from Peter, a very bulky one which I sat down to read at leisure. It was a curious epistle, far the longest he had ever written me, and its size made me understand his loneliness. He was still at his German prison-camp, but expecting every day to go to Switzerland. He said he could get back to England or South Africa, if he wanted, for they were clear that he could never be a combatant again; but he thought he had better stay in Switzerland, for he would be unhappy in England with all his friends fighting. As usual he made no complaints, and seemed to be very grateful for his small mercies. There was a doctor who was kind to him, and some good fellows among the prisoners.

But Peter's letter was made up chiefly of reflections. He had always been a bit of a philosopher, and now, in his isolation, he had taken to thinking hard, and poured out the results to me on pages of thin paper in his clumsy handwriting. I could read between the lines that he was having a stiff fight with himself. He was trying to keep his courage going in face of the bitterest trial he could be called on to face—a crippled old age. He had always known a good deal about the Bible, and that and the *Pilgrim's Progress* were his chief aids to reflection. Both he took quite literally, as if they were newspaper reports of actual recent events.

He mentioned that after much consideration he had reached the conclusion that the three greatest men he had ever heard of or met were Mr. Valiant-for-Truth, the Apostle Paul, and a certain Billy Strang who had been with him in Mashonaland in '92. Billy I knew all about; he had been Peter's hero and leader till a lion got him in the Blaauwberg. Peter preferred Valiant-for-Truth to Mr. Greatheart, I think because of his superior truculence, for, being very gentle himself, he loved a bold speaker. After that he dropped into a vein of self-examination. He regretted that he fell far short of any of the three. He thought that he might with luck resemble Mr. Standfast, for like him he had not much trouble in keeping wakeful, and was also as "poor as a howlet," and didn't care for women. He only hoped that he could imitate him in making a good end.

Then followed some remarks of Peter's on courage, which came to me in that London room as if spoken by his living voice. I have never known anyone so brave, so brave by instinct, or anyone who hated so much to be told so. It was almost the only thing that could make him angry. All his life he had been facing death, and to take risks seemed to him as natural as to get up in the morning and eat his breakfast. But he had started out to consider the very things which before he had taken for granted, and here an extract from his conclusions. I paraphrase him, for he was not grammatical.

"It's easy enough to be brave if you're feeling well and have food inside you. And it's not so difficult even if you're short of a meal and seedy, for that makes you inclined to gamble. I mean by being brave playing the game by the right rules without letting it worry you that you may very likely get knocked on the head. It's the wisest way to save your skin. It doesn't do to think about death if you're facing a charging lion or trying to bluff a lot of savages. If you think about it, you'll get it; if you don't, the odds are you won't. That kind of courage is only good nerves and experience. . . . Most courage is experience. Most people are a little scared at new things. . . .

"You want a bigger heart to face danger which you go out to look for, and which doesn't come to you in the ordinary way of business. Still, that's pretty much the same thing—good nerves and good health, and a natural liking for rows. You see, Dick, in all that game there's a lot of fun. There's excitement and the fun of using your wits and skill, and you know that the bad bits can't last long. When Arcoll sent me to Makapan's kraal I didn't altogether fancy the job, but at the worst it was three parts sport, and I got so excited that I never thought of the risk till it was over. . . .

"But the big courage is the cold-blooded kind, the kind that never lets go even when you're feeling empty inside, and your blood's thin, and there's no kind of fun or profit to be had, and the trouble's not over in an hour or two but lasts for months and years. One of the men here was speaking about that kind, and he called it 'Fortitude.' I reckon fortitude's the biggest thing a man can have—just to go on enduring when there's no guts or heart left in you. Billy had it when he trekked solitary from Garungoze to the Limpopo with fever and a broken arm just to show the Portugooses that he wouldn't be downed by them. But the head man at the job was the Apostle Paul. . . ."

Peter was writing for his own comfort, for fortitude was all that was left to him now. But his words came pretty straight to me, and I read them again and again, for I needed the lesson. Here was I losing heart just because I had failed in the first round and my pride had taken a knock. I felt honestly ashamed of myself, and that made me a far happier man. There could be no question of dropping the business, whatever its difficulties. I had a queer religious feeling that Ivery and I had our fortunes intertwined, and that no will of mine could keep us apart. I had faced him before the war and won; I had faced him again and lost; the third time or the twentieth time we would reach a final decision. The whole business had hitherto appeared to me a trifle unreal, at any rate my own connection with it. I had been docilely obeying orders, but my real self had been standing aside and watching my doings with a certain aloofness. But that hour in the Tube station had brought me into the scrum, and I saw the affair not as Bullivant's or even Blenkiron's, but as my own. Before I had been itching to get back to the Front; now I wanted to get on to Ivery's trail, though it should take me through the nether pit. Peter was right; fortitude was the thing a man must possess if he would save his soul.

The hours passed, and, as I expected, there came no word from Macgillivray. I had some dinner sent up to me at seven o'clock, and about eight I was thinking of looking up Blenkiron. Just then came a telephone call asking me to go round to Sir Walter Bullivant's house in Queen Anne's Gate.

Ten minutes later I was ringing the bell, and the door was opened to me by the same impassive butler who had admitted me on that famous night three years before. Nothing had changed in the pleasant green-panelled hall; the alcove was the same as when I had watched from it the departure of the man who now called himself Ivery; the telephone book lay in the very place from which I had snatched it in order to ring up the First Sea Lord. And in the back room, where that night five anxious officials had conferred, I found Sir Walter and Blenkiron.

Both looked worried, the American feverishly so. He walked up and down the hearthrug, sucking an unlit black cigar.

"Say, Dick," he said, "this is a bad business. It wasn't no fault of yours. You did fine. It was us—me and Sir Walter and Mr. Macgillivray that were the quitters."

"Any news?" I asked.

"So far the covers drawn blank," Sir Walter replied. "It was the devil's own work that our friend looked your way to-day. You're pretty certain he saw that you recognised him?"

"Absolutely. As sure as that he knew I recognised him in your hall three years ago when he was swaggering as Lord Alloa."

"No," said Blenkiron dolefully, "that little flicker of recognition is just the one thing you can't be wrong about. Land alive! I wish Mr. Macgillivray would come."

The bell rang, and the door opened, but it was not Macgillivray. It was a young girl in a white ball-gown, with a cluster of blue cornflowers at her breast. The sight of her fetched Sir Walter out of his chair so suddenly that he upset his coffee cup.

"Mary, my dear, how did you manage it? I didn't expect you till the late train."

"I was in London, you see, and they telephoned on your telegram. I'm staying with Aunt Doria, and I cut her theatre party. She thinks I'm at the Shandwick's dance, so I needn't go home till morning. . . . Good evening, General Hannay. You got over the Hill Difficulty."

"The next stage is the Valley of Humiliation," I answered.

"So it would appear," she said gravely, and sat very quietly on the edge of Sir Walter's chair with her small, cool hand upon his.

I had been picturing her in my recollection as very young

and glimmering, a dancing exquisite child. But now I revised that picture. The crystal freshness of morning was still there, but I saw how deep the waters were. It was the clean fineness and strength of her that entranced me. I didn't even think of her as pretty, any more than a man thinks of the good looks of the friend he worships.

We waited, hardly speaking a word, till Macgillivray came. The first sight of his face told his story.

"Gone?" asked Blenkiron sharply. The man's lethargic calm seemed to have wholly deserted him.

"Gone," repeated the new-comer. "We have just tracked him down. Oh, he managed it cleverly. Never a sign of disturbance in any of his lairs. His dinner ordered at Biggleswick and several people invited to stay with him for the week-end—one a member of the Government. Two meetings at which he was to speak arranged for next week. Early this afternoon he flew over to France as a passenger in one of the new planes. He had been mixed up with the Air Board people for months—of course as another man with another face. Miss Lamington discovered that just too late. The bus went out of its course and came down in Normandy. By this time our man's in Paris or beyond it."

Sir Walter took off his big tortoiseshell spectacles and laid them carefully on the table.

"Roll up the map of Europe," he said. "This is our Austerlitz. Mary, my dear, I am feeling very old."

Macgillivray had the sharpened face of a bitterly disappointed man. Blenkiron had got very red, and I could see that he was blaspheming violently under his breath. Mary's eyes were quiet and solemn. She kept on patting Sir Walter's hand. The sense of some great impending disaster hung heavily on me, and to break the spell I asked for details.

"Tell me just the extent of the damage," I asked. "Our neat plan for deceiving the Boche has failed. That is bad. A dangerous spy has got beyond our power. That's worse.

Tell me, is there still a worst? What's the limit of mischief he can do?"

Sir Walter had risen and joined Blenkiron on the hearth-rug. His brows were furrowed and his mouth hard as if he were suffering pain.

"There is no limit," he said. "None that I can see, except the long-suffering of God. You knew the man as Ivery, and you knew him as that other whom you believed to have been shot one summer morning and decently buried. You feared the second—at least if you didn't, I did—most mortally. You realised that we feared Ivery, and you knew enough about him to see his fiendish cleverness. Well, you have the two men combined in one man. Ivery was the best brain Macgillivray and I ever encountered, the most cunning and patient and long-sighted. Combine him with the other, the chameleon who can blend himself with his environment, and has as many personalities as there are types and traits on the earth. What kind of enemy is that to have to fight?"

"I admit it's a steep proposition. But after all how much ill can he do? There are pretty strict limits to the activity of even the cleverest spy."

"I agree. But this man is not a spy who buys a few wretched subordinates and steals a dozen private letters. He's a genius who has been living as part of our English life. There's nothing he hasn't seen. He's been on terms of intimacy with all kinds of politicians. We know that. He did it as Ivery. They rather liked him, for he was clever and flattered them, and they told him things. But God knows what he saw and heard in his other personalities. For all I know he may have breakfasted at Downing Street with letters of introduction from President Wilson, or visited the Grand Fleet as a distinguished neutral. Then think of the women; how they talk. We're the leakiest society on earth, and we safeguard ourselves by keeping dangerous people out of it. We trust to our outer barrage. But anyone who has really slipped inside has a million chances. And this, remember, is one man in ten millions, a man whose brain never sleeps for a moment, who is quick to seize the slightest hint, who can piece a plan together out of a dozen bits of gossip. It's like—it's as if the Chief of the Intelligence Department were suddenly to desert to the enemy. . . . The ordinary spy knows only bits of unconnected facts. This man knows our life and our way of thinking and everything about us."

"Well, but a treatise on English life in time of war won't do much good to the Boche."

Sir Walter shook his head. "Don't you realise the explosive stuff that is lying about? Ivery knows enough to make the next German peace offensive really deadly—not the blundering thing which it has been up to now, but something which gets our weak spots on the raw. He knows enough to wreck our campaign in the field. And the awful thing is that we don't know just what he knows or what he is aiming for. This war's a packet of surprises. Both sides are struggling for the margin, the little fraction of advantage, and between evenly matched enemies it's just the extra atom of foreknowledge that tells."

"Then we've got to push off and get after him," I said cheerfully.

"But what are you going to do?" asked Macgillivray. "If it were merely a question of destroying an organisation it might be managed, for an organisation presents a big front. But it's a question of destroying this one man, and his front is a razor edge. How are you going to find him? It's like looking for a needle in a haystack, and such a needle! A needle which can become a piece of straw or a tin-tack when it chooses!"

"All the same we've got to do it," I said, remembering old Peter's lesson on fortitude, though I can't say I was feeling very stout-hearted.

Sir Walter flung himself wearily into an arm-chair. "I wish I could be an optimist," he said, "but it looks as if we must own defeat. I've been at this work for twenty years, and, though I've been often beaten, I've always held certain cards in the game. Now I'm hanged if I've any. It looks like a knock-out, Hannay. It's no good deluding ourselves. We're men enough to look facts in the face and tell ourselves the truth. I don't see any ray of light in the business. We've missed our shot by a hair's-breadth and that's the same as missing by miles."

I remember he looked at Mary as if for confirmation, but she did not smile or nod. Her face was very grave and her eyes looked steadily at him. Then they moved and met mine, and they seemed to give me my marching orders.

"Sir Walter," I said, "three years ago you and I sat in this very room. We thought we were done to the world, as we think now. We had just that one miserable little clue to hang on to—a dozen words scribbled in a notebook by a dead man. You thought I was mad when I asked for Scudder's book, but we put our backs into the job and in twenty-four hours we had won out. Remember that then we were fighting against time. Now we have a reasonable amount of leisure. Then we had nothing but a sentence of gibberish. Now we have a great body of knowledge, for Blenkiron has been brooding over Ivery like an old hen, and he knows his ways of working and his breed of confederate. You've got something to work on now. Do you mean to tell me that, when the stakes are so big, you're going to chuck in your hand?"

Macgillivray raised his head. "We know a good deal about Ivery, but Ivery's dead. We know nothing of the man who was gloriously resurrected this evening in Normandy."

"Oh yes, you do. There are many faces to the man, but only one mind, and you know plenty about that mind."

"I wonder," said Sir Walter. "How can you know a mind which has no characteristics except that it is wholly and supremely competent? Mere mental powers won't give us a clue. We want to know the character which is behind all the personalities. Above all we want to know its foibles. If we had only a hint of some weakness we might make a plan."

"Well, let's set down all we know," I cried, for the more I argued the keener I grew. I told them in some detail the story of the night in the Coolin and what I had heard there.

"There's the two names *Chelius* and *Bommaerts*. The man spoke them in the same breath as *Elfenbein,* so they must be associated with Ivery's gang. You've got to get the whole Secret Service of the Allies busy to fit a meaning to these two words. Surely to goodness you'll find something! Remember those names don't belong to the Ivery part, but to the big game behind all the different disguises. . . . Then there's the talk about the Wild Birds and the Cage Birds. I haven't a guess at what it means. But it refers to some infernal gang, and among your piles of records there must be some clue. Yon set the intelligence of two hemispheres busy on the job. You've got all the machinery, and it's my experience that if even one solitary man keeps chewing on at a problem he discovers something."

My enthusiasm was beginning to strike sparks from Macgillivray. He was looking thoughtful now, instead of despondent.

"There might be something in that," he said, "but it's a far-out chance."

"Of course it's a far-out chance, and that's all we're ever going to get from Ivery. But we've taken a bad chance before and won. . . . Then you've all that you know about Ivery here. Go through his *dossier* with a small-tooth comb and I'll bet you find something to work on. Blenkiron, you're a man with a cool head. You admit we've a sporting chance."

"Sure, Dick. He's fixed things so that the lines are across the tracks, but we'll clear somehow. So far as John

S. Blenkiron is concerned he's got just one thing to do in this world, and that's to follow the yellow dog and have him neatly and cleanly tidied up. I've got a stack of personal affronts to settle. I was easy fruit and he hasn't been very respectful. You can count me in, Dick."

"Then we're agreed," I cried. "Well, gentlemen, it's up to you to arrange the first stage. You've some pretty solid staff work to put in before you get on the trail."

"And you?" Sir Walter asked.

"I'm going back to my brigade. I want a rest and a change. Besides, the first stage is office work, and I'm no use for that. But I'll be waiting to be summoned, and I'll come like a shot as soon as you hoick me out. I've got a presentiment about this thing. I know there'll be a finish and that I'll be in at it, and I think it will be a desperate, bloody business too."

I found Mary's eyes fixed upon me, and in them I read the same thought. She had not spoken a word, but had sat on the edge of a chair, swinging a foot idly, one hand playing with an ivory fan. She had given me my old orders and I looked to her for confirmation of the new.

"Miss Lamington, you are the wisest of the lot of us. What do you say?"

She smiled—that shy, companionable smile which I had been picturing to myself through all the wanderings of the past month.

"I think you are right. We've a long way to go yet, for the Valley of Humiliation comes only half-way in the *Pilgrim's Progress*. The next stage was Vanity Fair. I might be of some use there, don't you think?"

I remember the way she laughed and flung back her head like a gallant boy.

"The mistake we've all been making," she said, "is that our methods are too *terre-à-terre*. We've a poet to deal with, a great poet, and we must fling our imaginations forward to catch up with him. His strength is his unexpectedness, you know, and we won't beat him by plodding only. I believe the wildest course is the wisest, for it's the most likely to intersect his. . . . Who's the poet among us?"

"Peter," I said. "But he's pinned down with a game leg in Germany. All the same we must rope him in."

By this time we had all cheered up, for it is wonderful what a tonic there is in a prospect of action. The butler brought in tea, which it was Bullivant's habit to drink after dinner. To me it seemed fantastic to watch a slip of a girl pouring it out for two grizzled and distinguished servants of the State and one battered soldier—as decorous a family party as you would ask to see— and to reflect that all four were engaged in an enterprise where men's lives must be reckoned at less than thistledown.

After that we went upstairs to a noble Georgian drawing-room and Mary played to us. I don't care two straws for music from an instrument—unless it be the pipes or a regimental band—but I dearly love the human voice. But she would not sing, for singing to her, I fancy, was something that did not come at will, but flowed only like a bird's note when the mood favoured. I did not want it either. I was content to let "Cherry Ripe" be the one song linked with her in my memory.

It was Macgillivray who brought us back to business.

"I wish to Heaven there was one habit of mind we could definitely attach to him and to no one else." (At this moment "He" had only one meaning for us.)

"You can't do nothing with his mind," Blenkiron drawled. "You can't loose the bands of Orion, as the Bible says, or hold Leviathan with a hook. I reckoned I could and made a mighty close study of his de-vices. But the darned cuss wouldn't stay put. I thought I had tied him down to the double bluff, and he went and played the triple bluff on me. There's nothing doing that line."

A memory of Peter recurred to me.

"What about the 'blind spot'?" I asked, and I told them old Peter's pet theory. "Every man that God made has his weak spot somewhere, some flaw in his character which leaves a dull patch in his brain. We've got to find that out, and I think I've made a beginning."

Macgillivray in a sharp voice asked my meaning.

"He's in a funk . . . of something. Oh, I don't mean he's a coward. A man in his trade wants the nerve of a buffalo. He could give us all points in courage. What I mean is that he's not clean white all through. There are yellow streaks somewhere in him . . . I've given a good deal of thought to this courage business, for I haven't got a great deal of it myself. Not like Peter, I mean. I've got heaps of soft places in me. I'm afraid of being drowned for one thing, or of getting my eyes shot out. Ivery's afraid of bombs—at any rate he's afraid of bombs in a big city. I once read a book which talked about a thing called *agoraphobia*. Perhaps it's that. . . . Now if we know that weak spot it helps us in our work. There are some places he won't go to, and there are some things he can't do—not well, anyway. I reckon that's useful."

"Ye-es," said Macgillivray. "Perhaps. But it's not what you'd call a burning and a shining light."

"There's another chink in his armour," I went on. "There's one person in the world he can never practise his transformations on, and that's me. I shall always know him again, though he appeared as Sir Douglas Haig. I can't explain why, but I've got a feel in my bones about it. I didn't recognise him before, for I thought he was dead, and the nerve in my brain which should have been looking for him wasn't working. But I'm on my guard now, and that nerve's functioning at full power. Whenever and whereever and howsoever we meet again on the face of the earth, it will be 'Dr. Livingstone, I presume' between him and me."

"That is better," said Macgillivray. "If we have any luck, Hannay, it won't be long till we pull you out of His Majesty's Forces."

Mary got up from the piano and resumed her old perch on the arm of Sir Walter's chair.

"There's another blind spot which you haven't mentioned." It was a cool evening, but I noticed that her cheeks had suddenly flushed.

"Last week Mr. Ivery asked me to marry him," she said.

PART II

CHAPTER XII

I BECOME A COMBATANT ONCE MORE

I RETURNED to France on September 13th, and took over my old brigade on the 19th of the same month. We were shoved in at the Polygon Wood on the 26th, and after four days got so badly mauled that we were brought out to refit. On October 7th, very much to my surprise, I was given command of a division, and was on the fringes of the Ypres fighting during the first days of November. From that front we were hurried down to Cambrai in support, but came in only for the last backwash of that singular battle. We held a bit of the St. Quentin sector till just before Christmas, when we had a spell of rest in billets, which endured, so far as I was concerned, till the beginning of January, when I was sent off on the errand which I shall presently relate.

That is a brief summary of my military record in the latter part of 1917. I am not going to enlarge on the fighting. Except for the days at the Polygon Wood it was neither very severe nor very distinguished, and you will find it in the history books. What I have to tell of here is my own personal quest, for all the time I was living with my mind turned two ways. In the morasses of the Haanebeek flats, in the slimy support lines at Zonnebeke, in the tortured uplands about Flesquières, and in many other odd places I kept worrying at my private conundrum. At night I would lie awake thinking of it, and many a toss I took into shell-holes and many a time I stepped off the duckboards, because my eyes were on a different landscape. Nobody ever chewed a few wretched clues into such a pulp as I did during those bleak months in Flanders and Picardy.

For I had an instinct that the thing was desperately grave, graver even than the battle before me. Russia had gone headlong to the devil, Italy had taken it between the eyes and was still dizzy, and our own prospects were none too bright. The Boche was getting uppish and with some cause, and I foresaw a rocky time ahead till America could line up with us in the field. It was the chance for the Wild Birds, and I used to wake in a sweat to think what devilry Ivery might be engineering. I believe I did my proper job reasonably well, but I put in my most savage thinking over the other. I remember how I used to go over every hour of every day from that June night in the Cotswolds till my last meeting with Bullivant in London, trying to find a new bearing. I should probably have got brain-fever, if I hadn't had to spend most of my days and nights fighting a stiffish battle with a very watchful Hun. That kept my mind balanced, and I daresay it gave an edge to it; for during those months I was lucky enough to hit on a better scent than Bullivant and Macgillivray and Blenkiron, pulling a thousand wires in their London offices.

I will set down in order of time the various incidents in this private quest of mine. The first was my meeting with Geordie Hamilton. It happened just after I rejoined the brigade, when I went down to have a look at our Scots Fusilier battalion. The old brigade had been roughly handled on July 31st, and had had to get heavy drafts to come anywhere near strength. The Fusiliers especially were almost a new lot, formed by joining our remnants to the remains of a battalion in another division and bringing about a dozen officers from the training unit at home.

I inspected the men and my eyes caught sight of a familiar face. I asked his name and the colonel got it from the sergeant-major. It was Lance-Corporal George Hamilton.

Now I wanted a new batman, and I resolved then and there to have my old antagonist. That afternoon he reported to me at brigade headquarters. As I looked at that solid bandy-legged figure, standing as stiff to attention as a tobacconist's sign, his ugly face hewn out of brown oak, his honest, sullen mouth, and his blue eyes staring sternly into vacancy, I knew I had got the man I wanted.

"Hamilton," I said, "you and I have met before."

"Sirr?" came the mystified answer.

"Look at me, man, and tell me if you don't recognise me."

He moved his eyes a fraction, in a respectful glance.

"Sirr, I don't mind of you."

"Well, I'll refresh your memory. Do you remember the hall in Newmilns Street and the meeting there? You had a fight with a man outside, and got knocked down."

He made no answer, but his colour deepened.

"And a fortnight later in a public-house in Muirtown you saw the same man, and gave him the chase of his life."

I could see his mouth set, for visions of the penalties laid down by the King's Regulations for striking an officer must have crossed his mind. But he never budged.

"Look me in the face, man," I said. "Do you remember me now?"

He did as he was bid."

"Sirr, I mind of you."

"Have you nothing more to say?"

He cleared his throat. "Sirr, I did not ken I was hittin' an officer."

"Of course you didn't. You did perfectly right, and if the war was over and we were both free men, I would give you a chance of knocking me down here and now. That's got to wait. When you saw me last I was serving my country, though you didn't know it. We're serving together now, and you must get your revenge out of the Boche. I'm going to make you my servant, for you and I have a pretty close bond between us. What do you say to that?"

This time he looked me full in the face. His troubled eye appraised me and was satisfied. "I'm proud to be servant to ye, sirr," he said. Then out of his chest came a strangled chuckle, and he forgot his discipline. "Losh, but ye're the great lad!" He recovered himself promptly, saluted, and marched off.

The second episode befell during our brief rest after the Polygon Wood, when I had ridden down the line one afternoon to see a friend in the Heavy Artillery. I was returning in the drizzle of evening, clanking along the greasy *pavé* between the sad poplars, when I struck a Labour company repairing the ravages of a Boche *strafe* that morning. I wasn't very certain of my road and asked one of the workers. He straightened himself and saluted, and I saw beneath a disreputable cap the features of the man who had been with me in the Coolin crevice.

I spoke a word to his sergeant, who fell him out, and he walked a bit of the way with me.

"Great Scott, Wake, what brought you here?" I asked.

"Same thing as brought you. This rotten war."

I had dismounted and was walking beside him, and I noticed that his lean face had lost its pallor and that his eyes were less hot than they used to be.

"You seem to thrive on it," I said, for I did not know what to say. A sudden shyness possessed me. Wake must have gone through some violent cyclones of feeling before it came to this. He saw what I was thinking and laughed in his sharp, ironical way.

"Don't flatter yourself you've made a convert. I think as I always thought. But I came to the conclusion that since the fates had made me a Government servant I might as well do my work somewhere less cushioned than a chair in the Home Office. . . . Oh, no, it wasn't a matter of principle. One kind of work's as good as another, and I'm a better clerk than a navvy. With me it was self-indulgence: I wanted fresh air and exercise."

I looked at him—mud to the waist, and his hands all blistered and cut with unaccustomed labour. I could realise what his associates must mean to him, and how he would relish the rough-tonguing of non-coms.

"You're a confounded humbug," I said. "Why on earth didn't you go into an O.T.C. and come out with a commission? They're easy enough to get."

"You mistake my case," he said bitterly. "I experienced no sudden conviction about the justice of the war. I stand where I always stood. I'm a non-combatant, and I wanted a change of civilian work. . . . No, it wasn't any idiotic tribunal sent me here. I came of my own free will, and I'm really rather enjoying myself."

"It's a rough job for a man like you," I said.

"Not so rough as the fellows get in the trenches. I watched a battalion marching back to-day and they looked like ghosts who had been years in muddy graves. White faces and dazed eyes and leaden feet. Mine's a cushy job. I like it best when the weather's foul. It cheats me into thinking I'm doing my duty."

I nodded towards a recent shell-hole. "Much of that sort of thing?"

"Now and then. We had a good dusting this morning. I can't say I liked it at the time, but I like to look back on it. A sort of moral anodyne."

"I wonder what on earth the rest of your lot make of you?"

"They don't make anything. I'm not remarkable for my *bonhomie*. They think I'm a prig—which I am. It doesn't amuse me to talk about beer and women or listen to a gramophone or grouse about my last meal. But I'm quite content, thank you. Sometimes I get a seat in a corner of a Y.M.C.A. hut, and I've a book or two. My chief affliction is the padre. He was up at Keble in my time, and, as one of my colleagues puts it, wants to be 'too bloody helpful.' . . . What are you doing, Hannay? I see you're some kind of general. They're pretty thick on the ground here."

"I'm a sort of general. Soldiering in the Salient isn't the softest of jobs, but I don't believe it's as tough as yours is for you. D'you know, Wake, I wish I had you in my brigade. Trained or untrained, you're a dashed stout-hearted fellow."

He laughed with a trifle less acidity than usual. "Almost thou persuadest me to be a combatant. No, thank you. I haven't the courage, and besides there's my jolly old principles. All the same I'd like to be near you. You're a good chap, and I've had the honour to assist in your education. . . . I must be getting back, or the sergeant will think I've bolted."

We shook hands, and the last I saw of him was a figure saluting stiffly in the wet twilight.

The third incident was trivial enough, though momentous in its results. Just before I got the division I had a bout of malaria. We were in support in the Salient, in very uncomfortable trenches behind Wieltje, and I spent three days on my back in a dug-out. Outside was a blizzard of rain, and the water now and then came down the stairs through the gas curtain and stood in pools at my bed foot. It wasn't the merriest place to convalesce in, but I was as hard as nails at the time and by the third day I was beginning to sit up and be bored.

I read all my English papers twice and a big stack of German ones which I used to have sent up by a friend in the G.H.Q. Intelligence, who knew I liked to follow what the Boche was saying. As I dozed and ruminated in the way a man does after fever, I was struck by the tremendous display of one advertisement in the English press. It was a thing called "Gussiter's Deep-breathing System," which, according to its promoter, was a cure for every ill, mental, moral, or physical, that man can suffer. Politicians, generals, admirals, and music-hall artists all testified to the new life it had opened up for them. I remember wondering what these sportsmen got for their testimonies, and thinking I would write a spoof letter myself to old Gussiter.

Then I picked up the German papers, and suddenly my

eye caught an advertisement of the same kind in the *Frankfurter Zeitung*. It was not Gussiter this time, but one Weissmann, but his game was identical—" deep breathing." The Hun style was different from the English—all about the Goddess of Health, and the Nymphs of the Mountains, and two quotations from Schiller. But the principle was the same.

That made me ponder a little, and I went carefully through the whole batch. I found the advertisement in the *Frankfurter* and in one or two rather obscure *Volkstimmes* and *Volkszeitungs*. I found it too in *Der Grosse Krieg*, the official German propagandist picture-paper. They were the same all but one, and that one had a bold variation, for it contained four of the sentences used in the ordinary English advertisement.

This struck me as fishy, and I started to write a letter to Macgillivray pointing out what seemed to be a case of trading with the enemy, and advising him to get on to Mr. Gussiter's financial backing. I thought he might find a Hun syndicate behind him. And then I had another notion, which made me rewrite my letter.

I went through the papers again. The English ones which contained the advertisement were all good, solid, bellicose organs; the kind of thing no censorship would object to leaving the country. I had before me a small sheaf of pacificist prints, and they had not the advertisement. That might be for reasons of circulation, or it might not.

The German papers were either Radical or Socialist publications, just the opposite of the English lot, except the *Grosse Krieg*. Now we have a free press, and Germany has, strictly speaking, none. All her journalistic indiscretions are calculated. Therefore the Boche has no objection to his rags getting to enemy countries. He wants it. He likes to see them quoted in columns headed "Through German Glasses," and made the text of articles showing what a good democrat he is becoming.

As I puzzled over the subject, certain conclusions began

to form in my mind. The four identical sentences seemed to hint that "Deep Breathing" had Boche affiliations. Here was a chance of communicating with the enemy which would defy the argus-eyed gentlemen who examine the mails. What was to hinder Mr. A at one end writing an advertisement with a good cipher in it, and the paper containing it getting into Germany by Holland in three days? Herr B at the other end replied in the *Frankfurter,* and a few days later shrewd editors and acute Intelligence officers—and Mr. A—were reading it in London, though only Mr. A knew what it really meant.

It struck me as a bright idea, the sort of simple thing that doesn't occur to clever people, and very rarely to the Boche. I wished I was not in the middle of a battle, for I would have had a try at investigating the cipher myself. I wrote a long letter to Macgillivray putting my case, and then went to sleep. When I woke I reflected that it was a pretty thin argument, and would have stopped the letter, if it hadn't gone off early by a ration party.

After that things began very slowly to happen. The first was when Hamilton, having gone to Boulogne to fetch some mess-stores, returned with the startling news that he had seen Gresson. He had not heard his name, but described him dramatically to me as "the wee red-heided deevil that kicked Ecky Brockie's knee yon time in Glesca, sirr." I recognised the description.

Gresson, it appeared, was joy-riding. He was with a party of Labour delegates who had been met by two officers and carried off in *chars-à-bancs.* Hamilton reported from inquiries among his friends that this kind of visitor came weekly. I thought it a very sensible notion on the Government's part, but I wondered how Gresson had been selected. I had hoped that Macgillivray had weeks ago made a long arm and quodded him. Perhaps they had too little evidence to hang him, but he was the blackest sort of suspect and should have been interned.

A week later I had occasion to be at G.H.Q. on business connected with my new division. My friends in the Intelligence allowed me to use the direct line to London, and I called up Macgillivray. For ten minutes I had an exciting talk, for I had had no news from that quarter since I left England. I heard that the Portuguese Jew had escaped—had vanished from his native heather when they went to get him. They had identified him as a German professor of Celtic languages, who had held a chair in a Welsh college—a dangerous fellow, for he was an upright, high-minded, raging fanatic. Against Gresson they had no evidence at all, but he was kept under strict observation. When I asked about his crossing to France, Macgillivray replied that that was part of their scheme. I inquired if the visit had given them any clues, but I never got an answer, for the line had to be cleared at that moment for the War Office.

I hunted up the man who had charge of these Labour visits, and made friends with him. Gresson, he said, had been a quiet, well-mannered, and most appreciative guest. He had wept tears on Vimy Ridge, and—strictly against orders—had made a speech to some troops he met on the Arras road about how British Labour was remembering the Army in its prayers and sweating blood to make guns. On the last day he had had a misadventure, for he got very sick on the road—some kidney trouble that couldn't stand the jolting of the car—and had to be left at a village and picked up by the party on its way back. They found him better, but still shaky. I cross-examined the particular officer in charge about that halt, and learned that Gresson had been left alone in a peasant's cottage, for he said he only needed to lie down. The place was the hamlet of Eaucourt Sainte-Anne.

For several weeks that name stuck in my head. It had a pleasant, quaint sound, and I wondered how Gresson had spent his hours there. I hunted it up on the map, and promised myself to have a look at it the next time we came out to rest. And then I forgot about it till I heard the name mentioned again.

On October 23rd I had the bad luck, during a tour of my first-line trenches, to stop a small shell-fragment with my head. It was a close, misty day and I had taken off my tin hat to wipe my brow when the thing happened. I got a long, shallow scalp wound which meant nothing but bled a lot, and, as we were not in for any big move, the M.O. sent me back to a clearing station to have it seen to. I was three days in the place and, being perfectly well, had leisure to look about me and reflect, so that I recall that time as a queer, restful interlude in the infernal racket of war. I remember yet how on my last night there a gale made the lamps swing and flicker, and turned the grey-green canvas walls into a mass of mottled shadows. The floor canvas was muddy from the tramping of many feet bringing in the constant dribble of casualties from the line. In my tent there was no one very bad at the time, except a boy with his shoulder half blown off by a whizz-bang, who lay in a drugged sleep at the far end. The majority were influenza, bronchitis, and trench-fever—waiting to be moved to the base, or convalescent and about to return to their units.

A small group of us dined off tinned chicken, stewed fruit, and ration cheese round the smoky stove, where two screens manufactured from packing cases gave some protection against the draughts which swept like young tornadoes down the tent. One man had been reading a book called the *Ghost Stories of an Antiquary,* and the talk turned on the unexplainable things that happen to everybody once or twice in a lifetime. I contributed a yarn about the men who went to look for Kruger's treasure in the bushveld and got scared by a green wildebeeste. It is a good yarn and I'll write it down some day. A tall Highlander, who kept his slippered feet on the top of the stove, and whose costume consisted of a kilt, a British warm, a grey hospital dressing-gown, and four pairs of socks, told the story of the Camerons at First Ypres, and of the Lowland subaltern who knew no Gaelic and suddenly found himself encouraging his men with some ancient Highland rigmarole. The poor chap had a racking bronchial cough, which suggested that his country might well use him on some warmer battle-ground than Flanders. He seemed a bit of a scholar and explained the Cameron business in a lot of long words.

I remember how the talk meandered on as talk does when men are idle and thinking about the next day. I didn't pay much attention, for I was reflecting on a change I meant to make in one of my battalion commands, when a fresh voice broke in. It belonged to a Canadian captain from Winnipeg, a very silent fellow who smoked shag tobacco.

"There's a lot of ghosts in this darned country," he said.

Then he started to tell about what happened to him when his division was last back in rest billets. He had a staff job and put up with the divisional command at an old French château. They had only a little bit of the house; the rest was shut up, but the passages were so tortuous that it was difficult to keep from wandering into the unoccupied part. One night, he said, he woke with a mighty thirst, and, since he wasn't going to get cholera by drinking the local water in his bedroom, he started out for the room they messed in to try to pick up a whisky-and-soda. He couldn't find it, though he knew the road like his own name. He admitted he might have taken a wrong turning, but he didn't think so. Anyway he landed in a passage which he had never seen before, and, since he had no candle, he tried to retrace his steps. Again he went wrong, and groped on till he saw a faint light which he thought must be the room of the G.S.O.1, a good fellow and a friend of his. So he barged in, and found a big, dim salon with two figures in it and a lamp burning between them, and a queer, unpleasant smell about. He took a step forward, and then he saw that the figures had no faces. That fairly loosened his joints with fear, and he gave a cry. One of the two ran towards him, the lamp went out, and the sickly scent caught suddenly at his throat. After that he knew nothing till he awoke in his own bed next morning with a splitting headache. He said he got the General's permission and went over all the unoccupied part of the house, but he couldn't find the room. Dust lay thick on everything, and there was no sign of recent human presence.

I give the story as he told it in his drawling voice. "I reckon that was the genuine article in ghosts. You don't believe me and conclude I was drunk? I wasn't. There isn't any drink concocted yet that could lay me out like that. I just struck a crack in the old universe and pushed my head outside. It may happen to you boys any day."

The Highlander began to argue with him, and I lost interest in the talk. But one phrase brought me to attention. "I'll give you the name of the darned place, and next time you're around you can do a bit of prospecting for yourself. It's called the Château of Eaucourt Sainte-Anne, about seven kilometres from Douvecourt. If I was purchasing real estate in this country I guess I'd give that location a miss. . . ."

After that I had a grim month, what with the finish of Third Ypres and the hustle to Cambrai. By the middle of December we had shaken down a bit, but the line my division held was not of our choosing, and we had to keep a wary eye on the Boche doings. It was a weary job, and I had no time to think of anything but the military kind of intelligence—fixing the units against us from prisoners' stories, organising small raids, and keeping the Royal Flying Corps busy. I was keen about the last, and I made several trips myself over the lines with Archie Roylance, who had got his heart's desire and by good luck belonged to the squadron just behind me. I said as little as possible about this, for G.H.Q. did not encourage divisional generals to practise such methods, though there was one famous army commander who made a hobby of them. It was on one of these trips that an incident occurred which brought my spell of waiting on the bigger game to an end.

One dull December day, just after luncheon, Archie and I set out to reconnoitre. You know the way that fogs in Picardy seem suddenly to reek out of the ground and envelop the slopes like a shawl. That was our luck this time. We had crossed the lines, flying very high, and received the usual salute of Hun Archies. After a mile or two the ground seemed to climb up to us, though we hadn't descended, and presently we were in the heart of a cold, clinging mist. We dived for several thousand feet, but the confounded thing grew thicker and no sort of landmark could be found anywhere. I thought if we went on at this rate we should hit a tree or a church steeple and be easy fruit for the enemy.

The same thought must have been in Archie's mind, for he climbed again. We got into a mortally cold zone, but the air was no clearer. Thereupon he decided to head for home, and passed me word to work out a compass course on the map. That was easier said than done, but I had a rough notion of the rate he had travelled since we had crossed the lines and I knew our original direction, so I did the best I could. On we went for a bit, and then I began to get doubtful. So did Archie. We dropped low down, but we could hear none of the row that's always going on for a mile on each side the lines. The world was very eerie and deadly still, so still that Archie and I could talk through the speaking-tube.

" We've mislaid this blamed battle," he shouted.

"I think your rotten old compass has soured on us," I replied.

We decided that it wouldn't do to change direction, so we held on the same course. I was getting as nervous as a kitten, chiefly owing to the silence. It's not what you expect in the middle of a battle-field. . . . I looked at the compass carefully and saw that it was really crocked. Archie must have damaged it on a former flight and forgotten to have it changed.

He had a very scared face when I pointed this out.

"Great God!" he croaked—for he had a fearsome cold—"we're either about Calais or near Paris or miles the wrong side of the Boche line. What the devil are we to do?"

And then to put the lid on it his engine went wrong. It was the same performance as on the Yorkshire moors, and seemed to be a speciality of the Shark-Gladas type. But this time the end came quick. We dived steeply, and I could see by Archie's grip on the stick that he was going to have his work cut out to save our necks. Save them he did, but not by much, for we jolted down on the edge of a ploughed field with a series of bumps that shook the teeth in my head. It was the same dense, dripping fog, and we crawled out of the old bus and bolted for cover like two ferreted rabbits.

Our refuge was the lee of a small copse.

"It's my opinion," said Archie solemnly, "that we're somewhere about Le Cateau. Tim Wilbraham got left there in the Retreat, and it took him nine months to make the Dutch frontier. It's a giddy prospect, sir."

I sallied out to reconnoitre. At the other side of the wood was a highway, and the fog so blanketed sound that I could not hear a man on it till I saw his face. The first one I saw made me lie flat in the covert. . . . For he was a German soldier, field-grey, forage cap, red band and all, and he had a pick on his shoulder.

A second's reflection showed me that this was not final proof. He might be one of our prisoners. But it was no place to take chances. I went back to Archie, and the pair of us crossed the ploughed field and struck the road farther on. There we saw a farmer's cart with a woman and a child in it. They looked French, but melancholy, just what you would expect from the inhabitants of a countryside in enemy occupation.

Then we came to the park wall of a great house, and saw dimly the outlines of a cottage. Here sooner or later we would get proof of our whereabouts, so we lay and shivered among the poplars of the roadside. No one seemed abroad that afternoon. For a quarter of an hour it was as quiet as the grave. Then came a sound of whistling, and muffled steps.

"That's an Englishman," said Archie joyfully. "No Boche could make such a beastly noise."

He was right. The form of an Army Service Corps private emerged from the mist, his cap on the back of his head, his hands in his pockets, and his walk the walk of a free man. I never saw a welcomer sight than that jam-merchant.

We stood up and greeted him. "What's this place?" I shouted.

He raised a grubby hand to his forelock.

"Ockott Saint Anny, sir," he said. "Beg pardon, sir, but you ain't hurt, sir?"

Ten minutes later I was having tea in the mess of an M.T. workshop while Archie had gone to the nearest Signals to telephone for a car and give instructions about his precious bus. It was almost dark, but I gulped my tea and hastened out into the thick dusk. For I wanted to have a look at the Château.

I found a big entrance with high stone pillars, but the iron gates were locked and looked as if they had not been opened in the memory of man. Knowing the way of such places, I hunted for the side entrance and found a muddy road which led to the back of the house. The front was evidently towards a kind of park; at the back was a nest of outbuildings and a section of moat which looked very deep and black in the winter twilight. This was crossed by a stone bridge with a door at the end of it.

Clearly the Château was not being used for billets. There was no sign of the British soldier; there was no sign of anything human. I crept through the fog as noiselessly as if I trod on velvet, and I hadn't even the company of my own footsteps. I remembered the Canadian's ghost story, and concluded I would be imagining the same sort of thing if I lived in such a place.

The door was bolted and padlocked. I turned along the side of the moat, hoping to reach the house front, which was probably modern and boasted a civilised entrance. There must be somebody in the place, for one chimney was smoking. Presently the moat petered out, and gave place to a cobbled causeway, but a wall, running at right angles with the house, blocked my way. I had half a mind to go back and hammer at the door, but I reflected that major-generals don't pay visits to deserted châteaux at night without a reasonable errand. I should look a fool in the eyes of some old *concierge*. The daylight was almost gone, and I didn't wish to go groping about the house with a candle.

But I wanted to see what was beyond the wall—one of those whims that beset the soberest men. I rolled a dissolute water-butt to the foot of it, and gingerly balanced myself on its rotten staves. This gave me a grip of the flat brick top, and I pulled myself up.

I looked down on a little courtyard with another wall beyond it, which shut off any view of the park. On the right was the Château, on the left more outbuildings; the whole place was not more than twenty yards each way. I was just about to retire the road I had come, for in spite of my fur coat it was uncommon chilly on that perch, when I heard a key turn in the door in the Château wall beneath me.

A lantern made a blur of light in the misty darkness. I saw that the bearer was a woman, an oldish woman, round-shouldered like most French peasants. In one hand she carried a leather bag, and she moved so silently that she must have worn rubber boots. The light was held level with her head and illumined her face. It was the evillest thing I have ever beheld, for a horrible scar had puckered the skin of the forehead and drawn up the eyebrows so that it looked like some diabolical Chinese mask.

Slowly she padded across the yard, carrying the bag as gingerly as if it had been an infant. She stopped at the door of one of the outhouses and set down the lantern and her burden on the ground. From her apron she drew something which looked like a gas-mask, and put it over her head. She also put on a pair of long gauntlets. Then she unlocked the door, picked up the lantern and went in. I heard the key turn behind her.

Crouching on that wall, I felt a very ugly tremor run down my spine. I had a glimpse of what the Canadian's ghost might have been. That hag, hooded like some venomous snake, was too much for my stomach. I dropped off the wall and ran—yes, ran till I reached the highroad and saw the cheery headlights of a transport waggon, and heard the honest speech of the British soldier. That restored me to my senses, and made me feel every kind of a fool.

As I drove back to the line with Archie, I was black ashamed of my funk. I told myself that I had seen only an old countrywoman going to feed her hens. I convinced my reason, but I did not convince the whole of me. An insensate dread of the place hung around me, and I could only retrieve my self-respect by resolving to return and explore every nook of it.

CHAPTER XIII

THE ADVENTURE OF THE PICARDY CHÂTEAU

I LOOKED up Eaucourt Saint-Anne on the map, and the more I studied its position the less I liked it. It was the knot from which sprang all the main routes to our Picardy front. If the Boche ever broke us, it was the place for which old Hindenburg would make. At all hours troops and transport trains were moving through that insignificant hamlet. Eminent generals and their staffs passed daily within sight of the Château. It was a convenient halting-place for battalions coming back to rest. Supposing, I argued, our enemies wanted a key-spot for some assault upon the *moral* or the discipline or the health of the British Army, they couldn't find a better than Eaucourt Saint-Anne. It was the ideal centre of espionage. But when I guardedly sounded my friends of the Intelligence they didn't seem to be worrying about it.

From them I got a chit to the local French authorities, and, as soon as we came out of the line towards the end of December, I made straight for the country town of Douvecourt. By a bit of luck our divisional quarters were almost next door. I interviewed a tremendous swell in a black uniform and black kid gloves, who received me affably and put his archives and registers at my disposal. By this time I talked French fairly well, having a natural turn for languages, but half the rapid speech of the *sous-préfet* was lost on me. By and by he left me with the papers and a clerk, and I proceeded to grub up the history of the Château.

It had belonged since long before Agincourt to the noble house of the D'Eaucourts, now represented by an ancient

Marquise who dwelt at Biarritz. She had never lived in the place, which a dozen years before had been falling to ruins, when a rich American leased it and partially restored it. He had soon got sick if it—his daughter had married a blackguard French cavalry officer with whom he quarrelled, said the clerk—and since then there had been several tenants. I wondered why a house so unattractive should have let so readily, but the clerk explained that the cause was the partridge-shooting. It was about the best in France, and in 1912 had shown the record bag.

The list of the tenants was before me. There was a second American, an Englishman called Halford, a Paris Jew-banker, and an Egyptian prince. But the space for 1913 was blank, and I asked the clerk about it. He told me that it had been taken by a woollen manufacturer from Lille, but he had never shot the partridges, though he had spent occasional nights in the house. He had a five years' lease, and was still paying rent to the Marquise. I asked the name, but the clerk had forgotten. "It will be written there," he said.

"But, no," I said. "Somebody must have been asleep over this register. There's nothing after 1912."

He examined the page and blinked his eyes. "Someone indeed must have slept. No doubt it was young Louis who is now with the guns in Champagne. But the name will be on the Commissary's list. It is, as I remember, a sort of Flemish."

He hobbled off and returned in five minutes.

"Bommaerts," he said, "Jacques Bommaerts. A young man with no wife but with money—*Dieu de Dieu,* what oceans of it!"

That clerk got twenty-five francs, and he was cheap at the price. I went back to my division with a sense of awe on me. It was a marvellous fate that had brought me by odd routes to this out-of-the-way corner. First, the accident of Hamilton's seeing Gresson; then the night in the Clearing Station; last the mishap of Archie's plane getting lost in the fog. I had three grounds of suspicion—Gresson's sudden illness, the Canadian's ghost, and that horrid old woman in the dusk. And now I had one tremendous fact. The place was leased by a man called Bommaerts, and that was one of the two names I had heard whispered in that far-away cleft in the Coolin by the stranger from the sea.

A sensible man would have gone off to the *contre-espionage* people and told them his story. I couldn't do this; I felt that it was my own private find and I was going to do the prospecting myself. Every moment of leisure I had I was puzzling over the thing. I rode round by the Château one frosty morning and examined all the entrances. The main one was the grand avenue with the locked gates. That led straight to the front of the house where the terrace was—or you might call it the back, for the main door was on the other side. Anyhow the drive came up to the edge of the terrace and then split into two, one branch going to the stables by way of the outbuildings where I had seen the old woman, the other circling round the house, skirting the moat, and joining the back road just before the bridge. If I had gone to the right instead of the left that first evening with Archie, I should have circumnavigated the place without any trouble.

Seen in the fresh morning light the house looked commonplace enough. Part of it was as old as Noah, but most was newish and jerry-built, the kind of flat-chested, thin French Château, all front and no depth, and full of draughts and smoky chimneys. I might have gone in and ransacked the place, but I knew I should find nothing. It was borne in on me that it was only when evening fell that that house was interesting and that I must come, like Nicodemus, by night. Besides I had a private account to settle with my conscience. I had funked the place in the foggy twilight, and it does not do to let a matter like that slide. A man's courage is like a horse that refuses a fence; you have got to take him by the head and cram him at it again. If you don't, he will funk worse next time. I hadn't enough courage to be able to take chances with it, and, though I was afraid of many things, the thing I feared most mortally was being afraid.

I did not get a chance till Christmas Eve. The day before there had been a fall of snow, but the frost set in and the afternoon ended in a green sunset with the earth crisp and crackling like a shark's skin. I dined early, and took with me Geordie Hamilton, who added to his many accomplishments that of driving a car. He was the only man in the B.E.F. who guessed anything of the game I was after, and I knew that he was as discreet as a tombstone. I put on my oldest trench cap, slacks, and a pair of scaife-soled boots, that I used to change into in the evening. I had a useful little electric torch, which lived in my pocket, and from which a cord led to a small bulb of light that worked with a switch and could be hung on my belt. That left my arms free in case of emergencies. Likewise I strapped on my pistol.

There was little traffic in the hamlet of Eaucourt Saint-Anne that night. Few cars were on the road, and the M.T. detachment, judging from the din, seemed to be busy on a private spree. It was about nine o'clock when we turned into the side road, and at the entrance to it I saw a solid figure in khaki mounting guard beside two bicycles. Something in the man's gesture, as he saluted, struck me as familiar, but I had no time to hunt for casual memories. I left the car just short of the bridge, and took the road which would bring me to the terraced front of the house.

Once I turned the corner of the Château and saw the long ghostly façade while in the moonlight, I felt less confident. The eeriness of the place smote me. In that still snowy world it loomed up immense and mysterious with its rows of shuttered windows, each with that air which empty houses have of concealing some wild story. I longed to have old Peter with me, for he was the man for this kind of escapade. I had heard that he had been removed to Switzerland and I pictured him now in some mountain village where the snow lay deep. I would have given anything to have had Peter with a whole leg by my side.

I stepped on the terrace and listened. There was not a sound in the world, not even the distant rumble of a cart. The pile towered above me like a mausoleum, and I reflected that it must take some nerve to burgle an empty house. It would be good enough fun to break into a bustling dwelling and pinch the plate when the folk were at dinner, but to burgle emptiness and silence meant a fight with the terrors in a man's soul. It was worse in my case, for I wasn't cheered with prospects of loot. I wanted to get inside chiefly to soothe my conscience.

I hadn't much doubt I would find a way, for three years of war and the frequent presence of untidy headquarters staffs have loosened the joints of most Picardy houses. There's generally a window that doesn't latch or a door that doesn't bar. But I tried window after window on the terrace without result. The heavy green sun-shutters were down over each, and when I broke the hinges of one there was a long bar within to hold it firm. I was beginning to think of shinning up a rain-pipe and trying the second floor, when a shutter I had laid hold on swung back in my hand. It had been left unfastened, and, kicking the snow from my boots, I entered a room.

A gleam of moonlight followed me and I saw I was in a big salon with a polished wood floor and dark lumps of furniture swathed in sheets. I clicked the bulb at my belt, and the little circle of light showed a place which had not been dwelt in for years. At the far end was another door, and as I tiptoed towards it something caught my eye on the parquet. It was a piece of fresh snow like that which clumps on the heel of a boot. I had not brought it there. Some other visitor had passed this way, and not long before me.

Very gently I opened the door and slipped in. In front of me was a pile of furniture which made a kind of screen, and behind that I halted and listened. There was somebody in the room. I heard the sound of human breathing and of soft movements. The man, whoever he was, was at the far end from me, and though there was a dim glow of moon through a broken shutter I could see nothing of what he was after. I was beginning to enjoy myself now. I knew of his presence and he did not know of mine, and that is the sport of stalking.

An unwary movement of my hand caused the screen to creak. Instantly the movements ceased and there was utter silence. I held my breath, and after a second or two the tiny sounds began again. I had a feeling, though my eyes could not assure me, that the man before me was at work, and was using a very small shaded torch. There was just the faintest moving shimmer on the wall beyond, though that might come from the crack of moonlight.

Apparently he was reassured, for his movements became more distinct. There was a jar as if a table had been pushed back. Once more there was silence, and I heard only the intake of breath. I have very quick ears, and to me it sounded as if the man were rattled. The breathing was quick and anxious.

Suddenly it changed and became the ghost of a whistle—the kind of sound one makes with the lips and teeth without ever letting the tune break out clear. We all do it when we are preoccupied with something—shaving, or writing letters, or reading the newspaper. But I did not think my man was preoccupied. He was whistling to quiet fluttering nerves.

Then I caught the air. It was "Cherry Ripe."

In a moment, from being hugely at my ease, I became the nervous one. I had been playing peep-bo with the unseen, and the tables were turned. My heart beat against my ribs like a hammer. I shuffled my feet, and again there fell the tense silence.

"Mary," I said—and the word seemed to explode like a bomb in the stillness—"Mary! It's me—Dick Hannay."

There was no answer but a sob and the sound of a timid step.

I took four paces into the darkness and caught in my arms a trembling girl. . . .

Often in the last months I had pictured the kind of scene which would be the culminating point of my life. When our work was over and war had been forgotten, somewhere —perhaps in a green Cotswold meadow or in a room of an old manor—I would talk with Mary. By that time we should know each other well and I would have lost my shyness. I would try to tell her that I loved her, but whenever I thought of what I should say my heart sank, for I knew I would make a fool of myself. You can't live my kind of life for forty years wholly among men and be of any use at pretty speeches to women. I knew I should stutter and blunder, and I used despairingly to invent impossible situations where I might make my love plain to her without words by some piece of melodramatic sacrifice.

But the kind Fates had saved me the trouble. Without a syllable save Christian names stammered in that eerie darkness we had come to complete understanding. The fairies had been at work unseen, and the thoughts of each of us had been moving towards the other, till love had germinated like a seed in the dark. As I held her in my arms I stroked her hair and murmured things which seemed to spring out of some ancestral memory. Certainly my tongue had never used them before, nor my mind imagined them. . . . By and by she slipped her arms round my neck and with a half sob strained towards me. She was still trembling.

"Dick," she said, and to hear that name on her lips was the sweetest thing I had ever known. "Dick, is it really you? Tell me I'm not dreaming."

"It's me, sure enough, Mary dear. And now I have found you I will never let you go again. But, my precious child, how on earth did you get here?"

She disengaged herself and let her little electric torch wander over my rough habiliments.

"You look a tremendous warrior, Dick. I have never seen you like this before. I was in Doubting Castle and very much afraid of Giant Despair, till you came."

"I think I call it the Interpreter's House," I said.

"It's the house of somebody we both know," she went on. "He calls himself Bommaerts here. That was one of the two names, you remember. I have seen him since in Paris. Oh, it is a long story and you shall hear it all soon. I knew he came here sometimes, so I came here too. I have been nursing for the last fortnight at the Douvecourt Hospital only four miles away."

"But what brought you alone at night?"

"Madness, I think. Vanity, too. You see I had found out a good deal, and I wanted to find out the one vital thing which has puzzled Mr. Blenkiron. I told myself it was foolish, but I couldn't keep away. And then my courage broke down, and before you came I would have screamed at the sound of a mouse. If I hadn't whistled I would have cried."

"But why alone and at this hour?"

"I couldn't get off in the day. And it was safest to come alone. You see he is in love with me, and when he heard I was coming to Douvecourt forgot his caution and proposed to meet me here. He said he was going on a long journey and wanted to say good-bye. If he had found me alone—well, he would have said good-bye. If there had been anyone with me, he would have suspected, and he mustn't suspect *me*. Mr. Blenkiron says that would be fatal to his great plan. He believes I am like my aunts, and that I think him an apostle of peace working by his own methods against the stupidity and wickedness of all the Governments. He talks more bitterly about Germany than about England. He has told me how he has to disguise himself and play many parts on his mission, and of course I have applauded him. Oh, I have had a difficult autumn."

"Mary," I cried, "tell me you hate him."

"No," she said quietly, "I do not hate him. I am keeping that for later. I fear him desperately. Some day when we have broken him utterly I will hate him, and drive all likeness of him out of my memory like an unclean thing. But till then I won't waste energy on hate. We want to hoard every atom of our strength for the work of beating him."

She had won back her composure, and I turned on my light to look at her. She was in nurse's outdoor uniform, and I thought her eyes seemed tired. The priceless gift that had suddenly come to me had driven out all recollection of my own errand. I thought of Ivery only as a would-be lover of Mary, and forgot the manufacturer from Lille who had rented this house for the partridge-shooting.

"And you, Dick," she asked: "is it part of a general's duties to pay visits at night to empty houses?"

"I came to look for traces of M. Bommaerts. I, too, got on his track from another angle, but that story must wait."

"You observe that he has been here to-day?"

She pointed to some cigarette ash spilled on the table edge, and a space on its surface cleared from dust. "In a place like this the dust would settle again in a few hours, and that it quite clean. I should say he has been here just after luncheon."

"Great Scott!" I cried, "what a close shave! I'm in the mood at this moment to shoot him at sight. You say you saw him in Paris and knew his lair. Surely you had a good enough case to have him collared."

She shook her head. "Mr. Blenkiron—he's in Paris too—wouldn't hear of it. He hasn't just figured the thing out yet, he says. We've identified one of your names, but we're still in doubt about Chelius."

"Ah, Chelius! Yes, I see. We must get the whole business complete before we strike. Has old Blenkiron had any luck?"

"Your guess about the 'Deep-breathing' advertisement was very clever, Dick. It was true, and it may give us Chelius. I must leave Mr. Blenkiron to tell you how. But the trouble is this. We know something of the doings of someone who may be Chelius, but we can't link them with Ivery. We know that Ivery is Bommaerts, and our hope is to link Bommaerts with Chelius. That's why I came here. I was trying to burgle this escritoire in an amateur way. It's a bad piece of fake Empire and deserves smashing.

I could see that Mary was eager to get my mind back to business, and with some difficulty I clambered down from the exultant heights. The intoxication of the thing was on me—the winter night, the circle of light in that dreary room, the sudden coming together of two souls from the ends of the earth, the realisation of my wildest hopes, the gilding and glorifying of all the future. But she had always twice as much wisdom as me, and we were in the midst of a campaign which had no use for day-dreaming. I turned my attention to the desk.

It was a flat table with drawers, and at the back a half-circle of more drawers with a central cupboard. I tilted it up and most of the drawers slid out, empty of anything but dust. I forced two open with my knife and they held empty cigar boxes. Only the cupboard remained, and that appeared to be locked. I wedged a key from my pocket into its keyhole, but the thing would not budge.

"It's no good," I said. "He wouldn't leave anything he valued in a place like this. That sort of fellow doesn't take risks. If he wanted to hide something there are a hundred holes in this Château which would puzzle the best detective."

"Can't you open it?" she asked. "I've a fancy about that table. He was sitting here this afternoon and he may be coming back."

I solved the problem by turning up the escritoire and putting my knee through the cupboard door. Out of it tumbled a little dark-green attaché case.

"This is getting solemn," said Mary. "Is it locked?"

It was, but I took my knife and cut the lock out and spilled the contents on the table. There were some papers, a newspaper or two, and a small bag tied with black cord. The last I opened, while Mary looked over my shoulder. It contained a fine yellowish powder.

"Stand back," I said harshly. "For God's sake, stand back and don't breathe."

With trembling hands I tied up the bag again, rolled it in a newspaper, and stuffed it into my pocket. For I remembered a day near Peronne when a Boche plane had come over in the night and had dropped little bags like this. Happily they were all collected, and the men who found them were wise and took them off to the nearest laboratory. They proved to be full of anthrax germs. . . .

I remembered how Eaucourt Saint-Anne stood at the junction of a dozen roads where all day long troops passed to and from the lines. From such a vantage ground an enemy could wreck the health of an army. . . .

I remembered the woman I had seen in the courtyard of this house in the foggy dusk, and I knew now why she had worn a gas-mask.

This discovery gave me a horrid shock. I was brought down with a crash from my high sentiment to something earthy and devilish. I was fairly well used to Boche filthiness, but this seemed too grim a piece of the utterly damnable. I wanted to have Ivery by the throat and force the stuff into his body, and watch him decay slowly into the horror he had contrived for honest men.

"Let's get out of this infernal place," I said.

But Mary was not listening. She had picked up one of the newspapers and was gloating over it. I looked and saw that it was open at an advertisement of Weissmann's "Deep-breathing" system.

"Oh, look, Dick," she cried breathlessly.

The column of type had little dots made by a red pencil below certain words.

"It's it," she whispered, "it's the cipher—I'm almost sure it's the cipher!"

"Well, he'd be likely to know it if anyone did."

"But don't you see it's the cipher which Chelius uses—the man in Switzerland? Oh, I can't explain now, for it's very long, but I think—I think—I have found out what we have all been wanting. Chelius . . ."

"Whisht!" I said. "What's that?"

There was a queer sound from the out-of-doors as if a sudden wind had risen in the still night.

"It's only a car on the main road," said Mary.

"How did you get in?" I asked.

"By the broken window in the next room. I cycled out here one morning and walked round the place and found the broken catch."

"Perhaps it is left open on purpose. That may be the way M. Bommaerts visits his country home. . . . Let's get off, Mary, for this place has a curse on it. It deserves fire from heaven."

I slipped the contents of the attaché case into my pockets. "I'm going to drive you back," I said. "I've got a car out there."

"Then you must take my bicycle and my servant too. He's an old friend of yours—one Andrew Amos."

"Now how on earth did Andrew get over here?"

"He's one of us," said Mary laughing at my surprise. "A most useful member of our party, at present disguised as an *infirmier* in Lady Manorwater's Hospital at Douvecourt. He is learning French, and . . ."

"Hush!" I whispered. "There's someone in the next room."

I swept her behind a stack of furniture, with my eye glued on a crack of light below the door. The handle turned and the shadows raced before a big electric lamp of the kind they have in stables. I could not see the bearer, but I guessed it was the old woman.

There was a man behind her. A brisk step sounded on the parquet, and a figure brushed past her. It wore the horizon-blue of a French officer, very smart, with those French riding-boots that show the shape of the leg, and a handsome fur-lined pelisse. I would have called him a young man, not more than thirty-five. The face was brown and clean-shaven, the eyes bright and masterful. . . . Yet he did not deceive me. I had not boasted idly to Sir Walter when I said that there was one man alive who could never again be mistaken by me.

I had my hand on my pistol, as I motioned Mary farther back into the shadows. For a second I was about to shoot. I had a perfect mark and could have put a bullet through his brain with utter certitude. I think if I had been alone I might have fired. Perhaps not. Anyhow now I could not do it. It seemed like potting at a sitting rabbit. I was obliged, though he was my worst enemy, to give him a chance, while all the while my sober senses kept calling me a fool.

I stepped into the light.

"Hullo, Mr. Ivery," I said. "This is an odd place to meet again!"

In his amazement he fell back a step, while his hungry eyes took in my face. There was no mistake about the recognition. I saw something I had seen once before in him, and that was fear. Out went the light and he sprang for the door.

I fired in the dark, but the shot must have been too high. In the same instant I heard him slip on the smooth parquet and the tinkle of glass as the broken window swung open. Hastily I reflected that his car must be at the moat end of the terrace, and that therefore to reach it he must pass outside this very room. Seizing the damaged escritoire, I used it as a ram, and charged the window nearest me. The panes and shutters went with a crash, for I had driven the thing out of its rotten frame. The next second I was on the moonlit snow.

I got a shot at him as he went over the terrace, and again I went wide. I never was at my best with a pistol. Still I reckoned I had got him, for the car which was waiting below must come back by the moat to reach the highroad. But I had forgotten the great closed park gates. Somehow or other they must have been opened, for as soon as the car started it headed straight for the grand avenue. I tried a couple of long-range shots after it, and one must have damaged either Ivery or his chauffeur, for there came back a cry of pain.

I turned in deep chagrin to find Mary beside me. She was bubbling with laughter.

"Were you ever a cinema actor, Dick? The last two minutes have been a really high-class performance. 'Featuring Mary Lamington.' How does the jargon go?"

"I could have got him when he first entered," I said ruefully.

"I know," she said in a graver tone. "Only of course you couldn't. . . . Besides, Mr. Blenkiron doesn't want it—yet."

She put her hand on my arm. "Don't worry about it. It wasn't written it should happen that way. It would have been too easy. We have a long road to travel yet before we clip the wings of the Wild Birds."

"Look," I cried. "The fire from heaven!"

Red tongues of flame were shooting up from the outbuildings at the farther end, the place where I had first seen the woman. Some agreed plan must have been acted on, and Ivery was destroying all traces of his infamous yellow powder. Even now the *concierge* with her odds and ends of belongings would be slipping out to some refuge in the village.

In the still dry night the flames rose, for the place must have been made ready for a rapid burning. As I hurried Mary round the moat I could see that part of the main building had caught fire. The hamlet was awakened, and before we reached the corner of the highroad sleepy British soldiers were hurrying towards the scene, and the Town Major was mustering the fire brigade. I knew that Ivery had laid his plans well, and that they hadn't a chance—that long before dawn the Château of Eaucourt Saint-Anne would be a heap of ashes and that in a day or two the lawyers of the aged Marquise at Biarritz would be wrangling with the insurance company.

At the corner stood Amos beside two bicycles, solid as a graven image. He recognised me with a gap-toothed grin.

"It's a cauld night, General, but the home fires keep burnin'. I havena seen such a cheery lowe since Dickson's mill at Gawly."

We packed, bicycles and all, into my car with Amos wedged in the narrow seat beside Hamilton. Recognising a fellow countryman, he gave thanks for the lift in the broadest Doric. "For," said he, "I'm not what you would call a practised hand wi' a velocipede, and my feet are dinnled wi' standin' in the snaw."

As for me, the miles to Douvecourt passed as in a blissful moment of time. I wrapped Mary in a fur rug, and after that we did not speak a word. I had come suddenly into a great possession and was dazed with the joy of it.

CHAPTER XIV

MR. BLENKIRON DISCOURSES ON LOVE AND WAR

THREE days later I got my orders to report at Paris for special service. They came none too soon, for I chafed at each hour's delay. Every thought in my head was directed to the game which we were playing against Ivery. He was the big enemy, compared to whom the ordinary Boche in the trenches was innocent and friendly. I had almost lost interest in my division, for I knew that for me the real battle-front was not in Picardy, and that my job was not so easy as holding a length of line. Also I longed to be at the same work as Mary.

I remember waking up in billets the morning after the night at the Château with the feeling that I had become extraordinarily rich. I felt very humble, too, and very kindly towards all the world—even to the Boche, though I can't say I had ever hated him very wildly. You find hate more among journalists and politicians at home than among fighting men. I wanted to be quiet and alone to think, and since that was impossible I went about my work in a happy abstraction. I tried not to look ahead, but only to live in the present, for I knew that a war was on, and that there was a desperate and dangerous business before me, and that my hopes hung on a slender thread. Yet for all that I had sometimes to let my fancies go free, and revel in delicious dreams.

But there was one thought that always brought me back to hard gound, and that was Ivery. I do not think I hated anybody in the world but him. It was his relation to Mary that stung me. He had the insolence with all his toad-like past to make love to that clean and radiant girl. I felt that he and I stood as mortal antagonists, and the thought pleased he, for it helped me to put some honest detestation into my job. Also I was going to win. Twice I had failed, but the third time I should succeed. It had been like ranging shots for a gun—first short, second over, and I vowed that the third should be dead on the mark.

I was summoned to G.H.Q., where I had half an hour's talk with the greatest British commander. I can see yet his patient, kindly face and that steady eye which no vicissitude of fortune could perturb. He took the biggest view, for he was statesman as well as soldier, and knew that the whole world was one battle-field and every man and woman among the combatant nations was in the battle-line. So contradictory is human nature, that talk made me wish for a moment to stay where I was. I wanted to go on serving under that man. I realised suddenly how much I loved my work, and when I got back to my quarters that night and saw my men swinging in from a route march I could have howled like a dog at leaving them. Though I say it who shouldn't, there wasn't a better division in the Army.

One morning a few days later I picked up Mary in Amiens. I always liked the place, for after the dirt of the Somme it was a comfort to go there for a bath and a square meal, and it had the noblest church that the hand of man ever built for God. It was a clear morning when we started from the boulevard beside the railway station; and the air smelt of washed streets and fresh coffee, and women were going marketing and the little trams ran clanking by, just as in any other city far from the sound of guns. There was very little khaki or horizon-blue about, and I remember thinking how completely Amiens had got out of the war-zone. Two months later it was a different story.

To the end I shall count that day as one of the happiest in my life. Spring was in the air, though the trees and fields had still their winter colouring. A thousand good fresh scents came out of the earth, and the larks were busy over the new furrows. I remember that we ran up a little glen, where a stream spread into pools among sallows, and the roadside trees were heavy with mistletoe. On the tableland beyond the Somme valley the sun shone like April. At Beauvais we lunched badly in an inn—badly as to food, but there was an excellent burgundy at two francs a bottle. Then we slipped down through little flat-chested townships to the Seine, and in the late afternoon passed through St. Germains forest. The wide green spaces among the trees set my fancy dwelling on that divine English countryside where Mary and I would one day make our home. She had been in high spirits all the journey, but when I spoke of the Cotswolds her face grew grave.

"Don't let us speak of it, Dick," she said. "It's too happy a thing and I feel as if it would wither if we touched it. I don't let myself think of peace and home, for it makes me too homesick. . . . I think we shall get there some day, you and I . . . but it's a long road to the Delectable Mountains, and Faithful, you know, has to die first. . . . There is a price to be paid."

The words sobered me.

"Who is our Faithful?" I asked.

"I don't know. But he was the best of the Pilgrims."

Then, as if a veil had lifted, her mood changed, and when we came through the suburbs of Paris and swung down the Champs Élysées she was in a holiday humour. The lights were twinkling in the blue January dusk, and the warm breath of the city came to greet us. I knew little of the place, for I had visited it once only on a four days' Paris leave, but it had seemed to me then the most habitable of cities, and now, coming from the battle-field with Mary by my side, it was like the happy ending of a dream.

I left her at her cousin's house near the Rue St. Honoré, and deposited myself, according to instructions, at the Hôtel Louis Quinze. There I wallowed in a hot bath, and got into the civilian clothes which had been sent on from

London. They made me feel that I had taken leave of my division for good and all this time.

Blenkiron had a private room, where we were to dine; and a more wonderful litter of books and cigar boxes I have never seen, for he hadn't a notion of tidiness. I could hear him grunting at his toilet in the adjacent bedroom, and I noticed that the table was laid for three. I went downstairs to get a paper, and on the way ran into Launcelot Wake.

He was no longer a private in a Labour battalion. Evening clothes showed beneath his overcoat.

"Hullo, Wake, are you in this push too?"

"I suppose so," he said, and his manner was not cordial. "Anyhow I was ordered down here. My business is to do as I am told."

"Coming to dine?" I asked.

"No. I'm dining with some friends at the Crillon."

Then he looked me in the face, and his eyes were hot as I first remembered them. "I hear I've to congratulate you, Hannay," and he held out a limp hand.

I never felt more antagonism in a human being.

"You don't like it?" I said, for I guessed what he meant.

"How on earth can I like it?" he cried angrily. "Good Lord, man, you'll murder her soul. You an ordinary, stupid, successful fellow and she—she's the most precious thing God ever made. You can never understand a fraction of her preciousness, but you'll clip her wings all right. She can never fly now. . . ."

He poured out this hysterical stuff to me at the foot of the staircase within hearing of an elderly French widow with a poodle. I had no impulse to be angry for I was far too happy.

"Don't, Wake," I said. "We're all too close together to quarrel. I'm not fit to black Mary's shoes. You can't put me too low or her too high. But I've at least the sense to know it. You couldn't want me to be humbler than I feel."

He shrugged his shoulders, as he went out to the street.

"Your infernal magnanimity would break any man's temper. . . ."

I went upstairs to find Blenkiron, washed and shaven, admiring a pair of bright patent-leather shoes.

"Why, Dick, I've been wearying bad to see you. I was nervous you would be blown to glory, for I've been reading awful things about your battles in the noospapers. The war correspondents worry me so I can't take breakfast."

He mixed cocktails and clinked his glass on mine. "Here's to the young lady. I was trying to write her a pretty little sonnet, but the darned rhymes wouldn't fit. I've gotten a heap of things to say to you when we've finished dinner."

Mary came in, her cheeks bright from the weather, and Blenkiron promptly fell abashed. But she had a way to meet his shyness, for, when he began an embarrassed speech of good wishes, she put her arms round his neck and kissed him. Oddly enough, that set him completely at his ease.

It was pleasant to eat off linen and china again, pleasant to see old Blenkiron's benignant face and the way he tucked into his food, but it was delicious for me to sit at a meal with Mary across the table. It made me feel that she was really mine, and not a pixie that would vanish at a word. To Blenkiron she bore herself like an affectionate but mischievous daughter, while the desperately refined manners that afflicted him whenever women were concerned mellowed into something liker his everyday self. They did most of the talking, and I remember he fetched from some mysterious hiding-place a great box of chocolates, which you could no longer buy in Paris, and the two ate them like spoiled children. I didn't want to talk, for it was pure happiness for me to look on. I loved to watch her, when the servants had gone, with her elbows on the table like a schoolboy, her crisp gold hair a little rumpled, cracking walnuts with gusto, like some child who has been allowed down from the nursery for dessert and means to make the most of it.

With his first cigar Blenkiron got to business.

"You want to know about the staff-work we've been busy on at home. Well, it's finished now, thanks to you, Dick. We weren't getting on very fast till you took to peroosing the press on your sick-bed and dropped us that hint about the 'Deep-breathing' ads."

"Then there was something in it?" I asked.

"There was black hell in it. There wasn't any Gussiter, but there was a mighty fine little syndicate of crooks with old man Gresson at the back of them. First thing, I started out to get the cipher. It took some looking for, but there's no cipher on earth can't be got hold of somehow if you know it's there, and in this case we were helped a lot by the return messages in the German papers. . . . It was bad stuff when we read it, and explained the darned leakages in important noos we've been up against. At first I figured to keep the thing going and turn Gussiter into a corporation with John S. Blenkiron as president. But it wouldn't do, for at the first hint of tampering with their communications the whole bunch got skeery and sent out S.O.S. signals. So we tenderly plucked the flowers."

"Gresson, too?" I asked.

He nodded. "I guess your seafaring companion's now under the sod. We had collected enough evidence to hang him ten times over. . . . But that was the least of it. For your little old cipher, Dick, gave us a line on Ivery."

I asked how, and Blenkiron told me the story. He had about a dozen cross-bearings proving that the organisation of the "Deep-breathing" game had its head-quarters in Switzerland. He suspected Ivery from the first, but the man had vanished out of his ken, so he started working from the other end, and instead of trying to deduce the Swiss business from Ivery he tried to deduce Ivery from the Swiss business. He went to Berne and made a conspicuous public fool of himself for several weeks. He called himself an agent of the American propaganda there, and took some advertising space in the press and put in spread-eagle announcements of his mission, with the result that the Swiss Government threatened to turn him out of the country if he tampered that amount with their neutrality. He also wrote a lot of rot in the Geneva newspapers, which he paid to have printed, explaining how he was a pacificist, and was going to convert Germany to peace by "inspirational advertisement of pure-minded war aims." All this was in keeping with his English reputation, and he wanted to make himself a bait for Ivery.

But Ivery did not rise to the fly, and though he had a dozen agents working for him on the quiet he could never hear of the name Chelius. That was, he reckoned, a very private and particular name among the Wild Birds. However, he got to know a good deal about the Swiss end of the "Deep-breathing" business. That took some doing and cost a lot of money. His best people were a girl who posed as a *mannequin* in a milliner's shop in Lyons and a *concierge* in a big hotel at St. Moritz. His most important discovery was that there was a second cipher in the return messages sent from Switzerland, different from the one that the Gussiter lot used in England. He got this cipher, but though he could read it he couldn't make anything out of it. He concluded that it was a very secret means of communication between the inner circle of the Wild Birds, and that Ivery must be at the back of it. . . . But he was still a long way from finding out anything that mattered.

Then the whole situation changed, for Mary got in touch with Ivery. I must say she behaved like a shameless minx, for she kept on writing to him to an address he had once given her in Paris, and suddenly she got an answer. She was in Paris herself, helping to run one of the railway canteens, and staying with her French cousins, the de Mezières. One day he came to see her. That showed the boldness of the man, and his cleverness, for the whole secret police of France were after him and they never got within sight or sound. Yet here he was coming openly in the afternoon to have tea with an English girl.

It showed another thing, which made me blaspheme. A man so resolute and single-hearted in his job must have been pretty badly in love to take a risk like that.

He came, and he called himself the Capitaine Bommaerts, with a transport job on the staff of the French G.Q.G. He was on the staff right enough too. Mary said that when she heard that name she nearly fell down. He was quite frank with her, and she with him. They were both peacemakers, ready to break the laws of any land for the sake of a great ideal. Goodness knows what stuff they talked together. Mary said she would blush to think of it till her dying day, and I gathered that on her side it was a mixture of Launcelot Wake at his most pedantic and schoolgirl silliness.

He came again, and they met often, unbeknown to the decorous Madame de Mezières. They walked together in the Bois de Boulogne, and once, with a beating heart, she motored with him to Auteuil for luncheon. He spoke of his house in Picardy, and there were moments, I gathered, when he became the declared lover, to be rebuffed with a hoydenish shyness. Presently the pace became too hot, and after some anguished arguments with Bullivant on the long-distance telephone she went off to Douvecourt to Lady Manorwater's hospital. She went there to escape from him, but mainly, I think, to have a look—trembling in every limb, mind you—at the Château of Eaucourt Saint-Anne.

I had only to think of Mary to know just what Joan of Arc was. No man ever born could have done that kind of thing. It wasn't recklessness. It was sheer calculating courage.

Then Blenkiron took up the tale. The newspaper we found that Christmas Eve in the Château was of tremendous importance, for Bommaerts had pricked out in the advertisement the very special second cipher of the Wild Birds. That proved that Ivery was at the back of the Swiss business. But Blenkiron made doubly sure.

"I considered the time had come," he said. "to pay high

for valuable noos, so I sold the enemy a very pretty de-vice. If you ever gave your mind to ciphers and illicit correspondence, Dick, you would know that the one kind of document you can't write on in any invisible ink is a coated paper, the kind they use in the weeklies to print photographs of leading actresses and the stately homes of England. Anything wet that touches it corrugates the surface a trifle, and you can tell with a microscope if someone's been playing with it. Well, we had the good fortune to discover just how to get over that little difficulty—how to write on glazed paper with a liquid so as the cutest analyst couldn't spot it, and likewise how to detect the writing. I decided to sacrifice that invention, casting my bread upon the waters and looking for a good-sized bakery in return. . . . I had it sold to the enemy. The job wanted delicate handling, but the tenth man from me—he was an Austrian Jew—did the deal and scooped fifty thousand dollars out of it. Then I lay low to watch how my friend would use the de-vice, and I didn't wait long."

He took from his pocket a folded sheet of *L'Illustration*. Over a photogravure plate ran some words in a large sprawling hand, as if written with a brush.

"That page when I got it yesterday," he said, "was an unassuming picture of General Petain presenting military medals. There wasn't a scratch or a ripple on its surface. But I got busy with it, and see there!"

He pointed out two names. The writing was a set of key-words we did not know, but two names stood out which I knew too well.

They were "Bommaerts" and "Chelius."

"My God!" I cried, "that's uncanny. It only shows that if you chew long enough . . . "

"Dick," said Mary, "you mustn't say that again. At the best it's an ugly metaphor, and you're making it a platitude."

"Who is Ivery anyhow?" I asked. "Do we know more about him than we knew in the summer? Mary, what did Bommaerts pretend to be?"

"An Englishman." Mary spoke in the most matter-of-fact tone, as if it were a perfectly usual thing to be made love to by a spy, and that rather soothed my annoyance. "When he asked me to marry him he proposed to take me to a country-house in Devonshire. I rather think, too, he had a place in Scotland. But of course he's a German."

"Ye-es," said Blenkiron slowly, "I've got on to his record, and it isn't a pretty story. It's taken some working out, but I've got all the links tested now. . . . He's a Boche and a large-sized nobleman in his own state. Did you ever hear of the Graf von Schwabing?"

I shook my head.

"I think I have heard Uncle Charlie speak of him," said Mary, wrinkling her brows. "He used to hunt with the Pytchley."

"That's the man. But he hasn't troubled the Pytchley for the last eight years. There was a time when he was the last thing in smartness in the German court—officer in the Guards, ancient family, rich, darned clever—all the fixings. Kaiser liked him, and it's easy to see why. I guess a man who had as many personalities as the Graf was amusing after-dinner company. Specially among Germans, who in my experience don't excel in the lighter vein. Anyway, he was William's white-headed boy, and there wasn't a mother with a daughter who wasn't out gunning for Otto von Schwabing. He was about as popular in London and Noo York—and in Paris, too. Ask Sir Walter about him, Dick. He says he had twice the brains of Kuhlmann, and better manners than the Austrian fellow he used to yarn about. . . . Well, one day there came an almighty court scandal, and the bottom dropped out of the Graf's world. It was a pretty beastly story, and I don't gather that Schwabing was as deep in it as some others. But the trouble was that those others had to be shielded at all costs, and Schwabing was made the scapegoat. His name came out in the papers and he had to go. . . ."

"What was the case called?" I asked.

Blenkiron mentioned a name, and I knew why the word Schwabing was familiar. I had read the story long ago in Rhodesia.

"It was some smash," Blenkiron went on. "He was drummed out of the Guards, out of the clubs, out of the country. . . . Now, how would you have felt, Dick, if you had been the Graf? Your life and work and happiness crossed out, and all to save a mangy princeling. 'Bitter as hell,' you say? Hungering for a chance to put it across the lot that had outed you? You wouldn't rest till you had William sobbing on his knees asking your pardon, and you not thinking of granting it? That's the way you'd feel, but that wasn't the Graf's way, and what's more it isn't the German way. He went into exile hating humanity, and with a heart all poison and snakes, but itching to get back. And I'll tell you why. It's because his kind of German hasn't got any other home on this earth. Oh, yes, I know there's stacks of good old Teutons come and squat in our little country and turn into fine Americans. You can do a lot with them if you catch them young and teach them the Declaration of Independence and make them study our Sunday papers. But you can't deny there's something comic in the rough about all Germans, before you've civilised them. They're a pecooliar people, a darned pecooliar people, else they wouldn't staff all the menial and indecent occupations on the globe. But that pecooliarity, which is only skin-deep in the working Boche, is in the bone of the grandee. Your German aristocracy can't consort on terms of equality with any other Upper Ten Thousand. They swagger and bluff about the world, but they know very well that the world's sniggering at them. They're like a boss from Salt Creek Gully who's made his pile and bought a dress suit and dropped into a Newport evening party. They don't know where to put their hands or how to keep their feet still. . . . Your copper-bottomed English nobleman has got to keep jogging himself to treat them as equals instead of sending them down to the servants' hall. Their fine fixings are just the high light that reveals the everlasting jay. They can't be gentlemen, because they aren't sure of themselves. The world laughs at them, and they know it and it riles them like hell. . . . That's why when a Graf is booted out of the Fatherland, he's got to creep back somehow or be a wandering Jew for the rest of time."

Blenkiron lit another cigar and fixed me with his steady, ruminating eye.

"For eight years the man has slaved, body and soul, for the men who degraded him. He's earned his restoration and I daresay he's got it in his pocket. If merit was rewarded he should be covered with Iron Crosses and Red Eagles. . . . He had a pretty good hand to start out with. He knew other countries and he was a dandy at languages. More, he had an uncommon gift for living a part. That is real genius, Dick, however much it gets up against us. Best of all he had a first-class outfit of brains. I can't say I ever struck a better, and I've come across some bright citizens in my time. . . . And now he's going to win out, unless we get mighty busy."

There was a knock at the door and the solid figure of Andrew Amos revealed itself.

"It's time ye was home, Miss Mary. It chappit half-eleven as I came up the stairs. It's comin' on to rain, so I've brought an umbrelly"

"One word," I said. "How old is the man?"

"Just gone thirty-six," Blenkiron replied.

I turned to Mary, who nodded. "Younger than you, Dick," she said wickedly as she got into her big Jaeger coat.

"I'm going to see you home," I said.

"Not allowed. You've had quite enough of my society for one day. Andrew's on escort duty to-night."

Blenkiron looked after her as the door closed.

"I reckon you've got the best girl in the world."

"Ivery thinks the same," I said grimly, for my detestation of the man who had made love to Mary fairly choked me.

"You can see why. Here's this degenerate coming out of his rotten class, all pampered and petted and satiated with the easy pleasures of life. He has seen nothing of women except the bad kind and the overfed specimens of his own country. I hate being impolite about females, but I've always considered the German variety uncommon like cows. He has had desperate years of intrigue and danger, and consorting with every kind of scallawag. Remember, he's a big man and a poet, with a brain and an imagination that takes every grade without changing gears. Suddenly he meets something that is as fresh and lovely as a spring flower, and has wits too, and the steeliest courage, and yet is all youth and gaiety. It's a new experience for him, a kind of revelation, and he's big enough to value her as she should be valued. . . . No, Dick, I can understand you getting cross, but I reckon it an item to the man's credit."

"It's his blind spot all the same," I said.

"His blind spot," Blenkiron repeated solemnly, "and, please God, we're going to remember that."

Next morning in miserable sloppy weather Blenkiron carted me about Paris. We climbed five sets of stairs to a flat away up in Montmartre, where I was talked to by a fat man with spectacles and a slow voice and told various things that deeply concerned me. Then I went to a room in the Boulevard St. Germain, with a little cabinet opening off it, where I was shown papers and maps and some figures on a sheet of paper that made me open my eyes. We lunched in a modest café tucked away behind the Palais Royal, and our companions were two Alsatians who spoke German better than a Boche and had no names—only numbers. In the afternoon I went to a low building beside the Invalides and saw many generals, including more than one whose features were familiar in two hemispheres. I told them everything about myself, and I was examined like a convict, and all particulars about my appearance and manner of speech written down in a book. That was to prepare the way for me, in case of need, among the vast army of those who work underground and know their chief but do not know each other.

The rain cleared before night, and Blenkiron and I walked back to the hotel through that lemon-coloured dusk that you get in a French winter. We passed a company of American soldiers, and Blenkiron had to stop and stare. I could see that he was stiff with pride, though he wouldn't show it.

"What d'you think of that bunch?" he asked.

"First-rate stuff," I said.

"The men are all right," he drawled critically. "But some of the officer-boys are a bit puffy. They want fining down."

"They'll get it soon enough, honest fellows. You don't keep your weight long in this war."

"Say, Dick," he said shyly, "what do you truly think of our Americans? You've seen a lot of them, and I'd value your views." His tone was that of a bashful author asking for an opinion on his first book.

"I'll tell you what I think. You're constructing a great middle-class army, and that's the most formidable fighting machine on earth. This kind of war doesn't want the Berserker so much as the quiet fellow with a trained mind and a lot to fight for. The American ranks are filled with all sorts, from cow-punchers to college boys, but mostly with decent lads that have good prospects in life before them and are fighting because they feel they're bound to, not because they like it. It was the same stock that pulled through in your Civil War. We have a middle-class division, too—Scottish Territorials, mostly clerks and shop-men and engineers and farmers' sons. When I first struck them my only crab was that the officers weren't much better than the men. It's still true, but the men are super-excellent, and consequently so are the officers. That division gets top marks in the Boche calendar for sheer fighting devilment. . . . And, please God, that's what your American army's going to be. You can wash out the old idea of a regiment of scallawags commanded by dukes. That was right enough, maybe, in the days when you hurrooshed into battle waving a banner, but it don't do with high explosives and a couple of million men on each side and a battle front of five hundred miles. The hero of this war is the plain man out of the middle classes, who wants to get back to his home and is going to use all the brains and grit he possesses to finish the job soon."

"That sounds about right," said Blenkiron reflectively. "It pleases me some, for you've maybe guessed that I respect the British Army quite a little. Which part of it do you put top?"

"All of it's good. The French are keen judges and they give front place to the Scots and the Australians. For myself I think the backbone of the Army is the old-fashioned English county regiments that hardly ever get into the papers. . . . Though I don't know, if I had to pick, but I'd take the South Africans. There's only a brigade of them, but they're hell's delight in a battle. But then you'll say I'm prejudiced."

"Well," drawled Blenkiron, "you're a mighty Empire anyhow. I've sojourned up and down it and I can't guess how the old-time highbrows in your little island came to put it together. But I'll let you into a secret, Dick. I read this morning in a noospaper that there was a natural affinity between Americans and the men of the British Dominions. Take it from me, there isn't—at least not with this American. I don't understand them one little bit. When I see your lean, tall Australians with the sun at the back of their eyes, I'm looking at men from another planet. Outside you and Peter, I never got to fathom a South African. The Canadians live over the fence from us, but you mix up a Canuck with a Yank in your remarks and you'll get a bat in the eye. . . . But most of us Americans have gotten a grip on your Old Country. You'll find us mighty respectful to other parts of your Empire, but we say anything we dam well please about England. You see, we know her that well and like her that well, we can be free with her.

"It's like," he concluded as we reached the hotel, "it's like a lot of boys that are getting on in the world and are a bit jealous and stand-offish with each other. But they're all at home with the old man who used to warm them up with a hickory cane, even though sometimes in their haste they call him a standpatter."

That night at dinner we talked solid business—Blenkiron and I and a young French colonel from the IIIme Section at G.Q.G. Blenkiron, I remember, got very hurt about being called a business man by the Frenchman, who thought he was paying him a compliment.

"Cut it out," he said. "It is a word that's gone bad with me. There's just two kinds of men, those who've gotten sense and those who haven't. A big percentage of us Americans make our living by trading, but we don't think because a man's in business or even because he's made big money that he's any natural good at every job. We've made a college professor our President, and do what he tells us like little boys, though he don't earn more than some of us pay our works' manager. You English have gotten business men on the brain, and think a fellow's a dandy at handling your Government if he happens to have made a pile by some flat-catching ramp on your Stock Exchange. It makes me tired. You're about the best business nation on earth, but for God's sake don't begin to talk about it or you'll lose your power. And don't go confusing real business with the ordinary gift of raking in the dollars. Any man with sense could make money if he wanted to, but he mayn't want. He may prefer the fun of the job and let other people do the looting. I reckon the biggest business on the globe

"It is the last desperate struggle of a wounded beast, and in these struggles sometimes the hunter perishes. Dick's right. We've got a wasting margin and every extra ounce of weight's going to tell. The battle's in the field, and it's also in every corner of every Allied land. That's why within the next two months we've got to get even with the Wild Birds."

The French colonel—his name was de Vallière—smiled at the name, and Blenkiron answered my unspoken question.

"I'm going to satisfy some of your curiosity, Dick, for I've put together considerable noos of the menagerie. Germany has a good army of spies outside her borders. We shoot a batch now and then, but the others go on working like beavers and they do a mighty deal of harm. They're beautifully organised, but they don't draw on such good human material as we, and I reckon they don't pay in results more than ten cents on a dollar of trouble. But there they are. They're the intelligence officers and their business is just to forward noos. They're the birds in the cage, the—what is it your friend called them?"

"*Die Stubenvögel,*" I said.

"Yes, but all the birds aren't caged. There's a few outside the bars and they don't collect noos. They *do* things. If there's anything desperate they're put on the job, and they've got the power to act without waiting on instructions from home. I've investigated till my brain's tired and I haven't made out more than half a dozen whom I can say for certain are in the business. There's your pal, the Portuguese Jew, Dick. Another's a woman in Genoa, a princess of some sort married to a Greek financier. One's the editor of a pro-Ally up-country paper in the Argentine. One passes as a Baptist minister in Colorado. One was a police spy in the Tsar's Government and is now a red-hot revolutionary in the Caucasus. And the biggest, of course, is Moxon Ivery, who in happier times was the Graf von Schwabing. There aren't above a hundred people in the world know of their existence, and these hundred call them the Wild Birds."

"Do they work together?" I asked.

"Yes. They each get their own jobs to do, but they're apt to flock together for a big piece of devilment. There were four of them in France a year ago before the battle of the Aisne, and they pretty near rotted the French Army. That's so, Colonel?"

The soldier nodded grimly. "They seduced our weary troops and they bought many politicians. Almost they succeeded, but not quite. The nation is sane again, and is judging and shooting the accomplices at its leisure. But the principals we have never caught."

"You hear that, Dick," said Blenkiron. "You're satisfied this isn't a whimsey of a melodramatic old Yank? I'll tell you more. You know how Ivery worked the submarine business from England. Also, it was the Wild Birds that wrecked Russia. It was Ivery that paid the Bolshevists to sedooce the Army, and the Bolshevists took his money for their own purpose, thinking they were playing a deep game, when all the time he was grinning like Satan, for they were playing his. It was Ivery or some other of the bunch that doped the brigades that broke at Caporetto. If I started in to tell you the history of their doings you wouldn't go to bed, and if you did you wouldn't sleep. . . . There's just this to it. Every finished subtle devilry that the Boche has wrought among the Allies since August, 1914, has been the work of the Wild Birds and more or less organised by Ivery. They're worth half a dozen army corps to Ludendorff. They're the mightiest poison merchants the world ever saw, and they've the nerve of hell . . ."

"I don't know," I interrupted. "Ivery's got his soft spot. I saw him in the Tube station."

"Maybe, but he's got the kind of nerve that's wanted. And now I rather fancy he's whistling in his flock."

Blenkiron consulted a notebook. "Pavia—that's the Argentine man—started last month for Europe. He transhipped from a coasting steamer in the West Indies and we've temporarily lost track of him, but he's left his hunting-ground. What do you reckon that means?

"It means," Blenkiron continued solemnly, "that Ivery thinks the game's nearly over. The play's working up for the big climax. . . . And that climax is going to be damnation for the Allies, unless we get a move on."

"Right," I said. "That's what I'm here for. What's the move?"

"The Wild Birds mustn't ever go home, and the man they call Ivery or Bommaerts or Chelius has to decease. It's a cold-blooded proposition, but it's him or the world that's got to break. But before he quits this earth we're bound to get wise about some of his plans, and that means that we can't just shoot a pistol at his face. Also we've got to find him first. We reckon he's in Switzerland, but that is a state with quite a lot of diversified scenery to lose a man in. . . . Still I guess we'll find him. But it's the kind of business to plan out as carefully as a battle. I'm going back to Berne on my old stunt to boss the show, and I'm giving the orders. You're an obedient child, Dick, so I don't reckon on any trouble that way."

Then Blenkiron did an ominous thing. He pulled up a little table and started to lay out Patience cards. Since his duodenum was cured he seemed to have dropped that habit, and from his resuming it I gathered that his mind was uneasy. I can see that scene as if it were yesterday—the French colonel in an arm-chair smoking a cigarette in a long amber holder, and Blenkiron sitting primly on the edge of a yellow silk ottoman, dealing his cards and looking guiltily towards me.

"You'll have Peter for company," he said. "Peter's a sad man, but he has a great heart, and he's been mighty useful to me already. They're going to move him to England very soon. The authorities are afraid of him, for he's apt to talk wild, his health having made him peevish about the British. But there's a deal of red-tape in the world, and the orders for his repatriation are slow in coming." The speaker winked very slowly and deliberately with his left eye.

I asked if I was to be with Peter, much cheered at the prospect.

"Why, yes. You and Peter are the collateral in the deal. But the big game's not with you."

I had a presentiment of something coming, something anxious and unpleasant.

"Is Mary in it?" I asked.

He nodded and seemed to pull himself together for an explanation.

"See here, Dick. Our main job is to get Ivery back to Allied soil where we can handle him. And there's just the one magnet that can fetch him back. You aren't going to deny that."

I felt my face getting very red, and that ugly hammer began beating in my forehead. Two grave, patient eyes met my glare.

"I'm damned if I'll allow it!" I cried. "I've some right to a say in the thing. I won't have Mary made a decoy. It's too infernally degrading."

"It isn't pretty, but war isn't pretty, and nothing we do is pretty. I'd have blushed like a rose when I was young and innocent to imagine the things I've put my hand to in the last three years. But have you any other way, Dick? I'm not proud, and I'll scrap the plan if you can show me another. . . . Night after night I've hammered the thing out, and I can't hit on a better. . . . Heigh-ho, Dick, this isn't like you," and he grinned ruefully. "You're making yourself a fine argument in favour of celibacy—in time of war, anyhow. What is it the poet sings?—

> 'White hands cling to the bridle rein,
> Slipping the spur from the booted heel.'"

I was as angry as sin, but I felt all the time I had no case. Blenkiron stopped his game of Patience, sending the cards flying over the carpet, and straddled on the hearthrug.

"You're never going to be a piker. What's dooty, if you won't carry it to the other side of hell? What's the use of yapping about your country if you're going to keep anything back when she calls for it? What's the good of meaning to win the war if you don't put every cent you've got on your stake? You'll make me think you're like the jacks in your English novels that chuck in their hand and say it's up to God, and call that 'seeing it through.' . . . No, Dick, that kind of dooty don't deserve a blessing. You dursn't keep back anything if you want to save your soul.

"Besides," he went on, "what a girl it is! She can't scare and she can't soil. She's white-hot youth and innocence, and she'd take no more harm than clean steel from a muck-heap."

I knew I was badly in the wrong, but my pride was all raw.

"I'm not going to agree till I've talked to Mary."

"But Miss Mary has consented," he said gently. "She made the plan."

Next day, in clear blue weather that might have been May, I drove Mary down to Fontainebleau. We lunched in the inn by the bridge and walked into the forest. I hadn't slept much, for I was tortured by what I thought was anxiety for her, but which was in truth jealousy of Ivery. I don't think that I would have minded her risking her life, for that was part of the game we were both in, but I jibbed at the notion of Ivery coming near her again. I told myself it was honourable pride, but I knew deep down in me that it was jealousy.

I asked her if she had accepted Blenkiron's plan, and she turned mischievous eyes on me.

"I knew I should have a scene with you, Dick. I told Mr. Blenkiron so. . . . Of course I agreed. I'm not even very much afraid of it. I'm a member of the team, you know, and I must play up to my form. I can't do a man's work, so all the more reason why I should tackle the thing I can do."

"But," I stammered, "it's such a . . . such a degrading business for a child like you. I can't bear . . . It makes me hot to think of it."

Her reply was merry laughter.

"You're an old Ottoman, Dick. You haven't doubled Cape Turk yet, and I don't believe you're round Seraglio Point. Why, women aren't the brittle things men used to think them. They never were, and the war has made them like whipcord. Bless you, my dear, we're the tougher sex now. We've had to wait and endure, and we've been so beaten on the anvil of patience that we've lost all our megrims."

She put her hands on my shoulders and looked me in the eyes.

"Look at me, Dick, look at your someday-to-be espouséd saint. I'm nineteen years of age next August. Before the war I should have only just put my hair up. I should have been the kind of shivering debutante who blushes when she's spoken to, and oh! I should have thought such silly, silly things about life. . . . Well, in the last two years I've been close to it, and to death. I've nursed the dying. I've seen souls in agony and in triumph. England has allowed me to serve her as she allows her sons. Oh, I'm a robust young woman now, and indeed I think women were always robuster than men. . . . Dick, dear Dick, we're lovers, but we're comrades too—always comrades, and comrades trust each other."

I hadn't anything to say, except contrition, for I had had my lesson. I had been slipping away in my thoughts from the gravity of our task, and Mary had brought me back to it. I remember that as we walked through the woodland we came to a place where there were no signs of war. Elsewhere there were men busy felling trees, and anti-aircraft guns, and an occasional transport waggon, but here there was only a shallow grassy vale, and in the distance, bloomed over like a plum in the evening haze, the roofs of an old dwelling-house among gardens.

Mary clung to my arm as we drank in the peace of it. "That is what lies for us at the end of the road, Dick," she said softly.

And then, as she looked, I felt her body shiver. She returned to the strange fancy she had had in the St. Germains woods three days before.

"Somewhere it's waiting for us and we shall certainly find it. . . . But first we must go through the Valley of the Shadow. . . . And there is the sacrifice to be made . . . the best of us."

CHAPTER XV

ST. ANTON

TEN days later the porter Joseph Zimmer of Arosa, clad in the tough and shapeless trousers of his class, but sporting an old velveteen shooting-coat bequeathed to him by a former German master—speaking the guttural tongue of the Grisons, and with all his belongings in one massive rucksack, came out of the little station of St. Anton and blinked in the frosty sunshine. He looked down upon the old village beside its icebound lake, but his business was with the new village of hotels and villas which had sprung up in the last ten years south of the station. He made some halting inquiries of the station people, and a cab-driver outside finally directed him to the place he sought—the cottage of the Widow Summermatter, where resided an English *interné,* one Peter Pienaar.

The porter Joseph Zimmer had had a long and roundabout journey. A fortnight before he had worn the uniform of a British major-general. As such he had been the inmate of an expensive Paris hotel, till one morning, in grey tweed clothes and with a limp, he had taken the Paris-Mediterranean Express with a ticket for an officers' convalescent home at Cannes. Thereafter he had declined in the social scale. At Dijon he had been still an Englishman, but at Pontarlier he had become an American bagman of Swiss parentage, returning to wind up his father's estate. At Berne he limped excessively, and at Zurich, at a little backstreet hotel, he became frankly the peasant. For he met a friend there from whom he acquired clothes with that odd rank smell, far stronger that Harris tweed, which marks the raiment of most Swiss guides and all Swiss porters. He also acquired a new name and an old aunt, who a little later received him with open arms and explained to her friends that he was her brother's son from Arosa who three winters ago had hurt his leg wood-cutting and had been discharged from the levy.

A kindly Swiss gentleman, as it chanced, had heard of the deserving Joseph and interested himself to find him employment. The said philanthropist made a hobby of the French and British prisoners returned from Germany, and had in mind an officer, a crabbed South African with a bad leg, who needed a servant. He was, it seemed, an ill-tempered old fellow who had to be billeted alone, and since he could speak German, he would be happier with a Swiss native. Joseph haggled somewhat over the wages, but on his aunt's advice he accepted the job, and, with a very complete set of papers and a store of ready-made reminiscences (it took him some time to swot up the names of the peaks and passes he had traversed) set out for St. Anton, having dispatched beforehand a monstrously ill-spelt letter announcing his coming. He could barely read and write, but he was good at maps, which he had studied carefully, and he noticed with satisfaction that the valley of St. Anton gave easy access to Italy.

As he journeyed south the reflections of that porter would have surprised his fellow travellers in the stuffy third-class carriage. He was thinking of a conversation he had had some days before in a café at Dijon with a young Englishman bound for Modane. . . .

We had bumped up against each other by chance in that strange flitting when we all went to different places at different times, asking nothing of each other's business. Wake had greeted me rather shamefacedly and had proposed dinner together.

I am not good at receiving apologies, and Wake's embarrassed me more than they embarrassed him. "I'm a bit of a cad sometimes," he said. "You know I'm a better fellow than I sounded that night, Hannay."

I mumbled something about not talking rot—the conventional phrase. What worried me was that the man was suffering. You could see it in his eyes. But that evening I got nearer Wake than ever before, and he and I became true friends, for he laid bare his soul before me. That was his trouble, that he could lay bare his soul, for ordinary healthy folks don't analyse their feelings. Wake did, and I think it brought him relief.

"Don't think I was ever your rival. I would no more have proposed to Mary than I would have married one of her aunts. She was so sure of herself, so happy in her single-heartedness that she terrified me. My type of man is not meant for marriage, for women must be in the centre of life, and we must always be standing aside and looking on. It is a damnable thing to be born left-handed."

"The trouble about you, my dear chap," I said, "is that you're too hard to please."

"That's one way of putting it. I should put it more harshly. I hate more than I love. All we humanitarians and pacificists have hatred as our mainspring. Odd, isn't it, for people who preach brotherly love? But it's the truth. We're full of hate towards everything that doesn't square in with our ideas, everything that jars on our ladylike nerves. Fellows like you are so in love with their cause that they've no time or inclination to detest what thwarts them. We've no cause—only negatives, and that means hatred, and self-torture, and a beastly jaundice of soul."

Then I knew that Wake's fault was not spiritual pride, as I had diagnosed it at Biggleswick. The man was abased with humility.

"I see more than other people see," he went on, "and I feel more. That's the curse on me. You're a happy man and you get things done, because you only see one side of a case, one thing at a time. How would you like it if a thousand strings were always tugging at you, if you saw that every course meant the sacrifice of lovely and desirable things, or even the shattering of what you know to be unreplaceable? I'm the kind of stuff poets are made of, but I haven't the poet's gift, so I stagger about the world left-handed and game-legged. . . . Take the war. For me to fight would be worse than for another man to run away. From the bottom of my heart I believe that it needn't have happened, and that all war is a blistering iniquity. And yet belief has got very little to do with virtue. I'm not as good a man as you, Hannay, who never thought out anything in your life. My time in the Labour battalion taught me something. I knew that with all my fine aspirations I wasn't as true a man as fellows whose talk was silly oaths and who didn't care a tinker's curse about their soul."

I remember that I looked at him with a sudden understanding. "I think I know you. You're the sort of chap who won't fight for his country because he can't be sure that she's altogether in the right. But he'd cheerfully die for her, right or wrong."

His face relaxed in a slow smile. "Queer that you should say that. I think it's pretty near the truth. Men like me aren't afraid to die, but they haven't quite the courage to live. Every man should be happy in a service, like you, when he obeys orders. I couldn't get on in any service. I lack the bump of veneration. I can't swallow things merely because I'm told to. My sort are always talking about 'service,' but we haven't the temperament to serve. I'd give all I have to be an ordinary cog in the wheel, instead of a confounded outsider who finds fault with the machinery. . . . Take a great violent high-handed fellow like you. You can sink yourself till you become only a name and a number. I couldn't if I tried. I'm not sure if I want to, either. I cling to the odds and ends that are my own."

"I wish I had had you in my battalion a year ago," I said.

"No, you don't. I'd only have been a nuisance. I've been a Fabian since Oxford, but you're a better socialist than me. I'm a rancid individualist."

"But you must be feeling better about the war?" I asked.

"Not a bit of it. I'm still lusting for the heads of the politicians that made it and continue it. But I want to help my country. Honestly, Hannay, I love the old place. More, I think, than I love myself, and that's saying a devilish lot. Short of fighting—which would be the sin against the Holy Spirit for me—I'll do my damnedest. But you'll remember I'm not used to team work. If I'm a jealous player, beat me over the head."

His voice was almost wistful, and I liked him enormously.

"Blenkiron will see to that," I said. "We're going to break you to harness, Wake, and then you'll be a happy man. You keep your mind on the game and forget about yourself. That's the cure for jibbers."

As I journeyed to St. Anton I thought a lot about that talk. He was quite right about Mary, who would never have married him. A man with such an angular soul couldn't fit into another's. And then I thought that the chief thing about Mary was just her serene certainty. Her eyes had that settled happy look that I remembered to have seen only in one other human face, and that was Peter's. . . . But I wondered if Peter's eyes were still the same.

I found the cottage, a little wooden thing which had been left perched on its knoll when the big hotels grew up around it. It had a fence in front, but behind it was open to the hillside. At the gate stood a bent old woman with a face like a pippin. My make-up must have been good, for she accepted me before I introduced myself.

"God be thanked you are come," she cried. "The poor lieutenant needed a man to keep him company. He sleeps now, as he does always in the afternoon, for his leg wearies him in the night. . . . But he is brave, like a soldier. . . . Come, I will show you the house, for you two will be alone now."

Stepping softly she led me indoors, pointing with a warning finger to the little bedroom where Peter slept. I found a kitchen with a big stove and a rough floor of planking, on which lay some badly cured skins. Off it was a sort of pantry with a bed for me. She showed me the pots and pans for cooking and the stores she had laid in, and where to find water and fuel. "I will do the marketing daily," she said, "and if you need me, my dwelling is half a mile up the road beyond the new church. God be with you, young man, and be kind to that wounded one."

When the Widow Summermatter had departed I sat down in Peter's arm-chair and took stock of the place. It was quiet and simple and homely, and through the window came the gleam of snow on the diamond hills. On the table beside the stove were Peter's cherished belongings—his buck-skin pouch and the pipe which Jannie Grobelaar had carved for him in St. Helena, an aluminium field match-box I had given him, a cheap large-print Bible such as padres present to well-disposed privates, and an old battered *Pilgrim's Progress* with gaudy pictures. The illustration at which I opened showed Faithful going up to Heaven from the fire of Vanity Fair like a woodcock that has just been flushed. Everything in the room was exquisitely neat, and I knew that that was Peter and not the Widow Summermatter. On a peg behind the door hung his much-mended coat, and sticking out of a pocket I recognised a sheaf of my own letters. In one corner stood something which I had forgotten about—an invalid chair.

The sight of Peter's plain little oddments made me feel solemn. I wondered if his eyes would be like Mary's now, for I could not conceive what life would be for him as a cripple. Very gently I opened the bedroom door and slipped inside.

He was lying on a camp bedstead with one of those striped Swiss blankets pulled up round his ears, and he was asleep. It was the old Peter beyond doubt. He had the hunter's gift of breathing evenly through his nose, and the white scar on the deep brown of his forehead was what I had always remembered. The only change since I last saw him was that he had let his beard grow again, and it was grey.

As I looked at him the remembrance of all we had been through together flooded back upon me, and I could have cried with joy at being beside him. Women, bless their hearts! can never know what long comradeship means to men; it is something not in their lives, something that belongs only to that wild, undomesticated world which we forswear when we find our mates. Even Mary understood only a bit of it. I had just won her love, which was the greatest thing that ever came my way, but if she had entered at that moment I would scarcely have turned my head. I was back again in the old life and was not thinking of the new.

Suddenly I saw that Peter was awake and was looking at me.

"Dick," he said in a whisper, "Dick, my old friend."

The blanket was tossed off, and his long, lean arms were stretched out to me. I gripped his hands, and for a little we did not speak. Then I saw how woefully he had changed. His left leg had shrunk, and from the knee down was like a pipe stem. His face, when awake, showed the lines of hard suffering and he seemed shorter by half a foot. But his eyes were still like Mary's. Indeed they seemed to be more patient and peaceful than in the days when he sat beside me on the buck-waggon and peered over the hunting-veld.

I picked him up—he was no heavier than Mary—and carried him to his chair beside the stove. Then I boiled water and made tea, as we had so often done together.

"Peter, old man," I said, "we're on trek again, and this is a very snug little *rondavel*. We've had many good yarns, but this is going to be the best. First of all, how about your health?"

"Good. I'm a strong man again, but slow like a hippo cow. I have been lonely sometimes, but that is all by now. Tell me of the big battles."

But I was hungry for news of him and kept him to his own case. He had no complaint of his treatment except that he did not like Germans. The doctors at the hospital had been clever, he said, and had done their best for him, but nerves and sinews and small bones had been so wrecked that they could not mend his leg, and Peter had all the Boer's dislike of amputation. One doctor had been in Damaraland and talked to him of those baked sunny spaces and made him homesick. But he returned always to his dislike of Germans. He had seen them herding our soldiers like brute beasts, and the commandant had a face like Stumm and a chin that stuck out and wanted hitting. He made an exception for the great airman Lensch, who had downed him.

"He is a white man, that one," he said. "He came to see me in hospital and told me a lot of things. I think he made them treat me well. He is a big man, Dick, who would make two of me, and he has a round, merry face and pale eyes like Frickie Celliers who could put a bullet through a pauw's head at two hundred yards. He said he was sorry I was lame, for he hoped to have more fights with me. Some woman that tells fortunes had said that I would be the end of him, but he reckoned she had got the thing the wrong way on. I hope he will come through this war, for he is a good man, though a German. . . . But the others! They are like the fool in the Bible, fat and ugly in good fortune and proud and vicious when their luck goes. They are not a people to be happy with."

Then he told me that to keep up his spirits he had amused himself with playing a game. He had prided himself on being a Boer, and spoken coldly of the British. He had also, I gathered, imparted many things calculated to deceive. So he left Germany with good marks, and in Switzerland had held himself aloof from the other British wounded, on the advice of Blenkiron, who had met him as soon as he crossed the frontier. I gathered it was Blenkiron who had had him sent to St. Anton, and in his time there, as a disgruntled Boer, he had mixed a good deal with Germans. They had pumped him about our air service, and Peter had told them many ingenious lies and heard curious things in return.

"They are working hard, Dick," he said. "Never forget that. The German is a stout enemy, and when we beat him with a machine he sweats till he has invented a new one. They have great pilots, but never so many good ones as we, and I do not think in ordinary fighting they can ever beat us. But you must watch Lensch, for I fear him. He has a new machine, I hear, with great engines and a short wingspread, but the wings so cambered that he can climb fast. That will be a suprise to spring upon us. You will say that we'll soon better it. So we shall, but if it was used at a time when we were pushing hard it might make the little difference that loses battles."

"You mean," I said, "that if we had a great attack ready and had driven all the Boche planes back from our front, Lensch and his circus might get over in spite of us and blow the gaff?"

"Yes," he said solemnly. "Or if we were attacked, and had a weak spot, Lensch might show the Germans where to get through. I do not think we are going to attack for a long time; but I am pretty sure that Germany is going to fling every man against us. That is the talk of my friends, and it is not bluff."

That night I cooked our modest dinner, and we smoked our pipes with the stove door open and the good smell of wood-smoke in our nostrils. I told him of all my doings and of the Wild Birds and Ivery and the job we were engaged on. Blenkiron's instructions were that we two should live humbly and keep our eyes and ears open, for we were outside suspicion—the cantankerous lame Boer and his loutish servant from Arosa. Somewhere in the place was a rendezvous of our enemies, and thither came Chelius on his dark errands.

Peter nodded his head sagely. "I think I have guessed the place. The daughter of the old woman used to pull my chair sometimes down to the village, and I have sat in cheap inns and talked to servants. There is a fresh-water pan there, but it is all covered with snow now, and beside it there is a big house that they call the Pink Chalet. I do not know much about it, except that rich folk live in it, but I know the other houses and they are harmless. Also the big hotels, which are too cold and public for strangers to meet in."

I put Peter to bed, and it was a joy to me to look after him, to give him his tonic and prepare the hot-water bottle that comforted his neuralgia. His behaviour was like a docile child's, and he never lapsed from his sunny temper, though I could see how his leg gave him hell. They had tried massage for it and given it up, and there was nothing for him but to endure till nature and his tough constitution deadened the tortured nerves again. I shifted my bed out of the pantry and slept in the room with him, and when I woke in the night, as one does the first time in a strange place, I could tell by his breathing that he was wakeful and suffering.

Next day a bath chair containing a grizzled cripple and pushed by a limping peasant might have been seen descending the long hill to the village. It was clear frosty weather which made the cheeks tingle, and I felt so full of beans that it was hard to remember my game leg. The valley was shut in on the east by a great mass of rocks and glaciers, belonging to a mountain whose top could not be seen. But on the south, above the snowy fir-woods, there was a most delicate lace-like peak with a point like a needle. I looked at it with interest, for beyond it lay the valley which led to the Staub pass, and beyond that was Italy—and Mary.

The old village of St. Anton had one long, narrow street which bent at right angles to a bridge which spanned the river flowing from the lake. Thence the road climbed steeply, but at the other end of the street it ran on the level by the water's edge, lined with gimcrack boarding-houses, now shuttered to the world, and a few villas in patches of garden. At the far end, just before it plunged into a pine-wood, a promontory jutted into the lake, leaving a broad space between the road and the water. Here were the grounds of a more considerable dwelling—snow-covered laurels and rhododendrons with one or two bigger trees—and just on the water-edge stood the house itself, called the Pink Chalet.

I wheeled Peter past the entrance on the crackling snow of the highway. Seen through the gaps of the trees the front looked new, but the back part seemed to be of some age, for I could see high walls, broken by few windows, hanging over the water. The place was no more a chalet than a donjon, but I suppose the name was given in honour of a wooden gallery above the front door. The whole thing was washed in an ugly pink. There were outhouses—garage or stables among the trees—and at the entrance there were fairly recent tracks of an automobile.

On our way back we had some very bad beer in a café and made friends with the woman who kept it. Peter had to tell her his story, and I trotted out my aunt in Zurich, and in the end we heard her grievances. She was a true Swiss, angry at all the belligerents who had spoiled her livelihood, hating Germany most but also fearing her most. Coffee, tea, fuel, bread, even milk and cheese were hard to get and cost a ransom. It would take the land years to recover, and there would be no more tourists, for there was little money left in the world. I dropped a question about the Pink Chalet, and was told that it belonged to one Schweigler, a professor of Berne, an old man who came sometimes for a few days in the summer. It was often let, but not now. Asked if it was occupied, she remarked that some friends of the Schweiglers—rich people from Basle—had been there for the winter. "They come and go in great cars," she said bitterly, "and they bring their food from the cities. They spend no money in this poor place."

Presently Peter and I fell into a routine of life, as if we had always kept house together. In the morning he went abroad in his chair, in the afternoon I would hobble about on my own errands. We sank into the background and took its colour, and a less conspicuous pair never faced the eye of suspicion. Once a week a young Swiss officer, whose business it was to look after British wounded, paid us a hurried visit. I used to get letters from my aunt in Zurich, sometimes with the postmark of Arosa, and now and then these letters would contain curiously worded advice or instructions from him whom my aunt called "the kind patron." Generally I was told to be patient. Sometimes I had word about the health of "my little cousin across the mountains." Once I was bidden expect a friend of the patron's, the wise doctor of whom he had often spoken, but though after that I shadowed the Pink Chalet for two days no doctor appeared.

My investigations were a barren business. I used to go down to the village in the afternoon and sit in an out-of-the-way café, talking slow German with peasants and hotel porters, but there was little to learn. I knew all there was to hear about the Pink Chalet, and that was nothing. A young man who ski-ed stayed for three nights and spent his days on the alps above the fir-woods. A party of four, including two women, was reported to have been there for a night—all ramifications of the rich family of Basle. I studied the house from the lake, which should have been nicely swept into ice-rings, but from lack of visitors was a heap of blown snow. The high old walls of the back part were built straight from the water's edge. I remember I tried a short cut through the grounds to the highroad and was given "Good afternoon" by a smiling German man-servant. One way and another I gathered there were a good many serving-men about the place—too many for the infrequent guests. But beyond this I discovered nothing.

Not that I was bored, for I had always Peter to turn to. He was thinking a lot about South Africa, and the thing he liked best was to go over with me every detail of our old expeditions. They belonged to a life which he could think about without pain, whereas the war was too near and bitter for him. He liked to hobble out-of-doors after the darkness came and look at his old friends, the stars. He called them by the words they use on the veld, and the first star of morning he called the *voorlooper*—the little boy who inspans the oxen—a name I had not heard for twenty years. Many a great yarn we spun in the long evenings, but I always went to bed with a sore heart. The longing in his eyes was too urgent, longing not for old days or far countries, but for the health and strength which had once been his pride.

One night I told him about Mary.

"She will be a happy *mysie,*" he said, "but you will need to be very clever with her, for women are queer cattle and you and I don't know their ways. They tell me English women do not cook and make clothes like our vrouws, so what will she find to do? I doubt an idle woman will be like a mealie-fed horse."

It was no good explaining to him the kind of girl Mary was, for that was a world entirely beyond his ken. But I could see that he felt lonelier than ever at my news. So I told him of the house I meant to have in England when the war was over—an old house in a green hilly country, with fields that would carry four head of cattle to the *morgen* and furrows of clear water, and orchards of plums and apples. "And you will stay with us all the time," I said. "You will have your own rooms and your own boy to look after you, and you will help me to farm, and we will catch fish together, and shoot the wild ducks when they come up from the pans in the evening. I have found a better countryside than the Houtbosch, where you and I planned to have a farm. It is a blessed and happy place, England."

He shook his head. "You are a kind man, Dick, but your pretty *mysie* won't want an ugly old fellow like me hobbling about her house. . . . I do not think I will go back to Africa, for I should be sad there in the sun. I will find a little place in England, and some day I will visit you, old friend."

That night his stoicism seemed for the first time to fail him. He was silent for a long time and went early to bed, where I can vouch for it he did not sleep. But he must have thought a lot in the night time, for in the morning he had got himself in hand and was as cheerful as a sandboy.

I watched his philosophy with amazement. It was far beyond anything I could have compassed myself. He was so frail and so poor, for he had never had anything in the world but his bodily fitness, and he had lost that now. And remember, he had lost it after some months of glittering happiness, for in the air he had found the element for which he had been born. Sometimes he dropped a hint of those days when he lived in the clouds and invented a new kind of battle, and his voice always grew hoarse. I could see that he ached with longing for their return. And yet he never had a word of complaint. That was the ritual he had set himself, his point of honour, and he faced the future with the same kind of courage as that with which he had tackled a wild beast or Lensch himself. Only it needed a far bigger brand of fortitude.

Another thing was that he had found religion. I doubt if that is the right way to put it, for he had always had it. Men who live in the wilds know they are in the hands of God. But his old kind had been a tattered thing, more like heathen superstition, though it had always kept him humble. But now he had taken to reading the Bible and to thinking in his lonely nights, and he had got a creed of his own. I daresay it was crude enough, I am sure it was unorthodox; but if the proof of religion is that it gives a man a prop in bad days, then Peter's was the real thing. He used to ferret about in the Bible and the *Pilgrim's Progress*—they were both equally inspired in his eyes—and find texts which he interpreted in his own way to meet his case. He took everything quite literally. What happened three thousand years ago in Palestine might, for all he minded, have been going on next door. I used to chaff him and tell him that he was like the Kaiser, very good at fitting the Bible to his purpose, but his sincerity was so complete that he only smiled. I remember one night, when he had been thinking about his flying days, he found a passage in Thessalonians about the dead rising to meet their Lord in the air, and that cheered him a lot. Peter, I could see, had the notion that his time here wouldn't be very long, and he liked to think that when he got his release he would find once more the old rapture.

Once, when I said something about his patience, he said he had got to try to live up to Mr. Standfast. He had fixed on that character to follow, though he would have preferred Mr. Valiant-for-Truth if he had thought himself good enough. He used to talk about Mr. Standfast in his queer way as if he were a friend of us both, like Blenkiron. . . . I tell you I was humbled out of all my pride by the sight of Peter, so uncomplaining and gentle and wise. The Almighty Himself couldn't have made a prig out of him, and he never would have thought of preaching. Only once did he give me advice. I had always a liking for short cuts, and I was getting a bit restive under the long inaction. One day when I expressed my feelings on the matter, Peter upped and read from the *Pilgrim's Progress*: " Some also have wished that the next way to their Father's house were here, that they might be troubled no more with either hills or mountains to go over, but the Way is the Way, and there is an end."

All the same when we got into March and nothing happened I grew pretty anxious. Blenkiron had said we were fighting against time, and here were the weeks slipping away. His letters came occasionally, always in the shape of communications from my aunt. One told me that I would soon be out of a job, for Peter's repatriation was just about through, and he might get his movement order any day. Another spoke of my little cousin over the hills, and said that she hoped soon to be going to a place called Santa Chiara in the Val Saluzzana. I got out the map in a hurry and measured the distance from there to St. Anton and pored over the two roads thither—the short one by the Staub Pass and the long one by the Marjolana. These letters made me think that things were nearing a climax, but still no instructions came. I had nothing to report in my own messages, I had discovered nothing in the Pink Chalet but idle servants, I was not even sure if the Pink Chalet were not a harmless villa, and I hadn't come within a thousand miles of finding Chelius. All my desire to imitate Peter's stoicism didn't prevent me from getting occasionally rattled and despondent.

The one thing I could do was to keep fit, for I had a notion I might soon want all my bodily strength. I had to keep up my pretence of lameness in the day-time, so I used to take my exercise at night. I would sleep in the afternoon, when Peter had his siesta, and then about ten in the evening, after putting him to bed, I would slip out-of-doors and go for a four or five hours' tramp. Wonderful were those midnight wanderings. I pushed up through the snow-laden pines to the ridges where the snow lay in great wreaths and scallops, till I stood on a crest with a frozen world at my feet and above me a host of glittering stars. Once on a night of full moon I reached the glacier at the valley head, scrambled up the moraine to where the ice began, and peered fearfully into the spectral crevasses. At such hours I had the earth to myself, for there was not a sound except the slipping of a burden of snow from the trees or the crack and rustle which reminded me that a glacier was a moving river. The war seemed very far away, and I felt the littleness of our human struggles, till I thought of Peter turning from side to side to find ease in the cottage far below me. Then I realised that the spirit of man was the greatest thing in this spacious world. . . . I would get back about three or four, have a bath in the water which had been warming in my absence, and creep into bed, almost ashamed of having two sound legs, when a better man a yard away had but one.

Oddly enough at these hours there seemed more life in

the Pink Chalet than by day. Once, tramping across the lake long after midnight, I saw lights in the lake-front in windows which for ordinary were blank and shuttered. Several times I cut across the grounds, when the moon was dark. On one such occasion a great car with no lights swept up the drive, and I heard low voices at the door. Another time a man ran hastily past me, and entered the house by a little door on the eastern side, which I had not before noticed. . . . Slowly the conviction began to grow on me that we were not wrong in marking down this place, that things went on within it which it deeply concerned us to discover. But I was puzzled to think of a way. I might butt inside, but for all I knew it would be upsetting Blenkiron's plans, for he had given me no instructions about housebreaking. All this unsettled me worse than ever. I began to lie awake planning some means of entrance . . . I would be a peasant from the next valley who had twisted his ankle. . . . I would go seeking an imaginary cousin among the servants. . . . I would start a fire in the place and have the doors flung open to zealous neighbours. . . .

And then suddenly I got instructions in a letter from Blenkiron.

It came inside a parcel of warm socks that arrived from my kind aunt. But the letter for me was not from her. It was in Blenkiron's large sprawling hand and the style of it was all his own. He told me that he had about finished his job. He had got his line on Chelius, who was the bird he expected, and that bird would soon wing its way southward across the mountains for the reason I knew of.

"We've got an almighty move on," he wrote, "and please God you're going to hustle some in the next week. It's going better than I ever hoped." But something was still to be done. He had struck a countryman, one Clarence Donne, a journalist of Kansas City, whom he had taken into the business. Him he described as a "crackerjack" and commended to my esteem. He was coming to St. Anton, for there was a game afoot at the Pink Chalet, which he would give me news of. I was to meet him next evening at nine-fifteen at the little door in the east end of the house. "For the love of Mike, Dick," he concluded, "be on time and do everything Clarence tells you as if he was me. It's a mightly complex affair, but you and he have sand enough to pull it through. Don't worry about your little cousin. She's safe and out of the job now."

My first feeling was one of immense relief, especially at the last words. I read the letter a dozen times to make sure I had its meaning. A flash of suspicion crossed my mind that it might be a fake, principally because there was no mention of Peter, who had figured large in the other missives. But why should Peter be mentioned when he wasn't on in this piece? The signature convinced me. Ordinarily Blenkiron signed himself in full with a fine commercial flourish. But when I was at the Front he had got into the habit of making a kind of hieroglyphic of his surname to me and sticking J. S. after it in a bracket. That was how this letter was signed, and it was sure proof it was all right.

I spent that day day and the next in wild spirts. Peter spotted what was on, though I did not tell him for fear of making him envious. I had to be extra kind to him, for I could see that he ached to have a hand in the business. Indeed he asked shyly if I couldn't fit him in, and I had to lie about it and say it was only another of my aimless circumnavigations of the Pink Chalet.

"Try and find something where I can help," he pleaded. "I'm pretty strong still, though I'm lame, and I can shoot a bit."

I declared that he would be used in time, that Blenkiron had promised he would be used, but for the life of me I couldn't see how.

At nine o'clock on the evening appointed I was on the lake opposite the house, close in under the shore, making my way to the rendezvous. It was a coal-black night, for though the air was clear the stars were shining with little light, and the moon had not yet risen. With a premonition that I might be long away from food, I had brought some slabs of chocolate, and my pistol and torch were in my pocket. It was bitter cold, but I had ceased to mind weather, and I wore my one suit and no overcoat.

The house was like a tomb for silence. There was no crack of light anywhere, and none of those smells of smoke and food which proclaim habitation. It was an eerie job scrambling up the steep bank east of the place, to where the flat of the garden started, in a darkness so great that I had to grope my way like a blind man.

I found the little door by feeling along the edge of the building. Then I stepped into an adjacent clump of laurels to wait on my companion. He was there before me.

" Say," I heard a rich Middle West voice whisper, " are you Joseph Zimmer? I'm not shouting any names, but I guess you're the guy I was told to meet here."

" Mr. Donne? " I whispered back.

" The same," he replied. " Shake."

I gripped a gloved and mittened hand which drew me towards the door.

to-day is the work behind your lines and the way you feed and supply and transport your army. It beats the Steel Corporation and the Standard Oil to a frazzle. But the man at the head of it all don't earn more than a thousand dollars a month. . . . Your nation's getting to worship Mammon, Dick. Cut it out. There's just the one difference in humanity—sense or no sense, and most likely you won't find any more sense in the man that makes a billion selling bonds than in his brother Tim that lives in a shack and sells corn-cobs. I'm not speaking out of sinful jealousy, for there was a day when I was reckoned a railroad king, and I quit with a bigger pile than kings usually retire on. But I haven't the sense of old Peter, who never even had a bank account. . . . And it's sense that wins in this war."

The Colonel, who spoke good English, asked a question about a speech which some politician had made.

"There isn't all the sense I'd like to see at the top," said Blenkiron. "They're fine at smooth words. That wouldn't matter, but they're thinking smooth thoughts. What d'you make of the situation, Dick?"

"I think it's the worst since First Ypres," I said. "Everybody's cock-a-whoop, but God knows why."

"God knows why," Blenkiron repeated. "I reckon it's a simple calculation, and you can't deny it any more than a mathematical law. Russia is counted out. The Boche won't get food from her for a good many months, but he can get more men, and he's got them. He's fighting only on one front, and he's been able to bring troops and guns west so he's as strong as the Allies now on paper. And he's stronger in reality. He's got better railways behind him, and he's fighting on inside lines and can concentrate fast against any bit of our front. I'm no soldier, but that's so, Dick?"

The Frenchman smiled and shook his head. "All the same they will not pass. They could not when they were two to one in 1914, and they will not now. If we Allies could not break through in the last year when we had many more men, how will the Germans succeed now with only equal numbers?"

Blenkiron did not look convinced. "That's what they all say. I talked to a general last week about the coming offensive, and he said he was praying for it to hurry up, for he reckoned Fritz would get the fright of his life. It's a good spirit, maybe, but I don't think it's sound on the facts. We've got two mighty great armies of fine fighting-men, but, because we've two commands, we're bound to move ragged like a peal of bells. The Hun's got one army and forty years of stiff tradition, and, what's more, he's going all out this time. He's going to smash our front before America lines up, or perish in the attempt. . . . Why do you suppose all the peace racket in Germany has died down, and the very men that were talking democracy in the summer are now hot for fighting to a finish? I'll tell you. It's because old Ludendorff has promised them complete victory this spring if they spend enough men, and the Boche is a good gambler and is out to risk it. We're not up against a local attack this time. We're standing up to a great nation going baldheaded for victory or destruction. If we're broken, then America's got to fight a new campaign by herself when she's ready, and the Boche has time to make Russia his feeding-ground and diddle our blockade. That puts another five years on to the war, maybe another ten. Are we free and independent peoples going to endure that much? . . . I tell you we're tossing to quit before Easter."

He turned towards me, and I nodded assent.

"That's more or less my view," I said. "We ought to hold, but it'll be by our teeth and nails. For the next six months we'll be fighting without any margin."

"But, my friends, you put it too gravely," cried the Frenchman. "We may lose a mile or two of ground—yes. But serious danger is not possible. They had better chances at Verdun and they failed. Why should they succeed now?"

"Because they are staking everything," Blenkiron replied.

CHAPTER XVI

I LIE ON A HARD BED

THE Journalist from Kansas City was a man of action. He wasted no words in introducing himself or unfolding his plan of campaign. " You've got to follow me, mister, and not deviate one inch from my tracks. The explaining part will come later. There's big business in this shack to-night." He unlocked the little door with scarcely a sound, slid the crust of snow from his boots, and preceded me into a passage as black as a cellar. The door swung smoothly behind us, and after the sharp out-of-doors the air smelt stuffy as the inside of a safe.

A hand reached back to make sure that I followed. We appeared to be in a flagged passage under the main level of the house. My hob-nailed boots slipped on the floor, and I steadied myself on the wall, which seemed to be of undressed stone. Mr. Donne moved softly and assuredly, for he was better shod for the job than me, and his guiding hand came back constantly to make sure of my whereabouts.

I remember that I felt just as I had felt when on that August night I had explored the crevice of the Coolin—the same sense that something queer was going to happen, the same recklessness and contentment. Moving a foot at a time with immense care, we came to a right-hand turning. Two shallow steps led us to another passage, and then my groping hands struck a blind wall. The American was beside me, and his mouth was close to my ear.

" Got to crawl now," he whispered. " You lead, mister, while I shed this coat of mine. Eight feet on your stomach and then upright."

I wriggled through a low tunnel, broad enough to take

three men abreast, but not two feet high. Halfway through I felt suffocated, for I never liked holes, and I had a momentary anxiety as to what we were after in this cellar pilgrimage. Presently I smelt free air and got on to my knees.

"Right, mister?" came a whisper from behind. My companion seemed to be waiting till I was through before he followed.

"Right," I answered, and very carefully rose to my feet.

Then something happened behind me. There was a jar and a bump as if the roof of the tunnel had subsided. I turned sharply and groped at the mouth. I stuck my leg down and found a block.

"Donne," I said, as loud as I dared, "are you hurt? Where are you?"

But no answer came.

Even then I thought only of an accident. Something had miscarried, and I was cut off in the cellars of an unfriendly house away from the man who knew the road and had a plan in his head. I was not so much frightened as exasperated. I turned from the tunnel-mouth and groped into the darkness before me. I might as well prospect the kind of prison into which I had blundered.

I took three steps—no more. My feet seemed suddenly to go from me and fly upward. So sudden was it that I fell heavy and dead like a log, and my head struck the floor with a crash that for a moment knocked me senseless. I was dimly conscious of something falling on me and of an intolerable pressure on my chest. I struggled for breath, and found my arms and legs pinned and my whole body in a kind of wooden vice. I was sick with the concussion, and could do nothing but gasp and choke down my nausea. The cut in the back of my head was bleeding freely and that helped to clear my wits, but I lay for a minute or two incapable of thought. I shut my eyes tight, as a man does when he is fighting with a swoon.

When I opened them there was light. It came from the left side of the room, the broad glare of a strong electric torch. I watched it stupidly, but it gave me the fillip needed to pick up the threads. I remembered the tunnel now and the Kansas journalist. Then behind the light I saw a face which pulled my flickering senses out of the mire.

I saw the heavy ulster and the cap, which I had realised, though I had not seen, outside in the dark laurels. They belonged to the journalist, Clarence Donne, the trusted emissary of Blenkiron. But I saw his face now, and it was that face which I had boasted to Bullivant I could never mistake again upon earth. I did not mistake it now, and I remember I had a faint satisfaction that I had made good my word. I had not mistaken it, for I had not had the chance to look at it till this moment. I saw with acid clearness the common denominator of all its disguises—the young man who lisped in the seaside villa, the stout philanthropist of Biggleswick, the pulpy panic-stricken creature of the Tube station, the trim French staff officer of the Picardy château. . . .I saw more, for I saw it beyond the need of disguise. I was looking at von Schwabing, the exile, who had done more for Germany than any army commander. . . . Mary's words came back to me—" the most dangerous man in the world." . . . I was not afraid, or broken-hearted at failure, or angry —not yet, for I was too dazed and awe-struck. I looked at him as one might look at some cataclysm of nature which had destroyed a continent.

The face was smiling.

" I am happy to offer you hospitality at last," it said.

I pulled my wits farther out of the mud to attend to him. The cross-bar on my chest pressed less hard and I breathed better. But when I tried to speak, the words would not come.

" We are old friends," he went on. " We have known each other quite intimately for four years, which is a long time in war. I have been interested in you, for you have a kind of crude intelligence, and you have compelled me to take you seriously. If you were cleverer you would appreciate the compliment. But you were fool enough to think you could beat me, and for that you must be punished. Oh no, don't flatter yourself you were ever dangerous. You were only troublesome and presumptuous, like a mosquito one flicks off one's sleeve."

He was leaning against the side of a heavy closed door. He lit a cigar from a little gold tinder box and regarded me with amused eyes.

"You will have time for reflection, so I propose to enlighten you a little. You are an observer of little things. So? Did you ever see a cat with a mouse? The mouse runs about and hides and manœuvres and thinks it is playing its own game. But at any moment the cat can stretch out its paw and put an end to it. You are the mouse, my poor General—for I believe you are one of those funny amateurs that the English call Generals. At any moment during the last nine months I could have put an end to you with a nod."

My nausea had stopped and I could understand what he said, though I had still no power to reply.

"Let me explain," he went on. "I watched with amusement your gambols at Biggleswick. My eyes followed you when you went to the Clyde and in your stupid twistings in Scotland. I gave you rope, because you were futile, and I had graver things to attend to. I allowed you to amuse yourself at your British Front with childish investigations and to play the fool in Paris. I have followed every step of your course in Switzerland, and I have helped your idiotic Yankee friend to plot against myself. While you thought you were drawing your net around me, I was drawing mine around you. I asure you, it has been a charming relaxation from serious business."

I knew the man was lying. Some part was true, for he had clearly fooled Blenkiron; but I remembered the hurried flight from Biggleswick and Eaucourt Saint-Anne when the game was certainly against him. He had me at his mercy, and was wreaking his vanity on me. That made him smaller in my eyes, and my first awe began to pass.

"I never cherish rancour, you know," he said. "In my business it is silly to be angry, for it wastes energy. But I do not tolerate insolence, my dear General. And my country has the habit of doing justice on her enemies. It may interest you to know that the end is not far off. Germany has faced a jealous world in arms and she is about to be justified of her great courage. She has broken up bit by bit the clumsy organisation of her opponents. Where is Russia to-day, the steam-roller that was to crush us? Where is the poor dupe Rumania? Where is the strength of Italy, who was once to do wonders for what she called Liberty? Broken, all of them. I have played my part in that work and now the need is past. My country with free hands is about to turn upon your armed rabble in the West and drive it into the Atlantic. Then we shall deal with the ragged remains of France and the handful of noisy Americans. By midsummer there will be peace dictated by triumphant Germany."

"By God, there won't!" I had found my voice at last.

"By God, there will," he said pleasantly. "It is what you call a mathematical certainty. You will no doubt die bravely, like the savage tribes that your Empire used to conquer. But we have the greater discipline and the stronger spirit and the bigger brain. Stupidity is always punished in the end, and you are a stupid race. Do not think that your kinsmen across the Atlantic will save you. They are a commercial people and by no means sure of themselves. When they have blustered a little they will see reason and find some means of saving their face. Their comic President will make a speech or two and write us a solemn Note, and we will reply with the serious rhetoric which he loves, and then we shall kiss and be friends. You know in your heart that it will be so."

A great apathy seemed to settle on me. This bragging did not make me angry, and I had no longer any wish to contradict him. It may have been the result of the fall, but my mind had stopped working. I heard his voice as one listens casually to the ticking of a clock.

"I will tell you more," he was saying. "This is the evening of the 18th day of March. Your generals in France expect an attack, but they are not sure where it will come. Some think it may be in Champagne or on the Aisne, some at Ypres, some at St. Quentin. Well, my dear General, you alone will I take into our confidence. On the morning of the 21st, three days from now, we attack the right wing of the British Army. In two days we shall be in Amiens. On the third we shall have driven a wedge as far as the sea. Then in a week or so we shall have rolled up your army from the right, and presently we shall be in Boulogne and Calais. After that Paris falls, and then Peace."

I made no answer. The word "Amiens" recalled Mary, and I was trying to remember the day in January when she and I had motored south from that pleasant city.

"Why do I tell you these things? Your intelligence, for you are not altogether foolish, will have supplied the answer. It is because your life is over. As your Shakespeare says, the rest is silence. . . . No, I am not going to kill you. That would be crude, and I hate crudities. I am going now on a little journey, and when I return in twenty-four hours' time you will be my companion. You are going to visit Germany, my dear General."

That woke me to attention, and he noticed it, for he went on with gusto.

"You have heard of the Untergrundbahn? No? And you call yourself an Intelligence officer! Yet your ignorance is shared by the whole of your General Staff. It is a little organisation of my own. By it we can take unwilling and dangerous people inside our frontier to be dealt with as we please. Some have gone from England and many from France. Officially I believe they are recorded as 'missing,' but they did not go astray on any battle-field. They have been gathered from their homes or from hotels or offices or even the busy streets. I will not conceal from you that the service of our Underground Railway is a little irregular from England and France. But from Switzerland it is smooth as a trunk line. There are unwatched spots on the frontier, and we have our agents among the frontier guards, and we have no difficulty about passes. It is a pretty device, and you will soon be privileged to observe its working. . . . In Germany I cannot promise you comfort, but I do not think your life will be dull."

As he spoke these words, his urbane smile changed to a grin of impish malevolence. Even through my torpor I felt the venom and I shivered.

"When I return I shall have another companion." His voice was honeyed again. "There is a certain pretty lady who was to be the bait to entice me into Italy. It was so? Well, I have fallen to the bait. I have arranged that she shall meet me this very night at a mountain inn on the Italian side. I have arranged, too, that she shall be alone. She is an innocent child, and I do not think that she has been more than a tool in the clumsy hands of your friends. She will come with me when I ask her, and we shall be a merry party in the Underground Express."

My apathy vanished, and every nerve in me was alive at the words.

"You cur!" I cried. "She loathes the sight of you. She wouldn't touch you with the end of a barge-pole."

He flicked the ash from his cigar. "I think you are mistaken. I am very persuasive, and I do not like to use compulsion with a woman. But, willing or not, she will come with me. I have worked hard and I am entitled to my pleasure, and I have set my heart on that little lady."

There was something in his tone, gross, leering, assured, half contemptuous, that made my blood boil. He had fairly got me on the raw, and the hammer beat violently in my forehead. I could have wept with sheer rage, and it took all my fortitude to keep my mouth shut. But I was determined not to add to his triumph.

He looked at his watch. "Time passes," he said. "I must depart to my charming assignation. I will give your remembrances to the lady. Forgive me for making no arrangements for your comfort till I return. Your constitution is so sound that it will not suffer from a day's fasting. To set your mind at rest I may tell you that escape is impossible. This mechanism has been proved too often, and if you did break loose from it, my servants would deal with you. But I must speak a word of caution. If you tamper with it or struggle too much it will act in a curious way. The floor beneath you covers a shaft which runs to the lake below. Set a certain spring at work and you may find yourself shot down into the water far below the ice, where your body will rot till the spring. . . . That, of course, is an alternative open to you, if you do not care to wait for my return."

He lit a fresh cigar, waved his hand, and vanished through the doorway. As it shut behind him, the sound of his footsteps instantly died away. The walls must have been as thick as a prison's.

I suppose I was what people in books call "stunned." The illumination during the past few minutes had been so dazzling that my brain could not master it. I remember very clearly that I did not think about the ghastly failure of our scheme, or the German plans which had been insolently unfolded to me as to one dead to the world. I saw a single picture—an inn in a snowy valley (I saw it as a small place like Peter's cottage), a solitary girl, that smiling devil who had left me, and then the unknown terror of the Underground Railway. I think my courage went for a bit, and I cried with feebleness and rage. The hammer in my forehead had stopped, for it only beat when I was angry in action. Now that I lay trapped, the manhood had slipped out of my joints, and if Ivery had still been in the doorway, I think I would have whined for mercy. I would have offered him all the knowledge I had in the world if he had promised to leave Mary alone.

Happily he wasn't there, and there was no witness of my cowardice. Happily, too, it is just as difficult to be a coward for long as to be a hero. It was Blenkiron's phrase about Mary that pulled me together—" She can't scare and she can't soil." No, by heavens, she couldn't. I could trust my lady far better than I could trust myself. I was still sick with anxiety, but I was getting a pull on myself. I was done in, but Ivery would get no triumph out of me. Either I would go under the ice, or I would find a chance of putting a bullet through my head before I crossed the frontier. If I could do nothing else I could perish decently. . . . And then I laughed, and I knew I was past the worst. What made me laugh was the throught of Peter. I had been pitying him an hour ago for having only one leg, but now he was abroad in the living, breathing world with years before him, and I lay in the depths, limbless, and lifeless, with my number up.

I began to muse on the cold water under the ice where I could go if I wanted. I did not think that I would take that road, for a man's chances are not gone till he is stone dead, but I was glad the way existed. . . . And then I looked at the wall in front of me, and very far up, I saw a small square window.

The stars had been clouded when I entered that accursed house, but the mist must have cleared. I saw my old friend Orion, the hunter's star, looking through the bars. And that suddenly made me think.

Peter and I had watched them by night, and I knew the place of all the chief constellations in relation to the St. Anton valley. I believed that I was in a room on the lake side of the Pink Chalet: I must be, if Ivery had spoken the truth. But if so, I could not conceivably see Orion from its window. . . . There was no other possible conclusion. I must be in a room on the east side of the house, and Ivery had been lying. He had already lied in his boasting of how he had outwitted me in England and at the Front. He might be lying about Mary. . . . No, I dismissed that hope. Those words of his had rung true enough.

I thought for a minute and concluded that he had lied to terrorise me and keep me quiet; therefore this infernal contraption had probably its weak point. I reflected, too, that I was pretty strong, far stronger probably than Ivery imagined, for he had never seen me stripped. Since the place was pitch dark I could not guess how the thing worked, but I could feel the cross-bars rigid on my chest and legs and the side-bars which pinned my arms to my sides. . . . I drew a long breath and tried to force my elbows apart. Nothing moved, nor could I raise the bars on my legs the smallest fraction.

Again I tried, and again. The side-bar on my right seemed to be less rigid than the others. I managed to get my right hand raised above the level of my thigh, and then with a struggle I got a grip with it on the cross-bar, which gave me a small leverage. With a mighty effort I drove my right elbow and shoulder against the side-bar. It seemed to give slightly. . . . I summoned all my strength and tried again. There was a crack and then a splintering, the massive bar shuffled limply back, and my right arm was free to move laterally, though the cross-bar prevented me from raising it.

With some difficulty I got at my coat pocket where reposed my electric torch and my pistol. With immense labour and no little pain I pulled the former out and switched it on by drawing the catch against the cross-bar. Then I saw my prison house.

It was a little square chamber, very high, with on my left the massive door by which Ivery had departed. The dark baulks of my rack were plain, and I could roughly make out how the thing had been managed. Some spring had tilted up the flooring, and dropped the framework from its place in the right-hand wall. It was clamped, I observed, by an arrangement in the floor just in front of the door. If I could get rid of that catch it would be easy to free myself, for to a man of my strength the weight would not be impossibly heavy.

My fortitude had come back to me, and I was living only in the moment, choking down any hope of escape. My first job was to destroy the catch that clamped down the rack, and for that my only weapon was my pistol. I managed to get the little electric torch jammed in the corner of the cross-bar, where it lit up the floor towards the door. Then it was hell's own business extricating the pistol from my pocket. Wrist and fingers were always cramping, and I was in terror that I might drop it where I could not retrieve it.

I forced myself to think out calmly the question of the clamp, for a pistol bullet is a small thing, and I could not afford to miss. I reasoned it out from my knowledge of mechanics, and came to the conclusion that the centre of gravity was a certain bright spot of metal which I could just see under the cross-bars. It was bright and so must have been recently repaired, and that was another reason for thinking it important. The question was how to hit it, for I could not get the pistol in line with my eye. Let anyone try that kind of shooting, with a bent arm over a bar, when you are lying flat and looking at the mark from under the bar, and he will understand its difficulties. I had six shots in my revolver, and I must fire two or three ranging shots in any case. I must not exhaust all my cartridges, for I must have a bullet left for any servant who came to pry, and I wanted one in reserve for myself. But I did not think shots would be heard outside the room; the walls were too thick.

I held my wrist rigid above the cross-bar and fired. The bullet was an inch to the right of the piece of bright steel. Moving a fraction, I fired again. It had grazed it on the left. With aching eyes glued on the mark, I tried a third time. I saw something leap apart, and suddenly the whole framework under which I lay felt loose and mobile. . . .

I was very cool and restored the pistol to my pocket and took the torch in my hand before I moved. . . . Fortune had been kind, for I was free. I turned on my face, humped my back, and without much trouble crawled out from under the contraption.

I did not allow myself to think of ultimate escape, for that would only flurry me, and one step at a time was enough. I remember that I dusted my clothes, and found that the cut in the back of my head had stopped bleeding. I retrieved my hat, which had rolled into a corner when I fell. . . . Then I turned my attention to the next step.

The tunnel was impossible, and the only way was the door. If I had stopped to think I would have known that the chances against my getting out of such a house were a thousand to one. The pistol shots had been muffled by the cavernous walls, but the place, as I knew, was full of servants, and, even if I passed the immediate door, I would be collared in some passage. But I had myself so well in hand that I tackled the door as if I had been prospecting to sink a new shaft in Rhodesia.

It had no handle nor, so far as I could see, a keyhole. . . . But I noticed, as I turned my torch on the ground, that from the clamp which I had shattered a brass rod sunk in the floor led to one of the door-posts. Obviously the thing worked by a spring and was connected with the mechanism of the rack.

A wild thought entered my mind and brought me to my feet. The bullet which freed me had released the spring which controlled it.

Then for the first time, against all my maxims of discretion, I began to hope. I took off my hat and felt my forehead burning, so that I rested it for a moment on the cool wall. . . . Perhaps my luck still held. With a rush came thoughts of Mary and Blenkiron and Peter and everything we had laboured for, and I was mad to win.

I had no notion of the interior of the house or where lay the main door to the outer world. My torch showed me a long passage with something like a door at the far end, but I clicked it off, for I did not dare to use it now. The place was deadly quiet. As I listened I seemed to hear a door open far away, and then silence fell again.

I groped my way down the passage till I had my hands on the far door. I hoped it might open on the hall, where I could escape by a window or a balcony, for I judged the outer door would be locked. I listened, and there came no sound from within. It was no use lingering, so very stealthily I turned the handle and opened it a crack.

It creaked and I waited with beating heart on discovery, for inside I saw the glow of light. But there was no movement, so it must be empty. I poked my head in and then followed with my body.

It was a large room, with logs burning in a stove, and the floor thick with rugs. It was lined with books, and on a table in the centre a reading-lamp was burning. Several dispatch-boxes stood on the table, and there was a little pile of papers. A man had been here a minute before, for a half-smoked cigar was burning on the edge of the ink-stand.

At that moment I recovered complete use of my wits and all my self-possession. More, there returned to me some of the old devil-may-careness which before had served me well. Ivery had gone, but this was his sanctum. Just as on the roofs of Erzerum I had burned to get at Stumm's papers, so now it was borne in on me that at all costs I must look at that pile.

I advanced to the table and picked up the topmost paper. It was a little typewritten blue slip with the lettering in italics, and in a corner a curious, involved stamp in red ink. On it I read:

"Die Wildvögel müssen heimkehren."

At the same moment I heard steps and the door opened on the far side. I stepped back towards the stove, and fingered the pistol in my pocket.

A man entered, a man with a scholar's stoop, an unkempt

beard, and large sleepy dark eyes. At the sight of me he pulled up and his whole body grew taut. It was the Portuguese Jew, whose back I had last seen at the smithy door in Skye, and who by the mercy of God had never seen my face.

I stopped fingering the pistol, for I had an inspiration. Before he could utter a word I got in first.

"*Die vögelein schweigen im Walde,*" I said.

His face broke into a pleasant smile, and he replied:

"*Warte nur, balde ruhest du auch.*"

"Ach," he said in German, holding out his hand, "you have come this way, when we thought you would go by Modane. I welcome you, for I know your exploits. You are Conradi, who did so nobly in Italy?"

I bowed. "Yes, I am Conradi," I said.

CHAPTER XVII

THE COL OF THE SWALLOWS

HE pointed to the slip on the table.

"You have seen the orders?"

I nodded.

"The long day's work is over. You must rejoice, for your part has been the hardest, I think. Some day you will tell me about it?"

The man's face was honest and kindly, rather like that of the engineer Gaudian, whom two years before I had met in Germany. But his eyes fascinated me, for they were the eyes of the dreamer and fanatic, who would not desist from his quest while life lasted. I thought that Ivery had chosen well in his colleague.

"My task is not done yet," I said. "I came here to see Chelius."

"He will be back to-morrow evening."

"Too late. I must see him at once. He has gone to Italy, and I must overtake him."

"You know your duty best," he said gravely.

"But you must help me. I must catch him at Santa Chiara, for it is a business of life and death. Is there a car to be had?"

"There is mine. But there is no chauffeur. Chelius took him."

"I can drive myself and I know the road. But I have no pass to cross the frontier."

"That is easily supplied," he said, smiling.

In one bookcase there was a shelf of dummy books. He unlocked this and revealed a small cupboard, whence he took a tin dispatch-box. From some papers he selected one, which seemed to be already signed.

"Name?" he asked.

"Call me Joseph Zimmer of Arosa," I said. "I travel to pick up my master, who is in the timber trade."

"And your return?"

"I will come back by my old road," I said mysteriously; and if he knew what I meant it was more than I did myself.

He completed the paper and handed it to me. "This will take you through the frontier posts. And now for the car. The servants will be in bed, for they have been preparing for a long journey, but I will myself show it you. There is enough petrol on board to take you to Rome."

He led me through the hall, unlocked the front door, and we crossed the snowy lawn to the garage. The place was empty but for a great car, which bore the marks of having come from the muddy lowlands. To my joy I saw that it was a Daimler, a type with which I was familiar. I lit the lamps, started the engine, and ran it out to the road.

"You will want an overcoat," he said.

"I never wear them."

"Food?"

"I have some chocolate. I will breakfast at Santa Chiara."

"Well, God go with you!"

A minute later I was tearing along the lake-side towards St. Anton village.

I stopped at the cottage on the hill. Peter was not yet in bed. I found him sitting by the fire, trying to read, but I saw by his face that he had been waiting anxiously on my coming.

"We're in the soup, old man," I said as I shut the door. In a dozen sentences I told him of the night's doings, of Ivery's plan, and my desperate errand.

"You wanted a share," I cried. "Well, everything depends on you now. I'm off after Ivery, and God knows what will happen. Meantime, you have got to get on to Blenkiron, and tell him what I've told you. He must get the news through to G.H.Q. somehow. He must trap the Wild Birds before they go. I don't know how, but he must. Tell him it's all up to him and you, for I'm out of it. I must save Mary, and if God's willing I'll settle with Ivery. But the big job is for Blenkiron—and you. Somehow he has made a bad break, and the enemy has got ahead of him. He must sweat blood to make up. . . . My God, Peter, it's the solemnest moment of our lives. I don't see any light, but we mustn't miss any chance. I'm leaving it all to you."

I spoke like a man in a fever, for after what I had been through I wasn't quite sane. My coolness in the Pink Chalet had given place to a crazy restlessness. I can see Peter yet, standing in the ring of lamplight, supporting himself by a chair back, wrinkling his brows and, as he always did in moments of excitement, scratching gently the tip of his left ear. His face was happy.

"Never fear, Dick," he said. "It will all come right. *Ons sal 'n plan maak.*"

And then, still possessed with a demon of disquiet, I was on the road again, heading for the pass that led to Italy.

The mist had gone from the sky, and the stars were shining brightly. The moon, now at the end of its first quarter, was setting in a gap of the mountains, as I climbed the low col from the St. Anton valley to the greater Staubthal. There was frost, and the hard snow crackled under my wheels, but there was also that feel in the air which preludes storm. I wondered if I should run into snow in the high hills. The whole land was deep in peace. There was not a light in the hamlets I passed through, not a soul on the highway.

In the Staubthal I joined the main road and swung to the left up the narrowing bed of the valley. The road was in noble condition, and the car was running finely, as I mounted through forests of snowy pines to a land where the mountains crept close together, but the highway coiled round the angles of great crags or skirted perilously some profound gorge, with only a line of wooden posts to defend it from the void. In places the snow stood in walls on either side, where the road was kept open by man's labour. In other parts it lay thin, and in the dim light one might have fancied that one was running through open meadowland.

Slowly my head was getting clearer, and I was able to look round my problem. I banished from my mind the situation I had left behind me. Blenkiron must cope with that as best he could. It lay with him to deal with the Wild Birds, my job was with Ivery alone. Sometime in the early morning he would reach Santa Chiara, and there he would find Mary. Beyond that my imagination could forecast nothing. She would be alone—I could trust his cleverness for that; he would try to force her to come with him, or he might persuade her with some lying story. Well, please God, I should come in for the tail end of the interview, and at the thought I cursed the steep gradients I was climbing, and longed for some magic to lift the Daimler beyond the summit and set it racing down the slopes towards Italy.

I think it was about half-past three when I saw the lights of the frontier post. The air seemed milder than in the valleys, and there was a soft scurry of snow on my right cheek. A couple of sleepy Swiss sentries with their rifles in their hands stumbled out as I drew up.

They took my pass into the hut and gave me an anxious quarter of an hour while they examined it. The performance was repeated fifty yards on at the Italian post, where to my alarm the sentries were inclined to conversation. I played the part of the sulky servant, answering in monosyllables and pretending to immense stupidity.

"You are only just in time, friend," said one in German. "The weather grows bad and soon the pass will close. Ugh, it is as cold as last winter on the Tonale. You remember, Giuseppe?"

But in the end they let me move on. For a little I felt my way gingerly, for on the summit the road had many twists and the snow was confusing to the eyes. Presently came a sharp drop and I let the Daimler go. It grew colder, and I shivered a little: the snow became a wet white fog around the glowing arc of the headlights; and always the road fell, now in long curves, now in steep short dips, till I was aware of a glen opening towards the south. From long living in the wilds I have a kind of sense for landscape without the testimony of the eyes, and I knew where the ravine narrowed or widened though it was black darkness.

In spite of my restlessness I had to go slowly, for after the first rush downhill I realised that, unless I was careful, I might wreck the car and spoil everything. The surface of the road on the southern slope of the mountains was a thousand per cent. worse than that on the other. I skidded and side-slipped, and once grazed the edge of the gorge. It was far more maddening than the climb up, for then it had been a straightforward grind with the Daimler doing its utmost, whereas now I had to hold her back because of my own lack of skill. I reckon that time crawling down from the summit of the Staub as some of the weariest hours I ever spent.

Quite suddenly I ran out of the ill weather into a different climate. The sky was clear above me, and I saw that dawn was very near. The first pinewoods were beginning, and at last came a straight slope where I could let the car out. I began to recover my spirits, which had been very dashed, and to reckon the distance I had still to travel. . . . And then, without warning, a new world sprang up around me. Out of the blue dusk white shapes rose like ghosts, peaks and needles and domes of ice, their bases fading mistily into shadow, but the tops kindling till they glowed like jewels. I had never seen such a sight, and the wonder of it for a moment drove anxiety from my heart. More, it gave me an earnest of victory. I was in clear air once more, and surely in this diamond ether the foul things, which loved the dark, must be worsted. . . .

And then I saw, a mile ahead, the little square red-roofed building which I knew to be the inn of Santa Chiara.

It was here that misfortune met me. I had grown careless now, and looked rather at the house than the road. At one point the hillside had slipped down—it must have been recent, for the road was well kept—and I did not notice the landslide till I was on it. I slewed to the right, took too wide a curve, and before I knew the car was over the far edge. I slapped on the brakes, but to avoid turning turtle I had to leave the road altogether. I slithered down a steep bank into a meadow, where for my sins I ran into a fallen tree trunk with a jar that shook me out of my seat and nearly broke my arm. Before I examined the car I knew what had happened. The front axle was bent, and the off front wheel badly buckled.

I had no time to curse my stupidity. I clambered back to the road and set off running down it at my best speed. I was mortally stiff, for Ivery's rack was not good for the joints, but I realised it only as a drag on my pace, not as an affliction in itself. My whole mind was set on the house before me and what might be happening there.

There was a man at the door of the inn, who, when he caught sight of my figure, began to move to meet me. I saw that it was Launcelot Wake, and the sight gave me hope.

But his face frightened me. It was drawn and haggard like one who never sleeps, and his eyes were hot coals.

"Hannay," he cried, "for God's sake what does it mean?"

"Where is Mary?" I gasped, and I remember I clutched at a lapel of his coat.

He pulled me to the low stone wall by the roadside.

"I don't know," he said hoarsely. "We got your orders

to come here this morning. We were at Chiavagno, where Blenkiron told us to wait. But last night Mary disappeared. . . . I found she had hired a carriage and come on ahead. I followed at once, and reached here an hour ago to find her gone. . . . The woman who keeps the place is away and there are only two old servants left. They tell me that Mary came here late, and that very early in the morning a closed car came over the Staub with a man in it. They say he asked to see the young lady, and that they talked together for some time, and that then she went off with him in the car down the valley. . . . I must have passed it on my way up. . . . There's been some black devilment that I can't follow. Who was the man? Who was the man?"

He looked as if he wanted to throttle me.

"I can tell you that," I said. "It was Ivery."

He stared for a second as if he didn't understand. Then he leaped to his feet and cursed like a trooper. "You've botched it, as I knew you would. I knew no good would come of your infernal subtleties." And he consigned me and Blenkiron and the British army and Ivery and everybody else to the devil.

I was past being angry. "Sit down, man," I said, "and listen to me." I told him of what had happened at the Pink Chalet. He heard me out with his head in his hands. The thing was too bad for cursing.

"The Underground Railway!" he groaned. "The thought of it drives me mad. Why are you so calm, Hannay? She's in the hands of the cleverest devil in the world, and you take it quietly. You should be a raving lunatic."

"I would be if it were any use, but I did all my raving last night in that den of Ivery's. We've got to pull ourselves together, Wake. First of all, I trust Mary to the other side of eternity. She went with him of her own free will. I don't know why, but she must have had a reason, and be sure it was a good one, for she's far cleverer than you or me. . . . We've got to follow her somehow. Ivery's bound for Germany, but his route is by the Pink Chalet, for he hopes to pick me up there. He went down the valley; therefore he is going to Switzerland by the Marjolana. That is a long circuit and will take him most of the day. Why he chose that way I don't know, but there it is. We've got to get back by the Staub."

"How did you come?" he asked.

"That's our damnable luck. I came in a first-class six-cylinder Daimler, which is now lying a wreck in a meadow a mile up the road. We've got to foot it."

"We can't do it. It would take too long. Besides, there's the frontier to pass."

I remembered ruefully that I might have got a return passport from the Portuguese Jew, if I had thought of anything at the time beyond getting to Santa Chiara.

"Then we must make a circuit by the hillside and dodge the guards. It's no use making difficulties, Wake. We're fairly up against it, but we've got to go on trying till we drop. Otherwise I'll take your advice and go mad."

"And supposing you get back to St. Anton, you'll find the house shut up and the travellers gone hours before by the Underground Railway."

"Very likely. But, man, there's always the glimmering of a chance. It's no good chucking in your hand till the game's out."

"Drop your proverbial philosopy, Mr. Martin Tupper, and look up there."

He had one foot on the wall and was staring at a cleft in the snow-line across the valley. The shoulder of a high peak dropped sharply to a kind of nick and rose again in a long graceful curve of snow. All below the nick was still in deep shadow, but from the configuration of the slopes I judged that a tributary glacier ran from it to the main glacier at the river head.

"That's the Colle delle Rondini," he said, "the Col of the Swallows. It leads straight to the Staubthal near Grünewald. On a good day I have done it in seven hours, but it's not a pass for winter-time. It has been done of course, but not often. . . . Yet, if the weather held, it might go even now, and that would bring us to St. Anton by the evening. I wonder"—and he looked me over with an appraising eye—"I wonder if you're up to it."

My stiffness had gone and I burned to set my restlessness to physical toil.

"If you can do it, I can," I said.

"No. There you're wrong. You're a hefty fellow, but you're no mountaineer, and the ice of the Colle delle Rondini needs knowledge. It would be insane to risk it with a novice, if there were any other way. But I'm damned if I see any, and I'm going to chance it. We can get a rope and axes in the inn. Are you game?"

"Right you are. Seven hours, you say. We've got to do it in six."

"You will be humbler when you get on the ice," he said grimly. "We'd better breakfast, for the Lord knows when we shall see food again."

We left the inn at five minutes to nine, with the sky cloudless and a stiff wind from the north-west, which we felt even in the deep-cut valley. Wake walked with a long, slow stride that tried my patience. I wanted to hustle, but he bade me keep in step. "You take your orders from me, for I've been at this job before. Discipline in the ranks, remember."

We crossed the river gorge by a plank bridge, and worked our way up the right bank, past the moraine, to the snout of the glacier. It was bad going, for the snow concealed the boulders, and I often floundered in holes. Wake never relaxed his stride, but now and then he stopped to sniff the air.

I observed that the weather looked good, and he differed. "It's too clear. There'll be a full-blown gale on the Col and most likely snow in the afternoon." He pointed to a fat yellow cloud that was beginning to bulge over the nearest peak. After that I thought he lengthened his stride.

"Lucky I had these boots resoled and nailed at Chiavagno," was the only other remark he made till we had passed the *scracs* of the main glacier and turned up the lesser ice-stream from the Colle delle Rondini.

By half-past ten we were near its head, and I could see clearly the ribbon of pure ice between black crags too steep for snow to lie on, which was the means of ascent to the Col. The sky had clouded over, and ugly streamers floated on the high slopes. We tied on the rope at the foot of the *bergschrund*, which was easy to pass because of the winter's snow. Wake led, of course, and presently we came on to the icefall.

In my time I had done a lot of scrambling on rocks and used to promise myself a season in the Alps to test myself on the big peaks. If I ever go it will be to climb the honest rock towers around Chamounix, for I won't have anything to do with snow mountains. That day on the Colle delle Rondini fairly sickened me of ice. I daresay I might have liked it if I had done it in a holiday mood, at leisure and in good spirits. But to crawl up that couloir with a sick heart and a desperate impulse to hurry was the worst sort of nightmare. The place was as steep as a wall, of smooth black ice that seemed hard as granite. Wake did the step-cutting, and I admired him enormously. He did not seem to use much force, but every step was hewn cleanly the right size, and they were spaced the right distance. In this job he was the true professional. I was thankful Blenkiron was not with us, for the thing would have given a squirrel vertigo. The chips of ice slithered between my legs and I could watch them till they brought up just above the *bergschrund*.

The ice was in shadow and it was bitterly cold. As we crawled up I had not the exercise of using the axe to warm me, and I got very numb standing on one leg waiting for the next step. Worse still, my legs began to cramp. I was in good condition, but that time under Ivery's rack had played the mischief with my limbs. Muscles got out of place in my calves and stood in aching lumps, till I almost squealed with the pain of it. I was mortally afraid I should slip, and every time I moved I called out to Wake to warn him. He saw what was happening and got the pick of his axe fixed in the ice before I was allowed to stir. He spoke often to cheer me up, and his voice had none of its harshness. He was like some ill-tempered generals I have known, very gentle in a battle.

At the end the snow began to fall, a soft powder like the over-spill of a storm raging beyond the crest. It was just after that that Wake cried out that in five minutes we would be at the summit. He consulted his wrist-watch. "Jolly good time, too. Only twenty-five minutes behind my best. It's not one o'clock."

The next thing I knew I was lying flat on a pad of snow easing my cramped legs, while Wake shouted in my ear that we were in for something bad. I was aware of a driving blizzard, but I had no thought of anything but the blessed relief from pain. I lay for some minutes on my back with my legs stiff in the air and the toes turned inwards, while my muscles fell into their proper place.

It was certainly no spot to linger in. We looked down into a trough of driving mist, which sometimes swirled aside and showed a knuckle of black rock far below. We ate some chocolate, while Wake shouted in my ear that now we had less step-cutting. He did his best to cheer me, but he could not hide his anxiety. Our faces were frosted over like a wedding-cake and the sting of the wind was like a whiplash on our eyelids.

The first part was easy, down a slope of firm snow where steps were not needed. Then came ice again, and we had to cut into it below the fresh surface snow. This was so laborious that Wake took to the rocks on the right side of the couloir, where there was some shelter from the main force of the blast. I found it easier, for I knew something about rocks, but it was difficult enough with every handhold and foothold glazed. Presently we were driven back again to the ice, and painfully cut our way through a throat of the ravine where the sides narrowed. There the wind was terrible, for the narrows made a kind of funnel, and we descended, plastered against the wall, and scarcely able to breathe, while the tornado plucked at our bodies as if it would whisk us like wisps of grass into the abyss.

After that the gorge widened and we had an easier slope, till suddenly we found ourselves perched on a great tongue of rock round which the snow blew like the froth in a whirlpool. As we stopped for breath, Wake shouted in my ear that this was the Black Stone.

"The what?" I yelled.

"The Schwarzstein. The Swiss call the pass the Schwarzsteinthor. You can see it from Grünewald."

I suppose every man has a tinge of superstition in him. To hear that name in that ferocious place gave me a sudden access of confidence. I seemed to see all my doings as part of a great predestined plan. Surely it was not for nothing that the word which had been the key of my first adventure in the long tussle should appear in this last phase. I felt new strength in my legs and more vigour in my lungs. "A good omen," I shouted. "Wake, old man, we're going to win out."

"The worst is still to come," he said.

He was right. To get down that tongue of rock to the lower snows of the couloir was a job that fairly brought us to the end of our tether. I can feel yet the sour, bleak smell of wet rock and ice and the hard nerve pain that racked my forehead. The Kaffirs used to say that there were devils in the high berg, and this place was assuredly given over to the powers of the air who had no thought of human life. I seemed to be in the world which had endured from the eternity before man was dreamed of. There was no mercy in it, and the elements were pitting their immortal strength against two pigmies who had profaned their sanctuary. I yearned for warmth, for the glow of a fire, for a tree or blade of grass or anything which meant the sheltered homeliness of mortality. I knew then what the Greeks meant by panic, for I was scared by the apathy of nature. But the terror gave me a kind of comfort, too. Ivery and his doings seemed less formidable. Let me but get out of this cold hell and I could meet him with a new confidence.

Wake led, for he knew the road and the road wanted knowing. Otherwise he should have been last on the rope, for that is the place of the better man in a descent. I had some horrible moments following on when the rope grew taut, for I had no help from it. We zig-zagged down the rock, sometimes driven to the ice of the adjacent couloirs, sometimes on the outer ridge of the Black Stone, sometimes wriggling down little cracks and over evil boiler-plates. The snow did not lie on it, but the rock crackled with thin ice or oozed ice water. Often it was only by the grace of God that I did not fall headlong, and pull Wake out of his hold to the *bergschrund* far below. I slipped more than once, but always by a miracle recovered myself. To make things worse, Wake was tiring. I could feel him drag on the rope, and his movements had not the precision they had had in the morning. He was the mountaineer, and I the novice. If he gave out, we should never reach the valley.

The fellow was clear grit all through. When we reached the foot of the tooth and sat huddled up with our faces away from the wind, I saw that he was on the edge of fainting. What that effort must have cost him in the way of resolution you may guess, but he did not fail till the worst was past. His lips were colourless, and he was choking with the nausea of fatigue. I found a flask of brandy in his pocket, and a mouthful revived him.

"I'm all out," he said. "The road's easier now, and I can direct you about the rest. . . . You'd better leave me. I'll only be a drag. I'll come on when I feel better."

"No, you don't, you old fool. You've got me over that infernal iceberg, and I'm going to see you home."

I rubbed his arms and legs and made him swallow some chocolate. But when he got on his feet he was as doddery as an old man. Happily we had an easy course down a snow gradient, which we glissaded in very unorthodox style. The swift motion freshened him up a little, and he was able to put on the brake with his axe to prevent us cascading into the *bergschrund*. We crossed it by a snow bridge, and started out on the *seracs* of the Schwarzstein glacier.

I am no mountaineer—not of the snow and ice kind, anyway—but I have a big share of physical strength and I wanted it all now. For those *seracs* were an invention of the devil. To traverse that labyrinth in a blinding snowstorm, with a fainting companion who was too weak to jump the narrowest crevasse, and who hung on the rope like lead when there was occasion to use it, was more than I could manage. Besides, every step that brought us nearer to the valley now increased my eagerness to hurry, and wandering in that maze of clotted ice was like the nightmare when you stand on the rails with the express coming and are too weak to climb on the platform. As soon as possible I left the glacier for the hillside, and though that was laborious enough in all conscience, yet it enabled me to steer a straight course. Wake never spoke a word. When I looked at him his face was ashen under a gale which should have made his cheeks glow, and he kept his eyes half closed. He was staggering on at the very limits of his endurance. . . .

By and by we were on the moraine, and after splashing through a dozen little glacier streams came on a track which led up the hillside. Wake nodded feebly when I asked if this was right. Then to my joy I saw a gnarled pine.

I untied the rope and Wake dropped like a log on the ground. "Leave me," he groaned, "I'm fairly done. I'll come on . . . later." And he shut his eyes.

My watch told me that it was after five o'clock.

"Get on my back," I said. "I won't part from you till I've found a cottage. You're a hero. You've brought me over those damned mountains in a blizzard, and that's what no other man in England would have done. Get up."

He obeyed, for he was too far gone to argue. I tied his wrists together with a handkerchief below my chin, for I wanted my arms to hold up his legs. The rope and axes I left in a cache beneath the pine tree. Then I started trotting down the track for the nearest dwelling.

My strength felt inexhaustible and the quicksilver in my bones drove me forward. The snow was still falling, but the wind was dying down, and after the inferno of the pass it was like summer. The road wound over the shale of the hillside and then into what in spring must have been upland meadows. Then it ran among trees, and far below me on the right I could hear the glacier river churning in its gorge. Soon little empty huts appeared, and rough enclosed paddocks, and presently I came out on a shelf above the stream and smelt the wood-smoke of a human habitation.

I found a middle-aged peasant in the cottage, a guide by profession in summer and a woodcutter in winter.

"I have brought my Herr from Santa Chiara," I said, "over the Schwarzsteinthor. He is very weary and must sleep."

I decanted Wake into a chair, and his head nodded on his chest. But his colour was better.

"You and your Herr are fools," said the man gruffly, but not unkindly. "He must sleep or he will have a fever. The Schwarzsteinthor in this devil's weather! Is he English?"

"Yes," I said, "like all madmen. But he's a good Herr, and a brave mountaineer."

We stripped Wake of his Red Cross uniform, now a collection of sopping rags, and got him between blankets with a huge earthenware bottle of hot water at his feet. The woodcutter's wife boiled milk, and this, with a little brandy added, we made him drink. I was quite easy in my mind about him, for I had seen this condition before. In the morning he would be as stiff as a poker, but recovered.

"Now I'm off for St. Anton," I said. "I must get there to-night."

"You are the hardy one," the man laughed. "I will show you the quick road to Grünewald, where is the railway. With good fortune you may get the last train."

I gave him fifty francs on my Herr's behalf, learned his directions for the road, and set off after a draught of goat's milk, munching my last slab of chocolate. I was still strung up to a mechanical activity, and I ran every inch of the three miles to the Staubthal without consciousness of fatigue. I was twenty minutes too soon for the train, and, as I sat on a bench on the platform, my energy suddenly ebbed away. That is what happens after a great exertion. I longed to sleep, and when the train arrived I crawled into a carriage like a man with a stroke. There seemed to be no force left in my limbs. I realised that I was leg-weary, which is a thing you see sometimes with horses, but not often with men.

All the journey I lay like a log in a kind of coma, and it was with difficulty that I recognised my destination, and stumbled out of the train. But I had no sooner emerged from the station of St. Anton than I got my second wind. Much snow had fallen since yesterday, but it had stopped now, the sky was clear, and the moon was riding. The sight of the familiar place brought back all my anxieties. The day on the Col of the Swallows was wiped out of my memory, and I saw only the inn at Santa Chiara, and heard Wake's hoarse voice speaking of Mary. The lights were twinkling from the village below, and on the right I saw the clump of trees which held the Pink Chalet.

I took a short cut across the fields, avoiding the little town. I ran hard, stumbling often, for though I had got my mental energy back my legs were still precarious. The station clock had told me that it was nearly half-past nine.

Soon I was on the highroad, and then at the Chalet gates. I heard as in a dream what seemed to be three shrill blasts on a whistle. Then a big closed car passed me, making for St. Anton. For a second I would have hailed it, but it was past me and away. But I had a conviction that my business lay in the house, for I thought Ivery was there, and Ivery was what mattered.

I marched up the drive with no sort of plan in my head, only a blind rushing on fate. I remembered dimly that I had still three cartridges in my revolver.

The front door stood open and I entered and tiptoed down the passage to the room when I had found the Portuguese Jew. No one hindered me, but it was not for lack of servants. I had the impression that there were people near me in the darkness, and I thought I heard German softly spoken. There was someone ahead of me, perhaps the speaker, for I could hear careful footsteps. It was very dark, but a ray of light came from below the door of the room. Then behind me I heard the hall door clang, and the noise of a key turned in its lock. I had walked straight into a trap and all retreat was cut off.

My mind was beginning to work more clearly, though my purpose was still vague. I wanted to get at Ivery, and I believed that he was somewhere in front of me. And then I thought of the door which led from the chamber where I had been imprisoned. If I could enter that way I would have the advantage of surprise.

I groped on the right-hand side of the passage and found a handle. It opened upon what seemed to be a dining-room, for there was a faint smell of food. Again I had the impression of people near, who for some unknown reason did not molest me. At the far end I found another door, which led to a second room, which I guessed to be adjacent to the library. Beyond it again must lie the passage from the chamber with the rack. The whole place was as quiet as a shell.

I had guessed right. I was standing in the passage where I had stood the night before. In front of me was the library, and there was the same chink of light showing. Very softly I turned the handle and opened it a crack. . . .

The first thing that caught my eye was the profile of Ivery. He was looking towards the writing-table, where someone was sitting.

CHAPTER XVIII

THE UNDERGROUND RAILWAY

THIS is the story which I heard later from Mary. . . .

She was at Milan with the new Anglo-American hospital when she got Blenkiron's letter. Santa Chiara had always been the place agreed upon, and this message mentioned specifically Santa Chiara, and fixed a date for her presence there. She was a little puzzled by it, for she had not yet had a word from Ivery, to whom she had written twice by the roundabout address in France which Bommaerts had given her. She did not believe that he would come to Italy in the ordinary course of things, and she wondered at Blenkiron's certainty about the date.

The following morning came a letter from Ivery in which he ardently pressed for a meeting. It was the first of several, full of strange talk of some approaching crisis, in which the forebodings of the prophet were mingled with the solicitude of a lover. "The storm is about to break," he wrote, "and I cannot think only of my own fate. I have something to tell you which vitally concerns yourself. You say you are in Lombardy. The Chiavagno valley is within easy reach, and at its head is the inn of Santa Chiara, to which I come on the morning of March 19th. Meet me there even if only for half an hour, I implore you. We have already shared hopes and confidences, and I would now share with you a knowledge which I alone in Europe possess. You have the heart of a lion, my lady, worthy of what I can bring you."

Wake was summoned from the Croce Rossa unit with which he was working at Vicenza, and the plan arranged by

Blenkiron was faithfully carried out. Four officers of Alpini, in the rough dress of peasants of the hills, met them in Chiavagno on the morning of the 18th. It was arranged that the hostess of Santa Chiara should go on a visit to her sister's son, leaving the inn, now in the shuttered quiet of wintertime, under the charge of two ancient servants. The hour of Ivery's coming on the 19th had been fixed by him for nocn, and that morning Mary would drive up the valley, while Wake and the Alpini went inconspicuously by other routes so as to be in station around the place before midday.

But on the evening of the 18th at the Hotel of the Four Kings in Chiavagno Mary received another message. It was from me and told her that I was crossing the Staub at midnight and would be at the inn before dawn. It begged her to meet me there, to meet me alone without the others, because I had that to say to her which must be said before Ivery's coming. I have seen the letter. It was written in a hand which I could not have distinguished from my own scrawl. It was not exactly what I would myself have written, but there were phrases in it which to Mary's mind could have come only from me. Oh, I admit it was cunningly done, especially the love-making, which was just the kind of stammering thing which I would have achieved if I had tried to put my feelings on paper.

Anyhow, Mary had no doubt of its genuineness. She slipped off after dinner, hired a carriage with two broken-winded screws and set off up the valley. She left a line for Wake telling him to follow according to the plan—a line which he never got, for his anxiety when he found she had gone drove him to immediate pursuit.

At about two in the morning of the 19th after a slow and icy journey she arrived at the inn, knocked up the aged servants, made herself a cup of chocolate out of her tea-basket and sat down to wait on my coming.

She has described to me that time of waiting. A home-made candle in a tall earthenware candlestick lit up the little *salle-à-manger*, which was the one room in use. The world was very quiet, the snow muffled the roads, and it was cold with the penetrating chill of the small hours of a March night. Always, she has told me, will the taste of chocolate and the smell of burning tallow bring back to her that strange place and the flutter of the heart with which she waited. For she was on the eve of the crisis of all our labours, she was very young, and youth has a quick fancy which will not be checked. Moreover, it was I who was coming, and save for the scrawl of the night before, we had had no communication for many weeks. . . . She tried to distract her mind by repeating poetry, and the thing that came into her head was Keats's " Nightingale," an odd poem for the time and place.

There was a long wicker chair among the furnishings of the room, and she lay down on it with her fur cloak muffled around her. There were sounds of movement in the inn. The old woman who had let her in, with the scent for intrigue of her kind, had brightened when she heard that another guest was coming. Beautiful women do not travel at midnight for nothing. She also was awake and expectant.

Then quite suddenly came the sound of a car slowing down outside. She sprang to her feet in a tremor of excitement. It was like the Picardy château again—the dim room and a friend coming out of the night. She heard the front door open and a step in the little hall. . . .

She was looking at Ivery. He slipped his driving-coat off as he entered, and bowed gravely. He was wearing a green hunting suit which in the dusk seemed like khaki, and, as he was about my own height, for a second she was misled. Then she saw his face and her heart stopped.

" You! " she cried. She had sunk back again on the wicker chair.

" I have come as I promised," he said, " but a little earlier. You will forgive me my eagerness to be with you."

She did not heed his words, for her mind was feverishly busy. My letter had been a fraud and this man had discovered our plans. She was alone with him, for it would be hours before her friends came from Chiavagno. He had the game in his hands, and of all our confederacy she alone remained to confront him. Mary's courage was pretty near perfect, and for the moment she did not think of herself or her own fate. That came later. She was possessed with poignant disappointment at our failure. All our efforts had gone to the winds, and the enemy had won with contemptuous ease. Her nervousness disappeared before the intense regret, and her brain set coolly and busily to work.

It was a new Ivery who confronted her, a man with vigour and purpose in every line of him and the quiet confidence of power. He spoke with a serious courtesy.

"The time for make-believe is past," he was saying. "We have fenced with each other. I have told you only half the truth, and you have always kept me at arm's length. But you knew in your heart, my dearest lady, that there must be the full truth between us some day, and that day has come. I have often told you that I love you. I do not come now to repeat that declaration. I come to ask you to entrust yourself to me, to join your fate to mine, for I can promise you the happiness which you deserve."

He pulled up a chair and sat beside her. I cannot put down all that he said, for Mary, once she grasped the drift of it, was busy with her own thoughts and did not listen. But I gather from her that he was very candid and seemed to grow as he spoke in mental and moral stature. He told her who he was and what his work had been. He claimed the same purpose as hers, a hatred of war and a passion to rebuild the world into decency. But now he drew a different moral. He was a German: it was through Germany alone that peace and regeneration could come. His country was purged from her faults, and the marvellous German discipline was about to prove itself in the eyes of gods and men. He told her what he had told me in the room at the Pink Chalet, but with another colouring. Germany was not vengeful or vainglorious, only patient and merciful. God was about to give her the power to decide the world's fate, and it was for him and his kind to see that that decision was beneficent. The greater task of his people was only now beginning.

That was the gist of his talk. She appeared to listen, but her mind was far away. She must delay him for two hours, three hours, four hours. If not, she must keep beside him. She was the only one of our company left in touch with the enemy. . . .

"I go to Germany now," he was saying. "I want you to come with me—to be my wife."

He waited for an answer, and got it in the form of a startled question.

"To Germany? How?"

"It is easy," he said, smiling. "The car which is waiting outside is the first stage of a system of travel which we have perfected." Then he told her about the Underground Railway—not as he had told it to me, to scare, but as a proof of power and forethought.

His manner was perfect. He was respectful, devoted, thoughtful in all things. He was the suppliant, not the master. He offered her power and pride, a dazzling career, for he had deserved well of his country, the devotion of the faithful lover. He would take her to his mother's house, where she would be welcomed like a princess. I have no doubt he was sincere, for he had many moods, and the libertine whom he had revealed to me at the Pink Chalet had given place to the honourable gentleman. He could play all parts well because he could believe in himself in them all.

Then he spoke of danger, not so as to slight her courage, but to emphasise his own thoughtfulness. The world in which she had lived was crumbling, and he alone could offer a refuge. She felt the steel gauntlet through the texture of the velvet glove.

All the while she had been furiously thinking, with her chin in her hand in the old way. . . . She might refuse to go. He could compel her, no doubt, for there was no help to be got from the old servants. But it might be difficult to carry an unwilling woman over the first stages of the Underground Railway. There might be chances. . . . Supposing he accepted her refusal and left her. Then indeed he would be gone for ever and our game would have closed with a fiasco. The great antagonist of England would go home rejoicing, taking his sheaves with him.

At this time she had no personal fear of him. So curious a thing is the human heart that her main preoccupation was with our mission, not with her own fate. To fail utterly seemed too bitter. Supposing she went with him. They had still to get out of Italy and cross Switzerland. If she were with him she would be an emissary of the Allies in the enemy's camp. She asked herself what could she do, and told herself "Nothing." She felt like a small bird in a very large trap, and her chief sensation was that of her own powerlessness. But she had learned Blenkiron's gospel and knew that Heaven sends amazing chances to the bold. And, even as she made her decision, she was aware of a dark shadow lurking at the back of her mind, the shadow of the fear which she knew was awaiting her. For she was going into the unknown with a man whom she hated, a man who claimed to be her lover.

It was the bravest thing I have ever heard of, and I have lived my life among brave men.

"I will come with you," she said. "But you mustn't speak to me, please. I am tired and troubled and I want peace to think."

As she rose weakness came over her and she swayed till his arm caught her. "I wish I could let you rest for a little," he said tenderly, "but time presses. The car runs smoothly and you can sleep there."

He summoned one of the servants to whom he handed Mary. "We leave in ten minutes," he said, and he went out to see to the car.

Mary's first act in the bedroom to which she was taken was to bathe her eyes and brush her hair. She felt dimly that she must keep her head clear. Her second was to scribble a note to Wake, telling him what had happened, and to give it to the servant with a tip. "The gentleman will come in the morning," she said. "You must give it him at once, for it concerns the fate of your country." The woman grinned and promised. It was not the first time she had done errands for pretty ladies.

Ivery settled her in the great closed car with much solicitude, and made her comfortable with rugs. Then he went back to the inn for a second, and she saw a light move in the *salle-à-manger*. He returned and spoke to the driver in German, taking his seat beside him.

But first he handed Mary her note to Wake. "I think you left this behind you," he said. He had not opened it.

Alone in the car Mary slept. She saw the figures of Ivery and the chauffeur in the front seat dark against the head-lights, and then they dislimned into dreams. She had undergone a greater strain than she knew, and was sunk in the heavy sleep of weary nerves.

When she woke it was daylight. They were still in Italy, as her first glance told her, so they could not have taken the Staub route. They seemed to be among the foothills, for there was little snow, but now and then up tributary valleys she had glimpses of the high peaks. She tried hard to think what it could mean, and then remembered the Marjolana. Wake had laboured to instruct her in the topography of the Alps, and she had grasped the fact of the two open passes. But the Marjolana meant a big circuit, and they would not be in Switzerland till the evening. They would arrive in the dark, and pass out of it in the dark, and there would be no chance of succour. She felt very lonely and very weak.

Throughout the morning her fear grew. The more hopeless her chance of defeating Ivery became the more insistently the dark shadow crept over her mind. She tried to steady herself by watching the snow from the windows. The car swung through little villages, past vineyards and pine-woods and the blue of lakes, and over the gorges of mountain streams. There seemed to be no trouble about passports. The sentries at the controls waved a reassuring hand when they were shown some card which the chauffeur held between his teeth. In one place there was a longish halt, and she could hear Ivery talking Italian with two officers of Bersaglieri, to whom he gave cigars. They were fresh-faced, upstanding boys, and for a second she had an idea of flinging open the door and appealing to them to save her. But that would have been futile, for Ivery was clearly amply certificated. She wondered what part he was now playing.

The Marjolana route had been chosen for a purpose. In one town Ivery met and talked to a civilian official, and more than once the car slowed down and someone appeared from the wayside to speak a word and vanish. She was assisting at the last gathering up of the threads of a great plan, before the Wild Birds returned to their nest. Mostly these conferences seemed to be in Italian, but once or twice she gathered from the movement of the lips that German was spoken and that this rough peasant or that black-hatted bourgeois was not of Italian blood.

Early in the morning, soon after she awoke, Ivery had stopped the car and offered her a well-provided luncheon basket. She could eat nothing, and watched him breakfast off sandwiches beside the driver. In the afternoon he asked her permission to sit with her. The car drew up in a lonely place, and a tea-basket was produced by the chauffeur. Ivery made tea, for she seemed too listless to move, and she drank a cup with him. After that he remained beside her.

"In half an hour we shall be out of Italy," he said. The car was running up a long valley to the curious hollow between snowy saddles which is the crest of the Marjolana. He showed her the place on a road map. As the altitude increased and the air grew colder he wrapped the rugs closer around her and apologised for the absence of a foot-warmer. "In a little," he said, "we shall be in the land where your slightest wish will be law."

She dozed again and so missed the frontier post. When she woke the car was slipping down the long curves of the Weiss valley, before it narrows to the gorge through which it debouches on Grünewald.

"We are in Switzerland now," she heard his voice say. It may have been fancy, but it seemed to her that there was a new note in it. He spoke to her with the assurance of possession. They were outside the country of the Allies, and in a land where his web was thickly spread.

"Where do we stop to-night?" she asked timidly.

"I fear we cannot stop. To-night also you must put up with the car. I have a little errand to do on the way, which will delay us a few minutes, and then we press on. To-morrow, my fairest one, fatigue will be ended."

There was no mistake now about the note of possession in his voice. Mary's heart began to beat fast and wild. The trap had closed down on her and she saw the folly of her courage. It had delivered her bound and gagged into the hands of one whom she loathed more deeply every moment, whose proximity was less welcome than a snake's. She had to bite hard on her lip to keep from screaming.

The weather had changed and it was snowing hard, the same storm that had greeted us on the Col of the Swallows. The pace was slower now, and Ivery grew restless. He looked frequently at his watch, and snatched the speaking-tube to talk to the driver. Mary caught the word "St. Anton."

"Do we go by St. Anton?" she found voice to ask.

"Yes," he said shortly.

The word gave her the faintest glimmering of hope, for she knew that Peter and I had lived at St. Anton. She tried to look out of the blurred windows, but could see nothing except that the twilight was falling. She begged for the road-map, and saw that so far as she could make out they were still in the broad Grünewald valley and that to reach St. Anton they had to cross the low pass from the

Staubthal. The snow was still drifting thick and the car crawled.

Then she felt the rise as they mounted to the pass. Here the going was bad, very different from the dry frost in which I had covered the same road the night before. Moreover, there seemed to be curious obstacles. Some careless wood-cart had dropped logs on the highway, and more than once both Ivery and the chauffeur had to get out to shift them. In one place there had been a small landslide which left little room to pass, and Mary had to descend and cross on foot while the driver took the car over alone. Ivery's temper seemed to be souring. To the girl's relief he resumed the outside seat, where he was engaged in constant argument with the chauffeur.

At the head of the pass stands an inn, the comfortable hostelry of Herr Kronig, well known to all who clamber among the lesser peaks of the Staubthal. There in the middle of the way stood a man with a lantern.

"The road is blocked by a snowfall," he cried. "They are clearing it now. It will be ready in half an hour's time."

Ivery sprang from his seat and darted into the hotel. His business was to speed up the clearing party, and Herr Kronig himself accompanied him to the scene of the catastrophe. Mary sat still, for she had suddenly become possessed of an idea. She drove it from her as foolishness, but it kept returning. Why had these tree-trunks been spilt on the road? Why had an easy pass after a moderate snowfall been suddenly closed?

A man came out of the inn-yard and spoke to the chauffeur. It seemed to be an offer of refreshment, for the latter left his seat and disappeared inside. He was away for some time and returned shivering and grumbling at the weather, with the collar of his great coat turned up around his ears. A lantern had been hung in the porch and as he passed Mary saw the man. She had been watching the back of his head idly during the long drive, and had observed that it was of the round bullet type, with no nape to the neck, which is common in the Fatherland. Now she could not see his neck for the coat collar, but she could have sworn that the head was a different shape. The man seemed to suffer acutely from the cold, for he buttoned the collar round his chin and pulled his cap far over his brows.

Ivery came back, followed by a dragging line of men with spades and lanterns. He flung himself into the front seat and nodded to the driver to start. The man had his engine going already so as to lose no time. He bumped over the rough débris of the snowfall and then fairly let the car hum. Ivery was anxious for speed, but he did not want his neck broken and he yelled out to take care. The driver nodded and slowed down, but presently he had got up speed again.

If Ivery was restless, Mary was worse. She seemed suddenly to have come on the traces of her friends. In the St. Anton valley the snow had stopped and she let down the window for air, for she was choking with suspense. The car rushed past the station, down the hill by Peter's cottage, through the village, and along the lake shore to the Pink Chalet.

Ivery halted it at the gate. " See that you fill up with petrol," he told the man. " Bid Gustav get the Daimler and be ready to follow in half an hour."

He spoke to Mary through the open window.

" I will keep you only a very little time. I think you had better wait in the car, for it will be more comfortable than a dismantled house. A servant will bring you food and more rugs for the night journey."

Then he vanished up the dark avenue.

Mary's first thought was to slip out and get back to the village and there to find someone who knew me or could take her where Peter lived. But the driver would prevent her, for he had been left behind on guard. She looked anxiously at his back, for he alone stood between her and liberty.

That gentleman seemed to be intent on his own business.

As soon as Ivery's footsteps had grown faint, he had backed the car into the entrance, and turned it so that it faced towards St. Anton. Then very slowly it began to move.

At the same moment a whistle was blown shrilly three times. The door on the right hand opened and someone who had been waiting in the shadows climbed painfully in. Mary saw that it was a little man and that he was a cripple. She reached a hand to help him, and he fell on to the cushions beside her. The car was gathering speed.

Before she realised what was happening the newcomer had taken her hand and was patting it.

. . . .

About two minutes later I was entering the gate of the Pink Chalet.

CHAPTER XIX

THE CAGE OF THE WILD BIRDS

"WHY, Mr. Ivery, come right in," said the voice at the table.

There was a screen before me, stretching from the fire-place to keep off the draught from the door by which I had entered. It stood higher than my head but there were cracks in it through which I could watch the room. I found a little table on which I could lean my back, for I was dropping with fatigue.

Blenkiron sat at the writing-table and in front of him were little rows of Patience cards. Wood ashes still smouldered in the stove, and a lamp stood at his right elbow which lit up the two figures. The bookshelves and the cabinets were in twilight.

" I've been hoping to see you for quite a time." Blenkiron was busy arranging the little heaps of cards, and his face was wreathed in hospitable smiles. I remember wondering why he should play the host to the true master of the house.

Ivery stood erect before him. He was rather a splendid figure now that he had sloughed all disguises and was on the threshold of his triumph. Even through the fog in which my brain worked it was forced upon me that here was a man born to play a big part. He had a jowl like a Roman king on a coin, and scornful eyes that were used to mastery. He was younger than me, confound him, and now he looked it.

He kept his eyes on the speaker, while a smile played round his mouth, a very ugly smile.

" So," he said. " We have caught the old crow too. I

had scarcely hoped for such good fortune, and, to speak the truth, I had not concerned myself much about you. But now we shall add you to the bag. And what a bag of vermin to lay out on the lawn!" He flung back his head and laughed.

"Mr. Ivery——" Blenkiron began, but was cut short.

"Drop that name. All that is past, thank God! I am the Graf von Schwabing, an officer of the Imperial Guard. I am not the least of the weapons that Germany has used to break her enemies. . . ."

"You don't say," drawled Blenkiron, still fiddling with his Patience cards.

The man's moment had come, and he was minded not to miss a jot of his triumph. His figure seemed to expand, his eye kindled, his voice rang with pride. It was melodrama of the best kind and he fairly rolled it round his tongue. I don't think I grudged it him, for I was fingering something in my pocket. He had won all right, but he wouldn't enjoy victory long, for soon I would shoot him. I had my eye on the very spot above his right ear where I meant to put my bullet. . . . For I was very clear that to kill him was the only way to protect Mary. I feared the whole seventy millions of Germany less than this man. That was the single idea that remained firm against the immense fatigue that pressed down on me.

"I have little time to waste on you," said he who had been called Ivery. "But I will spare a moment to tell you a few truths. Your childish game never had a chance. I played with you in England and I have played with you ever since. You have never made a move but I have quietly countered it. Why, man, you gave me your confidence. The American Mr. Donne . . ."

"What about Clarence?" asked Blenkiron. His face seemed a study in pure bewilderment.

"I was that interesting journalist."

"Now to think of that!" said Blenkiron in a sad, gentle voice. "I thought I was safe with Clarence. Why, he brought me a letter from old Joe Hooper and he knew all the boys down Emporia way."

Ivery laughed. "You have never done me justice, I fear; but I think you will do it now. Your gang is helpless in my hands. General Hannay . . ." And I wish I could give you a notion of the scorn with which he pronounced the word "General."

"Yes—Dick?" said Blenkiron intently.

"He has been my prisoner for twenty-four hours. And the pretty Miss Mary, too. You are all going with me in a little to my own country. You will not guess how. We call it the Underground Railway, and you will have the privilege of studying its workings. . . . I had not troubled much about you, for I had no special dislike of you. You are only a blundering fool, what you call in your country easy fruit."

"I thank you, Graf," Blenkiron said solemnly.

"But since you are here you will join the others. . . . One last word. To beat inepts such as you is nothing. There is a far greater thing. My country has conquered. You and your friends will be dragged at the chariot wheels of a triumph such as Rome never saw. Does that penetrate your thick skull? Germany has won, and in two days the whole round earth will be stricken dumb by her greatness."

As I watched Blenkiron a grey shadow of hopelessness seemed to settle on his face. His big body drooped in his chair, his eyes fell, and his left hand shuffled limply among his Patience cards. I could not get my mind to work, but I puzzled miserably over his amazing blunders. He had walked blindly into the pit his enemies had digged for him. Peter must have failed to get my message to him, and he knew nothing of last night's work or my mad journey to Italy. We had all bungled, the whole wretched bunch of us, Peter and Blenkiron and myself. . . . I had a feeling at the back of my head that there was something in it all that I couldn't understand, that the catastrophe could not be quite as simple as it seemed. But I had no power to think, with the insolent figure of Ivery dominating the room. . . . Thank God I had a bullet waiting for him. That was the one fixed point in the chaos of my mind. For the first time in my life I was resolute on killing one particular man, and the purpose gave me a horrid comfort.

Suddenly Ivery's voice rang out sharp. " Take your hand out of your pocket. You fool, you are covered from three points in the walls. A movement and my men will make a sieve of you. Others before you have sat in that chair, and I am used to take precautions. Quick. Both hands on the table."

There was no mistake about Blenkiron's defeat. He was done and out, and I was left with the only card. He leaned wearily on his arms with the palms of his hands spread out.

" I reckon you've gotten a strong hand, Graf," he said, and his voice was flat with despair.

" I hold a royal straight flush," was the answer.

And then suddenly came a change. Blenkiron raised his head, and his sleepy, ruminating eyes looked straight at Ivery.

" I call you," he said.

I didn't believe my ears. Nor did Ivery.

" The hour for bluff is past," he said.

" Nevertheless I call you."

At that moment I felt someone squeeze through the door behind me and take his place at my side. The light was so dim that I saw only a short, square figure, but a familiar voice whispered in my ear, " It's me—Andra Amos. Man, this is a great ploy. I'm here to see the end o't."

No prisoner waiting on the finding of the jury, no commander expecting news of a great battle, ever hung in more desperate suspense that I did during the next seconds. I had forgotten my fatigue; my back no longer needed support. I kept my eyes glued to the crack in the screen and my ears drank in greedily every syllable.

Blenkiron was now sitting bolt upright with his chin in his hands. There was no shadow of melancholy in his lean face.

"I say I call you, Herr Graf von Schwabing. I'm going to put you wise about some little things. You don't carry arms, so I needn't warn you against monkeying with a gun. You're right in saying that there are three places in these walls from which you can shoot. Well, for your information I may tell you that there's guns in all three, but they're covering you at this moment. So you'd better be good."

Ivery sprang to attention like a ramrod. "Karl!" he cried. "Gustav!"

As if by magic figures stood on either side of him, like warders by a criminal. They were not the sleek German footmen whom I had seen at the Chalet. One I did not recognize. The other was my servant, Geordie Hamilton.

He gave them one glance, looked round like a hunted animal, and then steadied himself. The man had his own kind of courage.

"I've gotten something to say to you," Blenkiron drawled. "It's been a tough fight, but I reckon the hot end of the poker is with you. I compliment you on Clarence Donne. You fooled me fine over that business, and it was only by the mercy of God you didn't win out. You see, there was just the one of us who was liable to recognise you whatever way you twisted your face, and that was Dick Hannay. I give you good marks for Clarence. . . . For the rest, I had you beaten flat."

He looked steadily at him. "You don't believe it. Well, I'll give you proof. I've been watching your Underground Railway for quite a time. I've had my men on the job, and I reckon most of the lines are now closed for repairs. All but the trunk line into France. That I'm keeping open, for soon there's going to be some traffic on it."

At that I saw Ivery's eyelids quiver. For all his self-command he was breaking.

" I admit we cut it mighty fine, along of your fooling me about Clarence. But you struck a bad snag in General Hannay, Graf. Your heart-to-heart talk with him was poor business. You reckoned you had him safe, but that was too big a risk to take with a man like Dick, unless you saw him cold before you left him. . . . He got away from this place, and early this morning I knew all he knew. After that it was easy. I got the telegram you had sent this morning in the name of Clarence Donne and it made me laugh. Before midday I had this whole outfit under my hand. Your servants have gone by the Underground Railway—to France. Ehrlich—well, I'm sorry about Ehrlich."

I knew now the name of the Portuguese Jew.

" He wasn't a bad sort of man," Blenkiron said regretfully, " and he was plumb honest. I couldn't get him to listen to reason, and he would play with firearms. So I had to shoot."

" Dead?" asked Ivery sharply.

" Ye-es. I don't miss, and it was him or me. He's under the ice now—where you wanted to send Dick Hannay. He wasn't your kind, Graf, and I guess he has some chance of getting into Heaven. If I weren't a hard-shell Presbyterian I'd say a prayer for his soul."

I looked only at Ivery. His face had gone very pale, and his eyes were wandering. I am certain his brain was working at lightning speed, but he was a rat in a steel trap and the springs held him. If ever I saw a man going through hell it was now. His pasteboard castle had crumbled about his ears and he was giddy with the fall of it. The man was made of pride, and every proud nerve of him was caught on the raw.

" So much for ordinary business," said Blenkiron. " There's the matter of a certain lady. You haven't behaved over-nice about her, Graf, but I'm not going to blame you. You maybe heard a whistle blow when you were coming in here? No! Why, it sounded like Gabriel's trump. Peter must have put some lung power into it. Well, that was the signal that Miss Mary was safe in your car . . . but in our charge. D'you comprehend?"

He did. The ghost of a flush appeared in his cheeks.

"You ask about General Hannay? I'm not just exactly sure where Dick is at this moment, but I opine he's in Italy."

I kicked aside the screen, thereby causing Amos almost to fall on his face.

"I'm back," I said, and pulled up an arm-chair and dropped into it.

I think the sight of me was the last straw for Ivery. I was a wild enough figure, grey with weariness, soaked, dirty, with the clothes of the porter Joseph Zimmer in rags from the sharp rocks of the Schwarzsteinthor. As his eyes caught mine they wavered, and I saw terror in them. He knew he was in the presence of a mortal enemy.

"Why, Dick," said Blenkiron with a beaming face, "this is mighty opportune. How in creation did you get here?"

"I walked," I said. I did not want to have to speak, for I was too tired. I wanted to watch Ivery's face.

Blenkiron gathered up his Patience cards, slipped them into a little leather case and put it in his pocket.

"I've one thing more to tell you. The Wild Birds have been summoned home, but they won't ever make it. We've gathered them in—Pavia, and Hofgaard, and Conradi. Ehrlich is dead. And you are going to join the rest in our cage."

As I looked at my friend, his figure seemed to gain in presence. He sat square in his chair with a face like a hanging judge, and his eyes, sleepy no more, held Ivery as in a vice. He had dropped, too, his drawl and the idioms of his ordinary speech, and his voice came out hard and massive like the clash of granite blocks.

"You're at the bar now, Graf von Schwabing. For years you've done your best against the decencies of life.

You have deserved well of your own country, I don't doubt it. But what has your country deserved of the world? One day soon Germany has to do some heavy paying, and you are the first instalment."

"I appeal to the Swiss law. I stand on Swiss soil, and I demand that I be surrendered to the Swiss authorities." Ivery spoke with dry lips and the sweat was on his brow.

"Oh, no no," said Blenkiron soothingly. "The Swiss are a nice people, and I would hate to add to the worries of a poor little neutral state. . . . All along both sides have been outside the law in this game, and that's going to continue. We've abode by the rules and so must you. . . . For years you've murdered and kidnapped and seduced the weak and ignorant, but we're not going to judge your morals. We leave that to the Almighty when you get across Jordan. We're going to wash our hands of you as soon as we can. You'll travel to France by the Underground Railway and there be handed over to the French Government. From what I know they've enough against you to shoot you every hour of the day for a twelvemonth."

I think he had expected to be condemned by us there and then and sent to join Ehrlich beneath the ice. Anyhow, there came a flicker of hope into his eyes. I daresay he saw some way to dodge the French authorities if he once got a chance to use his miraculous wits. Anyhow, he bowed with something very like self-possession, and asked permission to smoke. As I have said, the man had his own courage.

"Blenkiron," I cried, "we're going to do nothing of the kind."

He inclined his head gravely towards me. "What's your notion, Dick?"

"We've got to make the punishment fit the crime," I said. I was so tired that I had to form my sentences laboriously, as if I were speaking a half-understood foreign tongue.

"Meaning?"

"I mean that if you hand him over to the French he'll either twist out of their hands somehow or get decently shot, which is far too good for him. This man and his kind have sent millions of honest folk to their graves. He has sat spinning his web like a great spider and for every thread there has been an ocean of blood spilled. It's his sort that made the war, not the brave, stupid fighting Boche. It's his sort that's responsible for all the clotted beastliness. . . . And he's never been in sight of a shell. I'm for putting him in the front line. No, I don't mean any Uriah the Hittite business. I want him to have a sporting chance, just what other men have. But, by God, he's going to learn what is the upshot of the strings he's been pulling so merrily. . . . He told me in two days' time Germany would smash our armies to hell. He boasted that he would be mostly responsible for it. Well, let him be there to see the smashing."

"I reckon that's just," said Blenkiron.

Ivery's eyes were on me now, fascinated and terrified like those of a bird before a rattlesnake. I saw again the shapeless features of the man in the Tube station, the residuum of shrinking mortality behind his disguises. He seemed to be slipping something from his pocket towards his mouth, but Geordie Hamilton caught his wrist.

"Wad ye offer?" said the scandalised voice of my servant. "Sirr, the prisoner would appear to be trying to puishon hisself. Wull I search him?"

After that he stood with each arm in the grip of a warder.

"Mr. Ivery," I said, "last night, when I was in your power, you indulged your vanity by gloating over me. I expected it, for your class does not breed gentlemen. We treat our prisoners differently, but it is fair that you should know your fate. You are going into France, and I will see that you are taken to the British front. There with my old division you will learn something of the meaning of war. Understand that by no conceivable chance can you escape. Men will be detailed to watch you day and night and to see that you undergo the full rigour of the battle-field. You will have the same experience as other people, no more, no less. I believe in a righteous God and I know that sooner or later you will find death—death at the hands of your own people—an honourable death which is far beyond your desserts. But before it comes you will have understood the hell to which you have condemned honest men."

In moments of great fatigue, as in moments of great crisis, the mind takes charge, and may run on a track independent of the will. It was not myself that spoke, but an impersonal voice which I did not know, a voice in whose tones rang a strange authority. Ivery recognized the icy finality of it, and his body seemed to wilt and droop. Only the hold of the warders kept him from falling.

I, too, was about the end of my endurance. I felt dimly that the room had emptied except for Blenkiron and Amos, and that the former was trying to make me drink brandy from the cup of a flask. I struggled to my feet with the intention of going to Mary, but my legs would not carry me. . . . I heard as in a dream Amos giving thanks to an Omnipotence in whom he officially disbelieved. "What's that the auld man in the Bible said? Now let thou thy servant depart in peace. That's the way I'm feelin' mysel'." And then slumber came on me like an armed man, and in the chair by the dying wood-ash I slept off the ache of my limbs, the tension of my nerves, and the confusion of my brain.

CHAPTER XX

THE STORM BREAKS IN THE WEST

THE following evening—it was the 20th day of March—I started for France after the dark fell. I drove Ivery's big closed car, and within sat its owner, bound and gagged, as others had sat before him on the same errand. Geordie Hamilton and Amos were his companions. From what Blenkiron had himself discovered and from the papers seized in the Pink Chalet I had full details of the road and its mysterious stages. It was like the journey of a mad dream. In a back street of a little town I would exchange passwords with a nameless figure and be given instructions. At a wayside inn at an appointed hour a voice speaking thick German would advise that this bridge or that railway crossing had been cleared. At a hamlet among pine-woods an unknown man would clamber up beside me and take me past a sentry-post. Smooth as clockwork was the machine, till in the dawn of a spring morning I found myself dropping into a broad valley through little orchards just beginning to blossom, and knew that I was in France. After that, Blenkiron's own arrangements began, and soon I was drinking coffee with a young lieutenant of Chasseurs, and had taken the gag from Ivery's mouth. The bluecoats looked curiously at the man in the green ulster whose face was the colour of clay and who lit cigarette from cigarette with a shaky hand.

The lieutenant rang up a General of Division who knew all about us. At his headquarters I explained my purpose, and he telegraphed to an Army Headquarters for a permission which was granted. It was not for nothing that in January I had seen certain great personages in Paris, and that Blenkiron had wired ahead of me to prepare the way. Here I handed over Ivery and his guard, for I wanted them to proceed to Amiens under French supervision, well knowing that the men of that great army are not used to let slip what they once hold.

It was a morning of clear spring sunlight when we breakfasted in that little red-roofed town among vineyards with a shining river looping at our feet. The General of Division was an Algerian veteran with a brush of grizzled hair, whose eye kept wandering to a map on the wall where pins and stretched thread made a spider's web.

"Any news from the north?" I asked.

"Not yet," he said. "But the attack comes soon. It will be against our army in Champagne." With a lean finger he pointed out the enemy dispositions.

"Why not against the British?" I asked. With a knife and fork I made a right angle and put a salt dish in the centre. "That is the German concentration. They can so mass that we do not know which side of the angle they will strike till the blow falls."

"It is true," he replied. "But consider. For the enemy to attack towards the Somme would be to fight over many miles of an old battle-ground where all is still desert and every yard of which you British know. In Champagne at a bound he might enter unbroken country. It is a long and difficult road to Amiens, but not so long to Châlons. Such is the view of Pétain. Does it convince you?"

"The reasoning is good. Nevertheless he will strike at Amiens, and I think he will begin to-day."

He laughed and shrugged his shoulders. "*Nous verrons.* You are obstinate, my general, like all your excellent countrymen."

But as I left his headquarters an aide-de-camp handed him a message on a pink slip. He read it, and turned to me with a grave face.

"You have a *flair,* my friend. I am glad we did not wager. This morning at dawn there is great fighting around

St. Quentin. Be comforted, for they will not pass. Your Maréchal will hold them."

That was the first news I had of the battle.

At Dijon according to plan I met the others. I only just caught the Paris train, and Blenkiron's great wrists lugged me into the carriage when it was well in motion. There sat Peter, a docile figure in a carefully patched old R.F.C. uniform. Wake was reading a pile of French papers, and in a corner Mary, with her feet up on the seat, was sound asleep.

We did not talk much, for the life of the past days had been so hectic that we had no wish to recall it. Blenkiron's face wore an air of satisfaction, and as he looked out at the sunny spring landscape he hummed his only tune. Even Wake had lost his restlessness. He had on a pair of big tortoiseshell reading glasses, and when he looked up from his newspaper and caught my eye he smiled. Mary slept like a child, delicately flushed, her breath scarcely stirring the collar of the greatcoat which was folded across her throat. I remember looking with a kind of awe at the curve of her young face and the long lashes that lay so softly on her cheek, and wondering how I had borne the anxiety of the last months. Wake raised his head from his reading, glanced at Mary and then at me, and his eyes were kind, almost affectionate. He seemed to have won peace of mind among the hills.

Only Peter was out of the picture. He was a strange, disconsolate figure, as he shifted about to ease his leg, or gazed incuriously from the window. He had shaved his beard again, but it did not make him younger, for his face was too lined and his eyes too old to change. When I spoke to him he looked towards Mary and held up a warning finger.

"I go back to England," he whispered. "Your little *mysie* is going to take care of me till I am settled. We spoke of it yesterday at my cottage. I will find a lodging and be patient till the war is over. And you, Dick?"

"Oh, I rejoin my division. Thank God, this job is over.

I have an easy mind now and can turn my attention to straightforward soldiering. I don't mind telling you that I'll be glad to think that you and Mary and Blenkiron are safe at home. What about you, Wake?"

"I go back to my Labour battalion," he said cheerfully. "Like you, I have an easier mind."

I shook my head. "We'll see about that. I don't like such sinful waste. We've had a bit of campaigning together and I know your quality."

"The battalion's quite good enough for me," and he relapsed into a day-old *Journal*.

Mary had suddenly woke, and was sitting upright with her fists in her eyes like a small child. Her hand flew to her hair, and her eyes ran over us as if to see that we were all there. As she counted the four of us she seemed relieved.

"I reckon you feel refreshed, Miss Mary," said Blenkiron. "It's good to think that now we can sleep in peace, all of us. Pretty soon you'll be in England and spring will be beginning, and please God it'll be the start of a better world. Our work's over, anyhow."

"I wonder," said the girl gravely. "I don't think there's any discharge in this war. Dick, have you news of the battle? This was the day."

"It's begun," I said, and told them the little I had learned from the French general. "I've made a reputation as a prophet, for he thought the attack was coming in Champagne. It's St. Quentin right enough, but I don't know what has happened. We'll hear in Paris."

Mary had woke with a startled air as if she remembered her old instinct that our work would not be finished without a sacrifice, and that sacrifice the best of us. The notion kept recurring to me with an uneasy insistence. But soon she appeared to forget her anxiety. That afternoon as we journeyed through the pleasant land of France she was in holiday mood, and she forced all our spirits up to her level. It was calm, bright weather, the long curves of ploughland were beginning to quicken into green, the catkins made a blue mist on the willows by the watercourses, and in the orchards by the red-roofed hamlets the blossom was breaking. In such a scene it was hard to keep the mind sober and grey, and the pall of war slid from us. Mary cosseted and fussed over Peter like an elder sister over a delicate little boy. She made him stretch his bad leg full length on the seat, and when she made tea for the party of us it was a protesting Peter who had the last sugar biscuit. Indeed, we were almost a merry company, for Blenkiron told stories of old hunting and engineering days in the West and Peter and I were driven to cap them, and Mary asked provocative questions, and Wake listened with amused interest. It was well that we had the carriage to ourselves, for no queerer rigs were ever assembled. Mary, as always, was neat and workmanlike in her dress; Blenkiron was magnificent in a suit of russet tweed with a pale-blue shirt and collar, and well-polished brown shoes; but Peter and Wake were in uniforms which had seen far better days, and I wore still the boots and the shapeless and ragged clothes of Joseph Zimmer, the porter from Arosa.

We appeared to forget the war, but we didn't, for it was in the background of all our minds. Somewhere in the north there was raging a desperate fight, and its issue was the true test of our success or failure. Mary showed it by bidding me ask for news at every stopping-place. I asked gendarmes and *permissionnaires,* but I learned nothing. Nobody had even heard of the battle. The upshot was that for the last hour we all fell silent, and when we reached Paris about seven o'clock my first errand was to the bookstall.

I bought a batch of evening papers, which we tried to read in the taxis that carried us to our hotel. Sure enough there was the announcement in big headlines. The enemy had attacked in great strength from south of Arras to the Oise; but everywhere he had been repulsed and held in our battle-zone. The leading articles were confident, the notes by the various military critics were almost braggart. At last the Germans had been driven to an offensive, and the Allies would have the opportunity they had longed for of proving their superior fighting strength. It was, said one and all, the opening of the last phase of the war.

I confess that as I read my heart sank. If the civilians were so over-confident, might not the generals have fallen into the same trap? Blenkiron alone was unperturbed. Mary said nothing, but she sat with her chin in her hands, which with her was a sure sign of deep preoccupation.

Next morning the papers could tell us little more. The main attack had been on both sides of St. Quentin, and though the British had given ground it was only the outpost lines that had gone. The mist had favoured the enemy, and his bombardment had been terrific, especially the gas shells. Every journal added the old old comment—that he had paid heavily for his temerity, with losses far exceeding those of the defence.

Wake appeared at breakfast in his private's uniform. He wanted to get his railway warrant and be off at once, but when I heard that Amiens was his destination I ordered him to stay and travel with me in the afternoon. I was in uniform myself now and had taken charge of the outfit. I arranged that Blenkiron, Mary, and Peter should go on to Boulogne and sleep the night there, while Wake and I would be dropped at Amiens to await instructions.

I spent a busy morning. Once again I visited with Blenkiron the little cabinet in the Boulevard St. Germain, and told in every detail our work of the past two months. Once again I sat in the low building beside the Invalides and talked to staff officers. But some of the men I had seen on the first visit were not there. The chiefs of the French Army had gone north.

We arranged for the handling of the Wild Birds, now safely in France, and sanction was given to the course I had proposed to adopt with Ivery. He and his guard were on their way to Amiens, and I would meet them there on the morrow. The great men were very complimentary to us, so complimentary that my knowledge of grammatical French ebbed away and I could only stutter in reply. That telegram sent by Blenkiron on the night of the 18th, from the information given me in the Pink Chalet, had done wonders in clearing up the situation.

But when I asked them about the battle they could tell me little. It was a very serious attack in tremendous force, but the British line was strong and the reserves were believed to be sufficient. Pétain and Foch had gone north to consult with Haig. The situation in Champagne was still obscure, but some French reserves were already moving thence to the Somme sector. One thing they did show me, the British dispositions. As I looked at the plan I saw that my old division was in the thick of the fighting.

"Where do you go now?" I was asked.

"To Amiens, and then, please God, to the battle front," I said.

"Good fortune to you. You do not give body or mind much rest, my general."

After that I went to the Mission Anglaise, but they had nothing beyond Haig's *communiqué* and a telephone message from G.H.Q. that the critical sector was likely to be that between St. Quentin and the Oise. The northern pillar of our defence, south of Arras, which they had been nervous about, had stood like a rock. That pleased me, for my old battalion of the Lennox Highlanders was there.

Crossing the Place de la Concorde, we fell in with a British staff officer of my acquaintance, who was just starting to motor back to G.H.Q. from Paris leave. He had a longer face than the people at the Invalides.

"I don't like it, I tell you," he said. "It's this mist that worries me. I went down the whole line from Arras to the Oise ten days ago. It was beautifully sited, the cleverest thing you ever saw. The outpost line was mostly a chain of blobs—redoubts, you know, with machine guns—so arranged as to bring flanking fire to bear on the advancing enemy. But mist would play the devil with that scheme, for the enemy would be past the place for flanking fire before we knew it. . . . Oh, I know we had good warning, and had the battle zone manned in time, but the outpost line was meant to hold out long enough to get everything behind in apple-pie order, and I can't see but how big chunks of it must have gone in the first rush. . . . Mind you, we've banked everything on that battle-zone. It's damned good, but if it's gone——" He flung up his hands.

"Have we good reserves?" I asked.

"Middling," and he shrugged his shoulders.

"Have we positions prepared behind the battle-zone?"

"I didn't notice any," he said drily, and was off before I could get more out of him.

"You look rattled, Dick," said Blenkiron as we walked to the hotel.

"I seem to have got the needle. It's silly, but I feel worse about this show than I've ever felt since the war started. Look at this city here. The papers take it easily, and the people are walking about as if nothing was happening. Even the soldiers aren't worried. You may call me a fool to take it so hard, but I've a sense in my bones that we're in for the bloodiest and darkest fight of our lives, and that soon Paris will be hearing the Boche guns as she did in 1914."

"You're a cheerful old Jeremiah. Well, I'm glad Miss Mary's going to be in England soon. Seems to me she's right and that this game of ours isn't quite played out yet. I'm envying you some, for there's a place waiting for you in the fighting line."

"You've got to get home and keep people's heads straight there. That's the weak link in our chain and there's a mighty lot of work before you."

"Maybe," he said abstractedly, with his eye on the top of the Vendôme column.

The train that afternoon was packed with officers recalled from leave, and it took all the combined purchase of Blenkiron and myself to get a carriage reserved for our little party. At the last moment I opened the door to admit a warm and agitated captain of the R.F.C. in whom I recognised my friend and benefactor, Archie Roylance.

"Just when I was gettin' nice and clean and comfy a wire comes tellin' me to bundle back, all along of a new battle. It's a cruel war, sir." The afflicted young man mopped his forehead, grinned cheerfully at Blenkiron, glanced critically at Peter, then caught sight of Mary and grew at once acutely conscious of his appearance. He smoothed his hair, adjusted his tie, and became desperately sedate.

I introduced him to Peter and he promptly forgot Mary's existence. If Peter had had any vanity in him it would have been flattered by the frank interest and admiration in the boy's eyes.

"I'm tremendously glad to see you safe back, sir. I've always hoped I might have a chance of meetin' you. We want you badly now on the front. Lensch is gettin' a bit uppish."

Then his eye fell on Peter's withered leg and he saw that he had blundered. He blushed scarlet and looked his apologies. But they weren't needed, for it cheered Peter to meet someone who talked of the possibility of his fighting again. Soon the two were deep in technicalities, the appalling technicalities of the airman. It was no good listening to their talk, for you could make nothing of it, but it was bracing up Peter like wine. Archie gave him a minute description of Lensch's latest doings and his new methods. He, too, had heard the rumour that Peter had mentioned to me at St. Anton, of a new Boche plan, with mighty engines and stumpy wings cunningly cambered, which was a devil to climb; but no specimens had yet appeared over the line. They talked of Ball, the Rhys Davids, and Bishop, and McCudden, and all the heroes who had won their spurs since the Somme, and of the new British makes, most of which Peter had never seen and had to have explained to him.

Outside a haze had drawn over the meadows with the twilight. I pointed it out to Blenkiron.

"There's the fog that's doing us in. This March weather is just like October, mist morning and evening. I wish to Heaven we could have some good old drenching spring rains."

Archie was discoursing of the Shark-Gladas machine.

"I've always stuck to it, for it's a marvel in its way, but it has my heart fairly broke. The General here knows its little tricks. Don't you, sir? Whenever things get really excitin', the engine's apt to quit work and take a rest."

"The whole make should be publicly burned," I said, with gloomy recollections.

"I wouldn't go so far, sir. The old Gladas has surprisin' merits. On her day there's nothing like her for pace and climbing-power, and she steers as sweet as a racin' cutter. The trouble about her is she's too complicated. She's like some breeds of car—you want to be a mechanical genius to understand her. . . . If they'd only get her a little simpler and safer, there wouldn't be her match in the field. I'm about the only man that has patience with her and knows her merits, but she's often been nearly the death of me. All the same, if I were in for a big fight against some fellow like Lensch, where it was neck or nothing, I'm hanged if I wouldn't pick the Gladas."

Archie laughed apologetically. "The subject is banned for me in our mess. I'm the old thing's only champion, and she's like a mare I used to hunt that loved me so much she was always tryin' to chew the arm off me. But I wish I could get her a fair trial from one of the big pilots. I'm only in the second class myself after all."

We were running north of St. Just when above the rattle of the train rose a curious dull sound. It came from the east, and was like the low growl of a veld thunderstorm, or a steady roll of muffled drums.

"Hark to the guns!" cried Archie. "My aunt, there's a tidy bombardment goin' on somewhere."

I had been listening on and off to guns for three years. I had been present at the big preparations before Loos and the Somme and Arras, and I had come to accept the racket of artillery as something natural and inevitable like rain or sunshine. But this sound chilled me with its eeriness, I don't know why. Perhaps it was its unexpectedness, for I was sure that the guns had not been heard in this area since before the Marne. The noise must be travelling down the Oise valley, and I judged there was big fighting somewhere about Chauny or La Fère. That meant that the enemy was pressing hard on a huge front, for here was clearly a great effort on his extreme left wing. Unless it was our counter-attack. But somehow I didn't think so.

I let down the window and stuck my head into the night. The fog had crept to the edge of the track, a gossamer mist through which houses and trees and cattle could be seen dim in the moonlight. The noise continued—not a mutter, but a steady rumbling flow as solid as the blare of a trumpet. Presently, as we drew nearer Amiens, we left it behind us, for in all the Somme valley there is some curious configuration which blankets sound. The country folk call it the "Silent Land," and during the first phase of the Somme battle a man in Amiens could not hear the guns twenty miles off at Albert.

As I sat down again I found that the company had fallen silent, even the garrulous Archie. Mary's eyes met mine, and in the indifferent light of the French railway-carriage I could see excitement in them—I knew it was excitement, not fear. She had never heard the noise of a great barrage before. Blenkiron was restless, and Peter was sunk in his own thoughts. I was growing very depressed, for in a little I would have to part from my best friends and the girl I loved. But with the depression was mixed an odd expectation, which was almost pleasant. The guns had brought back my profession to me; I was moving towards their thunder, and God only knew the end of it. The happy dream I had dreamed of the Cotswolds and a home with Mary beside me seemed suddenly to have fallen away to an infinite distance. I felt once again that I was on the razor-edge of life.

The last part of the journey I was casting back to rake up my knowledge of the countryside. I saw again the stricken belt from Serre to Combles where we had fought in the summer of '17. I had not been present in the advance of the following spring, but I had been at Cambrai and I knew all the down country from Lagnicourt to St. Quentin. I shut my eyes and tried to picture it, and to see the roads running up to the line, and wondered just at what points the big pressure had come. They had told me in Paris that the British were as far south as the Oise, so the bombardment we had heard must be directed to our address. With Passchendaele and Cambrai in my mind, and some notion of the difficulties we had always had in getting drafts, I was puzzled to think where we could have found the troops to man the new front. We must be unholily thin on that long line. And against that awesome bombardment! And the masses and the new tactics that Ivery had bragged of!

When we ran into the dingy cavern which is Amiens station, I seemed to note a new excitement. I felt it in the air rather than deduced it from any special incident, except that the platform was very crowded with civilians, most of them with an extra amount of baggage. I wondered if the place had been bombed the night before.

"We won't say good-bye yet," I told the others. "The train doesn't leave for half an hour. I'm off to try and get news."

Accompanied by Archie, I hunted out an R.T.O. of my acquaintance. To my questions he responded cheerfully.

"Oh, we're doing famously, sir. I heard this afternoon from a man in Operations that G.H.Q. was perfectly satisfied. We've killed a lot of Huns and only lost a few kilo-

metres of ground. . . . You're going to your division? Well, it's up Peronne way, or was last night. Cheyne and Dunthorne came back from leave and tried to steal a car to get up to it. . . . Oh, I'm having the deuce of a time. These blighted civilians have got the wind up, and a lot are trying to clear out. The idiots say the Huns will be in Amiens in a week. What's the phrase? 'Pourvu que les civils tiennent.' 'Fraid I must push on, sir."

I sent Archie back with these scraps of news and was about to make a rush for the house of one of the Press officers, who would, I thought, be in the way of knowing things, when at the station entrance I ran across Laidlaw. He had been B.G.G.S. in the corps to which my old brigade belonged, and was now on the staff of some army. He was striding towards a car when I grabbed his arm, and he turned on me a very sick face.

"Good Lord, Hannay! Where did you spring from? The news, you say?" He sank his voice, and drew me into a quiet corner. "The news is hellish."

"They told me we were holding," I observed.

"Holding be damned! The Boche is clean through on a broad front. He broke us to-day at Maissemy and Essigny. Yes, the battle-zone. He's flinging in division after division like the blows of a hammer. What else could you expect?" And he clutched my arm fiercely. "How in God's name could eleven divisions hold a front of forty miles? And against four to one in numbers? It isn't war, it's naked lunacy."

I knew the worst now, and it didn't shock me, for I had known it was coming. Laidlaw's nerves were pretty bad, for his face was pale and his eyes bright like a man with a fever.

"Reserves!" and he laughed bitterly. "We had three infantry divisions and two cavalry. They're into the mill long ago. The French are coming up on our right, but they've the devil of a way to go. That's what I'm down here about. And we're getting help from Horne and

Plumer. But all that takes days, and meantime we're walking back like we did at Mons. And at this time of day, too. . . . Oh yes, the whole line's retreating. Parts of it were pretty comfortable, but they had to get back or be put in the bag. I wish to Heaven I knew where our right divisions have got to. For all I know there're at Compiègne by now. The Boche was over the canal this morning, and by this time most likely he's across the Somme."

At that I exclaimed. "D'you mean to tell me we're going to lose Peronne?"

"Peronne!" he cried. "We'll be lucky not to lose Amiens! . . . And on the top of it all I've got some kind of blasted fever. I'll be raving in an hour."

He was rushing off, but I held him.

"What about my old lot?" I asked.

"Oh, damned good, but they're shot all to bits. Every division did well. It's a marvel they weren't all scuppered, and it'll be a flaming miracle if they find a line they can stand on. Westwater's got a leg smashed. He was brought down this evening, and you'll find him in the hospital. Fraser's killed and Lefroy's a prisoner—at least, that was my last news. I don't know who's got the brigades, but Masterton's carrying on with the division. . . . You'd better get up the line as fast as you can and take over from him. See the Army Commander. He'll be in Amiens tomorrow morning for a pow-wow."

Laidlaw lay wearily back in his car and disappeared into the night, while I hurried to the train.

The others had descended to the platform and were grouped round Archie, who was discoursing optimistic nonsense. I got them into the carriage and shut the door.

"It's pretty bad," I said. "The front's pierced in several places and we're back to the Upper Somme. I'm afraid it isn't going to stop there. I'm off up the line as soon as I can get my orders. Wake, you'll come with me, for every man will be wanted. Blenkiron, you'll see Mary and Peter

safe to England. We're just in time, for to-morrow it mightn't be easy to get out of Amiens."

I can see yet the anxious faces in that ill-lit compartment. We said good-bye after the British style without much to-do. I remember that old Peter gripped my hand as if he would never release it, and that Mary's face had grown very pale. If I had delayed another second I should have howled, for Mary's lips were trembling and Peter had eyes like a wounded stag. "God bless you," I said hoarsely and as I went off I heard Peter's voice, a little cracked, saying, "God bless you, my old friend."

I spent some weary hours looking for Westwater. He was not in the big clearing station, but I ran him to earth at last in the new hospital which had just been got going in the Ursuline convent. He was the most sterling little man, in ordinary life, rather dry and dogmatic, with a trick of taking you up sharply which didn't make him popular. Now he was lying very stiff and quiet in the hospital bed, and his blue eyes were solemn and pathetic like a sick dog's.

"There's nothing much wrong with me," he said, in reply to my question. "A shell dropped beside me and damaged my foot. They say they'll have to cut it off. . . . I've an easier mind now you're here, Hannay. Of course you'll take over from Masterton. He's a good man but not quite up to this job. Poor Fraser—you've heard about Fraser. He was done in at the very start. Yes, a shell. And Lefroy. If he's alive and not too badly smashed the Hun has got a troublesome prisoner."

He was too sick to talk, but he wouldn't let me go.

"The division was all right. Don't you believe anyone who says we didn't fight like heroes. Our outpost line held up the Hun for six hours, and only about a dozen men came back. We could have stuck it out in the battle-zone if both flanks hadn't been turned. They got through Crabbe's left and came down the Verey ravine, and a big wave rushed Shropshire Wood. . . . We fought it out yard by yard and didn't budge till we saw the Plessis dump blazing in our rear. Then it was about time to go. . . . We haven't many battalion commanders left. Watson, Endicot, Crawshay . . ." He stammered out a list of gallant fellows who had gone.

"Get back double quick, Hannay. They want you. I'm not happy about Masterton. He's too young for the job." And then a nurse drove me out, and I left him speaking in the strange forced voice of great weakness.

At the foot of the staircase stood Mary.

"I saw you go in," she said, "so I waited for you."

"Oh, my dear," I cried, "you should have been in Boulogne by now. What madness brought you here?"

"They know me here and they've taken me on. You couldn't expect me to stay behind. You said yourself everybody was wanted, and I'm in a Service like you. Please don't be angry, Dick."

I wasn't angry, I wasn't even extra anxious. The whole thing seemed to have been planned by fate since the creation of the world. The game we had been engaged in wasn't finished and it was right that we should play it out together. With that feeling came a conviction, too, of ultimate victory. Somehow or sometime we should get to the end of our pilgrimage. But I remembered Mary's forebodings about the sacrifice required. *The best of us.* That ruled me out, but what about her?

I caught her to my arms. "Good-bye, my very dearest. Don't worry about me, for mine's a soft job and I can look after my skin. But oh! take care of yourself, for you are all the world to me."

She kissed me gravely like a wise child.

"I am not afraid for you," she said. "You are going to stand in the breach, and I know—I know you will win. Remember that there is someone here whose heart is so full of pride of her man that it hasn't any room for fear."

As I went out of the convent door I felt that once again I had been given my orders.

It did not surprise me that, when I sought out my room on an upper floor of the Hôtel de France, I found Blenkiron in the corridor. He was in the best of spirits.

"You can't keep me out of the show, Dick," he said, "so you needn't start arguing. Why, this is the one original chance of a lifetime for John S. Blenkiron. Our little fight at Erzerum was only a side-show, but this is a real high-class Armageddon. I guess I'll find a way to make myself useful."

I had no doubt he would, and I was glad he had stayed behind. But I felt it was hard on Peter to have the job of returning to England alone at such a time, like useless flotsam washed up by a flood.

"You needn't worry," said Blenkiron. "Peter's not making England this trip. To the best of my knowledge he has beat it out of this township by the eastern postern. He had some talk with Sir Archibald Roylance, and presently other gentlemen of the Royal Flying Corps appeared, and the upshot was that Sir Archibald hitched on to Peter's grip and departed without saying farewell. My notion is that he's going to have a few words with his old friends at some flying station. Or he might have the idea of going back to England by aeroplane, and so having one last flutter before he folds his wings. Anyhow, Peter looked a mighty happy man. The last I saw of him he was smoking his pipe with a batch of young lads in a Flying Corps waggon and heading straight for Germany."

CHAPTER XXI

HOW AN EXILE RETURNED TO HIS OWN PEOPLE

NEXT morning I found the Army Commander on his way to Doullens.

"Take over the division?" he said. "Certainly. I'm afraid there isn't much left of it. I'll tell Carr to get through to the Corps Headquarters when he can find them. You'll have to nurse the remnants, for they can't be pulled out yet—not for a day or two. Bless me, Hannay, there are parts of our line which we're holding with a man and a boy. You've got to stick it out till the French take over. We're not hanging on by our eyelids—it's our eyelashes now."

"What about positions to fall back on, sir?" I asked.

"We're doing our best, but we haven't enough men to prepare them." He plucked open a map. "There we're digging a line—and there. If we can hold that bit for two days we shall have a fair line resting on the river. But we mayn' have time."

Then I told him about Blenkiron, whom of course he had heard of. "He was one of the biggest engineers in the States, and he's got a nailing fine eye for country. He'll make good somehow if you let him help in the job."

"The very fellow," he said, and he wrote an order. "Take this to Jacks and he'll fix up a temporary commission. Your man can find a uniform somewhere in Amiens."

After that I went to the detail camp and found that Ivery had duly arrived.

"The prisoner has given no trouble, sirr," Hamilton reported. "But he's a wee thing peevish. They're saying that the Gairmans is gettin' on fine, and I was tellin' him that he should be proud of his ain folk. But he wasn't verra weel pleased."

Three days had wrought a transformation in Ivery. That face, once so cool and capable, was now sharpened like a hunted beast's. His imaginaion was preying on him and I could imagine its torture. He, who had been always at the top directing the machine, was now only a cog in it. He had never in his life been anything but powerful; now he was impotent. He was in a hard, unfamiliar world, in the grip of something which he feared and didn't understand, in the charge of men who were in no way amenable to his persuasiveness. It was like a proud and bullying manager suddenly forced to labour in a squad of navvies, and worse, for there was the gnawing physical fear of what was coming.

He made an appeal to me.

"Do the English torture their prisoners?" he asked. "You have beaten me. I own it, and I plead for mercy. I will go on my knees if you like. I am not afraid of death—in my own way."

"Few people are afraid of death—in their own way."

"Why do you degrade me? I am a gentleman."

"Not as we define the thing," I said.

His jaw dropped. "What are you going to do with me?" he quavered.

"You have been a soldier," I said. "You are going to see a little fighting—from the ranks. There will be no brutality, you will be armed if you want to defend yourself, you will have the same chance of survival as the men around you. You may have heard that your countrymen are doing well. It is even possible that they may win the battle. What was your forecast to me? Amiens in two days, Abbeville in three. Well, you are a little behind scheduled time, but still you are prospering. You told me that you were the chief architect of all this, and you are going to be given the chance of seeing it, perhaps of sharing in it—from the other side. Does it not appeal to your sense of justice?"

He groaned and turned away. I had no more pity for him than I would have had for a black mamba that had killed my friend and was now caught in a cleft tree. Nor, oddly enough, had Wake. If we had shot Ivery outright at St. Anton, I am certain that Wake would have called us murderers. Now he was in complete agreement. His passionate hatred of war made him rejoice that a chief contriver of war should be made to share in its terrors.

"He tried to talk me over this morning," he told me. "Claimed he was on my side and said the kind of thing I used to say last year. It made me rather ashamed of some of my past performances to hear that scoundrel imitating them. . . . By the way, Hannay, what are you going to do with *me?*"

"You're coming on my staff. You're a stout fellow and I can't do without you."

"Remember I won't fight."

"You won't be asked to. We're trying to stem the tide which wants to roll to the sea. You know how the Boche behaves in occupied country, and Mary's in Amiens."

At that news he shut his lips.

"Still——" he began.

"Still," I said. "I don't ask you to forfeit one of your blessed principles. You needn't fire a shot. But I want a man to carry orders for me, for we haven't a line any more, only a lot of blobs like quicksilver. I want a clever man for the job and a brave one, and I know that you're not afraid."

"No," he said, "I don't think I am—much. Well, I'm content!"

I started Blenkiron off in a car for Corps Headquarters, and in the afternoon took the road myself. I knew every inch of the country—the lift of the hill east of Amiens, the Roman highway that ran straight as an arrow to St. Quentin, the marshy lagoons of the Somme, and that broad strip of land wasted by battle between Dompierre and Peronne. I had come to Amiens through it in January, for I had been up to the line before I left for Paris, and then it had been a peaceful place, with peasants tilling their fields and new buildings going up on the old battle-fields, and carpenters busy at cottage roofs, and scarcely a transport waggon on the road to remind one of war. Now the main route was choked like the Albert road when the Somme battle first began—troops going up and troops coming down, the latter in the last stage of weariness; a ceaseless traffic of ambulances one way and ammunition waggons the other; busy staff cars trying to worm a way through the mass; strings of gun horses, oddments of cavalry, and here and there blue French uniforms. All that I had seen before; but one thing was new to me. Little country cars with sad-faced women and mystified children in them and piles of household plenishing were creeping westward, or stood waiting at village doors. Beside these tramped old men and boys, mostly in their Sunday best as if they were going to church. I had never seen the sight before, for I had never seen the British Army falling back. The dam which held up the waters had broken and the dwellers in the valley were trying to save their pitiful little treasures. And over everything, horse and man, cart and wheelbarrow, road and tillage, lay the white March dust, the sky was blue as June, small birds were busy in the copses, and in the corners of abandoned gardens I had a glimpse of the first violets.

Presently as we topped a rise we came within full noise of the guns. That, too, was new to me, for it was not an ordinary bombardment. There was a special quality in the sound, something ragged, straggling, intermittent, which I had never heard before. It was the sign of open warfare and a moving battle.

At Peronne, from which the newly returned inhabitants had a second time fled, the battle seemed to be at the doors. There I had news of my division. It was farther south towards St. Christ. We groped our way among bad roads to where its headquarters were believed to be, while the voice of the guns grew louder. They turned out to be those of another division, which was busy getting ready to cross the river. Then the dark fell, and while airplanes flew west into the sunset there was a redder sunset in the east, where the unceasing flashes of gun-fire were pale against the angry glow of burning dumps. The sight of the bonnet-badge of a Scots Fusilier made me halt, and the man turned out to belong to my division. Half an hour later I was taking over from the much relieved Masterton in the ruins of what had once been a sugar-beet factory.

There to my surprise I found Lefroy. The Boche had held him prisoner for precisely eight hours. During that time he had been so interested in watching the way the enemy handled an attack that he had forgotten the miseries of his position. He described with blasphemous admiration the endless wheel by which supplies and reserve troops moved up, the silence, the smoothness, the perfect discipline. Then he had realised that he was a captive and unwounded, and had gone mad. Being a heavy-weight boxer of note, he had sent his two guards spinning into a ditch, dodged the ensuing shots, and found shelter in the lee of a blazing ammunition dump where his pursuers hesitated to follow. Then he had spent an anxious hour trying to get through an outpost line, w hich he thought was Boche. Only by over-hearing an exchange of oaths in the accents of Dundee did he realise that it was our own. . . . It was a comfort to have Lefroy back, for he was both stout-hearted and resourceful. But I found that I had a division only on paper. It was about the strength of a brigade, the brigades battalions, and the battalions companies.

This is not the place to write the story of the week that followed. I could not write it even if I wanted to, for I don't know it. There was a plan somewhere, which you will find in the history books, but with me it was blank chaos. Orders came, but long before they arrived the situation had changed, and I could no more obey them than fly to the moon. Often I had lost touch with the divisions on both flanks. Intelligence arrived erratically out of the void, and for the most part we worried along without it. I heard we were under the French—first it was said to be Foch, and then Fayolle, whom I had met in Paris. But the higher command seemed a million miles away, and we were left to use our mother wits. My problem was to give ground as slowly as possible and at the same time not to delay too long, for retreat we must, with the Boche sending in brand-new divisions each morning. It was a kind of war worlds distant from the old trench battles, and since I had been taught no other I had to invent rules as I went along. Looking back, it seems a miracle that any of us came out of it. Only the grace of God and the uncommon toughness of the British soldier bluffed the Hun and prevented him pouring through the breach to Abbeville and the sea. We were no better than a mosquito curtain stuck in a doorway to stop the advance of an angry bull.

The Army Commander was right; we were hanging on with our eyelashes.

We must have been easily the weakest part of the whole front, for we were holding a line which was never less than two miles and was often, as I judged, nearer five, and there was nothing in reserve to us except some oddments of cavalry who chased about the whole battle-field under vague orders. Mercifully for us the Boche blundered. Perhaps he did not know our condition, for our airmen were magnificent and you never saw a Boche plane over our line by day, though they bombed us merrily by night. If he had called our bluff we should have been done, but he put his main strength to the north and the south of us. North he pressed hard on the Third Army, but he got well hammered by the Guards at Bapaume and he could make no headway at Arras. South he drove at the Paris railway and down the Oise valley, but there Pétain's reserves had arrived, and the French made a noble stand.

Not that he didn't fight hard in the centre where we were, but he hadn't his best troops, and after we got west of the bend of the Somme he was outrunning his heavy guns. Still, it was a desperate enough business, for our flanks were all the time falling back, and we had to conform to movements we could only guess at. After all, we were on the direct route to Amiens, and it was up to us to yield slowly so as to give Haig and Pétain time to get up supports. I was a miser about every yard of ground, for every yard and every minute were precious. We alone stood between the enemy and the city, and in the city was Mary.

If you ask me about our plans I can't tell you. I had a new one every hour. I got instructions from the Corps, but, as I have said, they were usually out of date before they arrived, and most of my tactics I had to invent myself. I had a plain task, and to fulfil it I had to use what methods the Almighty allowed me. I hardly slept, I ate little, I was on the move day and night, but I never felt so strong in my life. It seemed as if I couldn't tire, and, oddly enough, I was happy. If a man's whole being is focused on one aim, he has no time to worry. . . . I remember we were all very gentle and soft-spoken those days. Lefroy, whose tongue was famous for its edge, now cooed like a dove. The troops were on their uppers, but as steady as rocks. We were against the end of the world, and that stiffens a man. . . .

Day after day saw the same performance. I held my wavering front with an outpost line which delayed each new attack till I could take its bearings. I had special companies for counter-attack at selected points, when I wanted time to retire the rest of the division. I think we must have fought more than a dozen of such little battles. We lost men all the time, but the enemy made no big scoop, though he was always on the edge of one. Looking back, it seems like a succession of miracles. Often I was in one end of a village when the Boche was in the other. Our batteries were always on the move, and the work of the gunners

was past praising. Sometimes we faced east, sometimes north, and once at a most critical moment due south, for our front waved and blew like a flag at a mast head. . . . Thank God, the enemy was getting away from his big engine, and his ordinary troops were fagged and poor in quality. It was when his fresh shock battalions came on that I held my breath. . . . He had a heathenish amount of machine-guns and he used them beautifully. Oh, I take off my hat to the Boche performance. He was doing what we had tried to do at the Somme and the Aisne and Arras and Ypres, and he was more or less succeeding. And the reason was that he was going bald-headed for victory.

The men, as I have said, were wonderfully steady and patient under the fiercest trial that soldiers can endure. I had all kinds in the division—old army, new army, Territorials—and you couldn't pick and choose between them. They fought like Trojans, and, dirty, weary, and hungry, found still some salt of humour in their sufferings. It was a proof of the rock-bottom sanity of human nature. But we had one man with us who was hardly sane. . . .

In the hustle of those days I now and then caught sight of Ivery. I had to be everywhere at all hours, and often visited that remnant of Scots Fusiliers into which the subtlest brain in Europe had been drafted. He and his keepers were never on outpost duty or in any counter-attack. They were part of the mass whose only business was to retire discreetly. This was child's play to Hamilton, who had been out since Mons; and Amos, after taking a day to get used to it, wrapped himself in his grim philosophy and rather enjoyed it. You couldn't surprise Amos any more than a Turk. But the man with them, whom they never left—that was another matter.

"For the first wee bit," Hamilton reported, "we thocht he was gaun daft. Every shell that came near he jumped like a young horse. And the gas! We had to tie on his mask for him, for his hands were fushionless. There was whiles when he wadna be hindered from standin' up and talkin' to hisself, though the bullets was spittin'. He was what ye call de-moralised. . . . Syne he got as though he didna hear or see onything. He did what we tell't him, and when we let him be he sat down and grat. He's aye greetin'. . . . Queer thing, sirr, but the Gairmans canna hit him. I'm aye shakin' bullets out o' my claes, and I've got a hole in my shouther, and Andra took a bash on his tin hat that wad hae felled onybody that hadna a heid like a stot. But, sirr, the prisoner taks no scaith. Our boys are feared of him. There was an Irishman says to me that he had the evil eye, and ye can see for yerself that he's no canny."

I saw that his skin had become like parchment and that his eyes were glassy. I don't think he recognised me.

"Does he take his meals?" I asked.

"He doesna eat muckle. But he has an unco thirst. Ye canna keep him off the men's water-bottles."

He was learning very fast the meaning of that war he had so confidently played with. I believe I am a merciful man, but as I looked at him I felt no vestige of pity. He was dreeing the weird he had prepared for others. I thought of Scudder, of the thousand friends I had lost, of the great seas of blood and the mountains of sorrow this man and his like had made for the world. Out of the corner of my eye I could see the long ridges above Combles and Longueval which the salt of the earth had fallen to win, and which were again under the hoof of the Boche. I thought of the distracted city behind us and what it meant to me, and the weak, the pitifully weak screen which was all its defence. I thought of the foul deeds which had made the German name to stink by land and sea, foulness of which he was the arch-begetter. And then I was amazed at our forbearance. He would go mad, and madness for him was more decent than sanity.

I had another man who wasn't what you might call normal, and that was Wake. He was the opposite of shell-shocked, if you understand me. He had never been properly under fire before, but he didn't give a straw for it. I had known the same thing with other men, and they generally ended by crumpling up, for it isn't natural that five or six feet of human flesh shouldn't be afraid of what can torture and destroy it. The natural thing is to be always a little scared, like me, but by an effort of the will and attention to work to contrive to forget it. But Wake apparently never gave it a thought. He wasn't foolhardy, only indifferent. He used to go about with a smile on his face, a smile of contentment. Even the horrors—and we had plenty of them—didn't affect him. His eyes, which used to be hot, had now a curious open innocence like Peter's. I would have been happier if he had been a little rattled.

One night, after we had had a bad day of anxiety, I talked to him as we smoked in what had once been a French dug-out. He was an extra right arm to me, and I told him so. "This must be a queer experience for you," I said.

"Yes," he replied, "it is very wonderful. I did not think a man could go through it and keep his reason. But I know many things I did not know before. I know that the soul can be reborn without leaving the body."

I stared at him, and he went on without looking at me. "You're not a classical scholar, Hannay? There was a strange cult in the ancient world, the worship of *Magna Mater*—the Great Mother. To enter into her mysteries the votary passed through a bath of blood. . . . I think I am passing through that bath. I think that like the initiate I shall be *renatus in aeternum*—reborn into the eternal."

I advised him to have a drink, for that talk frightened me. It looked as if he were becoming what the Scots call "fey." Lefroy noticed the same thing and was always speaking to me about it. He was as brave as a bull himself, and with very much the same kind of courage; but Wake's gallantry perturbed him. "I can't make the chap out," he told me. "He behaves as if his mind was too full of better things to give a dam for Boche guns. He doesn't take foolish risks—I don't mean that, but he behaves as if risks didn't signify.

It's positively eerie to see him making notes with a steady hand when shells are dropping like hailstones and we're all thinking every minute's our last. You've got to be careful with him, sir. He's a long sight too valuable for us to spare."

Lefroy was right about that, for I don't know what I should have done without him. The worst part of our job was to keep touch with our flanks, and that was what I used Wake for. He covered country like a moss-trooper, sometimes on a rusty bicycle, oftener on foot, and you couldn't tire him. I wonder what other divisions thought of the grimy private who was our chief means of communication. He knew nothing of military affairs before, but he got the hang of this rough-and-tumble fighting as if he had been born for it. He never fired a shot; he carried no arms; the only weapons he used were his brains. And they were the best conceivable. I never met a staff officer who was so quick at getting a point or at sizing up a situation. He had put his back into the business, and first-class talent is not common anywhere. One day a G.S.O.1 from a neighbouring division came to see me.

"Where on earth did you pick up that man Wake?" he asked.

"He's a conscientious objector and a non-combatant," I said.

"Then I wish to Heaven we had a few more conscientious objectors in this show. He's the only fellow who seems to know anything about this blessed battle. My general's sending you a chit about him."

"No need," I said, laughing. "I know his value. He's an old friend of mine."

I used Wake as my link with Corps Headquarters, and especially with Blenkiron. For about the sixth day of the show I was beginning to get rather desperate. This kind of thing couldn't go on for ever. We were miles back now, behind the old line of '17, and, as we rested one flank on the river, the immediate situation was a little easier. But I in the shape of men returning from leave, representing most of the regiments in the army. There were the men from the machine-gun school. There were Corps troops—sappers and A.S.C., and a handful of Corps cavalry. Above all, there was a batch of American engineers, fathered by Blenkiron. I inspected them where they were drilling and liked the look of them. "Forty-eight hours," I said to myself. "With luck we may just pull it off."

Then I borrowed a bicycle and went back to the division. But before I left I had a word with Archie. "This is one big game of bluff, and it's you fellows alone that enable us to play it. Tell your people that everything depends on them. They mustn't stint the planes in this sector, for if the Boche once suspicions how little he's got before him the game's up. He's not a fool and he knows that this is the short road to Amiens, but he imagines we're holding it in strength. If we keep up the fiction for another two days the thing's done. You say he's pushing up troops?"

"Yes, and he's sendin' forward his tanks."

"Well, that'll take time. He's slower now than a week ago and he's got a deuce of a country to march over. There's still an outside chance we may win through. You go home and tell the R.F.C. what I've told you."

He nodded. "By the way, sir, Pienaar's with the squadron. He would like to come up and see you."

"Archie," I said solemnly, "be a good chap and do me a favour. If I think Peter's anywhere near the line I'll go off my head with worry. This is no place for a man with a bad leg. He should have been in England days ago. Can't you get him off—to Amiens, anyhow?"

"We scarcely like to. You see, we're all desperately sorry for him, his fun gone and his career over and all that. He likes bein' with us and listenin' to our yarns. He has been up once or twice too. The Shark-Gladas. He swears it's a great make, and certainly he knows how to handle the little devil."

"Then for Heaven's sake don't let him do it again. I look to you, Archie, remember. Promise."

"Funny thing, but he's always worryin' about you. He has a map on which he marks every day the changes in the position, and he'd hobble a mile to pump any of our fellows who have been up your way."

That night under cover of darkness I drew back the division to the new prepared lines. We got away easily, for the enemy was busy with his own affairs. I suspected a relief by fresh troops.

There was no time to lose, and I can tell you I toiled to get things straight before dawn. I would have liked to send my own fellows back to rest, but I couldn't spare them yet. I wanted them to stiffen the fresh lot, for they were the veterans. The new position was arranged on the same principles as the old front which had been broken on March 21st. There was our forward zone, consisting of an outpost line and redoubts, very cleverly sited, and a line of resistance. Well behind it were the trenches which formed the battle-zone. Both zones were heavily wired, and we had plenty of machine-guns; I wish I could say we had plenty of men who knew how to use them. The outposts were merely to give the alarm and fall back to the line of resistance which was to hold out to the last. In the forward zone I put the freshest of my own men, the units being brought up to something like strength by the details returning from leave that the Corps had commandeered. With them I put the American engineers, partly in the redoubts and partly in companies for counter-attack. Blenkiron had reported that they could shoot like Dan'l Boone, and were simply spoiling for a fight. The rest of the force was in the battle-zone, which was our last hope. If that went the Boche had a clear walk to Amiens. Some additional field batteries had been brought up to support our very weak divisional artillery. The front was so long that I had to put all three of my emaciated brigades in the line, so

I had nothing to speak of in reserve. It was a most almighty gamble.

We had found a shelter just in time. At 6.30 next day—for a change it was a clear morning with clouds beginning to bank up from the west—the Boche let us know he was alive. He gave us a good drenching with gas shells which didn't do much harm, and then messed up our forward zone with his trench mortars. At 7.20 his men began to come on, first little bunches with machine-guns and then the infantry in waves. It was clear they were fresh troops, and we learned afterwards from prisoners that they were Bavarians—6th or 7th, I forget which, but the division that hung us up at Monchy. At the same time there was the sound of a tremendous bombardment across the river. It looked as if the main battle had swung from Albert and Montdidier to a direct push for Amiens.

I have often tried to write down the events of that day. I tried it in my report to the Corps; I tried it in my own diary: I tried it because Mary wanted it; but I have never been able to make any story that hung together. Perhaps I was too tired for my mind to retain clear impressions, though at the time I was not conscious of special fatigue. More likely it is because the fight itself was so confused, for nothing happened according to the books and the orderly soul of the Boche must have been scarified. . . .

At first it went as I expected. The outpost line was pushed in, but the fire from the redoubts broke up the advance, and enabled the line of resistance in the forward zone to give a good account of itself. There was a check, and then another big wave, assisted by a barrage from field-guns brought far forward. This time the line of resistance gave at several points, and Lefroy flung in the Americans in a counter-attack. That was a mighty performance. The engineers, yelling like dervishes, went at it with the bayonet, and those that preferred swung their rifles as clubs. It was terribly costly fighting and all wrong, but it succeeded. They cleared the Boche out of a ruined farm he had rushed, and a little wood, and re-established our front. Blenkiron, who saw it all, for he went with them and got the tip of his ear picked off by a machine-gun bullet, hadn't any words wherewith to speak of it. "And I once said those boys looked puffy," he moaned.

The next phase, which came about midday, was the tanks. I had never seen the German variety, but had heard that it was speedier and heavier than ours, but unwieldy. We did not see much of their speed, but we found out all about their clumsiness. Had the things been properly handled they should have gone through us like rotten wood. But the whole outfit was bungled. It looked good enough country for the use of them, but the men who made our position had had an eye to this possibility. The great monsters, mounting a field-gun besides other contrivances, wanted something like a highroad to be happy in. They were useless over anything like difficult ground. The ones that came down the main road got on well enough at the start, but Blenkiron very sensibly had mined the highway, and we blew a hole like a diamond pit. One lay helpless at the foot of it, and we took the crew prisoner; another stuck its nose over and remained there till our field-guns got the range and knocked it silly. As for the rest—there is a marshy lagoon called the Patte d'Oie beside the farm of Gavrelle, which runs all the way north to the river, though in most places it only seems like a soft patch in the meadows. This the tanks had to cross to reach our line, and they never made it. Most got bogged, and made pretty targets for our gunners; one or two returned; and one the Americans, creeping forward under cover of a little stream, blew up with a time fuse.

By the middle of the afternoon I was feeling happier. I knew the big attack was still to come, but I had my forward zone intact and I hoped for the best. I remember I was talking to Wake, who had been going between the two zones, when I got the first warning of a new and unexpected peril. A dud shell plumped down a few yards from me.

"Those fools across the river are firing short and badly off the straight," I said.

Wake examined the shell. "No, it's a German one," he said.

Then came others, and there could be no mistake about the direction—followed by a burst of machine-gun fire from the same quarter. We ran in cover to a point from which we could see the north bank of the river, and I got my glass on it. There was a lift of land from behind which the fire was coming. We looked at each other, and the same conviction stood in both faces. The Boche had pushed down the northern bank, and we were no longer in line with our neighbours. The enemy was in a situation to catch us with his fire on our flank and left rear. We couldn't retire to conform, for to retire meant giving up our prepared position.

It was the last straw to all our anxieties, and for a moment I was at the end of my wits. I turned to Wake, and his calm eyes pulled me together.

"If they can't retake that ground, we're fairly carted," I said.

"We are. Therefore they must retake it."

"I must get on to Mitchinson." But as I spoke I realised the futility of a telephone message to a man who was pretty hard up against it himself. Only an urgent personal appeal could effect anything. . . . I must go myself. . . . No, that was impossible. I must send Lefroy. . . . But he couldn't be spared. And all my staff officers were up to their necks in the battle. Besides, none of them knew the position as I knew it. . . . And how to get there? It was a long round by the bridge at Loisy.

Suddenly I was aware of Wake's voice. "You had better send me," he was saying. "There's only one way—to swim the river a little lower down."

"That's too damnably dangerous. I won't send any man to certain death."

"But I volunteer," he said. "That, I believe, is always allowed in war."

"But you'll be killed before you can cross."

"Send a man with me to watch. If I get over, you may be sure I'll get to General Mitchinson. If not, send somebody else by Loisy. There's desperate need for hurry, and you see yourself it's the only way."

The time was past for argument. I scribbled a line to Mitchinson as his credentials. No more was needed, for Wake knew the position as well as I did. I sent an orderly to accompany him to his starting-place on the bank.

"Good-bye," he said, as we shook hands. "You'll see, I'll come back all right." His face, I remember, looked singularly happy."

Five minutes later the Boche guns opened for the final attack.

I believe I kept a cool head; at least so Lefroy and the others reported. They said I went about all afternoon grinning as if I liked it, and that I never raised my voice once. (It's rather a fault of mine that I bellow in a scrap.) But I know I was feeling anything but calm, for the problem was ghastly. It all depended on Wake and Mitchinson. The flanking fire was so bad that I had to give up the left of the forward zone, which caught it fairly, and retire the men there to the battle-zone. The latter was better protected, for between it and the river was a small wood and the bank rose into a bluff which sloped inwards towards us. This withdrawal meant a switch, and a switch isn't a pretty thing when it has to be improvised in the middle of a battle.

The Boche had counted on that flanking fire. His plan was to break our two wings—the old Boche plan which crops up in every fight. He left our centre at first pretty well alone, and thrust along the river bank and at the wood of La Bruyère, where we linked up with the division on our right. Lefroy was in the first area, and Masterton in the second, and for three hours it was as desperate a business as I have ever faced. . . . The improvised switch went, and more and more of the forward zone disappeared. It was a hot, clear spring afternoon, and in that open fighting the enemy came on like troops at manœuvres. On the left they got into the battle-zone, and I can see yet Lefroy's great figure leading a counter-attack in person, his face all puddled with blood from a scalp wound. . . .

I would have given my soul to be in two places at once, but I had to risk our left and keep close to Masterton, who needed me most. The wood of La Bruyère was the maddest sight. Again and again the Boche was almost through it. You never knew where he was, and most of the fighting there was duels between machine-gun parties. Some of the enemy got round behind us, and only a fine performance of a company of Cheshires saved a complete break through.

As for Lefroy I don't know how he stuck it out, and he doesn't know himself, for he was galled all the time by that accursed flanking fire. I got a note about half-past four saying that Wake had crossed the river, but it was some weary hours after that before the fire slackened. I tore back and forward between my wings, and every time I went north I expected to find that Lefroy had broken. But by some miracle he held. The Boches were in his battle-zone time and again, but he always flung them out. I have a recollection of Blenkiron, stark mad, encouraging his Americans with strange tongues. Once as I passed him I saw that he had his left arm tied up. His blackened face grinned at me. "This bit of landscape's mighty unsafe for democracy," he croaked. "For the love of Mike get your guns on those devils across the river. They're plaguing my boys too bad."

It was about seven o'clock, I think, when the flanking fire slacked off, but it was not because of our divisional guns. There was a short and very furious burst of artillery fire on the north bank, and I knew it was British. Then things began to happen. One of our planes—they had been marvels all day, swinging down like hawks for machine-gun bouts with the Boche infantry—reported that Mitchinson was attacking hard and getting on well. That eased my mind, and I started off for Masterton, who was in greater straits than ever, for the enemy seemed to be weakening on the river bank and putting his main strength in against our right. . . . But my G.S.O. 2 stopped me on the road. "Wake," he said. "He wants to see you."

"Not now," I cried.

"He can't live many minutes."

I turned and followed him to the ruinous cowshed which was my divisional headquarters. Wake, as I heard later, had swum the river opposite to Mitchinson's right, and reached the other shore safely, though the current was whipped with bullets. But he had scarcely landed before he was badly hit by shrapnel in the groin. Walking at first with support and then carried on a stretcher, he managed to struggle on to the divisional headquarters, where he gave my message and explained the situation. He would not let his wound be looked to till his job was done. Mitchinson told me afterwards that with a face grey from pain he drew for him a sketch of our position and told him exactly how near we were to our end. . . . After that he asked to be sent back to me, and they got him down to Loisy in a crowded ambulance, and then up to us in a returning empty. The M.O. who looked at his wound saw that the thing was hopeless, and did not expect him to live beyond Loisy. He was bleeding internally and no surgeon on earth could have saved him.

When he reached us he was almost pulseless, but he recovered for a moment and asked for me.

I found him, with blue lips and a face drained of blood, lying on my camp bed. His voice was very small and far away.

"How goes it?" he asked.

"Please God, we'll pull through . . . thanks to you, old man."

"Good," he said and his eyes shut.

He opened them once again.

"Funny thing life. A year ago I was preaching peace. . . . I'm still preaching it . . . I'm not sorry."

I held his hand till two minutes later he died.

In the press of a fight one scarcely realises death, even the death of a friend. It was up to me to make good my assurance to Wake, and presently I was off to Masterton. There in that shambles of La Bruyère, while the light faded, there was a desperate and most bloody struggle. It was the last lap of the contest. Twelve hours now, I kept telling myself, and the French will be here and we'll have done our task. Alas! how many of us would go back to rest? . . . Hardly able to totter, our counter-attacking companies went in again. They had gone far beyond the limits of mortal endurance, but the human spirit can defy all natural laws. The balance trembled, hung, and then dropped the right way. The enemy impetus weakened, stopped, and the ebb began.

I wanted to complete the job. Our artillery put up a sharp barrage, and the little I had left comparatively fresh I sent in for a counter-stroke. Most of the men were untrained, but there was that in our ranks which dispensed with training, and we had caught the enemy at the moment of lowest vitality. We pushed him out of La Bruyère, we pushed him back to our old forward zone, we pushed him out of that zone to the position from which he had begun the day.

But there was no rest for the weary. We had lost at least a third of our strength, and we had to man the same long line. We consolidated it as best we could, started to replace the wiring that had been destroyed, found touch with the division on our right, and established outposts. Then, after a conference with my brigadiers, I went back to my headquarters, too tired to feel either satisfaction or anxiety. In eight hours the French would be here. The words made a kind of litany in my ears.

In the cowshed where Wake had lain, two figures awaited me. The talc-enclosed candle revealed Hamilton and Amos, dirty beyond words, smoke-blackened, blood-stained, and intricately bandaged. They stood stiffly to attention.

"Sirr, the prisoner," said Hamilton. "I have to report that the prisoner is deid."

I stared at them, for I had forgotten Ivery. He seemed a creature of a world that has passed away.

"Sirr, it was like this. Ever sin' this mornin' the prisoner seemed to wake up. Ye'll mind that he was in a kind of dwam all week. But he got some new notion in his heid, and when the battle began he exheebited signs of restlessness. Whiles he wad lie doun in the trench, and whiles he was wantin' back to the dug-out. Accordin' to instructions I provided him wi' a rifle, but he didna seem to ken how to handle it. It was your orders, sirr, that he was to have means to defend hisself if the enemy cam on, so Amos gie'd him a trench knife. But verra soon he looked as if he was ettlin' to cut his throat, so I deprived him of it."

Hamilton stopped for breath. He spoke as if he were reciting a lesson, with no stops between his sentences.

"I jaloused, sirr, that he wadna last oot the day, and Amos here was of the same opinion. The end came at twenty minutes past three—I ken the time, for I had just compared my watch with Amos. Ye'll mind that the Gairmans were beginnin' a big attack. We were in the front trench of what they ca' the battle-zone, and Amos and me was keepin' oor eyes on the enemy, who could be obsairved dribblin' ower the open. Just then the prisoner catches sight of the enemy and jumps up on the top. Amos tried to hold him, but he kickit him in the face. The next we kenned he was runnin' verra fast towards the enemy, holdin' his hands ower his heid and cryin' out loud in a foreign langwidge."

"It was German," said the scholarly Amos through his broken teeth.

"It was Gairman," continued Hamilton. "It seemed as if he was appealin' to the enemy to help him. But they paid no attention, and he cam under the fire of their machine-guns. We watched him spin round like a teetotum and kenned that he was bye with it."

"You are sure he was killed?" I asked.

"Yes, sirr. When we counter-attacked we fund his body."

There is a grave close by the farm of Gavrelle, and a wooden cross at its head bears the name of the Graf von Schwabing and the date of his death. The Germans took Gavrelle a little later. I am glad to think that they read that inscription.

CHAPTER XXII

THE SUMMONS COMES FOR MR. STANDFAST

I SLEPT for one and three-quarter hours that night, and when I awoke I seemed to emerge from deeps of slumber which had lasted for days. That happens sometimes after heavy fatigue and great mental strain. Even a short sleep sets up a barrier between past and present which has to be elaborately broken down before you can link on with what has happened before. As my wits groped at the job some drops of rain splashed on my face through the broken roof. That hurried me out-of-doors. It was just after dawn and the sky was piled with thick clouds, while a wet wind blew up from the south-west. The long-prayed-for break in the weather seemed to have come at last. A deluge of rain was what I wanted, something to soak the earth and turn the roads into water-courses and clog the enemy transport, something above all to blind the enemy's eyes. . . . For I remembered what a preposterous bluff it all had been, and what a piteous broken handful stood between the Germans and their goal. If they knew, if they only knew, they would brush us aside like flies.

As I shaved I looked back on the events of yesterday as on something that had happened long ago. I seemed to judge them impersonally, and I concluded that it had been a pretty good fight. A scratch force, half of it dog-tired and half of it untrained, had held up at least a couple of fresh divisions. . . . But we couldn't do it again, and there were still some hours before us of desperate peril. When had the Corps said that the French would arrive? . . . I was on the point of shouting for Hamilton to get Wake to ring up Corps Headquarters, when I remembered that Wake was dead. I had liked him and greatly admired him, but the recollection gave me scarcely a pang. We were all dying, and he had only gone on a stage ahead.

There was no morning *strafe*, such as had been our usual fortune in the past week. I went out-of-doors and found a noiseless world under the lowering sky. The rain had stopped falling, the wind of dawn had lessened, and I feared that the storm would be delayed. I wanted it at once to help us through the next hours of tension. Was it in six hours that the French were coming? No, it must be four. It couldn't be more than four, unless somebody had made an infernal muddle. I wondered why everything was so quiet. It would be breakfast time on both sides, but there seemed no stir of man's presence in that ugly strip half a mile off. Only far back in the German hinterland I seemed to hear the rumour of traffic.

An unslept and unshaven figure stood beside me which revealed itself as Archie Roylance.

"Been up all night," he said cheerfully, lighting a cigarette. "No, I haven't had breakfast. The skipper thought we'd better get another anti-aircraft battery up this way, and I was superintendin' the job. He's afraid of the Hun gettin' over your lines and spying out the nakedness of the land. For, you know, we're uncommon naked, sir. Also," and Archie's face became grave, "the Hun's pourin' divisions down on this sector. As I judge, he's blowin' up for a thunderin' big drive on both sides of the river. Our lads yesterday said all the country back of Peronne was lousy with new troops. And he's gettin' his big guns forward, too. You haven't been troubled with them yet, but he has got the roads mended and the devil of a lot of new light railways, and any moment we'll have the five-point-nines sayin' Good-mornin'. . . . Pray Heaven you get relieved in time, sir. I take it there's not much risk of another push this mornin'?"

"I don't think so. The Boche took a nasty knock yesterday, and he must fancy we're pretty strong after that counter-attack. I don't think he'll strike till he can work both sides of the river, and that'll take time to prepare. That's what his fresh divisions are for. . . . But remember, he can attack now, if he likes. If he knew how weak we were he's strong enough to send us all to glory in the next three hours. It's just that knowledge that you fellows have got to prevent his getting. If a single Hun plane crosses our lines and returns, we're wholly and utterly done. You've given us splendid help since the show began, Archie. For God's sake keep it up to the finish and put every machine you can spare in this sector."

"We're doin' our best," he said. "We got some more fightin' scouts down from the north, and we're keepin' our eyes skinned. But you know as well as I do, sir, that it's never an ab-so-lute certainty. If the Hun sent over a squadron we might beat 'em all down but one, and that one might do the trick. It's a matter of luck. The Hun's got the wind up all right in the air just now and I don't blame the poor devil. But I'm inclined to think we haven't had the pick of his push here. Jennings says he's doin' good work in Flanders, and they reckon there's the deuce of a thrust comin' there pretty soon. I think we can manage the kind of footler he's been sendin' over here lately, but if Lensch or some lad like that were to choose to turn up I wouldn't say what might happen. The air's a big lottery," and Archie turned a dirty face skyward where two of our planes were moving very high towards the east.

The mention of Lensch brought Peter to my mind, and I asked if he had gone back.

"He won't go," said Archie, "and we haven't the heart to make him. He's very happy, and plays about with the Gladas single-seater. He's always speakin' about you, sir, and it'd break his heart if we shifted him."

I asked about his health, and was told that he didn't seem to have much pain.

"But he's a bit queer," and Archie shook a sage head. "One of the reasons why he won't budge is because he says

God has some work for him to do. He's quite serious about it, and ever since he got the notion he has perked up amazin'. He's always askin' about Lensch, too—not vindictive-like, you understand, but quite friendly. Seems to take a sort of proprietary interest in him. I told him Lensch had had a far longer spell of first-class fightin' than anybody else and was bound by the law of averages to be downed soon, and he was quite sad about it."

I had no time to worry about Peter. Archie and I swallowed breakfast and I had a pow-wow with my brigadiers. By this time I had got through to Corps H.Q. and got news of the French. It was worse than I expected. General Péguy would arrive about ten o'clock, but his men couldn't take over till well after midday. The Corps gave me their whereabouts and I found it on the map. They had a long way to cover yet, and then there would be the slow business of relieving. I looked at my watch. There were still six hours before us when the Boche might knock us to blazes, six hours of maddening anxiety. . . . Lefroy announced that all was quiet on the front, and that the new wiring at the Bois de la Bruyère had been completed. Patrols had reported that during the night a fresh German division seemed to have relieved that which we had punished so stoutly yesterday. I asked him if he could stick it out against another attack. "No," he said without hesitation. "We're too few and too shaky on our pins to stand any more. I've only a man to every three yards." That impressed me, for Lefroy was usually the most devil-may-care optimist.

"Curse it, there's the sun," I heard Archie cry. It was true, for the clouds were rolling back and the centre of the heavens was a patch of blue. The storm was coming—I could smell it in the air—but probably it wouldn't break till the evening. Where, I wondered, would we be by that time?

It was now nine o'clock, and I was keeping tight hold on myself, for I saw that I was going to have hell for the next hours. I am a pretty stolid fellow in some ways, but I have always found patience and standing still the most difficult job to tackle, and my nerves were all tattered from the long strain of the retreat. I went up to the line and saw the battalion commanders. Everything was unwholesomely quiet there. Then I came back to my headquarters to study the reports that were coming in from the air patrols. They all said the same thing—abnormal activity in the German back areas. Things seemed shaping for a new 21st of March, and, if our luck were out, my poor little remnant would have to take the shock. I telephoned to the Corps and found them as nervous as me. I gave them the details of my strength and heard an agonised whistle at the other end of the line. I was rather glad I had companions in the same purgatory.

I found I couldn't sit still. If there had been any work to do I would have buried myself in it, but there was none. Only this fearsome job of waiting. I hardly ever feel cold, but now my blood seemed to be getting thin, and I astonished my staff by putting on a British warm and buttoning up the collar. Round that derelict farm I ranged like a hungry wolf, cold at the feet, queasy in the stomach, and mortally edgy in the mind.

. . . . . .

Then suddenly the cloud lifted from me, and the blood seemed to run naturally in my veins. I experienced the change of mood which a man feels sometimes when his whole being is fined down and clarified by long endurance. The fight of yesterday revealed itself as something rather splendid. What risks we had run and how gallantly we had met them! My heart warmed as I thought of that old division of mine, those ragged veterans that were never beaten as long as breath was left them. And the Americans and the boys from the machine-gun school and all the oddments we had commandeered! And old Blenkiron raging like a good-tempered lion! It was against reason that such fortitude shouldn't win out. We had snarled round and bitten the Boche so badly that he wanted no more for a little. He would come again, but presently we should be relieved and the gallant blue-coats, fresh as paint and burning for revenge, would be there to worry him.

I had no new facts on which to base my optimism, only a changed point of view. And with it came a recollection of other things. Wake's death had left me numb before, but now the thought of it gave me a sharp pang. He was the first of our little confederacy to go. But what an ending he had made, and how happy he had been in that mad time when he had come down from his pedestal and become one of the crowd! He had found himself at the last, and who could grudge him such happiness? If the best were to be taken, he would be chosen first, for he was a big man, before whom I uncovered my head. The thought of him made me very humble. I had never had his troubles to face, but he had come clean through them, and reached a courage which was for ever beyond me. He was the Faithful among us pilgrims, who had finished his journey before the rest. Mary had foreseen it. "There is a price to be paid," she had said—"the best of us."

And at the thought of Mary a flight of warm and happy hopes seemed to settle on my mind. I was looking again beyond the war to that peace which she and I would some day inherit. I had a vision of a green English landscape, with its far-flung scents of wood and meadow and garden. . . . And that face of all my dreams, with the eyes so childlike and brave and honest, as if they, too, saw beyond the dark to a radiant country. A line of an old song, which had been a favourite of my father's, sang itself in my ears:

"There's an eye that ever weeps and a fair face will be fain
When I ride through Annan Water wi' my bonny bands again!"

. . . .

We were standing by the crumbling rails of what had once been the farm sheepfold. I looked at Archie and he smiled back at me, for he saw that my face had changed. Then he turned his eyes to the billowing clouds.

I felt my arm clutched.

"Look there!" said a fierce voice, and his glasses were turned upwards.

I looked, and far up in the sky saw a thing like a wedge of wild geese flying towards us from the enemy's country. I made out the small dots which composed it, and my glasses told me they were planes. But only Archie's practised eye knew that they were enemy.

"Boche?" I asked.

"Boche," he said. "My God, we're for it now."

My heart had sunk like a stone, but I was fairly cool. I looked at my watch and saw that it was ten minutes to eleven.

"How many?"

"Five," said Archie. "Or there may be six—not more."

"Listen!" I said. "Get on to your headquarters. Tell them that it's all up with us if a single plane gets back. Let them get well over the line, the deeper in the better, and tell them to send up every machine they possess and down them all. Tell them it's life or death. Not one single plane goes back. Quick!"

Archie disappeared, and as he went our anti-aircraft guns broke out. The formation above opened and zigzagged, but they were too high to be in much danger. But they were not too high to see that which we must keep hidden or perish.

The roar of our batteries died down as the invaders passed westwards. As I watched their progress they seemed to be dropping lower. Then they rose again and a bank of cloud concealed them.

I had a horrid certainty that they must beat us, that some at any rate would get back. They had seen our thin lines and the roads behind us empty of supports. They would see, as they advanced, the blue columns of the French marching up from the south-west, and they would return and tell the enemy that a blow now would open the road to Amiens and the sea. He had plenty of strength for it, and presently he would have overwhelming strength. It only needed a spear-point to burst the jerry-built dam and let the flood through. . . . They would return in twenty minutes, and by noon we would be broken. Unless—unless the miracle of miracles happened, and they never returned.

Archie reported that his skipper would do his damnedest and that our machines were now going up. "We've a chance, sir," he said, "a good sportin' chance." It was a new Archie, with a hard voice, a lean face, and rather old eyes.

Behind the jagged walls of the farm buildings was a knoll which had once formed part of the highroad. I went up there alone, for I didn't want anybody near me. I wanted a view-point, and I wanted quiet, for I had a grim time before me. From that knoll I had a big prospect of country. I looked east to our lines on which an occasional shell was falling, and where I could hear the chatter of machine-guns. West there was peace, for the woods closed down on the landscape. Up to the north, I remember, there was a big glare as from a burning dump, and heavy guns seemed to be at work in the Ancre valley. Down in the south there was the dull murmur of a great battle. But just around me, in the gap, the deadliest place of all, there was an odd quiet. I could pick out clearly the different sounds. Somebody down at the farm had made a joke and there was a short burst of laughter. I envied the humorist his composure. There was a clatter and jingle from a battery changing position. On the road a tractor was jolting along—I could hear its driver shout and the screech of its unoiled axle.

My eyes were glued to my glasses, but they shook in my hands so that I could scarcely see. I bit my lip to steady myself, but they still wavered. From time to time I glanced at my wrist-watch. Eight minutes gone—ten—seventeen. If only the planes would come into sight! Even the certainty of failure would be better than this harrowing doubt. They should be back by now unless they had swung north across the salient, or unless the miracle of miracles——

Then came the distant yapping of an anti-aircraft gun, caught up the next second by others, while smoke patches studded the distant blue of the sky. The clouds were banking in mid-heaven, but to the west there was a big clear space now woolly with shrapnel bursts. I counted them mechanically—one—three—five—nine—with despair beginning to take the place of my anxiety. My hands were steady now, and through the glasses I saw the enemy.

Five attenuated shapes rode high above the bombardment, now sharp against the blue, now lost in a film of vapour. They were coming back, serenely, contemptuously, having seen all they wanted.

The quiet had gone now and the din was monstrous. Anti-aircraft guns, singly and in groups, were firing from every side. As I watched it seemed a futile waste of ammunition. The enemy didn't give a tinker's curse for it. . . . But surely there was one down. I could only count four now. No, there was the fifth coming out of a cloud. In ten minutes they would be all over the line. I fairly stamped in my vexation. Those guns were no more use than a sick headache. Oh, where in God's name were our own planes?

At that moment they came, streaking down into sight, four fighting-scouts with the sun glinting on their wings and burnishing their metal cowls. I saw clearly the rings of red, white, and blue. Before their downward drive the enemy instantly spread out.

I was watching with bare eyes now, and I wanted companionship, for the time of waiting was over. Automatically I must have run down the knoll, for the next I knew I was staring at the heavens with Archie by my side. The combatants seemed to couple instinctively. Diving, wheeling, climbing, a pair would drop out of the mêlee or disappear behind a cloud. Even at that height I could hear the methodical rat-tat-tat of the machine-guns. Then there was a sudden flare and wisp of smoke. A plane sank, turning and twisting, to earth.

"Hun!" said Archie, who had his glasses on it.

Almost immediately another followed. This time the pilot recovered himself, while still a thousand feet from the ground, and started gliding for the enemy lines. Then he wavered, plunged sickeningly, and fell headlong into the wood behind La Bruyère.

Farther east, almost over the front trenches, a two-seater Albatross and a British pilot were having a desperate tussle. The bombardment had stopped, and from where we stood every movement could be followed. First one, then another, climbed uppermost and dived back, swooped out and wheeled in again, so that the two planes seemed to clear each other only by inches. Then it looked as if they closed and interlocked. I expected to see both go crashing, when suddenly the wings of one seemed to shrivel up, and the machine dropped like a stone.

"Hun," said Archie. "That makes three. Oh, good lads! Good lads!"

Then I saw something which took away my breath. Sloping down in wide circles came a German machine, and, following, a little behind and a little above, a British. It was the first surrender in mid-air I had seen. In my amazement I watched the couple right down to the ground, till the enemy landed in a big meadow across the highroad and our own man in a field nearer the river.

When I looked back into the sky, it was bare. North, south, east, and west, there was not a sign of aircraft, British or German.

A violent trembling took me. Archie was sweeping the heavens with his glasses and muttering to himself. Where was the fifth man? He must have fought his way through, and it was too late.

But was it? From the toe of a great rolling cloudbank a flame shot earthwards, followed by a V-shaped trail of smoke. British or Boche? British or Boche? I didn't wait long for an answer. For, riding over the far end of the cloud, came two of our fighting scouts.

I tried to be cool, and snapped my glasses into their case, though the reaction made me want to shout. Archie turned to me with a nervous smile and a quivering mouth. "I think we have won on the post," he said.

He reached out a hand for mine, his eyes still on the sky, and I was grasping it when it was torn away. He was staring upwards with a white face.

We were looking at the sixth enemy plane. It had been behind the others and much lower, and was making straight at a great speed for the east. The glasses showed me a different type of machine—a big machine with short wings, which looked menacing as a hawk in a covey of grouse. It was under the cloud bank, and above, satisfied, easing down after their fight, and unwitting of this enemy, rode the two British craft.

A neighbouring anti-aircraft gun broke out into a sudden burst, and I thanked Heaven for its inspiration. Curious as to this new development, the two British turned, caught sight of the Boche, and dived for him.

What happened in the next minutes I cannot tell. The three seemed to be mixed up in a dog-fight, so that I could not distinguish friend from foe. My hands no longer trembled; I was too desperate. The patter of machine-guns came down to us, and then one of the three broke clear and began to climb. The others strained to follow, but in a second he had risen beyond their fire, for he had easily the pace of them. Was it the Hun?

Archie's dry lips were talking.

"It's Lensch," he said.

"How d'you know?" I gasped angrily.

"Can't mistake him. Look at the way he slipped out as he banked. That's his patent trick."

In that agonising moment hope died in me. I was perfectly calm now, for the time for anxiety had gone. Farther and farther drifted the British pilots behind, while Lensch in the completeness of his triumph looped more than once as if to cry an insulting farewell. In less than three minutes he would be safe inside his own lines, and he carried the knowledge which for us was death.

. . . .

Someone was bawling in my ear, and pointing upward. It was Archie and his face was wild. I looked and gasped —seized my glasses and looked again.

A second before Lensch had been alone; now there were two machines.

I heard Archie's voice. "My God, it's the Gladas—the little Gladas." His fingers were digging into my arm and his face was against my shoulder. And then his excitement sobered into an awe which choked his speech, as he stammered—"It's old——"

But I did not need him to tell me the name, for I had divined it when I first saw the new plane drop from the clouds. I had that queer sense that comes sometimes to a man that a friend is present when he cannot see him. Somewhere up in the void two heroes were fighting their last battle—and one of them had a crippled leg.

I had never any doubt about the result, though Archie told me later that he went crazy with suspense. Lensch was not aware of his opponent till he was almost upon him, and I wonder if by any freak of instinct he recognised his greatest antagonist. He never fired a shot, nor did Peter. . . . I saw the German twist and side-slip as if to baffle the fate descending upon him. I saw Peter veer over vertically and I knew that the end had come. He was there to make certain of victory and he took the only way. . . . The machines closed, there was a crash which I felt though I could not hear it, and next second both were hurtling down, over and over, to the earth.

They fell in the river just short of the enemy lines, but I did not see them, for my eyes were blinded and I was on my knees.

. . . .

After that it was all a dream. I found myself being embraced by a French General of Division, and saw the cheerful blue-coats, whom I had longed for, beginning to file into the trenches. With them came the rain, and it was under a weeping April sky that in the afternoon I marched what was left of my division away from the battle-field. The enemy guns were starting to speak behind us, but I did not heed them. I knew that now there were warders at the gate, and I believed that by the grace of God that gate was barred for ever.

They took Peter from the wreckage with scarcely a scar except his twisted leg. Death had smoothed out some of the age in him, and left his face much as I remembered it long ago in the Mashonaland hills. In his pocket was his old battered *Pilgrim's Progress.* It lies before me as I write, and beside it—for I was his only legatee—the little case which came to him weeks later, containing the highest honour that can be bestowed upon a soldier of Britain.

It was from the *Pilgrim's Progress* that I read that evening, when in the lee of an apple-orchard Mary and Blenkiron and I stood in the soft spring rain beside his grave. And what I read was the tale of the end not of Mr. Standfast, whom he had singled out for his counterpart, but of Mr. Valiant-for-Truth whom he had not hoped to emulate. I set down the words as a salute and a farewell:

"Then said he, 'I am going to my Father's; and though with great difficulty I am got hither, yet now I do not repent me of all the trouble I have been at to arrive where I am. My sword I give to him that shall succeed me in my pilgrimage, and my courage and skill to him that can get it. My marks and scars I carry with me, to be a witness for me that I have fought His battles who now will be my rewarder.'

"So he passed over, and all the trumpets sounded for him on the other side."

THE END